www.bragelonne.fr

Terry Goodkind

L'Âme du Feu

L'Épée de Vérité - livre cinq

Traduit de l'anglais (États-Unis) par Jean Claude Mallé

Bragelonne

Collection dirigée par Stéphane Marsan et Alain Névant

Titre original : *Soul of the Fire*
Copyright © 1999 by Terry Goodkind
Publié avec l'accord de l'auteur,
c/o BAROR INTERNATIONAL, INC.,
Armonk, New York, U.S.A.

© Bragelonne 2006 pour la présente traduction

1ère édition : février 2006
2e tirage : mars 2006
3e tirage : juillet 2006

Illustration de couverture :
© Keith Parkinson

Carte :
© Terry Goodkind

ISBN : 2-915549-62-1

Bragelonne
35, rue de la Bienfaisance - 75008 Paris - France

E-mail : info@bragelonne.fr
Site Internet : http://www.bragelonne.fr

*Pour James Frankel, un homme talentueux d'une infinie patience,
d'un grand courage et d'une parfaite intégrité.*

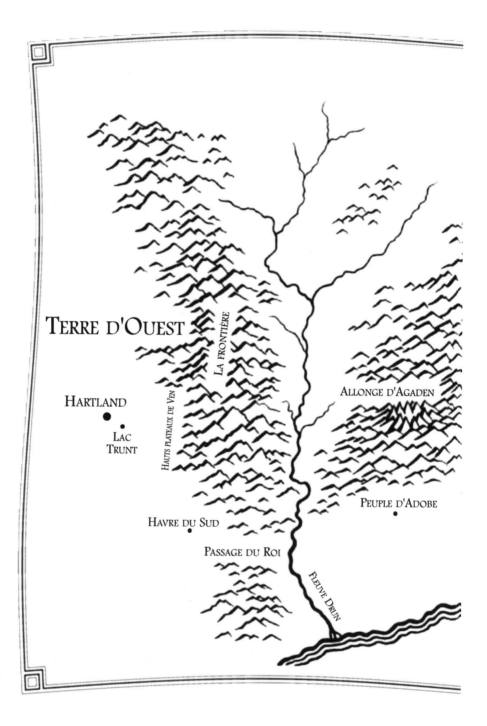

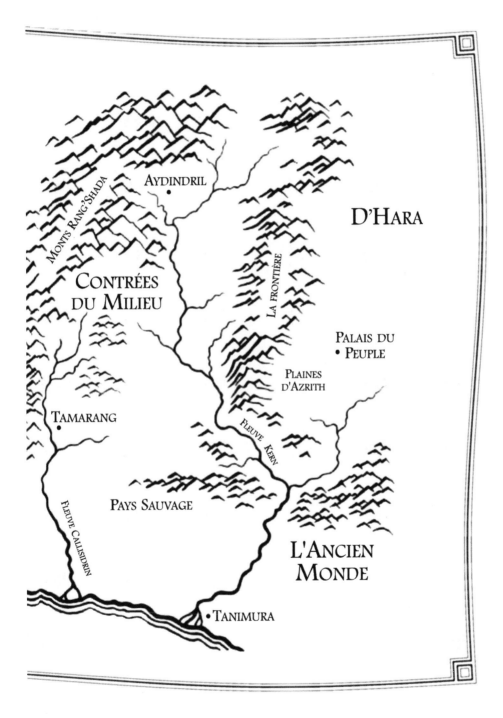

« *Craignez les heures étranges où la lumière et les ténèbres se rencontrent. Méfiez-vous des carrefours où rôdent de terribles créatures qui se tapissent dans les flammes et voyagent sans peine au cœur des étincelles. Restez loin des failles obscures dans la roche, des trous au cœur de la terre, des cavernes et des puits. Redoutez les falaises et les berges des lacs et des rivières, car ces monstres se glissent partout où une frontière sépare les éléments.*

Certains sont d'une beauté glaciale et d'autres adoptent les formes les plus fantaisistes. Souvent, ils désirent être vénérés, mais cela ne suffit jamais à les apaiser. Soyez attentifs à ne pas les provoquer, parce qu'ils sont très dangereux et capables de dévastations au-delà de l'imaginable. Chasseurs inlassables, ces voleurs de magie dépourvus d'âme ignorent la pitié.

N'oubliez jamais mes paroles : prenez garde aux Carillons, et, si l'urgence est extrême, dessinez trois fois une Grâce mortelle sur la terre nue avec du sable, du sel ou du sang. »

Traduction du journal de Kolo

Chapitre premier

— **J**e me demande pourquoi les poulets sont aussi énervés, dit Richard.

Kahlan se serra plus fort contre son épaule.

— Ton grand-père leur casse peut-être autant les pieds qu'à nous, avança-t-elle.

Son compagnon ne répondant pas, elle leva les yeux vers lui, l'étudia à la faible lueur du feu et vit qu'il regardait fixement la porte.

— Ou ils sont peut-être grognons parce que nous les avons empêchés de dormir toute la nuit...

Richard sourit et embrassa le front de la jeune femme. Dehors, les caquètements venaient de cesser. Kahlan supposa que les enfants du village, toujours occupés à fêter dignement le mariage, avaient chassé les volailles de leur perchoir favori, à savoir le muret qui se dressait devant la maison des esprits. Elle fit part au Sourcier de sa déduction.

De lointains échos de conversations, d'éclats de rire et de chansons pénétraient dans leur sanctuaire. Le parfum du bois aromatique qui brûlait en permanence dans la cheminée de la maison sacrée se mêlait à celui de la sueur née de la passion amoureuse et à l'odeur épicée des poivrons et des oignons frits.

Un moment, Kahlan regarda la lueur des flammes se refléter dans les yeux gris de son mari. Puis elle s'abandonna de nouveau entre ses bras, bercée par le son étouffé des tambours et des boldas.

En frottant des palettes de bois le long des arêtes sculptées de ces instruments creux en forme de cloche, les musiciens du Peuple d'Adobe produisaient une mélodie mystérieuse et lancinante. Sur le chemin qui la conduisait vers les plaines, cette musique s'infiltrait dans le refuge des deux jeunes gens, invitant les esprits des ancêtres à se joindre aux festivités.

Richard tendit un bras et prit un morceau de pain de tava sur le plateau que Zedd, son grand-père, leur avait apporté.

— Il est encore chaud, dit-il. Tu en veux ?

— Le seigneur Rahl a faim ou il s'est déjà lassé de sa nouvelle épouse ?

— Nous sommes vraiment mariés ? lança Richard avant d'éclater de rire. Ce n'était pas un rêve ?

Kahlan frissonna de bonheur. Ces derniers temps, elle avait si souvent imploré les esprits du bien de rendre à Richard la capacité de rire. De la leur rendre à tous les deux, à vrai dire…

— C'est un rêve devenu réalité…, souffla-t-elle.

Vexée qu'il lui préfère un morceau de pain, elle l'en détourna en exigeant un baiser… qu'il ne lui refusa pas. Alors qu'il la serrait dans ses bras, elle sentit s'accélérer le souffle du jeune homme.

Rassurée, Kahlan fit remonter ses mains le long des épaules et du cou musclés de Richard et laissa ses doigts fins vagabonder dans ses cheveux emmêlés par la sueur.

Une nuit comme celle-là, dans un passé qui lui semblait très lointain – mais qui ne l'était pas –, près de la cheminée de la maison des esprits, Kahlan avait compris qu'elle était désespérément amoureuse de Richard – et condamnée, avait-elle cru, à garder ses sentiments secrets jusqu'à la fin de sa vie. Au terme de dures batailles et de déchirants sacrifices, le Sourcier et la Mère Inquisitrice avaient été « adoptés » par le Peuple d'Adobe, pourtant connu pour ne pas porter les étrangers dans son cœur. Bien plus tard, toujours dans la maison des esprits, après qu'il eut réussi l'exploit réputé impossible d'aimer une Inquisitrice sans y perdre sa personnalité et son âme, Richard l'avait demandée en mariage. En toute logique, ils avaient choisi de passer leur nuit de noces – si longtemps attendue – dans ce lieu chargé de tant de souvenirs.

Bien que l'amour et lui seul en fût la raison, leur mariage scellait aussi l'alliance officielle des Contrées du Milieu et de D'Hara. Célébrée dans une capitale des Contrées, la cérémonie aurait été aussi somptueuse qu'un couronnement, avec le faste, la splendeur et le luxe que cela impliquait. Bref, toute l'histoire de la vie de l'Inquisitrice, avant sa rencontre avec Richard. Parce qu'ils étaient « candides », aux yeux des gens « civilisés », les Femmes et les Hommes d'Adobe comprenaient les raisons – tellement simples – du mariage des deux jeunes gens, et ils ne doutaient pas un instant de leur sincérité. Aux yeux de Kahlan, une union joyeusement fêtée avec de vrais amis – et même un peu plus que cela : des *parents* – valait cent fois les mascarades protocolaires qu'on lui aurait infligées chez elle.

Pour ces braves gens, qui menaient une vie pénible et périlleuse dans les plaines du Pays Sauvage, une fête comme celle-là était une occasion de se réjouir, de danser, de chanter et de raconter des histoires. Aucun autre étranger n'ayant jamais été adopté par le Peuple d'Adobe – sans parler de deux ! –, ce mariage était sans précédent. Kahlan devinait qu'il aurait un jour sa place parmi les légendes que les danseurs aux visages couverts de boue blanche et noire, splendides dans leurs costumes de fourrure et d'herbe, aimaient à faire revivre en prélude aux conseils des devins.

— Sourcier de Vérité, souffla-t-elle, taquine, quand Richard la laissa respirer, je crois que tu utilises ta magie pour abuser d'une jeune fille innocente…

S'il continuait encore un peu, elle finirait par oublier à quel point les muscles de ses cuisses lui faisaient mal…

— Tu préférerais qu'on sorte voir ce que traficote Zedd ? demanda Richard.

Ayant également besoin de reprendre un peu d'air, il roula sur le dos.

— Seigneur Rahl, dit Kahlan en lui flanquant une petite claque sur les côtes, je crois que ta nouvelle épouse t'ennuie vraiment... D'abord les volailles, puis le tava, et maintenant ton grand-père !

— Je sens l'odeur du sang, souffla soudain Richard, les yeux de nouveau rivés sur la porte.

Kahlan s'assit et s'étira.

— Une proie ramenée par des chasseurs, sans aucun doute... Richard, s'il y avait des problèmes, nous le saurions. As-tu oublié que des amis montent la garde dehors ? Un village entier veille sur notre sécurité ! Personne ne peut tromper la vigilance des chasseurs du Peuple d'Adobe. Au minimum, ils auraient donné l'alarme, et tout le monde serait sur le pied de guerre.

Kahlan se demanda si Richard l'avait entendue. Plus immobile qu'une statue, il fixait la porte, tous les sens aux aguets. Quand la jeune femme lui posa sur l'épaule une main un rien impatiente, il se détendit et se tourna vers elle :

— Tu as raison, s'excusa-t-il. On dirait que j'ai du mal à ne pas être en permanence sur les dents...

Toute sa vie, Kahlan avait évolué dans les hautes sphères du pouvoir et de l'autorité. Dès l'enfance, on lui avait inculqué le sens du devoir et appris à assumer ses responsabilités. Formée à reconnaître le danger, qui rôdait sans cesse autour d'elle, elle n'avait eu aucun mal, malgré son jeune âge, à se glisser dans la peau de la Mère Inquisitrice – la dirigeante suprême des Contrées du Milieu, plus puissante que les rois et les reines.

Après une jeunesse très différente, Richard, amoureux fou de la nature, était devenu guide forestier dans sa Terre d'Ouest natale. Le chaos, les épreuves et le destin l'avaient forcé à endosser des habits qu'on aurait pu croire trop larges pour lui. Devenu le maître de l'empire d'haran, il restait persuadé que la méfiance était sa principale alliée. Et les récents événements ne lui donnaient pas tort...

Il fouilla dans ses vêtements épars, en quête de son épée. Hélas, pour atteindre plus vite le village du Peuple d'Adobe, il avait dû se résigner à ne pas l'emporter.

Kahlan l'avait vu des dizaines de fois chercher, sans même y penser, à s'assurer de la présence de son arme. Tout au long des mois où il avait tellement changé – comme le monde autour de lui – l'Épée de Vérité s'était révélée sa meilleure protectrice. En retour, il se consacrait corps et âme à la défense de cette lame hors du commun et de ce qu'elle représentait.

Pourtant, l'épée n'avait qu'une valeur symbolique. En réalité, la main qui la maniait détenait le véritable pouvoir. Bref, le Sourcier *était* l'arme, et sa lame, comme la robe blanche de la Mère Inquisitrice, servait surtout à signaler au monde qu'on l'avait chargé d'une extraordinaire mission.

Kahlan se pencha et embrassa Richard, qui l'enlaça de nouveau. Tentatrice, elle se laissa tomber sur le dos, l'entraînant avec elle.

— Alors, ça fait quoi d'être l'époux de la Mère Inquisitrice ?

Se dégageant, Richard s'allongea à côté d'elle et se redressa sur un coude.

— C'est merveilleux ! Une expérience fabuleuse, stimulante... et épuisante. Et avoir le seigneur Rahl pour époux, qu'est-ce que ça fait ?

— Ça colle, parce qu'il est poisseux de sueur..., répondit Kahlan avec un rire de gorge.

Richard sourit, fourra un morceau de tava dans la bouche de sa malicieuse épouse, s'assit et tira entre eux le plateau lesté de nourriture. Le pain de tava – une racine – était l'aliment de base du Peuple d'Adobe. Accompagnant presque tous les plats, il pouvait se consommer seul, être fourré de viande ou de légumes ou servir de cuiller pour la dégustation des bouillies et des ragoûts. Séché, il assurait la subsistance des chasseurs, souvent absents du village pendant des semaines.

Kahlan s'étira de nouveau et bâilla. Ravie que son bien-aimé ne se soucie plus de ce qui se passait dehors, elle lui posa un petit baiser sur la joue.

Sous une couche de tranches de tava, Richard trouva des oignons et des poivrons frits, des champignons aussi larges que la main de Kahlan, des navets, un assortiment de légumes verts et plusieurs petits gâteaux de riz. Il goûta un navet, le trouva délicieux, puis fourra un morceau de tava de légumes, en fit un rouleau et le tendit à sa compagne.

— J'aimerais rester ici à jamais, souffla-t-il, pensif.

Kahlan tira la couverture sur ses genoux. La dernière phrase de Richard résumait parfaitement la situation. Dehors, le monde les attendait, et il ne leur réservait rien de bon.

— Eh bien, dit-elle en battant des cils, Zedd est venu nous dire que les anciens veulent récupérer la maison des esprits... Est-ce une raison pour déguerpir avant d'en avoir terminé avec nos... hum... leçons de magie ?

— Zedd se fiche des exigences des anciens, répondit Richard avec un petit sourire. Il veut me voir, voilà tout. Cela dit, je suis très heureux d'avoir pour épouse une élève appliquée... et studieuse.

Kahlan mordilla le rouleau de tava, les yeux levés vers son compagnon, occupé à casser en deux un petit gâteau de riz. En pensée, comprit-elle, il était déjà ailleurs...

— Vous avez été séparés pendant des mois, rappela-t-elle. (Du bout d'un doigt, elle essuya le jus de légumes qui coulait sur son menton.) Il a hâte de savoir ce que tu as fait, et de découvrir ce que tu as appris. Il t'aime, Richard, et il a des choses à t'apprendre. D'urgence, je crois...

— Ce vieil enquiquineur me donne des leçons depuis que je suis sorti du ventre de ma mère ! Mais je l'aime aussi, tu sais...

Richard fourra un autre morceau de tava de légumes frits et bouillis et entreprit de le dévorer. En grignotant le sien, Kahlan écouta le crépitement des flammes et les lointains échos de la musique.

Quand il eut fini, le Sourcier tira un pruneau de sous le tas de tranches de tava.

— Je le connais depuis toujours, et je ne me suis jamais douté qu'il était bien plus que mon meilleur ami. Mon grand-père, rien que ça ! Et un homme très supérieur aux autres...

Il mordit la moitié du pruneau et tendit l'autre à Kahlan.

— Il te protégeait, Richard... Savoir qu'il était ton ami te suffisait.

La jeune femme accepta le fruit et le savoura en admirant le superbe profil de son mari. Puis, du bout des doigts, elle le força à tourner la tête pour la regarder.

— Je sais ce qui t'inquiète, Richard. Mais Zedd est de nouveau avec nous. Ses conseils nous réconforteront au moins autant qu'ils nous aideront…

— Tu as raison… Qui éclairerait mieux notre chemin que ce bon vieux Zedd ? (Richard tira ses vêtements vers lui.) Il doit bouillir d'impatience, en attendant mon rapport…

Alors que le Sourcier enfilait son pantalon noir, Kahlan mordilla un gâteau de riz, le garda entre ses lèvres pendant qu'elle sortait quelques objets de son sac, puis l'en retira et cessa de s'affairer.

— Nous avons été séparés de Zedd pendant des mois, et je l'ai même vu plus souvent que toi. Anna et lui voudront tout savoir, et il faudra leur répéter vingt fois notre histoire pour qu'ils nous laissent tranquilles. Mais avant, j'aimerais prendre un bain. Il y a des sources chaudes, pas très loin d'ici…

Richard cessa soudain de boutonner sa chemise.

— Hier, avant la cérémonie, Anna et Zedd étaient dans tous leurs états. Tu as compris pourquoi ?

— Hier soir ? (Kahlan sortit un chemisier de son sac et le déplia.) C'était au sujet des Carillons, je crois… Quand j'ai dit les avoir prononcés à voix haute et à plusieurs reprises… Mais Zedd a affirmé qu'Anna et lui s'occuperaient du problème, quel qu'il puisse être.

L'Inquisitrice détestait repenser à ces événements, dont le souvenir suffisait à la faire frissonner. Les entrailles nouées, elle songea à ce qui serait arrivé si elle avait hésité à dire ces trois mots. Quelques secondes de plus, et le Sourcier n'aurait plus été de ce monde. Des instants qu'elle préférait bannir de sa mémoire.

— C'est bien ce que j'avais cru comprendre, fit Richard avec un clin d'œil malicieux. Mais j'étais trop occupé à t'admirer dans ta jolie robe bleue pour me préoccuper de questions aussi secondaires. Les trois Carillons ne sont sûrement pas susceptibles de donner du fil à retordre à Zedd. C'est le genre de domaine où il excelle.

— Alors, ce bain ?

— Pardon ?

Kahlan vit que Richard fixait de nouveau la porte.

— Un bain ! Pouvons-nous aller nous laver dans les sources chaudes avant de passer des heures à raconter notre histoire à Zedd et à Anna ?

Richard enfila sa tunique noire dont les broderies d'or, autour du cou et des manches, reflétèrent la lueur des flammes.

— Tu me laveras le dos ? demanda-t-il avec un regard en coin.

Kahlan regarda Richard boucler la large ceinture de cuir où étaient accrochées, à droite et à gauche, deux sacoches qui contenaient, entre autres choses, deux bourses ornées de fil d'or et remplies de substances dotées d'un terrifiant pouvoir.

— Seigneur Rahl, je laverai tout ce que tu voudras…

Richard sourit en enfilant ses serre-poignets d'argent rembourrés de cuir et gravés d'antiques symboles.

— On dirait que ma nouvelle épouse peut transformer de banales ablutions en un événement inoubliable…

Kahlan passa son manteau et glissa sous le col sa longue chevelure emmêlée.

— Allons prévenir Zedd que nous le verrons plus tard, et attends-toi à un bain que tu n'oublieras pas de sitôt !

Du bout d'un index, la jeune femme taquina les côtes de son compagnon, qui gloussa bêtement puis lui saisit le poignet pour qu'elle arrête.

— Si tu veux vraiment te laver, il vaudrait mieux éviter Zedd… Tu le connais : il posera une question, puis une autre, et encore une autre… (Richard mit sa cape couleur or et noua le lacet autour de sa gorge.) La journée sera finie avant qu'on s'en aperçoive, et il continuera de nous interroger jusqu'à l'aube suivante. Où sont tes sources d'eau chaude ?

— Vers le sud, à une heure de marche, peut-être un peu plus. (Kahlan mit dans une sacoche quelques morceaux de pain de tava, une brosse, un morceau de savon parfumé aux herbes et quelques autres petits objets.) Si Zedd bout d'impatience de nous voir, je crains que nous défiler comme ça le mette dans une colère noire.

— Tu veux ton bain, ou non ? Si c'est oui, nous nous excuserons de lui avoir faussé compagnie… en revenant ! De toute façon, ce n'est pas loin, et il n'aura pas le temps de trop se languir.

— Richard, dit Kahlan, soudain sérieuse, je sais que tu as très envie de lui parler. Si tu ne veux pas attendre, remettons le bain à plus tard. Je ne t'en voudrais pas… Pour être franche, j'avais surtout envie d'être seule avec toi un peu plus longtemps.

— Nous le verrons dans quelques heures, et patienter ne le tuera pas. Moi aussi, j'aimerais être encore un peu seul avec toi.

Alors qu'il ouvrait la porte, Richard tendit de nouveau la main pour tapoter la garde de son épée. Bien entendu, il ne la trouva pas, et cela sembla le perturber. Au soleil, sa cape brillait tellement que Kahlan dut plisser les yeux pour ne pas être éblouie. Dès qu'elle fut sortie, de délicieuses odeurs de nourriture lui caressèrent les narines. Tôt le matin, les villageoises s'affairaient déjà autour des feux de cuisson…

Richard sonda rapidement le ciel, puis se livra à un examen plus attentif des étroits passages qui serpentaient entre les bâtiments, devant eux.

Dans cette partie du village, on ne trouvait que des édifices publics, dont la maison des esprits. Certains servaient de sanctuaires aux anciens, d'autres abritaient les rituels des chasseurs, avant leur départ pour de longues expéditions. Et aucun homme ne s'était jamais aventuré à franchir le seuil de la maison réservée aux femmes…

Dans une de ces bâtisses, on préparait les morts à leur séjour sous terre, car le Peuple d'Adobe inhumait ses défunts.

Si loin des forêts, où le bois abondait, en gaspiller pour des bûchers funéraires eût été absurde. Par souci d'économie, les feux de cuisson, allumés avec des bûchettes, étaient alimentés avec de la bouse séchée ou des fagots très serrés d'herbe également séchée. Les joyeuses flambées, comme celles de la nuit précédente, pour le mariage, restaient réservées aux grandes occasions.

Avec ses bâtiments inhabités, cette partie du village avait quelque chose de surréaliste et d'un peu inquiétant. Ce matin, le son des tambours et des boldas accentuait encore cette impression. Et les échos de voix charriés par la brise semblaient être les rires de fantômes trop distraits pour retourner sous terre après le lever du soleil. À la lumière du jour, sous un ciel dégagé, les ombres, entre les bâtiments, paraissaient plus impénétrables que jamais.

Sans cesser de les sonder, Richard fit signe à Kahlan de jeter un coup d'œil derrière le muret, où le cadavre ensanglanté d'un poulet gisait sur un lit de plumes déchiquetées.

Chapitre 2

L'hypothèse de Kahlan était fausse. Les enfants n'avaient rien fait aux volailles.

— Un faucon ? demanda-t-elle.

Richard sonda de nouveau le ciel.

— C'est possible... Peut-être une belette, ou un renard. En tout cas, le prédateur a dû filer avant de dévorer sa prise. Quelqu'un l'aura effrayé...

— Eh bien, ça devrait te rassurer. Il s'agissait seulement d'un carnivore affamé.

Sanglée dans son uniforme rouge, Cara approchait déjà des deux jeunes gens, qu'elle avait immédiatement repérés. Son Agiel – une tige de cuir rouge d'un pied de long apparemment inoffensive – pendait à son poignet au bout d'une chaînette. En cas de danger, il lui suffisait de lever la main pour que cette arme terrifiante vienne se loger dans sa paume en un éclair.

Kahlan lut du soulagement dans les yeux bleus de la Mord-Sith. Sans doute parce qu'elle se félicitait que ses protégés n'aient pas été enlevés par des forces invisibles dès leur sortie de la maison des esprits...

S'il n'avait tenu qu'à elle, la Mord-Sith blonde n'aurait pas quitté d'un pouce le seigneur Rahl et la Mère Inquisitrice. Dans des circonstances aussi exceptionnelles, elle avait consenti à leur laisser un peu d'intimité – et à faire tout son possible pour que personne ne vienne les déranger. Sachant à quel point Cara prenait sa mission de protectrice au sérieux, Kahlan appréciait à sa juste valeur qu'elle leur ait offert un moment de solitude, loin des fâcheux de tout poil.

Loin des fâcheux...

L'Inquisitrice regarda le Sourcier. Voilà pourquoi il s'était inquiété ! Il savait que les enfants ne pouvaient pas être coupables, parce que Cara ne les aurait jamais laissés approcher autant de la maison des esprits, dont la porte n'avait pas de serrure.

— Tu as vu qui a tué le poulet ? demanda Richard avant que la Mord-Sith ait eu le temps de dire un mot.

— Non, seigneur. Quand j'ai accouru, alertée par le bruit, j'ai dû effrayer le prédateur.

D'un coup de tête, Cara renvoya sa tresse blonde dans son dos. Toutes les Mord-Sith portaient leurs cheveux ainsi. En plus de leur uniforme, cela permettait de les reconnaître au premier coup d'œil – et de passer son chemin, si on avait été assez fou pour traîner dans leurs pattes...

— Zedd a-t-il tenté de revenir nous voir ?

— Non, seigneur... Après vous avoir apporté de la nourriture, il a dit qu'il aimerait vous parler, dès que vous seriez... hum... prêts.

— Eh bien, souffla Richard sans cesser de scruter les ombres, nous ne sommes *pas* prêts. Avant de le voir, nous prendrons un bain. Il y a des sources chaudes, pas très loin d'ici...

— Quelle charmante idée ! rayonna Cara. Je me ferai un plaisir de vous laver le dos.

Richard se pencha pour foudroyer la Mord-Sith du regard :

— Pas question ! Tu te contenteras de le surveiller, compris ?

— Vous voulez que je me rince l'œil, seigneur ? C'est très aimable à vous.

Le Sourcier devint plus rouge que l'uniforme de sa garde du corps.

Kahlan sourit sous cape. La Mord-Sith adorait faire tourner Richard en bourrique. Ses collègues et elle étaient les protectrices les plus irrévérencieuses que l'Inquisitrice eût jamais connues. Les plus efficaces, aussi...

Toutes ces femmes, membres d'une antique secte dévouée à la défense du seigneur Rahl de D'Hara, affichaient une confiance qui faisait bien plus que « friser » l'arrogance. Dès l'adolescence, leur entraînement était d'une incroyable sauvagerie. Ce conditionnement impitoyable faisait d'elles des tueuses qui ignoraient jusqu'à la notion de « remords ».

Jusqu'à très récemment, l'Inquisitrice ignorait presque tout de D'Hara, un mystérieux pays situé à l'est des Contrées du Milieu. Né en Terre d'Ouest, soit beaucoup plus loin de D'Hara, Richard en savait encore moins long qu'elle. Quand Darken Rahl avait lancé ses troupes à l'assaut des Contrées, le Sourcier s'était trouvé mêlé au conflit. Après avoir tué l'ignoble maître de D'Hara, il était parvenu à mettre un terme à la guerre.

Ignorant que Darken Rahl était son père – parce qu'il avait violé sa mère –, le futur Sourcier avait grandi en pensant que George Cypher, le brave homme qui l'avait élevé, était l'auteur de ses jours. Pendant des années, Zedd avait gardé le secret pour protéger sa fille et son petit-fils. Mais après avoir vaincu Darken Rahl, Richard avait enfin tout découvert sur sa filiation.

À présent, il ne savait toujours pas grand-chose de l'empire dont il avait hérité. Et il n'aurait sûrement pas accepté de prendre le pouvoir sans la menace imminente d'une guerre. Car si personne ne l'arrêtait, l'Ordre Impérial réduirait le monde entier en esclavage...

Devenu le nouveau maître de D'Hara, le Sourcier avait immédiatement rendu leur liberté aux Mord-Sith. Aussitôt, elles avaient décidé, qu'il le veuille ou non, de devenir ses fidèles gardes du corps. Autour du cou, attachés à une lanière de cuir, Richard portait les Agiels des deux femmes – à ce jour – qui avaient sacrifié leur vie pour défendre la sienne.

Les Mord-Sith vénéraient le nouveau seigneur Rahl. Pourtant, avec lui, elles se permettaient l'impensable : plaisanter à ses dépens. Ravies de le taquiner, elles rataient rarement une occasion de le mettre en boîte.

Pour ce « crime », Darken Rahl les aurait fait torturer à mort. Selon Kahlan, leur irrévérence était une façon de rappeler à Richard qu'il les avait affranchies et qu'elles le servaient parce qu'elles le voulaient bien. Privées de jeunesse par les monstres qui les avaient brisées, avaient-elles développé un curieux sens de l'humour que plus rien, aujourd'hui, ne les empêchait de manifester ? Si l'Inquisitrice ignorait la réponse, elle aurait volontiers parié sur cette hypothèse.

Quand il s'agissait de protéger Richard – et Kahlan, depuis qu'il le leur avait ordonné –, ces femmes bravaient la mort avec une telle insouciance qu'on aurait pu croire qu'elles la recherchaient. Mourir dans leur lit, vieilles et édentées, proclamaient-elles, était la seule éventualité qui les effrayât vraiment. Bien entendu, le Sourcier voyait les choses autrement, et il entendait les protéger au moins autant qu'elles le protégeaient.

Plein de compassion pour les Mord-Sith, victimes depuis des siècles de la cruauté de ses ancêtres, il parvenait très rarement à les réprimander. La plupart du temps, il ne se formalisait pas de leurs facéties et encaissait stoïquement leurs piques. Bien entendu, son indulgence les encourageait à aller toujours plus loin dans l'insolence.

Qu'il se soit empourpré à l'idée que Cara joue les voyeuses pendant qu'il prendrait un bain témoignait de son excellente éducation… et lui promettait un bel avenir de victime entre les mains de ses malicieuses protectrices.

Dominant son exaspération, il roula de grands yeux menaçants.

— Puisque c'est ainsi, tu ne verras rien, parce que tu attendras ici !

Kahlan ne douta pas un instant de la suite. Comme elle le prévoyait, Cara éclata de rire et leur emboîta le pas. L'insubordination ne lui posait pas l'ombre d'un problème dès qu'un ordre de Richard lui semblait dangereux pour sa sécurité. À l'instar de ses collègues, elle obéissait quand les directives du Sourcier paraissaient importantes – à condition de ne pas l'exposer plus que de raison.

Quelques pas plus loin, le seigneur Rahl et les deux femmes furent rejoints par une demi-douzaine de chasseurs qui surgirent de l'ombre comme des fantômes. Musclé et très bien proportionné, le plus grand du lot restait plus petit que Kahlan, et Richard les dominait tous de deux bonnes têtes. La poitrine et les jambes enduites de boue, pour mieux passer inaperçus, tous étaient armés d'un arc, d'un long couteau et d'une ou plusieurs lances.

Dans leurs carquois, Kahlan reconnut des flèches « dix-pas ». Il s'agissait donc d'hommes de Chandalen, les seuls, chez le Peuple d'Adobe, qui fussent en permanence équipés de projectiles trempés dans du poison. Plus que de simples chasseurs, ces guerriers d'élite étaient les protecteurs des villageois.

Ils sourirent quand l'Inquisitrice les gifla les uns après les autres – le salut traditionnel, dans leur culture, quand on entendait manifester son respect à quelqu'un.

Kahlan les remercia d'avoir monté la garde si longtemps, puis elle traduisit ses propos à Cara et Richard.

— Tu savais qu'ils s'étaient postés dans les allées pour veiller sur nous ? demanda-t-elle au Sourcier quand ils se furent remis en route.

— J'en avais repéré quatre, souffla Richard. À ma courte honte, les deux autres m'avaient échappé.

Comment les aurait-il vus, pensa Kahlan, *puisqu'ils venaient de derrière la maison des esprits ?*

La jeune femme frissonna. Elle n'avait pas remarqué un seul de leurs anges gardiens. Les chasseurs parvenaient à se rendre invisibles partout, et c'était encore plus impressionnant dans les plaines !

Tant de gens se donnaient du mal pour assurer leur sécurité... Un jour, il faudrait qu'elle prenne le temps de les remercier.

Cara leur ayant dit que Zedd et Anna étaient quelque part dans le secteur sud-est du village, ils prirent garde à sortir par le côté ouest avant de se diriger plein sud. Sachant qu'ils auraient du mal à passer inaperçus avec leur escorte, ils évitèrent les zones dégagées, où les villageois se rassemblaient déjà, et slalomèrent dans un labyrinthe d'étroites ruelles.

Les rares personnes qu'ils croisèrent les saluèrent, leur tapotèrent le dos ou leur flanquèrent de grandes gifles affectueuses.

Occupés à courir derrière de petites balles de cuir, à se poursuivre ou à traquer des ennemis imaginaires, les enfants grouillaient sans cesse dans les jambes des adultes. Très souvent, de pauvres volailles affolées – promues au rang de proies dans la fièvre du jeu – détalaient en caquetant sur le passage des chasseurs en herbe.

Emmitouflée dans son manteau, Kahlan se demanda comment ces gosses pouvaient courir ainsi dans l'air mordant de la matinée. La plupart étaient torse nu et les plus petits ne portaient pas l'ombre d'un vêtement...

Chez les Hommes d'Adobe, les enfants – même si on veillait sur eux – étaient libres d'aller et venir, et on leur demandait rarement des comptes sur leur comportement. Plus tard, leur formation serait intense, dure et stricte. Alors, on ne leur passerait plus rien...

Libres de vivre leur enfance comme ils l'entendaient, les gamins traînaient partout, et on pouvait compter sur eux pour accourir dès que quelque chose d'inhabituel se produisait. Comme tous les gosses du monde, ils s'émerveillaient d'à peu près tout, et les volailles semblaient les fasciner plus encore que le reste.

Alors que la petite colonne traversait la lisière sud du village, son passage n'échappa pas à l'œil de lynx de Chandalen, le chef des féroces chasseurs. Vêtu de sa plus belle tenue en peau de daim, les cheveux enduits de boue, selon la coutume en vigueur parmi les siens, le guerrier portait sur les épaules la peau de coyote qui témoignait de son nouveau statut. Car il était désormais un des six anciens – un titre honorifique sans rapport avec l'âge – qui présidaient à la destinée du village.

Après un chaleureux échange de gifles, il flanqua une formidable claque sur l'épaule de Richard.

— Comment va mon meilleur ami ? lança-t-il joyeusement. Si tu ne l'avais pas épousée, la Mère Inquisitrice m'aurait sûrement voulu, et je ne pourrai jamais te remercier assez !

Avant que Kahlan traverse la frontière pour aller chercher de l'aide en Terre d'Ouest – et y rencontrer Richard – Darken Rahl avait fait assassiner toutes les autres Inquisitrices. Ultime survivante de cet ordre très ancien, la jeune femme se devait de prendre un époux et d'avoir un enfant. Mais jusqu'à ce que Richard et elle aient trouvé un moyen d'échapper à cette malédiction, aucune Inquisitrice ne s'était jamais mariée par amour. Car son simple contact, au plus fort de la passion, aurait suffi à détruire l'esprit de son bien-aimé.

Pendant des siècles, les femmes comme Kahlan avaient choisi leurs compagnons pour la santé et la force qu'ils pouvaient transmettre à leurs filles. Ensuite, elles les touchaient avec leur pouvoir, les transformant en marionnettes éperdues d'amour. Chandalen n'avait pas voulu offenser la Mère Inquisitrice, mais simplement manifester sa satisfaction d'avoir échappé à ce triste sort.

Dans un éclat de rire, Richard assura qu'il était ravi d'avoir rendu service à un ami… et d'avoir épousé une femme extraordinaire. Puis il jeta un coup d'œil aux six chasseurs et reprit très vite son sérieux.

— Tes hommes ont vu qui a tué le poulet, devant la maison des esprits ?

Seul parmi son peuple à parler la langue du Sourcier et de la Mère Inquisitrice, Chandalen traduisit la question et écouta attentivement les réponses de ses chasseurs. Depuis qu'ils avaient pris leur tour de garde – le troisième et dernier de la nuit – rien de notable ne s'était produit.

Un des plus jeunes hommes, nommé Juni, raconta quand même qu'il avait armé son arc, cherchant à repérer et à tuer l'animal qui venait de massacrer un poulet. L'insultant pour qu'il se montre, au point même de cracher sur son honneur, il n'avait obtenu aucun résultat.

Richard écouta avec intérêt la traduction de Chandalen, qui laissa de côté les plates excuses de Juni. Pour un chasseur, surtout quand il servait sous ses ordres, ne pas voir un intrus, même à quatre pattes, était une faute impardonnable. Et le pauvre Juni, devina l'Inquisitrice, n'avait pas fini d'entendre parler de cette histoire.

Alors qu'ils repartaient, Richard et Kahlan aperçurent l'Homme Oiseau, assis sur une des étranges plates-formes qui servaient entre autres choses de lieu de réunion aux Hommes d'Adobe. Chef des six anciens, et par conséquent de son peuple, ce sage parmi les sages avait présidé au mariage des deux jeunes gens.

Aux yeux de Kahlan, partir pour les sources chaudes sans le saluer et le remercier aurait été de la dernière impolitesse. Partageant sans doute cet avis, Richard guida ses compagnons jusqu'à la structure au toit d'herbe séchée où siégeait l'Homme Oiseau.

Non loin de là, des enfants jouaient bruyamment. Plusieurs femmes en robes bleues, rouges et marron croisèrent la petite colonne sans cesser de bavarder comme des pies. Près des gamins, deux chèvres brunes cherchaient dans la poussière les miettes de nourriture que les humains auraient pu avoir laissées tomber. Même quand elles parvenaient à échapper au harcèlement des enfants, les pauvres bêtes ne semblaient pas parties pour faire un festin. Entre leurs pattes, des volailles picoraient ou s'égaillaient avec force caquètements.

Dans la clairière, les feux de joie agonisaient. Des villageois se massaient encore autour, fascinés par la chaleur et la lueur des braises. Pour eux, ces généreuses flambées étaient une extravagance réservée aux fêtes hors du commun et aux conseils des devins, où il convenait d'accueillir dignement les esprits des ancêtres. Certains de ces Hommes et de ces Femmes d'Adobe avaient dû passer la nuit à contempler les feux. Pour les enfants, ces flammes avaient été une inépuisable source d'émerveillement.

Tous les villageois portaient leurs plus beaux atours, et ils les garderaient jusqu'au coucher du soleil, qui mettrait un terme aux festivités. La veille, en riant aux éclats, des jeunes femmes avaient bombardé Kahlan de questions coquines. Les jeunes hommes, eux, s'étaient contentés de coller aux basques de Richard, ravis de lui sourire et de côtoyer un personnage aussi important.

L'Homme Oiseau portait la tunique et le pantalon en peau de daim dont il semblait ne jamais se séparer. Sa crinière grise cascadant sur ses épaules, il avait autour du cou le fidèle sifflet en os qui lui permettait d'appeler toutes sortes d'oiseaux, selon les sons qu'il modulait. Après une tentative des plus infructueuses, Richard était toujours stupéfait, et admiratif, de voir les volatiles les plus farouches venir se poser docilement sur le bras tendu du vieux sage.

L'Homme Oiseau se fiait aux signes que lui communiquaient ses amis ailés. Selon Kahlan, il les appelait pour savoir ce qu'ils avaient à lui « dire » ou à lui montrer. Cela posé, il savait aussi déchiffrer les signaux émis par les êtres humains. Au point que l'Inquisitrice se demandait parfois s'il ne lisait pas dans les esprits.

Dans les mégalopoles des Contrées, on tenait les habitants du Pays Sauvage pour des barbares adorateurs de faux dieux et totalement ignorants. La jeune femme, bien au contraire, admirait la sagesse pleine de simplicité de ces populations, parfaitement capables d'interpréter les signaux subtils venus de la nature et de toutes les créatures vivantes. Plus d'une fois, elle avait vu des Hommes d'Adobe prédire le temps du lendemain en observant la façon dont le vent faisait onduler les herbes.

Deux anciens, Hajanlet et Arbrin, étaient assis au fond de la plate-forme. Les paupières mi-closes, ils regardaient vaguement leur peuple aller et venir dans le village. Arbrin avait posé une main protectrice sur l'épaule du petit garçon roulé en boule à côté de lui, qui suçait encore son pouce en dormant.

Des chopes et des assiettes, presque toutes vides, gisaient un peu partout sur le sol de la plate-forme. Même si certaines boissons étaient corsées, les Hommes et les Femmes d'Adobe savaient s'arrêter avant qu'une fête dégénère en beuverie.

— *Bonjour, honorable ancien*, dit Kahlan dans la langue de l'Homme Oiseau.

— *Bonjour à toi, mon enfant, et fassent les esprits que le soleil, ce matin, se soit levé pour saluer ton bonheur...*

L'Homme d'Adobe sourit et tourna de nouveau la tête vers le groupe de villageois qu'il observait. Du coin de l'œil, Kahlan vit Chandalen lorgner les chopes vides, puis adresser à ses hommes un sourire crispé.

— *Honorable ancien*, dit-elle, *Richard et moi voulons vous remercier pour ce merveilleux mariage. Si vous n'avez pas besoin de nous, nous ferions volontiers un tour jusqu'aux sources d'eau chaude.*

— *Allez-y, mais ne traînez pas trop, sinon la pluie chassera la chaleur que vous auront apportée les sources...*

Kahlan regarda le ciel, où on ne voyait pas un nuage. Puis elle consulta du regard Chandalen, qui confirma d'un hochement de tête la prédiction de l'Homme Oiseau.

— Si nous restons trop longtemps près des sources, traduisit l'Inquisitrice pour Richard, il pleuvra avant notre retour.

Perplexe, le Sourcier regarda à son tour le ciel.

— Eh bien, dit-il, écoutons son avis, et ne nous attardons pas là-bas.

— *Nous ferions bien de partir au plus vite*, dit Kahlan à l'Homme Oiseau.

D'un index, le chef des anciens fit signe à l'Inquisitrice d'approcher. Quand elle se pencha en avant, elle vit qu'il observait attentivement les volailles qui grattaient le sol du bout du bec, non loin de là. Alors qu'elle l'écoutait respirer lentement, elle crut qu'il avait oublié ce qu'il voulait lui dire.

Mais il désigna les volailles et lui murmura une phrase à l'oreille.

Kahlan se redressa et regarda également les poules et les poulets.

— Alors, demanda Richard, que t'a-t-il dit ?

D'abord, la jeune femme douta d'avoir bien entendu. Voyant le front plissé de Chandalen et de ses chasseurs, elle comprit qu'elle ne s'était pas trompée.

Devait-elle traduire une chose pareille ? S'il avait un peu trop forcé sur les boissons rituelles, l'Homme Oiseau risquait d'être très embarrassé quand il aurait repris ses esprits.

Richard attendait toujours, sa patience mise à rude épreuve.

Kahlan regarda de nouveau l'Homme Oiseau, qui fixait toujours les volailles en inclinant la tête au rythme de la musique des boldas et des tambours.

Elle s'approcha de Richard et souffla :

— Il dit que celui-là, fit-elle en désignant une volaille, n'est pas un poulet…

Chapitre 3

K ahlan donna de petits coups de talons dans les cailloux qui tapissaient le fond du bassin et glissa lentement jusqu'à ce qu'elle soit dans les bras de Richard. Allongés sur le dos dans une eau peu profonde, ils étaient immergés jusqu'au cou. Pour la première fois de sa vie, la jeune femme voyait l'élément liquide sous un nouveau jour, extrêmement excitant…

Ils avaient trouvé l'endroit parfait dans le réseau de cours d'eau qui traversaient la plaine en serpentant autour de gros rochers. Les ruisseaux qui coulaient un peu plus loin au nord rafraîchissaient l'eau des sources chaudes, dont la température, sans cela, aurait été insupportable. On trouvait peu de bassins aussi profonds dans le coin, et ils en avaient testé plusieurs avant de découvrir celui qui leur conviendrait.

De hautes herbes entouraient leurs thermes improvisés, leur offrant toute l'intimité souhaitable pour profiter de leur bain sous la douce chaleur du soleil. Confirmant la prédiction de l'Homme Oiseau, des nuages se profilaient à l'horizon, et une brise pas si chaude que ça faisait onduler de plus en plus violemment la végétation.

Dans les plaines, les conditions climatiques pouvaient changer très vite. Le temps radieux de la veille tournait au maussade, mais cela ne durerait pas, car le printemps ne se laisserait pas chasser aussi facilement. Toujours aussi facétieux, l'hiver leur envoyait un glacial baiser d'au revoir, et l'eau de leur tiède sanctuaire frissonnait sous ses ultimes caresses gelées.

Au-dessus d'eux, un faucon en quête d'un repas décrivait de grands cercles dans le ciel. Kahlan en eut le cœur serré. Alors que Richard et elle savouraient leur bonheur, des serres impitoyables mettraient bientôt un terme à une vie. Ces derniers temps, elle avait appris ce qu'on ressentait quand on était pris pour cible par des carnassiers – une bonne raison pour se sentir solidaire de toutes les proies de la Création.

Invisibles comme à leur habitude, les six chasseurs montaient la garde à une distance raisonnable du bassin. Cara devait patrouiller dans le périmètre, histoire de s'assurer que les Hommes d'Adobe faisaient bien leur travail. Même s'ils ne se comprenaient pas, la Mord-Sith et les hommes de Chandalen s'entendaient à merveille, car ils étaient tous des protecteurs. Aux yeux de Cara, ce travail était un sacerdoce, et elle aimait savoir que les chasseurs partageaient sa vision des choses.

— Même si nous ne l'avons pas fêté longtemps, dit Kahlan en aspergeant d'eau les bras de Richard, je n'aurais pas pu rêver d'un plus beau mariage. Et je suis si contente de te faire découvrir cet endroit charmant…

— Je n'oublierai rien de tout ça, souffla Richard en posant un baiser sur la nuque de sa compagne. La cérémonie, la maison des esprits, ces sources…

— Je compte bien que tu te souviennes de tout, seigneur Rahl. Sinon, tu auras intérêt à numéroter tes abattis !

— J'ai toujours rêvé de te montrer mon pays natal. Et j'espère pouvoir le faire un jour…

Le Sourcier retomba dans son mutisme. Il ne boudait pas, comprit Kahlan, mais réfléchissait à des sujets qui ne devaient pas l'enchanter. Aussi fort qu'ils en aient envie, à certains moments, ils ne pouvaient pas oublier leurs responsabilités. Partout, des armées attendaient des ordres, et en Aydindril, une horde de diplomates réclamaient à cor et à cri une audience avec la Mère Inquisitrice ou le seigneur Rahl.

Tous ne se rallieraient pas à la cause de la liberté, car la tyrannie exerçait sur certaines personnes une étrange attirance.

L'empereur Jagang et son Ordre Impérial ne feraient qu'une bouchée de ces imbéciles !

— Oui, un jour, Richard…, murmura Kahlan en caressant la pierre noire du splendide collier en or qu'elle portait autour du cou.

Un cadeau de Shota, qui s'était invitée au mariage, la veille. Selon la voyante, le bijou empêcherait les jeunes mariés de concevoir un enfant. Shota avait un don pour voir l'avenir, même si les événements tournaient rarement comme elle le prévoyait. Depuis qu'ils la connaissaient, elle affirmait que le fruit de l'union du Sourcier et de la Mère Inquisitrice serait un fléau pour le monde. Et s'il s'agissait d'un garçon, elle avait juré de le tuer de ses mains.

Au cours de leur périlleuse quête du Temple des Vents, Kahlan avait révisé à la baisse ses préjugés contre la voyante, et les deux femmes avaient conclu un pacte de non-agression. Le collier était même une offre de paix, puisqu'il éviterait à Shota d'étrangler l'enfant des deux jeunes gens. Mais pour l'instant, on pouvait seulement parler d'une trêve…

— Tu crois que l'Homme Oiseau était sérieux ? demanda soudain Richard.

— On dirait bien, en voyant arriver tous ces nuages…

— Au sujet du poulet, pas de la pluie !

Kahlan se retourna dans les bras de son compagnon.

— Le poulet ? Celui qui n'en serait pas un ? À mon avis, notre ami a un peu trop forcé sur les libations.

Avec tout ce qui le tourmentait, comment Richard pouvait-il se soucier d'une histoire aussi idiote ? Il sembla reconnaître que l'argument de l'Inquisitrice se tenait, mais continua à méditer en silence.

De grandes ombres s'étendaient dans la plaine à mesure que le soleil disparaissait derrière le banc de nuages au cœur grisâtre ourlé de franges cotonneuses. La brise charriait maintenant une odeur d'ozone annonciatrice d'orage.

Sur le petit rocher où Richard l'avait posée, sa cape battait au vent – un mouvement qui attira l'attention de Kahlan.

Soudain, le Sourcier la serra plus fort – et cela n'avait rien à voir avec le désir.

Quelque chose bougeait dans l'eau !

Une sorte de serpent de lumière…

Un reflet sur les écailles d'un poisson ? En tout cas, dès qu'il regarda directement ce phénomène, qu'il avait capté du coin de l'œil, Richard ne vit plus rien.

— Que se passe-t-il ? demanda Kahlan alors qu'il la tirait en arrière. Ce n'était pas seulement un poisson, ou quelque chose dans ce genre ?

— Ou quelque chose dans ce genre…, répéta sombrement Richard.

Sa compagne dans les bras, il se releva, la sortant de l'eau. Trempée, elle frissonna sous la morsure de la brise pendant qu'il sondait le bassin.

— De quoi parles-tu ? Et qu'as-tu vu ?

— Je n'en sais rien… (Richard déposa Kahlan sur la berge.) Au fond, c'était peut-être un poisson…

— Dans ce bassin, ils ne peuvent pas être assez gros pour me dévorer un orteil ! Et je doute qu'il y ait des tortues d'eau douce par ici ! Repose-moi dans l'eau, je meurs de froid !

À contrecœur, Richard dut admettre qu'il n'avait rien vu de menaçant. Il tendit une main à sa compagne pour l'aider à redescendre dans l'eau.

— C'était peut-être un jeu d'ombre et de lumière, à cause des nuages qui cachent le soleil.

Kahlan s'immergea jusqu'au cou et soupira de satisfaction quand une douce chaleur l'enveloppa. Alors que ses dents cessaient de claquer, elle sonda l'eau, si claire qu'on distinguait nettement le fond. Il n'y avait pas l'ombre d'un endroit où une tortue aurait pu se cacher. Pourtant, malgré ses propos rassurants, Richard regardait toujours l'onde paisible comme si un dragon allait en sortir.

— Tu crois que c'était un poisson ? Ou tu essaies de me faire peur ? Richard, tu deviens une pire mère poule que Cara ! Ce n'est pas mon idée d'un bain agréable… Si tu as vu quelque chose, dis-moi ce qui t'inquiète.

» Ce n'était pas un serpent, au moins ?

— Je n'ai rien vu du tout…, soupira le Sourcier. (Il inspira à fond et passa une main dans ses cheveux mouillés.) Désolé…

— Tu es sûr ? On peut s'en aller, si tu préfères.

— Non, inutile… Je crains que me baigner avec des femmes nues, dans un endroit étrange, ait tendance à me rendre nerveux.

— Et tu te baignes souvent avec des dames dans le plus simple appareil, seigneur Rahl ?

Kahlan n'appréciait pas vraiment ce genre d'humour. Des réserves qui ne l'empêchèrent pas de vouloir se jeter dans les bras de Richard quand il la rejoignit dans l'eau.

Mais il se releva d'un bond.

— C'était quoi ? cria Kahlan en tentant de l'imiter. Un serpent ?

Le Sourcier la repoussa dans le bassin. Alors qu'elle recrachait de l'eau, elle le regarda se précipiter vers leurs vêtements.

— Reste où tu es ! ordonna-t-il en dégainant le couteau accroché à son ceinturon.

Il s'accroupit, regarda autour de lui, puis se releva lentement.

— C'est Cara…

Kahlan leva la tête et vit une silhouette rouge fendre les hautes herbes. La Mord-Sith courait sans se soucier des éclaboussures qui jaillissaient autour d'elle quand elle traversait un ruisselet.

En la regardant approcher, Richard lança à Kahlan une petite couverture.

Cara accéléra encore sa course, Agiel au poing.

Cette arme magique fonctionnait seulement pour la Mord-Sith qui la détenait. Dans ces conditions, elle infligeait d'atroces souffrances et pouvait même tuer, si sa propriétaire le désirait. Chaque Mord-Sith utilisant l'Agiel qui avait servi à briser sa personnalité, le prendre en main était aussi une torture pour elle. Une illustration frappante du « paradoxe du bourreau », à un détail près : la douleur ne s'affichait jamais sur le visage de ces femmes.

— Il est passé par là ? demanda Cara, haletante, quand elle s'arrêta devant le Sourcier.

Sur sa tempe droite, du sang maculait ses cheveux blonds et ruisselait le long de sa joue.

— Qui ? répliqua Richard, surpris de voir que les jointures de la Mord-Sith avaient blanchi, tant elle serrait fort son Agiel. Nous n'avons vu personne.

— Je parle de Juni ! rugit Cara.

— Que s'est-il passé ? demanda le Sourcier en lui prenant le bras.

Du dos de sa main libre, la Mord-Sith écarta de ses yeux une mèche blonde rouge de sang.

— Je n'en sais rien, mais j'aurai ce salopard ! (Elle se dégagea, repartit et lança par-dessus son épaule :) Habillez-vous !

Richard aida Kahlan à sortir du bassin. Dès qu'elle eut enfilé son pantalon et ramassé une partie de ses affaires, la jeune femme se lança sur les talons de la Mord-Sith. Encore occupé à se battre contre son propre pantalon, qui refusait de glisser sur ses jambes humides, le Sourcier lança un bras et la retint par la ceinture.

— Quelle mouche te pique ? grogna-t-il en tentant toujours de s'habiller, de l'autre main. Reste derrière moi !

Kahlan se libéra d'une torsion des hanches.

— Tu n'as pas ton épée, et je suis la Mère Inquisitrice. Pour une fois, le seigneur Rahl fermera la marche !

Une Inquisitrice n'avait rien à craindre d'un homme seul. Contre son pouvoir, il n'existait pas de parade. Privé de son arme, Richard était plus vulnérable que sa compagne…

À part une flèche ou une lance, rien ne pouvait empêcher une femme comme Kahlan de s'emparer de sa proie lorsqu'elle en était assez près. Et sa magie emprisonnait la « victime » dans des rets impossibles à briser.

Ce destin était aussi irréversible que la mort. En réalité, c'était une forme de mort…

Un être touché par le pouvoir d'une Inquisitrice perdait son libre arbitre et son esprit, qui appartenaient pour toujours à sa nouvelle maîtresse.

À l'inverse du Sourcier, Kahlan contrôlait sa magie. Sa nomination au poste de Mère Inquisitrice en attestait amplement.

Richard ramassa sa ceinture, grogna de frustration… et emboîta le pas à son épouse. Quand il l'eut rattrapée, il tint les manches de son chemisier pour qu'elle puisse l'enfiler sans cesser de courir. Toujours torse nu, il boucla sa ceinture aussitôt qu'il le put.

Après avoir pataugé dans une sorte de marécage – n'était une eau limpide – ils se frayèrent un chemin à travers les hautes herbes, les yeux rivés sur le dos de Cara, qui zigzaguait assez loin devant eux. Kahlan faillit trébucher en traversant un ruisseau, mais elle se rétablit de justesse. En lui plaquant une main dans le dos, Richard lui évita de basculer en arrière.

L'Inquisitrice savait que courir comme une dératée, les pieds nus, sur un terrain aussi accidenté, n'était pas une idée de génie. Mais depuis qu'elle avait vu du sang sur le visage de Cara, rien au monde n'aurait pu la contraindre à ralentir. La Mord-Sith, plus que leur protectrice, était leur amie !

Ils traversèrent des ruisseaux séparés par des étendues de hautes herbes qu'ils piétinèrent sauvagement. Le voyant trop tard pour pouvoir encore changer de direction, Kahlan sauta par-dessus le bassin qui apparut soudain devant ses pieds. Elle faillit manquer la berge d'en face et évita la chute grâce à Richard. Rassurée par le contact de sa main, elle repartit de plus belle.

Alors qu'ils sortaient des hautes herbes et traversaient une série de cours d'eau en terrain découvert, l'Inquisitrice, du coin de l'œil, vit un chasseur qui courait sur leur gauche. Mais ce n'était pas Juni… Au même moment, elle sentit que Richard n'était plus derrière elle et l'entendit siffler.

Kahlan voulut s'arrêter net, glissa, posa une main sur le sol humide pour ne pas tomber et se retourna. Vingt pas derrière elle, Richard s'était immobilisé dans un ruisseau.

Deux doigts entre les lèvres, il émit un nouveau sifflement perçant et impérieux. Devant l'Inquisitrice, Cara et le chasseur tournèrent les talons et foncèrent vers le Sourcier.

Le souffle court, Kahlan rebroussa chemin à petits pas.

Agenouillé dans l'eau, Richard venait de saisir par les épaules le jeune Juni, qui gisait sur le ventre dans le ruisseau, pas assez profond pour le recouvrir totalement. Alors que l'Inquisitrice s'accroupissait près de lui, le Sourcier retourna le chasseur sur le dos. En passant, Kahlan ne l'avait pas vu, sans doute à cause de son camouflage de boue et de broussailles…

Quand Richard le prit dans ses bras, sans précipitation inutile, pour le tirer de l'eau glaciale, le cadavre de Juni, très petit et encore relativement frêle, ressembla un instant à celui d'un enfant. Lorsqu'elle l'examina, Kahlan ne vit ni sang ni blessure. Les membres du chasseur paraissaient intacts et son cou, à première vue, n'était pas brisé.

Même dans la mort, son regard voilé exprimait un étrange… désir charnel.

Cara débarla, fit mine de bondir sur Juni et s'immobilisa quand elle vit qu'il ne respirait plus.

Aussi essoufflé que la Mord-Sith, le chasseur que Kahlan avait aperçu arriva à son tour, une flèche encochée sur son arc armé. Avec les doigts libres de sa main droite, qui tendait la corde, il serrait un couteau contre sa paume.

Juni, lui, n'avait plus ses armes.

— *Que lui est-il arrivé ?* demanda l'Homme d'Adobe en regardant autour de lui, en quête d'une éventuelle menace.

— *Il doit être tombé*, répondit Kahlan. *Et si sa tête a heurté un rocher...*

— *Et la femme en rouge ?*

— *Pour le moment, nous n'en savons rien. Nous venons de trouver Juni...*

— Il semble être là depuis un moment, dit Cara en regardant Richard fermer les yeux du cadavre.

Kahlan tira sur la manche de la Mord-Sith, qui consentit à s'asseoir sur les talons pour la laisser examiner sa blessure.

Par bonheur, l'Inquisitrice estima qu'elle n'était pas très grave.

— Cara, que s'est-il passé ?

— Tu es gravement touchée ? demanda Richard.

La Mord-Sith fit un geste nonchalant de la main, mais elle ne protesta pas quand Kahlan, après avoir recueilli de l'eau entre ses mains, entreprit de nettoyer la plaie.

— Sers-toi plutôt de ça, conseilla Richard en tendant à sa compagne la poignée d'herbe qu'il venait d'arracher et de tremper dans le ruisseau.

— Je vais très bien..., marmonna Cara, pourtant très pâle.

Kahlan n'en crut pas un mot. La Mord-Sith vacillait, et il lui sembla même qu'elle tressaillit quand elle lui passa la compresse improvisée dans les cheveux.

— Qu'est-il arrivé ?

— Je n'en sais rien... Je venais m'assurer que Juni était à son poste, et je l'ai vu marcher dans un ruisseau, plié en deux comme s'il cherchait quelque chose. Après l'avoir appelé, je lui ai demandé où étaient ses armes – par gestes, bien entendu, en mimant un archer qui arme son arc.

» Il a continué à scruter l'eau comme s'il ne m'avait pas vue. Au début, j'ai cru qu'il avait quitté son poste pour pêcher, mais je n'ai pas repéré de poisson dans le ruisseau. Soudain, il a bondi en avant, comme si sa proie tentait de lui échapper. (La Mord-Sith reprit un peu de couleur – l'effet bénéfique de la fureur.) Cet idiot m'a bousculée alors que j'avais la tête tournée pour inspecter les environs. Je suis tombée et ma tête a heurté un rocher. Ne me demandez pas combien de temps je suis restée inconsciente, parce que je n'en sais rien. Mais j'ai eu tort de me fier à cet homme.

— Non, tu n'as pas eu tort, intervint Richard. Nous ignorons ce qu'il traquait...

Les quatre derniers chasseurs venant d'arriver, Kahlan leva une main pour qu'ils ne la bombardent pas de questions. Puis elle leur traduisit le récit de Cara.

Ils écoutèrent, les yeux ronds de surprise. Comme eux, Juni était un homme de Chandalen. Ces chasseurs-là ne quittaient pas leur poste pour aller à la pêche !

— Je suis désolée, seigneur Rahl, souffla Cara. Bon sang, comment a-t-il pu me surprendre de cette façon ? Et tout ça pour un absurde poisson !

— Je suis content que tu t'en tires bien, mon amie, dit Richard en tapotant l'épaule de la Mord-Sith. Mais tu devrais peut-être t'allonger, parce que tu as l'air un peu patraque...

— J'ai des nausées, rien de plus. Un peu de repos et ce sera fini. Comment est mort Juni ?

— Il a dû tomber en courant, dit Kahlan. Comme j'ai failli le faire… Assommé par le choc, il a eu la malchance de basculer en avant, et il s'est noyé.

— J'en doute…, lâcha Richard alors que l'Inquisitrice allait traduire sa théorie aux Hommes d'Adobe.

— Tu vois une autre explication ?

— Regarde ses genoux… Ils ne sont pas écorchés. Idem pour ses coudes et ses mains. (Le Sourcier fit tourner la tête du cadavre.) Pas de sang, aucune contusion… S'il s'est assommé en tombant, pourquoi n'a-t-il pas de bosse sur le crâne ? Son camouflage de boue est seulement éraflé sur son nez et son menton, qui reposaient contre les cailloux du ruisseau.

— Tu penses qu'il ne s'est pas noyé ?

— Quand ai-je dit ça ? Mais je doute qu'il soit tombé… (Richard examina de nouveau le cadavre.) La mort semble bien due à une noyade. Mais dans quelles circonstances ? Toute la question est là.

Kahlan s'écarta pour que les compagnons de Juni puissent s'agenouiller près de sa dépouille et lui manifester leur tristesse.

Soudain, la plaine semblait être devenue un lieu sinistre…

— Même s'il a abandonné son poste pour pêcher, dit Cara, ce que j'ai du mal à croire, pourquoi aurait-il laissé toutes ses armes derrière lui ? (Elle appuya un peu plus fort la « compresse » sur sa tempe.) Et s'il ne s'est pas assommé en tombant, comment a-t-il pu se noyer dans si peu d'eau ?

Richard s'agenouilla près des chasseurs, qui caressaient en pleurant le visage de leur frère d'armes. Très tendrement, il se joignit à cet ultime hommage.

— Je donnerais cher pour savoir ce qu'il chassait…, dit-il. Quelle proie a pu faire briller un tel désir dans son regard ?

Chapitre 4

Quand Richard, Cara et Kahlan sortirent du bâtiment où on préparait le corps de Juni pour ses funérailles, les échos du tonnerre qui se déchaînait dans la plaine se répercutaient jusque dans les étroits passages du village.

La maison des morts n'était pas différente des autres bâtisses : des murs d'adobe recouverts d'argile et un toit en herbe séchée. Grâce au Sourcier, seule la maison des esprits avait un toit en tuiles. Toutes les fenêtres, y compris celles des habitations, étaient dépourvues de vitres, souvent remplacées par d'épais rideaux.

Avec les couleurs ternes de ses édifices, on aurait aisément pu prendre le village pour un amas de ruines abandonnées. Dans la ruelle qu'empruntaient les trois jeunes gens, des herbes aromatiques – une offrande pour apaiser les mauvais esprits – poussaient dans trois pots posés sur un muret. Un « ornement » qui n'égayait pas beaucoup ce sinistre endroit battu par le vent et fréquenté aussi peu souvent que possible par les villageois.

Alors que deux poulets détalaient devant eux, Kahlan tint ses cheveux pour que les bourrasques ne les fassent pas voler devant ses yeux. Des Hommes et des Femmes d'Adobe, souvent en pleurs, croisèrent sans les voir l'Inquisitrice et ses compagnons. Très dignes, ils allaient rendre un dernier hommage au chasseur. Le cœur serré, Kahlan pensa au cadavre de Juni, qu'ils avaient dû abandonner dans une salle qui puait la paille détrempée et moisie.

Ils avaient attendu que Nissel, la vieille guérisseuse, ait fini d'examiner le mort. Son diagnostic confirmait celui de Richard : Juni n'avait pas la nuque brisée et il ne portait aucune trace de blessure. En revanche, il s'était bien noyé.

Quand le Sourcier avait demandé comment c'était arrivé, la vieille Femme d'Adobe avait paru le prendre pour un attardé mental, tant c'était évident. Pour elle, Juni avait été tué par les mauvais esprits.

En plus des spectres de leurs ancêtres, qu'ils invoquaient lors des conseils des devins, les Hommes d'Adobe croyaient que des démons venaient parfois réclamer une vie pour les punir de leurs péchés. La victime pouvait périr d'un accident, d'une maladie… ou d'une manière plus surnaturelle. Pour Nissel, une noyade dans aussi peu d'eau, et sans blessure visible, semblait aussi surnaturelle que possible. Chandalen et ses chasseurs partageaient son avis.

La guérisseuse n'avait pas perdu de temps à spéculer sur le type de transgression responsable de la colère des esprits. Une femme accoucherait sous peu, et ce travail-là lui semblait beaucoup plus gratifiant.

Ainsi que l'exigeait sa mission de Mère Inquisitrice, Kahlan avait souvent rendu visite au Peuple d'Adobe, comme aux autres populations des Contrées du Milieu. Aucun royaume de l'ancienne Alliance, si puissant, méfiant ou isolationniste fût-il, n'aurait osé fermer ses frontières aux Inquisitrices. Que cela plaise ou non aux têtes couronnées, ces femmes assuraient l'impartialité de la justice.

Elles se chargeaient aussi de défendre devant le Conseil les intérêts de tous ceux qui étaient trop faibles pour se faire entendre. Certains membres de l'Alliance, à l'instar des Hommes d'Adobe, se méfiaient des étrangers et désiraient simplement qu'on leur fiche la paix. Kahlan faisait en sorte qu'on respecte leur volonté. Car sa parole, au Conseil, avait force de loi.

Depuis peu, tout cela avait changé…

Pour mieux accomplir son devoir, Kahlan avait étudié la langue et la culture du Peuple d'Adobe et de tous les autres membres des Contrées du Milieu. Dans la Forteresse du Sorcier, en Aydindril, des centaines d'ouvrages traitaient du langage, des croyances, du système politique, de l'art et des habitudes alimentaires de chaque royaume de l'Alliance.

Kahlan savait donc que les Hommes d'Adobe déposaient souvent, en guise d'offrandes, des gâteaux de riz et des bouquets d'herbes aromatiques aux pieds de figurines en argile conservées dans deux bâtiments vides, au nord du village. Ces maisons étaient réservées aux mauvais esprits, représentés par les statuettes.

Quand ces esprits prenaient une vie parce qu'on avait éveillé leur courroux, l'âme de la victime était censée gagner le royaume des morts, où elle retrouvait les bons esprits qui veillaient sur le Peuple d'Adobe, luttant sans cesse pour contrecarrer les plans de leurs homologues maléfiques. L'équilibre était ainsi maintenu, voire amélioré, et le mal, selon ce système de croyance, restait contenu dans d'étroites limites.

Bien qu'on fût au début de l'après-midi, Kahlan, Richard et Cara auraient juré que le crépuscule tombait. De gros nuages noirs semblaient tutoyer les toits des maisons et la foudre frappait aux abords du village, chaque éclair ponctué par un roulement de tonnerre qui faisait trembler le sol.

Propulsées par le vent, de grosses gouttes de pluie s'écrasaient sur la nuque de l'Inquisitrice. En un sens, l'orage qui menaçait ne la dérangeait pas, car il finirait d'éteindre les feux de joie – devenus si choquants depuis qu'un membre de la communauté avait perdu la vie. Une averse épargnerait à quelqu'un la déprimante mission d'étouffer les ultimes flammes qui célébraient l'union de Richard Au Sang Chaud et de la Mère Inquisitrice.

Pour lui témoigner son respect, le Sourcier avait porté Juni jusqu'à la maison des morts. Les chasseurs ne s'en étaient pas offusqués, car leur frère d'armes avait péri alors qu'il assurait la protection des deux jeunes mariés.

Cara ne partageait pas cette analyse. Pour elle, le chasseur avait changé de camp. La raison de ce revirement ne comptait pas. L'essentiel, à ses yeux, était de réagir à temps la prochaine fois qu'un Homme d'Adobe se transformerait en ennemi.

Richard et la Mord-Sith s'étaient brièvement querellés à ce sujet. Sans pouvoir comprendre ce qu'ils disaient, les chasseurs ne s'étaient pourtant pas trompés sur le ton de leur dialogue, et ils n'avaient pas réclamé de traduction.

Le Sourcier n'avait pas insisté. Selon lui, Cara se sentait coupable d'avoir été surprise par Juni, et cela faussait son jugement. Main dans la main avec son épouse, il laissa la Mord-Sith ouvrir la marche et regarder autour d'elle en quête de danger, comme s'ils n'étaient pas dans un village amical.

Prête à frapper, Cara les guida dans le dédale de ruelles qui les conduisait vers Zedd et Anna.

Même si elle n'adhérait pas à la théorie de la Mord-Sith, Kahlan se sentait inexplicablement mal à l'aise. Le voyant jeter sans cesse des coups d'œil derrière lui, elle devina que Richard partageait son trouble.

— Qu'est-ce qui te tracasse ? souffla-t-elle.

Le Sourcier sonda le passage désert, devant eux, et soupira de frustration.

— Tous les poils de ma nuque sont hérissés comme si on nous épiait, mais je ne vois personne…

Déjà perturbée, Kahlan ne sut dire si elle sentit vraiment des yeux peser sur elle, à partir de cet instant, ou si elle était influencée par Richard. Quoi qu'il en soit, elle se mit aussi à regarder sans cesse derrière elle et des frissons coururent le long de sa colonne vertébrale.

La pluie devenait plus drue au moment où Cara trouva l'endroit qu'elle cherchait. Agiel au poing, elle examina les deux côtés de l'étroit passage avant d'ouvrir une porte en bois toute simple. Bien entendu, elle entra la première.

Alors que le vent faisait voler les cheveux de Kahlan, un poulet effrayé par les éclairs et le tonnerre lui passa entre les jambes et fonça se réfugier à l'intérieur.

Un feu brûlait faiblement dans la cheminée de l'humble pièce où ils pénétrèrent. Près du manteau de l'âtre, sur une étagère encastrée dans le mur, plusieurs chandelles fournissaient une lumière vacillante. Dessous, on avait rangé la réserve de bûchettes et de fagots d'herbe séchée. Posée à même le sol, devant la cheminée, une peau de daim invitait les visiteurs à s'asseoir – de toute façon, c'était ça ou rien, puisqu'il n'y avait pas de chaises. Le rideau qui tenait lieu de vitre à la fenêtre battait au vent, ajoutant à l'atmosphère étrange de la pièce.

Richard ferma la porte et rabattit le loquet pour que les bourrasques ne risquent pas de la rouvrir. L'odeur de la cire brûlée, de l'herbe séchée en train de se consumer et de la fumée – que l'évent du toit ne parvenait pas à évacuer totalement – monta aux narines des trois jeunes gens.

— Ils doivent être dans les pièces de derrière, dit Cara.

Du bout de son Agiel, elle désigna la tenture qui pendait devant un encadrement de porte.

Tout content d'être à l'abri, le poulet caquetait en trottinant autour du symbole dessiné du bout d'un doigt – ou peut-être d'un bâton – dans la poussière qui couvrait le sol.

Dès sa plus tendre enfance, Kahlan avait vu des sorciers et des envoûteurs tracer cet antique symbole qui représentait le Créateur, la vie, la mort, le don et le royaume des esprits. Ils le faisaient machinalement, pendant qu'ils méditaient, ou quand ils étaient très nerveux. Une façon de se réconforter en évoquant leur connexion avec tous les êtres vivants et les objets inanimés de l'univers...

Ou une manière d'invoquer la magie !

Pour l'Inquisitrice, ces symboles incarnaient l'époque heureuse de sa jeunesse où les sorciers jouaient avec elle, la chatouillaient et la poursuivaient dans les couloirs de la Forteresse du Sorcier. Parfois, alors qu'elle était assise sur les genoux d'un de ces hommes, en parfaite sécurité, il lui racontait des histoires qui la laissaient bouche bée de surprise et de douce terreur.

Avant sa formation, elle avait eu le droit – très peu de temps – d'être une enfant comme les autres...

À présent, les sorciers qui s'occupaient jadis d'elle étaient morts. Presque tous s'étaient sacrifiés pour l'aider à traverser la frontière afin de trouver de l'aide contre Darken Rahl. Et l'unique survivant l'avait trahie...

Mais dans un passé désormais lointain, ces hommes avaient été ses amis, ses compagnons de jeu, ses oncles et ses professeurs. Sans doute les êtres qu'elle respectait et aimait le plus au monde...

— J'ai déjà vu ce symbole, dit Cara. Darken Rahl le dessinait parfois...

— On l'appelle une « Grâce », souffla Kahlan.

Une bourrasque souleva le rideau de la fenêtre au moment où un éclair déchirait le ciel. À sa lumière, ils virent plus clairement le dessin.

Richard ouvrit la bouche, mais il se ravisa avant de poser la question qui lui brûlait les lèvres. Soupçonneux, il lorgnait le poulet qui picorait la poussière, au pied de la porte intérieure.

— Cara, tu veux bien ouvrir la porte d'entrée ?

Pendant que la Mord-Sith obéissait, le Sourcier agita les bras pour chasser le poulet. Mais l'intrus ne l'entendait pas de cette oreille, et il refusa de traverser la pièce, même quand son tourmenteur le poursuivit en criant : « Ouste, ouste ! »

Perplexe, Richard s'immobilisa, les poings sur les hanches, et étudia plus attentivement le volatile récalcitrant. Les marques noires, sur ses plumes blanc et marron, composaient des rayures qui donnaient le tournis si on les regardait trop longtemps. Indigné, le poulet caqueta comme une vieille oie quand le Sourcier, à grands coups de pied, entreprit de l'expulser de la salle.

Lorsqu'il arriva au bord du dessin, le poulet couina, battit plus fort des ailes, fit un bond sur le côté, fila le long du mur et consentit enfin à sortir. Mais comment un animal pouvait-il être terrifié au point de ne pas fuir en droite ligne vers une porte ouverte qui promettait de le soustraire à la cruauté d'un éventuel bourreau ?

Cara referma promptement la porte.

— S'il existe des animaux plus stupides que les volailles, marmonna-t-elle, il me reste encore à les découvrir.

— C'est quoi, ce vacarme ? lança une voix familière.

La tenture s'écarta pour laisser passer Zedd. Plus grand que Kahlan, mais beaucoup moins que Richard, le vieil homme était à peu près de la taille de Cara, une fois déduite la crinière blanche hérissée d'épis qui lui faisait gagner une bonne demi-tête. Dans sa tunique bordeaux aux manches noires et au col ornés de broderie d'or et d'argent, il semblait un peu moins émacié qu'en réalité. Autour de sa taille, une ceinture de satin rouge munie d'une boucle d'or achevait de lui conférer une allure de bouffon.

Zedd avait toujours porté une tunique longue d'une totale sobriété. Pour un sorcier de son rang, mettre des vêtements voyants était d'une rare incongruité. Les tenues clinquantes, lorsqu'on contrôlait le don, restaient l'apanage des apprentis. Pour le commun des mortels, au contraire, elles étaient un signe de noblesse ou à tout le moins de richesse. Autant qu'il détestât ce déguisement, le vieux sorcier devait reconnaître qu'il s'était montré très efficace…

Richard et son grand-père s'étreignirent, fous de joie d'être de nouveau réunis après une si longue séparation.

— Zedd, dit le Sourcier, je n'ai pas eu le temps de te le demander hier, mais où as-tu été pêcher ces vêtements ?

— C'est la boucle en or qui te choque, pas vrai ? Un rien ostentatoire, je l'avoue…

Anna écarta à son tour la tenture et avança dans la pièce. Petite et râblée, pour ne pas dire plus, elle portait la robe en laine noire de rigueur pour la Dame Abbesse des Sœurs de la Lumière. Originaire de l'Ancien Monde, elle avait fait croire à ses subordonnées qu'on l'avait tuée, histoire de s'éclipser et de s'occuper en paix d'une affaire de la première importance. Infiniment plus vieille que Zedd, elle paraissait pourtant avoir son âge.

— Zedd, grogna-t-elle, arrête de plastronner ! Nous avons du travail.

Le vieux sorcier foudroya du regard la Dame Abbesse, qui lui rendit froidement la politesse. À les voir s'affronter ainsi, Kahlan se demanda comment ces deux vieillards avaient pu voyager ensemble sans s'entre-égorger. Si elle connaissait Anna depuis la veille, celle-ci était une « vieille » connaissance de Richard, qui la respectait beaucoup – de quoi être impressionné, sachant dans quelles circonstances il l'avait rencontrée.

— Mon garçon, s'exclama Zedd, permets-moi de te dire que tu n'es pas mal non plus, dans ton nouveau costume ! Des bottes avec des lanières de cuir cloutées d'argent, une jaquette, une chemise et un pantalon noirs, des ornements d'argent un peu partout, des serre-poignets qui doivent valoir une fortune ! Et cette ceinture, mazette ! Presque aussi tape-à-l'œil que la cape dorée !

Guide forestier de son état, Richard avait toujours manifesté une préférence marquée pour les tenues très simples. Le « costume », dixit Zedd, qu'il portait depuis peu provenait pour l'essentiel de la Forteresse du Sorcier. Remontant à une époque où les magiciens n'hésitaient pas à paraître flamboyants – peut-être pour mettre en garde leurs adversaires –, c'était celui d'un sorcier de guerre de jadis. Bref, un des prédécesseurs de Richard…

Même sans son épée, le Sourcier, ainsi vêtu, paraissait à la fois noble et sinistre. Un guerrier sans pitié qui semblait destiné à dominer toutes les têtes couronnées de l'univers. Et la vivante incarnation du surnom – le messager de la mort – que lui donnaient les prophéties.

Sous cette carapace, se souvint Kahlan, non sans soulagement, battait toujours le cœur pur et généreux de l'ancien guide forestier. Et sa bonté profonde, totalement sincère, loin de contredire son apparence de chef suprême du monde libre, lui conférait plus d'authenticité encore.

Car Richard était tout entier contenu dans cette dualité. Impitoyable avec ses ennemis, qu'il était prêt à combattre jusqu'à son dernier souffle, il restait un jeune homme doux, compréhensif et bienveillant. De sa vie, l'Inquisitrice n'avait jamais rencontré un être plus loyal ni plus patient. Depuis leur rencontre, elle savait qu'il était une personne telle qu'on en croise rarement…

Anna sourit à Kahlan et lui tapota gentiment la joue, comme une adorable grand-mère face à sa petite-fille. Dans ce geste, il n'y avait aucune affectation, et elle parut tout aussi sincère quand elle en fit bénéficier Richard.

Après avoir remis en place les mèches de cheveux gris qui s'échappaient de son chignon, elle se tourna vers le feu, jeta dedans un fagot d'herbe séchée et lança :

— J'espère que votre premier jour de mariage se passe bien.

— Nous revenons des sources chaudes, répondit Kahlan, où nous avons pris un bain. (Elle jeta un rapide coup d'œil à Richard.) Un des chasseurs qui veillaient sur nous est mort.

Cette annonce valut à l'Inquisitrice l'attention immédiate du sorcier et de la Dame Abbesse.

— Comment a-t-il péri ? demanda Anna.

— Il s'est noyé, répondit Richard. (D'un geste, il invita tout le monde à s'asseoir.) Le ruisseau n'était pas profond, et le chasseur ne semble pas s'être assommé en tombant. (Alors qu'il prenait place autour de la Grâce avec Kahlan, Zedd et Anna, il ajouta :) Nous l'avons ramené dans la maison des morts…

Zedd regarda la porte comme s'il pouvait voir à travers et examiner le cadavre de Juni, au-delà des murs de la sinistre bâtisse.

— J'irai voir le corps plus tard, dit-il. (Il dévisagea Cara, qui montait la garde, le dos contre la porte.) Qu'est-il arrivé, selon toi ?

— Le chasseur nommé Juni était devenu dangereux pour le seigneur Rahl. Je pense qu'il a fait une chute en le cherchant, avec l'intention de lui nuire, et qu'il s'est noyé.

— Avec l'intention de te nuire ? répéta Zedd en regardant Richard. Pourquoi un Homme d'Adobe se retournerait-il contre toi ?

— Cara se trompe, et je le lui ai déjà dit ! Juni ne nous voulait pas de mal. (Soulagé que la Mord-Sith n'insiste pas, le Sourcier continua :) Quand nous avons trouvé son cadavre, il y avait une lueur étrange dans son regard. Avant de mourir, il a vu quelque chose qui a laissé sur son visage une expression de… eh bien, de désir, ou quelque chose comme ça…

» La guérisseuse Nissel a examiné le corps. Elle n'a découvert aucune blessure. Et selon elle, Juni s'est bien noyé. Dans six pouces d'eau, Zedd ! Nissel pense que les mauvais esprits l'ont tué…

— Les mauvais esprits, mon garçon ?

— Les Hommes d'Adobe croient que des démons viennent de temps en temps prendre la vie d'un villageois, expliqua Kahlan. Dans quelques bâtiments vides, au nord du village, ils déposent des offrandes aux pieds de figurines en argile.

Apparemment, ils pensent que des gâteaux de riz apaiseront les mauvais esprits. Comme s'ils pouvaient manger, ou s'ils étaient faciles à corrompre.

Dehors, l'orage se déchaînait. De l'eau s'infiltrait par la fenêtre et gouttait du toit. Remplaçant les tambours et les boldas, le tonnerre grondait en permanence.

— Oui, je vois, dit Anna avec un demi-sourire qui étonna l'Inquisitrice. Tu ne tiens pas ces « sauvages » en haute estime, et tu regrettes d'avoir eu un mariage au rabais, comparé au faste auquel tu aurais eu droit en Aydindril. C'est bien ça ?

— Pas du tout ! répliqua Kahlan, déroutée. Nous n'aurions pas pu rêver d'une plus belle cérémonie.

— Vraiment ? insista Anna. Avec une assistance vêtue de robes minables et de peaux de bêtes ? Des gens qui s'enduisent les cheveux de boue ? Des enfants nus qui courent, chahutent et crient pendant une cérémonie si solennelle ? Des danseurs aux masques terrifiants qui miment des histoires de chasse et de guerre ? C'est ça, pour toi, un beau mariage ?

— Ces choses-là ne comptent pas ! s'écria Kahlan. L'important, c'est ce qu'ils ont dans le cœur. Le Peuple d'Adobe a partagé notre joie, et c'était essentiel pour nous. D'ailleurs, quel rapport avec les offrandes que ces gens font à des esprits imaginaires ?

Du bout d'un index, Anna suivit le cercle de la Grâce qui délimitait le royaume des morts.

— Quand tu demandes aux esprits du bien de veiller sur l'âme de ta mère, tu crois qu'ils vont accourir pour exaucer ton souhait ? Simplement parce que tu l'as formulé dans une prière ?

Kahlan sentit qu'elle s'empourprait. Il lui arrivait très souvent de recommander l'âme de sa mère aux esprits. Tout compte fait, elle comprenait pourquoi la Dame Abbesse tapait sur les nerfs de Zedd…

— Les prières ne sont pas des requêtes au sens strict du terme, intervint Richard, désireux de voler au secours de son épouse. Kahlan sait que ça ne marche pas comme ça. Elle veut simplement transmettre un message d'espoir et d'amour à sa mère, qu'elle aimerait savoir en paix dans l'autre monde. (Il passa un doigt sur le cercle qu'Anna avait suivi de l'index.) Quand je prie pour ma mère, c'est avec la même intention…

— Et tu as bien raison, Richard, souffla Anna avec un sourire qui fit gonfler ses joues déjà rondes. Mais ne crois-tu pas que les Hommes d'Adobe, avec leurs gâteaux de riz, agissent comme Kahlan et toi ? Pourquoi les penserions-nous assez stupides pour vouloir corrompre les esprits qui les terrorisent ?

— C'est l'acte d'offrir qui compte, pas ce qu'on offre…, dit Richard.

Le voyant aussi calme face à la Dame Abbesse, Kahlan se félicita qu'il ait enfin appris à apprécier une rose sans s'arrêter à ses épines…

— En implorant les forces qu'ils redoutent, dit-elle, ils espèrent apaiser le courroux d'une entité inconnue…

— Exactement ! approuva Anna. L'offrande n'est qu'un symbole – une façon d'honorer leurs « mauvais esprits ». Et de les inciter à la clémence… Parfois, une courtoise reddition suffit à calmer un ennemi fou furieux. Vous n'êtes pas d'accord avec ça ?

Kahlan et Richard durent admettre qu'il en allait bien ainsi.

— Le plus simple, grogna Cara, toujours adossée à la porte, c'est de tuer cet ennemi. Il n'y a pas de meilleur remède à la folie furieuse !

— Mon amie, dit Anna avec un sourire, ta solution n'est pas toujours dépourvue d'intérêt, je veux bien en convenir…

— Et tu t'y prendrais comment pour tuer des « mauvais esprits » ? demanda Zedd d'une voix fluette qui couvrit pourtant le vacarme de la pluie.

Faute d'avoir la réponse, Cara foudroya le vieil homme du regard.

Depuis un moment, comme hypnotisé par la Grâce, Richard ne suivait plus vraiment la conversation.

— Dans cette logique, dit-il, un comportement ou un geste irrespectueux pourrait éveiller la colère des mauvais esprits, ou de toute entité équivalente.

Kahlan allait demander au Sourcier pourquoi il prenait soudain au sérieux les superstitions des Hommes d'Adobe, mais Zedd lui tapota discrètement le genou pour l'inciter à se taire.

— Certaines personnes pensent qu'il en va ainsi, Richard, dit-il.

— Pourquoi as-tu dessiné cette Grâce ? demanda le Sourcier.

— Anna et moi nous en servions pour… hum… évaluer quelques problèmes. Parfois, ce symbole est très utile…

» Il n'y a rien de plus simple qu'une Grâce… et rien de plus complexe. Il faut une vie pour commencer à comprendre, pourtant, comme un enfant qui apprend à marcher, tout débute par un premier pas. Puisque tu es né avec le don, nous estimons qu'il est temps de t'initier à ce mystère.

Pour l'essentiel, ce que Zedd appelait son « don » restait une énigme aux yeux de Richard. Maintenant qu'il avait retrouvé son grand-père, il espérait en résoudre au moins une partie et entreprendre la lente exploration d'un territoire – son pouvoir – qui restait pour lui inconnu. Kahlan avait un moment espéré qu'il aurait le temps dont il avait besoin, mais ce n'était hélas pas le cas.

— Zedd, il faudrait que tu voies le cadavre de Juni.

— Dès qu'il ne pleuvra plus, nous irons ensemble.

Du bout de l'index, Richard suivit la ligne qui représentait le don – à savoir la magie.

— Si c'est un premier pas très important, dit-il en regardant Anna, pourquoi les Sœurs de la Lumière ne m'en ont-elles pas parlé, quand j'étais prisonnier au Palais des Prophètes ? Elles auraient eu amplement le temps de me former.

Kahlan ne s'étonna pas de la soudaine agressivité du Sourcier. Dès qu'on voulait lui passer une bride autour du cou, même avec les meilleures intentions du monde, il voyait rouge. Et les Sœurs de la Lumière l'avaient bel et bien obligé à porter un collier.

Avant de répondre, Anna jeta un petit coup d'œil à Zedd.

— Nous n'avions jamais tenté d'éduquer un garçon comme toi, né avec le don des deux magies, Additive et Soustractive. La plus grande prudence était de mise.

Avec sa question, Richard venait de retourner la situation. Désormais, Kahlan et lui n'étaient plus sur la sellette, et Anna se retrouvait dans la position de l'accusée.

— Et maintenant, vous pensez qu'il faut m'enseigner ce qu'est une Grâce ?

— Oui, souffla Anna, parce que l'ignorance aussi est dangereuse.

Chapitre 5

— **A**nna a une fâcheuse tendance à dramatiser, dit Zedd en ramassant d'une main distraite une poignée de poussière. Je t'aurais parlé de la Grâce il y a longtemps, mon garçon, mais nous avons été séparés, voilà tout…

Ses craintes dissipées par les propos rassurants de son grand-père – plus diplomate qu'Anna, un comble quand on le connaissait ! –, Richard se détendit, et les muscles de son cou et de ses épaules cessèrent de saillir sous sa tunique.

— Si simple que puisse sembler une Grâce, elle représente l'infini et le tout. Voilà comment on la dessine…

Le vieux sorcier se pencha. Avec une précision née de l'habitude, il laissa la poussière couler de ses doigts pour former la copie conforme du symbole déjà tracé sur le sol.

— Le cercle extérieur représente la lisière du royaume des morts. Au-delà, il n'y a rien, sinon une éternité où le temps et l'espace n'existent pas. Voilà pourquoi la Grâce est délimitée ainsi. Jaillie du néant – le domaine du « rien » – naquit un jour la Création…

Un carré était enchâssé dans le cercle extérieur, ses quatre coins le touchant. Il contenait un deuxième cercle, juste assez grand pour chevaucher ses limites intérieures. Au centre s'étendait une étoile à huit branches. Des lignes droites, tracées en dernier, en partaient et traversaient les deux cercles. Toutes les autres lignes du dessin passaient par un des coins du carré.

Celui-ci symbolisait le voile qui séparait le royaume des morts – le cercle des esprits – du monde des vivants, beaucoup plus petit. L'étoile centrale incarnait la Lumière – le Créateur – dont les rayons (qu'on pouvait aussi appeler le don ou la magie) traversaient toutes les frontières.

— J'ai déjà vu ce dessin, dit Richard.

Il tourna ses mains vers le plafond et les posa sur ses genoux. Ses serre-poignets étaient constellés de symboles énigmatiques. Mais au centre brillait une petite Grâce, facile à reconnaître quand on savait de quoi il s'agissait. Les symboles étant *sous* les poignets du Sourcier, Kahlan ne les avait jamais remarqués.

— La Grâce est une image du continuum du don, dit Richard, que les rayons symbolisent. Venant du Créateur, ils illuminent la vie, puis, par l'intermédiaire de la mort, traversent le voile pour s'unir aux esprits, dans l'éternité, au sein du royaume du Gardien. (Il passa le pouce droit sur la Grâce de son serre-poignet gauche.) Bien entendu, c'est le symbole de l'espoir suprême de tout être vivant : rester sous la Lumière du Créateur avant sa naissance, puis toute sa vie, et enfin dans le séjour des morts.

— Excellent, mon garçon ! s'exclama Zedd, visiblement surpris. Mais comment sais-tu tout ça ?

— J'ai appris à déchiffrer le charabia des symboles, et j'ai lu quelques textes qui parlaient de la Grâce.

— Le charabia des symboles ? répéta Zedd. (Kahlan vit qu'il faisait un gros effort pour ne pas exploser.) Jeune homme, sache qu'une Grâce peut avoir de terribles conséquences, dans certains cas. Par exemple, si on la dessine avec une substance dangereuse comme du sable de sorcier... Selon la manière dont on l'utilise, elle a des effets dramatiques comme...

— Altérer la façon dont le monde des vivants et celui des morts interagissent pour atteindre un objectif, acheva Richard. J'ai lu deux ou trois choses à ce sujet...

— Un peu plus que deux ou trois, dirait-on, marmonna le vieux sorcier. Mon garçon, tu vas me raconter tout ce que tu as fait depuis notre séparation ! Sans omettre un détail !

— Dis-moi d'abord ce qu'est une Grâce mortelle ! lança abruptement Richard.

— Une quoi ? s'étrangla Zedd.

— Une Grâce mortelle, répéta le Sourcier, le regard rivé sur le dessin tracé dans la poussière.

Comme Zedd, Kahlan n'avait pas la moindre idée de ce que voulait dire Richard. Mais elle était habituée au phénomène. De temps en temps, elle avait vu le jeune homme dans cet état : étrangement absent, ou plongé dans une profonde méditation, il posait des questions apparemment sans queue ni tête. La façon d'agir d'un authentique Sourcier de Vérité, semblait-il. Et l'indice qu'il se passait quelque chose de vraiment grave ! De quoi avoir aussitôt des frissons dans le dos...

Kahlan vit Anna plisser le front de perplexité et d'inquiétude. S'il avait cédé à sa nature, Zedd aurait posé un millier de questions à son protégé. Mais lui aussi, et pour cause, connaissait le cheminement tortueux des pensées d'un Sourcier.

Le vieux sorcier se massa le front et prit une longue inspiration. À l'évidence, il faisait de louables efforts pour se contenir.

— Fichtre et foutre, mon garçon, je n'ai jamais entendu parler d'une Grâce mortelle ! Où as-tu été pêcher ça ?

— Un truc que j'ai lu quelque part..., marmonna Richard. Zedd, tu ne pourrais pas ériger une nouvelle frontière ? En invoquer une, comme avant ma naissance ?

— Et pourquoi le ferais-je ? demanda le vieil homme, de plus en plus dérouté.

— Pour nous séparer de l'Ancien Monde et mettre un terme à la guerre.

De surprise, Zedd resta bouche bée. Mais il se reprit vite et sourit de toutes ses dents.

— Bravo, mon garçon ! Continue à vouloir utiliser la magie pour éviter la violence et la souffrance, et tu feras un très bon sorcier ! (Le vieil homme se rembrunit.) Très bien raisonné, vraiment. Hélas, c'est impossible…

— Pourquoi ?

— Ce sortilège est limité à trois utilisations, pas une de plus. Les sorts très puissants ont toujours une « sécurité » de ce type, pour éviter qu'il soit trop facile de déchaîner une magie dangereuse. Bien entendu, il existe une infinité de protections, mais je n'ai pas le temps de m'étendre sur ce sujet… J'ai trouvé le rituel d'invocation de la frontière dans un grimoire qui datait de l'époque de l'Antique Guerre. Et il était verrouillé de cette manière…

» Mon garçon, on dirait que tu tiens de ton grand-père, quand il s'agit de fouinasser dans les vieux livres… La curiosité n'est pas toujours un vilain défaut, mais moi, après une vie d'études, je sais ce que je fais. Bref, je connais les risques et les moyens de les réduire. En outre, j'ai conscience de mes capacités et de mes limites. Ça fait une sacrée différence !

— Tu n'as invoqué que deux frontières, insista Richard.

— En ce temps-là, les Contrées du Milieu et D'Hara se livraient une guerre sans merci… (Zedd s'assit plus confortablement pour raconter son histoire.) J'ai eu besoin d'une première utilisation pour savoir comment fonctionnait le sort et m'entraîner à le lancer. La deuxième m'a servi à séparer les Contrées de D'Hara, afin d'arrêter le massacre. La troisième m'a permis d'isoler Terre d'Ouest, pour créer un havre destiné à ceux qui voulaient vivre loin de la magie et qui ne supportaient plus la présence des sorciers.

Kahlan avait eu beaucoup de mal à imaginer un monde sans magie. Pour elle, ce concept semblait absurde et d'un insondable ennui. Mais chacun pouvait vivre comme il l'entendait, et Terre d'Ouest – un petit royaume – avait longtemps été un refuge pour les hommes et les femmes allergiques à la magie. Aujourd'hui, c'était terminé, qu'on le regrette ou s'en réjouisse…

— Plus de frontière ! conclut Zedd en levant au ciel ses bras décharnés. Un point, c'est tout !

Près d'un an plus tôt, Darken Rahl avait abattu les frontières pour réunir les trois pays. Aujourd'hui, il était dommage que l'idée de Richard soit inapplicable. Séparer l'Ancien Monde du Nouveau par une barrière infranchissable aurait sauvé un nombre incalculable de vies…

— L'un de vous deux, demanda Anna, sait-il ce qu'il est advenu du prophète nommé Nathan ?

— Je l'ai vu récemment, répondit Kahlan. Il m'a aidée en me donnant le livre volé dans le Temple des Vents, puis en me révélant les mots qui m'ont permis de détruire ce grimoire et d'arracher Richard à la peste qui le tuait.

— Sais-tu où il est ? lança la Dame Abbesse avec le regard brillant d'un loup qui vient de repérer une proie.

— Tout ça s'est passé quelque part dans l'Ancien Monde. Sœur Verna était présente… Nathan venait de voir mourir une femme qu'il aimait beaucoup. Il a dit que les prophéties se jouent parfois de nous, et que nous les servons sans le savoir. Il a ajouté qu'il arrive à tout le monde de se surestimer et de se croire maître du destin alors qu'il n'en est rien.

Kahlan laissa distraitement courir son index gauche dans la poussière.

— Il est parti avec deux hommes à lui, Walsh et Bollesdun. Avant, il m'a demandé d'informer Richard qu'il lui rendait son titre de seigneur Rahl. Et il a conseillé à Verna de ne pas perdre son temps à tenter de le suivre, parce qu'elle n'y arriverait pas. (Kahlan leva les yeux et croisa le regard soudain mélancolique d'Anna.) Je crois qu'il s'en est allé pour oublier cette terrible nuit, et la femme qui s'est sacrifiée pour lui. À mon avis, vous ne le trouverez pas tant qu'il n'aura pas décidé de vous le permettre…

Un long silence suivit. Pour le briser, Zedd se tapa du plat des mains sur les genoux.

— Richard, dit-il, je veux savoir ce qui est arrivé depuis notre séparation, au début de l'hiver dernier. Toute l'histoire, dans les moindres détails ! Surtout, n'en omets aucun, parce que le plus insignifiant peut être capital. Même si tu ne comprends pas pourquoi je te demande ça, obéis, parce que je dois tout savoir !

Richard leva la tête juste assez longtemps pour voir l'expression de son grand-père. Zedd ne plaisantait pas, et pourtant, il allait être obligé de le décevoir.

— J'aimerais tout te raconter, mais nous n'avons pas le temps. Kahlan, Cara et moi devons retourner en Aydindril.

Anna jouait nerveusement avec un bouton de sa robe. Rose ou pas, se dit l'Inquisitrice, il valait mieux, avec cette femme, ne jamais oublier les épines.

— Nous pouvons commencer maintenant, et continuer de parler en chemin.

— J'aimerais que vous veniez avec nous, dit Richard, mais voyager ensemble nous prendrait trop longtemps, et nous devons nous presser. Tous les trois, nous rentrerons avec la sliph. Zedd, Anna et toi devrez retourner dans les Contrées par vos propres moyens. Quand vous nous aurez rejoints, nous parlerons…

— Tu recommences avec ta sliph ? grogna Zedd. Vas-tu enfin nous donner quelques explications ?

Les yeux rivés sur le rideau de la fenêtre, le Sourcier ne répondit pas, à croire qu'il n'avait pas entendu. Kahlan décida de s'en charger à sa place.

— La sliph est…

Elle hésita. Comment décrire une créature pareille ?

— Eh bien, c'est une femme de vif-argent, vivante comme vous et moi. Elle peut communiquer avec nous. Par la parole, je veux dire…

— Du vif-argent qui parle…, marmonna Zedd. Et elle raconte quoi, cette sliph ?

— Ses propos ne sont pas le plus important… (Sans cesser de gratouiller du bout d'un doigt la couture de son pantalon, Kahlan leva les yeux et soutint le regard du vieil homme.) Elle a été créée par des sorciers, à l'époque de l'Antique Guerre. Ils modifiaient des gens pour en faire des armes, et ils ont pris la vie d'une femme afin qu'elle devienne la sliph. Avec elle, ou plutôt en elle, on peut voyager très vite sur de très grandes distances. Par exemple, il faut moins d'une journée pour aller d'ici en Aydindril…

Zedd parut avoir du mal à assimiler cette information. L'Inquisitrice comprit d'autant mieux sa réaction qu'elle avait eu la même au début. En principe, il fallait des semaines pour gagner Aydindril en partant du village des Hommes d'Adobe.

— Je suis désolée, reprit Kahlan, mais Anna et vous ne pouvez pas venir avec nous. (Elle tapota gentiment le bras du vieil homme.) La sliph aussi a ce que vous appeliez tout à l'heure des « sécurités ». C'est pour ça que Richard a dû laisser son épée, dont la magie n'est pas compatible avec celle de la sliph.

» Pour survivre au voyage, il faut contrôler un peu de Magie Soustractive, en plus de l'Additive. Anna et vous n'arriveriez pas vivants. Il y a une composante soustractive dans le pouvoir des Inquisitrices, et Cara s'est emparée du don d'un Andolien, également « mixte ». Sinon, elle n'aurait pas pu nous accompagner. Quant à Richard, vous savez qu'il contrôle les deux formes de magie.

— « Contrôler » est un bien grand mot, marmonna Zedd. (Puis il comprit vraiment ce que venait de dire Kahlan.) Vous avez recouru à la Magie Soustractive ? Mais comment… où… que… ?

Voyant qu'il s'emmêlait la langue avec ses questions, l'Inquisitrice vint à son secours.

— La sliph vit dans des puits de pierre. Richard l'a réveillée, et elle accepte de nous transporter. Mais nous devons être prudents, parce que Jagang pourrait s'en servir pour nous envoyer des tueurs. (Kahlan joignit ses poignets, les paumes des mains vers l'intérieur.) Quand nous n'avons pas besoin d'elle, Richard la rendort en plaquant ses serre-poignets l'un contre l'autre. En fait, en mettant en contact les deux Grâces qui y sont gravées. Alors, la sliph rejoint son âme, dans le royaume des morts.

— Zedd, s'écria Anna, soudain blanche comme un linge, je t'ai prévenu ! Nous ne pouvons pas le laisser seul ! Il est trop important, et il finira par se faire tuer.

Le vieux sorcier semblait de nouveau sur le point d'exploser.

— Tu t'es servi des Grâces gravées sur tes serre-poignets ? Fichtre et foutre, Richard, quand cesseras-tu de faire n'importe quoi ? En agissant ainsi, sais-tu que tu joues avec le voile ?

Toujours absent, le Sourcier claqua des doigts puis désigna les bûchettes, sous l'étagère. Voyant qu'il agitait impatiemment les doigts, Zedd lui passa une des solides branches émondées puis découpées en plusieurs morceaux.

Sans quitter la fenêtre des yeux, Richard la cassa en deux sur son genou.

À la lueur d'un éclair, Kahlan distingua la silhouette d'un poulet perché sur le rebord de la fenêtre, à droite, derrière le rideau. Alors que le tonnerre grondait, l'animal se déplaça vers l'autre coin.

Richard lança son arme improvisée. Elle percuta le bréchet du poulet, qui battit des ailes, caqueta de surprise et tomba de son perchoir.

— Pourquoi as-tu fait ça ? cria Kahlan en tirant sur la manche de son mari. Ce poulet ne dérangeait personne. Il essayait simplement de se protéger de la pluie.

Une nouvelle fois, le Sourcier parut ne pas entendre.

— Anna, dit-il en se tournant vers la Dame Abbesse, vous avez vécu dans l'Ancien Monde avec celui qui marche dans les rêves. Que savez-vous de lui ?

— Eh bien, pas mal de choses, je suppose.

— Vous êtes informée qu'il peut s'introduire dans l'esprit des gens, dans l'intervalle qui sépare leurs pensées, et s'y installer sans qu'ils s'en aperçoivent ?

— Bien sûr, répondit la Dame Abbesse, indignée qu'on lui pose une question aussi simple sur son pire ennemi. Mais tu es à l'abri de ces intrusions, et tous ceux qui sont liés à toi aussi… L'empereur ne peut pas violer l'esprit d'un fidèle du seigneur Rahl. Nous ne savons pas pourquoi, mais ça fonctionne.

— C'est à cause d'Alric, souffla Richard.

— Qui ? demanda Zedd, de plus en plus perdu.

— Alric Rahl, un de mes ancêtres. Au cours de mes lectures, j'ai appris que ceux qui marchent dans les rêves sont des armes fabriquées il y a trois mille ans, lors de l'Antique Guerre. Alric Rahl a lancé un sortilège – le lien – qui empêchait ceux qui marchent dans les rêves de violer mentalement ses sujets d'harans et les gens qui lui prêtaient allégeance. Tous les Rahl qui ont le don transmettent cette protection à leurs alliés.

Zedd voulut poser une question, mais Richard lui coupa la chique en se tournant de nouveau vers Anna.

— Jagang est entré dans l'esprit d'un sorcier et il l'a envoyé en Aydindril pour nous tuer, Kahlan et moi.

— Un sorcier ? s'exclama la Dame Abbesse. Lequel ?

— Marlin Pickard, répondit Kahlan.

— Marlin… Le pauvre garçon… Que lui est-il arrivé ?

— La Mère Inquisitrice l'a tué, annonça froidement Cara. C'est une authentique Sœur de l'Agiel.

Anna croisa les mains sur ses genoux et se pencha vers Kahlan :

— Mais comment avez-vous découvert que…

— Nous pensions que Jagang recommencerait, coupa Richard. Mais peut-il s'introduire dans l'esprit… eh bien, d'une autre créature qu'un être humain ?

Anna réfléchit à la question avec plus d'attention et de patience que Kahlan lui en aurait soupçonné.

— Non, je ne pense pas…

— Vous ne *pensez* pas ? C'est tout ce que vous pouvez dire ? Anna, il me faut une certitude !

— Alors, je réponds que l'empereur est incapable de faire ce que tu suggères !

— Elle a raison ! intervint Zedd. J'en sais long sur les aptitudes de notre adversaire. Il lui faut une âme qui ressemble à la sienne. Sinon, ça ne marche pas. Dans le même ordre d'idées, il ne pourrait pas envahir l'esprit d'un rocher pour savoir ce qu'il pense.

— Alors, ce n'est pas Jagang…, marmonna Richard en se tapotant pensivement la lèvre inférieure.

— Que veux-tu dire ? grogna Zedd, exaspéré.

Kahlan soupira de lassitude.

Parfois, suivre les raisonnements de Richard était aussi simple qu'essayer de retrouver une aiguille dans une meule de foin.

Chapitre 6

Au lieu de répondre à la question de Zedd, Richard passa à autre chose, comme s'il avançait à grands pas sur une route qu'il était seul à connaître… et à emprunter.

— Les Carillons… Anna et toi vous en êtes occupés ? En principe, ce n'est pas une affaire compliquée. Vous l'avez réglée ?

— Pas compliquée ? répéta Zedd, rouge comme une pivoine sous sa crinière blanche. Qui t'a raconté ça ?

— Je l'ai lu quelque part, répondit Richard, qui sembla étonné par cette question. Alors, le problème est résolu ?

— Nous avons déterminé qu'il n'y avait rien à résoudre, dit Anna, un peu agacée.

— C'est exact, confirma Zedd. Que veux-tu dire avec ton « affaire pas compliquée » ?

— Kolo raconte que ce sujet a inquiété tous les sorciers, au début. Mais après une enquête minutieuse, ils ont découvert que les Carillons étaient des armes très simples et faciles à désamorcer. (Richard leva nerveusement les mains.) Comment avez-vous su qu'il n'y avait rien à résoudre ? Pour commencer, en êtes-vous sûrs ?

— Kolo ? Fichtre et foutre, Richard, de quoi parles-tu ? Qui est ce Kolo ?

Richard agita une main, comme s'il implorait qu'on cesse de l'importuner. Puis il se leva, approcha de la fenêtre et écarta un peu le rideau. Le poulet n'était nulle part en vue.

Alors que le Sourcier se penchait en avant pour regarder dehors, Kahlan répondit une nouvelle fois à sa place.

— Richard a trouvé dans la Forteresse un journal intime rédigé en haut d'haran. Avec l'aide de Berdine, une des Mord-Sith, il a travaillé dur pour le traduire.

» Son auteur était un sorcier qui vivait dans la Forteresse à l'époque de l'Antique Guerre. Ignorant son nom, Richard et Berdine l'ont surnommé « Kolo », d'après un mot haut d'haran qui signifie « conseiller avisé ». Ce texte fourmillait d'informations précieuses.

49

Zedd jeta un coup d'œil soupçonneux à Richard, puis, d'un ton méfiant, posa une question à l'Inquisitrice :

— Et où ton Sourcier a-t-il trouvé ce journal ?

Comme si tout cela ne le concernait pas, Richard commença à faire les cent pas dans la petite pièce.

— La salle de la sliph…, répondit Kahlan. Tout en bas de la grande tour.

— La grande tour…, répéta Zedd sur le ton d'un procureur qui lit un acte d'accusation. Bien entendu, tu ne parles pas de la salle condamnée depuis des lustres ?

— J'ai bien peur que oui… Quand Richard a détruit les Tours de la Perdition, qui séparaient l'Ancien et le Nouveau Monde, la porte de cette salle a explosé… C'est là qu'il a trouvé les ossements de Kolo, le journal et la sliph.

Richard s'immobilisa devant son grand-père.

— Zedd, nous parlerons de tout ça plus tard ! Pour le moment, dis-moi pourquoi tu penses que les Carillons ne sont pas ici.

— Ici ? répéta Kahlan, déroutée. Que veux-tu dire ?

— Dans notre monde… Zedd, comment peux-tu en être certain ?

D'un index, le vieux sorcier désigna la place vide, autour du dessin.

— Assieds-toi, mon garçon ! Te voir marcher comme un lion en cage me donne le tournis.

Avant d'obéir, le Sourcier alla jeter un dernier coup d'œil par la fenêtre.

— Zedd, demanda Kahlan, que sont les Carillons ?

— Des créatures contrariantes, rien de plus…

— Contrariantes ? s'écria Anna en se flanquant une claque sur le front. Tu veux dire catastrophiques !

— Et c'est moi qui les ai invoquées ? demanda Kahlan, accablée.

Elle avait prononcé à voix haute les trois Carillons – des noms de créatures, semblait-il – pour activer la magie qui sauverait Richard. Sur le moment, elle ignorait ce que signifiaient ces mots. Mais si elle ne les avait pas dits, son bien-aimé serait mort quelques secondes plus tard.

— Ne t'en fais donc pas, souffla Zedd, apaisant. Comme le souligne Anna, ces créatures peuvent être des sources de perturbation, mais…

Après s'être assis, Richard remonta jusqu'à ses genoux les jambes de son pantalon.

— Zedd, réponds à ma question, je t'en prie ! Comment sais-tu qu'ils ne sont pas dans notre monde ?

— Les Carillons obéissent à ce qu'on pourrait appeler une « règle de trois ». Sans doute parce qu'ils sont un trio : Reechani, Sentrosi, Vasi…

Kahlan faillit en bondir sur ses pieds.

— Je croyais qu'il ne fallait jamais prononcer ces mots à voix haute !

— *Tu* ne dois pas le faire ! Une personne ordinaire peut les clamer sur tous les toits sans conséquences désastreuses… J'en ai le droit, tout comme Anna et Richard. Ce n'est pas le cas pour les êtres comme toi, extrêmement rares, il faut le préciser.

— Pourquoi moi ?

— Parce que ta magie est assez puissante pour les appeler au secours au profit d'une tierce personne. Mais comme tu n'as pas le don, qui protège le voile, les

Carillons peuvent aussi voler sur les ailes de ta magie pour parvenir jusque dans notre monde. C'est pour ça que leurs noms sont en principe secrets.

— Alors, ils sont peut-être ici…

— Oui, c'est possible…, soupira Richard, soudain pâle comme un mort.

— Non, non et non ! s'exclama Zedd. Il y a une multitude de protections et un nombre incroyable de conditions à remplir. (Zedd brandit un index osseux pour intimer le silence à Richard, qui allait poser une question.) Par exemple, il faudrait que Kahlan soit ta troisième épouse. Ça te coupe la chique, pas vrai, messire Je Sais Tout Parce Que Je L'Ai Lu Dans Un Livre ?

— Nous l'avons échappé belle…, soupira Richard. Kahlan n'est que ma seconde épouse…

— Quoi ? (Zedd leva si haut les bras qu'il manqua basculer en arrière.) Que veux-tu dire, mon garçon ? Je t'ai vu naître, puis grandir, et je sais que tu n'as jamais aimé quelqu'un d'autre que Kahlan. Pourquoi diantre aurais-tu épousé quelqu'un avant elle ?

Richard échangea un regard peiné avec sa femme, puis il s'éclaircit la gorge.

— C'est une longue histoire, mais tu devras te contenter de la fin. Pour entrer dans le Temple des Vents, et arrêter la peste, j'ai dû prendre Nadine pour femme. Donc, Kahlan est bien ma seconde épouse.

— Nadine ? répéta Zedd en se gratouillant la joue. Nadine Brighton ?

— Oui, répondit Richard. (Il tapota le sol.) Elle est morte peu après la cérémonie…

— C'était une brave petite, soupira Zedd, et qui voulait devenir guérisseuse. La pauvre chérie… Ses parents seront désespérés.

— La pauvre chérie, oui…, marmonna Kahlan.

Nadine voulait Richard, et rien n'avait semblé en mesure de l'arrêter. Inlassablement, le Sourcier lui avait répété qu'il n'y avait rien entre eux, qu'il en serait toujours ainsi et qu'il désirait la voir rentrer chez elle au plus vite. La jeune femme faisait mine d'avoir compris, jurait qu'elle n'insisterait plus, puis recommençait son manège. Très vite, ce comportement avait tapé sur les nerfs de Kahlan.

Même si elle n'aurait pas sérieusement souhaité qu'il lui arrive malheur – et encore moins qu'elle connaisse une fin atroce – l'Inquisitrice n'avait aucune intention de s'apitoyer hypocritement sur la fin de cette « garce », comme l'appelait à juste titre Cara.

— Kahlan, pourquoi es-tu rouge comme une tomate ? demanda Zedd.

— Eh bien… (Gênée par les regards… inquisiteurs… du sorcier et de la Dame Abbesse, Kahlan jugea urgent de changer de sujet.) Attendez une minute ! Quand j'ai prononcé les trois Carillons, Richard et moi n'étions pas encore mariés. Donc, il n'avait même pas de seconde épouse, à ce moment-là.

— C'est encore mieux, dit Anna. Une pierre de gué de moins pour ces trois affreuses créatures !

— Ne vous réjouissez pas trop vite, intervint Richard en prenant la main de sa bien-aimée. Quand nous avons prononcé des vœux pour me permettre d'entrer dans le Temple des Vents, ils s'adressaient à d'autres personnes, mais dans nos cœurs, nous nous les disions l'un à l'autre. En un sens, nous sommes mariés depuis cet instant-là. Il arrive que la magie, celle du monde des esprits, en tout cas, obéisse à des règles ambiguës de ce genre...

— Tu as raison, malheureusement..., soupira Anna.

— Peut-être bien, dit Zedd, mais dans tous les cas, cela te fait deux épouses, pas trois ! (Il riva sur les deux jeunes gens un regard soupçonneux.) Chaque fois que vous ouvrez la bouche, votre histoire devient de plus en plus compliquée. Je dois tout entendre !

— Avant de partir, nous pouvons t'en raconter des bribes. En Aydindril, nous aurons le temps d'entrer dans les détails. Mais il nous faudra bientôt filer...

— Pourquoi es-tu si pressé, mon garçon ?

— Jagang rêve de mettre la main sur la magie dangereuse conservée dans la Forteresse du Sorcier. S'il réussit, ce sera un désastre ! Zedd, tu es le plus qualifié pour défendre ton fief, je le sais. Mais en attendant, nous serons mieux que rien, Kahlan et moi. Si nous avions été absents quand Jagang a envoyé Marlin et sœur Amelia...

— Amelia ! s'écria Anna. (Elle ferma les yeux et se prit la tête à deux mains.) Elle est donc une Sœur de l'Obscurité... Savez-vous où elle est ?

— La Mère Inquisitrice l'a également tuée, lâcha Cara, toujours adossée à la porte.

Kahlan foudroya du regard la Mord-Sith, qui lui sourit comme une grande sœur fière de sa cadette.

— Tu es très efficace, mon enfant, dit Anna en ouvrant un œil pour dévisager l'épouse de Richard. D'abord un sorcier possédé par celui qui marche dans les rêves, puis une femme investie des sombres pouvoirs du Gardien...

— L'énergie du désespoir, rien de plus...

— Les actes désespérés sont parfois l'expression d'une puissante magie ! lança Zedd avec un petit rire approbateur.

— Invoquer les Carillons était aussi un acte désespéré, dit Kahlan. Et toujours pour sauver la vie de Richard... Zedd, que sont les Carillons ? Et pourquoi étiez-vous si inquiet ?

Le vieux sorcier changea de position pour soulager un peu ses fesses insuffisamment rembourrées.

— Si la mauvaise personne les invoque pour empêcher quelqu'un de franchir cette ligne... (Sur le dessin, il désigna la frontière du royaume des morts.) Eh bien, elle risque, sans le vouloir, de les amener dans le monde des vivants, où ils rempliront la mission pour laquelle ils furent créés. À savoir détruire la magie !

— Ils l'absorbent, précisa Anna, comme la terre desséchée, en été, boit goulûment une averse. Ce sont des créatures, en un sens, mais pas vivantes. En réalité, les Carillons n'ont pas d'âme.

Zedd approuva gravement du chef.

— Ce sont des êtres nés de la magie du royaume des morts. Ils neutraliseraient la nôtre...

— En éliminant tous ceux qui la contrôlent ? demanda Kahlan. Leur contact est mortel, comme celui des ombres que nous avons affrontées en traversant la frontière, puis dans le village du Peuple d'Adobe ?

— Non, répondit Anna. Ils peuvent tuer, et ils ne s'en privent pas quand l'occasion s'offre à eux, mais leur seule présence en ce monde, si elle se prolongeait, suffirait à détruire la magie. Au bout du compte, tous ceux qui survivent grâce au pouvoir périraient. D'abord les plus faibles, puis les plus forts, à la fin...

— Ne perdez pas de vue, dit Zedd, que nous ne savons pas grand-chose à leur sujet. Ce sont des armes créées pendant l'Antique Guerre, par des sorciers dont le pouvoir me dépasse. Le don n'est plus ce qu'il était, mes enfants...

— Si les Carillons venaient dans notre monde et détruisaient la magie, que se passerait-il ? demanda Richard. Sans l'Homme Oiseau et les anciens, le Peuple d'Adobe, par exemple, serait-il simplement incapable de contacter les esprits de ses ancêtres ? J'ai compris que toutes les créatures magiques disparaîtraient, mais qu'en serait-il des autres ? Les gens sans pouvoir, les animaux, les plantes ? Resteraient-ils vivants, comme en Terre d'Ouest, où il n'y avait pas de magie ?

Kahlan sentit le sol trembler sous elle. Dehors, l'orage se déchaînait. Dans la cheminée, le feu semblait crépiter haineusement pour tenir à distance l'eau, son ennemie de toujours...

— Désolé, mon garçon, mais nous ignorons la réponse. Il n'y a pas de précédent, comprends-tu ? Le monde est trop complexe pour notre pauvre compréhension. Le Créateur seul sait comment interagissent ses multitudes de composants. (À la lueur des flammes, le visage du vieux sorcier parut soudain sinistre.) Mais je crains que ce soit bien pire que ce que tu viens de décrire.

— Dans quelle mesure ? demanda Richard.

Tirant minutieusement sur les plis de sa tunique, le long de ses jambes, Zedd prit le temps de la réflexion avant de répondre.

— À l'ouest de ce village, dans les hautes terres qui dominent la vallée de Nareef, jaillissent les multiples sources de la rivière Dammar, qui, beaucoup plus loin, vient se jeter dans le fleuve Drun. En traversant les hautes terres, dont le sol est empoisonné, ces eaux se chargent de substances mortelles.

» Ces hautes terres, mes enfants, sont un désert. On n'y trouve rien, à part les os blanchis des animaux qui y sont restés trop longtemps et ont souvent bu l'eau meurtrière.

Le vieil homme écarta les bras pour communiquer à ses interlocuteurs un sentiment d'immensité.

— Des milliers de ruisselets et de ruisseaux dévalent les pentes des montagnes pour se déverser dans un grand lac puis continuer leur route vers la vallée. Sur la berge de ce réservoir naturel, surtout au sud, où descendent les eaux, le paka, une plante rare, pousse en abondance. Ce végétal ne résiste pas seulement au poison, il s'en nourrit ! Et les chenilles d'une certaine espèce de papillons consomment ses feuilles et filent leur cocon au milieu de ses tiges charnues.

» Les oiseaux-nettoyeurs nichent à l'entrée de la vallée de Nareef, sur les falaises qui bordent les hautes terres où s'étend le lac. Ils se délectent des baies de paka, qui poussent juste au-dessus d'eux. En conséquence, ils comptent parmi les rares animaux qui s'aventurent dans les hautes terres. Mais ils ne boivent pas l'eau empoisonnée...

— Les baies ne sont pas dangereuses ? demanda Richard.

— Non. Par un miracle de la Création, le paka pousse grâce à des substances mortelles, mais ses fruits restent inoffensifs. Et les eaux qui descendent de la montagne, filtrées par le paka, sont pures, limpides et parfaitement potables.

» Une autre créature vit dans les hautes terres : le papillon-gambit, peut-être ainsi nommé parce que sa façon de voler attire irrésistiblement les oiseaux-nettoyeurs, qui se nourrissent pourtant surtout de graines et de baies. Bien entendu, sur son territoire dévasté, ce papillon n'a pas beaucoup d'autres prédateurs.

» Mais revenons au paka. Bizarrement, cette plante ne peut pas se reproduire seule. J'ignore si c'est un effet du poison, mais la cosse de ses graines est très dure et refuse obstinément de s'ouvrir. Pour l'y forcer, il faut le soutien de la magie...

Le vieil homme plissa les yeux, et écarta les bras comme pour annoncer le moment dramatique de son récit. Kahlan se souvint de ses émerveillements de petite fille, quand elle avait entendu pour la première fois l'histoire du papillon-gambit, assise sur les genoux d'un sorcier, dans une mystérieuse salle de la Forteresse.

— Le papillon détient cette magie, continua Zedd. Savez-vous d'où elle lui vient ? Eh bien, simplement de la poussière qui se dépose sur ses ailes ! Quand un oiseau-nettoyeur mange un papillon, alors qu'il s'est déjà gavé de baies de paka, la poussière magique, dans son ventre, s'attaque aux cosses des minuscules graines et les fissure. Plus tard, avec leurs fientes, les oiseaux ensemencent la berge du lac, et de nouvelles pousses de paka voient le jour.

» Pour boucler la boucle, des papillons-gambit viendront un jour y pondre leurs œufs, et leurs chenilles, une fois écloses, se nourriront des feuilles avant d'être assez fortes pour filer des cocons... qui donneront naissance à de nouveaux papillons-gambit !

— Je vois où tu veux en venir..., intervint Richard. Si la magie disparaissait, les papillons perdraient la leur. Alors, le paka ne se reproduirait plus, les oiseaux-nettoyeurs crèveraient de faim, et les chenilles, également affamées, ne fileraient plus de cocon. Bref, la plante et les deux espèces animales seraient condamnées à l'extinction.

— Réfléchis un peu, mon garçon. Ça ne s'arrête pas là !

— Tu as raison... Sans paka pour les filtrer, les eaux qui traversent la vallée de Nareef seraient toujours empoisonnées.

— Exactement, fiston ! Elles tueraient tous les animaux qui s'abreuvent à la rivière Dammar, en aval du lac. Les daims, les cerfs, les porcs-épics, les campagnols, les hiboux, les oiseaux... Sans parler de tous les prédateurs qui dévoreraient leurs cadavres : les loups, les coyotes, les vautours... Tous mourraient ! (Zedd se pencha en avant et brandit théâtralement un index.) Même les vers !

— Oui, approuva Richard. Les troupeaux qui paissent dans la vallée seraient sûrement affectés aussi, tout comme les terres cultivées. Une catastrophe pour les habitants, humains compris, de la vallée de Nareef.

— Tu n'y es pas encore tout à fait, dit Anna. Pense à ce qui se passerait si la viande de ces troupeaux était vendue avant qu'on sache qu'elle est contaminée.

— Ou les récoltes..., ajouta Kahlan.

— Oui, insista Zedd, imagine toutes les conséquences !

— La rivière Dammar se jette dans le fleuve Drun, dit Richard, qui serait également contaminé. Le poison ferait des ravages bien plus loin en aval que je le pensais...

— Le fleuve traverse un pays appelé « Toscla », des centaines de fois plus grand que la vallée de Nareef. Les champs de ce royaume fournissent de la nourriture à une multitude de gens dans les Contrées. Les Toscliens, des commerçants dans l'âme, envoient sans cesse des caravanes vers le nord.

On voyait bien, pensa Kahlan, que Zedd avait quitté les Contrées depuis longtemps. Toscla était un nom obsolète. Ce royaume était situé très loin au sud-ouest, et le Pays Sauvage, comme une grande mer, le séparait des autres membres de l'Alliance. La population dominante, qui se donnait actuellement le nom d'« Anderiens », adorait changer d'appellation et modifier en conséquence celle de son pays. Au fil du temps, le royaume que Zedd nommait « Toscla » était devenu Vengren, puis Vindice, puis Turslan. Aujourd'hui, il s'appelait Anderith.

— Si les Toscliens vendaient leurs récoltes sans avoir conscience du danger, continua Zedd, un nombre incalculable de gens périraient. Et s'ils s'en apercevaient à temps, ils suspendraient leur négoce et n'auraient plus rien pour acheter de la nourriture. Leurs troupeaux ayant succombé, ils tenteraient de pêcher, mais les eaux côtières seraient sûrement empoisonnées par celles du fleuve Drun. Et à cause de leur système d'irrigation, leurs champs seraient sans doute inexploitables pendant très longtemps.

» Sans pouvoir se reposer sur l'élevage ni la pêche, et privés de leur principale source de revenus, les Toscliens n'auraient pas beaucoup de chances de survivre. Mais là encore, nous ne sommes pas à la fin de l'histoire…

» Dans les autres royaumes, les récoltes toscliennes manqueraient cruellement. Cela ouvrirait des temps très difficiles, puisque le commerce de tous ces pays pâtirait d'avoir perdu un partenaire qui achetait beaucoup de biens manufacturés. Dans ces conditions, tous les prix grimperaient dans ces royaumes, et les gens, aux quatre coins des Contrées, auraient de plus en plus de mal à nourrir leur famille.

» Des troubles civils seraient alors inévitables. Avec la famine, la panique risquerait de tout submerger. Et les émeutes pourraient dégénérer en conflits militaires, quand les habitants des régions touchées par le poison tenteraient de se réfugier dans des pays encore sains. Avec le désespoir pour attiser l'incendie, le désordre se généraliserait.

— Ce sont des spéculations, n'est-ce pas ? demanda Richard. Tu n'es pas certain que ça se passerait ainsi si la magie disparaissait ?

— Comme ça n'est jamais arrivé, nous en sommes réduits aux hypothèses. Il se peut que le poison, dilué dans les eaux de la rivière Dammar puis du fleuve Drun, ne provoque pas de désastre, ou fasse des ravages plus localisés. Ou encore que la mer ne soit pas affectée, toujours à cause du phénomène de dilution, et qu'il reste au moins des poissons comestibles. Dans ce cas, la situation ne serait pas désespérée…

À la faible lueur du feu, s'avisa Kahlan, les cheveux de Zedd ressemblaient à des flammes blanches.

— Cela dit, continua le vieil homme, la disparition de la magie des papillons-gambit pourrait bien, par le biais d'une cascade d'événements, entraîner la disparition de toute vie sur notre monde…

Richard réfléchit quelques instants et hocha sombrement la tête. C'était une possibilité, il devait l'admettre.

— Tu commences à comprendre ? lança Zedd. (Il marqua une pause, puis brisa le silence de mort.) Et ce n'est qu'un exemple parmi des milliers d'autres…

— Les Carillons viennent du royaume des morts, dit Richard, et ils seraient très contents que ça se déroule ainsi. (Nerveux, il se passa une main dans les cheveux.) Tout à l'heure, tu as dit que les plus faibles périraient d'abord. Tu crois que la magie des papillons-gambit serait parmi les premières à mourir ?

— Qui peut savoir si elle est faible ou forte ? répliqua Zedd. Nous l'ignorons, et elle pourrait tout aussi bien être la dernière à succomber.

— Et Kahlan ? Perdrait-elle son pouvoir ? C'est lui qui la protège. Elle en a besoin !

Richard était la première personne qui eût jamais accepté et aimé l'Inquisitrice telle qu'elle était, avec son pouvoir et tout le reste. Il avait ainsi découvert le seul moyen de vivre physiquement leur amour sans que le contact de sa compagne le détruise.

— Fichtre et foutre, Richard, m'as-tu écouté ? Bien entendu qu'elle le perdrait ! Il est magique, comme le mien, le tien et celui d'Anna. Mais alors que ta femme et toi seriez simplement privés de vos pouvoirs, le monde entier agoniserait autour de vous !

— Pour moi, dit le Sourcier, ce ne serait pas un drame, puisque je ne sais pas utiliser mon don. Mais beaucoup d'autres personnes s'en servent pour faire le bien. Il faut empêcher ce drame !

— Par bonheur, rappela Zedd, il ne peut pas se produire. Ce n'était que des spéculations, comme tu disais, pour passer le temps en attendant la fin de l'orage.

Richard releva les genoux, les entoura de ses bras et replongea au plus profond de lui-même, comme si ses compagnons n'existaient plus.

— Zedd a raison, dit Anna. Nous ne risquons rien de ce côté-là, puisque les Carillons ne sont pas passés dans notre monde. Mais Jagang nous menace toujours.

— Si la magie disparaissait, demanda Kahlan, l'empereur perdrait-il le pouvoir de marcher dans les rêves ?

— Bien sûr, répondit Anna. Mais il n'y a aucune raison de croire que…

— Si les Carillons étaient ici, coupa Richard, comment les neutraliseriez-vous ? Il paraît que ce ne serait pas difficile. Mais comment procéderiez-vous ?

Zedd et Anna échangèrent un regard interloqué.

Avant que l'un ou l'autre puisse répondre, Richard tourna la tête vers la fenêtre. Puis il se leva d'un bond et traversa la salle en trois enjambées. Quand il écarta le rideau et se pencha dehors pour regarder à droite et à gauche, le vent lui propulsa au visage des gouttes de pluie curieusement froides pour la saison. Les éclairs continuaient à zébrer le ciel, et le tonnerre les accompagnait comme un tambour géant.

— Tu as idée de ce qui se passe sous le crâne de ce garçon ? demanda Zedd à Kahlan.

— J'ai ma petite hypothèse, mais vous ne me croiriez pas…

Richard avait incliné la tête, les oreilles aux aguets. Kahlan se concentra pour tenter d'entendre ce qui avait attiré l'attention de son mari.

Dans le lointain, elle capta les gémissements terrifiés d'un enfant.

— Vous m'attendez tous ici ! ordonna Richard en se ruant vers la porte.

Bien entendu, ses quatre compagnons lui emboîtèrent le pas.

Chapitre 7

En pataugeant dans la gadoue, Zedd, Anna, Cara et Kahlan tentèrent de suivre le Sourcier le long du dédale d'étroits passages qui serpentaient entre les bâtiments.

L'Inquisitrice dut plisser les yeux pour mieux voir à travers le rideau de pluie. L'averse était si glaciale que la jeune femme, en sortant, avait crié de surprise.

Des chasseurs, leurs protecteurs omniprésents, les rejoignirent et coururent à leurs côtés. Les bâtiments qu'ils dépassèrent étaient pour l'essentiel des maisons à pièce unique qui partageaient au minimum un mur, et parfois jusqu'à trois, quand il s'agissait de la même bâtisse séparée par une cloison centrale. Disposées sans logique apparente, ces habitations composaient un labyrinthe où il n'était pas difficile de se perdre.

À la grande surprise de Kahlan, qui ne l'aurait pas crue si véloce, Anna collait aux talons de Richard. Bien qu'elle ne parût pas taillée pour courir, elle suivait le rythme sans difficulté, comme Zedd, dont les bras rachitiques se balançaient d'avant en arrière à une cadence régulière. Avec ses longues jambes, Cara aurait pu facilement dépasser l'Inquisitrice, mais elle restait délibérément à ses côtés. Les chasseurs, eux, avançaient avec une grâce féline, comme s'il s'était agi d'une simple promenade. En tête de la colonne, le Sourcier était impressionnant avec la cape dorée qui battait dans son dos. Comparé aux Hommes d'Adobe, petits et élancés, on eût dit qu'une montagne d'homme dévalait les rues étroites à la vitesse d'une avalanche.

Il tourna à droite sous le regard curieux de trois chèvres, une noire et deux marron, et de plusieurs enfants réfugiés sous les auvents de minuscules cours où poussait du colza destiné à nourrir les volailles. Debout sur le seuil flanqué de jardinières de leur maison, quelques femmes, bouche bée, virent passer la petite colonne sans en croire vraiment leurs yeux.

À l'intersection suivante, Richard prit à gauche. Dès qu'elle remarqua le groupe de fous furieux qui courait sous la pluie, une jeune femme debout sous un porche prit un enfant en larmes dans ses bras, le serra contre elle et se plaqua à tout hasard contre sa porte. Bien qu'elle s'efforçât de le faire taire, le petit garçon continua à gémir.

Richard s'arrêta si abruptement, mais avec une souplesse de chat, que ses compagnons manquèrent le percuter. Les yeux écarquillés de terreur de la pauvre femme volèrent sur les visages ruisselants de pluie de la dizaine de personnes qui l'entouraient.

— *Que se passe-t-il ?* demanda-t-elle. *Que nous voulez-vous ?*

Richard demanda une traduction avant qu'elle ait fini de poser sa question. En se frayant un passage pour le rejoindre, Kahlan remarqua que le petit garçon saignait de plusieurs coupures qui ressemblaient à des marques de griffes… ou d'ergots…

— *Nous avons entendu les cris de votre fils*, dit-elle. (Elle tendit une main et caressa les cheveux trempés de l'enfant.) *Inquiets pour ce pauvre petit, nous avons couru à son secours.*

Soulagée, la mère laissa glisser son fils le long de ses hanches et le reposa par terre. Passant un morceau de tissu rouge de sang sur ses blessures, elle lui murmura quelques mots de réconfort.

— *Ungi va très bien*, dit-elle aux « sauveteurs ». *Merci d'être venus, mais c'est un petit garçon, et comme tous les autres, il n'arrête pas de faire des bêtises…*

Kahlan transmit à ses compagnons les explications de la Femme d'Adobe.

— Qui l'a griffé ? demanda Richard.

— *Ka chenota*, répondit la mère quand l'Inquisitrice eut traduit.

— Un poulet, lâcha le Sourcier, qui semblait avoir au moins appris un mot de la langue du Peuple d'Adobe. C'est un poulet qui a attaqué le petit ? *Ka chenota ?*

Lorsque Kahlan lui posa la question, la femme éclata de rire.

— *Attaqué par un poulet ? Vous n'êtes pas sérieux ? Ungi se prend pour un grand chasseur, alors il piste les poulets ! Ce soir, il en a coincé un, qui a eu peur et l'a blessé en tentant de s'échapper.*

Richard s'accroupit devant Ungi et lui caressa à son tour les cheveux.

— Tu chassais des poulets ? demanda-t-il. *Ka chenota ?* Tu les énervais ? Ce n'est pas ce qui est arrivé, je parie…

Au lieu de traduire, Kahlan s'assit sur les talons.

— Richard, si tu me disais ce qu'il se passe ?

Pendant que la mère nettoyait sa plaie, le Sourcier posa une main compatissante sur le bras de l'enfant.

— Regarde les coupures, dit-il. Elles sont presque toutes autour de son cou.

— Parce qu'il a essayé de ramasser le poulet et de le serrer contre lui, soupira Kahlan. En se débattant, le pauvre animal l'a blessé…

À contrecœur, Richard sembla admettre que c'était une explication possible.

— Ce n'est rien de bien grave ! lança Zedd. Laissez-moi guérir ce petit, puis nous irons nous mettre à l'abri et manger quelque chose. Des dizaines de questions se bousculent toujours sur ma langue, et…

Richard leva un index pour clouer le bec au vieux sorcier. Puis il regarda Kahlan dans les yeux.

— Traduis ma question, je t'en prie !

— Dis-moi d'abord de quoi il s'agit ! C'est à cause de ce qu'a raconté l'Homme Oiseau ? Richard, il avait un peu trop forcé sur la boisson…

— Jette donc un coup d'œil derrière moi…

Kahlan obéit. De l'autre côté du passage, sous un avant-toit luisant de pluie, un poulet ébouriffait ses plumes. Comme la plupart des volailles du Peuple d'Adobe, il appartenait à la même espèce – les Rock Barrés – que l'intrus chassé un peu plus tôt par Richard.

Trempée et gelée, Kahlan sentit qu'elle perdait patience.

— Un poulet qui cherche à s'abriter de la pluie ? C'est ça que je dois contempler ?

— Je sais ce que tu penses, mais…

— Richard, écoute-moi !

Kahlan se ressaisit. Pour rien au monde, elle ne se serait disputée avec son bien-aimé. Comme toujours, se dit-elle, il s'inquiétait pour sa sécurité. Mais là, il se trompait. Après une profonde inspiration, elle posa une main sur l'épaule de son mari et la serra très fort.

— Tu es bouleversé à cause de la mort de Juni. Moi aussi, mais ce n'est pas la fin du monde pour autant. Il a pu mourir d'épuisement, pour avoir trop longtemps couru. Parfois, ça arrive à de très jeunes personnes. Tu dois admettre que les gens quittent parfois ce monde sans qu'on sache pourquoi.

Le Sourcier regarda Anna et Zedd, occupés à admirer la musculature naissante d'Ungi. Un bon moyen de faire mine d'ignorer ce qui ressemblait de plus en plus à une querelle d'amoureux. Ou plutôt, désormais, à une scène de ménage… Un peu à l'écart, Cara montait la garde. Pour distraire le gamin, pendant que sa mère le soignait, un chasseur lui proposa de tenir un moment sa lance.

Peu désireux de se disputer, Richard lissa nerveusement ses cheveux trempés.

— Je crois que c'est le même poulet…, murmura-t-il. Celui que j'ai pris pour cible tout à l'heure…

— Tous les poulets du village se ressemblent ! s'écria Kahlan, exaspérée. (Elle jeta un nouveau coup d'œil sous l'avant-toit.) En plus, il est parti.

Richard vérifia puis sonda le passage du regard.

— Demande au petit s'il chassait ce poulet !

En soignant son fils, la Femme d'Adobe avait également suivi la conversation – qui l'inquiétait même si elle ne la comprenait pas.

Kahlan passa sa langue sur ses lèvres humides de pluie. Si c'était aussi important pour Richard, elle pouvait bien faire un petit effort.

— *Ungi*, demanda-t-elle en tapotant le bras du gamin, *tu as essayé d'attraper le poulet ? Parce que tu le chassais ?*

— *Non, il m'a attaqué !* (Ungi désigna le toit de sa maison.) *Il m'a sauté dessus !*

La Femme d'Adobe se pencha et flanqua une tape sur les fesses de son fils.

— *Cesse de mentir ! Avec tes amis, vous n'arrêtez pas de harceler les volailles !*

Ungi regarda Kahlan et Richard, accroupis à sa hauteur, comme s'ils appartenaient au même monde que lui.

— *Un jour, je serai un aussi grand chasseur que mon père… Il est très courageux, comme ses cicatrices le prouvent.*

Richard sourit dès que Kahlan eut traduit. Puis il toucha délicatement une des plaies du petit garçon.

— Ici, tu auras une vraie cicatrice de chasseur, comme celles de ton père. Alors, tu embêtais le poulet, comme le dit ta mère ? C'est ça, la vérité ?

— *Non... J'avais faim et je voulais rentrer à la maison. Mais le poulet m'a attaqué.*

— *Ungi !* s'écria la Femme d'Adobe, exaspérée.

— *Ils se perchent souvent sur notre toit... Je l'ai peut-être effrayé, parce que je courais, et il m'a sauté dessus.*

La mère ouvrit sa porte et poussa le petit garçon à l'intérieur de sa demeure.

— *Il faut l'excuser,* dit-elle, *à son âge, tous les enfants aiment inventer des histoires. Il passe son temps à harceler les volailles, et ce n'est pas la première fois qu'il se fait griffer. Un jour, il a eu l'épaule entaillée par les ergots d'un coq. Il pense que les coqs sont des aigles ! C'est un bon petit, simplement un peu trop imaginatif. Quand il trouve une salamandre sous un rocher, il court me chercher pour me montrer son « nid de dragons ». Et il veut que son père tue les monstres avant qu'ils nous dévorent...*

À part Richard, tout le monde eut un petit rire indulgent. Alors que la femme, après avoir salué tout le monde de la tête, se tournait pour rentrer chez elle, il la retint gentiment par un bras.

— Kahlan, dis-lui que je suis navré, pour les blessures du petit. Ajoute que ce n'était pas la faute d'Ungi, cette fois... Oui, dis-lui que je suis désolé.

Craignant que la Femme d'Adobe les comprenne de travers, Kahlan modifia un peu les propos du Sourcier lorsqu'elle traduisit.

— *Nous sommes navrés qu'Ungi ait été blessé. S'il ne se remet pas très vite, ou si les plaies sont très profondes, prévenez-nous et Zedd interviendra avec sa magie.*

La Femme d'Adobe remercia ses visiteurs, leur souhaita une bonne journée et rentra chez elle. Kahlan aurait parié qu'elle n'avait guère envie qu'un sorcier s'occupe de son fils...

— Alors, seigneur Rahl, tu es soulagé ? Ce n'était pas ce que tu redoutais... Une affaire à oublier très vite !

Richard sonda un long moment le passage battu par la pluie.

— Eh bien, admit-il avec un sourire contrit, je pensais que... Je m'inquiétais pour ta sécurité, c'est tout.

— Maintenant que nous sommes tous trempés, grommela Zedd, autant aller voir le cadavre de Juni... Si vous voulez vous réconcilier en roucoulant comme des tourtereaux, ne comptez pas sur moi pour vous regarder faire sous ce déluge !

Visiblement impatient, il fit signe à Richard de lui montrer le chemin. Quand le Sourcier eut obéi, le vieux sorcier prit le bras de Kahlan et laissa passer tous les autres. Pour se mettre en chemin, il attendit qu'ils aient un peu d'avance.

— Maintenant, mon enfant, si tu me disais ce que je suis selon toi censé ne pas croire...

Du coin de l'œil, Kahlan vit que le vieil homme était très sérieux. Et il attendait fermement une réponse.

— Ce n'est rien..., tenta pourtant d'éluder l'Inquisitrice. Il a eu une idée bizarre, mais je la lui ai sortie de la tête. C'est fini, maintenant...

Zedd plissa les yeux pour mieux foudroyer la jeune femme du regard. Une expérience pas très agréable, face à un sorcier.

— Je sais que tu n'es pas stupide au point de croire ce que tu dis. Alors, pourquoi me prends-tu pour un idiot ? Richard n'a pas enterré cet os et il continue de le ronger.

Kahlan jeta un coup d'œil aux autres, qui étaient assez loin devant. Même si le Sourcier était censé ouvrir la marche, Cara, toujours aussi protectrice, lui avait soufflé la première place de la colonne.

Anna bavardait gaiement avec Richard, histoire de détourner son attention du petit jeu de Zedd. Malgré leurs incessantes prises de bec, la Dame Abbesse et le sorcier faisaient une sacrée bonne équipe, quand ils s'y mettaient.

Les doigts décharnés du vieil homme serrèrent plus fort le bras de l'Inquisitrice. Lorsqu'il s'agissait de ne pas lâcher un os, Richard avait de qui tenir !

— Si j'ai bien deviné, soupira l'Inquisitrice, Richard pense qu'un poulet monstrueux rôde dans le village…

Les narines agressées par une odeur nauséabonde, Kahlan se couvrit la bouche et le nez, mais elle baissa les mains quand les deux femmes qui s'occupaient du défunt tournèrent la tête vers les visiteurs trempés comme des soupes qui venaient d'entrer dans la maison des morts.

Les femmes ornaient le corps de Juni de motifs complexes en boue noire et blanche. Elles avaient déjà enroulé autour de ses chevilles et de ses poignets les bandes d'herbe qui faisaient partie du camouflage classique d'un chasseur. Et elles s'apprêtaient à lui poser sur la tête des broussailles tenues par un filet de cuir.

Juni reposait sur une plate-forme en briques d'adobe. Les trois autres de la salle étaient vides et constellées de taches sombres. De la paille moisie couvrait le sol. Quand on amenait un cadavre, on en poussait au pied de la plate-forme occupée pour absorber les fluides corporels du défunt.

Une ignoble vermine grouillait dans cette paille puante. Lorsqu'il n'y avait pas de cadavre, on laissait la porte ouverte pour que les poulets viennent dévorer une partie des insectes.

La seule fenêtre se trouvait à droite de la porte. Quand personne ne veillait le ou les morts, on la fermait avec un rideau en peau de daim, pour offrir un peu d'obscurité et de paix aux disparus. Aujourd'hui, le rideau était écarté.

Les Hommes d'Adobe ne préparaient jamais les cadavres la nuit, afin de ne pas déranger le repos des âmes qui s'apprêtaient à partir pour l'autre monde. Le respect des morts était une donnée essentielle dans la culture de ce peuple. Un jour, tout nouvel esprit pourrait être invoqué lors d'un conseil des devins pour aider ses compatriotes encore vivants.

Les deux femmes étaient très âgées. Elles souriaient, comme s'il leur était impossible, même dans de si tristes circonstances, de dissimuler leur nature fondamentalement ensoleillée. Kahlan supposa qu'elles étaient spécialisées dans l'art de parer les corps avant leur inhumation – une mission de confiance, et sans doute aussi un honneur…

Aux endroits qui n'étaient pas encore couverts de boue, la peau de Juni était enduite d'une huile aromatique brillante qui ne parvenait pas à masquer la puanteur ambiante. Kahlan se demanda pourquoi on ne remplaçait pas la paille plus souvent. Mais au fond, on le faisait peut-être sans que ça change grand-chose, car la décomposition postmortem était un processus impossible à enrayer. Sans doute pour cette raison, le Peuple d'Adobe inhumait ses défunts le jour de leur disparition, ou au maximum le lendemain. Juni n'aurait pas à attendre longtemps avant de reposer sous la terre. Alors son esprit, satisfait que tout soit en ordre, pourrait partir pour le royaume des morts, où l'attendaient ses semblables.

Kahlan se pencha vers les deux femmes. Par respect pour le cadavre, elle parla à voix basse.

— *Zedd et Anna*, dit-elle en les désignant, *voudraient examiner Juni.*

Les femmes firent une révérence et s'écartèrent, non sans reprendre les pots de boue noire et blanche qu'elles avaient posés sur la plate-forme. Sous les yeux intéressés de Richard, Zedd et Anna passèrent les mains au-dessus du mort. Pendant cet examen de toute évidence magique, ils échangèrent des remarques à voix basse.

Kahlan se tourna vers les deux femmes, leur dit combien elle était navrée par la mort du jeune homme et les félicita de l'avoir si bien préparé pour son dernier voyage. Ne tenant pas à regarder le cadavre trop longtemps, Richard approcha, prit son épouse par la taille et lui demanda d'exprimer également ses condoléances. L'Inquisitrice les ajouta aux siennes.

Dès qu'ils en eurent terminé, Zedd et Anna rejoignirent les deux jeunes gens. Avec un sourire plein de compassion, ils firent signe aux Femmes d'Adobe qu'elles pouvaient retourner auprès de Juni.

— Comme tu le pensais, souffla le vieux sorcier, il n'a pas la nuque brisée. Et pas de blessures à la tête. Et je dirais aussi qu'il s'est noyé.

— Et dans quelles circonstances ? demanda le Sourcier, un rien de raillerie dans la voix.

— Tu te souviens du jour où tu étais si malade que tu as perdu connaissance ? T'es-tu fracturé le crâne en tombant ? Pas le moins du monde ! Quand je t'ai découvert sur le sol, tu ne t'étais même pas fait une bosse. La même chose peut être arrivée à Juni.

— Mais il n'avait aucun signe de…

Richard s'interrompit et tous les regards se tournèrent vers Nissel, qui venait d'entrer, un petit ballot de linge dans les bras. Étonnée de voir tant de monde, elle s'immobilisa un instant puis alla poser son fardeau sur une plate-forme libre. Quand elle la vit sortir le cadavre d'un bébé de son « ballot », Kahlan porta une main à son cœur.

— *Qu'est-il arrivé ?* demanda-t-elle.

— *Pas l'heureux événement que j'espérais…* (La guérisseuse leva sur Kahlan des yeux voilés par la tristesse.) *L'enfant était mort-né…*

— *Par les esprits du bien*, soupira Kahlan, *je suis désolée…*

— Qu'est-il arrivé au bébé ? demanda Richard en chassant de sur l'épaule de Kahlan un insecte verdâtre brillant.

Quand l'Inquisitrice eut traduit la question, Nissel haussa les épaules, fataliste.

— *J'ai suivi la mère depuis le début de sa grossesse. Tout semblait annoncer une naissance sans problème. Il n'y avait aucun signe inquiétant, mais l'enfant est mort…*

— *Comment va la mère ?*

La guérisseuse baissa les yeux.

— *Pour l'instant, elle verse toutes les larmes de son corps. Mais elle se remettra vite. Ces choses-là arrivent. Tous les bébés ne sont pas assez forts pour vivre. Elle en aura d'autres.*

— Qu'a-t-elle dit ? demanda Richard.

Kahlan tapa deux fois du pied pour déloger un mille-pattes qui grimpait le long de sa jambe.

— L'enfant n'était pas assez fort pour vivre… Il ne respirait pas quand il est sorti du ventre de sa mère.

— Pas assez fort pour vivre…, répéta le Sourcier en regardant le poignant petit cadavre.

L'Inquisitrice tourna les yeux vers Richard tandis qu'il fixait le minuscule corps inerte et exsangue qui n'avait pas vraiment l'air réel. Un nouveau-né était en principe un merveilleux spectacle. Privée de l'âme que sa mère aurait voulu lui donner, cette dépouille qui n'avait même pas fait un bref séjour dans le monde était horrible à voir.

Kahlan demanda aux deux femmes quand Juni serait enterré.

— *Nous devons préparer l'autre cadavre*, répondit l'une d'elles. *Demain, ils seront conduits ensemble dans leur dernière demeure.*

Quand ils furent sortis, Richard se retourna et leva les yeux. Sur le toit de la maison des morts, un poulet ébouriffait ses ailes. Le Sourcier le regarda un long moment sous la pluie battante. Puis il cessa de réfléchir – Kahlan n'avait pas besoin d'être voyante pour deviner à quoi –, et une farouche détermination s'afficha sur son visage.

Il sonda le passage, devant eux, et fit de grands signes. Les chasseurs approchèrent au pas de course, s'arrêtèrent devant lui et attendirent ses ordres.

— Kahlan, dit-il en serrant le bras de la jeune femme, dis-leur d'aller chercher des renforts. Je veux qu'ils rassemblent tous les poulets, et…

— Pardon ? s'écria l'Inquisitrice en se dégageant. Ne compte pas sur moi pour leur demander ça ! Ils te croiraient fou !

— Que se passe-t-il encore ? demanda Zedd derrière les deux jeunes gens.

— Il veut que les hommes réunissent tous les poulets ! Simplement parce qu'il y en a un perché sur ce toit…

— Il n'y était pas quand nous sommes arrivés. J'ai regardé.

— Quel poulet ? lança Zedd.

Il se retourna, leva les yeux et soupira.

Quand Richard et Kahlan vérifièrent, ils ne virent plus le volatile.

— Il est sûrement allé se chercher un perchoir moins humide, marmonna Kahlan. Ou plus tranquille…

— Richard, grogna Zedd, vas-tu enfin me dire ce qui te travaille ?

— Un poulet a été tué devant la maison des esprits. Juni a craché sur l'honneur de son « assassin ». Peu après, lui aussi était mort. J'ai lancé un morceau de bois sur le poulet perché au bord de la fenêtre, et il s'est vengé en attaquant un pauvre gosse. Ungi a été blessé à cause de moi. Je refuse de faire deux fois la même erreur.

À la grande surprise de Kahlan, le vieux sorcier parvint à garder son calme.

— Mon garçon, tu tisses tes raisonnements avec des fils de la vierge ! Prends garde à ne pas t'y empêtrer !

— L'Homme Oiseau a dit qu'un des poulets n'en était pas un…

— Vraiment ? fit Zedd, troublé.

— Après avoir fait la fête toute la nuit, rappela Kahlan.

— Zedd, c'est toi qui m'as nommé Sourcier de Vérité. Si tu veux revenir sur ta décision, c'est le moment ou jamais. Sinon, laisse-moi faire mon travail. Si je me trompe, tu pourras me passer un savon après…

Prenant le mutisme du vieil homme pour un consentement, Richard saisit de nouveau le bras de Kahlan.

— S'il te plaît, fais ce que je te demande ! Si je me trompe, je passerai pour un crétin, c'est vrai. Mais j'aime mieux ça que ne rien tenter alors que j'ai raison…

L'« assassin » du poulet avait agi devant la porte de la maison des esprits pendant qu'ils y étaient. C'était pour ça que Richard tissait des raisonnements délirants, comme l'avait souligné Zedd. Kahlan se fiait aveuglément au Sourcier, sauf quand sa sécurité était en jeu de près ou de loin. À force de vouloir la protéger, il en perdait son bon sens.

— Que veux-tu que je dise aux chasseurs ?

— Ils devront rassembler les poulets et les enfermer dans les deux bâtiments vides réservés aux mauvais esprits. Qu'ils n'en ratent pas un, surtout ! Encore une chose : qu'ils ne soient pas irrespectueux avec les volailles. Sous aucun prétexte !

— Irrespectueux ? Avec des volailles ?

— Exactement. Dis-leur qu'un des poulets est possédé par le démon qui a tué Juni.

Kahlan ne put déterminer si Richard pensait sérieusement ce qu'il disait. Mais les Hommes d'Adobe, eux, y croiraient dur comme fer.

Elle regarda Zedd, en quête d'un conseil, mais il ne broncha pas. Anna ne se montra pas plus coopérative, et Cara était dévouée corps et âme au seigneur Rahl. Même si elle ne se gênait pas pour ignorer ses ordres, quand elle les jugeait ineptes, dès qu'il insistait, elle aurait sauté d'une falaise pour lui obéir.

Richard n'abandonnerait pas. Si Kahlan ne traduisait pas, il irait chercher Chandalen. Et s'il ne le trouvait pas, il rassemblerait les poulets tout seul.

S'obstiner à refuser lui laisserait penser – pas totalement à tort – que sa femme ne lui faisait pas confiance. Ce dernier argument la convainquit.

Tremblant de froid sous la pluie glacée, l'Inquisitrice sonda une dernière fois les yeux gris de son mari puis se tourna vers les chasseurs.

Chapitre 8

— Alors, vous avez trouvé le poulet maléfique ? demanda une voix dans le dos de Kahlan.

Elle regarda derrière elle et vit Chandalen se frayer avec précaution un chemin au milieu d'une mer de poulets. La faible illumination de la grande salle aidait les volailles à supporter leur incarcération avec un certain calme. Hélas, elle ne les empêchait pas de caqueter. À part quelques poulets rouges, et de rares spécimens d'autres espèces, les Hommes d'Adobe élevaient surtout des Rock Barrés, une race connue pour sa très grande docilité. Une chance, car sinon, l'enfer n'aurait pas été uniquement sonore…

L'Inquisitrice resta bouche bée quand elle entendit Chandalen s'excuser platement auprès des oiseaux de basse-cour qu'il écartait du bout de ses bottes. Sur le point d'éclater de rire devant ce comportement ridicule, Kahlan en perdit toute envie quand elle remarqua la façon dont le chasseur était équipé. Le visage couvert de boue, il portait un coutelas sur la hanche gauche et un couteau sur la droite. Un carquois plein de flèches sur une épaule, il avait accroché à l'autre son grand arc bandé.

Plus inquiétant encore, un *troga* enroulé pendait à sa ceinture. Cette arme très simple mais terrible était composée d'une longueur de fil de fer – ou de cordelette – raccordée à deux poignées en bois. Quand on attaquait une sentinelle par-derrière, il suffisait de lui passer le fil autour du cou, puis de croiser violemment les bras. Avec une cordelette, on broyait la glotte d'un homme. Avec le fil de fer, on le décapitait.

Lors de leur combat contre l'armée de l'Ordre Impérial, qui avait mis à sac Ebinissia – en massacrant les femmes et les enfants –, Kahlan avait vu Chandalen tuer des dizaines d'adversaires avec cette arme. Et il ne l'aurait sûrement pas emportée, surtout la version « fil de fer », pour affronter des poulets, même maléfiques.

De plus, il serrait dans sa main gauche cinq lances dont les pointes acérées, à voir leur couleur brunâtre, devaient être enduites de poison. Quand elles étaient préparées ainsi, il valait mieux les manipuler prudemment…

Dans la sacoche pendue à sa ceinture, Chandalen portait sans doute une petite boite en os pleine d'une pâte noire obtenue en mâchant puis en faisant cuire des feuilles de *bandu*. Cette substance était le secret des flèches « dix-pas », qui tuaient un homme avant, justement, qu'il ait fait dix pas. Le chef des chasseurs devait aussi avoir quelques feuilles de *quassin doe*, le seul antidote efficace. Si on se blessait par erreur avec une flèche ou une lance, on avait une chance de survivre, à condition d'agir très rapidement.

— Non, répondit enfin Kahlan. L'Homme Oiseau n'a pas encore trouvé le poulet qui n'en est pas un. Pourquoi t'es-tu enduit le visage de boue ? Et que signifient toutes ces armes ?

Chandalen enjamba prudemment un poulet qui semblait décidé à ne pas bouger d'un pouce.

— Un messager est venu me dire que les chasseurs qui patrouillent loin du village ont des ennuis. Je dois y aller...

— Quel genre d'ennuis ?

— Je n'en sais trop rien... Des hommes avec des épées, et...

— Des soldats de l'Ordre Impérial qui auraient fui la bataille, au nord ? Ou peut-être des éclaireurs... Nous devrions faire parvenir un messager au général Reibisch. Son armée ne doit pas être loin, et il nous enverra des renforts.

Chandalen leva une main apaisante.

— Inutile ! Ensemble, nous avons combattu les troupes de l'Ordre. Ces intrus n'en font pas partie, tu peux me croire. Mes hommes pensent qu'ils n'ont pas d'intentions belliqueuses. Mais ils sont très bien armés et ils affichent tous ce calme qui en dit long sur les talents d'un guerrier. Comme je parle ta langue, et ces étrangers aussi, mes chasseurs ont besoin que je les aide à régler le problème.

— Richard et moi t'accompagnerons, dit Kahlan en levant un bras pour attirer l'attention du Sourcier.

— Non ! Beaucoup de gens traversent nos terres, et nous les rencontrons souvent dans les plaines. Les tenir loin du village est ma mission. Restez donc ici, et profitez de votre première journée de couple marié.

Sans émettre de commentaires, Kahlan foudroya Richard du regard, toujours occupé à trier et à inspecter les poulets.

Chandalen s'éloigna pour aller parler à l'Homme Oiseau.

— *Honorable ancien, je dois rejoindre mes chasseurs. Des étrangers approchent...*

Le vieux sage dévisagea l'homme qui, en somme, était le général en chef de son armée.

— *Sois prudent. Des esprits maléfiques rôdent partout...*

Chandalen acquiesça gravement. Alors qu'il repassait devant elle, Kahlan le retint par un bras.

— J'ignore s'il y a vraiment des démons dans les plaines, dit-elle, mais d'autres dangers nous menacent. Sois *très* prudent, mon ami. Richard s'inquiète, et même si je ne comprends pas pourquoi, je me fie à son instinct.

— Nous avons combattu côte à côte, Mère Inquisitrice. Tu sais bien que je suis indestructible !

Les yeux rivés sur le dos de Chandalen, qui recommençait à slalomer entre les poulets, Kahlan lança à l'Homme Oiseau :

— *Vous avez vu quelque chose… d'étrange ?*

— *Le poulet qui n'en est pas un se cache bien, mais je finirai par le débusquer.*

Kahlan chercha un moyen subtil et poli de demander à l'ancien s'il était toujours soûl. N'en trouvant pas, elle essaya une autre approche :

— *Comment savez-vous que c'est un faux poulet ?*

— *Eh bien… je l'ai senti,* répondit l'Homme d'Adobe, le front plissé de perplexité.

L'Inquisitrice jeta la diplomatie aux orties.

— *Après de si longues libations, vous vous faites peut-être des idées…*

Cette fois, l'Homme Oiseau sourit.

— *Ou la boisson m'a assez détendu pour que mes perceptions soient plus aiguës que jamais.*

— *Et vous êtes… hum… toujours « détendu » ?*

Pendant que son interlocuteur réfléchissait en se grattant le nez, Kahlan regarda Richard courir entre les poulets comme s'il cherchait un animal de compagnie perdu.

— *Lors des grandes fêtes, comme ton mariage, nos hommes rejouent les légendes de notre peuple. Les femmes ne dansent pas ; pourtant, il y a beaucoup de personnages féminins dans ces pantomimes. Tu en as suivi une, hier soir ?*

— *Oui, celle qui raconte l'histoire du premier Homme et de la première Femme d'Adobe. Nos ancêtres à tous…*

L'Homme Oiseau sourit comme si la mention de cette légende lui allait droit au cœur. Il était si fier de son peuple…

— *Si tu étais venue chez nous pour la première fois, sans rien connaître de nos coutumes, aurais-tu deviné que la Mère de notre peuple était interprétée par un homme ?*

Kahlan prit le temps de la réflexion. Le Peuple d'Adobe confectionnait des costumes très sophistiqués qu'on utilisait uniquement pour la danse.

Pour les villageois, assister à ces spectacles était un grand moment et une source de crainte respectueuse. Les hommes qui jouaient les personnages féminins ne lésinaient sur aucun détail pour être crédibles.

— *Je ne peux pas le jurer, mais je crois que j'aurais vu qu'il s'agissait d'un homme.*

— *Comment ? Quels indices t'auraient mise sur la voie ?*

— *Je crains de ne pas pouvoir l'expliquer. J'aurais vu que quelque chose n'allait pas. Oui, devant ce danseur déguisé en femme, ou d'autres comme lui, je me serais doutée de la vérité.*

— *Eh bien pour moi, il en va ainsi avec les poulets,* dit l'Homme Oiseau.

Pour la première fois, il posa sur Kahlan ses yeux brillants.

— *Demain matin, après une bonne nuit de sommeil, un poulet vous semblera sans doute être simplement… un poulet.*

L'Homme d'Adobe eut un vague sourire, comme si l'impertinence de la jeune femme ne le touchait pas.

— *Si tu allais manger ? Et emmène ton nouveau mari. Je vous ferai appeler quand j'aurai trouvé le poulet qui n'en est pas un…*

L'idée semblait excellente, et Richard approchait justement d'elle. Ravie, Kahlan serra le bras de l'Homme Oiseau pour le remercier de sa suggestion.

Rassembler les volailles leur avait pris l'après-midi. Les deux maisons réservées aux mauvais esprits étaient pleines d'oiseaux de basse-cour, et il avait fallu réquisitionner un troisième bâtiment vide. Le village entier s'était uni pour accomplir cette mission capitale. Et tout le monde avait travaillé dur.

Les enfants s'étaient révélés très précieux. Fiers de participer à une tâche aussi importante, ils avaient montré aux adultes tous les endroits où les poulets aimaient à se percher ou à se cacher. Avec toute la révérence requise, les chasseurs s'étaient chargés de guider les hordes de volailles vers leurs résidences provisoires. Bien que l'Homme Oiseau et Richard aient semblé faire une fixation sur un Rock Barré, ils avaient ratissé large, et tout ce qui portait des plumes était désormais en état d'arrestation.

Au terme d'une rigoureuse battue, on pouvait être certain que pas un poulet n'avait échappé à la rafle.

Quand il arriva, Richard sourit pour saluer l'Homme Oiseau, mais ses yeux restèrent glaciaux. Dès que leurs regards se croisèrent, Kahlan posa une main sur le bras musclé de son mari, heureuse de le toucher même s'il lui tapait franchement sur les nerfs, aujourd'hui.

— L'Homme Oiseau n'a pas trouvé le poulet monstrueux, mais il continue son enquête, et il y a encore deux maisons pleines à passer au peigne fin. Il nous suggère d'aller manger un morceau, et il enverra un messager dès qu'il aura repéré le volatile suspect.

— Il ne le dénichera pas ici, marmonna Richard en se dirigeant vers la porte.

— Que veux-tu dire ? Et comment le sais-tu ?

— Je vais inspecter les deux autres endroits…

Si Kahlan était simplement agacée de perdre du temps en futilités, le Sourcier semblait fou furieux de ne pas avoir mis la main sur ce qu'il cherchait. Sans doute parce que sa crédibilité était en jeu dans cette absurde affaire…

Près de la porte, Zedd et Anna observaient les opérations sans intervenir. Ils laissaient Richard agir comme il l'entendait, puisqu'il estimait nécessaire de passer en revue les volailles.

Le Sourcier s'arrêta et se passa une main dans les cheveux.

— L'un de vous connaît un livre intitulé *Le Jumeau de la montagne ?*

Le menton entre le pouce et l'index, Zedd leva les yeux vers le toit et se plongea dans une intense réflexion.

— Désolé, souffla-t-il, mais ça ne me dit rien.

— À moi non plus, ajouta Anna, après avoir également fouillé dans sa mémoire.

Richard jeta un dernier coup d'œil à la salle bondée de poulets et marmonna un juron dans sa barbe.

— Il parle de quoi, ce livre ? demanda Zedd en se gratouillant l'oreille.

Richard n'entendit-il pas la question à cause du vacarme des oiseaux ? Ou jugea-t-il inutile de répondre ?

— Je file inspecter les autres poulets…

— Si c'est important, dit Anna, je peux poser la question à Warren et à Verna. (Elle sortit de sa poche un petit livre noir.) Je suis sûr que Warren saura…

Richard avait expliqué à Kahlan que le petit carnet noir, appelé un « livre de voyage », était investi d'une antique magie. Ces artefacts fonctionnaient par paire. Quand on écrivait un message dans l'un, il apparaissait aussitôt sur une page de son double. Les Sœurs de la Lumière se servaient de ces livres pour communiquer quand elles voyageaient. Pendant quelque vingt ans, Verna et ses deux compagnes, parties dans le Nouveau Monde pour capturer Richard, n'avaient eu que ce lien avec le Palais des Prophètes.

— Vous feriez ça ? demanda Richard, enthousiaste. C'est vraiment important ! (Il repartit au pas de course.) Je dois filer…

— Moi, annonça Zedd, je vais passer voir la femme qui a perdu son bébé. Pour l'aider à se reposer un peu…

— Richard, appela Kahlan, tu n'as pas faim ?

Le Sourcier lui fit signe de l'accompagner, si ça lui chantait, mais il était déjà loin avant qu'elle ait fini de poser sa question. Avec un haussement d'épaules impuissant, Zedd emboîta le pas à son petit-fils.

Furieuse, Kahlan suivit le vieil homme.

— Tu dois avoir l'impression qu'un conte de fées s'est réalisé, lança Anna sans bouger de l'endroit où elle se tenait depuis une heure. Un mariage d'amour, pour une Inquisitrice…

— Oui, c'est tout à fait ça…, dit Kahlan en se retournant.

— Je suis si contente pour toi, mon enfant ! continua Anna avec un adorable sourire. Avoir dans ta vie quelque chose d'aussi merveilleux qu'un mari que tu aimes vraiment !

Kahlan saisit la poignée de la porte que Zedd venait de refermer.

— Parfois, je me demande si je ne rêve pas…

— Bien entendu, on doit être terriblement déçue quand un mari, surtout si récent, a mieux à faire que s'occuper de sa femme, et l'ignore complètement. (Le sourire d'Anna s'élargit.) Surtout le lendemain des noces…

— Je vois…, murmura Kahlan. (Elle lâcha la poignée et croisa les mains dans son dos.) C'est pour ça que Zedd s'est éclipsé, n'est-ce pas ? Nous sommes censées avoir une conversation entre femmes…

— J'adore que les hommes que je respecte épousent des femmes intelligentes ! C'est la preuve qu'ils ont du caractère… et du goût.

En soupirant, Kahlan s'adossa au mur.

— Je connais Richard, et je sais qu'il ne met pas ma patience à rude épreuve sans raison… Mais pour notre premier jour de mariage, je ne rêvais pas d'une chasse au poulet monstrueux imaginaire ! Il veut tellement me protéger qu'il invente des problèmes, comme si nous n'en avions pas déjà assez !

— Richard t'aime plus que tout. J'ai vu qu'il était inquiet, même si je ne comprends pas pourquoi. Il a tellement de responsabilités… (Le sourire d'Anna disparut.) Quand il s'agit de lui, nous devons tous être prêts à faire des sacrifices.

La Dame Abbesse tourna la tête vers les poulets, comme s'ils la fascinaient.

— Dans ce village, il y a quelques mois, dit Kahlan d'un ton mesuré, j'ai livré Richard aux Sœurs de la Lumière avec l'espoir qu'elles lui sauveraient la vie. Pour qu'il accepte de partir, j'ai dû lui faire croire que je l'avais trahi, et ç'aurait pu compromettre à jamais notre avenir commun. Avez-vous seulement idée de…

Kahlan se tut, refusant d'évoquer dans le détail des souvenirs douloureux. Finalement, tout s'était arrangé. Richard et elle étaient ensemble, et rien d'autre ne comptait.

— Je sais…, soupira Anna. Tu n'as pas à te justifier devant moi, mon enfant. Mais puisque j'ai donné l'ordre qu'on amène Richard au Palais des Prophètes, me permettras-tu de *me* justifier devant toi ?

Bien que piquée au vif, l'Inquisitrice parvint à rester courtoise.

— Que voulez-vous dire ?

— Il y a des millénaires de cela, des sorciers ont créé le Palais des Prophètes. Protégée par un sort extraordinaire, j'y ai vécu pendant plus de neuf cents ans. C'est là, cinq siècles avant la naissance de Richard, que Nathan m'a annoncé qu'un sorcier de guerre viendrait un jour au monde.

» Ensemble, nous avons travaillé sur les livres de prophéties, dans les catacombes, pour comprendre qui était le « caillou » qui tomberait inévitablement dans la mare. Et pour prévoir comment sa chute en riderait la surface…

— D'expérience, je dirais que les prophéties ont davantage le talent de brouiller les pistes que de les éclairer…

— Excellent, mon enfant ! Je connais des Sœurs de la Lumière âgées de plusieurs siècles qui n'ont toujours pas compris ça ! (Anna eut un sourire mélancolique.) J'ai voyagé pour voir Richard quand il est né, fragile étincelle dont la lueur éclairait pourtant déjà le monde. Sa mère était stupéfaite, et pleine de gratitude, d'avoir reçu un si beau cadeau pour compenser les infamies que lui avait fait subir Darken Rahl. Cette manifestation de l'équilibre qui régit l'univers l'émerveillait… C'était une femme remarquable, pas du genre à transmettre à un enfant son amertume et sa haine. Elle était tellement fière de Richard, le cœur débordant de rêves et d'espoir pour lui !

» Quand il tétait encore sa mère, Nathan et moi avons engagé son père adoptif, George Cypher, pour retrouver le *Grimoire des Ombres Recensées*. Ainsi, pensions-nous, il aurait les connaissances nécessaires pour échapper au monstre qui lui avait donné la vie en violant sa mère. (Anna eut un sourire désabusé.) Une histoire de prophéties, encore et toujours…

— Richard m'a raconté, dit Kahlan.

Elle tourna la tête vers l'Homme Oiseau, qui se débattait toujours avec ses poulets.

— Richard est le sorcier de guerre que nous attendions ! continua Anna. Les prophéties ne disent pas s'il vaincra, mais il est né pour la bataille dont le but ultime est de garder la Grâce intacte. Mais croire en lui demande parfois de gros efforts spirituels…

— Pourquoi ? S'il est celui que vous attendiez, et que vous désiriez voir naître…

Anna s'éclaircit la gorge pour se donner le temps d'organiser ses idées. Un instant, Kahlan crut voir des larmes dans ses yeux.

— Il a détruit le Palais des Prophètes… À cause de lui, Nathan s'est échappé, et c'est un homme dangereux. Qui t'a révélé les noms des Carillons ? Cet acte irresponsable aurait pu provoquer notre perte à tous.

— Mais il a sauvé Richard, rappela Kahlan. Sans Nathan, votre « caillou » serait au fond de la mare, hors de votre portée et incapable d'aider quiconque.

— Ce n'est pas faux, admit Anna, visiblement à contrecœur.

Tout en jouant nerveusement avec un bouton de son chemisier, l'Inquisitrice tenta de se mettre à la place de son interlocutrice.

— Le voir détruire le palais, votre foyer, n'a pas dû être facile.

— D'autant plus qu'il a aussi détruit le sort ! Désormais, les Sœurs de la Lumière vieilliront au même rythme que le commun des mortels. Au palais, il me serait sans doute encore resté un siècle. Et les sœurs plus jeunes ne seraient pas mortes avant des centaines et des centaines d'années. Aujourd'hui, je ne suis plus qu'une vieille femme proche du terme de son existence. Richard nous a volé un petit bout d'éternité !

Ignorant que dire, Kahlan garda le silence.

— Un jour, l'avenir de tout ce qui vit peut dépendre de lui, reprit Anna. Son destin est plus important que le nôtre, il faut l'accepter. C'est pour ça que je l'ai aidé à raser le Palais des Prophètes. Pour ça que je suis fidèle à l'homme qui a apparemment détruit l'œuvre de ma vie. Parce que, en réalité, c'est son combat qui donne un sens à mon existence, pas mes petits intérêts personnels.

Kahlan repoussa derrière son oreille une mèche de cheveux humides.

— Vous parlez de Richard comme s'il était un outil fabriqué pour vous servir... Il veut être utile, c'est vrai, mais il a sa propre volonté et des désirs bien à lui. Sa vie lui appartient. Personne, même pas vous, n'a le droit de lui imposer un destin à partir d'antiques textes sortis de grimoires poussiéreux.

— Tu m'as mal comprise, mon enfant. Son instinct, sa curiosité naturelle et la pureté de son cœur font toute sa valeur. (La vieille femme se tapota la tempe.) Son esprit, voilà ce qui compte ! Notre but n'est pas de lui indiquer un chemin, mais de lui emboîter le pas, si accidentée que soit la route qu'il emprunte.

Kahlan ne pouvait rien opposer à cette analyse. Richard venait de faire exploser l'Alliance qui assurait depuis des millénaires l'unité des Contrées du Milieu. Étant la Mère Inquisitrice, elle dirigeait le Conseil, donc les Contrées dans leur ensemble. Pendant son « règne », l'Alliance était passée sous la coupe du Sourcier, devenu le seigneur Rahl de D'Hara. Dans le processus, les Contrées avaient perdu des membres anciens et respectés qui refusaient de faire allégeance à Richard. Sans douter du bien-fondé des actes de son mari, toujours motivé par le bien commun, l'Inquisitrice avait eu un certain mal à le suivre sur cette voie-là.

Si radicale qu'elle fût, la politique du Sourcier était le seul moyen de créer une force capable d'affronter l'Ordre Impérial avec des chances de victoire. Désormais, Kahlan et Richard marchaient main dans la main sur cette route et ils iraient jusqu'au bout.

L'Inquisitrice jeta de nouveau un coup d'œil sur l'absurde concentration de poulets.

— Si vous vouliez me culpabiliser au sujet de mon égoïsme, dit-elle, c'est réussi ! Mais je ne peux pas m'empêcher de regretter que notre première journée de mariage soit consacrée à la chasse aux volailles.

— Mon enfant, dit Anna, ce n'était pas mon intention... (Elle posa une main sur le bras de Kahlan.) J'ai payé pour savoir que les actes de Richard ont parfois le don d'exaspérer les autres. Je te demande simplement d'être patiente, et de le laisser agir comme il l'entend. Il ne t'ignore pas volontairement, mais parce qu'il doit faire ce que son instinct lui dicte.

— Je sais, soupira Kahlan. Mais des poulets, tout de même...

— La magie ne fonctionne pas comme il faudrait, annonça abruptement Anna.

— Que voulez-vous dire ?

— Je ne sais pas trop, hélas... Zedd et moi pensons avoir détecté des... altérations... de notre pouvoir. C'est très subtil et presque imperceptible. As-tu constaté la même chose ?

Soudain paniquée, Kahlan plongea au plus profond d'elle-même. À quoi pouvait ressembler une « altération subtile » de son pouvoir d'Inquisitrice ? Pour elle, il avait toujours été présent, et impossible à analyser. En ce moment même, elle le sentait, contenu comme la plupart du temps par ce qu'elle nommait sa « digue intérieure ». Oui, tout semblait normal. Et pourtant...

La jeune femme refusa de se laisser entraîner sur cette pente. Très récemment, un ennemi avait réussi, par la ruse, à la convaincre qu'elle avait perdu son pouvoir. En réalité, il ne l'avait jamais quittée, mais *croire* qu'elle en était privée avait failli lui coûter la vie. Par bonheur, elle s'était aperçue juste à temps qu'elle détenait toujours sa magie et l'avait utilisée pour échapper à la mort.

— Tout est comme d'habitude, annonça-t-elle. Il est très facile d'imaginer qu'on ne contrôle plus son pouvoir, ou qu'il faiblit sans raison. Ce n'est sûrement rien, Anna. Un effet secondaire de l'inquiétude qui nous ronge tous, rien de plus...

— Tu as sans doute raison, mais Zedd juge plus sage de laisser agir Richard à sa guise, juste au cas où... Le Sourcier n'a pas nos connaissances magiques, mais son instinct lui souffle que quelque chose cloche, et cela confirme nos soupçons. S'il a raison, Richard a de l'avance sur nous dans cette affaire, et nous devons lui permettre de nous ouvrir la voie.

» Mon enfant, je t'implore de ne pas le détourner de sa tâche à cause de ton désir, très compréhensible, de le voir aux petits soins pour toi. Laisse-le accomplir sa mission, je t'en conjure !

« Aux petits soins »... Quelle façon d'exprimer les choses ! Kahlan désirait tenir la main de Richard, le serrer dans ses bras, l'embrasser et obtenir simplement un sourire en réponse.

Dès le lendemain, ils devraient repartir pour Aydindril. Là-bas, l'énigme de la mort de Juni serait rapidement repoussée au second plan par des préoccupations plus importantes. La guerre contre Jagang les attendait et elle mobiliserait toute leur attention. Vouloir passer un jour paisible avec Richard était-il trop demander ?

— Je comprends, dit l'Inquisitrice avec un regard noir pour l'armée de poulets sans cervelle qui lui empoisonnait la vie. Soyez sans crainte, je ne détournerai pas Richard de sa mission...

Pour une personne qui venait d'obtenir ce qu'elle voulait, Anna hocha la tête bien tristement...

Alors que le crépuscule tombait, Cara faisait nerveusement les cent pas devant la maison. À voir son expression maussade, Kahlan supposa que Richard lui avait ordonné de ne pas le suivre et de veiller sur son épouse. L'unique instruction de son seigneur que la Mord-Sith n'aurait pas osé négliger, et la seule dont Kahlan elle-même ne pouvait pas la libérer.

— Viens avec moi, dit l'Inquisitrice en passant près de sa protectrice et amie. Allons voir comment le seigneur Rahl se couvre de gloire face à des poulets.

Pour ne rien arranger à l'humeur de l'épouse délaissée, il pleuvait toujours – un peu moins fort, peut-être, mais l'eau était toujours aussi froide, et il ne faudrait pas longtemps pour que l'Inquisitrice soit de nouveau trempée jusqu'aux os.

— Il n'est pas parti par là, dit Cara.

Kahlan et Anna se tournèrent vers la Mord-Sith.

— Pourtant, il voulait aller voir les autres poulets, et les deux maisons sont dans cette direction.

— Il l'a d'abord prise, puis il a changé d'avis. (La Mord-Sith tendit un bras.) Il a filé par ici…

— Pourquoi ?

— Le seigneur Rahl n'a pas daigné me le dire. Il m'a ordonné de vous attendre, et c'est tout. Venez, je vais vous conduire à lui.

— Tu sais où il est ? demanda Kahlan, aussitôt consciente que c'était une question stupide.

— Bien entendu, puisque je suis liée à lui. À tout moment, je sais où le trouver.

Kahlan trouvait perturbant que la Mord-Sith, comme une poule avec ses poussins, puisse en toute occasion sentir la présence de Richard. Une aptitude, pour être honnête, qu'elle lui enviait.

Une main dans le dos d'Anna, elle la poussa afin que Cara, avec ses longues jambes, ne les sème pas dans la nuit.

— Depuis quand avez-vous l'impression que quelque chose cloche dans la magie ? demanda-t-elle à la vieille femme.

Les yeux baissés pour voir où elle mettait les pieds, Anna ne les releva pas.

— Ça date de la nuit dernière… Même si c'est un phénomène difficile à confirmer, sans parler d'évaluer son étendue, nous avons fait quelques essais très simples. Les résultats ne sont pas probants. C'est aussi compliqué que de tenter de savoir si on y voit aussi loin que la veille, à un dixième de pouce près.

— Tu lui as parlé de nos craintes au sujet de la magie ? lança soudain une voix familière dans le dos des deux femmes.

— Oui, dit Anna sans se retourner. (Si Kahlan avait sursauté, la soudaine apparition du vieux sorcier ne la perturbait pas.) Comment allait ta patiente ?

— Terriblement mal… J'ai essayé de la calmer et de la réconforter, sans obtenir, et de loin, les mêmes résultats que d'habitude.

— Zedd, intervint Kahlan, dois-je comprendre que vous êtes sûr que quelque chose ne va pas ? Si c'est ce que vous affirmez, la situation est grave.

— Je n'affirme rien, mais…

Pris par leur conversation, l'Inquisitrice et ses interlocuteurs percutèrent Cara, qui s'était arrêtée en plein milieu du chemin. Sans même vaciller sous l'impact, la Mord-Sith continua à sonder l'obscurité à travers le rideau de pluie. Soudain, elle marmonna un juron, prit un à un ses compagnons par les épaules et leur fit faire demi-tour.

— Je me suis trompée, grogna-t-elle. On revient sur nos pas.

Les poussant comme un petit troupeau d'oies, la Mord-Sith les fit retourner jusqu'à une intersection et prit la direction opposée à celle qu'ils venaient de suivre. Entre l'averse et l'obscurité, on ne voyait plus à trois pas devant soi.

Kahlan chassa du revers de la main les cheveux collés à son front par la pluie. Sans une âme qui vive alentour, avec Cara qui ouvrait de nouveau la marche et Zedd dans son dos, occupé à tenir une messe basse avec Anna, l'Inquisitrice se sentit étrangement seule et abandonnée.

L'orage et l'obscurité avaient dû perturber l'aptitude de Cara à retrouver Richard grâce à leur lien. De plus en plus agacée, la Mord-Sith fut contrainte de rebrousser chemin plusieurs fois.

À force de patauger dans la gadoue, de la boue s'était infiltrée dans les bottes de l'Inquisitrice. Dégoûtée, elle sentait une substance collante bouger entre ses orteils à chaque pas. Et si leur errance continuait, elle n'aurait pas avant longtemps l'occasion de retirer ses chaussures pour les nettoyer ! Trempée, gelée, épuisée et sale – tout ça parce que Richard redoutait qu'un poulet maléfique rôde dans le village !

Kahlan repensa au bain chaud de la matinée. Bon sang, elle aurait donné cher pour revenir à ce délicieux moment !

Enfin, « délicieux » était peut-être un grand mot, considérant la triste fin de Juni. Et tout bien pesé, ses problèmes actuels n'étaient rien, comparés à ce qui les menaçait. Si Zedd et Anna ne se trompaient pas au sujet de la magie...

Quand ils atteignirent la grand-place, au centre du village, l'ombre à peine visible qu'était devenue Cara s'immobilisa. L'eau qui s'abattait sur les toits formait des torrents miniatures qui se déversaient sur le sol, désormais très proche d'un marécage...

— Là ! annonça la Mord-Sith.

Kahlan plissa les yeux pour mieux voir à travers le rideau de pluie. Zedd et Anna vinrent se camper près d'elle, le cou tendu pour tenter d'apercevoir quelque chose. Grâce au lien, Cara distinguait le seigneur Rahl, mais elle était bien la seule !

Puis un minuscule feu attira l'attention de l'Inquisitrice. De très petites flammes, qui oscillaient sous la pluie... Les voir brûler encore tenait du miracle. Apparemment, c'était un poignant vestige des feux de joie qui avaient célébré le mariage. Contre toute logique, après qu'un déluge fut tombé du ciel, ce symbole fragile de la cérémonie s'accrochait à l'existence envers et contre tout.

Debout sous la pluie, Richard contemplait la fragile flambée. Kahlan le reconnut surtout à sa silhouette, et à la cape dorée qui battait dans son dos et reflétait la pâle lueur des flammes.

Elle vit d'énormes gouttes d'eau s'écraser sur la pointe de ses bottes pendant qu'il les utilisait pour attiser le feu de joie survivant. Soudain, malgré la pluie qui redoublait de violence, les flammes bondirent jusqu'à ses genoux. Fouettées par le vent, elles tourbillonnèrent follement, tels des bras rouge et jaune levés vers le ciel pour défier l'averse. Leur danse était si fascinante que la jeune femme en oublia jusqu'aux poulets mille fois honnis.

Puis Richard étouffa le feu à grands coups de pied.

Kahlan manqua le maudire.

— Sentrosi, murmura le Sourcier en finissant d'écraser les braises sous ses semelles.

Le vent fit voler une ultime étincelle qui brillait comme un petit soleil. Richard tenta de la rattraper au vol, mais la luciole survivante, emportée par une bourrasque, lui échappa et disparut dans la nuit.

— Fichtre et foutre ! maugréa Zedd. Ce garçon trouve un morceau de poix qui brûle encore dans une bûche, et le voilà prêt à croire l'impossible.

— Vieil homme, dit Anna d'une voix très dure, nous avons mieux à faire que regarder un jeune inculte se livrer à des fantaisies contestables.

Furieux et parfaitement d'accord, Zedd se passa le dos d'une main sur le visage.

— Ça pourrait être un millier de choses, mais il se focalise sur la plus improbable, parce qu'il n'a même pas idée des autres possibilités.

— L'ignorance de ce garçon, renchérit Anna, devrait te faire honte, Premier Sorcier.

— C'est le nom d'un des trois Carillons, dit simplement Kahlan, pas dupe du petit numéro des deux vieillards. Qu'est-ce que ça signifie ?

Zedd et Anna se tournèrent vers l'Inquisitrice et la dévisagèrent comme s'ils avaient oublié jusqu'à son existence.

— Ce n'est pas important, grogna la Dame Abbesse. Nous avons des problèmes urgents à régler, et ce garçon perd son temps à s'occuper des Carillons.

— Que signifie le mot Sen…, commença Kahlan.

Zedd toussota pour lui rappeler qu'elle ne devait surtout pas prononcer le nom du deuxième Carillon.

— Que signifie-t-il ? redemanda l'Inquisitrice en se penchant vers le vieux sorcier, le front plissé de colère.

— « Feu », finit par soupirer Zedd.

Chapitre 9

Kahlan s'assit et se frotta les yeux. Dehors, le tonnerre se déchaînait et la tempête semblait plus violente que jamais.

La jeune femme s'habitua peu à peu à la pénombre et vit que Richard n'était pas étendu près d'elle. Bien qu'elle n'eût aucune idée de l'heure, ils s'étaient couchés tard, et elle n'avait pas le sentiment d'avoir dormi longtemps. Bref, l'aube était encore loin, et son mari devait être sorti pour satisfaire un besoin naturel.

Avec la pluie qui martelait le toit, l'Inquisitrice aurait juré être sous une cascade. Lors de leur première visite, Richard avait choisi la maison des esprits pour apprendre au Peuple d'Adobe à fabriquer des toits en tuiles qui ne fuyaient pas. En conséquence, leur résidence actuelle devait être la plus sèche de tout le village.

Les Hommes et les Femmes d'Adobe avaient été séduits par l'idée de vivre au sec. Très bientôt, supposait-elle, toutes les habitations seraient équipées de ces nouveaux toits. Par une nuit comme celle-là, elle-même se félicitait d'avoir choisi un refuge bien défendu contre les trombes d'eau.

Dans un tout autre ordre d'idées, elle espérait que Richard se calmerait, maintenant qu'il était établi que la mort de Juni n'avait rien de surnaturel. Comme l'Homme Oiseau, le Sourcier avait regardé dans le blanc de l'œil chaque poulet du village sans en trouver un qui fût autre chose qu'un… poulet. L'absence d'un monstre à plumes et à bec au village étant démontrée, cette absurde affaire allait s'arrêter là. Dès l'aube, les villageois procéderaient à la levée d'écrou des innocentes volailles.

Zedd et Anna étaient très mécontents de Richard. S'il avait vraiment cru que le morceau de poix qui brûlait encore était un Carillon – bref, une créature du royaume des morts –, pourquoi diantre avait-il essayé de refermer le poing sur la dernière étincelle ? Le Sourcier n'avait donné aucune explication, sans doute pour ne pas fournir au vieux sorcier plus de raisons de le croire fou à lier.

Au moins, au cours de son long sermon sur les multiples causes possibles des derniers événements, Zedd ne s'était pas montré cruel ni vexant. Il préférait visiblement éduquer que réprimander, même s'il y avait un peu de ça, en filigrane.

Richard Rahl, le maître de l'empire d'haran que les rois et les reines saluaient humblement – un homme qui avait contraint à la reddition de puissantes nations –, n'avait pas ouvert la bouche pendant que le vieil homme, en marchant de long en large devant lui, lui faisait doctement la morale. Jouant de son prestige de Premier Sorcier, de son autorité de grand-père et de l'influence que lui conférait son statut de meilleur ami de Richard, Zedd n'avait rien épargné à son protégé.

Paralysé par le respect qu'il éprouvait pour son mentor, le jeune homme n'avait pas tenté de se défendre. Si le vieux sage était déçu, eh bien, il devait avoir raison.

Avant que tous aillent se coucher, Anna avait annoncé qu'une réponse était arrivée dans son livre de voyage. Verna et Warren connaissaient *Le Jumeau de la montagne*, ce livre qui semblait tant intéresser Richard. Apparemment, il s'agissait d'un recueil de prophéties, jusqu'à très récemment en possession de Jagang. Sur l'ordre de Nathan, Verna et Warren avaient détruit ce grimoire comme tous ceux qui figuraient sur une liste établie par le prophète – à part *Le Livre de l'inversion et du double*, qu'ils n'avaient pas trouvé dans le palais de l'empereur.

Quand les deux jeunes gens s'étaient enfin couchés, Richard, trop morose, ou en tout cas trop plongé dans ses pensées, n'avait pas manifesté l'envie de faire l'amour avec sa femme. Pour être honnête, après une journée pareille, Kahlan ne s'en était pas désolée outre mesure.

Cela dit, ce n'était pas bien gai... Leur deuxième nuit ensemble, et ils n'avaient pas été d'humeur à s'aimer. Comment était-ce possible, après s'être si longtemps langui l'un de l'autre ?

L'Inquisitrice se rallongea et pressa une main sur ses yeux douloureux. Elle espérait que Richard revienne avant qu'elle se rendorme, afin de pouvoir l'embrasser, au moins, et lui dire qu'elle savait qu'il tentait toujours d'agir pour le mieux. Oui, même pour les poulets, elle ne lui en voulait pas vraiment. Il avait eu raison d'écouter son instinct, et elle ne l'avait pas trouvé idiot pour de bon. Simplement, elle aurait voulu être avec lui, pas sous la pluie, à traquer des oiseaux de basse-cour.

Surtout, elle voulait lui dire qu'elle l'aimait.

Elle se tourna du côté où il aurait dû être et attendit. Quand ses paupières se fermèrent toutes seules, elle les obligea à se rouvrir. Presque endormie, elle voulut poser une main sur la couverture, sous laquelle Richard reviendrait bientôt se glisser.

Elle sursauta. Avant de partir, il avait tiré sur elle sa moitié de la couverture. Pourquoi agir ainsi, s'il prévoyait de revenir vite ?

La jeune femme se rassit et se frotta de nouveau les yeux. À la chiche lueur du feu, elle vit que les vêtements de Richard n'étaient plus là.

La journée avait été longue, et ils ne s'étaient pas beaucoup reposés, la nuit précédente... Que fichait Richard dehors, sous une averse ? Il avait au moins autant besoin de sommeil qu'elle. Dès le lendemain, ils devaient partir pour Aydindril.

Oui, ils s'en iraient très tôt. Richard s'était-il dit qu'il lui restait la nuit pour résoudre son absurde énigme ?

En grognant d'exaspération, l'Inquisitrice se leva et courut jusqu'à leurs sacs de voyage. En digne Sourcier de Vérité, l'homme qu'elle venait d'épouser était sorti au milieu de la nuit pour trouver des preuves qu'il ne s'était pas trompé. Il devait leur montrer à tous qu'il n'avait pas déraisonné ! Elle aurait dû s'attendre à quelque chose comme ça...

Kahlan fouilla dans son sac et en sortit une petite veilleuse de voyage fermée qui lui fournirait de la lumière même sous la pluie. Prenant un morceau de bois, près de la cheminée, elle le plongea dans les flammes puis alluma la chandelle avec. Enfin, elle ferma la petite porte de verre qui protégerait la flamme. Sa lanterne improvisée ne l'éclairerait pas beaucoup, mais par une nuit d'encre pluvieuse, ça vaudrait toujours mieux que rien.

L'Inquisitrice récupéra son chemisier encore humide sur le bâton où Richard l'avait mis à sécher. Quand elle l'enfila, le contact du tissu mouillé la fit frissonner de la tête aux pieds – une sensation qui n'améliora pas son humeur.

Après celui de Zedd, Richard allait avoir droit à un sermon signé Kahlan Amnell ! Et gare à lui s'il refusait de revenir se coucher et de l'enlacer jusqu'à ce qu'elle cesse de trembler de froid ! Après tout, ce type d'intervention faisait partie des devoirs d'un époux. Surtout quand la jeune mariée était gelée à cause de lui !

Frissonnant de plus belle, Kahlan mit son pantalon, encore plus glacé que le chemisier.

Quelles preuves Richard était-il allé chercher ? En toute logique, ça devait avoir un rapport avec les poulets.

En se séchant les cheveux près du feu, avant de se coucher, elle avait demandé à son bien-aimé s'il pensait avoir vu plusieurs fois le même animal. Le poulet qu'ils avaient trouvé mort le matin devant la maison des esprits, avait-il répondu, portait une marque noire sur le côté droit du bec, juste sous la crête. Celui que l'Homme Oiseau avait repéré arborait le même signe particulier.

En réfléchissant, Richard s'était aperçu que l'oiseau de basse-cour perché sur la maison des morts avait une marque identique sur le bec. Aucun des poulets qu'il avait examinés ensuite ne présentait cette particularité.

Peu convaincue, Kahlan lui avait rappelé que les volailles passaient leur temps à chercher de la nourriture dans le sol. Avec la boue qui s'étalait partout, ces « marques » devaient être tout simplement des taches. D'autres poulets en avaient sûrement, mais la pluie s'était chargée de les effacer pendant qu'on les conduisait vers leurs différents centres de détention.

Les Hommes d'Adobe étaient sûrs d'avoir mis la main sur toutes les volailles du village. En conséquence, le poulet que cherchait Richard était nécessairement dans une des trois maisons.

Le Sourcier n'avait rien trouvé pour contredire ce raisonnement.

Poussant son avantage, Kahlan lui avait demandé pourquoi le poulet qui l'obsédait – revenu d'entre les morts – aurait passé la journée à les suivre. Dans quel but aurait-il agi ainsi ? Là encore, Richard n'avait su que répondre…

Avec du recul, l'Inquisitrice dut reconnaître qu'elle n'avait pas été d'un grand soutien pour son mari. Elle savait pourtant qu'il n'était pas enclin à avoir des lubies, ni du genre à s'entêter pour agacer les autres – et surtout pas elle.

Elle aurait dû l'écouter avec plus d'ouverture d'esprit et… de tendresse. S'il ne pouvait pas s'appuyer sur son épouse, qui était susceptible de l'aider ? Pas étonnant qu'il n'ait pas eu envie de faire l'amour, après tout ça…

Mais un poulet, tout de même !

Kahlan ouvrit la porte et claqua des dents quand un vent glacial lui cingla le visage. Très fatiguée aussi, Cara avait consenti à dormir un peu, cette nuit. Mais les chasseurs qui montaient la garde autour de la maison des esprits aperçurent l'Inquisitrice et accoururent. Ils l'entourèrent, les yeux rivés sur la flamme de la petite bougie. À la faveur des éclairs, la jeune femme apercevait par intermittence leurs silhouettes élancées.

— *Vers où est parti Richard ?* demanda-t-elle.

Les Hommes d'Adobe la regardèrent sans comprendre.

— *Richard ! Il est sorti il y a un moment ! Quel chemin a-t-il pris ?*

Avant de répondre, un des chasseurs consulta du regard ses compagnons, qui secouèrent tous la tête.

— *Nous n'avons vu personne... Même la nuit, nous ne l'aurions pas raté s'il était sorti.*

— *Hélas, ce n'est pas si sûr que ça... Richard était un bon guide forestier, et l'obscurité est sa plus fidèle alliée. Quand il fait noir, il peut disparaître aussi facilement que vous vous dissimulez dans les plaines.*

Les chasseurs accueillirent cette information avec une moue éloquente.

— *Dans ce cas, il est quelque part dans les environs, et nous ignorons où. Parfois, Richard Au Sang Chaud se comporte comme un esprit. Nous n'avons jamais connu un homme comme lui...*

Kahlan eut un petit sourire. Richard était une personne comme on en rencontre rarement – la marque de fabrique d'un sorcier !

Lors d'une de leurs visites, les chasseurs l'avaient invité à une compétition de tir à l'arc. Stupéfaits, ils l'avaient vu ficher sa première flèche au centre de la cible... puis fendre sa hampe avec la deuxième. Et il avait réussi cet exploit plusieurs fois de suite !

Même s'il n'y croyait pas, persuadé que c'était une affaire de concentration et d'entraînement, le don du Sourcier guidait ses projectiles. Il avait trouvé une expression pour définir cet exercice : « Appeler la cible ». Selon lui, quand il appelait sa cible, tout ce qui était autour de lui disparaissait, et il lâchait sa flèche dès qu'il sentait qu'elle trouverait d'elle-même le point précis de l'espace qu'il visait. Dans les cas d'urgence, le processus entier pouvait ne durer qu'une fraction de seconde...

Lorsqu'il lui avait donné une leçon de tir, Kahlan, elle devait l'avouer, avait plus ou moins compris ce qu'il voulait dire. Plus tard, cela lui avait même sauvé la vie. Mais elle restait convaincue que la magie, dans le cas de Richard, jouait un rôle capital.

Les chasseurs respectaient beaucoup le Sourcier, et pas seulement pour son habileté à l'arc. Car ne pas l'admirer était vraiment difficile... Alors, si elle affirmait qu'il pouvait se rendre invisible, ils n'avaient aucune raison d'en douter.

Pourtant, tout avait très mal commencé entre Richard et le Peuple d'Adobe. Se méprenant sur le sens de la gifle que lui avait flanquée Savidlin – un salut rituel – il lui avait décoché un coup de poing assez fort pour tuer un bœuf. En réagissant ainsi, et sans l'avoir vraiment voulu, il s'était fait un nouvel ami – ravi qu'on respecte autant sa force – et avait gagné le surnom « Richard Au Sang Chaud » que le chasseur avait utilisé un peu plus tôt.

— *Je veux le retrouver !* lança Kahlan aux Hommes d'Adobe. *Séparez-vous et partez à sa recherche. Si vous le dénichez, dites-lui que je veux le voir. Sinon, revenez ici, attendez les autres, puis recommencez un quadrillage. Même s'il faut fouiller tout le village, il ne nous échappera pas !*

Les chasseurs voulurent émettre des objections – sans doute liées à la sécurité de Kahlan – mais elle leur annonça qu'elle était épuisée et pressée de retourner au lit, à condition que son mari soit avec elle. Alors, s'ils ne voulaient pas l'aider, elle se débrouillerait sans eux.

Exactement ce qu'a fait Richard, pensa-t-elle, honteuse. *Puisque personne ne consentait à le croire, il est parti seul dans la nuit...*

À contrecœur, les chasseurs capitulèrent et se dispersèrent pour mener les recherches. Sans lourdes bottes aux pieds, remarqua Kahlan, ils se déplaçaient dans la boue bien plus facilement qu'elle.

Elle retira les siennes et les jeta dans la maison des esprits, dont elle avait omis de refermer la porte. Puis elle eut un petit sourire, très fière d'avoir remporté une épreuve d'intelligence contre la gadoue.

En Aydindril, beaucoup de grandes dames – des duchesses ou des épouses de notable – se seraient évanouies en voyant la Mère Inquisitrice, pieds nus, patauger jusqu'aux chevilles dans la boue...

En marchant, elle tenta de reconstituer la méthode de recherche qu'avait sûrement adoptée Richard, qui agissait très rarement à la légère. Pour fouiller tout un village dans la nuit, par où aurait-il commencé ?

Et d'abord, s'intéressait-il toujours autant aux poulets, après tout ce que Zedd, Anna et elle lui avaient dit ? Au fond, il avait peut-être renoncé à la chasse aux monstres à plumes. Mais dans ce cas, que faisait-il dehors en pleine nuit ?

Les gouttes d'eau qui s'écrasaient sur le crâne de l'Inquisitrice dégoulinaient le long de sa nuque puis de son dos, la glaçant sur pieds. Alors qu'elle avait passé un temps fou à les sécher puis à les peigner, ses cheveux étaient de nouveau trempés et emmêlés. Et son chemisier collait à son torse comme une seconde peau... froissée et glaciale.

Où était allé Richard ?

Kahlan s'arrêta et leva sa bougie.

Juni !

Oui, il pouvait avoir voulu revoir le chasseur. Ou – une idée qui lui serra le cœur – le bébé mort-né. Afin de les pleurer tous les deux...

Tout à fait le genre de chose que Richard faisait... Recommander aux esprits du bien deux âmes en partance pour le royaume des morts, parce que l'idée qu'il leur arrive malheur l'avait empêché de dormir.

Kahlan passa sous un avant-toit d'où coulait une cascade miniature atrocement froide. Elle poussa un petit cri quand l'eau lui cingla le visage, puis mouilla le devant de son chemisier. Sans cesser d'avancer, elle écarta des mèches trempées de son front et recracha le liquide glacial qu'elle avait avalé. Avec le vent mordant, devoir tenir en hauteur la veilleuse lui engourdissait les doigts.

Elle regarda autour d'elle, tentant de se repérer. Oui, elle allait bien dans la bonne direction, comme semblait l'indiquer le muret qu'elle reconnut à cause des trois pots de fleurs posés dessus. Personne n'habitait dans ce coin, et les herbes qui poussaient dans les pots étaient réservées aux mauvais esprits. À partir d'ici, trouver son chemin serait un jeu d'enfant.

Après avoir tourné à gauche, quelques minutes plus tard, elle arriva devant la porte de la maison des morts. Malgré ses doigts gourds, elle localisa le loquet, le souleva et poussa le battant, qui s'ouvrit avec un grincement sinistre.

L'Inquisitrice entra et referma derrière elle.

— Richard ? Richard, tu es là ?

Pas de réponse… Kahlan leva sa chandelle. De l'autre main, elle se couvrit le nez pour lutter contre la puanteur dont elle sentait déjà le goût moisi sur sa langue.

La chiche lueur de la chandelle passa sur la plate-forme où reposait le cadavre du bébé. Kahlan avança et fit la grimace quand un gros insecte à la carapace dure explosa sous un de ses pieds. Mais la vision du petit mort lui fit très vite oublier ce désagrément mineur.

Pétrifiée, elle ne parvint pas à détourner le regard du nourrisson. Les petits bras tendus, rigides comme ceux d'une statue… Les jambes raides encore pliées, le visage sans couleur…

Les mains du bébé étaient ouvertes. Comment pouvait-il exister des doigts aussi minuscules ? Et dire qu'un jour, ceux de Richard, si puissants, avaient été comme ceux-là…

Le cœur serré, Kahlan plaqua sa main libre sur sa bouche pour étouffer un sanglot. *Quel homme serait devenu cet enfant ?* se demanda-t-elle. Et pourquoi pleurait-elle ainsi un être qui n'avait jamais vraiment existé ? Par sympathie pour sa mère ? Ou parce qu'il y avait quelque chose de plus ? Un potentiel qu'elle sentait, même s'il ne se réaliserait jamais. Et un terrible sentiment d'injustice…

Dans son dos, Kahlan entendit un étrange bruissement rythmique. Sans détourner les yeux de l'enfant mort-né, elle tenta distraitement de déterminer sa nature. Il s'arrêtait, recommençait, cessait de nouveau… Sans doute des gouttes d'eau qui s'infiltraient par le toit.

Cédant à une impulsion, Kahlan tendit un bras et posa doucement un index sur la paume du bébé – tout ce qu'il tiendrait jamais ! Absurdement, elle espéra sentir les petits doigts se refermer sur le sien. Bien entendu, il n'en fut rien…

Elle ravala de nouveaux sanglots et sentit une larme rouler sur sa joue. La mère devait tellement souffrir…

Mais après avoir vu tant de cadavres, pourquoi celui-ci lui faisait-il un tel effet ? Qu'avait-il de si particulier, comparé aux femmes et aux enfants martyrs d'Ebinissia ?

L'Inquisitrice ne put plus retenir ses larmes. Dans la solitude de la maison des morts, elle pleura le défunt qui n'aurait jamais de nom, le cœur brisé devant cette vie qui ne serait jamais vécue et ce corps venu au monde sans qu'on lui eût donné une âme…

Derrière elle, le bruit devint assez dérangeant pour la forcer à se retourner. Qui osait la perturber alors qu'elle priait les esprits du bien ?

Dans sa gorge, un cri se mêla à ses sanglots.

Un poulet s'était perché sur la poitrine de Juni.

Et il lui dévorait les yeux !

Chapitre 10

Kahlan aurait voulu chasser le poulet loin du cadavre, mais une étrange paralysie l'en empêchait. Sans cesser de picorer, le volatile roulait des yeux pour observer celle qu'il semblait tenir pour une intruse.

L'horrible son continuait. Un bruit mou écœurant…

— File ! cria l'Inquisitrice en agitant les bras. Fiche le camp d'ici !

Le poulet avait dû être attiré par les insectes. C'était la seule explication possible. Oui, les insectes…

Une théorie rassurante que Kahlan ne parvenait pas à croire…

— Ouste ! Laisse-le en paix !

Le poulet releva la tête, les plumes du cou hérissées.

L'Inquisitrice recula.

Les serres enfoncées dans la chair déjà décomposée, le poulet se tourna pour la dévisager. Il inclina la tête, faisant pencher sa crête et osciller ses caroncules.

Dans la pénombre, Kahlan ne vit pas s'il avait une tache sombre sur le côté de son bec souillé d'immondices, tout près de la crête. Mais elle n'avait pas besoin d'une confirmation visuelle pour en être sûre.

— Esprits du bien, souffla-t-elle, aidez-moi…

Le poulet caqueta agressivement. On aurait juré qu'il s'agissait des cris d'une volaille, mais Kahlan ne fut pas dupe. Elle avait devant elle une créature maléfique.

Dès cet instant le concept de « poulet qui n'en est pas un » cessa de lui paraître ridicule. Cet animal ressemblait à tous ceux qu'élevaient les Hommes d'Adobe. Et pourtant, il était tout à fait autre chose…

Le mal incarné !

Cette certitude venait de ses tripes, pas de son cerveau. Cette créature était aussi répugnante que le sourire de la mort elle-même.

De sa main libre, Kahlan resserra le col de son chemisier autour de sa gorge. Acculée à la plate-forme où gisait l'enfant mort-né, elle se demanda si elle pourrait sauter par-dessus assez vite pour surprendre son « adversaire ».

Son instinct lui criait de bondir et de toucher le monstre à plumes avec son pouvoir, qui détruisait à tout jamais l'essence même d'un individu, condamné à être la marionnette de sa nouvelle maîtresse. Devenus les jouets dociles de l'Inquisitrice qui les frappait ainsi, les condamnés à mort avouaient leurs crimes, si horribles fussent-ils. Plus rarement, ils prouvaient leur innocence au prix de leur âme et de leur avenir. Hélas, il n'existait aucun autre moyen de s'assurer de l'équité d'une sentence, lorsqu'il n'existait pas de preuves incontestables...

Nul n'échappait au pouvoir d'une Inquisitrice, et le résultat était irréversible. L'assassin le plus ignoble avait une âme, et cela suffisait à le rendre vulnérable...

Le pouvoir de Kahlan était aussi une arme défensive. Mais il fonctionnait uniquement face à des humains. Sur un poulet, il n'aurait pas d'effet notable. Et pas davantage sur un démon, pour ce qu'elle en savait...

La jeune femme évalua la distance qui la séparait de la porte. La fuite restait une solution, mais était-elle possible ?

Le poulet fit un petit bond vers Kahlan. Ses serres toujours plantées dans le bras de Juni, il se pencha en direction de sa nouvelle proie.

Les muscles des jambes de l'Inquisitrice se raidirent tellement qu'elle les sentit trembler.

Le poulet recula, couina de haine et lâcha une fiente sur le visage de Juni.

Puis il eut un caquètement très semblable à un rire méprisant.

L'Inquisitrice aurait donné cher pour croire qu'elle perdait la tête et imaginait des absurdités. Mais ce n'était pas le cas, et elle le savait.

Comme son pouvoir, comprit-elle, sa taille et sa force supérieures ne lui serviraient pas contre ce monstre. S'enfuir était la seule solution. Et elle ne désirait rien d'autre que cela : sortir de cet endroit infernal !

Un gros insecte brunâtre rampait sur son bras. Avec un cri étranglé, elle l'en délogea et fit un pas vers la sortie.

Le poulet sauta de la poitrine de Juni et atterrit devant la porte.

Alors qu'il caquetait agressivement, l'Inquisitrice tenta désespérément de réfléchir.

Rapide comme l'éclair, le poulet goba l'insecte qu'elle avait chassé de son bras. Puis il leva la tête comme s'il voulait défier la jeune femme d'avancer.

Sans quitter la porte des yeux, Kahlan tenta de déterminer le meilleur moyen de sortir. Devait-elle chasser le poulet à coups de pied ? Essayer de lui faire peur ? L'ignorer et tenter de le contourner ?

Les paroles de Richard lui revinrent à l'esprit :

« Un poulet a été tué devant la maison des esprits. Juni a craché sur l'honneur de son "assassin". Peu après, lui aussi était mort. J'ai lancé un morceau de bois sur le poulet perché sur la fenêtre, et il s'est vengé en attaquant un pauvre gosse. Ungi a été blessé à cause de moi. Je refuse de faire deux fois la même erreur. »

Kahlan non plus ne voulait pas commettre cette erreur. Le monstre pouvait lui sauter au visage et lui arracher les yeux. Avec ses ergots, il était également capable de lui couper la carotide. Une blessure de ce type, et elle saignerait à mort... Nul ne savait quelle était la force du poulet, et encore moins jusqu'où il irait.

Richard avait ordonné que tout le monde soit respectueux avec les volailles. En cet instant, la vie de l'Inquisitrice dépendait de la consigne du Sourcier.

Quelques heures plus tôt, elle l'avait trouvée absurde. Et voilà que son salut viendrait peut-être de là !

— Richard, pardonne-moi de m'être moquée de toi, je t'en supplie...

Kahlan sentit ses orteils la démanger. Avec si peu de lumière, un bref coup d'œil vers le bas ne lui suffit pas pour en être sûre, mais il semblait bien que des insectes grouillaient sur ses pieds. Plus téméraire que les autres, l'un d'eux avait grimpé le long de sa cheville et s'infiltrait sous son pantalon. Elle secoua la jambe, mais il ne lâcha pas prise.

Se penchant, Kahlan frappa la vermine qui avait entrepris de ramper vers son genou – un rien trop fort, puisqu'elle l'écrasa contre son tibia.

L'Inquisitrice se redressa en sursaut pour chasser l'immondice qui grouillait dans ses cheveux. Puis elle cria quand un mille-pattes lui piqua le dos de la main – et secoua le bras pour l'en décrocher.

L'insecte s'écrasa sur le sol, près du poulet, qui tendit le cou et le goba.

Battant des ailes, il ressauta sur la poitrine de Juni, la laboura de ses serres afin de se retourner et riva de nouveau ses yeux noirs sur l'Inquisitrice, qui posa sa veilleuse sur la plate-forme, pour avoir les mains libres, puis fit un pas prudent vers la porte.

— Mère ! caqueta le poulet.

Kahlan sursauta et ne put retenir un cri.

Le cœur affolé, elle tenta de respirer lentement et se stabilisa en agrippant dans son dos le rebord de la plate-forme, dont la pierre rugueuse lui écorcha les phalanges.

Elle devait avoir entendu un son qui ressemblait au mot « Mère ». Habituée à s'entendre appeler ainsi, puisqu'elle était la Mère Inquisitrice, elle avait imaginé que...

Elle sursauta de nouveau quand quelque chose lui piqua la cheville. En agitant le bras pour déloger un insecte qui courait sous la manche de son chemisier, elle fit tomber accidentellement la veilleuse, qui s'écrasa sur le sol avec un bruit métallique.

Aussitôt, la salle fut plongée dans l'obscurité.

Kahlan se contorsionna pour tenter de se débarrasser de la créature qui rampait entre ses omoplates, sous ses longs cheveux. À en juger par son poids, et le couinement qui retentit, il devait s'agir d'une souris – qui finit par lâcher prise et vola dans les airs.

L'Inquisitrice s'immobilisa et tenta, en tendant l'oreille, de déterminer si le poulet avait changé de position. S'il marchait de nouveau sur la paille, elle l'entendrait. Mais il n'y avait pas un bruit dans la maison des morts.

Kahlan avança lentement vers la porte. En piétinant la paille moisie, elle se maudit d'avoir eu l'idée d'enlever ses bottes. La puanteur la faisait suffoquer, et elle doutait de se sentir de nouveau propre un jour. Mais elle se fichait de puer jusqu'à sa mort, si celle-ci n'était pas pour ce soir...

Dans l'obscurité, le poulet... ricana. Et le son ne venait pas de l'endroit où elle croyait qu'il était. Désormais, il se trouvait dans son dos.

— Je ne vous veux pas de mal..., souffla-t-elle. (Par les esprits du bien, comment pouvait-on en arriver à vouvoyer une volaille ?) Et je n'ai pas l'intention de vous manquer de respect. Si vous n'y voyez pas d'inconvénient, je vais partir, maintenant, et vous laisser à vos… occupations.

Kahlan fit un pas de plus vers la porte, avec mille précautions, au cas où le monstre à plumes aurait encore changé de position. Pour rien au monde, elle n'aurait voulu le percuter et le mettre en colère. Après avoir pris cette affaire à la légère, elle ne surestimerait plus l'ennemi que Richard avait traqué en vain.

Plus d'une fois, elle s'était jetée sur un ennemi apparemment invincible. Les attaques de ce genre se révélaient souvent payantes, sauf face à un adversaire capable de vous tuer aussi facilement qu'un fermier tord le cou à un véritable poulet. Si elle déclenchait un affrontement, elle n'aurait pas le dessus, c'était une certitude.

Quand une de ses épaules entra en contact avec le mur, elle laissa courir sa main sur l'adobe séché et chercha frénétiquement la porte. En vain ! Le battant de bois n'était ni à droite ni à gauche.

Impossible ! Bon sang, elle était entrée par une porte, et elle devait bien être quelque part !

Le poulet ricana de nouveau.

Retenant ses larmes de terreur, l'Inquisitrice se retourna et plaqua le dos contre le mur. En se débattant contre la souris, elle avait dû pivoter sur elle-même sans s'en apercevoir. C'était la seule explication, puisque aucune porte ne changeait de place toute seule. Oui, Kahlan était partie dans la mauvaise direction, ça ne faisait pas de doute.

Très bien, mais où était la sortie par rapport à sa position actuelle ?

Les yeux écarquillés, la jeune femme tenta de percer les ténèbres. Puis elle frissonna, frappée par une idée terrifiante. Et si le poulet prenait ses yeux pour cibles ? C'était peut-être la partie du corps humain qu'il préférait…

Quand quelques gouttes d'un liquide glacé lui tombèrent sur le sommet du crâne, Kahlan sursauta et gémit de terreur avant de se souvenir que le toit fuyait, tout bêtement. Si elle ne reprenait pas vite le contrôle de ses nerfs, la fin risquait de ne plus tarder.

Lorsque la foudre s'abattit à l'extérieur, pour la première fois depuis longtemps, Kahlan crut un instant que sa lueur traversait le mur d'adobe. Puis elle comprit qu'elle s'infiltrait par l'encadrement de la porte. Désormais, elle savait où était la sortie !

Comme si un roulement de tonnerre lui avait donné le signal, l'Inquisitrice, toute prudence oubliée, courut vers le salut. Au passage, elle se heurta la hanche contre la plate-forme dont son pied droit percuta rudement le coin inférieur. Par réflexe, elle leva la jambe et saisit à deux mains ses orteils douloureux. Sautant sur son pied indemne pour ne pas perdre l'équilibre, elle marcha sur un objet dur, cria de douleur et bascula en avant. La plante du pied en feu, elle lança une main pour se retenir, s'écarta d'instinct quand elle sentit sous sa paume la chair glaciale du bébé mort et s'étala de tout son long.

Folle de rage, elle comprit qu'elle avait marché sur la veilleuse métallique. En touchant son pied, elle constata qu'il n'était pas brûlé, comme elle l'avait redouté dans un accès de panique. Mais l'autre saignait à cause du choc contre la plate-forme.

Kahlan prit une profonde inspiration. Elle ne devait pas s'affoler, se rappela-t-elle, sinon elle ne s'en tirerait pas, et personne ne viendrait lui porter secours. Pour sortir vivante de la maison des morts, il lui faudrait toute sa lucidité.

Elle expira et se remplit une deuxième fois les poumons. Si elle atteignait la porte, sortir ne serait pas difficile, et elle ne risquerait plus rien.

Elle rampa vers la porte, les bras tendus pour sonder le sol. Le contact de la paille humide la fit grimacer de dégoût. Était-ce dû à l'eau qui s'infiltrait par le toit, ou aux fluides qui dégoulinaient des cadavres ? Tout compte fait, elle préférait ne pas le savoir. Le Peuple d'Adobe, se souvint-elle, respectait ses morts. À coup sûr, on devait changer régulièrement la paille. Alors, pourquoi empestait-elle autant ?

Et où était le poulet ? S'il était retourné picorer les yeux de Juni... Eh bien, si choquant que ce fût, l'Inquisitrice s'en féliciterait.

À la lueur d'un nouvel éclair, elle vit des pattes de volaille, entre la porte et elle. Le monstre était à moins d'un pied de son visage.

Kahlan leva une main tremblante pour se protéger les yeux. À tout instant, le poulet pouvait décider d'attaquer, et ils seraient sa première cible, c'était certain. S'imaginant énucléée, du sang ruisselant de ses orbites vides, la jeune femme eut le souffle coupé par la terreur.

Aveugle, elle serait à tout jamais impuissante. Et elle ne verrait plus les beaux yeux gris de Richard briller d'amour pour elle.

Un insecte se tortillait dans ses cheveux mouillés, où il devait être pris comme dans une toile d'araignée. Elle tenta de le chasser d'un revers de la main, mais n'y parvint pas.

Un objet dur heurta soudain sa tête. Kahlan hurla, puis s'aperçut que l'intrus ne se débattait plus entre ses mèches. Le poulet avait tendu le cou pour le gober. Le choc avait été si violent qu'elle aurait sûrement une bosse, si elle sortait vivante de ce piège.

— Merci beaucoup, se força-t-elle à dire au monstre. Vraiment, c'était très gentil, et j'apprécie l'attention.

Le bec se tendit de nouveau et lui percuta le bras. Encore un insecte... Le poulet n'avait pas voulu la blesser, simplement attraper une autre proie. Mais elle avait de nouveau crié, et il risquait de ne pas aimer ça.

— Désolée de ma réaction... J'ai été surprise, c'est tout. Une fois encore, merci de vous occuper de moi...

Le bec s'abattit sur le sommet de son crâne avec une violence inouïe. Cette fois, il n'y avait pas d'insecte dans ses cheveux. La créature aviaire avait-elle cru en voir un, ou était-elle passée à l'attaque ? En tout cas, la douleur était atroce.

Kahlan se remit une main devant les yeux.

— S'il vous plaît, arrêtez ! Ça fait très mal !

Le bec se referma sur la veine saillante de la main que l'Inquisitrice avait plaquée sur ses yeux. Le poulet tira, comme s'il voulait extirper un ver de la terre.

C'était un ordre, comprit Kahlan. Il voulait qu'elle écarte sa main.

Le bec frappa de nouveau, à la naissance de l'annulaire. Le message était on ne peut plus clair : « Obéis vite, ou tu le regretteras ! »

Si elle énervait le monstre, qui savait ce qu'il pouvait lui faire ? Le cadavre de Juni, qui gisait non loin de là, prouvait que tout était possible.

Kahlan improvisa très vite un plan. Si elle faisait ce que le monstre exigeait, et qu'il essayât de lui crever les yeux, elle tenterait de l'attraper et de lui tordre le cou au moment où il lancerait son premier coup de bec. À condition d'être assez rapide, elle ne deviendrait pas aveugle, mais borgne. Oui, elle se battrait, mais seulement si le monstre s'attaquait à ses yeux.

Son instinct lui cria qu'agir ainsi serait idiot et dangereux à l'extrême. Richard et l'Homme Oiseau avaient tous les deux affirmé que ce poulet n'en était pas un, et elle ne doutait plus de leur parole. Hélas, elle n'aurait peut-être pas le choix…

Si elle commençait, ce serait un combat à mort, et elle se donnait peu de chance d'en sortir vivante. Pourtant, elle allait peut-être devoir lutter – et jusqu'à son dernier souffle, comme le lui avait appris son père.

Le monstre lui pinça de nouveau la veine et tira plus fort. Le dernier avertissement…

Kahlan écarta lentement sa main. Le poulet en caqueta de satisfaction.

Un nouvel éclair illumina la scène. Mais la jeune femme n'avait plus besoin de lumière pour savoir que son tourmenteur était à un pouce d'elle. À présent, elle sentait son souffle sur sa peau.

— Je vous en prie, ne me faites pas de mal !

Le tonnerre explosa avec une telle violence que Kahlan sursauta. Avec un couinement indigné, le poulet se retourna.

Ce n'était pas le tonnerre, comprit l'Inquisitrice. Simplement la porte, que quelqu'un venait d'ouvrir…

— Kahlan ! cria Richard. Où es-tu ?

La jeune femme se releva.

— Richard, fais attention ! C'est le poulet ! C'est le poulet !

Alors que le Sourcier tendait la main vers son épouse, le monstre lui passa entre les jambes et se précipita dehors.

Kahlan voulut enlacer son sauveur, mais il se détourna, sortit de la salle et s'empara de l'arc du chasseur qui attendait dehors. Avant que l'Homme d'Adobe ait pu réagir, Richard tira une flèche du carquois qu'il portait dans le dos, l'encocha et arma l'arc.

Le poulet courait dans la boue vers l'extrémité du passage, où il pourrait s'engouffrer dans une voie latérale et être hors de portée de tir du Sourcier. À la lueur intermittente des éclairs, le monstre apparaissait, disparaissait et réapparaissait un peu plus loin, comme s'il se matérialisait et se dématérialisait sans cesse.

Une cible difficile à toucher…

La corde de l'arc vibra et la flèche fendit la nuit.

Kahlan entendit la pointe de fer se ficher dans quelque chose de dur.

Un éclair zébrant le ciel, elle vit le poulet se retourner pour les regarder. Le projectile s'était planté à l'arrière de sa tête, et le premier tiers de la hampe émergeait de son bec ouvert. Du sang en ruisselait, maculant de rouge les caroncules du monstre.

Le chasseur salua ce coup de maître d'un sifflement admiratif.

Puis le tonnerre gronda, et l'obscurité revint. Quelques secondes plus tard, l'éclair suivant illumina le dos du volatile, qui tournait sur la gauche, au bout du passage.

Richard se lança à sa poursuite et Kahlan lui emboîta le pas. L'Homme d'Adobe les suivit, dépassa la jeune femme et tendit une flèche au Sourcier. Sans ralentir, il l'encocha, arma de nouveau l'arc et s'engouffra dans la voie latérale.

Les deux jeunes gens et l'Homme d'Adobe s'arrêtèrent net. La flèche ensanglantée gisait dans la boue, au milieu du chemin, et le poulet avait disparu.

— Richard, haleta Kahlan, je te crois, maintenant...

— Pour ne rien te cacher, je m'en doutais un peu...

Un bruit étrange, comme si un géant chassait tout l'air de ses poumons, retentit derrière eux.

Ils retournèrent sur leurs pas, revinrent dans le premier passage et constatèrent que le toit de la maison des morts avait pris feu. La porte étant restée ouverte, Kahlan vit que la paille du sol brûlait aussi.

— J'avais une veilleuse, dit-elle, et elle est tombée par terre. Mais la flamme était éteinte, j'en suis sûre !

— C'est peut-être la foudre..., avança Richard en regardant les flammes.

À leur lumière, les bâtiments alentour semblaient danser au rythme d'une musique... crépitante. Malgré la distance, l'Inquisitrice sentit la chaleur sur ses joues. Même trempée, l'herbe du toit brûlait comme un feu de joie.

Des chasseurs accoururent et se massèrent autour des deux jeunes gens. L'homme à qui le Sourcier avait emprunté son arc circula dans les rangs et raconta comment Richard Au Sang Chaud avait transpercé le crâne du démon, le contraignant à s'enfuir.

Deux autres silhouettes apparurent, jetèrent un bref coup d'œil aux flammes puis approchèrent du petit groupe. Le feu faisant danser des reflets orange dans sa chevelure blanche, Zedd s'immobilisa et tendit la main. Un chasseur se baissa, ramassa la flèche et la lui posa sur la paume. Il l'examina rapidement puis la passa à Anna, qui soupira comme si le projectile, poisseux de sang, confirmait ses pires craintes.

— Les Carillons sont dans notre monde, dit Richard. Vous me croyez, maintenant ?

— Zedd, j'ai vu le poulet, souffla Kahlan. Richard avait raison : ce n'en est pas un... Dans la maison des morts, il dévorait les yeux de Juni. Et il parle ! Il a crié mon titre : « Mère Inquisitrice ».

— Tu avais vu juste, mon garçon..., soupira le vieux sorcier. En partie, en tout cas. Nous avons de très gros problèmes, c'est vrai. Mais il ne s'agit pas des Carillons.

— Zedd, insista Kahlan en désignant la maison des morts, je vous dis que c'était...

Elle se tut quand Zedd leva une main et retira de sa chevelure une plume striée. La faisant tourner entre ses doigts, il l'étudia un moment, et ne sembla pas surpris quand elle se transforma en une volute de fumée qui se dissipa une fraction de seconde plus tard.

— C'était un Cabrioleur, murmura le sorcier.

— Un Cabrioleur ? répéta Richard. Qu'est-ce que c'est, et comment le sais-tu ?

— Anna et moi avons lancé des sorts, pour vérifier. Tu nous as fourni l'indice final dont nous avions besoin. Les traces de magie, sur cette flèche, confirment nos soupçons. Les choses vont très mal...

— Le monstre a été invoqué par des femmes dévouées au Gardien et capables d'utiliser la Magie Soustractive, dit Anna. Les Sœurs de l'Obscurité.

— Jagang…, souffla Richard. Il a capturé des Sœurs de l'Obscurité.

— La dernière fois, confirma Anna, l'empereur t'a envoyé un sorcier, mais tu as survécu. Alors, il a voulu frapper plus fort.

— Eh oui, mon garçon ! lança Zedd. Tu as eu raison d'insister, mais tes conclusions sont erronées. Anna et moi sommes sûrs de pouvoir neutraliser le sort qui a invoqué le Cabrioleur. Ne t'inquiète pas : nous nous occupons du problème, et la solution ne tardera plus.

— Tu ne m'as toujours pas dit ce qu'est un Cabrioleur. Qu'avait-il mission d'accomplir ?

Avant de répondre à la place de Zedd, Anna le consulta du regard.

— Ce monstre vient du royaume des morts, et c'est la Magie Soustractive qui l'a amené chez nous. Son but est de perturber la magie du monde des vivants.

— Comme les Carillons…, dit Kahlan, angoissée.

— C'est grave, confirma Zedd, mais bien moins que si les Carillons étaient là. Anna et moi ne sommes pas des novices, et nous ne manquons pas de ressources.

» Grâce à Richard, le Cabrioleur est parti, pour le moment. Étant démasqué, il ne reviendra pas de sitôt. Allez dormir, mes enfants. Jagang s'y est mal pris, et son monstre s'est trahi avant d'avoir pu nous nuire. Une chance pour nous…

Pensif, Richard regarda l'incendie, dans son dos, puis se retourna.

— Comment Jagang a-t-il pu…, commença-t-il.

— Anna et moi avons besoin d'un peu de repos, coupa Zedd. Après, nous nous intéresserons aux manigances de l'empereur et aux moyens de les combattre. C'est compliqué, mon garçon, alors, laisse-nous faire !

Richard passa un bras autour de la taille de Kahlan – enfin ! –, l'attira contre lui et hocha la tête à l'attention de son grand-père. Avant de partir pour la maison des esprits avec son épouse, il tapota même gentiment l'épaule du vieillard.

Chapitre 11

Kahlan se réveilla en sursaut. Le dos contre celui de Richard, elle écarta un voile de cheveux de ses yeux et tenta de s'éclaircir les idées. À côté d'elle, son mari s'assit vivement, la privant d'une présence chaude et réconfortante. Quelqu'un frappait à la porte, et c'était sans doute cela qui avait tiré les deux jeunes gens du sommeil.

— Seigneur Rahl ! appela une voix étouffée. Seigneur Rahl !

C'était Cara. En finissant d'enfiler son pantalon, Richard courut lui ouvrir.

— Que se passe-t-il ?

Dehors, le soleil était levé et le flot de lumière qui pénétra dans la maison des esprits força Kahlan à plisser les yeux.

— C'est la guérisseuse qui m'envoie. Zedd et Anna sont malades. Je n'ai pas saisi tous les détails, mais Nissel veut que vous veniez.

— Ils sont très malades ? demanda le Sourcier en ramassant ses bottes.

— La guérisseuse ne semblait pas inquiète, donc ça ne doit pas être grave. Mais je ne connais rien à la médecine, vous savez… J'ai pensé que vous voudriez venir voir.

— Et tu as eu raison. Nous arrivons.

L'Inquisitrice s'habillait déjà. Encore humides, ses vêtements, par bonheur, n'étaient plus gorgés d'eau.

— Richard, tu as une idée de ce qui leur arrive ?

— Pas la moindre, répondit le Sourcier en finissant d'enfiler sa tunique noire sans manches.

Jugeant inutile de s'équiper entièrement, il boucla tout de même son ceinturon. Il ne laissait jamais sans surveillance les objets ô combien dangereux rangés dans ses sacoches et dans ses bourses.

— Tu crois que c'est lié à la magie ? demanda Kahlan en sautillant pour enfiler ses bottes. Une perturbation due à la présence du Cabrioleur ?

— Ne nous angoissons pas pour rien… On le saura très bientôt.

Dès qu'ils furent sortis, Cara partit au pas de course et ils la suivirent.

La matinée était grisâtre, et il pleuvait toujours – un crachin glacial qui, combiné au ciel plombé, annonçait une journée maussade. Au moins, l'orage avait cessé.

La tresse blonde de Cara, emmêlée et trempée, pendait misérablement dans son dos.

Mes cheveux doivent avoir l'air encore plus minables..., pensa Kahlan, d'une humeur aussi morose que le temps.

En revanche, l'uniforme de la Mord-Sith étincelait. Cette tenue était la fierté de Cara et de ses collègues. Comme un étendard rouge sang, il annonçait la couleur d'emblée, et bien mieux qu'un long discours : ces femmes étaient dangereuses, et elles tenaient à ce qu'on le sache.

Voyant les gouttes de pluie rouler sur le cuir sans y pénétrer, l'Inquisitrice supposa que Cara l'avait traité avec des huiles spéciales ou de la lanoline. L'uniforme était si moulant que les Mord-Sith, quand elles se déshabillaient, devaient avoir le sentiment de retirer une couche de peau...

— Vous en avez fait des choses, cette nuit ! lança Cara.

Par-dessus son épaule, elle foudroya du regard les deux jeunes gens.

À voir ses mâchoires serrées, on devinait qu'elle était furieuse qu'on l'ait laissée dormir pendant que ses deux protégés erraient dans la nuit comme des gamins idiots qui cherchent les ennuis avec une lanterne, histoire de s'amuser un peu.

— J'ai trouvé le poulet qui n'en est pas un, annonça Kahlan.

Épuisés, crottés et trempés jusqu'aux os, les deux époux n'avaient pas beaucoup parlé sur le chemin de la maison des esprits. L'Inquisitrice ayant voulu savoir comment il l'avait retrouvée, Richard lui avait expliqué en quelques mots qu'il avait entendu sa voix monter de la maison des morts, alors qu'il était lui-même parti traquer le monstre à plumes. À la grande surprise de sa femme, il n'avait émis aucun commentaire sur le scepticisme mal inspiré dont elle avait fait preuve depuis le début de cette affaire.

Kahlan avait pris les devants et s'était excusée de lui avoir compliqué la tâche en ne lui faisant pas confiance.

Richard l'avait serrée dans ses bras. L'essentiel, avait-il dit, c'était que les esprits du bien, qu'il remerciait profusément, aient veillé sur elle. Curieusement, la jeune femme avait eu l'impression qu'elle se serait sentie mieux s'il lui avait fait des reproches.

Morts de fatigue, les deux jeunes gens s'étaient aussitôt glissés sous leurs couvertures. Malgré sa lassitude, Kahlan avait redouté de ne pas pouvoir fermer l'œil, hantée par le souvenir de son combat contre le poulet démoniaque. Enveloppée par la chaleur de Richard et le contact rassurant de sa main sur son épaule, elle s'était en fait endormie comme une masse.

— Personne ne m'a encore expliqué cette histoire de poulet, marmonna Cara en s'engageant dans un passage latéral.

— Je ne peux pas dire ce qui m'a alarmé, répondit Richard. Quelque chose clochait, c'est tout... Une intuition. Quand je voyais cet animal, tous les poils de ma nuque se hérissaient.

— Cara, si tu l'avais vu, ajouta Kahlan, tu comprendrais. Quand il m'a regardée, le mal brillait dans les yeux de ce monstre.

— Si c'était une poule, elle allait peut-être pondre un œuf, railla Cara, ouvertement sceptique.

— Il m'a appelée par mon titre.

— Vraiment ? Ça m'aurait secouée aussi, je dois l'avouer. Il a vraiment dit « Mère Inquisitrice » ?

Kahlan nota que la Mord-Sith était sincèrement inquiète.

— En réalité, il s'est contenté de « Mère ». Mais je n'ai pas attendu poliment qu'il finisse sa phrase.

Quand les trois jeunes gens entrèrent dans la petite maison où résidaient Zedd et Anna, Nissel se leva de la fourrure étendue à même le sol, devant la cheminée. Une infusion d'herbes aromatiques chauffait sur un petit feu et une miche de tava, posée sur une tablette, près de l'âtre, restait au chaud en attendant qu'on veuille bien la consommer.

— *Bonjour, Mère Inquisitrice,* dit la vieille Femme d'Adobe avec le petit sourire entendu qu'elle affichait presque en permanence. *Vous avez bien dormi ?*

— *Oui, comme un loir… Nissel, quel est le problème, avec Zedd et Anna ?*

La vieille femme se rembrunit et regarda la tenture qui tenait lieu de porte à la pièce du fond.

— *Je n'en suis pas sûre…*

— Quels sont leurs symptômes ? demanda Richard quand l'Inquisitrice lui eut traduit ce bref dialogue. De la fièvre ? Des maux d'estomac ? Une migraine ? Allons, c'est facile à dire, pour une professionnelle ! La tête leur est-elle tombée des épaules ?

Nissel dévisagea le Sourcier pendant que Kahlan lui traduisait la question.

— *Votre tout nouveau mari ignore la patience, Mère Inquisitrice,* dit-elle, son petit sourire revenu.

— *Il s'inquiète pour son grand-père. Vous savez, il l'adore ! Alors, que pouvez-vous nous dire ?*

Nissel se détourna un instant pour remuer son infusion. Depuis qu'elle la connaissait, Kahlan était frappée par les étranges manies de la guérisseuse. Comme son habitude de marmonner sans cesse en travaillant, ou, plus étonnant encore, la bizarre méthode qui consistait à poser des pierres sur le ventre d'un blessé pour le distraire pendant qu'elle recousait ses blessures. Cela dit, Nissel avait une intelligence acérée et elle était une thérapeute d'exception. Une vie d'expérience et des trésors de connaissances se cachaient dans son petit corps voûté par l'âge.

D'une main, la guérisseuse ajusta son fichu sur ses épaules, puis elle s'agenouilla devant la Grâce toujours dessinée dans la poussière, au centre de la salle. Tendant un bras, elle laissa courir un index sur une des lignes droites qui jaillissaient de l'étoile – celle qui représentait la magie.

— *Tout vient de là, je crois…*

Richard et Kahlan échangèrent un regard inquiet.

— Vous en sauriez davantage, et plus vite, grogna Cara, si vous alliez jeter un coup d'œil par vous-mêmes !

— Si ça ne te dérange pas, dit Richard, cassant, nous aimerions savoir ce qui nous attend.

Kahlan se détendit un peu. La Mord-Sith ne se serait pas montrée aussi insolente si elle avait pensé qu'une bataille pour la vie ou la mort faisait rage derrière la tenture. Cela posé, elle ne savait pas grand-chose de la magie, à part qu'elle l'abominait.

À l'instar des soldats d'harans, pourtant féroces et courageux, les Mord-Sith redoutaient la magie. Comme elles le répétaient souvent, elles étaient l'acier qui affronte l'acier, et leur seigneur devait se charger des menaces surnaturelles. Le lien entre le seigneur Rahl et son peuple reposait sur ce contrat tacite. Alors que les guerriers et les femmes telles que Cara protégeaient son corps, il devait, en quelque sorte, se charger de défendre leur âme…

Paradoxalement, ce même lien – en d'autres termes, une relation symbiotique – conférait aux Agiels leur terrifiante puissance et permettait aux Mord-Sith, par un usage indirect de la magie, de contrôler le pouvoir de toute personne ayant le don. Jusqu'à ce que Richard les ait libérées, la mission de ces femmes ne s'était pas limitée à défendre leur maître. Souvent chargées d'arracher des informations aux ennemis du seigneur Rahl dotés de pouvoirs magiques, elles étaient devenues expertes dans l'art de les torturer à mort – et de les faire parler avant qu'ils expirent.

À part celui des Inquisitrices, aucun pouvoir ne pouvait résister au don de « captation » des Mord-Sith. Même si elles redoutaient la magie, elles étaient un véritable fléau pour ceux qui la contrôlaient. Mais les gens ne disaient-ils pas depuis toujours à Kahlan que les serpents, qui la terrorisaient, étaient sûrement morts de peur devant elle ?

Les mains dans le dos, Cara entreprit de monter la garde face à l'entrée.

Kahlan se baissa pour passer sous la petite porte intérieure pendant que Richard, très galant, lui tenait la tenture écartée.

Des bougies brûlaient dans l'arrière-pièce sans fenêtre au sol couvert de runes magiques. Du premier coup d'œil, l'Inquisitrice vit qu'il ne s'agissait pas de symboles didactiques, comme la Grâce de la première salle. Ceux-là étaient dessinés dans du sang.

— Attention, ne marche pas dessus ! dit la jeune femme en retenant le Sourcier par un bras. Ces runes sont là pour piéger des intrus imprudents.

Richard fit signe qu'il avait compris. Prudemment, les deux jeunes gens se frayèrent un chemin dans un incroyable fouillis d'étranges ustensiles. Des couvertures tirées jusqu'au menton, Zedd et Anna étaient allongés côte à côte sur une paillasse posée contre le mur du fond.

— Zedd, murmura Richard en s'agenouillant, tu es réveillé ?

Kahlan s'accroupit près de son mari, lui prit la main et s'assit sur les talons comme lui. Quand Anna ouvrit les yeux et la regarda, elle lui saisit également la main.

— Te voilà enfin, Richard ? souffla le vieux sorcier en battant des paupières comme si la lumière des bougies, pourtant chiche, lui blessait les yeux. Parfait… Nous devons parler.

— Tu es malade ? Que pouvons-nous faire pour t'aider ?

Les cheveux blancs du sorcier semblaient encore plus en bataille que d'habitude. Avec si peu de lumière, on voyait à peine ses rides, mais il paraissait avoir vieilli de dix ans en une nuit.

— Anna et moi sommes un peu… fatigués… c'est tout. Nous avons…

Zedd sortit une main tremblante de sous sa couverture et désigna les runes tracées sur le sol. La peau du vieil homme pendait lamentablement sur ses os, plus flasque que jamais…

— Dis-lui tout, souffla Anna, ou je m'en chargerai à ta place.

— Me dire quoi ? lança Richard. Que se passe-t-il encore ?

Zedd posa sa main osseuse sur la cuisse musclée de son petit-fils. Avant de parler, il prit plusieurs inspirations laborieuses.

— Tu te souviens de notre conversation au sujet de la magie ? Et de nos suppositions, si elle disparaissait…

— Bien sûr.

— Mon garçon, ça commence…

— Les Carillons ?

— Non, répondit Anna, les Sœurs de l'Obscurité. (Du dos de la main, elle essuya la sueur qui ruisselait sur ses yeux.) Elles ont lancé un sort pour appeler dans notre monde… le poulet monstrueux.

— Le Cabrioleur, dit Zedd, rafraîchissant la mémoire de la Dame Abbesse. En l'invoquant, elles ont déclenché, volontairement ou non, un processus de dégénérescence de la magie.

— C'était volontaire, affirma Richard. Un ordre de Jagang, que les sœurs ont exécuté…

Zedd ferma les yeux et hocha la tête.

— Je pense que tu as raison, mon garçon.

— Et vous n'avez rien pu faire pour empêcher ça ? demanda Kahlan. À vous entendre, c'était un jeu d'enfant !

— Les sorts de vérification nous ont coûté beaucoup d'énergie, souffla Anna, aussi amère que l'Inquisitrice l'aurait été à sa place. Nous sommes à bout de forces…

Zedd leva le bras puis le laissa aussitôt retomber sur la cuisse de Richard.

— Anna et moi avons beaucoup plus de pouvoirs que d'autres sorciers ou magiciennes. Il est normal que l'entropie nous frappe les premiers.

— Selon vous, les plus faibles devaient être touchés d'abord, dit Kahlan, déroutée.

Anna secoua vigoureusement la tête.

— Pas dans ce cas…, souffla-t-elle.

— Pourquoi ne sommes-nous pas affectés, Kahlan et moi ? intervint Richard. Entre mon don et son pouvoir, nous devrions…

Zedd leva le bras et agita la main.

— Non, non ! Ça ne marche pas ainsi. Nous sommes les premières cibles. Enfin, davantage moi qu'Anna…

— Ne leur embrouille pas les idées, dit la Dame Abbesse. C'est bien trop important ! (La voix de la vieille dame reprit un peu d'assurance.) Richard, le pouvoir de Kahlan lui fera bientôt défaut. Et le tien aussi. Comme vous n'en dépendez pas entièrement, ce ne sera pas une catastrophe. Pour nous, en revanche…

— Kahlan aura bientôt perdu son pouvoir d'Inquisitrice, confirma Zedd. Tous ceux qui contrôlent la magie subiront le même sort. Et les créatures magiques ne seront pas épargnées. Sans son pouvoir, Richard, ta femme sera sans défense et il te faudra la protéger.

— Je ne suis pas sans défense…, marmonna Kahlan.

— Anna et toi êtes de taille à neutraliser la menace, dit Richard. Hier soir, tu as rappelé que vous n'étiez pas sans ressource. (Il serra les poings.) Bon sang, vous devez faire quelque chose !

Anna leva un bras et tapota le crâne du vieux sorcier – très doucement, comme si elle n'avait pas la force de faire mieux.

— Tu te décides à parler, vieil homme ? lança-t-elle. Sinon, ce pauvre garçon aura une attaque, et il ne nous sera plus d'aucune utilité.

— Je peux vous aider ? Comment ? Dites-le-moi, et je ferai n'importe quoi !

— J'ai toujours pu compter sur toi, mon garçon, murmura Zedd avec un petit sourire. Toujours…

— Que devons-nous faire ? demanda Kahlan. Zedd, vous pouvez compter sur nous deux !

— Eh bien… Anna et moi connaissons la solution, mais sans aide, nous ne parviendrons pas à la mettre en application.

— Nous sommes là ! rappela Richard. Que faut-il faire ?

Zedd dut lutter pour prendre une inspiration haletante.

— Dans la Forteresse du Sorcier…

L'Inquisitrice éprouva un intense soulagement. Si ce n'était que ça, Richard et elle, grâce à la sliph, seraient à pied d'œuvre en moins d'une journée.

Zedd exhala un profond soupir, comme s'il venait de perdre connaissance. Accablé, Richard se prit les tempes entre le pouce et l'index et appuya très fort. Puis il inspira à fond, posa une main sur l'épaule du sorcier et le secoua doucement.

— Zedd, Zedd ! Que devons-nous faire dans la Forteresse ?

Le vieil homme déglutit péniblement.

— La Forteresse, oui…

Richard respira de nouveau à fond. Il devait garder son calme et parler d'un ton rassurant.

— Oui, j'ai compris, nous devons y aller. Mais que voulais-tu me dire de plus, Zedd ? Que devrai-je y faire ?

Le vieil homme tenta en vain de s'humecter les lèvres.

— De l'eau…

Kahlan posa une main sur l'épaule de Richard, comme pour l'empêcher de se relever d'un bond et de se fracasser le crâne contre le plafond.

— J'y vais…

Nissel était déjà devant la porte. Mais au lieu d'un verre d'eau, elle tendit à l'Inquisitrice une tasse fumante.

— *Faites-lui boire cette infusion. Elle lui donnera des forces.*

— *Merci, mon amie…*

Kahlan retourna près de la paillasse, se baissa et approcha la tasse de la bouche de Zedd, qui avala quelques gorgées. Puis elle la tendit à Anna, qui la vida.

Nissel vint rejoindre l'Inquisitrice et lui donna un morceau de pain de tava couvert d'une substance semblable à du miel qui sentait vaguement la menthe, comme si on y avait ajouté un médicament. La guérisseuse souffla à Kahlan d'en faire manger un peu aux deux malades.

— Zedd, vous voulez un peu de tava au miel ?

D'une main tremblante, le sorcier écarta la nourriture de sa bouche.

Richard et Kahlan se regardèrent, de plus en plus inquiets. Zedd, refuser de manger ? Un événement sans précédent ! Le calme de Nissel avait dû induire Cara en erreur, sinon elle n'aurait jamais cru que ce n'était pas grave.

— Zedd, dit le Sourcier, parle-moi de la Forteresse.

Le vieil homme rouvrit les yeux. Rassurée, Kahlan les trouva un peu plus brillants – oui, plus limpides, et plus proches de leur couleur noisette habituelle.

— L'infusion me fait du bien, dit le sorcier en prenant le poignet de Richard. J'en veux encore !

— *Nissel*, appela Kahlan, *la boisson l'aide à se sentir mieux. Il en redemande.*

— *Bien sûr qu'elle l'aide*, marmonna la vieille Femme d'Adobe. *Pourquoi croit-il que je la lui ai donnée ?*

En maugréant, elle passa dans l'autre pièce pour remplir la tasse. Kahlan aurait juré que son imagination ne lui jouait pas des tours : Zedd était un peu ragaillardi.

— Ouvre bien les oreilles, mon garçon, dit-il, un index brandi pour souligner la gravité de ses propos. Dans la Forteresse, tu trouveras un sort d'une incroyable puissance. Dans une bouteille, il y a un antidote imparable pour nous débarrasser de la souillure qui envahit notre monde…

— Et tu veux que je te l'apporte ? supposa Richard.

— Nous avons tenté de lancer des contre-sorts, dit Anna, qui semblait elle aussi un peu plus alerte, mais nos pouvoirs avaient déjà trop faibli. Hélas, nous n'avons pas découvert assez tôt ce qui se passait…

— Mais le sortilège de la bouteille aura sur la souillure l'effet que celle-ci a sur nous, précisa Zedd.

— L'équilibre des forces rétabli, acheva Richard, tu pourras lancer tes contre-sorts et nous débarrasser de la menace.

— Exactement ! dirent en chœur Zedd et Anna.

— Alors, conclut Kahlan, tout est arrangé. Nous irons en Aydindril, et adieu les ennuis !

— Avec la sliph, nous serons sur place demain. Le temps de trouver la bouteille et de revenir, et l'affaire sera réglée !

Accablée, Anna étouffa un juron et plaqua une main sur ses yeux.

— Zedd, tu n'as donc rien appris à ce garçon ?

— Pourquoi ? s'écria Richard. J'ai dit une bêtise ?

Nissel entra, une tasse d'infusion dans chaque main. Elle tendit la première à Kahlan, et l'autre à Richard.

— *Faites-leur tout boire.*

— La guérisseuse dit que vous devez les vider, annonça Kahlan.

Anna obéit sans discuter. Zedd plissa les narines, mais son petit-fils lui plaqua la tasse contre les lèvres et le força à avaler jusqu'à la dernière goutte.

— Maintenant, qu'on me dise où est le problème, lâcha Richard alors que le vieux sorcier toussait comme s'il avait avalé de travers.

— Pour commencer, dit Zedd entre deux hoquets, il est inutile de rapporter la bouteille ici. Il suffira de la briser. Le sort étant déjà créé, il n'a pas besoin de mon intervention.

— Casser une bouteille devrait être dans mes cordes, maugréa Richard.

— Peut-être, mais cette bouteille-là est spécialement conçue pour protéger la magie. Il y a un protocole à respecter. Si tu ne la brises pas avec un objet doté du pouvoir approprié, le sort s'évaporera et n'aura aucun effet.

— Quel objet ? Dis-moi ce que je dois faire !

— Utilise l'Épée de Vérité. Elle détruira le contenant sans altérer le contenu.

— Ce n'est pas un problème… J'ai laissé mon arme dans ton enclave, à la Forteresse. Mais ne sera-t-elle pas privée de sa magie ?

— Non. Elle a été fabriquée par un sorcier qui savait protéger ses artefacts des assauts comme celui que nous subissons.

— Si je comprends bien, mon épée pourrait détruire un Cabrioleur ?

— Mes connaissances sur ce sujet sont très lacunaires, mais je crois que cette arme seule aura le pouvoir de te protéger. (Zedd agrippa Richard par le devant de sa tunique et le tira vers lui.) Tu dois récupérer l'Épée de Vérité !

Le regard du vieil homme s'illumina quand le Sourcier hocha gravement la tête. Il tenta de se redresser sur un coude, mais son petit-fils, une main plaquée sur sa poitrine, le força à se rallonger.

— Repose-toi. Après, tu gambaderas comme un gamin. À présent, dis-moi où est cette bouteille !

Zedd plissa le front et désigna quelque chose, derrière Richard et Kahlan. Les deux jeunes gens se retournèrent… et ne virent rien, à part la tenture écartée et Cara, qui montait toujours la garde devant la porte d'entrée. Mais quand ils regardèrent de nouveau le vieil homme, ils le découvrirent en appui sur un coude, et tout fier de ce petit triomphe.

Richard le foudroya du regard, ajoutant à sa jubilation.

— Écoute bien, mon garçon. J'ai cru entendre que tu étais allé dans l'enclave privée du Premier Sorcier ? (Richard hocha la tête.) Tu te souviens de la configuration des lieux ?

— Parfaitement, oui.

— Excellent. Tu revois le long couloir de l'entrée ?

— Il y a un tapis rouge, et de chaque côté, des colonnes de marbre d'environ ma taille. Dessus, des objets sont exposés, et…

— C'est ça ! coupa Zedd. Les colonnes de marbre. Tu te rappelles ce qu'il y avait dessus ?

— En partie… Des broches et des pendentifs incrustés de gemmes, des chaînes en or, un calice en argent, des dagues de cérémonie, des coupes, des coffrets…

Richard ferma les yeux et se concentra. Puis il claqua des doigts.

— J'y suis ! Cinquième colonne sur la droite ! Il y a une bouteille dessus. Je la revois très bien, parce que je l'ai trouvée jolie. Une bouteille noire avec un bouchon à filigrane d'or.

— Exactement, mon garçon ! C'est elle !

— Et que devrai-je faire ? La casser avec mon épée, c'est tout ?

— C'est tout.

— Rien de plus ? Pas d'incantation ? Inutile de la placer à un endroit précis, selon un protocole spécial ? Pas besoin d'attendre une phase de la lune ou une heure particulière de la journée ? Tu ne me demandes même pas de tourner autour en gesticulant ?

— Non, sauf si tu as envie de passer pour un idiot. Casse-la avec l'épée, voilà tout. À ta place, je la poserais sur le sol, pour ne pas risquer de rater mon coup. Si tu la renverses simplement, et qu'elle se brise en tombant, ça ne vaudrait pas. Mais c'est le conseil d'un vieil homme pas très adroit avec une lame entre les mains.

— Je ferai comme tu dis. (Richard se releva.) Et j'en aurai fini avant demain matin !

Zedd prit le poignet de son petit-fils et le força à s'accroupir de nouveau.

— Non, Richard, ce ne sera pas possible…

— Quoi donc ?

— Voyager avec la sliph !

— Mais il le faut ! Grâce à elle, nous serons à destination en moins d'un jour. Sinon, ça prendra des semaines…

Le vieux sorcier braqua un index menaçant sur le visage du Sourcier.

— La sliph est une créature magique. Si tu voyages avec elle, tu mourras avant d'atteindre Aydindril, noyé par le vif-argent que tu respireras, parce qu'il sera privé de sa magie. Tu périras, mon garçon, et personne ne retrouvera jamais ton corps.

Richard s'humidifia les lèvres puis laissa courir une main dans ses cheveux.

— Tu en es sûr ? Je n'aurais pas une chance de passer avant la défaillance de la magie ? Zedd, c'est important ! S'il faut prendre un risque, je n'hésiterai pas. Mais je laisserai Kahlan et Cara ici.

L'Inquisitrice frémit à l'idée que Richard s'abandonne à l'étreinte de la sliph au moment où la magie disparaissait. S'il était perdu à jamais dans le vif-argent, elle ne s'en remettrait pas. Alors qu'elle tirait sur la manche de son mari pour manifester son désaccord, Zedd reprit la parole.

— Richard, écoute-moi ! Le *Premier Sorcier* te dit que la magie ne fonctionne plus bien ! Si tu entres dans la sliph, tu mourras. C'est une certitude ! Tu dois voyager par un autre moyen.

— Compris, capitula le Sourcier. S'il le faut, nous le ferons… Mais ça prendra beaucoup plus de temps. Qu'adviendra-t-il d'Anna et de toi si…

— Mon garçon, nous sommes trop faibles pour voyager, sinon, nous vous accompagnerions. Mais nous vous ralentirions inutilement. Cela dit, nous nous remettrons, n'aie aucun souci. Accomplis ta mission, et tout ira bien. Dès que tu auras cassé la bouteille, les runes que nous avons dessinées sur le sol nous en avertiront. Alors, je lancerai les contre-sorts…

» Jusque-là, la Forteresse sera vulnérable. Quand le bouclier magique qui la défend s'écroulera, des objets très puissants et dangereux risquent d'être volés. Et lorsque j'aurai restauré la magie, nos ennemis s'empresseront de les retourner contre nous.

— Tu sais quelle sera l'étendue de la défaillance, dans le cas de la Forteresse ?

— Rien de semblable ne s'est jamais produit, répondit Zedd, furieux de sa propre impuissance. Je ne peux pas décrire les étapes, mais si nous n'agissons pas, toute la magie disparaîtra. Donc, tu devras rester dans la Forteresse et la défendre jusqu'à ce qu'Anna et moi t'ayons rejoint. Nous comptons sur toi, mon garçon. Tu veux faire ça pour moi ?

Richard hocha la tête et prit la main de son grand-père.

— Bien entendu.

— Promets-le, Richard ! Jure que tu gagneras la Forteresse le plus vite possible !

— Je le jure.

— Si tu ne tiens pas parole, intervint Anna, l'optimisme de Zedd au sujet de notre rétablissement sera… très exagéré.

— Anna, grogna le vieux sorcier, tu dramatises et…

— Si ce n'est pas vrai, ose me traiter de menteuse !

Zedd posa le dos de sa main sur ses yeux et ne dit rien.

— Ai-je été claire ? demanda Anna à Richard.

— Oui, ma dame…

— C'est important, Richard, ajouta Zedd, mais ne va pas te briser le cou pour arriver plus vite !

— Compris… Qui veut voyager loin ménage sa monture… Ne t'inquiète pas, je ne confondrai pas vitesse et précipitation.

— Finalement, dit le vieil homme avec un petit sourire, il semble que tu écoutais mes sermons, quand tu étais jeune.

— Toujours, Zedd !

— Alors, en voilà un nouveau. (Le sorcier leva un index rachitique.) Autant que possible, évite d'avoir recours au feu. Le Cabrioleur risquerait de te retrouver à cause des flammes.

— Comment ?

— Le sort est lié au feu, et le monstre a été conçu pour te traquer. Nous pensons qu'il peut te chercher en se servant de la lumière des flammes. Donc, reste loin de tout ce qui brûle.

» Méfie-toi aussi de l'eau. Si tu dois traverser une rivière, passe par un pont, même si ça te contraint à un long détour. Pour les ruisseaux, marche sur un tronc, saute ou sers-toi d'une corde.

— Tu penses que nous risquons de finir comme Juni, si nous approchons de l'eau ?

— Oui. Désolé de vous compliquer les choses, mais ce voyage ne sera pas une promenade. Le Cabrioleur te poursuit. Tu seras en sécurité – comme Cara et Kahlan – si tu atteins la Forteresse et casses la bouteille avant que le monstre t'ait trouvé.

En ayant vu d'autres, Richard eut un sourire confiant.

— Sans devoir ramasser du bois pour le feu, et en ne nous lavant pas, nous gagnerons du temps.

Zedd trouva la force de sourire une nouvelle fois.

— Bon voyage, Richard. Toi aussi, Cara. Veille bien sur ton seigneur Rahl. (Le vieil homme prit la main de Kahlan.) Bonne chance à toi aussi, ma nouvelle petite-fille. N'oublie jamais que je t'aime beaucoup. Prenez soin de vous, mes enfants, et nous nous reverrons bientôt en Aydindril. Surtout, protégez la Forteresse !

Kahlan serra la main osseuse du sorcier entre les siennes et ravala ses sanglots.

— Nous le ferons, et nous vous attendrons impatiemment.

— Bonne route à tous, dit Anna. Puissent les esprits du bien vous accompagner. Nos prières vous suivront pas à pas, n'en doutez pas.

Richard remercia les deux vieillards d'un hochement de tête, puis il fit mine de se lever, mais se ravisa.

— Zedd, dit-il, en grandissant près de toi, je ne me suis jamais douté que tu étais mon grand-père. Je sais que tu as gardé le secret pour me protéger, mais… Eh bien, je n'ai jamais rien su de ma grand-mère. Ma mère n'en parlait presque jamais, et maintenant que je sais qu'elle était ta femme…

Zedd se détourna pour que personne ne voie les larmes qui perlaient à ses paupières. Puis il s'éclaircit la gorge.

— Erilyn était une personne… hors du commun. Comme toi aujourd'hui, j'ai eu une épouse extraordinaire.

» Un jour, elle a été capturée par nos ennemis – un *quatuor* envoyé par ton autre grand-père, Panis Rahl. Ta mère a vu tout ce que ces chiens ont fait à Erilyn. Quand je l'ai retrouvée, elle agonisait, mais j'ai quand même tenté de la guérir. Ma magie a activé un sort que nos adversaires lui avaient jeté. Un piège ignoblement pervers ! Ma magie de guérison a achevé ta grand-mère, mon garçon ! Avec tout ça, ta pauvre mère avait beaucoup de mal à parler d'Erilyn.

Après un long silence tendu, le vieux sorcier se retourna et sourit, comme s'il se souvenait des temps heureux.

— Richard, elle était magnifique, avec les mêmes yeux gris que ceux de ta mère. Et que les tiens. Aussi intelligente que toi, elle adorait rire. N'oublie jamais ça : elle aimait la vie !

Richard sourit et dut se racler la gorge pour pouvoir parler.

— Dans ce cas, elle a épousé l'homme qu'il lui fallait.

— Je crois bien oui… À présent, filez préparer vos affaires et partez sans tarder ! Plus vite vous arriverez, plus tôt nous récupérerons la magie…

» Quand nous vous aurons rejoints, je te raconterai tout ce que je n'ai jamais pu te dire sur Erilyn. (Zedd eut un adorable sourire de grand-père.) Nous parlerons de la famille, si tu veux bien…

Chapitre 12

— **F**ichtre ! Oui, toi, mon garçon ! Tu t'appelles bien Fichtre ?
Les hommes éclatèrent de rire et les femmes gloussèrent. Fitch se maudit intérieurement. Pourquoi fallait-il que ses joues deviennent aussi rouges que ses cheveux chaque fois que maître Drummond faisait ce – mauvais – jeu de mot sur son nom ? Il laissa tomber sa brosse dans le chaudron noirci qu'il tentait de nettoyer et courut voir ce que voulait le chef de cuisine.

Alors qu'il longeait une des grandes tables, il percuta du coude une cruche en verre bleu cobalt que quelqu'un avait posée trop près du bord. Par bonheur, il la rattrapa juste avant qu'elle s'écrase sur le sol. Avec un soupir de soulagement, il la remit sur la table et la poussa plus près de la pile de flûtes de pain.

— Fichtre, tu te magnes un peu ?

Fitch courut, s'immobilisa devant maître Drummond et baissa les yeux. Ici, la servilité était de mise. S'il faisait mine de s'insurger parce qu'on se moquait de son nom, il récolterait une bosse sur le crâne, et rien de plus.

— Oui, maître Drummond ?

Le chef de cuisine grassouillet s'essuya les mains sur le torchon blanc glissé en permanence dans sa ceinture.

— Fichtre, tu es le plongeur le plus maladroit que j'ai jamais vu !

— Si vous le dites, maître…

Drummond se hissa sur la pointe des pieds et jeta un coup d'œil à travers la fenêtre de derrière. Dans le dos de Fitch, un homme cria parce qu'il venait de se brûler en attrapant une poêle. En reculant, il renversa des ustensiles qui produisirent un vacarme de fin du monde. Personne ne lui passant de savon, Fitch comprit que ce maladroit-là n'était pas un Haken.

Maître Drummond désigna la porte de service de la gigantesque cuisine.

— Va chercher du bois ! Il faut du chêne et un peu de pommier, pour donner du goût aux côtelettes.

— Du chêne et du pommier. À vos ordres, maître !

— Avant, repends au râtelier le chaudron à quatre poignées que tu vois là-bas. Puis dépêche-toi de ramener le bois.

— Oui, maître !

Les grosses bûches fendues en deux qui alimentaient la rôtisserie étaient lourdes et Fitch récoltait toujours des échardes plein les mains. Celles de chêne étant les pires de toutes, il en aurait pour des jours à souffrir. Au moins, le pommier était inoffensif…

— Et guette l'arrivée de la charrette du boucher. Elle devrait être là d'un moment à l'autre. Si elle a du retard, je tordrai le cou de cet imbécile d'Inger.

Fitch osa relever les yeux.

— Le boucher, maître ? (Il n'osa pas poser la question qui lui brûlait les lèvres.) Vous voulez que je l'aide à décharger ?

Maître Drummond se plaqua les poings sur les hanches.

— Ne me dis pas que tu commences à réfléchir ? (Non loin de là, les filles de cuisine qui préparaient les sauces ricanèrent bêtement.) Bien sûr que tu dois l'aider à décharger, pauvre abruti ! Et si tu laisses tomber un quartier de viande, comme la dernière fois, je ferai griller une de tes fesses à la place !

— Oui, maître Drummond, dit Fitch en s'inclinant deux fois – à tout hasard.

Il recula puis s'écarta pour céder la place à la fille de laiterie qui apportait un morceau de fromage pour le faire goûter au chef de cuisine.

Alors qu'il s'éloignait, une des préparatrices de sauce l'attrapa par la manche.

— Où sont les écumoires que je t'ai demandées ?

— Gillie, je te les apporterai dès que j'aurai…

— Ne me prends pas de haut, Fitch ! (Gillie saisit le pauvre garçon par l'oreille et la lui tordit.) Vous adorez ça, toi et tes semblables, pas vrai ?

— Gillie, je ne voulais pas… Je… Crois-moi, je n'ai que du respect pour les Anderiens. Chaque jour, je lutte contre ma vile nature afin qu'il n'y ait plus de place, dans mon cœur et dans mon esprit, pour la haine ni le mépris. Je prie le Créateur de me donner la force de transformer mon âme imparfaite, et je l'implore de la faire brûler pour l'éternité dans le royaume des morts si je n'y parviens pas. (À force de la répéter, il connaissait cette tirade par cœur.) Je vais chercher les écumoires, Gillie. Si tu veux bien me lâcher…

— D'accord, mais dépêche-toi !

En massant son oreille douloureuse, Fitch courut jusqu'à l'égouttoir où il avait mis les écumoires à sécher. Il en prit une poignée et les apporta à Gillie avec autant de révérence qu'il l'osa, sachant que maître Drummond ne le quittait pas du regard. Connaissant le personnage, il préméditait sans doute de lui flanquer une bonne raclée pour le punir de ne s'être pas occupé plus tôt des ustensiles de Gillie – une négligence qui retardait le rangement du chaudron, la collecte de bois pour la rôtisserie… et le déchargement de la viande.

Il se fendit quand même d'une révérence en tendant les écumoires à Gillie.

— J'espère que tu daigneras assister à une réunion de repentance supplémentaire, cette semaine, dit l'Anderienne en lui arrachant les ustensiles. Quand je pense aux humiliations que nous devons supporter des gens de ton espèce…

— Tu as raison, Gillie, j'ai besoin d'une séance de repentance de plus. Merci de me le rappeler.

Gillie eut un rictus méprisant et retourna à la préparation de sa sauce. Honteux d'avoir cédé à sa perversité héréditaire et humilié une pauvre Anderienne – même involontairement – Fitch courut chercher un autre garçon de cuisine pour qu'il l'aide à soulever l'énorme chaudron. Il débaucha Morley. Les bras plongés dans de l'eau bouillante, son collègue se montra ravi d'avoir une bonne excuse pour les en retirer – même si le chaudron pesait rudement lourd.

Alors qu'ils s'attaquaient à la tâche, Morley jeta un coup d'œil par-dessus son épaule pour s'assurer qu'il pouvait parler sans se faire enguirlander. Avec sa musculature, soulever le chaudron serait moins difficile pour lui. Maigre comme un clou, Fitch haletait déjà sous l'effort.

— Ce sera le grand jeu, ce soir, souffla Morley avec un petit sourire. Et tu sais ce que ça signifie !

Fitch hocha la tête. Avec autant d'invités, il y aurait un boucan infernal : les rires, les chants, les conversations, le bruit des couverts et celui des chopes… Dans cette confusion, avec des gens un peu partout, on servirait d'énormes quantités de vin et de bière, et les bouteilles et les verres encore à demi pleins ne seraient pas perdus pour tout le monde.

— C'est un des rares avantages, quand on travaille au ministère de la Civilisation, souffla Fitch.

Les muscles du cou tendus à craquer, Morley se pencha un peu plus sur le chaudron qu'ils faisaient glisser sur le sol.

— Si tu penses ça, dit-il, manifeste plus de respect aux Anderiens. Sinon, tu n'en profiteras plus longtemps. N'oublie pas non plus que nous sommes logés, et pas trop mal nourris.

Fitch acquiesça. Il n'avait pas voulu se montrer insolent. Conscient de tout devoir aux Anderiens, les vexer était la dernière chose qu'il désirait au monde. Mais parfois – oh, très rarement ! – ils prenaient la mouche un peu trop facilement. Bien entendu, son insensibilité et son ignorance étaient la cause première de ces déplorables malentendus. Comme toujours, il n'avait personne d'autre que lui à blâmer, dans cette affaire…

Dès que le chaudron fut suspendu, Fitch roula de grands yeux et fit jaillir sa langue d'un coin de sa bouche. Une façon de confirmer à Morley qu'ils boiraient à s'en rendre malades, ce soir.

Requinqué par cette idée, Fitch sortit dans la cour pour aller s'occuper du bois. Après des pluies torrentielles, les nuages avaient consenti à filer vers l'est, laissant derrière eux l'odeur agréable de la terre détrempée. La journée de printemps qui se levait à peine promettait d'être chaude. Dans le lointain, les champs de blé, verdoyants en cette saison, s'étendaient à l'infini. Quand le vent venait du sud, l'odeur iodée de la mer montait jusque dans les plaines. Ce n'était pas le cas aujourd'hui, même si quelques mouettes tournaient dans le ciel.

Fitch sonda l'avenue chaque fois qu'il venait chercher une brassée de bois, mais il n'aperçut pas l'ombre de la charrette du boucher. Avant qu'il en ait terminé avec le chêne, sa tunique imbibée de sueur lui collait à la peau. Par miracle, il avait réussi à s'en tirer avec une seule écharde – très longue, elle s'était fichée dans le gras de son pouce.

Alors qu'il prélevait des bûchettes sur le tas de bois de pommier, il entendit le grincement caractéristique des roues d'une charrette. Abandonnant son travail en cours, il suçota sa blessure, tentant en vain d'emprisonner entre ses dents la partie la plus profondément enfouie de l'écharde. Dans la grande avenue bordée de chênes qui menait au domaine, il aperçut du coin de l'œil la silhouette massive de Farfadet, le cheval de trait du boucher. La personne qui se chargeait de la livraison étant à demi cachée par le cheval, la distance l'empêcha de l'identifier.

Une foule de gens approchaient du grand domaine en même temps que le brave Farfadet. Des érudits qui désiraient consulter les trésors de la bibliothèque d'Anderith, des messagers qui apportaient des lettres ou des rapports, et une foule de livreurs à pied, en chariot ou à cheval. Fitch remarqua aussi plusieurs visiteurs en riches atours qui venaient pour des raisons qui le dépassaient.

Les premiers temps, après avoir été engagé comme garçon de peine, Fitch avait tout trouvé immense : le domaine, bien sûr, mais aussi la cuisine, où on aurait pu loger, selon lui, un village entier. Intimidé par tout ce qu'il voyait, et par tous les gens qu'il rencontrait, il avait vite compris qu'il lui faudrait s'adapter, s'il voulait rester dans son nouveau « foyer », où on lui offrait un travail non payé, une paillasse et de quoi manger.

Sa mère lui avait conseillé de trimer dur, pour continuer à mériter tout ça jusqu'à la fin de ses jours. Il devrait en toute circonstance faire de son mieux, obéir à ses supérieurs – à savoir quasiment tout le monde – et se plier aux règles en vigueur, même s'il les trouvait pesantes. Et si durs qu'ils soient, avait-elle ajouté, il aurait intérêt à exécuter promptement tous les ordres qu'on lui donnait.

Fitch n'avait pas de père – qu'il eût jamais rencontré, en tout cas. Pourtant, certains hommes, par le passé, lui avaient paru susceptibles d'épouser sa mère. Mais elle vivait toujours dans la chambre que lui louait son employeur, maître Ibson, un marchand prospère. Le bâtiment, entièrement occupé par des travailleurs, était en ville, près de la demeure de maître Ibson. Cuisinière hors pair, sa mère régalait le riche négociant et sa famille.

Toujours trop occupée pour nourrir son propre fils, elle n'avait pas pu se consacrer vraiment à l'élever. Quand il ne participait pas à une réunion de repentance, elle l'amenait souvent dans la cuisine de son patron, où elle pouvait garder un œil sur lui en travaillant. En grandissant, il avait appris à faire tourner les broches, à transporter diverses choses, à laver la vaisselle – les petites pièces, surtout – à balayer la cour… et même à nettoyer l'écurie où maître Ibson gardait son carrosse et un magnifique attelage.

Quand il parvenait à la voir, sa mère était toujours très gentille avec lui. Contrairement aux hommes qu'elle fréquentait de temps en temps, elle se souciait de lui et de son avenir. Ses « galants », au contraire, le voyaient comme une nuisance. Souvent, désireux de rester seuls avec leur conquête, ils l'expulsaient de la modeste petite chambre.

Sa mère se tordait les mains, mais elle était bien trop timide – et habituée à obéir – pour intervenir.

Ces soirs-là, Fitch dormait sous le porche de l'immeuble, dans une cage d'escalier, ou dans un bâtiment voisin, quand les gens étaient d'humeur accueillante. Parfois, quand il pleuvait, le palefrenier de nuit de maître Ibson l'autorisait à se réfugier dans l'écurie. Il aimait bien la compagnie des chevaux, mais supporter toutes ces mouches était difficile…

Mieux valait cela, cependant, que d'être surpris seul le soir par des gamins anderiens…

Le matin, sa mère s'en allait au travail avec son nouvel ami, qui faisait presque toujours partie des employés de maison de maître Ibson. Alors, Fitch pouvait retourner dans la chambre. En général, quand sa mère rentrait, après qu'il eut passé la nuit dehors, elle lui ramenait une gâterie subtilisée dans la cuisine de son employeur.

Elle aurait voulu qu'il entre dans le commerce. Quatre ans plus tôt, faute d'avoir trouvé quelqu'un qui l'accepte comme apprenti – voire comme homme à tout faire – elle avait demandé de l'aide à maître Ibson. Jugeant Fitch en âge de gagner sa vie, il lui avait trouvé une place de garçon de cuisine dans le grand domaine du ministère de la Civilisation, un peu à l'extérieur de Fairfield, la cité voisine.

Dès son arrivée, un des nombreux responsables du personnel avait fait un sermon au jeune Haken et à un petit groupe d'employés fraîchement embauchés comme lui. Il dormirait avec les autres garçons de cuisine, avait-il appris, et devrait se plier aux règles strictes de la maison. En gros, obéir sans poser de question était la principale…

D'un ton solennel, l'homme avait expliqué aux nouveaux serviteurs qu'ils travaillaient dans l'administration la plus importante du pays. Depuis son magnifique palais, le ministre de la Civilisation, un poste d'une importance capitale, avait une influence sur presque tous les domaines de la vie en Anderith. Et il ne rendait des comptes qu'au pontife en personne…

Fitch pensait avoir été engagé pour travailler dans les cuisines d'un riche marchand. Comment sa mère avait-elle fait pour lui trouver une place dans un endroit aussi prestigieux ? Il n'en savait rien, mais il n'en pouvait plus de fierté.

Très vite, il s'aperçut qu'il s'agissait d'un labeur harassant et ingrat, comme partout ailleurs. Même s'il n'y avait pas de quoi se rengorger, il continua à se réjouir qu'un Haken de plus soit parvenu à intégrer le personnel du domaine.

Le ministère, avait-il peu à peu découvert, avait pour mission d'édicter des lois et des décrets afin d'assurer que la société anderienne reste un modèle d'exemplarité où les droits de chacun étaient équitablement défendus. Fitch ne comprenait pas pourquoi cette activité exigeait que tant de gens entrent et sortent chaque jour du palais. À vrai dire, il ignorait pourquoi on avait besoin d'une telle profusion de lois. Après tout, le bien était le bien, et le mal était le mal ! Quand il avait demandé des explications à un Anderien, la réponse l'avait déconcerté. Selon ce fonctionnaire, on découvrait chaque jour de nouvelles manifestations du mal, et il convenait de les étouffer dans l'œuf. Si abscons que lui parût ce concept, Fitch n'avait pas insisté, car l'Anderien avait déjà semblé s'offusquer de sa première question.

L'écharde toujours solidement fichée dans la chair, il se pencha pour ramasser une bûchette de pommier. Dans l'avenue, la charrette du boucher approchait toujours. Un des visiteurs qui marchaient à côté – un colosse vêtu d'un uniforme que

Fitch ne reconnut pas – portait une étrange cape de fourrure qui semblait fabriquée avec des cheveux plutôt que des poils.

L'homme arborait à chaque doigt une bague où était attachée une lanière de cuir qui courait le long des phalanges et venait se raccorder aux bracelets de force – anormalement longs, puisqu'ils lui couvraient aussi les avant-bras – qui enserraient ses poignets. Déjà étonné par les bottes cloutées d'argent du personnage, Fitch fut stupéfait de voir briller des anneaux de métal à ses oreilles et à son nez.

Des armes terrifiantes pendaient à la ceinture du visiteur. Sur sa hanche droite, glissée dans une boucle de cuir, une hache à deux tranchants si recourbés qu'ils se touchaient presque luisait sinistrement. Une masse d'armes à l'antique manche de bois noirci par l'âge – mais à l'embout muni d'un ergot acéré – oscillait sur son autre flanc. La boule de fer reliée au manche par une chaîne était hérissée de piques assez longues pour traverser le crâne d'un homme.

Avec ses épais cheveux noirs, l'inconnu aurait pu être un Anderien, mais ses sourcils broussailleux démentaient cette hypothèse. Et à voir son cou de taureau, presque aussi large que sa propre taille, Fitch sentit ses entrailles se nouer.

Le genre d'homme qu'on préférait ne pas rencontrer dans une ruelle, par une nuit sans lune…

En dépassant la charrette, le guerrier géant laissa longtemps errer son regard sur la personne qui tenait Farfadet par la longe. Puis il accéléra et se concentra sur les fenêtres du palais, comme s'il cherchait à en repérer une en particulier.

Chapitre 13

C onscient des ennuis qu'il risquait de s'attirer s'il attendait les bras ballants l'arrivée de la charrette, Fitch prit une brassée de bûchettes de pommier et courut la déposer dans la cuisine. Dans sa hâte de ressortir, il laissa bruyamment tomber sa cargaison dans le coffre à bois. Avec le vacarme des conversations et des disputes, le crépitement des légumes et des viandes dans les poêles, le souffle des flammes d'une myriade de feux, le tintement des cuillers dans les coupes, le martèlement des pilons contre les mortiers et le grincement des brosses de fer sur les chaudrons, personne n'entendit le bruit pourtant incongru qu'il produisit. Quelques morceaux de bois s'écrasèrent à côté du coffre. Fitch songea un moment à les laisser où ils étaient, mais quand il vit maître Drummond, non loin de là, il jugea plus prudent de les ramasser.

Quand il eut fini, il sortit en trombe et eut le souffle coupé lorsqu'il vit qui tenait la longe de Farfadet.

C'était... elle.

En se tordant les mains de nervosité, Fitch regarda la jeune fille entrer dans la cour à côté du cheval. Son manège ayant enfoncé plus profondément l'écharde, il fit la grimace, jura à voix basse puis referma la bouche en espérant que Beata n'ait rien entendu. En secouant la main pour apaiser la douleur, il approcha de la charrette.

— Bonjour, Beata.

La jeune fille leva à peine les yeux.

— Fitch...

Le garçon chercha quelque chose à dire. Ne trouvant rien d'intéressant, il se tut pendant que Beata, d'un claquement de langue, ordonnait à Farfadet de reculer. La longe dans une main, elle posa l'autre sur le poitrail du cheval pour le rassurer pendant qu'il lui obéissait.

Fitch aurait donné tout l'or du monde pour qu'elle le touche avec autant de tendresse !

Les courts cheveux roux de Beata, si doux et lustrés, ondulaient doucement sous la caresse de la brise.

Fitch attendit près de la charrette en silence. S'il disait quelque chose d'idiot, comme ça lui arrivait souvent quand il était intimidé, Beata le prendrait pour un crétin congénital. Et s'il passait une bonne partie de son temps à penser à elle, il aurait parié qu'elle ne lui consacrait jamais une seconde de réflexion. Bien obligé de se résigner à n'être pas grand-chose pour elle, il refusait qu'elle garde de lui l'image d'un attardé mental. Pourquoi n'avait-il pas une nouvelle intéressante à lui révéler pour l'impressionner ? Des potins auraient suffi, mais aucun ne lui venait à l'esprit.

L'air absent, Beata revint près de la charrette.

— Tu t'es fait mal à la main ? demanda-t-elle.

La sentir si près de lui paralysa le pauvre Fitch. Au gré de la brise, sa longue robe bleu marine ondulait sur ses hanches d'une manière qui lui donnait des frissons dans le dos. Une série de boutons en bois usé courait sur le devant du vêtement, dont une épingle à la tête en spirale tenait le col fermé.

Une vieille robe à l'ourlet effiloché, passée de mode et ternie... Après tout, Beata était une Hakenne, comme lui, et elle ne méritait pas mieux. De toute façon, même mal fagotée, elle gardait un port de reine.

Avec un soupir agacé, elle prit la main de Fitch pour l'examiner.

— Ce n'est rien..., marmonna-t-il. Juste une écharde...

Beata lui retourna la main, paume vers le haut, puis pinça la peau pour déterminer à quelle profondeur était l'écharde. Submergé par la douceur de ce contact, Fitch s'aperçut avec terreur que ses mains, à force de tremper dans de l'eau savonneuse, étaient plus propres que celles de la jeune fille. En voyant ça, elle risquait de croire qu'il tirait sans arrêt au flanc.

— J'étais de corvée de vaisselle, expliqua-t-il. Puis j'ai dû aller chercher du bois. Des bûches très lourdes... C'est pour ça que je suis en sueur.

Sans dire un mot, Beata s'empara de l'épingle de son col, qui s'ouvrit assez pour dévoiler la naissance de ses seins. N'en croyant pas ses yeux, Fitch en resta bouche bée. C'était la première fois qu'il apercevait ce que la jeune fille cachait d'habitude, et il y avait de quoi défaillir. Mais il ne méritait pas qu'elle s'occupe de lui, et encore moins qu'elle lui montre, même involontairement, de telles merveilles. Honteux, il détourna les yeux.

Fitch ne put s'empêcher de crier quand l'épingle s'enfonça dans sa chair. Concentrée à l'extrême, Beata marmonna de vagues excuses et continua à traquer impitoyablement l'écharde. Pour ne pas grimacer de douleur, Fitch plia et déplia frénétiquement ses orteils nus en attendant la fin de l'intervention.

Il tressaillit quand il eut le sentiment qu'on venait de le piquer... à l'envers. Beata examina un court instant l'écharde qu'elle avait retirée de sa chair, puis elle la jeta dans la poussière. Après avoir refermé son col, elle y repiqua l'épingle.

— Et voilà..., dit-elle en se tournant vers la charrette.

— Merci, Beata. C'était très gentil à toi. Maintenant, je vais t'aider à décharger.

Fitch s'empara d'un quartier de bœuf et se baissa pour le hisser sur son épaule. Sous le poids, ses genoux manquèrent se dérober. Quand il eut réussi à se redresser, il vit Beata, devant lui, se diriger vers la porte de la cuisine avec un gros filet rempli de poulettes dans une main et un demi-mouton sur l'autre épaule. Maigre consolation, elle ne devait pas l'avoir vu se ridiculiser pour soulever son quartier de bœuf...

Quand ils furent à l'intérieur, Judith, la responsable des achats, ordonna à Fitch de dresser une liste de tout ce que le boucher avait fait livrer. Il s'inclina, promit qu'il n'y manquerait pas, mais frémit intérieurement.

Lorsqu'ils furent retournés près de la charrette, Beata fit l'inventaire de la commande à la place du jeune garçon. Bien entendu, informée qu'il ne savait ni lire ni écrire, elle tapota chaque article en prononçant son nom à haute et intelligible voix. Comme il devrait apprendre tout ça par cœur, autant lui faciliter la tâche. Il y avait un porc, un mouton, un bœuf, un castor, trois pots de moelle, huit outres de sang frais, un demi-tonneau d'estomacs de cochon à farcir, deux douzaines d'oies, un plein panier de pigeons et trois filets remplis de poulettes, en comptant celui qui était déjà à l'intérieur.

— Je sais que je l'ai mis quelque part... (Beata écarta un panier, comme si elle cherchait quelque chose.) Voilà ! Un moment, j'ai cru les avoir oubliés. Un sac de bons moineaux bien gras ! Le ministre de la Civilisation en veut toujours quand il donne un banquet.

Fitch sentit qu'il s'empourprait. Les hommes mangeaient la chair de ces oiseaux, ou leurs œufs, pour stimuler leur virilité défaillante. Il se demandait bien pourquoi, car la sienne aurait plutôt eu besoin du traitement inverse.

Quand Beata le regarda dans les yeux pour voir s'il avait ajouté les moineaux à sa liste mentale, il se sentit obligé de dire quelque chose – n'importe quoi – pour changer de sujet.

— Beata, tu crois que nous serons un jour absous des crimes de nos ancêtres ? Oui, aurons-nous jamais le cœur aussi pur que les Anderiens ?

La jeune fille fronça les sourcils.

— Nous sommes des Hakens, Fitch. La perfection des Anderiens est hors de portée de nos âmes corrompues. Eux, ils sont si purs que le mal ne saurait les souiller. Nos crimes ne seront jamais vraiment lavés. Mais nous pouvons espérer contrôler notre méprisable nature.

Fitch connaissait la réponse aussi bien que la jeune fille. En posant une question aussi basique, il venait de se donner l'image d'un parfait ignorant. Dès qu'il tentait d'exprimer ses pensées, il était incapable de les formuler sans se ridiculiser.

Il désirait s'acquitter de sa dette – en d'autres termes, obtenir l'absolution – et gagner le droit de porter un nom d'honneur. Peu de Hakens pouvaient se vanter d'avoir gagné ce privilège, et cela lui semblait pourtant indispensable s'il voulait un jour être libre. Alors qu'il réfléchissait à la manière de nuancer sa question, il baissa humblement la tête.

— Je voulais dire... Eh bien, après tellement de temps, n'avons-nous pas fini d'apprendre des erreurs de nos ancêtres ? Ne voudrais-tu pas avoir un jour plus d'emprise sur ta propre vie ?

— Je suis une Hakenne, donc un être indigne de décider de ma destinée. Tu devrais savoir que le mal t'attend au bout de ce chemin...

Fitch massa pensivement la petite plaie dont Beata venait de retirer l'écharde.

— Mais certains Hakens se sont engagés sur des voies qui mènent à l'absolution. Leur abnégation leur vaudra un jour le salut. Il y a quelque temps, tu m'as dit que tu voudrais entrer dans l'armée. J'aimerais bien le faire aussi...

— Tu es un mâle. Porter des armes t'est interdit. Encore une chose que tu devrais savoir !

— Je ne voulais pas dire que... Je le sais, bien entendu ! C'est juste que... Bon sang, je n'arrive pas à m'exprimer ! (Fitch glissa les mains dans les poches de son pantalon.) Je voudrais pouvoir devenir soldat, agir pour le bien et prouver que je vaux quelque chose. Bref, aider ceux que nous avons tant fait souffrir.

— Je comprends... (Beata désigna les fenêtres des étages supérieurs.) Le ministre de la Civilisation a promulgué lui-même la loi qui autorise les Hakennes à servir dans l'armée comme les Anderiennes. Cette loi précise aussi que tout le monde doit respecter ces Hakennes-là. La compassion du ministre n'exclut personne, et mes sœurs et moi lui devons beaucoup.

Fitch enrageait intérieurement. Comme d'habitude, il ne parvenait pas à exprimer sa pensée.

— Mais ne voudrais-tu pas te marier et...

— Le ministre, coupa Beata, a également imposé que les Hakennes aient un travail, afin qu'elles puissent subvenir à leurs besoins et ne soient pas contraintes de devenir, à travers le mariage, les servantes des hommes de leur race. Car il est dans leur nature de réduire les autres en esclavage, y compris leur épouse. Pour les Hakennes, le ministre Chanboor est un héros.

» Il devrait l'être aussi pour les Hakens comme toi, car il vous a apporté la civilisation. Grâce à lui, vous avez abandonné vos comportements belliqueux pour vous intégrer à une communauté de gens pacifiques. Je m'engagerai peut-être dans l'armée parce que c'est un moyen, pour une Hakenne, de devenir digne de respect. C'est la loi. La loi du ministre Chanboor !

Fitch se serait cru à une réunion de repentance.

— Je te respecte, Beata, même si tu n'es pas dans l'armée. Et je sais que tu feras le bien, avec ou sans uniforme, parce que ton cœur déborde de bonté.

La jeune fille haussa modestement les épaules. Quand elle reprit la parole, ce fut d'une voix beaucoup plus douce.

— C'est pour ça que je veux servir dans l'armée : aider les autres et faire le bien ! Tu vois, nous avons au moins un point commun.

Fitch aurait aimé être à la place de Beata. Dans l'armée, elle aiderait la communauté à affronter toutes les difficultés imaginables, des inondations jusqu'aux famines. Les soldats assistaient tous ceux qui étaient dans le besoin. Voilà pourquoi on les respectait.

Et ce n'était plus du tout comme par le passé, où être militaire pouvait se révéler dangereux. Les Dominie Dirtch avaient changé tout ça. Si on les déchaînait contre un ennemi, elles pouvaient le vaincre sans que les soldats aient besoin de se battre. Par bonheur, les Dominie Dirtch étaient sous le contrôle des Anderiens, désormais, et ils les utilisaient pour préserver la paix, pas pour nuire intentionnellement à d'autres peuples.

Les Dominie Dirtch étaient la seule création hakenne à laquelle les Anderiens recouraient. Sans doute parce qu'ils n'auraient jamais pu fabriquer eux-mêmes un tel fléau. Dotés de cœurs trop purs, comment se seraient-ils abaissés à avoir les ignobles idées requises pour imaginer une arme de ce type ? Seuls les Hakens étaient assez pervers pour le faire...

— Je peux aussi espérer être engagée ici, comme toi, ajouta Beata.

Fitch leva les yeux et constata qu'elle regardait les fenêtres du deuxième étage. Il faillit dire quelque chose, mais se ravisa.

— Il est venu chez Inger, un jour, continua Beata sans lever les yeux, et je l'ai vu comme je te vois ! Bertrand – je veux dire, le ministre Chanboor – est bien plus séduisant que mon patron.

Fitch ignorait comment on déterminait le charme d'un homme. En tout cas, il ne comprenait pas que les femmes fassent la roue devant des types qu'il trouvait quelconques. Le ministre était grand, et il avait dû être beau, mais ses cheveux noirs d'Anderien commençaient à grisonner. Aux cuisines, toutes les femmes n'en avaient que pour lui. Quand il lui arrivait d'y faire un tour, elles s'empourpraient et certaines s'éventaient le visage en soupirant. Pour Fitch, ce vieil avantageux avait quelque chose de répugnant…

— Tout le monde dit que le ministre est un homme formidable, s'extasia Beata. Tu l'as déjà vu ? Tu lui as parlé ? Il paraît qu'il s'adresse aux Hakens comme s'ils étaient des gens normaux. Partout, on le couvre de louanges. Certains Anderiens disent même qu'il sera le prochain pontife.

— Je l'ai vu une ou deux fois, répondit Fitch en s'adossant à la charrette.

Il ne jugea pas utile de préciser que le ministre, lors d'une de ses visites, l'avait giflé parce qu'il venait de laisser tomber sur ses belles chaussures un couteau à la lame poisseuse de beurre. Une punition méritée, il en convenait…

Il regarda Beata, qui contemplait toujours les fenêtres. Pour sa part, il préféra baisser les yeux sur les ornières que la charrette avait laissées dans la boue.

— Tout le monde aime et respecte le ministre de la Civilisation. Je me réjouis de travailler pour lui, même si j'en suis indigne. Donner du travail aux Hakens, pour qu'ils ne crèvent pas de faim, est une preuve indéniable de sa noblesse d'âme.

Beata regarda soudain timidement autour d'elle, puis s'essuya les mains sur sa robe.

Inlassable, Fitch tenta une nouvelle fois de la convaincre de ses bonnes intentions.

— J'espère faire le bien, un jour. Contribuer au salut de la communauté et aider les autres !

La jeune Hakenne approuva gravement du chef.

Encouragé, Fitch leva le menton.

— Je voudrais payer ma dette et avoir le droit de porter un nom d'honneur. Alors, j'irai dans la Forteresse du Sorcier, en Aydindril, et je demanderai qu'on me nomme Sourcier de Vérité. Armé de l'Épée de Vérité, je reviendrai pour défendre les Anderiens et faire le bien autour de moi.

Beata battit des paupières puis éclata de rire.

— Tu ne sais même pas où est Aydindril, et combien de temps il faut pour y arriver !

— On doit d'abord aller au nord, marmonna Fitch, puis à l'est.

— On dit que l'Épée de Vérité est une arme magique. Tu ignores donc que la magie est impure et maléfique ? Au fait, que sais-tu à son sujet ?

— Eh bien, à peu près rien, je crois…

— Tu es ignare en matière de magie, et si tu tenais une épée, tu te couperais les doigts de pied !

Beata se pencha, prit un filet de poulettes et le panier de pigeons et se dirigea vers la cuisine sans cesser de rire.

Fitch aurait voulu mourir. Il lui avait confié son rêve le plus secret, et elle s'était esclaffée ! Il baissa la tête, accablé. Beata avait raison : étant un Haken, il n'aurait jamais l'occasion de prouver sa valeur.

Il garda les yeux rivés sur le sol et ne dit plus un mot pendant qu'ils déchargeaient la charrette. Quel idiot il était ! Il n'aurait pas dû trahir son secret. Mais il n'y avait aucun moyen d'effacer des paroles…

Soudain, Beata lui prit le bras et s'éclaircit la gorge. Il baissa de nouveau les yeux, certain qu'elle allait encore se moquer de lui.

— Je suis désolée, Fitch. Ma maudite nature de Hakenne m'a poussée à te blesser. J'ai eu tort de te dire des choses aussi cruelles.

— Non, tu avais raison de rire…

— Fitch, nous avons tous des rêves impossibles. Cela fait partie de notre souillure héréditaire. Nous devons apprendre à être meilleurs que ces songes creux.

Le jeune Haken releva les yeux.

— Tu as aussi des rêves secrets ? Des choses que tu voudrais voir se réaliser ?

— Comme ton désir idiot de devenir le Sourcier de Vérité ? (Fitch hocha la tête.) Eh bien, il serait juste que je t'en parle, pour que tu puisses rire à ton tour.

— Je ne rirai pas…, souffla Fitch.

Mais Beata ne le regardait plus, et il n'aurait pas juré qu'elle l'avait entendu.

— J'aimerais apprendre à lire.

Elle jeta un coup d'œil au jeune Haken, pour voir s'il s'esclaffait.

— J'en ai rêvé aussi, dit simplement Fitch.

Il regarda autour de lui, craignant qu'on les épie. Mais il ne vit personne. Se penchant en avant, il traça du bout de l'index un étrange dessin dans la poussière qui tapissait le fond de la charrette.

La curiosité de Beata fut plus forte que sa désapprobation.

— Tu as écrit ?

— Un mot, oui. Je l'ai appris… C'est le seul que je connais, mais je peux l'écrire et le lire. Lors d'un banquet, j'ai entendu dire qu'on le voyait sur la garde de l'Épée de Vérité. (Fitch traça une ligne sous son mot.) L'homme du banquet l'avait gravé dans du beurre, pour le montrer à une invitée. Il veut dire « vérité ».

» Il a raconté que les Sourciers étaient jadis des hommes de bien que tout le monde respectait. Aujourd'hui, affirmait-il, ils ne sont plus que des criminels de droit commun, au mieux, et des assassins, dans le pire des cas. Comme nos ancêtres.

— Comme tous les Hakens, corrigea Beata. Nous compris…

Fitch ne protesta pas, car elle avait raison.

— C'est aussi pour ça que je veux devenir le Sourcier. Je rétablirai sa réputation, pour que les gens puissent de nouveau croire à la vérité. Oui, je leur montrerai à tous qu'un Haken peut être honorable et servir le bien. Tu ne trouves pas que ce serait positif ? Une manière de compenser nos crimes ?

Beata regarda nerveusement autour d'elle.

— Ton rêve est absurde et enfantin, dit-elle. (Elle baissa le ton pour appuyer son effet.) Apprendre à lire est un crime. Tu ne dois jamais recommencer.

— Je sais, mais n'as-tu pas dit que…

— Et la magie est une abomination ! Toucher une de ses créations serait aussi grave qu'un crime !

Après avoir jeté un coup d'œil à la façade de brique, derrière elle, Beata effaça le mot écrit par Fitch. Il voulut s'en indigner, mais elle ne lui en laissa pas l'occasion.

— Il faut finir de décharger, maintenant.

Du coin de l'œil, Beata incita Fitch à lever les yeux sur les fenêtres du deuxième étage. Le jeune Haken le fit… et sentit un frisson glacé courir le long de sa colonne vertébrale. Derrière une vitre, le ministre de la Civilisation en personne les observait.

Fitch s'empara d'un panier et se dirigea vers le garde-manger de la cuisine. Beata le suivit avec une demi-douzaine d'oies dans une main et le sac de moineaux dans l'autre.

Ils finirent le travail en silence.

Le jeune Haken regrettait d'en avoir trop dit… et il déplorait que Beata ne lui ait pas ouvert davantage son cœur.

Quand ils eurent terminé, il voulut retourner près de la charrette, sous prétexte de vérifier qu'ils n'avaient rien oublié. Mais maître Drummond interrogea Beata, qui lui confirma que tout était là. Tapotant la poitrine de Fitch d'un index méprisant, le chef de cuisine le renvoya à la plonge. Les côtes douloureuses, le garçon trottina jusqu'au grand baquet d'eau savonneuse. Avant d'y replonger les mains, il tourna la tête pour regarder sortir Beata. Avec un peu de chance, elle le remarquerait et lui ferait un petit sourire en guise d'au revoir.

Mais l'assistant du ministre Chanboor, Dalton Campbell, venait d'entrer dans la cuisine. Si Fitch ne lui avait jamais parlé – au nom de quoi un homme si important se serait-il intéressé à lui ? – il avait une très bonne opinion de ce haut personnage qui semblait, selon les rumeurs, n'avoir jamais fait de tort à quiconque.

Récemment promu au poste d'assistant, Campbell était un gaillard plutôt bien bâti qui arborait les signes particuliers typiques des Anderiens : un nez très droit, des cheveux et des yeux noirs et une mâchoire carrée. Les femmes, et surtout les Hakennes, paraissaient trouver attirantes ces caractéristiques physiques. Et l'assistant faisait forte impression avec le pourpoint bleu foncé qu'il portait sur une tunique de la même couleur – un écrin parfait pour une série de boutons en étain.

Un fourreau orné de fil d'argent pendait au splendide ceinturon de Campbell. L'épée qu'il contenait ne devait pas être uniquement ornementale, si on en jugeait par sa garde enveloppée de cuir rouge foncé – un petit truc de guerrier expérimenté, pour avoir une meilleure prise. Fitch aurait donné cher pour porter une arme pareille. À son avis, toutes les femmes étaient folles d'un homme ainsi équipé.

Avant que Beata ait pu sourire à Fitch – ou passer la porte – Campbell approcha d'elle et la prit par un bras. Alors que la jeune fille blêmissait, le jeune Haken sentit ses entrailles se nouer. De gros problèmes s'annonçaient, et il en connaissait la cause. Si le ministre l'avait vu écrire sur le bois poussiéreux de la charrette…

Dalton Campbell, sourire aux lèvres, parla avec la tranquille assurance des hommes de pouvoir. Voyant Beata se détendre, Fitch se sentit tout de suite mieux. S'il n'entendait pas tout, il capta les mots « ministre Chanboor » et vit l'assistant tourner la tête vers l'escalier, au fond de la cuisine.

Beata écarquilla les yeux de surprise, rosit… puis eut un sourire éclatant.

Campbell ne lui lâcha pas le bras et la guida jusqu'au pied des marches. À l'évidence, la jeune Hakenne n'aurait pas eu besoin de cet encouragement, car elle semblait enthousiaste. Sans un regard en arrière, elle s'engagea dans l'escalier et disparut de la vue de Fitch.

Qui reçut sur la nuque une claque magistrale.

— Fichtre, tu as fini de bayer aux corneilles ? Va me nettoyer ces poêles !

Chapitre 14

L a porte d'entrée claqua, réveillant Zedd en sursaut. Alors qu'une main écartait la tenture, il ouvrit un œil pour voir qui venait.

Il se détendit un peu en reconnaissant Nissel, qui approchait lentement des paillasses.

— *Ils sont partis*, annonça-t-elle.

— Qu'a-t-elle dit ? demanda Anna, les paupières encore mi-closes.

— *Tu es sûre ?* souffla le vieux sorcier à la guérisseuse.

— *Ils ont emballé leurs affaires et pris des provisions pour le voyage. Certaines femmes du village les ont aidés, et je leur ai donné des herbes, pour soigner diverses petites maladies. Les chasseurs leur ont fourni des outres et des armes. Après avoir rapidement dit au revoir à leurs amis, ils m'ont fait promettre de tout tenter pour vous garder en bonne santé...*

La vieille Femme d'Adobe se gratta le menton.

— *Une mission pas trop compliquée, dirait-on...*

— *Tu les as vus partir ?* insista Zedd. *Tu es sûre qu'ils ne sont plus là ?*

— *Combien de fois devrai-je le dire ? Ils s'en sont allés, tous les trois ! Je les ai regardés s'éloigner, selon vos instructions. J'étais à la lisière du village, comme tout le monde, mais beaucoup d'Hommes et de Femmes d'Adobe les ont accompagnés un moment dans les plaines, pour rester un peu plus longtemps avec eux. Puisqu'on me le demandait, j'ai suivi le mouvement, même si mes vieilles jambes ne sont plus ce qu'elles étaient. Mais elles ont consenti à me porter jusqu'à l'endroit où nous nous sommes séparés.*

» *Après une assez longue marche, Richard nous a conseillé de rebrousser chemin, plutôt que de nous tremper pour rien. Je crois qu'il voulait surtout que je retourne à votre chevet. Ses deux compagnes et lui devaient aussi penser qu'une escorte de femmes, d'enfants et de vieillards les ralentissait, mais ces jeunes gens sont bien trop respectueux pour dire à voix haute des choses pareilles.*

» *Richard et Kahlan m'ont serrée dans leurs bras et m'ont souhaité bonne chance. La femme en cuir rouge ne m'a pas étreinte, mais elle m'a saluée de la tête, et la Mère Inquisitrice m'a traduit ses paroles. Cara a répété qu'elle veillerait sur Richard et Kahlan. Même si elle n'appartient pas au Peuple d'Adobe, cette guerrière est une personne de valeur. Bien entendu, je leur ai souhaité un bon voyage à tous.*

» Nous sommes restés sous la pluie, à agiter les mains pour leur dire au revoir, pendant qu'ils s'éloignaient vers le nord-est. Quand ils n'ont plus été visibles, l'Homme Oiseau nous a demandé d'incliner la tête. Avec lui, nous avons imploré les esprits de nos ancêtres de protéger nos nouveaux enfants tout au long de leur périlleux voyage. Puis l'Homme Oiseau a appelé un faucon, et il l'a chargé de les suivre un moment, pour qu'ils sachent que nos cœurs seront jusqu'au bout avec eux. Nous avons attendu jusqu'à ce qu'il soit impossible de voir l'oiseau qui volait au-dessus d'eux, puis nous sommes rentrés chez nous. Ce long discours vous satisfait-il plus que la simple annonce de leur départ ?

Certain que la vieille guérisseuse s'entraînait à l'ironie mordante dès qu'elle n'avait personne à soigner, Zedd toussota nerveusement.

— Qu'a-t-elle dit ? répéta Anna.

— Ils sont partis…

— Elle en est sûre ?

Le vieux sorcier repoussa sa couverture d'un geste vif.

— Comment le saurais-je ? Cette vieille peau est bavarde comme une pie. Mais je crois qu'ils ont filé, oui…

Anna aussi se débarrassa de sa couverture.

— J'ai cru que j'allais mourir de chaud, sous ce fichu truc !

Le sorcier et sa compagne n'avaient pas osé se lever, craignant un retour inopiné de Richard, avec une question oubliée ou une nouvelle idée brillante. Sachant que son petit-fils était coutumier des fausses sorties, Zedd avait refusé de risquer de se trahir et de saboter leur plan.

Pendant qu'ils attendaient, Anna avait ronchonné, furieuse de transpirer à grosses gouttes. Lui, il en avait profité pour faire un somme…

Flattée que le Premier Sorcier lui ait demandé de l'aide, Nissel avait promis de venir l'avertir dès que les trois jeunes gens seraient partis. Selon elle, les vieillards devaient se tenir les coudes, et l'intelligence était la seule défense possible contre l'impétuosité des jeunes. Zedd aurait signé cette déclaration des deux mains. Il adorait la malice qui pétillait dans les yeux de Nissel. Anna, elle, semblait moins enthousiaste…

Zedd se frotta les mains pour les débarrasser de la paille, puis il tira sur sa tunique longue. À force d'être resté allongé, son dos lui faisait un mal de chien.

— *Merci de ton aide, Nissel,* dit-il en enlaçant la Femme d'Adobe. *J'ai beaucoup apprécié…*

— *Vous savez bien que je ne peux rien vous refuser,* gloussa la guérisseuse contre l'épaule du vieil homme.

Avant de se dégager, elle lui pinça les fesses.

— *Tu as encore de ce délicieux pain de tava au miel, mon petit cœur ?* demanda Zedd avec un clin d'œil coquin.

Nissel rougit et Anna détourna la tête, décidant qu'elle en avait assez vu.

— Que lui racontes-tu ? grogna-t-elle.

— Je l'ai remerciée, et j'ai voulu savoir si elle pouvait nous donner quelque chose à manger.

— Je n'ai jamais vu des couvertures si rugueuses ! grogna la Dame Abbesse en se grattant les bras. Dis à Nissel qu'elle a aussi toute ma gratitude. Mais si ça ne dérange personne, j'aimerais mieux qu'elle ne me pince pas les fesses…

— *Anna te remercie aussi,* traduisit Zedd. *Et elle est beaucoup plus vieille que moi…*

Pour le Peuple d'Adobe, l'âge ajoutait du poids aux paroles d'une personne.

Nissel sourit et pinça affectueusement la joue du sorcier.

— *Je vais vous chercher de l'infusion et du tava…*

— Elle semble t'aimer beaucoup, grogna Anna en regardant la guérisseuse passer dans l'autre pièce.

— Et pourquoi ne lui plairais-je pas, femme ?

Anna foudroya le vieux séducteur du regard puis entreprit de chasser la paille de ses cheveux.

— Quand as-tu appris la langue du Peuple d'Adobe ? demanda-t-elle. Tu n'as jamais dit à Richard et à Kahlan que tu la pratiquais.

— Oh, je la parle depuis très longtemps. Je sais beaucoup de choses – trop pour pouvoir les mentionner toutes. De plus, un sorcier avisé se garde toujours un jardin secret, au cas où ça lui servirait un jour. Mais je ne mens jamais vraiment…

— Même si tu ne mens pas pour de bon, c'est quand même une sorte de mystification, grogna Anna, qui avait payé pour connaître la conception très élastique de la vérité de son compagnon.

— En parlant de mystification, fit Zedd avec un sourire, j'ai trouvé ta performance très brillante. J'ai failli marcher…

— Eh bien, merci beaucoup, souffla Anna, déroutée par le compliment. J'étais convaincante, je crois…

— Ça, tu peux le dire ! renchérit le vieux sorcier en tapotant l'épaule de sa compagne.

Qui devint aussitôt soupçonneuse.

— Tu n'essaierais pas de m'amadouer, vieil homme ? Tu sais que je ne suis pas née de la dernière pluie. Les trucs de ce genre ne marchaient plus avec moi il y a huit siècles ! (Anna agita un index devant le nez de Zedd.) Tu as parfaitement compris que j'étais furieuse contre toi !

— Furieuse ? répéta le vieil homme. (Incrédule, il se martela la poitrine du bout d'un doigt.) Contre moi ? Qu'ai-je donc fait, gente dame ?

— Tu te fiches de moi ? Dois-je te rappeler ta géniale improvisation, le terrifiant Cabrioleur ? (Anna tourna sur elle-même, les bras levés, les poignets pliés et les doigts recourbés comme des serres, pour imiter un ennemi.) Oh, je meurs de peur ! Un Cabrioleur m'attaque ! Oui, je tremble de tous mes membres !

— Qu'est-ce qui te gêne dans ce nom ? s'exclama Zedd, indigné.

— Qu'est-ce qui me gêne ? répéta Anna, les poings sur les hanches. Tu trouves que « Cabrioleur » est un nom approprié pour un monstre imaginaire ?

— Eh bien oui, absolument, pour être franc !

— Sans blague ? J'ai failli avoir une attaque quand tu as sorti ça ! J'aurais parié que Richard allait éclater de rire et comprendre que nous le menions en bateau. Pour ne pas m'esclaffer moi-même, j'ai dû faire un effort surhumain.

— T'esclaffer ? Pourquoi Richard aurait-il ri en entendant ce nom ? Il convient parfaitement. Il évoque d'emblée une créature menaçante.

— Aurais-tu perdu la tête, vieil homme ? J'ai vu des gamins de dix ans, pris en flagrant délit de grosses bêtises, essayer de se justifier en racontant des histoires de monstres qui les persécutaient. Au moment même où je leur tirais l'oreille, ils inventaient de meilleurs noms que « Cabrioleur » pour leurs prétendus démons.

» Tu sais combien de temps j'ai dû garder l'air sinistre alors que le fou rire me menaçait ? Si la situation n'était pas si grave, je n'aurais jamais tenu. Et quand tu es revenu à l'assaut avec ton nom idiot, aujourd'hui, j'ai cru que notre ruse machiavélique était fichue...

— Tu as vu quelqu'un rigoler ? demanda Zedd, les bras croisés. Nos trois jeunes amis en ont eu des frissons dans le dos. J'ai même cru entendre les genoux de Richard jouer des castagnettes, au début...

Exaspérée, Anna se flanqua une tape sur le front.

— Un coup de chance, rien de plus ! Avec tes âneries, tu aurais pu tout fiche en l'air. Un Cabrioleur ! Bon sang de bonsoir, un Cabrioleur !

Estimant qu'Anna se focalisait sur ce thème pour exorciser son angoisse et ses frustrations, Zedd la laissa faire les cent pas en fulminant. Au bout d'un moment, elle s'immobilisa et foudroya le vieil homme du regard.

— Où as-tu été pêcher un tel nom pour un monstre ? grogna-t-elle. Par la Création, je donnerais cher pour le savoir.

— Eh bien..., commença Zedd. (Il se gratta le menton et s'éclaircit la gorge.) Dans ma jeunesse, juste après mon mariage, j'ai ramené un chaton à mon épouse. Erilyn l'adorait et riait de bon cœur de toutes ses facéties. Quand je la voyais se réjouir grâce à cette petite boule de fourrure, j'en avais les larmes aux yeux...

» Lorsque je lui ai demandé comment elle voulait baptiser le chaton, Erilyn a réfléchi un peu. Puis elle a proposé « Cabrioleur » parce qu'elle adorait le voir bondir derrière des feuilles mortes ou des papillons en faisant des acrobaties incroyables. Voilà d'où me vient ce nom – et je l'ai toujours aimé à cause de ce souvenir...

Anna roula de gros yeux puis soupira, touchée par la mélancolie du vieux sorcier. Ouvrant la bouche pour le consoler, elle se ravisa et, avec un autre soupir, se contenta de lui tapoter le bras.

— Bon, dit-elle enfin, ce n'est pas si grave... Non, pas si grave... (Elle se baissa, ramassa sa couverture du bout d'un doigt et entreprit de la plier.) Et la bouteille que Richard doit casser dans l'enclave privée du Premier Sorcier ? Quel effet aura vraiment ce sortilège ?

— Aucun. J'ai acheté cette bouteille sur un marché, lors d'un voyage. Au premier coup d'œil, j'ai été conquis par le talent qu'avait déployé le souffleur pour créer une aussi jolie pièce. Après de rudes négociations avec le marchand ambulant, j'ai pu m'offrir cette petite fantaisie pour un très bon prix.

» De retour chez moi, j'ai exposé mon trophée sur une des colonnes, par simple souci d'esthétique. Et un peu, je l'avoue, en hommage à mon génie du marchandage. Je prenais plaisir à voir la bouteille, et c'était également excellent pour mon ego...

— Vraiment, tu es un type génial…

— N'est-ce pas ? Peu après, j'ai trouvé la même bouteille en ville, à la moitié de mon « très bon prix », et sans avoir besoin de négocier. J'ai laissé la mienne où elle était, histoire de me souvenir de ne pas attraper la grosse tête sous prétexte que j'étais le Premier Sorcier. Tu vois, Richard ne risquera rien quand il la cassera, à part se couper, mais il est bien trop malin pour ça…

Anna ne put s'empêcher de sourire.

— Si tu n'avais pas le don, je préfère ne pas penser à ce que tu serais devenu…

— Moi, c'est ce que nous allons découvrir qui me terrorise.

Depuis que sa magie faiblissait, Zedd avait mal jusque dans les os et ses muscles le torturaient. Et ce n'était que le début.

Le sourire d'Anna s'effaça.

— Je ne comprends pas, dit-elle. Tu n'as pas menti à Richard : pour amener les Carillons dans notre monde, Kahlan aurait dû être sa troisième épouse. Or, nous sommes sûrs qu'ils sont ici, même si c'est impossible !

» Je sais que la magie a parfois d'étranges façons d'interpréter les événements, surtout quand il s'agit des conditions requises pour l'activation d'un sort… Mais par quelque bout qu'on prenne les choses, Kahlan ne peut être que la deuxième épouse de Richard. Nadine et elle… Elle et Nadine… Un et un font toujours deux !

— Nous sommes sûrs que les Carillons ont investi notre monde. Le « pourquoi » ne compte plus. Ce qu'il faut, désormais, c'est les combattre.

— Assez bien raisonné…, concéda Anna. Tu crois que ton petit-fils t'obéira et filera en ligne droite jusqu'à la forteresse ?

— Il a juré.

— Oui, mais c'est de Richard qu'il s'agit, et tu sais comment il est…

— Je ne vois pas ce que nous aurions pu faire de plus pour l'envoyer dans la Forteresse, avoua Zedd. Après notre petite comédie, il a toutes les motivations possibles, nobles et égoïstes, pour nous obéir. Anna, nous ne lui avons pas laissé de marge de manœuvre. Les catastrophes que nous avons évoquées, s'il ne remplissait pas sa mission, ne peuvent pas lui avoir échappé.

— C'est vrai, dit Anna en lissant la couverture posée sur son bras, nous avons tout fait, à part lui dire la vérité.

— La description de ce qui arrivera s'il ne gagne pas la Forteresse était exacte. Nous ne lui avons rien caché, sinon que la situation est mille fois plus grave qu'il le pense.

» Je connais ce garçon… Kahlan ayant invoqué les Carillons pour lui sauver la vie, il aurait sans cesse traîné dans nos pattes pour remettre les choses dans l'ordre. Et il les aurait encore aggravées. Tu sais que nous ne pouvons pas nous permettre de le laisser jouer avec le feu. Maintenant, il a un os à ronger, puisqu'il croit être en route pour sauver le monde.

» La Forteresse est le seul endroit où il sera en sécurité. Les Carillons ne peuvent pas lui nuire à l'endroit où ils ont été invoqués, et l'Épée de Vérité est l'unique artefact dont la magie a une chance de continuer à fonctionner. En tout cas, nous ferons tout pour qu'il en soit ainsi. Qui sait, si les Carillons ne s'emparent pas du Sourcier, la menace se dissipera peut-être d'elle-même ?

— Un espoir bien mince, quand il s'agit de la survie du monde. Mais je suppose que tu as raison... De plus, Richard est un homme déterminé, comme son grand-père.

Anna jeta la couverture sur la paillasse.

— Zedd, il faut le protéger à tout prix ! Il dirige D'Hara et il fédère les royaumes des Contrées pour qu'ils résistent à l'Ordre Impérial. En Aydindril, il sera en sécurité et il continuera son œuvre. Ton petit-fils est un grand meneur d'hommes. Selon les prophéties, lui seul a une chance de gagner cette bataille. Si nous le perdons, nous serons fichus.

Nissel revint avec un plateau de tranches de pain de tava tartinées de miel et de menthe. Elle sourit à Zedd pendant qu'Anna la débarrassait des trois tasses d'infusion – une simple boisson chaude – qu'elle avait également apportées. Puis la Femme d'Adobe posa le plateau sur le sol, près des paillasses, et s'assit sur celle où le vieux sorcier avait brillamment joué les agonisants. Anna lui tendit une tasse et prit place sur la couverture pliée, à la tête de la deuxième paillasse.

Nissel tapota la paille, à côté d'elle.

— *Venez vous asseoir. Avant de partir, vous devez manger et boire...*

Plongé dans de profondes et sombres pensées, le vieil homme eut un vague sourire et s'exécuta. Consciente qu'il était morose, la guérisseuse prit le plateau et le lui présenta.

Voyant qu'elle compatissait à sa mélancolie, même si elle en ignorait les causes, Zedd lui passa un bras autour des épaules. De l'autre main, il prit un morceau de tava.

— J'aimerais en savoir plus sur le livre dont a parlé Richard, dit-il après avoir passé une langue gourmande sur le miel. *Le Jumeau de la montagne...* Tu crois qu'il l'a consulté ?

— J'en doute fort... Mais Verna m'a seulement dit que cet ouvrage a été détruit...

Anna connaissait la réponse avant que Richard ait posé la question. L'histoire du message, dans le livre de voyage, était de la poudre aux yeux, pour que le Sourcier continue d'ignorer que la magie s'altérait à une vitesse folle.

— J'aurais aimé y jeter un coup d'œil avant qu'il brûle...

La Dame Abbesse mordilla sa tranche de tava puis demanda :

— Zedd, que se passera-t-il si nous n'arrêtons pas les Carillons ? Nos pouvoirs déclinent déjà, et ils nous auront bientôt quittés... Sans eux, comment mener ce combat ?

— J'espère toujours trouver des réponses à l'endroit où les Carillons étaient ensevelis, quelque part dans le royaume de Toscla. Ou quel que soit le nom qu'on lui donne aujourd'hui... J'y dénicherai peut-être des ouvrages sur l'histoire ou la culture de ce pays. Bref, les indices dont j'ai besoin...

Zedd faiblissait d'heure en heure. En l'abandonnant, son pouvoir le vidait de ses forces, comme une hémorragie. Voyager serait pénible, et il n'avancerait pas vite. Pour ne rien arranger, Anna avait le même problème.

Nissel se serra contre lui, heureuse d'être avec un homme qui l'appréciait en tant qu'être humain - et en tant que femme - sans lui demander d'interventions thérapeutiques. Même si elle ne pouvait rien pour lui, il l'aimait bien. La plupart des gens, dans le village, ne la comprenaient pas. Être différente se révélait parfois difficile…

— Tu as une théorie sur la meilleure façon de bannir les Carillons de notre monde ? demanda Anna.

Avant de répondre, Zedd coupa en deux son morceau de pain de tava.

— Aucune, à part celle que nous avons élaborée ensemble. Si Richard reste dans la Forteresse, les Carillons, incapables de l'atteindre, repartiront peut-être d'eux-mêmes dans le royaume des morts. Je sais que c'est un espoir ténu. S'il ne se réalise pas, je devrai trouver un moyen de les y renvoyer. Et toi, tu as une idée ?

— Non.

— Tu penses toujours à ton plan ? Tirer les Sœurs de la Lumière des griffes de Jagang ?

— La magie de l'empereur disparaîtra, comme toutes les autres. Alors, celui qui marche dans les rêves aura perdu son emprise sur mes sœurs. Plus le danger est grand, plus il offre d'occasions. Je dois saisir celle-là au vol.

— Jagang aura toujours une puissante armée. Même si tu critiques tout le temps mes plans, tu n'es guère plus douée que moi.

— La récompense est à la hauteur des risques… Je ne devrais pas le reconnaître, mais puisque nous allons nous séparer, ça n'a plus d'importance… Tu es très intelligent, Zeddicus Zu'l Zorander. Bien que tu sois un casse-pieds de première, tu me manqueras. Avec tes ruses bizarres, tu nous as sauvé la mise plus d'une fois. J'admire ta persévérance, et je ne me demande plus d'où Richard tient la sienne.

— Vraiment ? Eh bien, je n'aime toujours pas ton plan, et la flatterie n'y changera rien.

Anna se contenta de sourire.

Sa stratégie n'avait rien pour forcer l'admiration, mais Zedd, elle le savait, comprenait pourquoi elle irait jusqu'au bout. Sauver les Sœurs de la Lumière était capital, et pas seulement parce que l'empereur les brutalisait. Si les Carillons étaient vaincus, Jagang pourrait de nouveau contrôler ses captives, et tirer parti de leurs pouvoirs.

— Anna, la peur peut être une maîtresse exigeante. Si certaines sœurs refusent de croire que Jagang ne peut plus rien contre elles, elles ne te suivront pas, et tu ne pourras pas leur permettre de rester une menace pour notre cause, même à leur corps défendant.

— Je sais…, souffla la Dame Abbesse.

Zedd venait de lui rappeler qu'elle devrait libérer les sœurs… ou les éliminer.

— Vieil homme, dit-elle d'un ton compatissant, je déteste parler de ça, mais si ce que Kahlan a fait…

— Moi aussi, je sais ! coupa Zedd.

L'Inquisitrice avait invoqué les Carillons pour qu'ils sauvent Richard. Hélas, il y avait un prix.

En leur demandant de garder le Sourcier en vie jusqu'à ce qu'il ait guéri de la peste, Kahlan, sans le vouloir, leur avait fourni l'unique chose dont ils avaient besoin pour rester également dans le monde des vivants. Une âme ! Celle de Richard…

Mais il ne risquerait rien entre les murs de la Forteresse. Pour celui qui leur était promis, l'endroit où on avait invoqué les Carillons devenait un sanctuaire.

Zedd offrit son demi-morceau de tava à Nissel. Ravie, elle mordit dedans, puis proposa au vieil homme de mordre dans sa propre tranche – après l'avoir légèrement touchée avec le bout de son nez. Voir la vieille guérisseuse se comporter comme une gamine espiègle fit sourire le sorcier et lui mit du baume au cœur.

— Qu'est-il arrivé à ton chat, le fameux Cabrioleur ? demanda soudain Anna.

Le front plissé, Zedd tenta de se souvenir.

— Pour être franc, j'ai oublié. Tellement de choses se sont passées, à l'époque. La guerre contre D'Hara – dirigée par Panis Rahl, l'autre grand-père de Richard – commençait à peine, et la vie d'une multitude d'innocents était en jeu. Je n'étais pas encore le Premier Sorcier, et Erilyn attendait notre fille…

» Dans tout ça, nous avons perdu ce pauvre chat. Dans la Forteresse, il ne manque pas d'endroits où les souris abondent. Il a dû trouver leur compagnie plus amusante que la nôtre… (Zedd serra les poings, remué par de pénibles souvenirs.) Après m'être exilé en Terre d'Ouest, pour y élever Richard, j'ai toujours eu un chat. Un moyen de ne jamais oublier Erilyn et ma terre natale.

Anna sourit. Elle comprenait…

— J'espère qu'il n'y a pas eu de « Cabrioleur » dans le lot, dit-elle. Sinon, Richard risque de faire le rapprochement.

— Je n'ai plus jamais baptisé un chaton comme ça…, souffla Zedd.

Chapitre 15

— **F**ichtre ! cria maître Drummond.

Fitch serra les lèvres avec l'espoir – futile, il le savait – de ne pas rougir jusqu'à la pointe des oreilles. En passant près des cuisinières, qui ne se privèrent pas de ricaner, il se força à sourire poliment.

— Oui, maître ?

— Va encore chercher du bois de pommier. Et que ça saute !

— À vos ordres, maître !

Le jeune Haken s'inclina puis fila vers la porte de derrière. Même si de délicieuses odeurs de beurre frit, d'oignons, d'épices et de viande rôtie flottaient dans la cuisine, il se réjouit d'avoir un prétexte pour laisser tomber ses chaudrons sales. À force de frotter et de brosser, il avait mal aux mains, et maître Drummond, cerise sur le gâteau, ne lui avait pas demandé de ramener du chêne. Lors de sa précédente intervention, il avait agi comme il fallait, et ça ferait une raison de moins de recevoir une engueulade.

En approchant de la pile de bois, dans la cour, il se demanda pour la centième fois pourquoi le ministre Chanboor avait voulu voir Beata. La jeune fille s'en était réjouie. Mais elles frétillaient toutes dès qu'elles avaient l'occasion d'être en présence du ministre.

Pourquoi un vieil homme grisonnant leur plaisait-il tant ? Fitch ne pouvait pas imaginer vivre assez longtemps pour que ses cheveux blanchissent. Et cette seule idée lui faisait plisser le nez de dégoût.

Quand il fut devant le tas de bois, quelque chose attira son attention. Non loin de là, Farfadet attendait toujours sa maîtresse. Oui, Fitch ne se trompait pas : c'était bien la charrette du boucher, pas celle d'un autre fournisseur.

Beata n'était donc pas partie ? Débordé de travail, comme toujours, il ne l'avait pas vue sortir, mais il existait tellement d'autres issues… Jusque-là, il ne s'était même pas posé la question.

Beata était montée depuis plus d'une heure chez le ministre, qui voulait sûrement lui transmettre une commande spéciale pour le banquet. À coup sûr, il devait l'avoir renvoyée depuis un bon moment.

Dans ce cas, pourquoi la charrette était-elle encore là ?

Fitch prit une brassée de bûchettes de pommier. Puis il soupira d'agacement. Le ministre racontait sûrement des histoires à la jeune Hakenne. Pour une raison qui lui échappait, les femmes adoraient l'écouter, et il ne manquait jamais une occasion de leur parler. Chanboor passait le plus clair de son temps avec des femmes. Pendant les banquets ou les réceptions, elles s'agglutinaient autour de lui et gloussaient comme des oies. Par simple politesse, peut-être. Après tout, c'était un homme important.

Avec lui, les femmes ne faisaient montre d'aucune courtoisie, et elles n'écoutaient jamais ses histoires…

De plus en plus maussade, Fitch se dirigea vers la cuisine avec sa cargaison de bois. Ses récits de beuveries étaient drôles à mourir – selon lui – mais les filles ne partageaient pas cet avis.

Morley et ses autres compagnons de dortoir les appréciaient, en tout cas. Ils lui racontaient aussi les leurs, et ils adoraient se soûler, comme lui. Quand le travail et les réunions de repentance leur en laissaient le temps, il n'y avait pas grand-chose d'autre à faire pour s'amuser.

Après les réunions, lorsqu'ils ne devaient pas retourner aux cuisines, ils pouvaient parler un peu aux filles. Mais comme ses camarades, Fitch trouvait ces séances déprimantes. Entendre toutes ces horreurs vous sapait le moral. Alors, quand on pouvait voler un peu de vin ou de bière, boire pour oublier était une bonne solution.

Quand il eut rapporté une dizaine de brassées de bois, maître Drummond le tira par la manche et lui fourra une feuille de parchemin dans la main.

— Cours donner ça au brasseur !

Comme toujours, avant d'obéir, Fitch se fendit d'une révérence et d'un « À vos ordres, maître ! » Bien qu'il fût illettré, il devina qu'il devait livrer une liste de commandes urgentes pour le banquet. Cette mission, qui ne lui demanderait pas des efforts surhumains, n'avait rien de désagréable. Elle lui donnait l'occasion de s'éclipser de la cuisine, où les délicieuses odeurs lui torturaient l'estomac. Même s'il les goûtait à l'occasion, en toute illégalité, les mets de choix étaient pour les invités, pas pour les garçons de cuisine. Parfois, être un peu loin du vacarme et de la cohue était comme de petites vacances.

Le vieux brasseur, un Anderien aux cheveux rares et grisonnants, marmonna dans sa barbe en lisant la note que Fitch lui avait remise. Au lieu de le renvoyer, il lui demanda de transporter plusieurs gros sacs de houblon – une nouvelle variété qu'il voulait essayer. Chacun savait que le jeune Haken était taillable et corvéable à merci… Tout le monde pouvait lui donner des ordres, et il n'avait pas à discuter.

Eh bien, il n'avait pas vraiment couru pour venir jusqu'ici, et il ne se presserait pas pour retourner aux cuisines ! Il fallait bien payer un prix, lorsqu'on s'offrait un petit moment de calme…

Quand il sortit par la grande porte par où arrivait la plus grande partie des livraisons, il constata que la charrette du boucher était toujours là. Par bonheur, dix sacs de houblon seulement attendaient sur le quai de déchargement.

Il s'attaqua à la corvée, ne traîna pas trop et fut renvoyé aux cuisines dès qu'il eut fini.

Un peu haletant, il remonta les couloirs de service, où il croisa essentiellement des Hakens – sauf à une occasion, ce qui le força quand même à s'incliner bien bas.

Quand il fut remonté au rez-de-chaussée, il s'immobilisa devant la porte de la cuisine.

L'escalier qui conduisait aux étages supérieurs était désert. Il n'y avait personne non plus dans le couloir, et maître Drummond le croirait quand il lui raconterait son histoire de sacs à transporter jusqu'à la brasserie. Occupé par la préparation du banquet, il ne penserait pas à demander combien il y en avait eu. Et même s'il posait la question, il ne perdrait pas son temps à vérifier auprès du brasseur.

Fitch s'engagea dans l'escalier avant même d'avoir pris la décision consciente d'aller jeter un coup d'œil « là-haut ». Sans trop savoir ce qu'il escomptait trouver, pour être franc.

Il était allé quelques fois au premier étage, et une seule fois au deuxième, la semaine précédente, pour monter à Dalton Campbell un repas qu'il avait directement commandé à la cuisine. Un domestique – anderien, tout de même – lui avait ordonné de poser le plateau de tranches de viande sur la table, dans l'antichambre vide du bureau.

Dans l'aile ouest du palais, où se trouvaient les cuisines, les étages supérieurs comptaient beaucoup de bureaux. Celui du ministre était censé être au deuxième étage. Mais selon les rumeurs, il en avait plusieurs. Fitch ne voyait pas pourquoi on pouvait avoir besoin de plus d'un bureau, et personne ne le lui avait expliqué.

C'était aussi dans l'aile ouest, au rez-de-chaussée et au premier étage, que s'étendait la grande bibliothèque d'Anderith. Contenant tous les trésors de la riche et exemplaire civilisation anderienne, elle attirait au palais une foule d'érudits et de gens très importants. La civilisation anderienne, disait-on, était une source de fierté pour ses membres… et un objet d'envie pour tous les autres.

Les appartements privés du ministre étaient au deuxième étage, comme son bureau. Plus jeune que Fitch de deux ou trois ans, sa fille – franchement quelconque, affirmait-on – n'y habitait plus depuis qu'elle était partie pour il ne savait trop quelle académie culturelle. De vieux serviteurs racontaient parfois les mésaventures d'un garde anderien qui avait fini en prison parce que Marcy – ou Marcia, selon le narrateur – avait lancé contre lui une accusation pas très bien définie. D'après certaines versions, l'homme n'avait rien fait du tout, sinon être à son poste dans un couloir. D'autres affirmaient qu'il avait espionné – voire violé – la fille du ministre.

Entendant des voix dans l'escalier, Fitch s'immobilisa, en équilibre entre deux marches. Il tendit l'oreille, le souffle court, puis s'avisa que le bruit montait du couloir du rez-de-chaussée. Et il s'éloignait déjà…

Par bonheur, dame Hildemara Chanboor, l'épouse du ministre, venait rarement dans l'aile ouest. Cette femme comptait parmi les Anderiennes qui faisaient trembler jusqu'à leurs compatriotes. Dotée d'un caractère de cochon, elle n'était jamais contente de rien ni de personne. Des employés avaient perdu leur poste pour avoir simplement osé lever les yeux sur son passage.

Des gens bien informés avaient confié à Fitch que l'aspect physique de dame Chanboor allait avec son détestable caractère. Bref, elle était abominablement laide.

Les malheureux qu'elle avait fait renvoyer pour « insolence » étaient devenus des mendiants, faute de retrouver du travail ailleurs.

Les filles de cuisine racontaient qu'Hildemara ne se montrait pas pendant des semaines parce que son mari, excédé, se laissait souvent aller à lui faire un œil au beurre noir. Selon d'autres sources, elle était un peu trop portée sur la boisson. Enfin, une vieille servante murmurait qu'elle s'éclipsait de temps en temps avec un amant.

Fitch déboucha sur le palier et constata que les couloirs du deuxième étage étaient déserts. À travers les rideaux, très fins et richement brodés, la lumière du soleil faisait briller le parquet impeccablement ciré. Fitch s'immobilisa et regarda alentour. Deux couloirs s'ouvraient devant lui, et il n'était plus très sûr d'avoir envie de s'y engager.

Que dirait-il si des gardes ou des messagers l'interceptaient ? Pour être franc, se reconvertir dans la mendicité ne lui paraissait pas un destin souriant…

S'il détestait travailler, le jeune Haken adorait manger. Et comme son estomac criait en permanence famine, ce n'était pas une petite affaire. La nourriture qu'on lui donnait n'était pas aussi savoureuse que les délices servis aux hauts fonctionnaires ou aux invités, mais elle se laissait manger, et il y en avait toujours assez. En prime, quand tout le monde avait le dos tourné, ses amis et lui sifflaient joyeusement du vin et de la bière. Non, décidément, il n'avait aucune envie qu'on le jette dehors.

Il avança d'un pas, très lentement, et faillit hurler de douleur quand quelque chose piqua la plante de son pied droit. En plus des repas, une paire de chaussures n'aurait pas été du luxe, mais ce n'était pas prévu dans le budget…

Fitch baissa les yeux et vit qu'il venait de marcher sur une épingle. Celle que Beata utilisait pour fermer son col…

Il la ramassa sans trop savoir ce qu'il devait conclure de cette trouvaille. Et encore moins ce qu'il allait en faire.

La garder et la rendre plus tard à la jeune fille, qui serait sûrement ravie ? Ou la remettre où elle était pour ne pas avoir à expliquer – par exemple à Beata – où et comment il l'avait trouvée ? Que dirait-il si elle apprenait qu'il était monté au deuxième ? Lui, personne ne l'avait invité, et elle croirait peut-être qu'il l'espionnait.

Il se baissait pour reposer l'épingle quand il capta un mouvement – plus précisément, une ombre – dans l'encadrement d'une des premières portes du couloir de droite. Il inclina la tête, tendit l'oreille et crut reconnaître la voix de Beata. Mais il n'aurait pas pu le jurer. En revanche, il identifia à coup sûr des rires étouffés.

Fitch regarda de nouveau autour de lui. Il n'y avait personne. Après tout, il était seulement sur le palier… Si on le surprenait, il prétendrait être monté pour admirer de loin les superbes parquets du deuxième étage. Et pour contempler de haut, à travers une fenêtre, les champs de blé – la fierté d'Anderith – qui entouraient Fairfield.

Une explication plausible… On lui passerait un savon, sans nul doute, mais il ne finirait pas à la porte. Pas pour avoir voulu regarder par une fenêtre. Enfin, en principe…

Le cœur battant la chamade et les genoux tremblants, il avança jusqu'à la porte et crut entendre un gémissement de femme. Il lui sembla aussi capter un rire rauque et le halètement d'un homme.

Des milliers de petites bulles étaient pétrifiées pour l'éternité dans le bouton en verre de la porte. Dessous, il n'y avait pas de serrure, donc aucun trou pour regarder. Se mettant à quatre pattes, Fitch se laissa doucement tomber sur le ventre.

Plus il approchait du bas de la porte, mieux il entendait. L'homme qui haletait semblait se livrer à un exercice violent. Les rires sortaient de la gorge d'un autre type. La voix féminine gémissait et sanglotait, mais le son était étouffé, comme si elle ne parvenait pas à reprendre entièrement sa respiration.

Ce devait être Beata...

Fitch plaqua la joue droite sur le parquet de chêne et approcha son visage du pas de la porte. À travers l'interstice, d'environ un pouce, il aperçut les pieds d'une chaise, un peu sur la gauche, et devant eux, une botte noire cloutée d'argent. Puisqu'il n'en voyait qu'une, déduisit-il, l'homme avait dû croiser les jambes.

Le jeune Haken sentit un frisson glacé courir le long de sa colonne vertébrale. Il avait vu l'homme qui portait ces bottes, un peu plus tôt, dans la cour. Le colosse avec une étrange cape, des bagues à tous les doigts et autant d'armes qu'une patrouille entière. En dépassant la charrette, il avait longuement regardé Beata...

Ne localisant pas la source des autres bruits, Fitch se tortilla en silence pour inverser sa position, utiliser son œil gauche et regarder vers la droite de la pièce.

Il se plaqua au battant jusqu'à ce que son nez s'écrase contre le bois...

... et écarquilla les yeux, d'abord d'incrédulité, puis d'horreur.

Beata était allongée sur le sol, sa robe bleue relevée jusqu'à la taille. Les fesses nues d'un homme montaient et descendaient sauvagement entre ses jambes écartées.

Fitch se releva d'un bond, révulsé, et recula de quelques pas. Le souffle coupé, il crut qu'il allait vomir, mais se retint de justesse. L'image des jambes de Beata et des fesses du ministre gravée dans sa mémoire, il se détourna et courut vers l'escalier, des larmes aux yeux. La bouche ouverte, il aspirait de l'air comme une carpe jetée hors de l'eau. Et pourtant, il avait l'impression d'étouffer.

Des bruits de pas le pétrifièrent. Quelqu'un montait. À dix pieds de la porte, et trois des marches, Fitch se demanda ce qu'il pouvait faire, maintenant qu'il était coincé.

Deux femmes montaient en bavardant. Devait-il filer dans le couloir de droite ou de gauche ? Ou était-il déjà perdu, parce que tous les deux étaient des culs-de-sac ?

Allait-il finir en prison, couvert de chaînes, comme le garde de la fameuse histoire ?

Les deux femmes s'arrêtèrent sur le palier du dessous. Des Anderiennes, reconnut-il au son de leur voix. Elles évoquaient le banquet prévu pour le soir, recensant les personnes invitées et celles qui ne l'étaient pas. Même si elles ne parlaient pas très fort, dans son état de surexcitation, il les entendait très clairement. Et s'il leur prenait la fantaisie de monter au deuxième, il était fichu...

Elles discutaient à présent de ce qu'elles porteraient pour attirer l'attention du ministre Chanboor. Fitch en crut à peine ses oreilles. Il espionnait la conversation de deux femmes qui, glosant sur la profondeur de leur décolleté, se demandaient s'il devait suggérer ou laisser apercevoir leurs tétons. Dans d'autres circonstances, des images plus que plaisantes auraient germé dans l'esprit de Fitch. Mais il était coincé en haut d'un escalier, après avoir surpris une scène qu'il n'aurait jamais dû voir. Si les Anderiennes montaient, il était bon pour la mendicité. Et peut-être pis...

Une des femmes, moins audacieuse que sa compagne, déclara vouloir être remarquée, certes, mais rien de plus.

L'autre eut un petit rire et affirma qu'elle désirait beaucoup plus que cela. Elle conseilla ensuite à son interlocutrice de ne pas s'en faire, puisque leurs maris seraient ravis de savoir qu'elles… retenaient… l'attention du ministre.

Fitch tourna la tête en direction de la porte. Quelqu'un avait déjà eu cet honneur douteux. La pauvre Beata…

Quand il fit un pas prudent vers la gauche, le parquet grinça, et il s'immobilisa de nouveau, tous les sens aux aguets. Sur le palier du dessous, les deux Anderiennes se moquaient de leurs époux. Le front inondé de sueur, Fitch recula son pied…

Les Anderiennes choisirent cet instant pour s'éloigner. Entendant une porte s'ouvrir, le jeune Haken comprit qu'elles ne monteraient pas, et il eut envie de leur crier de se dépêcher d'aller potiner ailleurs.

Avant que la porte se referme, une des femmes prononça le prénom du mari de l'autre. Dalton…

Fitch allait soupirer de soulagement quand la porte du ministre s'ouvrit, droit devant lui.

Le grand étranger tenait Beata par un bras, la manipulant comme un ballot de linge sale. Puis il la poussa si violemment qu'elle tomba sur les fesses, toujours sans avoir remarqué que le jeune Haken était derrière elle.

Le regard impassible de l'étranger croisa celui de Fitch. Sa longue chevelure noire crasseuse tombant sur ses épaules, il était entièrement vêtu de noir et portait sur la poitrine de larges bandes de cuir croisées. Les armes que Fitch avait vues accrochées à sa ceinture étaient à présent posées sur le sol de la pièce, comme s'il n'en avait pas eu besoin, si l'envie lui en prenait, pour arracher le cœur de quiconque aurait le malheur de lui déplaire.

Quand il se tourna de nouveau vers la porte, Fitch, horrifié, s'aperçut que la curieuse cape était composée de scalps. Il s'agissait bien de cheveux, pas de poils, et il y avait toutes les couleurs possibles, du blond clair au brun foncé.

— Stein ! appela le ministre, toujours dans la pièce.

Le colosse rattrapa au vol une boule de tissu blanc – la culotte de Beata – la déplia entre ses doigts charnus, l'étudia un moment puis la jeta sur les genoux de la jeune fille, qui retenait sa respiration pour ne pas éclater en sanglots.

Stein croisa de nouveau le regard du Haken et lui sourit, ses dents jaunâtres brillant au milieu de sa barbe en broussaille. Puis il fit un clin d'œil complice au pauvre garçon de cuisine.

Comment pouvait-il ne pas s'inquiéter que quelqu'un ait assisté à cette ignoble scène ?

Le ministre sortit, encore occupé à reboutonner son pantalon. Lui aussi sourit, puis il ferma la porte derrière lui et s'engagea dans le couloir.

— Une visite de la bibliothèque vous tente ? demanda-t-il, délicieusement courtois.

— Je te suis, cher ministre, répondit Stein.

Beata resta assise où elle était, la tête baissée, pendant que les deux hommes s'éloignaient en bavardant comme de vieux amis. Brisée par son supplice, elle semblait incapable de se lever, de quitter ce lieu et de retrouver la vie qu'elle menait un peu plus d'une heure avant.

Toujours pétrifié, Fitch espéra qu'un miracle se produirait. Si elle ne se retournait pas, mais se levait et avançait droit devant elle, Beata ne saurait jamais qu'il avait été là, témoin impuissant de son humiliation.

Oui, elle pouvait ne pas le voir, et ce serait un peu comme si rien ne s'était jamais passé.

En étouffant toujours ses sanglots, Beata se releva péniblement, se retourna, aperçut Fitch et eut un petit cri de détresse. Le jeune Haken resta paralysé, accablé d'avoir eu l'idée stupide de monter jusqu'au deuxième pour voir ce qui se passait. Pour avoir vu, il avait vu, et il n'en aurait jamais exigé autant !

— Beata…, souffla-t-il.

Il faillit lui demander si elle allait bien, mais se ravisa à temps. Comment aurait-elle pu aller bien ? Quant à la réconforter, c'était son plus cher désir, mais il ne trouvait pas les mots. Devait-il la prendre dans ses bras et la serrer très fort ? Dans des circonstances pareilles, elle pouvait tout à fait se méprendre sur ses intentions…

Passant du désespoir à la fureur, Beata lui décocha sans crier gare une gifle qui lui fit voler la tête sur le côté, comme si elle avait une envie folle de se détacher de ses épaules. La vue brouillée, Fitch crut apercevoir une silhouette, au fond du couloir, mais il n'aurait pas juré que ce n'était pas une illusion. Alors qu'il tentait de se rattraper à la rambarde, il bascula en arrière, puis se réceptionna sur un genou et la paume d'une main. Voyant un éclair bleu passer devant lui, il conclut que Beata s'était engagée dans l'escalier, qu'elle dévalait à toute vitesse, à en juger par le martèlement de ses pieds sur le parquet.

Un côté de la mâchoire en feu, et l'oreille correspondante bourdonnant comme s'il avait été trop près d'une cloche au moment où elle sonnait le tocsin, Fitch n'en revenait pas que Beata ait pu cogner aussi fort. Alors que son estomac menaçait de se retourner, il battit des paupières pour s'éclaircir la vue.

Il sursauta quand une main se posa sur son bras, puis le tira vers le haut. Une fois debout, il reconnut Dalton Campbell.

Contrairement à Stein et au ministre, il ne souriait pas, mais dévisageait Fitch à la manière dont maître Drummond inspectait un flétan à l'odeur douteuse livré par le poissonnier.

— Comment t'appelles-tu, mon garçon ?

— Fitch, messire. Je travaille aux cuisines.

Avec la gifle de Beata et l'angoisse qui lui nouait les entrailles, les genoux du pauvre Haken menaçaient de se dérober sous lui.

— Tu es bien loin de tes bases, dirait-on…

— J'ai dû apporter une commande au brasseur… (Fitch inspira à fond pour empêcher sa voix de trembler.) Je retournais aux cuisines, messire…

Dalton Campbell serra plus fort le bras de Fitch et le tira vers lui.

— Puisque tu revenais de la brasserie, au sous-sol, pour regagner les cuisines, qui sont au rez-de-chaussée, tu dois être un jeune homme travailleur et sérieux. Du coup, je n'ai aucune raison de t'avoir rencontré au deuxième étage, pas vrai ? (Campbell lâcha le bras de Fitch.) Donc, nous nous sommes croisés dans le couloir du rez-de-chaussée, où tu courais vers les cuisines. Et bien entendu, tu ne te serais pas permis de faire un détour pour tirer au flanc…

Sa compassion pour Beata oubliée, Fitch entrevit un espoir de ne pas finir à la rue…

— Oui, messire, c'est bien au rez-de-chaussée que nous nous sommes rencontrés.

Dalton Campbell posa nonchalamment une main sur la garde de son épée.

— N'étant jamais monté au deuxième, tu n'as rien pu y voir…

Fitch manqua s'étrangler de terreur.

— Cela va sans dire, messire ! Mais au rez-de-chaussée, je peux avoir, si vous voulez, croisé le ministre, qui m'a gentiment souri… C'est un grand homme, vous savez ! Je ne lui serai jamais assez reconnaissant de donner du travail à un misérable Haken tel que moi.

Les lèvres de Campbell dessinèrent une esquisse de sourire suffisante pour exprimer qu'il était satisfait de ce qu'il entendait. Puis il tapota distraitement la garde de son épée, une arme magnifique dont Fitch ne parvenait pas à détourner le regard.

— Je veux bien agir et être un membre utile du personnel de ce palais, messire. Un employé qui ne rechigne pas à la tâche… et garde son poste jusqu'à la fin de ses jours.

Le sourire de Campbell s'élargit.

— Je suis ravi de te l'entendre dire… Tu m'as l'air d'un garçon intelligent. Si tu tiens tant à servir, puis-je croire que je pourrais compter sur toi, le cas échéant ?

Sans imaginer ce que l'assistant du ministre voulait dire par « compter sur toi », Fitch se fendit à tout hasard d'un « Oui, messire ! » plein de conviction.

— En jurant que tu n'as rien vu ni entendu, sur le chemin de la cuisine, tu me prouves ton potentiel, mon garçon. Et quand on mérite la confiance de ses supérieurs, on finit tôt ou tard par se voir confier de plus grandes responsabilités.

— Des responsabilités, messire ?

Dans les yeux de Campbell, Fitch vit briller l'intelligence matoise que les musaraignes et les rats, avant de périr, devaient contempler dans les yeux d'un souricier.

— Nous avons parfois besoin, parmi le personnel, de jeunes gens avides de gravir les échelons de la hiérarchie. Mais nous verrons plus tard… Continue à te méfier des mensonges qui visent à salir la réputation du ministre, et tu iras sans doute loin…

— Oui, messire. Je déteste entendre dire du mal du ministre. C'est un grand homme, je ne le répéterai jamais assez. Si ce qu'on murmure est vrai, le Créateur nous fera bientôt la grâce de nous doter d'un nouveau pontife, et personne d'autre que lui n'est mieux qualifié pour s'asseoir sur le trône.

— Oui, tu as un sacré potentiel, mon garçon, dit Campbell, de plus en plus souriant. Si tu entends des calomnies au sujet du ministre, je serais touché que tu m'en informes. (Il désigna l'escalier.) À présent, tu devrais retourner à ton poste…

— Messire, si j'entends des mensonges, comptez sur moi pour vous les rapporter. (Fitch fit un pas vers l'escalier.) Je ne tolérerai pas qu'on salisse la réputation du ministre. Ce serait très mal.

— Attends un peu, Fitch ! lança Campbell.

— Oui, messire ?

L'assistant croisa les bras et baissa les yeux sur le jeune Haken.

— Pendant les réunions de repentance, qu'as-tu appris au sujet de la protection du pontife ?

— Le pontife ? (Fitch essuya ses paumes moites sur le devant de son pantalon.) Que tout ce que nous faisons pour le défendre est vertueux.

— Très bien... (Sans décroiser les bras, Dalton se pencha vers le jeune Haken.) Puisque tu as entendu dire que le ministre Chanboor devait remplacer le pontife actuel, quelles conclusions en tires-tu ?

Campbell attendait fermement une réponse. Fitch se creusa la cervelle, puis il s'éclaircit la gorge, pour gagner encore un peu de temps.

— Eh bien... S'il doit être nommé pontife, il convient de le protéger de la même façon ?

Voyant Dalton Campbell se redresser et sourire, Fitch devina qu'il avait mis dans le mille.

— Décidément, tu as le potentiel pour grimper dans la hiérarchie, mon garçon !

— Merci, messire. Puisqu'il sera bientôt pontife, je ferai dès aujourd'hui tout ce qui est en mon possible pour défendre le ministre.

— Parfait..., dit Campbell d'une voix étrangement traînante. (Il inclina la tête comme un chat qui suit du regard une proie déjà condamnée.) Si tu nous aides à le protéger, quelles que soient les circonstances, et... hum... le contexte..., ça t'aidera à t'acquitter de ta dette.

— Ma dette, messire ?

— Comme je l'ai dit à Morley, s'il sert bien le ministre, il pourrait obtenir assez vite un nom d'honneur, et un certificat de pureté signé par le pontife en personne. Tu es malin, mon garçon. Je te prédis le même avenir, si tu sais y faire.

Fitch en resta bouche bée. Porter un nom d'honneur était un de ses rêves. Et le certificat prouverait à tous les Anderiens qu'un Haken avait pu se laver de sa souillure originelle et méritait désormais le respect.

Soudain, il se souvint de la première phrase de l'assistant.

— Morley, messire ? Le garçon de cuisine Morley ?

— Oui. Il ne t'a pas dit que je lui avais parlé ?

Fitch se gratta l'oreille, surpris que son ami ait réussi à lui cacher une chose pareille.

— Il ne m'en a pas soufflé mot, messire. Et pourtant, c'est mon meilleur ami.

— Je lui avais conseillé de se taire, et j'apprécie qu'il m'ait écouté. Voilà le genre de loyauté qui pèse lourd dans la balance, quand on veut aller loin... J'attends la même chose de toi. Tu comprends ce que je veux dire, Fitch ?

— Je n'en parlerai à personne, comme Morley. N'ayez pas d'inquiétude, maître Campbell, j'ai saisi.

— Parfait, fit l'assistant avec un petit sourire énigmatique. (Il posa de nouveau la main sur la garde de son épée.) Fitch, quand un Haken a payé sa dette, et obtenu un nom d'honneur, tu sais que la possession d'un certificat l'autorise à porter une lame ?

— Vraiment ? On ne me l'avait jamais dit...

Le grand Anderien fit au jeune Haken un sourire d'adieu, puis il se détourna avec une grâce à la fois féline et aristocratique et s'éloigna dans le couloir.

— Au travail, Fitch ! lança-t-il par-dessus son épaule. Je suis ravi d'avoir fait ta connaissance. À mon avis, nous nous reparlerons un de ces jours...

Peu désireux que quelqu'un d'autre le surprenne au deuxième, Fitch dévala les marches. Des idées contradictoires tourbillonnaient dans sa tête, lui donnant le tournis.

Dès qu'il pensait à Beata, il n'avait plus qu'une envie : voir arriver le soir au plus vite, se repentir avec zèle et prendre la cuite de sa vie.

Ce qu'avait subi la jeune fille lui brisait le cœur.

Mais c'était le ministre – un homme qu'elle admirait, et qui serait un jour pontife – qu'il avait vu entre ses jambes écartées. De plus, elle l'avait frappé, un crime abominable pour un Haken, y compris quand il visait un de ses semblables. Même s'il n'aurait pas juré que cette interdiction s'appliquât aux femmes, il ne s'en sentait pas moins triste et blessé.

Pour une raison inexplicable, Beata le détestait, alors qu'il n'était pour rien dans ses malheurs.

Décidément, il devenait urgent qu'il se soûle !

Chapitre 16

— Fichtre, viens ici ! Eh, Fichtre, tu m'entends ?

En général, quand maître Drummond l'appelait par ce nom, Fitch rougissait jusqu'à la racine des cheveux. Bouleversé par ce qu'il venait de voir et d'entendre au deuxième étage, il ne réagit pas à cette humiliation vénielle. Le chef de cuisine lui parlait comme à un chien. Et après ? Beata le haïssait et elle l'avait frappé. Rien ne pouvait être pire que ça.

Ces événements remontaient à plus de deux heures, mais sa mâchoire lui faisait toujours mal, incontournable témoignage de la haine que lui vouait désormais la jeune fille. Pourtant, elle aurait dû être furieuse contre le monde entier... à part lui, logiquement.

En colère contre elle-même, pour commencer, puisqu'elle avait accepté de monter. Cela dit, il ne voyait pas trop comment elle aurait pu se dérober à l'invitation du ministre. Dès qu'il aurait appris que son employée hakenne refusait d'aller chercher une commande spéciale, Inger l'aurait mise à la porte sans hésiter. Non, elle n'aurait pas eu le loisir d'opter pour cette solution.

Sans compter qu'elle rêvait de rencontrer le grand Bertrand Chanboor. Bien entendu, elle n'avait jamais imaginé qu'il la traiterait ainsi. De plus, ce n'était peut-être pas lui qui l'avait traumatisée le plus. Le grand étranger, Stein, avait fait un clin d'œil complice à Fitch. Et Beata était restée un long moment au deuxième étage...

Quoi qu'il en soit, elle n'avait aucune raison d'en vouloir à un garçon de cuisine, et encore moins de le frapper.

Fitch s'arrêta devant maître Drummond. Les mains douloureuses à force d'avoir trempé dans l'eau savonneuse pour frotter des chaudrons, il se sentait bizarrement anesthésié, comme si le reste de son corps – à part un côté de son visage – n'existait plus.

— Oui, maître ?

— Qu'est-il arrivé à ta joue ?

— Je me suis blessé en ramassant des bûchettes de pommier, maître.

Drummond s'essuya les mains à son chiffon blanc et secoua la tête.

— Un crétin..., marmonna-t-il. (Il haussa le ton, pour que tout le monde entende.) Oui, il faut vraiment être idiot pour se faire frapper par un morceau de bois mort !

— Vous avez raison, maître.

Le chef de cuisine allait en remettre une couche quand Dalton Campbell, les yeux rivés sur une feuille de parchemin couverte de pattes de mouche, passa à côté de Fitch. Le texte qu'il lisait était le premier d'une impressionnante pile de documents en désordre qu'il avait du mal à ne pas laisser tomber.

— Drummond, dit-il, les yeux toujours baissés sur la feuille dont il pointait les lignes du bout d'un index, je viens pour vérifier certains détails.

Le chef de cuisine finit de s'essuyer les mains et se redressa, presque au garde-à-vous.

— Je suis à votre disposition, messire Campbell.

L'assistant souleva sa première feuille pour consulter celle de dessous.

— Tu as pensé à faire dresser les tables d'honneur avec notre plus belle vaisselle ? Et surtout, nos plus élégants rince-doigts ?

— Oui, messire Campbell.

Dalton marmonna dans sa barbe que quelqu'un devait être venu changer tout ça après qu'il fut allé regarder. Il parcourut sa liste rapidement, puis passa à la troisième feuille.

— Au fait, il devra y avoir deux places de plus à la table du ministre...

— Deux de plus, messire Campbell... Ce sera fait. Mais à l'avenir, si vous aviez la bonté de me prévenir plus tôt de ces changements, je vous en serais éternellement reconnaissant.

Campbell revint à la deuxième page.

— Oui, oui... Je n'y manquerai pas, si le ministre consent à ne pas m'avertir à la dernière minute. (Pour la première fois, il leva les yeux de ses feuilles.) Dame Chanboor déteste que l'estomac des musiciens gargouille pendant qu'ils jouent. Cette fois, nourris-les correctement. Surtout la harpiste, qui sera très près de l'épouse du ministre.

— Je m'en occuperai, messire Campbell, dit Drummond en s'inclinant.

Très discrètement, Fitch recula de deux ou trois pas. La tête baissée, pour ne pas donner l'impression qu'il écoutait la conversation, il se serait volontiers éclipsé, afin de ne pas passer pour un fouineur. Mais s'il partait sans qu'on l'ait renvoyé, il se ferait incendier par Drummond dès que l'assistant aurait quitté les lieux. Il avait donc décidé de couper la poire en deux en restant à disposition, mais aussi invisible que possible.

— Quant au vin aux épices, il faudra qu'il y en ait de différentes sortes, ce soir. La dernière fois, certaines personnes ont trouvé le choix trop limité. Prévois du vin chaud et du froid, ce coup-ci...

Maître Drummond pinça les lèvres.

— Bien compris, messire. Mais si vous pouviez, à l'avenir...

— Oui, si je suis informé plus tôt, tu le seras aussi... (Campbell passa à une autre feuille.) Les délicatesses, à présent... Il faut les servir uniquement aux tables d'honneur, jusqu'à ce que les convives en soient rassasiés. Lors du dernier banquet, le ministre a été très embarrassé, car certains invités de marque en voulaient encore, et il n'y en avait plus. Si tu n'as pas pu te procurer un stock suffisant, laisse les autres tables sur leur faim…

Fitch se souvenait de cet incident. Pour ce soir, le chef de cuisine avait prévu beaucoup plus de testicules de cerf frits. Fitch en avait subtilisé une tranche alors qu'il allait chercher des poêles à laver. Même s'il avait dû la manger sans la sauce aigre-douce, il s'était régalé.

Dalton Campbell posa d'autres questions sur le sel, le beurre et le pain et communiqua à Drummond quelques modifications à apporter au dîner. Pour ne pas donner le sentiment qu'il épiait les deux hommes, Fitch regarda travailler les femmes qui transformaient les estomacs de cochon farci de viande hachée, de fromage, d'œufs et d'épices en hérissons recouverts d'amandes en guise d'épines.

Sur une autre table, deux filles « rhabillaient » des hérons rôtis avec des plumes trempées dans du safran et diverses épices jaunes. Avec leur bec et leurs serres également colorés, les oiseaux ressemblaient à des statues en or si réalistes qu'on s'attendait à les voir bouger.

Quand il en eut fini avec sa liste de questions, Dalton Campbell baissa les bras, sa main libre soutenant celle qui tenait la liasse de documents.

— Tu as quelque chose à me dire, Drummond ? demanda-t-il.

Le chef de cuisine sembla ne pas comprendre à quoi l'assistant faisait allusion.

— Non, messire.

— J'en déduis que tu es content de tous tes collaborateurs, déclara Campbell.

Fitch vit presque tous les regards se tourner vers les deux hommes. L'activité devint soudain un peu moins fébrile, et beaucoup d'oreilles curieuses se tendirent.

Fitch eut l'impression que Dalton Campbell, même s'il tournait autour du pot, avait l'intention d'accuser maître Drummond de mal diriger son équipe en laissant des employés paresser. À l'évidence, le chef de cuisine avait le même sentiment…

— Messire, dit-il, ils travaillent tous bien, parce que je les garde à l'œil. Pas question que des flemmards sabotent le travail ! Il est trop important, aux yeux du ministre, pour que des minables gâchent tout. Croyez-moi, je ne leur en laisse pas la possibilité…

L'assistant parut ravi par ce discours.

— Très bien parlé, Drummond ! Moi aussi, je détesterais qu'il y ait de mauvais éléments dans le personnel. (Campbell fit du regard le tour de la cuisine, où tout le monde s'affairait en silence.) Très bien… Merci, Drummond. Je reviendrai juste avant le service, pour voir si tout se passe bien.

— C'est moi qui vous remercie, messire, dit le chef de cuisine en s'inclinant obséquieusement.

Alors que l'assistant se détournait pour sortir, son regard se posa sur Fitch, qui se fit aussitôt tout petit, comme s'il envisageait de disparaître en s'enfonçant entre deux dalles.

— Drummond, appela Campbell, quel est le nom de ce garçon de cuisine ?

— Fitch, messire.

— Fitch ? Oui, je vois, à présent… Depuis combien de temps travaille-t-il chez nous ?

— Environ quatre ans, messire.

— Si longtemps que ça... (Campbell se retourna pour faire face au chef de cuisine.) Et c'est un tire-au-flanc qui sabote le travail, je suppose ? Un mauvais élément qu'on aurait dû jeter à la rue, mais qu'on garde pour de mystérieuses raisons ? Drummond, tu n'as quand même pas négligé tes responsabilités en te montrant trop clément ? Sais-tu ce que tu risques, si tu as vraiment laissé un parasite vivre aux crochets du ministre ?

Fitch en fut pétrifié de terreur. Avant de le mettre à la porte, allait-on le rouer de coups ? Ou se retrouverait-il « simplement » à la rue, sans un sou en poche et rien à manger ?

Le regard affolé de Drummond ne cessait de voler entre l'assistant et le garçon de cuisine. Comment allait-il se tirer de ce mauvais pas ?

— Messire, il n'y a pas de problème avec Fitch, qui fait largement sa part du travail. Croyez que je m'en assure. Aucun « parasite » ne vit sous le toit du ministre, en tout cas, pas à cause de moi.

Dalton Campbell regarda Fitch avec perplexité, puis ses yeux se rivèrent de nouveau sur le chef de cuisine.

— Alors, s'il t'obéit et ne rechigne pas à la tâche, pourquoi l'humilies-tu en l'appelant « Fichtre » ? Ne crois-tu pas que ça donne, en fin de compte, une mauvaise image de toi ? On juge un chef à ses subordonnés, quand on a un peu d'expérience...

— Eh bien, je...

— Ravi de voir que tu es d'accord avec moi, Drummond. Dans cette maison, à partir d'aujourd'hui, les comportements de ce genre ne seront plus tolérés...

Tous les regards étaient de nouveau braqués sur les deux hommes, et le chef de cuisine ne manqua pas de s'en apercevoir.

— Si vous me permettez, messire... Ma petite plaisanterie n'est pas méchante, et le garçon n'en souffre pas. Fitch, dis à l'assistant que...

L'attitude de Dalton Campbell changea si brusquement que Drummond en eut la chique coupée. De la colère dans ses beaux yeux noirs d'Anderien, l'assistant semblait soudain plus grand, plus large d'épaules et plus musclé sous son pourpoint.

Son ton distant mais courtois de grand fonctionnaire disparu, il parla d'une voix aussi menaçante que l'épée qui pendait à sa hanche.

— Puisqu'il le faut, je vais être plus précis, Drummond. Nous ne voulons pas de ce genre de chose ici ! Et j'entends que tu m'obéisses ! Si je te surprends encore à humilier tes employés en utilisant des surnoms insultants, je te ficherai à la porte, et il nous faudra un nouveau chef de cuisine. Me suis-je bien fait comprendre ?

— C'est très clair, messire... Oui, très clair.

Campbell fit mine de partir, mais il se retourna de nouveau, l'air plus dangereux que jamais.

— Encore une chose... Le ministre Chanboor me donne des ordres, et je les transmets à ceux qu'ils concernent. C'est mon travail. J'ordonne, et les gens comme toi exécutent. Sans discutailler, si tu vois ce que je veux dire...

» Si ce garçon travaille mal, jette-le dehors ! Mais si tu le fais, Drummond, tu auras intérêt à avoir des preuves solides qu'il ne convenait plus, après quatre ans de bons et loyaux services. Et si tu le harcèles à cause de ce qui vient de se passer, je le saurai, n'en doute pas un instant. Dans ce cas, il ne sera plus question de licenciement, parce que je te viderai comme un vulgaire poulet avant de te faire rôtir à la broche ! C'est bien compris ?

Fitch n'avait jamais vu le maître de cuisine écarquiller ainsi les yeux. Le front ruisselant de sueur, il dut déglutir avant de répondre.

— C'est compris, messire Campbell. Il en sera fait selon vos volontés, vous pouvez compter sur moi.

Dalton Campbell sembla revenir à sa taille et à ses proportions habituelles, qui n'étaient déjà pas négligeables. Son visage redevint celui d'un fonctionnaire toujours courtois et souriant, même quand il s'apprêtait à vous enfoncer un couteau entre les omoplates.

— Merci, Drummond. À présent, retourne à ton travail.

Pendant son dialogue avec le chef de cuisine, Dalton Campbell n'avait plus posé les yeux sur Fitch, et il ne lui accorda pas un regard avant de quitter la cuisine.

Comme Drummond et une bonne moitié des employés, Fitch relâcha son souffle.

Puis il repensa à la scène qui venait de se dérouler et comprit à retardement ce qu'elle signifiait. Maître Drummond ne l'appellerait plus jamais « Fichtre » !

Maître Drummond tira le chiffon blanc de sa ceinture et s'épongea le front. Puis il remarqua que tout le monde le regardait.

— Au travail ! cria-t-il en remettant le chiffon à sa place. Fitch, approche !

Un ordre lancé sur le ton qu'il employait avec toute son équipe. Ni plus, ni moins…

— Oui, maître ?

— Il nous faut encore du chêne. Moins que la dernière fois. En fait, la moitié devrait suffire. Dépêche-toi d'aller en chercher !

— Bien, maître !

Fitch courut vers la porte, pressé d'accomplir sa mission – et tant pis pour les échardes qu'il récolterait !

Il n'entendrait plus jamais le surnom qui lui avait empoisonné la vie. Les autres ne se moqueraient plus de lui à tout bout de champ. Tout ça grâce à Dalton Campbell !

À cet instant, le jeune Haken aurait porté du charbon incandescent à mains nues, si l'assistant le lui avait demandé.

Chapitre 17

Après avoir ouvert le bouton du haut de son pourpoint, Dalton Campbell referma la lourde porte en acajou de ses appartements privés. Un instant, il savoura la tranquillité des lieux. La journée avait été longue, et elle n'était pas près de se terminer. Il restait le banquet, qui durerait jusqu'aux petites heures de la nuit...

— Teresa, appela-t-il en entrant dans le salon, c'est moi ! Je te rejoins dans la chambre dans une minute.

Dalton aurait aimé ne plus avoir à sortir et pouvoir faire l'amour avec sa femme. Il fallait qu'il se débarrasse de sa tension. Plus tard, peut-être, si ses obligations – ou ses affaires – ne l'en empêchaient pas...

Il défit un autre bouton, écarta son col et bâilla. Une douce odeur de lilas vint lui caresser les narines. Dans la suite aux fenêtres voilées par de délicates tentures, des lampes en cristal taillé et des bougies parfumées diffusaient une lumière apaisante. Un petit feu crépitait dans la cheminée, davantage pour égayer l'atmosphère que pour la réchauffer.

Dalton remarqua que le tapis violet aux franges couleur de blé mur avait été récemment brossé. Autour des tables élégantes où trônaient de superbes compositions florales, les chaises aux pieds dorés à l'or fin étaient disposées pour inciter les invités à s'y asseoir – oui, aucune ne « tournait le dos » comme si elle boudait ! Sur les sofas, les coussins artistiquement arrangés ajoutaient à l'impression d'intimité et de luxe.

Dalton avait chargé sa femme de superviser les domestiques. À tout moment, leurs appartements devaient être prêts à accueillir des invités, qu'ils viennent pour parler de travail ou se distraire. Car les affaires et le plaisir, même s'ils procédaient d'une approche différente, étaient les deux faces d'une seule pièce. Teresa savait que son mari, après le banquet, ramènerait sans doute chez eux une personne très importante. Un haut dignitaire, un noble, voire un anonyme placé au bon endroit pour ouvrir grand ses yeux et ses oreilles...

Pour Dalton Campbell, tous ceux qui l'aidaient à tisser sa toile étaient « importants ». Car chaque fil, même le plus fin, renforçait la solidité de l'ensemble.

Avec leur joyeuse confusion et leurs flots de conversations et de vin, les banquets étaient l'endroit idéal où forger de nouvelles alliances et consolider les anciennes. Bref, une occasion de continuer à tisser sa toile…

Teresa passa la tête par la porte de la chambre et sourit à son mari.

— Et voilà mon adoré ! s'exclama-t-elle.

Malgré la fatigue qui lui était tombée dessus dès qu'il avait refermé la porte, s'isolant pour un moment des tracas de la journée, Dalton, totalement subjugué, rendit son sourire à sa superbe épouse aux grands yeux noirs pétillants de vie.

— Teresa, ma chérie, ta coiffure est magnifique !

Ornés sur le dessus d'un peigne en or, les cheveux de la jeune femme étaient artistiquement tressés avec une multitude de rubans pailletés d'or qui les faisaient paraître encore plus longs. Dès qu'elle bougeait la tête, les franges de ce voile naturel s'écartaient pour révéler son cou gracieux et la naissance de ses épaules.

Avec ses vingt-cinq ans tout juste passés, Teresa était plus jeune que son mari de près d'une décennie. Son éblouissante beauté, incomparable aux yeux de Dalton, n'avait d'égale que son acharnement à atteindre ses objectifs. Six mois plus tôt – aujourd'hui encore, il avait du mal à y croire – elle était devenue sa femme. Beaucoup d'autres prétendants avaient tenté leur chance. Mais si certains pouvaient se targuer d'un statut supérieur à celui de Campbell, aucun n'avait eu plus d'ambition que lui…

Dalton n'était pas un homme à prendre à la légère. Presque tous ceux qui l'avaient sous-estimé s'étaient un jour ravisés, très souvent pour sauver leur peau. Et les autres avaient tôt ou tard fini par regretter leur erreur.

Un an plus tôt, quand il lui avait demandé sa main, Teresa l'avait surpris en répliquant par une question posée du ton charmant qui dissimulait si bien sa volonté de fer. Était-il vraiment décidé à atteindre le sommet de la hiérarchie, comme elle ? Car elle avait bien l'intention de s'élever, et aucune barre ne lui semblait être placée trop haut…

En ce temps-là, Dalton était le bras droit du juge suprême de Fairfield. Un poste important qu'il tenait pour un tremplin et rien de plus. Un moyen de nouer des contacts utiles et d'étendre son réseau d'influence…

Refusant d'entrer dans le jeu de Teresa – qui faisait mine de le taquiner, mais tentait en réalité de le jauger – il lui avait assuré, avec une remarquable sobriété, qu'il en était au début de son ascension. Aucun homme qu'elle fréquentait, si puissant fût-il aujourd'hui, n'avait une chance de le rejoindre sur les sommets d'où il contemplerait bientôt le monde.

Surprise par cette déclaration, Teresa avait cessé de sourire et de minauder. Sous le charme de sa conviction et de l'authenticité presque palpable de sa détermination, elle avait accepté de l'épouser.

Et elle ne l'avait jamais regretté. Avant leur union, célébrée six mois plus tard, Dalton avait déjà accédé à un poste plus important. Les premiers temps de leur mariage, ils avaient déménagé trois fois, toujours pour de plus belles résidences, à cause de nouvelles promotions.

Tous ceux qui connaissaient Dalton – de réputation, ou parce qu'ils avaient affaire au gouvernement – appréciaient sa connaissance approfondie des lois du royaume. Dalton Campbell était un expert reconnu et admiré de la complexe juridiction anderienne. N'ignorant rien de ses solides fondations, aussi résistantes que celles d'une forteresse, il comprenait en profondeur sa sagesse parfois déconcertante – étayée par une multitude de précédents – et savait à quel point l'épaisseur de ses « murs » pouvait fournir une protection à qui en avait besoin d'urgence.

Les hommes pour qui il travaillait se félicitaient de son savoir encyclopédique. Et plus encore de son aptitude à emprunter, dès que c'était utile, les passages secrets, les tunnels et les ouvertures obscures si pratiques pour éviter certaines réalités gênantes ou échapper à des pièges apparemment inextricables. Car Dalton savait contourner la loi de toutes les façons possibles. Et quand ça ne suffisait pas, il n'hésitait jamais à la jeter aux orties pour trouver une solution qu'aucun texte ne prévoyait. À ces moments-là, et cela faisait peut-être sa valeur, il se montrait aussi imaginatif et efficace que dans sa pratique plus « traditionnelle ».

À chaque promotion, Teresa s'était adaptée en un clin d'œil à sa nouvelle position, immanquablement synonyme de plus d'opulence et de pouvoir. Jouant à merveille son nouveau rôle de maîtresse de maison – voire de palais – elle dirigeait les domestiques avec l'aplomb et la fermeté d'une personne qui aurait passé sa vie à le faire.

Quelques semaines plus tôt, Dalton avait été nommé premier assistant du ministre Chanboor. Heureuse de devenir une grande dame qui n'aurait plus rien à envier à l'élite féminine de la nation, Teresa avait sauté de joie en apprenant qu'ils résideraient désormais au palais du ministère de la Civilisation.

Le jour où il lui avait appris la nouvelle, elle s'était jetée sur Dalton, lui arrachant ses vêtements dans sa hâte de faire l'amour. Mais en réalité, elle ne s'était jamais attendue à moins que cela…

Car elle était – au minimum – aussi ambitieuse que son mari.

— Dalton, me diras-tu enfin quels dignitaires sont invités, ce soir ? Je ne peux plus supporter cette attente !

Campbell s'étira et bâilla de nouveau. Sa fascinante épouse, il le savait, avait aussi une toile à tisser.

— Un régiment de vieux barbons ennuyeux…, répondit-il.

— Le ministre sera là ?

— Bien entendu.

— Alors, que me chantes-tu là ? Il est tout sauf ennuyeux ! Tu sais, j'ai rencontré quelques-unes des femmes qui vivent au domaine. Une kyrielle de grandes dames, comme je l'espérais. Et toutes mariées à des hommes très puissants !

Teresa se passa la pointe de la langue sur la lèvre supérieure – une des délicieuses provocations dont elle avait le secret.

— Mais pas aussi puissants que mon mari…

— Tess, ma chérie, dit Dalton avec un petit sourire, tu pourrais donner des envies de puissance à un cadavre.

Teresa fit un clin d'œil à son mari, recula et disparut de sa vue.

— Il y avait plusieurs messages glissés sous la porte, lança-t-elle de la chambre. Ils sont dans le secrétaire…

Dans un coin du salon, le superbe meuble brillait comme une gemme noire. Chaque panneau en bois d'orme poli de son placage était encadré d'une frise composée de petits morceaux d'érable – brut et verni en alternance – taillés en forme de diamant. Au centre des « diamants » noirs, un petit clou d'or reflétait la lumière des flammes. Contrairement à ceux des autres meubles de la suite, les pieds de celui-là n'étaient pas dorés à l'or fin, mais simplement lustrés – avec un tel soin qu'on aurait pu se regarder dedans.

Derrière un des tiroirs du haut, dans un compartiment secret, Dalton trouva une petite pile de messages scellés. Il les ouvrit, les parcourut puis les classa par ordre d'importance. Certains étaient intéressants, mais il n'y avait rien d'urgent. Leur but principal restait de transmettre des informations – ou, en d'autres termes, les infimes vibrations répercutées par tous les fils de sa toile d'araignée.

Dalton lut un rapport sur une noyade apparemment accidentelle survenue dans une fontaine publique tenue pour une des curiosités de Fairfield. L'événement s'était produit en début d'après-midi, alors que des centaines de gens se promenaient sur la place des Martyrs. En plein jour, personne ne s'était aperçu de rien avant qu'il soit trop tard ! Ayant reçu récemment d'autres comptes rendus de décès inexplicables, Dalton n'eut aucun mal à saisir le sens caché du message : il fallait se méfier, parce qu'une vengeance était peut-être en cours. En recourant à la magie, des tueurs maquillaient en accident des exécutions pures et simples...

Campbell s'intéressa à un autre rapport, qui parlait d'une « dame perturbée » dont l'agitation pouvait devenir gênante. Le jour même, elle avait demandé par lettre une audience privée à un directeur – pendant le banquet ! – en insistant pour qu'il n'en parle à personne. Connaissant la dame en question, Dalton devina sans peine l'identité du destinataire de la lettre : le directeur Linscott. Par bonheur, ses informateurs n'étaient pas assez stupides pour coucher des noms sur le papier...

Il avait sa petite idée sur les motifs de l'« agitation » de la femme. Mais cette histoire d'audience privée l'ennuyait. Par un malheureux hasard, précisait le message, la missive de la dame s'était égarée et n'arriverait jamais entre les mains du directeur.

Dalton rangea de nouveau les rapports dans le compartiment secret, puis il remit en place le tiroir. Il devrait faire quelque chose au sujet de cette femme, même s'il ignorait quoi, pour le moment.

La précipitation était souvent aussi dangereuse que l'immobilisme. Au fond, il lui suffirait peut-être d'accorder un entretien à la dame et de l'écouter exprimer son ressentiment, comme l'aurait fait Linscott. Après tout, le premier assistant du ministre était là pour écouter les doléances des uns et des autres...

Bientôt, un de ses contacts, il n'en doutait pas, lui fournirait l'information qui lui manquait pour prendre une décision. Sinon, tenir un discours rassurant à la dame la calmerait sans doute assez longtemps pour qu'il puisse arrêter un plan d'action.

Bien qu'il fût en poste depuis peu de temps, Dalton s'était déjà familiarisé avec tous les aspects de la vie du domaine. Devenu un collègue utile pour certains hommes, un confident pour d'autres – et un bouclier pour quelques heureux élus – il avait encore rallongé sa liste de contacts. Car le but du jeu, quelle que soit la méthode employée, était de se gagner de nouveaux alliés. Avec l'aide des personnes très douées qui lui prêtaient leur concours, sa toile d'araignée, en continuelle expansion, vibrait aussi harmonieusement qu'une harpe.

Mais son objectif principal, depuis le premier jour, était de devenir indispensable aux yeux du ministre. Dès sa deuxième semaine au palais, un des directeurs du bureau de l'Harmonie culturelle avait envoyé un « chercheur » – quel joli nom pour un espion ! – consulter certains ouvrages dans la bibliothèque du domaine. Bien entendu, Bertrand Chanboor n'avait pas apprécié. À vrai dire, comme souvent face aux nouvelles désagréables, même mineures, il avait explosé de rage.

Deux jours après l'arrivée du chercheur, Dalton était allé informer le ministre qu'on venait d'arrêter le type, ivre mort, dans le lit d'une prostituée de Fairfield. Évidemment, l'ivrognerie et la luxure n'étaient pas des crimes, même si certains directeurs les regardaient d'un très mauvais œil. Mais on avait trouvé, dans la poche du manteau de l'homme, un livre extraordinairement rare et précieux.

Circonstance aggravante, ce volume portait la signature de Joseph Ander en personne. La disparition de ce trésor irremplaçable avait d'ailleurs été signalée le soir où l'« érudit » de l'Harmonie était parti faire la tournée des grands-ducs.

Sur l'ordre de Campbell, le bureau des directeurs avait été informé du vol probable des heures avant l'arrestation du coupable. Dans son rapport, Dalton assurait les directeurs qu'il ne connaîtrait pas le repos avant d'avoir résolu cette affaire. Il les informait aussi de son intention d'ouvrir une enquête publique pour découvrir si ce crime contre la civilisation était le signe précurseur d'un vaste complot. Le silence des directeurs, à cette occasion, avait été assourdissant.

Le juge suprême de Fairfield – et ancien supérieur de Dalton – était un grand admirateur du ministre Chanboor. Toujours pressé de lui plaire, il fit grand cas de cette affaire et reconnut le vol pour ce qu'il était vraiment : un acte de sédition. En conséquence, le chercheur avait été promptement mis à mort, car on ne plaisantait pas, en Anderith, avec les atteintes au patrimoine culturel du peuple.

Loin de mettre un terme au scandale, l'exécution avait servi de terreau à une foule de rumeurs. La plus intéressante évoquait les aveux du coupable, passés juste avant qu'il soit confié aux bons soins du bourreau. Une ultime confession, murmurait-on, où il avait livré les noms de ses complices.

Pour ne pas être associé à un crime contre la civilisation, le directeur dont dépendait le « chercheur » avait donné sa démission. Ayant suivi l'affaire dès le premier jour, Dalton fut également chargé de la conclure. Après avoir accepté « à contrecœur » la démission du directeur, il avait rendu public un communiqué qui niait l'existence des aveux du chercheur. Un point final dont il avait été très fier…

Par le plus grand des hasards, un vieil ami de Campbell avait hérité du poste soudainement vacant, qu'il lorgnait en vain depuis des décennies. Premier à l'en féliciter, Dalton s'était réjoui de le savoir aussi joyeux… et plein de reconnaissance. À ses yeux, il n'y avait rien de plus beau que de voir un homme méritant recevoir enfin son dû. Surtout quand il s'agissait d'une personne qu'il appréciait et qui ne trahirait jamais sa confiance.

Après cette affaire, le ministre avait décidé d'avoir avec son assistant une relation professionnelle encore plus étroite. Désireux de lui laisser autant de latitude que possible, il l'avait également nommé chef du personnel du domaine. Désormais, Dalton n'avait plus de compte à rendre à personne, à part Bertrand Chanboor. Cette promotion avait bien entendu impliqué un déménagement dans la plus belle suite du palais, après celle du ministre.

Dalton soupçonnait que Teresa en avait été encore plus contente que lui – si c'était possible. Leurs nouveaux appartements, symboles d'une autorité presque suprême, lui plaisaient beaucoup, et elle adorait frayer avec les membres les plus éminents du ministère de la Civilisation. Sans parler des foules de visiteurs, tous plus importants les uns que les autres, qui prenaient chaque jour d'assaut le domaine.

Ces dignitaires, comme les officiels du palais, la traitaient avec la déférence due à l'épouse du bras droit de Chanboor. Comme son mari, elle était de bonne naissance, mais ne détenait pas de titre de noblesse. Voir toute l'aristocratie du pays la flatter lui ravissait l'âme…

Campbell, lui, ne s'était jamais soucié de ces affaires de lignée. Tout cela, en réalité, comptait moins qu'on le pensait, car les véritables loyautés, quelle que fût la façon dont on se les attirait, étaient bien plus utiles, dans la vie politique, qu'un arbre généalogique brillant…

Quand il entendit Teresa s'éclaircir la gorge dans son dos, Dalton se retourna et découvrit qu'elle se tenait sur le seuil de la chambre. Le menton fièrement levé, elle avança, plus gracieuse que jamais, afin qu'il admire sa nouvelle robe.

Dalton en eut le souffle coupé. Ce soir, sans nul doute, il ne serait pas le seul à avoir cette réaction.

Le tissu noir orné de motifs floraux brodés en fil d'or brillait presque irréellement à la lueur du petit feu de cheminée. Également rehaussées de fil d'or, les manches et les coutures de la robe attiraient l'attention sur la taille de guêpe et les courbes voluptueuses de Teresa. Comme un champ de blé qui épouse toutes les ondulations d'une plaine vallonnée, la soie noire, en se déversant majestueusement jusqu'au sol, révélait le galbe enchanteur des jambes et des chevilles de la jeune femme.

Mais tout cela n'était rien, comparé au décolleté, auquel l'adjectif « vertigineux » n'eût pas suffi à rendre hommage ! Voir les seins somptueux de son épouse ainsi révélés emplit Campbell d'un mélange d'excitation et d'embarras.

Teresa tourna sur elle-même pour donner du piquant à son exhibition. N'y tenant plus, Dalton traversa le salon et la prit dans ses bras au terme de sa pirouette.

Teresa eut un petit rire de gorge, comme si elle adorait être ainsi prisonnière de son seigneur et maître. Mais quand il se pencha pour l'embrasser, elle le repoussa sans trop de douceur.

— Attention ! J'ai passé des heures à me maquiller ! Ne va pas tout gâcher !

Dalton l'embrassa quand même, lui arrachant un gémissement de plaisir étouffé. Elle semblait ravie de faire un tel effet à son mari, qui n'en paraissait pas mécontent non plus.

Puis elle se dégagea, leva une main et tira sur les rubans d'or attachés à ses cheveux.

— Mon chéri, tu crois qu'ils ont poussé ? demanda-t-elle d'un ton accablé. Attendre qu'ils veuillent bien s'allonger est une torture !

Avec ses nouvelles fonctions, et le déménagement dans la superbe suite, Dalton Campbell était devenu un authentique homme de pouvoir. Sur la longue liste de ses privilèges figurait le droit pour sa femme de porter des cheveux beaucoup plus longs.

Les autres épouses du domaine laissaient les leurs cascader jusqu'à leurs épaules. Il en serait de même pour Teresa, n'était qu'ils descendaient un peu plus bas encore. Et bientôt, aucune femme, en Anderith, voire dans toutes les Contrées du Milieu, n'en aurait de plus longs. Car elle était unie à un homme dont l'ascension ne faisait que commencer.

Cette idée remplit Dalton d'une joie qui n'avait rien d'enfantine. Cela lui arrivait souvent, ces derniers temps, quand il pensait au chemin qu'il avait parcouru. Et pourtant, si incroyable que cela paraisse, il s'agissait effectivement d'un début. Il avait déjà des plans pour aller plus loin – et toute l'attention d'un homme qui appréciait les esprits imaginatifs.

Entre autres choses… Mais il se faisait fort de contrôler ces dérives sans conséquences. Le ministre tirait parti de sa position, et nul n'aurait pu l'en blâmer.

— Tess, tes cheveux poussent très vite, ne t'inquiète pas. Si une femme te regarde de haut parce que les siens sont plus longs, grave son nom dans ta mémoire pour l'humilier en retour quand la situation sera inversée.

Teresa se hissa sur la pointe des pieds, jeta les bras autour du cou de son mari et soupira de bonheur.

Les mains nouées dans le dos de Dalton, elle leva vers lui un regard faussement timide.

— Tu aimes ma robe ? minauda-t-elle.

Histoire de souligner le sérieux de sa question, elle se serra contre lui, le regarda dans les yeux et ne détourna pas pudiquement la tête quand ils plongèrent dans son fabuleux décolleté.

En guise de réponse, Dalton glissa une main sous la robe, la fit remonter lentement le long de ses cuisses, atteignit la chair nue, au-dessus des bas noirs, et recouvrit d'une paume possessive la partie la plus intime du corps de sa femme.

Joueuse, Teresa lâcha un cri d'indignation parfaitement imité.

Dalton l'embrassa de nouveau. L'amener au banquet de ce soir ne l'intéressait plus le moins du monde. La pousser jusqu'au lit lui suffirait amplement.

Hélas, elle se dégagea avec la souplesse et la vivacité d'une anguille.

— Mon maquillage, Dalton ! Et ma robe ! Tout le monde verra qu'elle est froissée !

— Personne ne s'intéressera à ta robe, ma chérie. Seulement à ce qu'elle révèle ! Tout bien réfléchi, je t'interdis de porter cette… hum… tenue ailleurs qu'ici, pour attendre le retour de ton mari.

— Dalton, ne dis pas des choses pareilles, même pour plaisanter !

— Je ne plaisante pas… (Campbell sonda une nouvelle fois le faramineux décolleté.) Teresa, cette robe est… trop révélatrice, pour ne pas dire plus.

— Dalton, ne fais pas l'enfant ! (Boudeuse, Teresa se détourna.) De nos jours, toutes les grandes dames s'habillent comme ça. (Elle fit volte-face et eut un sourire aguichant.) Ne me dis pas que tu es jaloux ? Tu n'aimes pas que d'autres hommes admirent ton épouse ?

Teresa était la seule chose que Dalton eût jamais désirée plus que le pouvoir. Et l'unique bien qu'il n'était pas prêt à céder, ni même à partager, pour arriver à ses fins. Le domaine grouillait d'hommes admirés et enviés parce qu'ils avaient su entrer dans les bonnes grâces du ministre à cause de l'extrême… disponibilité… de leur épouse. Campbell n'était pas de ce bois pourri-là. Pour arriver où il était, il avait compté sur son talent et son intelligence, pas sur le corps de sa femme. Et cela aussi lui conférait un avantage sur les autres.

Son excitation évaporée, il reprit la parole d'un ton dur.

— Et comment sauront-ils que tu es ma femme, puisqu'ils ne regarderont jamais ton visage ?

— Dalton, arrête ! Ton insistance frise la muflerie ! Toutes les dames porteront ce genre de robe. C'est la mode, figure-toi ! Ton nouveau poste t'occupe tellement que tu ne vois plus ce qui se passe autour de toi. Moi, je n'ai pas d'œillères.

» Que tu le croies ou non, cette tenue est pudique, comparée à ce que tu verras ce soir. Te connaissant, je n'aurais jamais choisi une robe aussi provocante que celles des autres femmes. Mais je ne veux pas non plus passer pour une provinciale. En me voyant, les gens ne penseront rien de spécial, sinon peut-être que l'épouse du bras droit de Chanboor est un peu prude.

« Prude » ! Aucun être sensé ne pouvait se faire une telle réflexion. En revanche, il semblerait évident que la femme de l'assistant était ouverte à toutes les propositions…

— Teresa, tu peux en mettre une autre. Par exemple, la rouge avec le col en « v ». Ce décolleté-là sera… eh bien… largement suffisant. On ne risque pas de te trouver prude.

Teresa se détourna et croisa les bras, sincèrement fâchée.

— J'imagine que tu seras heureux de me voir dans une tenue toute simple, et tant pis si les autres femmes murmurent dans mon dos que je m'habille comme l'épouse d'un vulgaire sous-secrétaire. La robe rouge date de l'époque où tu n'étais personne ! Moi qui pensais te faire plaisir en montrant à tous que ta femme n'avait rien à envier aux autres en matière d'élégance. Mais c'est fichu ! À partir de ce soir, je serai cataloguée, et plus personne ne m'adressera la parole. « L'épouse pudibonde de l'assistant du ministre », voilà comment on parlera de moi. Je n'aurai plus la moindre chance de me faire des amies.

Dalton prit une grande inspiration et la relâcha lentement.

— Tess, tu es sûre que toutes les femmes seront habillées comme ça ?

Teresa se retourna et lui sourit comme une petite fille. Exactement la réaction qu'avait eue la jeune Hakenne, aux cuisines, quand il était venu lui transmettre l'« invitation » du ministre…

— Bien entendu, que j'en suis sûre ! Mais comme je suis moins audacieuse qu'elles, ma robe n'en montre pas autant que les leurs. Dalton, tu seras si fier de moi ! Je veux être une épouse parfaite pour l'assistant du ministre ! Parce que moi aussi, je suis fière de toi ! Et de toi seul, mon chéri !

» Un homme aussi important que toi a besoin d'une femme parfaite. Quand tu n'es pas là, je te défends comme une tigresse. Si tu savais comment sont les femmes ! Mesquines, jalouses, ambitieuses, comploteuses, déloyales, infidèles… Il suffit qu'elles soufflent une vilenie à leur mari pour qu'elle se retrouve sur toutes les lèvres. Si on disait du mal de toi, sache que j'interviendrais, et que personne n'oserait en faire des gorges chaudes.

Dalton ne trouva rien à objecter. Il savait pertinemment que les épouses étaient pour leurs maris d'intarissables sources d'informations et de potins cruels.

— J'espère bien...

— Tu dis toujours que nous sommes des partenaires. Ne sais-tu pas à quel point je te protège ? N'as-tu pas remarqué mes efforts pour que tu te sentes bien partout où nous habitons ? Crois-tu que je mettrais en danger ce que tu as tant combattu pour obtenir ? Avant notre mariage, tu as juré de m'amener dans le grand monde, où je serais l'égale de toutes les autres femmes.

» Tu as tenu ta promesse, Dalton. Je n'en ai jamais douté, et c'est pour ça que j'ai accepté de t'épouser. Même si je t'ai toujours aimé, je n'aurais pas lié mon destin au tien si je n'avais pas cru en ton avenir. Nous sommes tout l'un pour l'autre, mon chéri. T'ai-je jamais fait honte chaque fois que tu gravissais un nouvel échelon ?

— Non, Tess. Jamais...

— Et tu crois que je commencerais ici ? Alors que tu es sur le seuil de la véritable grandeur ?

Teresa était la seule personne au monde à qui Dalton avait confié *toutes* ses ambitions et révélé *tous* ses plans. Elle savait où il voulait aller, et ne s'était jamais moquée de lui. Parce qu'elle le croyait capable de tout.

— Tess, je sais que tu ne saboteras pas mes efforts. (Dalton eut un soupir résigné.) Mets cette robe, si tu penses que c'est bien. Je me fie à ton jugement.

Le débat terminé, Teresa poussa son mari vers la pièce attenante à la chambre.

— Va te changer, à présent ! Tu seras le plus beau, ce soir, j'en suis sûre. Si quelqu'un doit être jaloux, c'est moi ! Toutes les femmes crèveront d'envie parce que je serai au bras de l'homme le plus séduisant de la soirée. Et c'est à toi, mon chéri, qu'elles feront de l'œil !

Dalton se retourna, prit sa femme par les épaules et attendit qu'elle lève les yeux vers lui.

— Reste loin de l'invité d'honneur de Bertrand, un homme appelé Stein. Surtout, ne va pas parader devant lui dans ta nouvelle robe ! Compris ?

— D'accord, mais comment le reconnaîtrai-je ?

— C'est facile : il porte une cape composée de scalps humains.

Dalton lâcha les épaules de sa femme.

— Vraiment ? C'est affreux... C'est l'émissaire dont tu m'as parlé ? Celui qui vient de l'Ancien Monde pour négocier notre future allégeance ?

— Oui. Évite-le comme la peste.

Teresa battit des paupières, encore bouleversée par cette étonnante nouvelle.

— Intéressant... Je doute que quelqu'un, ici, ait déjà rencontré un étranger aussi... particulier. Ce doit être un homme très important.

— Il l'est, et nous devrons parler de politique avec lui. Je détesterais devoir le tailler en pièces parce qu'il a tenté de t'entraîner dans son lit. De plus, ce serait une perte de temps, car il faudrait attendre que l'empereur nous envoie un autre émissaire.

Ce n'était pas des menaces en l'air, et Teresa le savait. Avec une épée, Dalton pouvait décapiter une mouche sur une pêche sans faire frémir le duvet du fruit.

— Il ne s'en prendra pas à moi, ne t'en fais pas, et il ne dormira pas seul ce soir non plus. Je connais des femmes qui se battront pour partager la couche d'un aussi féroce barbare. Des scalps humains… (Teresa secoua la tête comme si elle ne parvenait pas à y croire.) Celle qui couchera avec lui sera invitée pendant des mois à tous les thés des grandes dames…

— En compagnie d'une jeune Hakenne qui confirmera qu'il s'agit d'une expérience inoubliable ? siffla Dalton.

— Une Hakenne ? Que racontes-tu là ? Ces pauvres filles ne comptent pas aux yeux des femmes dont je parle. Mais revenons-en aux choses sérieuses… Si j'ai bien compris, aucune décision n'a été prise. Nous ne savons toujours pas si Anderith restera avec les Contrées du Milieu ou rejoindra l'empereur Jagang ?

— Exact, ce n'est toujours pas décidé… Les directeurs sont divisés. Stein est là pour plaider la cause de l'Ancien Monde.

Teresa se hissa de nouveau sur la pointe des pieds pour poser un baiser sur la joue de son mari.

— Je me tiendrai loin de lui, pendant que tu aideras à déterminer le destin d'Anderith. Bien entendu, je surveillerai tes arrières, comme d'habitude, et j'ouvrirai grand les yeux et les oreilles… (Teresa fit mine de retourner dans la chambre, mais elle se ravisa.) Dalton, si Stein est là pour parler au nom de l'empereur, ça veut dire que… le pontife sera présent ce soir, n'est-ce pas ? Il participera au banquet ?

Dalton prit tendrement le menton de son épouse.

— Une femme intelligente est le meilleur allié qu'un homme puisse avoir…

Souriant, il laissa Teresa le tirer vers le dressing.

— Je l'ai toujours vu de loin… Dalton, quel homme merveilleux tu es ! Grâce à toi, je serai assise ce soir à quelques pas du pontife ! C'est incroyable !

— N'oublie surtout pas ce que je t'ai dit, et reste loin de Stein, sauf quand je suis avec toi. Puisque nous y sommes, cette recommandation vaut pour Bertrand, même si je doute qu'il oserait s'en prendre à mon épouse. Si ta prestation est bonne, je te présenterai au pontife.

Teresa en resta muette de saisissement… mais pas longtemps.

— Quand nous irons nous coucher, ce soir, tu verras à quel point mes « prestations » sont bonnes ! J'espère que les esprits me donneront la force d'attendre aussi longtemps pour te prouver mes qualités… Le pontife ! Dalton, tu es vraiment formidable !

Assise à sa coiffeuse, Teresa s'examinait dans le miroir pour déterminer l'étendue des dégâts consécutifs aux baisers de son mari.

Dans son dos, Dalton ouvrit la grande armoire.

— Alors, Tess, quels commérages as-tu entendus ?

Il passa en revue ses chemises, en quête de celle dont le col lui plaisait le plus. Pour être assorti à sa femme, qui portait du noir et de l'or, il modifia ses plans et décida de mettre sa veste rouge. Un excellent choix, de toute façon, pour avoir l'air suprêmement sûr de lui.

Tout en se repoudrant, Teresa lui raconta les derniers potins qui circulaient dans le palais. N'en trouvant aucun digne d'intérêt, Dalton cessa très vite d'écouter et pensa aux problèmes urgents qu'il lui restait à régler. Certains directeurs demandaient encore à être convaincus, et manipuler Bertrand Chanboor exigerait beaucoup de doigté…

Le ministre était un homme intelligent dont il comprenait en profondeur les motivations. Si Chanboor avait des ambitions comparables aux siennes, ils ne visaient pas tout à fait la même cible. Car Bertrand voulait tout, d'une jeune Hakenne qu'il remarquait dans la cour au trône du pontife. Et si Dalton avait son mot à dire – ce qui était le cas – le ministre obtiendrait tout ce qu'il désirait.

Campbell, lui, aurait le pouvoir et l'autorité qu'il convoitait. Le trône du pontife ne l'intéressait pas. Devenir ministre de la Civilisation suffirait...

En Anderith, le vrai pouvoir était entre les mains de ce ministre, qui promulguait la plupart des lois et nommait les magistrats chargés de les faire respecter. De son poste, il avait une influence sur toutes les affaires du pays et quasiment sur chacun de ses habitants. Il régnait sur le commerce, les arts et les institutions. Bref, c'était lui qui « faisait l'opinion », d'autant plus qu'il avait la haute main sur l'armée et supervisait tous les grands projets publics. Enfin, il détenait aussi l'autorité en matière de religion. Le nouveau pontife, lui, passerait son temps à présider des cérémonies pompeuses, à baiser la main de femmes en robe du soir couvertes de bijoux, à s'empiffrer à des tables de banquet et à se demander quelle pouliche partagerait son lit.

Dalton se contenterait parfaitement du poste de ministre de la Civilisation. Surtout si le pontife était englué dans sa toile...

— J'ai fait cirer tes plus belles bottes, annonça Teresa.

Elle désigna le bas de l'armoire, et Dalton se pencha pour retrouver les chaussures.

— Mon chéri, quelles nouvelles avons-nous d'Aydindril ? Tu dis que Stein parlera au nom de l'Ancien Monde et de l'Ordre Impérial. Mais qu'en est-il d'Aydindril ? Que nous disent les Contrées du Milieu ?

Aydindril... Si quelque chose pouvait saboter les plans de Campbell, c'étaient bien les événements en cours dans cette cité.

— Les ambassadeurs qui en reviennent racontent que la Mère Inquisitrice a remis son destin et celui des Contrées entre les mains du seigneur Rahl, le maître de l'empire d'haran. En plus de ça, elle a décidé d'épouser cet homme ! D'ailleurs, leur union doit déjà avoir été célébrée...

— La Mère Inquisitrice, mariée ? (Teresa se concentra de nouveau sur son reflet, dans le miroir.) Tu imagines la fête que ça a dû être ? De quoi ridiculiser les plus belles cérémonies d'Anderith. (Elle marqua une courte pause.) Quand une Inquisitrice choisit un compagnon, son pouvoir le prive de toute personnalité. Le seigneur Rahl n'est sûrement plus qu'une marionnette dont elle tire les ficelles.

Dalton secoua la tête.

— Non, parce qu'il a le don, ce qui semble l'immuniser contre la magie des Inquisitrices... Épouser ce Rahl-là est une manœuvre très intelligente. La Mère Inquisitrice est rusée, pleine de détermination et experte en tactique. L'alliance entre D'Hara et les Contrées a donné naissance à un empire redoutable avec lequel il faut compter. La décision ne sera pas facile...

Selon les ambassadeurs, le seigneur Rahl semblait être un homme intègre, sincère et résolu à défendre la tranquillité et la liberté de ceux qui se joignaient à lui.

Cela dit, il exigeait de tous les pays une reddition immédiate et sans conditions. On se pliait aux règles de l'empire d'haran, ou on devenait son ennemi...

Les hommes qui raisonnaient ainsi n'étaient pas fiables. Avec eux, les problèmes n'avaient jamais de fin…

Dalton prit une chemise et la brandit pour la montrer à Teresa, qui approuva d'un hochement de tête.

— Stein va nous transmettre l'offre de l'empereur Jagang, qui nous propose une place dans le nouvel ordre mondial qu'il a l'intention d'instaurer, dit-il en enfilant la chemise impeccablement lavée et repassée. Nous l'écouterons, c'est la moindre des politesses…

Si Stein était représentatif de son camp, l'Ordre Impérial avait une fine compréhension des subtiles réalités du pouvoir. À l'inverse des émissaires d'Aydindril, celui de l'Ancien Monde entendait négocier les points importants avec Dalton et Chanboor, pas avec le pontife…

— Et les directeurs ? demanda Teresa. Qu'en pensent-ils ?

Dalton grogna de mépris.

— Les directeurs attachés aux anciennes coutumes et à la prétendue liberté des peuples des Contrées sont de moins en moins nombreux. Et de plus en plus isolés, parce que les gens en ont assez de leurs sermons ennuyeux et de leur archaïsme.

Teresa posa sa brosse et fronça les sourcils.

— Dalton, tu crois qu'il y aura une guerre ? Et dans ce cas, dans quel camp combattrons-nous ? Car nous serons obligés de nous impliquer, n'est-ce pas ?

Campbell posa une main rassurante sur l'épaule de sa femme.

— La guerre sera longue et sanglante… Je n'ai aucune envie qu'Anderith s'en mêle. Et je ferai tout ce qu'il faut pour que ça n'arrive pas.

L'essentiel restait de déterminer quel camp serait le plus fort. Car se rallier à des perdants potentiels n'avait aucun sens.

— S'il le faut, nous aurons recours aux Dominie Dirtch. Aucune armée, même celle de Rahl ou de Jagang, ne peut leur résister. Mais il serait quand même préférable de nous allier au camp qui propose les meilleures conditions… et les plus solides perspectives d'avenir.

— Peut-être, fit Teresa, dubitative, mais le seigneur Rahl est un sorcier, si j'ai bien compris. Comment savoir de quoi il est capable ?

— Une bonne question… Ça pourrait même être une raison de nous joindre à lui. Mais l'Ordre Impérial veut éradiquer la magie. Donc, Jagang doit avoir un moyen de neutraliser le pouvoir de Rahl.

— S'il est vraiment un sorcier, insista Teresa, il risque de lancer sur nous des horreurs comme les Dominie Dirtch. Si nous refusons de lui prêter allégeance et qu'il utilise sa magie…

Dalton tapota la main de sa femme, puis recommença à s'habiller.

— Ne t'inquiète pas, Tess. Je ne laisserai personne raser Anderith. N'oublie pas ce que je viens de dire : l'Ordre Impérial veut éliminer la magie. S'il y parvient, aucun sorcier ne pourra plus rien contre nous. Attendons de savoir ce que Stein est venu nous dire.

Dalton ignorait comment l'Ordre entendait en finir avec la magie, qui existait depuis l'aube des temps. Jagang prévoyait peut-être simplement d'abattre tous les sorciers. Même s'il ne s'agissait pas d'une idée très originale, elle avait selon lui d'excellentes chances de succès.

Il existait déjà un mouvement qui prônait de conduire au bûcher tous ceux qui contrôlaient la magie. En Anderith, ses principaux chefs étaient derrière les barreaux. Charismatique, fanatique et enragé, Serin Rajak comptait parmi les plus dangereux. S'il avait survécu à la prison, où il croupissait depuis des mois.

Rajak croyait dur comme fer que les sorciers étaient des démons. Avant son arrestation, il avait levé une petite armée de fous furieux qui dévastaient tout sur leur passage.

Les hommes de cet acabit étaient des fléaux. Pourtant, Dalton avait tout fait pour qu'on ne l'exécute pas. Car les fléaux, à l'occasion, pouvaient se révéler très utiles…

— Tu n'en croiras pas tes oreilles ! lança soudain Teresa.

Elle continuait à égrener des potins que son mari, préoccupé par des sujets plus importants, n'avait pas vraiment écoutés.

— La femme dont je te parlais, celle qui a une si haute opinion d'elle-même, ne s'est pas arrêtée là. Désormais, elle prétend que le ministre l'a violée ! Décidément, cette Claudine Winthrop est impayable !

Dalton écoutait toujours à moitié. Mais il savait que l'histoire était vraie. Claudine était la « dame perturbée » dont parlait le message qu'il avait lu un peu plus tôt. Celle qu'il devait neutraliser et qui avait envoyé au directeur Linscott une lettre fort opportunément égarée.

Claudine faisait la roue devant le ministre chaque fois que l'occasion s'en présentait. Sourires, battements de cils, fines allusions… Tout y était passé ! Que croyait-elle obtenir ainsi ? Elle avait eu ce qu'elle cherchait, et maintenant, elle se plaignait ?

— Elle est tellement furieuse d'avoir été traitée ainsi qu'elle a l'intention, à la fin du banquet, d'informer dame Chanboor et tous les invités que le ministre a abusé d'elle.

Dalton tendit soudain l'oreille.

— Un viol est un viol, voilà ce qu'elle dit ! continua Teresa. Et c'est comme ça qu'elle a l'intention de présenter les choses à la femme du ministre. (Elle se retourna et agita devant le nez de son mari son petit pinceau à cils en poil d'écureuil.) Et aux directeurs de l'Harmonie culturelle, s'ils sont là. Dalton, si le pontife vient, ça peut très mal tourner. Imagine qu'il lève une main pour demander le silence, afin que tout le monde entende.

Dalton était à présent pendu aux lèvres de sa femme. Ce soir, les douze directeurs étaient invités. Désormais, il savait ce que mijotait Claudine.

— Elle a vraiment l'intention de faire ça ? demanda-t-il. Tu le lui as entendu dire ?

— Oui ! Tu ne trouves pas ça inouï ? Elle devrait savoir que le ministre est un chaud lapin ! Il a attiré dans son lit la moitié des femmes du domaine. Et maintenant, elle veut semer le désordre ? L'ennui, c'est qu'elle risque de réussir. Crois-moi, Dalton, elle peut remuer le panier de crabes !

Alors que Teresa s'apprêtait à cancaner sur un autre sujet, Dalton l'interrompit.

— Que disent les autres femmes du plan de Claudine ?

— Nous pensons toutes que c'est affreux... (Teresa posa son pinceau sur la coiffeuse.) Le ministre est un homme important. Le pontife ne rajeunit pas, et on dit qu'il le remplacera peut-être. Bertrand pourrait monter sur le trône très bientôt. C'est une terrible responsabilité...

Teresa regarda de nouveau dans le miroir et élimina quelques sourcils indisciplinés avec une pince à épiler. Puis elle se retourna, son petit outil doctement brandi.

— Le ministre travaille comme un forçat. Je trouve normal qu'il s'offre de temps en temps d'inoffensives distractions. Les femmes sont consentantes, et ça ne regarde personne. La vie privée n'influe pas sur les compétences politiques d'un homme. Et Claudine ne peut pas dire qu'elle a tout fait pour échapper aux assiduités de Bertrand.

Dalton ne pouvait rien objecter à cela. Sur sa vie, il n'aurait pas su dire pourquoi les femmes appâtaient éhontément un poisson comme Bertrand, puis s'étonnaient qu'il morde à l'hameçon. Pourtant, toutes agissaient ainsi, de la plus grande dame à la dernière souillon hakenne.

Pour Beata, la jeune employée du boucher, c'était différent. Naïve et inexpérimentée, elle n'avait sûrement pas prévu ce qui se passerait au deuxième étage. Et encore moins la présence de Stein. Même s'il s'agissait seulement d'une Hakenne, Dalton avait un pincement au cœur quand il pensait à elle. À l'évidence, elle n'avait pas vu derrière l'arbre Chanboor la forêt appelée « Stein ».

Mais les autres femmes du domaine ou les visiteuses venues de la cité pour festoyer savaient comment se comportait le ministre, et elles n'avaient aucune raison de crier au scandale après qu'il fut passé à l'acte.

Certaines s'indignaient seulement quand il s'avérait qu'elles n'obtiendraient aucune récompense pour avoir courageusement consenti au sacrifice de leur corps. Celles-là couraient après une sorte de « compensation ». À ce moment-là, Dalton prenait l'affaire en main. Il leur proposait un petit cadeau approprié, et faisait de son mieux pour qu'elles l'acceptent. La plupart s'y résignaient d'autant plus facilement qu'elles ne voulaient que ça depuis le début.

Campbell ne doutait pas un instant que les femmes du domaine s'inquiétaient du plan de Claudine. Séduites par sa prestance et son aura de pouvoir, presque toutes avaient eu une liaison avec le ministre. Et celles qui n'avaient pas encore fréquenté son lit rêvaient que ça se produise un jour, il en aurait mis sa tête à couper.

Bertrand n'en était tout simplement pas encore arrivé à elles... Car il n'y avait quasiment pas une femme, dans le domaine, qu'il aurait jugée indigne de son intérêt.

Une politique délibérée : en poste depuis peu, Dalton avait déjà dû refuser la candidature d'un régisseur parfaitement compétent, mais dont l'épouse paraissait trop ordinaire à Bertrand.

Oui, toutes les femmes aspiraient à succomber au charme du ministre, et son appétit, en la matière, n'avait pas de limites. Pourtant, il accordait une attention sourcilleuse à certains critères. En particulier la jeunesse, comme tous les séducteurs vieillissants.

Dans sa position, Chanboor pouvait assouvir son goût des beautés juvéniles sans être obligé, comme beaucoup d'hommes de son âge, de fréquenter les prostituées.

À vrai dire, ils les évitaient même comme la peste, à cause des maladies qu'elles risquaient de lui transmettre.

La cinquantaine passée, les mâles moins puissants devaient se résigner aux amours tarifées, et ils réduisaient de beaucoup leur espérance de vie. Un juste retour des choses, puisque celle des filles de joie était plus courte encore…

Bertrand, lui, disposait d'un vivier de pouliches en pleine santé avides d'approfondir leur expérience de l'amour. De leur plein gré, ces papillons se frottaient à une flamme qui leur brûlait parfois les ailes. Pour quelle raison aurait-on pleuré sur leur sort ?

Du bout d'un doigt, Dalton caressa la joue de Teresa. Quelle chance il avait ! Sa femme partageait ses ambitions, mais à l'inverse de beaucoup d'autres, elle savait être regardante sur les moyens de les réaliser.

— Je t'aime, Tess…

Surprise par sa soudaine tendresse, Teresa prit la main de son époux entre les siennes et la couvrit de baisers.

Depuis leur mariage, Dalton se demandait ce qu'il avait bien pu faire pour mériter un trésor pareil. Dans son passé, plutôt sombre, tout compte fait, rien ne présageait qu'il ait un jour une épouse aussi belle et loyale que Teresa. Le seul bien qu'il n'eût pas obtenu par la force, en éliminant sans pitié ses adversaires et tous les obstacles qui se dressaient sur son chemin. Avec elle, il lui avait suffi d'être amoureux fou…

Pourquoi les esprits du bien, lui pardonnant ses exploits discutables, lui avaient-ils fait un si fabuleux cadeau ? Il n'aurait su le dire, mais il était résolu à le conserver jusqu'à la fin de ses jours.

Alors qu'il plongeait son regard dans les yeux pleins d'adoration de sa femme, le devoir arracha Campbell à son exaltation romantique.

Il fallait s'occuper de Claudine au plus vite. Elle devait être réduite au silence avant qu'il soit trop tard.

Dalton passa en revue les différentes « compensations » qu'il pouvait lui proposer afin qu'elle se taise. Dans les hautes sphères, personne, même dame Chanboor, ne se formalisait des aventures amoureuses du ministre. Mais une accusation de viol, lancée par une femme de haut rang, pouvait faire des ravages.

Certains directeurs du bureau de l'Harmonie culturelle croyaient à l'idéal de pureté et de rectitude qu'ils prêchaient aux autres. Et c'étaient eux, en dernière instance, qui choisissaient le pontife. Quelques-uns souhaitaient sincèrement qu'il soit un homme moralement irréprochable… Un candidat qu'ils regardaient d'un mauvais œil n'avait aucune chance d'accéder au trône.

Après la nomination de Bertrand, ce qu'ils pensaient ou ne pensaient pas n'aurait plus aucune importance. Avant, c'était essentiel.

Claudine ne devait pas parler !

— Dalton, où vas-tu ? demanda Teresa en voyant son mari sortir avant d'avoir fini de s'habiller.

— Je dois écrire un message puis le faire porter d'urgence à sa destinataire. Mais ce ne sera pas long.

Chapitre 18

Nora bâilla et s'étira, certaine que le jour était déjà levé. Pas encore véritablement réveillée, elle n'avait qu'un désir : se rendormir au plus vite. Sous son ventre, la paille épousait à la perfection les courbes de son corps. Toujours la même histoire ! Dès qu'on se sentait bien sur ces fichues paillasses, c'était l'heure de se lever !

Mais Julian ne tarderait pas à lui flanquer une claque sur la croupe. Son mari ouvrait toujours l'œil dès les premières lueurs de l'aube. Il y avait tant de travail à abattre ! Si elle ne bougeait pas, il lui ficherait peut-être la paix un petit moment de plus...

Le matin, Nora détestait son époux. La claque rituelle, l'ordre de se lever et de se mettre au plus vite au labeur... En plus, il sifflait dès qu'il était debout, alors qu'elle avait encore la tête lourde de sommeil.

Nora se tourna sur le dos et fit l'effort surhumain d'entrouvrir les paupières.

Julian n'était pas étendu à côté d'elle !

Un frisson glacé courut le long de son échine, la réveillant instantanément. Elle s'assit en sursaut, morte d'angoisse sans savoir pourquoi. Après tout, l'absence de Julian pouvait avoir une multitude d'explications anodines.

Était-ce le matin ? L'approche de l'aube ? Ou était-on encore en pleine nuit ? Il fallait à tout prix qu'elle s'éclaircisse les idées.

Elle se pencha en avant et examina les braises, dans la cheminée. Elles rougeoyaient toujours avec autant de vigueur que la veille au soir. Et ce n'était pas normal. À leur chiche lueur, Nora vit que Bruce, son fils, la regardait, assis sur sa paillasse.

— Maman, que se passe-t-il ? demanda Bethany, la sœur aînée du jeune garçon.

— Pourquoi êtes-vous réveillés, tous les deux ?

— Maman, souffla Bruce, on vient à peine de se mettre au lit !

Voilà qui expliquait la vigueur des braises, dans la cheminée. Épuisée d'avoir passé la journée à retirer des cailloux et des pierres du champ, pour le préparer aux semailles, Nora s'était endormie comme une masse dès qu'elle avait posé la tête sur la paille. Revenue à la maison bien après le coucher du soleil – soit trop tard pour s'attaquer à d'autres corvées – la petite famille avait mangé en vitesse avant de filer au lit. Nora sentait encore sur sa langue le goût de la viande d'écureuil de la tourte, et les radis lui remontaient toujours. Bruce ne se trompait pas : ils venaient juste de se coucher.

— Où est votre père ? demanda Nora, de plus en plus angoissée.

— Il est allé se soulager, je crois, répondit Bethany. Maman, qu'est-ce qui ne va pas ?

— Tu es malade ? s'inquiéta Bruce.

— Silence, tous les deux ! Ce n'est rien. Recouchez-vous, maintenant !

Les deux enfants continuèrent à regarder leur mère, les yeux écarquillés. Nora était folle d'angoisse, sans savoir pourquoi, et les gamins le voyaient sur son visage. Ce n'était pas bon pour eux, mais elle ne parvenait pas à se ressaisir.

Incapable d'identifier le problème, elle le sentait pourtant jusque dans la moelle de ses os.

Le mal !

Le mal planait dans l'air comme la fumée d'un feu de bois. Il lui montait aux narines, l'empêchant de respirer librement. Quelque part dans la nuit, le mal rôdait…

Nora jeta un nouveau coup d'œil à la place vide, à côté d'elle. Julian était aux toilettes. Il devait y être, il n'y avait pas d'autre explication possible.

Pourtant, se souvint-elle, il y était allé juste après le repas, comme d'habitude. Bien entendu, cela n'excluait pas qu'il ait eu besoin d'y retourner. Mais il n'avait pas mentionné avoir un problème de ce côté-là, avant de se coucher…

L'angoisse déchirait les entrailles de Nora, comme si elle était confrontée au Gardien en personne.

— Créateur bien-aimé, protège-nous…, implora-t-elle. Veille sur cette maison et sur ses humbles habitants et éloigne le mal qui rôde autour d'eux. Je vous en supplie, esprits du bien, prenez soin de nous !

Nora avait fermé les yeux pour prier. Quand elle les rouvrit, ce fut pour constater que ses enfants la dévisageaient toujours. Bethany devait sentir aussi qu'il se passait quelque chose, car elle était très éveillée. Le genre de gamine qui posait sans cesse des questions – souvent très pertinentes. Pour plaisanter, Nora l'avait surnommée « Damoiselle Pourquoi ». Bruce, lui, tremblait de tous ses membres.

Nora écarta vivement sa couverture de laine. Son geste effraya les volailles qui s'étaient agglutinées dans un coin de l'unique pièce de la fermette. Elles battirent des ailes et caquetèrent comme si elles venaient de voir entrer un renard.

— Rendormez-vous, les enfants !

Bruce et Bethany se rallongèrent, mais ils regardèrent leur mère passer une robe sur sa chemise de nuit. Frissonnant sans savoir pourquoi, Nora s'accroupit devant la cheminée et y posa quelques bûches de bouleau. Même s'il ne faisait pas froid – les braises auraient amplement suffi pour la nuit – elle avait besoin de voir crépiter un bon feu dont la lumière, espérait-elle, chasserait ses inquiétudes.

Près de l'âtre, elle repéra leur unique lampe à huile. Elle l'alluma avec un morceau d'écorce de bouleau et remit en place le verre. Dans son dos, les petits ne la quittaient toujours pas des yeux.

Nora approcha de leurs paillasses. Se penchant, elle embrassa Bruce sur la joue, puis lissa les cheveux de Bethany et lui posa un baiser sur le front. Sur la peau de l'enfant, elle reconnut le goût de la poussière où elle s'était traînée toute la journée pour aider ses parents à déblayer le champ. Elle n'avait pu porter que les petites pierres, mais c'était mieux que rien…

— Rendormez-vous, mes chéris… Papa est allé aux toilettes. Je lui apporte la lampe, pour qu'il y voie bien sur le chemin du retour. Vous savez qu'il crie très fort quand il se cogne les doigts de pied dans l'obscurité ! Allez, rendormez-vous ! Tout va bien. Je vais chercher papa, et je reviens…

Quand elle eut atteint la porte, Nora récupéra ses bottes, posées à côté, et les enfila. Elles étaient glacées, encore humides et gluantes de boue. Mais elles protégeraient les pieds de la paysanne, qui ne tenait pas à s'échiner dans le champ en boitillant, par-dessus le marché. Puis elle prit un châle, le drapa sur ses épaules et le noua lentement.

Nora retardait autant que possible le moment où elle ouvrirait la porte. À l'idée de sortir dans la nuit, elle avait des larmes aux yeux et son cœur battait la chamade.

Le mal l'attendait dehors. Elle le savait. Le sentait jusqu'au plus profond de son être…

— Sois maudit, Julian ! marmonna-t-elle. M'obliger à sortir en pleine nuit… Oui, sois maudit !

Si elle trouvait son mari dans les toilettes, allait-il la maudire à son tour ? Parfois, il tempêtait contre ses « foutues réactions de bonne femme ». Selon lui, elle s'inquiétait pour un oui ou pour un non. Comme ça ne servait à rien, pourquoi continuait-elle ?

Sûrement pas pour le plaisir de se faire crier dessus, en tout cas… Mais les hommes ne comprenaient jamais ce genre de chose.

Alors qu'elle soulevait le loquet, elle mesura à quel point elle avait envie que Julian soit pour de bon aux toilettes. S'il en était ainsi, il pourrait lui reprocher ses angoisses de « bonne femme » autant qu'il voudrait. Puis il lui passerait un bras autour des épaules, lui murmurerait de ne plus pleurer, et ils rentreraient ensemble se coucher.

Quand elle ouvrit la porte, Nora dut donner de la voix pour calmer les volailles, plus affolées que jamais.

Le ciel sans lune, lourd de nuages, était aussi noir que l'ombre du Gardien. Nora descendit très vite le sentier en terre battue qui conduisait à la cabane des commodités. D'une main tremblante, elle gratta à la porte.

— Julian ? Julian, tu es là ? Réponds-moi, s'il te plaît ! Je t'en supplie, ne me taquine pas, ce soir !

Pas de réponse… Alentour, aucun insecte ne bourdonnait et les grenouilles elles-mêmes se taisaient. Pas un oiseau ne chantait. Et les criquets non plus. Un silence de mort régnait partout, comme si le monde, au-delà du cercle lumineux de la lampe à huile, avait cessé d'exister. Si elle posait sa chiche source de lumière et avançait dans les ténèbres, Nora risquait d'y tomber comme dans un puits. Arrivée au fond, elle ne serait plus qu'une très vieille femme, bientôt condamnée à une nouvelle chute dans un gouffre d'une tout autre nature... Celui qui s'ouvrait sous les pieds de chaque être vivant, au terme de son existence ! Si idiote que fût cette idée – autour d'elle, il n'y avait qu'un jardinet ! –, Nora en tremblait de terreur.

Elle tira la porte des toilettes, qui s'ouvrit en grinçant. Une peine qu'elle aurait pu s'épargner, parce qu'elle savait que Julian n'était pas derrière. Avant même de sortir du lit, elle avait la certitude de ne pas le trouver là. Même si elle ignorait pourquoi, c'était ainsi.

Et bien entendu, elle ne s'était pas trompée.

Parfois, ses intuitions, même si elles semblaient absurdes, se confirmaient. Julian se moquait souvent d'elle à ce sujet. Croyait-elle avoir un don de voyance, comme la vieille folle qui vivait dans les collines et en descendait de temps en temps, quand elle avait eu une « révélation » qu'elle jugeait urgent de répéter à tout le monde ?

Pourtant, à certains moments, Nora avait vraiment des prémonitions. Comme celle qui lui hurlait depuis son réveil que Julian n'était pas aux toilettes.

Pis encore, elle savait où le trouver.

Comment le savait-elle ? Elle n'aurait pas pu le dire, et encore moins l'expliquer. Mais c'était ainsi, et cette certitude la faisait trembler de tous ses membres. Venir vérifier ici n'avait été qu'un moyen de retarder le terrible moment où elle découvrirait son mari, à l'endroit qu'elle aurait donné cher pour éviter.

À présent, elle devait y aller.

Nora leva sa lampe, plissa les yeux, et ne vit rien à plus de cinq pas devant elle. Se retournant, elle aperçut la silhouette sombre de la ferme et un petit carré très lumineux – la fenêtre, éclairée par les flammes de la cheminée. Le bouleau avait pris, et une belle flambée devait crépiter dans l'âtre.

Entre la ferme et elle, dans l'obscurité, une entité maléfique semblait sourire de la terreur de la jeune femme...

Nora pivota de nouveau, resserra les pans de son châle et leva plus haut sa lampe. Avoir laissé les enfants seuls l'inquiétait. Ce n'était pas bon, quand elle avait ses « intuitions ». Mais quelque chose la poussait à s'aventurer plus loin sur le sentier.

— Esprits du bien, je vous en supplie, permettez-moi de rester une « bonne femme » avec des idées idiotes. Faites que Julian soit indemne ! Nous avons tous besoin de lui ! Oui, tellement besoin...

En descendant la colline, Nora ne put retenir ses sanglots. Elle *savait* ce qu'elle allait découvrir, alors pourquoi continuait-elle à avancer ? Pour quelle raison ne rebroussait-elle pas chemin vers son foyer, loin de l'horreur ?

Elle entendit bientôt les clapotis de l'eau et en fut un peu soulagée, car la nuit lui parut ainsi un peu moins vide et menaçante. Dans ces ténèbres qu'elle devinait étrangères et glaciales, un petit son familier la reliait à sa vie quotidienne, pénible mais finalement heureuse. Comment avait-elle pu penser, quelques minutes plus tôt, que le monde cessait d'exister au-delà de la lumière de sa lampe, comme si elle avait été sur le seuil du royaume des morts ? Encore ses idées idiotes ? Quand elle raconterait ça à Julian, il lui ferait de gros yeux et la comparerait à la vieille folle !

Elle essaya de siffler, comme son mari, pour se réconforter un peu. Mais ses lèvres étaient aussi sèches que du pain rassis. Dommage, parce que Julian l'aurait entendue, et qu'il serait venu à sa rencontre. Bien sûr, elle aurait pu l'appeler, mais la peur de ne pas obtenir de réponse l'en empêchait. Il valait mieux continuer d'avancer en silence, le retrouver... et l'entendre hurler comme un fou parce qu'elle s'angoissait pour rien.

Une douce brise faisait onduler l'eau, au bord du lac. C'était ce son qu'elle avait entendu, avant même d'arriver sur la berge. Si ses intuitions n'étaient qu'un tissu d'absurdités, Julian serait assis sur sa souche favorite, sa canne à pêche à la main. Sorti en pleine nuit – le moment idéal pour que ça morde ! – afin d'attraper une carpe pour sa famille, il se lèverait et la couvrirait d'injures parce qu'elle avait effrayé les poissons.

Mais il n'y avait personne sur la souche. Et la canne reposait à côté...

D'un bras tremblant, Nora leva sa lampe et entra dans le lac. Elle marcha jusqu'à ce que l'ourlet de sa robe soit trempé, ne vit toujours rien, avança encore, de l'eau jusqu'aux genoux, et se pétrifia.

Julian flottait sur le ventre, les bras le long du corps et les jambes légèrement écartées. Les vaguelettes venaient mourir contre sa nuque, faisant danser comme des algues ses cheveux mouillés. Son mari dérivait dans l'eau tel un poisson mort...

Depuis le début, Nora redoutait de le trouver ainsi. Sans doute à cause de cela, elle ne cria pas et n'eut pas de véritable choc. Immobile dans l'eau, elle continua à regarder le cadavre de Julian, à moins de dix pas d'elle. Là où il était, elle n'aurait plus pied, et elle n'avait jamais été une bonne nageuse.

Que faire ? Julian se chargeait toujours des choses qu'elle ne pouvait pas faire. Comment allait-elle le tirer jusqu'à la berge ?

Et ensuite, que serait sa vie ? Sans lui, ses enfants et elle crèveraient de faim. Julian travaillait dur, s'acquittait des tâches les plus pénibles et savait une foule de choses dont elle ignorait tout. C'était lui qui subvenait aux besoins de la famille.

Nora se sentit engourdie et désorientée, comme au moment de son réveil. Ce qu'elle voyait ne pouvait pas être vrai. Un cauchemar...

Julian, mort ? Voyons, c'était impossible ! Pas lui !

Un bruit étrange retentit dans le dos de la jeune femme. Un hurlement, comme celui du vent, par les nuits de tempête... Ou le souffle d'une explosion lointaine.

Nora se retourna et vit que des flammes jaillissaient de la cheminée de la ferme. Le toit avait déjà pris feu...

Un cri déchira la nuit. Comme les flammes, il montait de la maison, si puissant qu'il semblait vouloir emplir le monde de son écho. Un son pareil ne pouvait pas sortir d'une gorge humaine.

Pourtant, c'était le cas. Bruce appelait au secours.

Hurlant à son tour, Nora lâcha sa lampe dans l'eau et courut vers son foyer. Alors qu'elle en approchait, le son de sa voix et de celle de son fils se mêlèrent, comme s'ils s'unissaient pour briser ensemble l'ignoble silence de la mort.

Les enfants étaient dans la maison ! Et le mal venait d'y entrer !

Nora cria de rage et de terreur en pensant à ce qu'elle avait fait. Par le Créateur, elle avait laissé son fils et sa fille seuls face au démon !

Elle faillit se casser la voix en implorant les esprits du bien de l'aider, puis en appelant Bruce et Bethany pour qu'ils sachent qu'elle venait à leur secours.

Paniquée, elle avait quitté le sentier et courait maintenant à travers des buissons dont les épines déchiraient ses vêtements et lui lacéraient la peau. À un moment, elle se tordit une cheville, sans doute à cause d'une racine – ou d'un trou –, faillit tomber, mais se rétablit de justesse.

Le petit Bruce criait toujours. Mais Bethany ? Pourquoi n'appelait-elle pas à l'aide ? Que lui était-il arrivé ?

Nora trébucha de nouveau. Cette fois, elle s'étala de tout son long. Quand elle se fut péniblement relevée, elle sentit que du sang coulait de son nez. La douleur manquant la faire retomber, elle tenta de reprendre sa respiration, s'étrangla avec un mélange de sang et de poussière, puis crut qu'elle allait vomir.

Elle repartit quand même vers la ferme où le mal s'attaquait à ses enfants.

Quand elle ouvrit la porte, des volailles sortirent en battant furieusement des ailes. Bruce s'était adossé au mur, près de l'entrée. Fou de terreur, il hurlait comme si le Gardien en personne le tirait par les chevilles vers le royaume des morts.

Quand il vit sa mère, il voulut se jeter dans ses bras, mais recula, effrayé par son visage dégoulinant de sang.

Nora le prit par les épaules.

— C'est moi ! C'est maman ! Je suis tombée et je me suis cassé le nez ! N'aie pas peur !

Le garçonnet s'accrocha à elle de toute la force de ses petites mains.

— Où est Bethany ? Bruce, où est ta sœur ?

D'un bras si tremblant que Nora eut peur qu'il se détache de son épaule, l'enfant désigna la cheminée.

Le cri de Nora couvrit le rugissement des flammes. Horrifiée, elle voulut lever les mains pour se voiler les yeux, mais ses bras refusèrent de lui obéir.

Bethany était dans la cheminée. Alors que les flammes dévoraient son petit corps, elle avait les bras levés… comme un baigneur, par un bel après-midi d'été, qui s'offre aux caresses du soleil après être sorti de l'eau.

L'odeur de la chair brûlée agressa les narines de Nora. La gorge serrée, elle eut l'impression d'étouffer, à croire que ses poumons refusaient de s'emplir d'un air qui charriait l'horrible puanteur de la mort inéluctable de sa fille. Un goût ignoble dans la bouche, incapable de croire ce qu'elle voyait, la veuve de Julian resta un long moment immobile à regarder Bethany brûler vive.

Puis elle avança vers les flammes, un bras tendu pour leur arracher l'enfant. Au fond de sa tête, une petite voix encore vaguement lucide lui souffla que c'était trop tard. Si elle ne sortait pas au plus vite avec Bruce, le feu ferait simplement deux victimes de plus.

Les doigts de Bethany étaient déjà carbonisés. Son visage fondait comme celui d'une poupée de cire, et ses cheveux lui faisaient comme une couronne de lumière rouge.

Elle hurla soudain, si fort que Nora pensa que son âme aussi venait de s'embraser.

Les genoux de Bethany cédèrent et elle sombra lentement dans l'étreinte des flammes, qui la dissimulèrent bientôt à la vue de sa mère. Des étincelles jaillirent de la cheminée, suivies par des flammèches dont certaines vinrent lécher l'ourlet encore humide de la robe de Nora.

La jeune femme prit son fils par le bras et sortit de la maison – son foyer ! –, où le mal achevait de consumer sa fille.

Chapitre 19

Fitch s'assit en tailleur dans l'herbe, son dos poisseux de sueur appuyé contre la pierre agréablement fraîche d'un mur, près de la pile de bois de pommier. Il respira à pleins poumons l'air nocturne tout aussi frais, captant au passage les délicieuses senteurs de viande rôtie qui s'échappaient par les fenêtres ouvertes du fief de maître Drummond.

Comme ils devraient travailler jusqu'à l'aube pour tout nettoyer après le banquet, les garçons de cuisine avaient droit à une pause fort bienvenue.

Morley tendit la bouteille à son ami. Ce n'était pas encore le moment de se soûler, mais ils pouvaient quand même s'offrir un petit coup. Fitch but une généreuse gorgée, crut que sa bouche prenait feu, s'étrangla lamentablement et recracha presque tout l'alcool.

— Je t'avais dit que c'était fort, ricana Morley.

— Et tu avais sacrément raison ! lança Fitch en s'essuyant la bouche du dos de la main. Où as-tu déniché cette bouteille ? Une sacrée bonne gnôle !

Fitch n'avait jamais rien goûté d'aussi dévastateur. Et, à en croire les anciens, un alcool qui vous brûlait le gosier était nécessairement de toute première qualité. Le genre qu'il fallait être fou pour refuser de boire, si on en avait l'occasion...

Possible, mais sa gorge le torturait, et il aurait volontiers vidé une barrique d'eau pour éteindre l'incendie.

— Un type important l'a refusée, sous prétexte qu'elle avait un goût bizarre. Ces nobles font toujours des manières, quand ils sont ensemble. Pete, le gars qui s'occupe des boissons, l'a remportée en cuisine. Pendant qu'il en prenait une autre, je l'ai subtilisée et je l'ai glissée sous ma tunique.

Habitué à vider les fonds de verres ou de bouteilles de vin – et tant pis pour le dépôt ! –, Fitch n'avait jamais eu l'occasion de goûter les alcools qu'on servait exclusivement aux invités de marque.

Morley appuya sur le culot de la bouteille pour l'approcher des lèvres de son ami, qui prit une gorgée plus raisonnable et parvint à l'avaler sans en gaspiller une goutte. Cette fois, ce fut au tour de son estomac de s'embraser. Mais Morley salua son exploit d'un hochement de tête qui le fit sourire de fierté.

Assez loin de là, un brouhaha de conversations et de la musique sortaient des fenêtres également ouvertes de la salle des fêtes. Les invités attendaient le début du banquet, qui ne devait plus trop tarder.

Déjà un peu grisé, Fitch pensa avec enthousiasme au moment où Morley et lui, le travail terminé, pourraient enfin s'enivrer en paix.

Sentant qu'il avait la chair de poule, il se frotta les bras et frissonna. La musique lui faisait toujours cet effet-là. Dès qu'il en entendait, il avait le sentiment exaltant d'être né pour accomplir de grandes choses. Et tant pis s'il ignorait lesquelles !

Morley tendant la main, il lui passa la bouteille et regarda sa glotte monter et descendre tandis qu'il buvait avidement.

Dans la salle des fêtes, les musiciens atteignaient des sommets de rythme et d'émotion. Combinés à l'alcool, des morceaux aussi martiaux donnaient au jeune Haken le sentiment qu'il serait un jour le maître du monde.

Derrière Morley, Fitch aperçut une grande silhouette qui approchait d'eux d'une démarche décidée. Ce n'était pas un promeneur, ni un ivrogne précoce sorti prendre un peu d'air frais. À la lumière jaune qui jaillissait des fenêtres, Fitch vit briller un fourreau d'argent qui lui disait quelque chose. Puis, à son allure aristocratique, il reconnut l'homme à qui il devait de ne plus jamais risquer d'être appelé « Fichtre ».

Dalton Campbell… Et il marchait vers eux.

Fitch flanqua un coup de coude à Morley. Puis il se releva, tituba quelque peu, se stabilisa et tira sur sa tunique abondamment tachée d'alcool. Après avoir lissé ses cheveux en y passant une main, il flanqua un discret coup de pied à son ami, qui réagit enfin, et, du pouce, lui fit signe de se lever.

Dalton Campbell contourna sans hésiter la pile de bois, comme s'il savait exactement où il allait. Pourtant, Morley et Fitch, quand ils s'éclipsaient pour boire ensemble, ne confiaient jamais à personne où ils se cacheraient.

— Bonsoir, mes jeunes amis, dit l'assistant du ministre en s'immobilisant devant les deux Hakens.

— Bonsoir, messire Campbell, répondit Fitch, une main levée pour accueillir son « nouvel ami ».

Avec toute cette lumière, Campbell n'avait pas dû avoir beaucoup de mal à les repérer. Surtout s'il était devant une fenêtre au moment où ils avaient traversé la cour.

— Bonsoir, messire Campbell, dit à son tour Morley, la bouteille prudemment cachée dans son dos.

L'assistant examina les deux garçons de cuisine comme s'il passait en revue des soldats. Puis il tendit une main.

— Je peux voir ce que tu dissimules si soigneusement ?

Piégé, Morley dut obtempérer.

— Nous étions…, bredouilla-t-il. C'est-à-dire que…

Dalton Campbell porta la bouteille à ses lèvres et but une bonne gorgée.

— Excellent ! dit-il en rendant son bien à Morley. Pour avoir une bouteille de cet alcool, et pleine, par-dessus le marché, il faut être rudement verni ! (Il croisa les mains dans son dos.) Je ne vous dérange pas, j'espère ?

Stupéfaits que l'assistant ait bu au goulot devant eux – en leur rendant ensuite la bouteille ! –, les deux Hakens secouèrent frénétiquement la tête.

— Pas du tout, messire Campbell, assura Morley.

— Vous m'en voyez ravi… Je vous cherchais, parce que j'ai un petit problème.

— Un problème, messire ? répéta Fitch sur un ton de conspirateur. Et nous pourrions vous aider ?

— À vrai dire, c'est pour ça que je voulais vous voir. Il me semble que c'est l'occasion idéale de faire vos preuves. Quand on a du potentiel, comme c'est votre cas, il faut bien le réaliser un jour ! Je pourrais régler seul cette affaire, mais si elle peut vous donner l'occasion d'être utiles…

Fitch eut le sentiment que les esprits du bien eux-mêmes venaient de lui demander s'il voulait saisir une chance de montrer qu'il pouvait être un héros.

Morley posa la bouteille et se mit au garde-à-vous.

— Messire Campbell, je suis votre homme !

— Moi aussi, dit Fitch en bombant également le torse. Dites-nous ce qu'il faut faire, et vous verrez que nous sommes taillés pour assumer des responsabilités.

— Parfait… Parfait… (Campbell étudia de nouveau les deux Hakens.) C'est important, mes amis. Et même *très* important ! J'ai d'abord pensé à m'adresser à des hommes plus expérimentés, mais si je ne vous mets jamais à l'épreuve, comment savoir un jour si je peux vous faire confiance ?

— Nous sommes à votre service, messire, affirma Fitch, tout à fait sincère. Ordonnez, et nous obéirons !

Le jeune Haken tremblait d'excitation à l'idée de prouver sa valeur au grand Dalton Campbell. Et la musique stimulait son désir d'accomplir de nobles actions.

— Le pontife ne va pas très bien, annonça Campbell.

— C'est affreux, soupira Morley.

— Et très triste, ajouta Fitch.

— Oui, un crève-cœur…, renchérit l'assistant. Mais il est très vieux. Le ministre Chanboor, un homme encore jeune et solide, le remplacera sûrement, et ça ne devrait pas trop tarder. Ce soir, les directeurs sont venus pour débattre avec nous de la succession. Ils veulent surtout jauger le ministre. Le connaître mieux, pour voir quel type d'individu il est. Et décider s'ils le soutiendront, le moment venu.

Fitch regarda Morley et vit qu'il avait les yeux rivés sur l'assistant. C'était incroyable ! Un ponte du royaume parlait des secrets de la politique avec deux jeunes Hakens. Oui, un Anderien de premier plan se confiait à eux en toute amitié.

— Que le Créateur soit loué, murmura Fitch. Le ministre obtient enfin la reconnaissance publique qu'il mérite.

— Espérons-le, en tout cas, modéra Campbell. Bertrand Chanboor a aussi des ennemis, et ils feront tout pour lui nuire.

— Lui nuire ? répéta Morley, stupéfait.

— Exactement ! Vous vous rappelez vos leçons, n'est-ce pas ? Protéger le pontife est le devoir de tout citoyen, et c'est un acte vertueux.

— Oui, messire, je m'en souviens, répondit Morley.

— Moi aussi, s'empressa d'ajouter Fitch. Le ministre étant le prochain pontife, nous devons le défendre aussi.

— Très bien, mon garçon !

Le jeune Haken rayonna de fierté. Une seule chose le défrisait : avec l'alcool, il avait du mal à ne pas loucher.

— Messire Campbell, dit Morley, nous voulons vous aider. Il est temps de vous prouver notre valeur !

— Oui, messire, il est temps, répéta Fitch.

— Alors, je vais vous donner votre chance. Si vous vous en sortez bien, et si vous gardez le silence sur cette affaire – jusqu'à la fin de vos jours – je serai sûr d'avoir bien placé ma confiance.

— Nous ne dirons rien jusqu'à notre dernier souffle, messire ! s'écria Fitch. C'est juré !

Le jeune Haken entendit un sifflement métallique. Puis il s'aperçut, horrifié, que la pointe d'une épée appuyait sur sa trachée-artère.

— Si vous n'êtes pas à la hauteur, ça me décevra beaucoup, parce que le ministre sera en danger à cause de vous. C'est bien compris ? Je détesterais que des hommes de confiance me laissent tomber. Et qu'ils abandonnent le futur pontife ! Vous comprenez ce que je dis ?

— Oui, messire ! parvint à crier Fitch, malgré la pression de l'acier sur sa gorge.

L'épée vola dans les airs et se plaqua sur la glotte de Morley.

— Oui, messire ! lança-t-il à son tour.

— Avez-vous dit à quiconque où vous vous cacheriez pour boire en douce ? demanda Campbell.

— Non, messire ! répondirent en chœur Fitch et Morley.

— Et pourtant, je vous ai trouvés sans peine… Ne l'oubliez pas, s'il vous venait l'idée de me trahir. Où que vous soyez, je vous dénicherai, parce que personne ne peut m'échapper.

— Messire Campbell, dit Fitch, expliquez-nous ce que vous voulez, et nous le ferons. Nous sommes loyaux et nous ne vous décevrons pas, croyez-le !

— Fitch a raison ! approuva Morley.

L'assistant rengaina son épée et sourit.

— Je suis déjà fier de vous, les gars ! Vous ferez un sacré chemin, n'en doutez pas ! Je mettrai ma tête à couper que vous me servirez bien.

— Oui, messire, dit Fitch, vous pouvez compter sur nous.

Campbell prit chacun des deux jeunes Hakens par une épaule.

— Alors, ouvrez grand vos oreilles…

— La voilà…, souffla Morley à l'oreille de Fitch.

Le jeune Haken regarda dans la direction qu'indiquait son ami, puis il hocha la tête. Morley se dissimula dans l'embrasure d'une porte de service ouverte, et Fitch s'accroupit derrière des tonneaux empilés sur le côté du quai de déchargement. Un peu plus tôt, se souvint-il, la charrette du boucher avait stationné un long moment pas très loin de là. Décidément, cette journée fourmillait d'événements importants.

Les deux amis avaient discuté de leur mission, et ils étaient arrivés à la même conclusion. Bien qu'elle leur déplût, ils ne pouvaient pas décevoir Dalton Campbell.

La musique qui se déversait des fenêtres ouvertes, de l'autre côté de la pelouse – un concert d'instruments à cordes et de cornes accompagnant une harpe – stimulait Fitch, décuplant sa fierté d'être devenu l'homme de confiance de l'assistant du ministre.

Bertrand Chanboor, le futur pontife, devait être protégé.

D'une démarche légère et tranquille, la femme gravit les quatre marches qui donnaient accès au quai. Dans la pénombre, elle tendit le cou pour regarder autour d'elle. Voyant à quel point elle était belle, Fitch eut du mal à déglutir. Même si elle approchait des trente ans – ou quelque chose comme ça – Claudine Winthrop restait une superbe femme.

Et Fitch n'avait jamais osé reluquer ainsi une Anderienne.

— Claudine Winthrop ? lança Morley en maquillant sa voix pour qu'elle ressemble à celle d'un homme bien plus âgé que lui.

L'Anderienne se tourna vers l'entrée obscure.

— C'est moi… Vous avez reçu ma lettre ?

— Oui.

— Grâce en soit rendue au Créateur ! Directeur Linscott, je dois vous parler du ministre Chanboor. Il affirme défendre la civilisation anderienne, mais il est en réalité son pire ennemi. Avant d'envisager de le nommer pontife, vous devez tout savoir sur sa profonde corruption. Ce porc m'a violée ! Mais ce n'est pas tout, directeur, car il y a bien pis. Pour le salut de notre peuple, vous devez m'écouter.

Fitch ne parvenait pas à détourner les yeux du joli visage de l'Anderienne. Dalton Campbell n'avait pas précisé qu'il en serait ainsi. Bien entendu, elle était plus vieille que lui, et il ne s'agissait pas du genre de personne – une grande dame ! – qu'il avait l'habitude de trouver désirable. À vrai dire, il s'étonnait de penser de cette façon-là à une femme de cet âge.

Il respira à fond pour affermir sa détermination. Mais ne pas regarder la robe de Claudine, extraordinairement révélatrice, n'avait rien de facile.

Fitch se souvint des deux Anderiennes qui parlaient de décolletés, dans l'escalier. Avant ce jour, il n'avait jamais eu une telle vue plongeante sur la poitrine d'une femme. La façon dont ses seins bougeaient à chacun de ses gestes lui donnait le tournis…

— Directeur, vous ne voulez pas sortir de l'ombre ? demanda Claudine. S'il vous plaît ? J'ai un peu peur…

Fitch s'avisa que c'était le moment de jouer son rôle dans cette sombre affaire. Sortant de sa cachette, il avança sur la pointe des pieds, pour que sa victime ne l'entende pas approcher.

L'estomac noué, il dut essuyer la sueur qui ruisselait sur son front et lui tombait dans les yeux. Il s'efforçait de respirer à fond, mais son corps semblait en avoir décidé autrement. Il devait accomplir sa mission. Cela dit, il n'avait jamais eu aussi peur de sa vie.

— Directeur Linscott ? insista Claudine.

Fitch bondit, la prit par les coudes et lui tira les bras dans le dos. La femme cria, mais il fut surpris d'avoir si peu de mal à la maintenir, alors qu'elle se débattait de toutes ses forces. Cela dit, elle était peut-être affaiblie par le choc, après une attaque aussi inattendue.

Morley sortit de sa cachette et approcha de Claudine. Pour qu'elle cesse de crier, il lui flanqua dans le ventre un formidable coup de poing. L'impact faillit la faire basculer en arrière, et Fitch avec.

Claudine se plia en deux et vomit tout ce qu'elle avait dans l'estomac. Dès que Fitch lui eut lâché les bras, elle les plaqua sur son abdomen, tomba à genoux et cracha de la bile sur le devant de sa magnifique robe. Pour éviter d'être tachés, Morley et Fitch reculèrent d'un pas.

Quand il ne lui resta plus rien à régurgiter, l'Anderienne tenta de se relever en haletant comme si elle s'étouffait. Morley la souleva par les aisselles, la fit tourner sur elle-même et lui tira de nouveau les bras dans le dos.

Fitch comprit que c'était l'instant de montrer sa valeur. S'il ne faiblissait pas, il contribuerait à la défense du ministre, et Dalton Campbell serait fier de lui.

Il frappa Claudine au ventre aussi fort qu'il l'osa.

Il n'avait jamais cogné personne, excepté ses amis, pour s'amuser. Là, il avait voulu faire mal à la femme. Son ventre était si doux et si mou... Le coup de poing, après celui de Morley, avait dû lui donner l'impression que ses entrailles implosaient.

Fitch en eut la nausée et crut un instant qu'il allait vomir à son tour. Ses ancêtres hakens se comportaient ainsi, jadis. Ils avaient la violence dans le sang... et lui aussi.

Les yeux écarquillés de peur, Claudine tentait de reprendre son souffle. Son regard rappela à Fitch celui d'un cochon amené devant un boucher armé d'un couteau. Et pendant des siècles, les Anderiens avaient levé des yeux terrifiés vers ses ancêtres hakens...

— Nous avons un message à te délivrer, dit Fitch.

Il avait opté d'instinct pour le tutoiement. Une incroyable transgression, pour un Haken s'adressant à une Anderienne.

Les deux garçons avaient décidé que Fitch se chargerait de la partie verbale de la mission. Une excellente solution, puisque le pauvre Morley ne se souvenait déjà plus très bien de ce qu'ils devaient dire à Claudine... Depuis qu'ils se connaissaient, Fitch avait toujours eu une meilleure mémoire que son ami.

Voyant que l'Anderienne avait repris son souffle, il la frappa trois fois au ventre. Très fort, avec une haine dont il ne soupçonnait pas l'existence dans son cœur.

— Tu m'écoutes ? lança-t-il.

— Sale petit bâtard de Haken, je...

Fitch frappa une quatrième fois, si violemment qu'il se fit mal à la main. Et Morley, plutôt du genre solide, fut obligé de reculer d'un pas sous l'impact.

Claudine vomit un mélange de bile et de sang. Fitch aurait voulu la cogner au visage, mais les instructions de Campbell étaient strictes : pas de traces visibles !

— Si j'étais toi, garce, grogna Morley, je n'appellerais plus mon copain comme ça !

Il saisit l'Anderienne par les cheveux et la força à se redresser.

Le mouvement, très brutal, fit jaillir ses seins hors de leur décolleté. Pétrifié,

Fitch se demanda s'il devait remonter la robe sur cette fort jolie poitrine, histoire de ménager la pudeur de leur victime. Mais avait-il vraiment envie de se priver d'un tel spectacle ?

Morley se pencha par-dessus l'épaule de l'Anderienne pour jeter un coup d'œil à ses appas. Puis il sourit à son complice.

Claudine baissa les yeux, vit le désastre et renonça à toute velléité de résistance.

— Je vous en prie, haleta-t-elle, ne me faites plus de mal.

— Tu es décidée à écouter ?

— Oui, messire.

Cette réponse surprit Fitch davantage encore que la vision des seins nus de l'Anderienne. Depuis sa naissance, personne, même pour plaisanter, ne l'avait appelé « messire ». Ce mot était tellement stupéfiant qu'il en resta bouche bée, les yeux ronds. Puis il se demanda si Claudine se moquait de lui. Quand il sonda son regard, il constata que ce n'était pas le cas.

La musique continuait à l'exalter d'une curieuse manière. Il n'avait jamais été aussi important, et personne ne lui avait donné du « messire ». Ce matin encore, un chef de cuisine le surnommait « Fichtre ». Et voilà qu'une grande dame anderienne l'appelait « messire ». Tout ça grâce à Dalton Campbell !

Fitch frappa de nouveau. Simplement parce que ça lui sembla adéquat.

— Par pitié, messire ! implora Claudine. Ne me frappez plus ! Dites-moi ce que vous voulez, et j'obéirai. Si vous me désirez, je ne résisterai pas. Mais plus de coups, je vous en supplie !

Bien qu'il eût toujours envie de vomir, Fitch se sentit plus important que jamais. Une Anderienne, la poitrine nue, l'appelait « messire » et s'offrait à lui...

— Maintenant, écoute-moi, sale petite pute !

L'insulte surprit autant le jeune Haken que Claudine. Il n'avait pas prémédité de parler ainsi. C'était venu tout seul – mais il était assez fier de sa trouvaille.

— Oui, messire, gémit l'Anderienne, je vais vous écouter.

Elle avait l'air si pitoyable et impuissante. Une heure plus tôt, si une Anderienne, même Claudine Winthrop, lui avait ordonné de se mettre à genoux et de laver le parquet avec sa langue, il aurait obéi en tremblant de peur. Alors qu'il était si facile, en réalité, d'échapper à la soumission. Quelques coups de poing, et les maîtres se transformaient en esclaves ! Finalement, être important et obéi n'était pas très compliqué.

À présent, il devait répéter ce que Dalton Campbell l'avait chargé de dire à Claudine.

— Tu faisais la coquette devant le ministre, n'est-ce pas ? Tu t'offrais impudiquement à lui ?

Son ton suffit à Claudine pour comprendre qu'il ne s'agissait pas d'une question.

— Oui, messire.

— Si tu racontes encore qu'il t'a violée, tu le regretteras. Proférer de tels mensonges est de la haute trahison ! Tu as compris ? Et le châtiment, pour les traîtres, est la peine de mort. Quand on retrouvera ton cadavre, personne ne te reconnaîtra. Pigé, salope ? Et ta langue de vipère sera clouée à un arbre !

» Le ministre ne t'a pas violée. C'est une ignoble calomnie. Répète-la, et tu souffriras beaucoup avant de mourir.

— Oui, messire. Je ne mentirai plus jamais. Vous voulez bien me pardonner ? Je dirai la vérité, c'est promis !

— Tu t'exhibais devant le ministre pour l'exciter. Mais il n'est pas le genre d'homme à se compromettre avec une catin dans ton genre. Il t'a rejetée, et tu lui en as voulu.

— C'est vrai, messire…

— Rien d'immoral n'est arrivé, compris ? Le ministre ne fait jamais de mal à quiconque, parce que c'est un grand homme.

— Je comprends, messire, sanglota Claudine.

Fitch tira le mouchoir qu'elle avait glissé dans sa manche et lui tamponna les yeux. Malgré la pénombre, il vit que le maquillage de l'Anderienne, après qu'elle eut vomi et pleuré, ne ressemblait plus à rien.

— Arrête de pleurnicher, maintenant ! Tu as l'air d'une souillon ! Tu ferais mieux de retourner dans ta chambre pour te refaire une beauté, avant d'aller rejoindre les autres invités.

Claudine renifla grotesquement pour ravaler ses sanglots.

— Je ne peux pas me remontrer au banquet… Ma robe est souillée d'immondices. Je ne peux pas…

— Tu le feras, et très vite, en plus de ça ! Cours arranger ton maquillage et passer une autre robe ! Dans la salle des fêtes, quelqu'un attend ton retour pour voir si tu as bien compris le message. Si tu recommences à bavasser, cet homme est prêt à t'embrocher avec son épée.

— Un homme ? Lequel ?… demanda Claudine, terrorisée.

— Ça ne te regarde pas, chienne ! L'important, c'est que tu aies compris ce qui t'arrivera si tu recommences à mentir.

— J'ai compris…

— Messire, lâcha Fitch. On dit : « J'ai compris, *messire.* »

— J'ai compris, messire, répéta Claudine. (Elle recula, le dos plaqué contre le ventre de Morley.) Oui, messire, je ne recommencerai plus !

— Très bien, approuva Fitch.

L'Anderienne baissa les yeux sur son torse, frémit de tout son corps et éclata en sanglots.

— S'il vous plaît, messire, puis-je aller nettoyer ma robe ?

— Quand j'aurai fini de parler.

— Bien entendu, messire.

— Tu es sortie prendre l'air et tu n'as rencontré personne ! C'est compris ? Personne ! À partir de maintenant, tu ne diras plus rien de désobligeant sur le ministre. Et si tu désobéis, tu finiras la gorge tranchée par une épée. Tu as saisi ?

— Oui, messire.

— Parfait. (Fitch congédia l'Anderienne d'un geste méprisant.) Remonte ta robe sur tes seins et va-t'en !

Morley se rinça l'œil pendant que Claudine se rhabillait. Fitch doutait qu'elle soit moins indécente une fois harnachée, mais il ne voyait pas pourquoi il se serait privé d'un spectacle aussi réjouissant. Reluquer une femme pendant qu'elle réajustait ses vêtements ! Il n'aurait jamais cru voir ça, surtout avec une Anderienne dans le rôle principal !

À la façon dont Claudine cria en s'écartant de Morley, Fitch devina qu'il avait dû s'autoriser une privauté, par exemple en glissant une main sous la robe de la jeune femme. Il aurait volontiers imité son ami, mais les consignes de Dalton Campbell l'en empêchèrent.

Il prit Claudine par un bras et la tira en avant.

— Fiche le camp, maintenant !

L'Anderienne jeta un rapide coup d'œil à Morley, puis esquissa une révérence.

— Je m'en vais, messire. Merci beaucoup... Oui, merci de votre clémence.

Elle releva l'ourlet de sa robe, dévala les marches et disparut dans la nuit.

— Pourquoi l'as-tu laissée filer ? s'insurgea Morley. On aurait pu s'amuser un peu avec elle. Et d'après ce que j'ai vu, il y avait de quoi se régaler !

— As-tu entendu messire Campbell nous autoriser à abuser d'elle ? demanda Fitch. Nous avions une mission à remplir. C'est fait, et ça suffit amplement.

— Je suppose que tu as raison, admit Morley. (Il tourna la tête vers le tas de bois.) Heureusement, il reste la bouteille pour nous consoler.

Fitch repensa à la terreur qu'il avait vue sur le visage de Claudine Winthrop. Cette grande dame avait pleurniché comme une enfant. Bien entendu, il savait que les Hakennes pleuraient de temps en temps. Mais une Anderienne ? Assez stupidement, il devait le reconnaître, il n'avait jamais imaginé qu'elles sanglotaient aussi.

Le ministre étant un Anderien, il doutait qu'il puisse commettre une mauvaise action. Claudine avait dû le provoquer avec son décolleté et des pauses suggestives. Beaucoup de femmes faisaient ça devant Bertrand Chanboor. Comme si elles se réjouissaient à l'idée qu'il leur saute dessus.

Il revit Beata, dans le couloir du deuxième étage. Elle semblait si misérable après que le ministre l'eut fait jeter dehors, une fois qu'il en avait terminé avec elle.

Puis il se souvint que la jeune Hakenne l'avait giflé.

Tout ça était bien trop compliqué pour lui. S'il ne se soûlait pas très vite, il finirait par avoir mal à la tête.

— Tu as raison, Morley, allons boire un coup ! Nous avons des choses à fêter, vieux frère. Ce soir, nous sommes devenus des hommes importants.

Bras dessus, bras dessous, les deux Hakens allèrent retrouver leur précieuse bouteille.

Chapitre 20

— Eh bien, murmura Teresa, voilà autre chose…
Dalton suivit son regard et vit Claudine Winthrop tenter de se frayer un chemin dans la foule d'invités surexcités. Elle portait une robe qu'il avait déjà vue quand il était en poste à Fairfield. Une ancienne coupe, étonnamment pudique. Bref, une tenue très différente de celle qu'elle arborait au début de la soirée. Sous la couche de poudre rose, soupçonna Dalton, son visage devait être couleur de cendre. La belle confiance de cette empêcheuse de tourner en rond venait de se volatiliser…

Les convives venus de Fairfield, les yeux écarquillés, tentaient de mémoriser le décor pour n'épargner à leurs amis aucune information sur leur extraordinaire soirée chez le ministre de la Civilisation. Une invitation au domaine était un grand honneur, et s'imprégner des détails comptait beaucoup, quand on avait l'intention de se vanter.

Entre les riches tapis placés à intervalles réguliers sur le sol, les curieux avaient tout loisir d'admirer le superbe parquet en chêne verni. Pareillement, il aurait fallu être aveugle pour ne pas remarquer que les tentures, devant les fenêtres à vitraux, étaient brodées de fil d'or. En passant, plus d'une femme les pinçais entre le pouce et l'index pour s'assurer que le tissu couleur de blé mûr était aussi épais et moelleux qu'il le semblait. Les hommes, eux, s'émerveillaient plutôt devant les colonnes de marbre nervurées qui soutenaient la galerie taillée à même la pierre, qui faisait tout le tour de la salle au somptueux plafond en berceau rehaussé de boiseries en acajou.

Dalton leva sa coupe en étain et but une gorgée d'un des meilleurs vins de la vallée de Nareef. La nuit, avec toutes les lampes et les chandelles allumées, la salle des fêtes avait une sorte d'aura mystique. Lors de ses premières soirées, il lui avait fallu beaucoup de discipline pour ne pas s'ébaubir comme un vulgaire visiteur venu de Fairfield.

Un long moment, il regarda Claudine Winthrop se faufiler entre les invités en superbes atours. Serrant une main ici, tapotant un coude là, elle ne manquait pas de saluer toutes ses connaissances et de répondre courtoisement à leurs questions. Après ce qu'elle venait de vivre – une expérience que Campbell imaginait très bien – cette diablesse de femme trouvait les ressources de faire bonne figure en société.

Épouse d'un riche homme d'affaires choisi par les marchands et les négociants pour les représenter au ministère, Claudine n'était pas un membre négligeable de la petite communauté qui vivait et travaillait au domaine. Quand ils constataient que son mari semblait assez vieux pour être son grand-père, les non-initiés pensaient qu'il s'était acheté une jeune beauté pour adoucir ses vieux jours. Mais ils se trompaient du tout au tout.

Edwin Winthrop avait commencé en bas de l'échelle : un simple fermier qui cultivait du sorgho, une plante qui poussait en abondance dans le sud d'Anderith. Produisant lui-même de la mélasse avec ses récoltes, il s'était peu à peu enrichi. Économe par nature, il avait fait son petit bonhomme de chemin sans jamais céder à la tentation de vivre dans le luxe. Une demeure modeste mais confortable, des vêtements agréables sans être voyants et une épouse... Ses ambitions s'arrêtaient là, et il les avait comblées au-delà de ses espérances.

Avec l'argent qu'il ne gaspillait pas, Edwin avait acheté des troupeaux qu'il nourrissait en recyclant le sorgho qui ne lui servait pas à fabriquer de la mélasse. En vendant une partie de ses bêtes, il avait pu moderniser ses étables et acheter une distillerie où il produisait son propre rhum au lieu de vendre sa mélasse à des bouilleurs de cru. Avec les bénéfices de cette activité, il avait loué davantage de terres, acquis de nouveaux troupeaux et ajouté plusieurs distilleries à son patrimoine. Toujours soucieux de se développer, il avait ensuite acheté des entrepôts et des chariots pour assurer lui-même le transport de sa production. Le rhum Winthrop était connu de Renwold à Nicobarese, et on en dégustait de Fairfield jusqu'en Aydindril. En faisant tout lui-même – ou plutôt en chargeant ses employés du travail –, Edwin Winthrop avait créé une formidable machine qui réduisait tous les coûts de production et lui rapportait une fortune.

Resté très simple et d'une scrupuleuse honnêteté, il était universellement apprécié. Son succès assuré, il s'était autorisé à prendre femme. Fille d'un marchand prospère qui lui avait assuré une excellente éducation, Claudine était encore une adolescente lorsqu'elle l'avait épousé, une quinzaine d'années plus tôt.

Douée pour la comptabilité, elle veillait sur chaque sou avec autant de soin que son mari. Se révélant un bras droit talentueux – un peu comme Dalton pour le ministre –, elle avait aidé Edwin à doubler sa fortune. Même dans sa vie privée, cet homme avait fait le choix de la prudence et de la sagesse. Après une existence passée à cultiver l'austérité, il s'était offert la rare satisfaction d'avoir une compagne à la fois séduisante et compétente.

Après l'élection d'Edwin au poste de représentant des marchands, Claudine s'était révélée une juriste de première qualité. Dans l'ombre, elle participait à la rédaction des lois sur le commerce que son mari proposait au ministre. En réalité, soupçonnait Dalton, ce devait même être elle qui les soufflait à l'oreille d'Edwin. Et quand il n'était pas disponible, elle n'hésitait pas à négocier à sa place avec le ministre ou ses collaborateurs. Au palais, personne n'aurait commis l'erreur de la tenir pour la « danseuse » d'un vieil homme riche à ne plus savoir qu'en faire.

À part Bertrand Chanboor, bien entendu. Mais il tenait toutes les jolies femmes pour des objets de plaisir...

Dalton avait souvent vu dame Winthrop rougir, battre des cils ou sourire timidement quand elle était face au ministre. Une aubaine pour Bertrand, qui pensait que la pudeur, chez les femmes, était un signe de coquetterie. Claudine avait-elle innocemment joué de sa séduction devant un homme important ? Ou cherchait-elle des… attentions… que son vieux mari ne pouvait plus lui prodiguer ? Après tout, elle n'avait pas d'enfant, un signe qui ne trompait guère.

Avait-elle cherché à s'attirer quelque avantage en ayant une liaison avec Bertrand ? Et découvert, comme beaucoup d'autres avant elle, qu'il ne fallait rien attendre de lui ?

Claudine Winthrop n'était pas une oie blanche, et encore moins une idiote. Pour être franc, Dalton ignorait ce qui s'était passé. Bertrand avait tout nié en bloc, comme d'habitude, et ça ne voulait strictement rien dire. Mais en demandant une entrevue au directeur Linscott, Claudine avait dépassé le stade de courtoises négociations autour de l'une ou l'autre prébende. La force était à présent le seul moyen de la contrôler.

Dalton désigna l'épouse d'Edwin avec sa coupe de vin.

— On dirait que tu avais tort, Tess, murmura-t-il. Certaines femmes, ce soir, n'ont pas décidé de montrer leurs appas à tout le monde. Claudine serait-elle pudibonde ?

— Non, il y a autre chose, répondit Teresa, perplexe. Mon chéri, elle ne portait pas cette robe tout à l'heure. Mais pourquoi se serait-elle changée pour enfiler une vieillerie ?

— Si nous allions le découvrir ? proposa Dalton. Il vaut mieux que tu parles. Venant de moi, ce serait un peu… déplacé.

Teresa interrogea son mari du regard. Le connaissant assez, elle devina que sa dernière phrase n'était pas anodine. Un plan compliqué était en cours, et elle ne manquerait pas d'y jouer le rôle que Dalton entendait lui assigner.

Avec un sourire, elle plia une main et tendit le bras à son époux. Claudine n'était pas la seule femme de tête du domaine…

Elle sursauta quand Teresa lui tapota l'épaule, se retourna et eut un sourire nerveux.

— Bonsoir, Teresa. (Claudine esquissa une révérence à l'intention de Dalton.) Messire Campbell…

Le front plissé, Teresa se pencha vers son « amie ».

— Claudine, que t'arrive-t-il ? Tu n'as pas l'air bien du tout. Et ta robe ? Il me semble que tu t'es changée ?

— Ne t'inquiète pas… Avec tout ce monde, j'étais nerveuse. Parfois, la foule me rend un peu malade. En sortant prendre l'air, j'ai glissé sur je ne sais quoi et je suis tombée.

— Par les esprits du bien, vous voulez vous asseoir, dame Winthrop ? demanda Dalton. (Il prit Claudine par le bras, comme s'il voulait la soutenir.) Allons, je vais vous chercher une chaise !

— Non, je me sens très bien. Mais merci quand même. En m'étalant dans la boue j'ai sali ma robe, et j'ai dû aller en mettre une autre. C'est tout…

Alors que Dalton s'écartait d'elle, il vit que Claudine avait les yeux rivés sur son épée. Depuis son retour, elle regardait bizarrement toutes les armes, avait-il remarqué.

— On dirait quand même que...

— Non, il n'y a rien d'autre ! En tombant, je me suis cogné la tête contre quelque chose, c'est pour ça que j'ai l'air un peu confuse. Mais ce sera vite oublié. Cet incident a... comment dire... un peu ébranlé ma confiance.

— Je comprends, dit Dalton, plein de compassion. Ce genre d'avanie nous rappelle combien la vie est courte. On se croit éternel, et on peut disparaître d'un instant à l'autre !

Les lèvres tremblantes, Claudine dut déglutir avant de répondre.

— Oui, je vois ce que vous voulez dire. Mais je me sens mieux maintenant. Et mon assurance revient.

— Vraiment ? Je n'en serais pas si sûr...

— Dalton, intervint Teresa, tu ne vois pas que notre pauvre amie est bouleversée ? (Elle poussa son mari du coude.) Va t'occuper de politique pendant que je prends soin d'elle !

Dalton inclina la tête et s'éclipsa pour laisser tout loisir à sa femme de cuisiner Claudine. Il était très content des deux jeunes Hakens. À l'évidence, ils avaient terrorisé leur victime, comme si elle avait été entre les mains du Gardien en personne. Et à la voir tituber, ils n'avaient pas dû lésiner sur les coups. Excellent ! La violence aidait souvent à mettre du plomb dans la tête des gens.

Dalton était surtout ravi d'avoir bien jugé Fitch. Pour ça, il lui avait suffi de voir comment il regardait son épée. Claudine avait peur de l'arme, alors que le Haken brûlait d'en posséder une. Une preuve d'ambition ! Morley pouvait également se révéler utile, mais il n'était qu'une montagne de muscles sans cervelle. Fitch comprenait les ordres en profondeur, et son envie de s'élever dans la hiérarchie en ferait un très bon serviteur. À cet âge, on ne savait pas encore que c'était une chimère – en tout cas, pour la majorité des gens.

Dalton serra la main d'un homme qui le félicita chaudement de sa promotion. Incapable de se rappeler le nom du type, il sourit et ne l'écouta qu'à moitié, pressé de lui fausser compagnie.

Le directeur Linscott venait de terminer une conversation au sujet des impôts qu'un négociant devait payer sur le blé qu'il gardait dans ses granges. Un sujet d'importance, quand on connaissait les réserves de céréales que détenait Anderith.

Dalton salua l'inconnu qui le flagornait, s'éloigna et s'approcha de Linscott.

Quand le directeur se retourna, il lui sourit et s'empara de sa main avant qu'il ait le temps de la retirer.

— Je suis si content que vous soyez venu, directeur Linscott ! J'espère que vous appréciez la soirée. Le ministre a tant de choses à discuter avec vous.

Élancé mais robuste, Linscott affichait sur son visage bronzé l'expression d'un homme qui souffre perpétuellement d'une rage de dents. Comme Dalton s'y attendait, il ne lui rendit pas son sourire.

Les quatre directeurs les plus âgés étaient des maîtres de guilde. Le premier appartenait à celle des tisserands, très importante. Le deuxième dirigeait l'association des fabricants de parchemin. Le troisième était un maître armurier, et Linscott présidait la guilde des maçons. Parmi les autres directeurs, on trouvait des prêteurs sur gages et des marchands respectés, un conseiller juridique et plusieurs avocats.

La jaquette de Linscott était franchement démodée, mais en excellent état, et sa couleur, marron clair, s'harmonisait très bien avec ses fins cheveux gris. Son épée devait être une antique arme de famille. Cela dit, les décorations en laiton du fourreau brillaient comme des diamants, encadrant l'emblème en argent des maçons – le compas de l'architecte – fixé sur le cuir noir. Et la lame de l'épée, à n'en pas douter, devait être aussi affûtée que l'esprit de son propriétaire.

Linscott ne faisait aucun effort pour impressionner les autres. Cela semblait lui venir naturellement, comme une maman ours qui sait s'occuper spontanément de ses petits. Et à ses yeux, le peuple d'Anderith tout entier était une immense portée d'oursons !

— Oui, répondit-il, j'ai entendu parler des grands desseins du ministre. On murmure qu'il envisage d'ignorer les conseils de la Mère Inquisitrice et de rompre avec les Contrées du Milieu.

— Directeur, je suis sûr de ne pas outrepasser mes fonctions en affirmant que le ministre cherche à assurer un avenir prospère à son peuple. Rien de plus, et rien de moins.

» Prenons votre cas personnel... Qu'arrivera-t-il si nous nous allions à l'empire d'haran ? Le seigneur Rahl exige que tous les royaumes renoncent à leur souveraineté. Cela signifierait, je suppose, que nous n'aurions plus besoin de directeurs de l'Harmonie culturelle...

— Il ne s'agit pas de moi, Campbell ! lâcha Linscott, inhabituellement prompt à s'emporter. L'enjeu, c'est la liberté de tous les peuples des Contrées du Milieu. Et leur avenir ! Il n'est pas question que notre pays ploie sous le joug de l'Ordre Impérial et lui serve de base avancée pour conquérir les Contrées !

» L'ambassadeur d'Anderith nous a transmis les propos exacts du seigneur Rahl. Les pays devront lui prêter allégeance et se placer sous son commandement, mais ils conserveront leurs spécificités culturelles, si elles ne sont pas contraires aux lois communes. La Mère Inquisitrice a donné sa parole qu'il en serait ainsi.

Dalton inclina respectueusement la tête.

— Vous comprenez mal la position du ministre Chanboor, j'en ai peur... Il proposera au pontife de suivre le conseil de la Mère Inquisitrice, s'il croit sincèrement que c'est dans l'intérêt du peuple. Notre civilisation est en jeu, après tout ! Le ministre ne se précipitera pas pour choisir un camp. L'Ordre Impérial peut nous offrir de meilleures perspectives de paix. Et c'est tout ce qui intéresse mon supérieur.

— Les esclaves vivent en paix..., lâcha Linscott, le regard noir.

Dalton fit mine de n'avoir pas compris.

— Votre esprit est trop vif pour le mien, directeur.

— Campbell, vous semblez prêt à vendre votre pays et sa culture sur la foi des promesses d'une horde de sauvages obsédés par l'idée de conquérir de nouveaux territoires. Pour quelle autre raison seraient-ils ici, selon vous ? Et comment pouvez-vous annoncer tranquillement votre intention d'enfoncer un couteau dans le cœur des Contrées du Milieu ? Quel genre d'homme êtes-vous pour tourner le dos à la Mère Inquisitrice, après tout ce qu'elle a déjà fait pour nous ?

— Directeur, j'ai peur que...

Linscott leva un poing rageur.

— Ceux de nos ancêtres qui ont combattu les hordes hakennes – alors qu'ils auraient dû les accueillir à bras ouverts, selon vous – se retournent sûrement dans leurs tombes en vous entendant jeter aux orties leur sacrifice et notre héritage !

Dalton attendit un assez long moment avant de répondre, pour laisser à Linscott le temps d'entendre l'écho de ses paroles résonner dans la salle. C'était pour obtenir une tirade de ce genre qu'il avait provoqué le directeur...

— Je sais que vous êtes sincère, messire Linscott, dit-il. Vous aimez notre peuple et brûlez de le défendre, personne n'en doute. Désolé de constater que *vous* doutez de la sincérité de mes convictions... (Il s'inclina.) En espérant que vous apprécierez la suite de la soirée...

Accepter aussi gracieusement une telle insulte était le summum de la courtoisie. En filigrane, cela soulignait que celui qui venait de porter un coup aussi bas à son interlocuteur était indigne de l'antique code d'honneur anderien.

Seuls les Hakens, dans l'histoire, avaient traité aussi vilement les Anderiens.

Manifestant un respect absolu envers l'homme qui venait de le souffleter symboliquement, Campbell se détourna comme si on l'avait congédié. La réaction d'un humble Anderien bafoué par un grand seigneur haken...

Bien entendu, Linscott rappela l'assistant, qui se retourna sans hâte.

Le directeur se tordit la bouche, comme pour la forcer à se livrer à un exercice rare : sourire à un adversaire politique.

— Dalton, je me souviens de votre passage chez le juge suprême, à Fairfield. À l'époque, je vous tenais pour un homme d'une haute moralité. Et je n'ai pas changé d'avis.

Dalton écarta légèrement les bras, comme s'il était prêt à encaisser une nouvelle insulte, selon le bon vouloir de son interlocuteur.

— Merci, directeur... Venant d'un homme aussi respecté que vous, ce jugement est des plus flatteurs.

Linscott hésita un moment, à croire qu'il s'agaçait d'avoir déjà épuisé sa réserve d'amabilités.

— Dans ces conditions, dit-il enfin, j'ai du mal à comprendre que la femme de ce parangon de vertu exhibe ainsi ses appas...

Dalton sourit. Si les mots pouvaient sembler à double sens, le ton était conciliant. En approchant de Linscott, il prit une coupe de vin sur le plateau d'un serviteur puis la tendit au directeur, qui l'accepta de bonne grâce.

Campbell oublia son ton officiel et parla à Linscott comme s'ils avaient usé leurs fonds de culotte ensemble sur les bancs de l'école.

— Pour être franc, je me le demande aussi. Teresa et moi avons eu une dispute à ce sujet. Elle prétend que ces tenues légères sont à la mode. Étant son seigneur et maître, je lui ai formellement interdit de porter la robe en question.

— Alors, pourquoi l'a-t-elle sur le dos ?

— Parce que je ne la trompe pas, directeur, soupira Dalton.

Linscott en plissa le front de perplexité.

— Je suis ravi d'apprendre que vous ne cédez pas au laxisme moral en vogue dans les plus hautes sphères du royaume. Mais quel rapport avec ma question ?

Dalton but une gorgée de vin et Linscott l'imita.

— Eh bien, puisque je ne la trompe pas, si j'avais toujours le dernier mot, mes nuits risqueraient d'être très ennuyeuses...

Pour la première fois, le directeur eut un petit sourire.

— Je vois ce que vous voulez dire...

— Les femmes, ici, s'habillent d'une façon choquante. Dès mon arrivée, j'en ai été indigné. Mais Teresa est très jeune, et elle ne veut pas se singulariser, afin de se faire des amies. Elle craint d'être mise à l'écart par ces dames...

» J'ai abordé ce sujet avec le ministre, qui partage mon opinion sur la décence. Hélas, dans notre culture, les femmes disposent d'une grande liberté vestimentaire. Mais Bertrand Chanboor et moi travaillons à un plan pour les orienter sur une meilleure voie...

— Eh bien, approuva Linscott, j'ai aussi une épouse, et je ne la trompe pas non plus. Ravi de vous compter dans les rangs de ceux qui croient qu'un serment est sacré, en particulier dans le cadre du mariage.

La culture anderienne reposait pour l'essentiel sur un code d'honneur où la parole donnée était une valeur fondamentale. Respecter ses engagements, voilà ce qui comptait ! Hélas, Anderith changeait. Beaucoup de gens s'inquiétaient de voir les tabous tomber les uns après les autres. Dans le grand monde, la débauche n'était plus seulement tolérée, mais encouragée.

Dalton regarda Teresa, puis le directeur, et de nouveau Teresa.

— Messire Linscott, puis-je vous présenter mon adorable épouse ? Ne refusez pas, je vous en prie. Un homme de votre stature devrait avoir une influence bénéfique sur elle. Comparé à vous, qui suis-je pour donner des leçons de décence ? Quand j'aborde ce sujet, elle croit que la jalousie me dicte mes propos.

— Si cela peut vous faire plaisir, je consens volontiers à faire sa connaissance.

Quand Dalton et le directeur rejoignirent les deux femmes, Teresa tentait de convaincre Claudine de boire un peu de vin pour se requinquer.

— Teresa, dame Winthrop, puis-je vous présenter le directeur Linscott ?

Très souriante, Teresa regarda Linscott dans les yeux pendant qu'il lui baisait la main. Lorsqu'il lui rendit le même hommage, Claudine baissa la tête. On eût dit qu'elle mourait d'envie de se jeter dans les bras de cet homme pour qu'il la protège. Ou de tourner les talons et de s'enfuir à toutes jambes. Posant une main rassurante sur son épaule, Dalton l'aida à ne pas céder à la panique.

— Tess, ma chérie, le directeur et moi parlions de la mode féminine, parfois un peu frivole, selon nous...

Teresa inclina une épaule vers le directeur, comme si elle voulait lui parler en privé.

— Mon mari est tellement vieux jeu ! Qu'en pensez-vous, directeur Linscott ? Approuvez-vous mon choix ? (Elle eut un sourire rayonnant.) Trouvez-vous ma robe jolie ?

Linscott étudia brièvement la tenue de dame Campbell.

— Très seyante, ma chère... Très seyante.

— Tu vois, Dalton, je te l'avais bien dit ! Ma tenue est bien plus pudique que les autres. Je suis ravie qu'une aussi haute autorité morale en convienne, directeur.

Alors que son épouse se tournait vers un domestique pour prendre un nouveau verre, Dalton lança un regard troublé à Linscott.

L'homme soupira et lui souffla à l'oreille :

— Votre épouse est adorable, messire Campbell. Je n'ai pas eu le cœur de l'humilier et de la décevoir.

— L'histoire de ma vie, répliqua Dalton.

Très souriant, Linscott se redressa.

— Directeur, reprit Dalton sur un ton plus sérieux, Claudine Winthrop vient d'avoir un terrible accident. Alors qu'elle prenait l'air, elle a glissé et fait une mauvaise chute.

— Par les esprits du bien ! (Linscott prit la main de la jeune femme.) Vous êtes-vous fait mal, très chère ?

— Ce n'était rien, marmonna Claudine.

— Je connais Edwin depuis des années. À coup sûr, il ne se formaliserait pas que je vous raccompagne dans vos appartements. Prenez mon bras, et allons-y !

Dalton leva sa coupe et but une gorgée. Du coin de l'œil, il vit Claudine hésiter à accepter l'invitation du directeur. Si elle le faisait, se plaçant sous l'aile d'un homme très puissant, elle avait une bonne chance d'être en sécurité.

La réaction de dame Winthrop permettrait à Campbell de prendre une décision finale à son sujet. Le petit jeu qu'il jouait n'était pas très risqué. Après tout, beaucoup de gens disparaissaient sans qu'on retrouve jamais leurs traces. Cela dit, sa petite mise en scène n'était pas totalement sans danger…

Il attendit, laissant Claudine décider seule de son destin.

— Merci de vous soucier de moi, directeur, mais je vais très bien. J'attends cette fête depuis si longtemps ! Si je m'absentais, je ne me pardonnerais pas d'avoir manqué le discours du ministre de la Civilisation.

— Depuis que ses pairs ont élu Edwin représentant, il a travaillé dur à promulguer de nouvelles lois. Avec votre aide, si je ne m'abuse. Vous avez donc souvent vu le ministre. Puis-je avoir votre opinion sur lui ? En toute franchise, bien entendu.

Claudine but une gorgée de vin, reprit son souffle et parla sans regarder son interlocuteur.

— Bertrand Chanboor est un homme d'honneur. Sa politique est excellente pour Anderith, et il fait grand cas des lois que lui propose mon mari. (Claudine sirota une nouvelle gorgée de vin.) Nous avons de la chance d'avoir un serviteur de l'État de cette trempe à la tête du ministère de la Civilisation. Je doute que quelqu'un d'autre puisse faire mieux que lui…

— Un jugement d'une grande valeur, venant d'une femme comme vous. Nul n'ignore le rôle capital que vous jouez auprès d'Edwin.

— Vous êtes trop bon, directeur…, dit Claudine en baissant les yeux sur sa coupe. Je suis simplement l'épouse d'un homme important. Si je m'étais brisé la nuque en tombant ce soir, on ne m'aurait pas pleurée longtemps… et oubliée très vite ! Edwin, lui, laissera un souvenir durable à ceux qui l'ont connu.

Intrigué, Linscott attendit en vain que la jeune femme relève les yeux.

— Claudine a une fâcheuse tendance à se sous-estimer, dit Dalton.

Du coin de l'œil, il vit le majordome ouvrir la double porte de la salle à manger. Juste derrière, sur une table basse, des rince-mains où flottaient des pétales de roses attendaient les dîneurs.

— Directeur, je suppose que vous connaissez l'identité de l'invité d'honneur ?

— Quel invité d'honneur, Campbell ?

— Un émissaire de l'Ordre Impérial. Nommé Stein, cet officier de haut rang vient nous délivrer un message de l'empereur Jagang. Le pontife sera là aussi pour l'écouter…

Linscott parut soudain accablé par le poids de cette nouvelle. Désormais, il savait que ses onze collègues et lui n'avaient pas été conviés à une fête ordinaire. Pour d'évidentes raisons de sécurité, le pontife annonçait rarement sa présence longtemps à l'avance. Il devait déjà être là avec sa garde personnelle et une petite armée de serviteurs.

Trépidante d'excitation, Teresa sourit à son mari. Claudine continua à fixer obstinément le parquet.

— Messires et mes dames, annonça le majordome, si vous voulez bien vous donnez la peine, le dîner est servi.

Chapitre 21

L a chanteuse écarta ses ailes et, d'une voix profonde, fit vibrer les notes d'une
légende plus ancienne que des mythes pourtant millénaires :

— Du royaume des morts où ils étaient tapis
Vinrent des visiteurs à la beauté glacée.
En quête de butin, ivres de dévaster
Vinrent les trois voleurs de la sorcellerie.
Les campanes sonnent trois fois
Et voilà la mort aux abois !

» D'une noble splendeur, bien que dissimulée
Ils volaient dans le vent, portés par l'étincelle,
Certains offrant du bois à leur reine nouvelle,
Tandis que d'autres envahissaient l'obscurité.
Les campanes sonnent trois fois,
Et voilà la mort aux abois !

» Au fil de l'onde, sur la mer ou les rivières
Ils lançaient leur appel, prodiguaient leur étreinte
Avec pour leitmotiv une atroce complainte
Qui résonnait la nuit au cœur des cimetières.
Les campanes sonnent trois fois,
Et voilà la mort aux abois !

» Ensemble pour danser et seuls pendant la chasse
Pour que leurs noirs désirs enfin se satisfassent
Ils jetèrent des sorts dont naquit l'entropie
Avant d'alimenter de nouveaux incendies.
Les campanes sonnent trois fois,
Et voilà la mort aux abois !

» Mais un jour vint celui qui fit s'ouvrir les eaux
Alors que les cloches trois fois carillonnaient.
Celui qui sut lancer l'appel bien au-delà des mots
Et exiger le prix qu'on ne peut refuser.
Les campanes sonnent trois fois,
Et la mort court vers la Montagne !

» Les trois voleurs alors, désireux qu'il se calme
Se firent séducteurs, amicaux et gracieux.
Mais il ne faiblit pas, insensible à leur jeu,
Les maudit sans pitié et exigea une âme.
Les Carillons se turent et la Montagne,
Devenue leur tombeau, les étouffa.

Sur une ultime note qu'elle tint incroyablement longtemps, la jeune femme conclut son ensorcelante chanson. Aussitôt, les invités l'applaudirent à tout rompre.

Il s'agissait d'un antique poème de Joseph Ander, et cela suffisait à en faire un chant universellement adoré. Dalton avait un jour consulté de vieux textes pour tenter de comprendre le sens profond de ces vers. En vain. Bien au contraire, il s'était embrouillé l'esprit, car il existait plusieurs versions du texte, toutes plus alambiquées les unes que les autres. Bref, il fallait se résoudre à rester dans l'ignorance – mais continuer à vénérer la chanson, puisqu'elle célébrait à l'évidence le mystérieux triomphe d'un des vénérables pères fondateurs du pays. Par respect des traditions, cette mélodie fascinante était interprétée à un moment ou à un autre de toutes les grandes fêtes.

Sans savoir pourquoi, Dalton eut l'étrange sentiment que ces vers, ce soir, avaient pour lui une plus grande signification qu'à l'accoutumée. À un moment, il s'était même cru sur le point de percer leur secret. Mais il avait vite pensé à autre chose, et cette sensation fugace l'avait abandonné.

Quand la chanteuse s'inclina pour saluer le pontife, les bras écartés, les longues manches de sa robe frôlèrent le parquet. Le phénomène se reproduisit lorsqu'elle fit une révérence devant la table du ministre, placée à côté de celle du pontife. Soutenu aux quatre coins par des lances beaucoup plus hautes et lourdes que celles des soldats anderiens, un imposant pavillon de soie brodée de fil d'or entourait sur trois côtés les deux tables d'honneur. Avec cette configuration, on aurait juré que le ministre et ses invités de marque dînaient sur une scène de théâtre.

Et c'est le cas, en un certain sens, pensa Dalton Campbell.

La chanteuse alla s'incliner devant chaque table des deux interminables rangées qui s'étendaient jusqu'au bout de la salle à manger. Les manches de sa robe étant couvertes de plumes tachetées de chouette blanche, on avait l'impression, quand elle écartait les bras en chantant, d'admirer une femme ailée directement sortie des légendes où elle puisait l'essentiel de son répertoire.

Placé à côté du ministre et de sa femme, qui applaudissaient avec conviction, Stein se tapait dans les mains d'un air absent. À l'évidence, il aurait préféré plumer cette colombe-là plutôt que de l'écouter roucouler.

Dès que la chanteuse se fut retirée sous une ultime salve d'applaudissements, quatre serviteurs entrèrent par la porte du fond, un imposant plateau sur les épaules. Sur une mer démontée en pâte d'amandes, un grand bateau, également en pâte d'amandes, déployait fièrement ses voiles en barbe à papa.

Une manière spectaculaire d'annoncer que le prochain service proposerait un choix de poissons. Pour celui des viandes rouges, les convives avaient pu admirer, sur un plateau encore plus grand, un cerf en pâte à biscuit poursuivi par une meute de chiens en sucre occupés à sauter au-dessus d'une haie d'aubépine où se cachait un sanglier en gelée. En toute simplicité, pour annoncer les volailles, on avait exhibé un aigle farci qui survolait une maquette en sucre de Fairfield.

Dans la galerie, des trompettes et des tambours jouaient une musique martiale pour saluer le passage d'un service à un autre.

Il y en avait déjà eu cinq, chacun comptant une dizaine de spécialités. Il en restait donc sept, tout aussi fournis. Au cours des pauses, des musiciens, des jongleurs, des acrobates et des troubadours divertissaient les convives pendant qu'on faisait circuler entre les tables un arbre aux branches lestées de fruits confits.

Les plats de viande avaient particulièrement plu à Teresa. Elle avait repris trois fois du lapereau et goûté à tout le reste : de la biche, du porc, du bœuf et même... un ours présenté debout, comme s'il était vivant. Devant chaque table, on avait écarté sa fourrure, replacée sur sa carcasse rôtie, pour découper de délicieuses tranches de viande devant les yeux ébahis des invités. Lors du service des volailles, en plus des moineaux aphrodisiaques dont le ministre raffolait, il y avait eu du pigeon, de la tourte au cou de cygne, de l'aigle farci et des hérons rôtis dont on avait reconstitué le plumage. Grâce à un ingénieux système de filins, ces oiseaux-là étaient arrivés dans la salle à manger sous la forme d'un vol qui semblait plus vivant que nature.

Personne n'était censé manger tout ça. Le choix faramineux visait à plaire aux convives, mais surtout à les impressionner. Une soirée au ministère de la Civilisation devait être mémorable. Pour beaucoup d'invités, surtout les moins huppés, ce banquet deviendrait un souvenir qu'ils évoqueraient toujours des années plus tard.

Pendant qu'ils goûtaient les plats, les dîneurs gardaient un œil sur la table où le ministre siégeait avec ses hôtes de marque. Ce soir, il avait convié deux de ses principaux bailleurs de fonds, mais ce n'étaient pas eux qu'on regardait à la dérobée. Depuis son arrivée remarquée, avec son allure de barbare et sa cape composée de scalps humains, l'émissaire de l'Ordre Impérial était la sensation de la soirée. Et la coqueluche, à en juger par les regards énamourés que lui jetaient une multitude de femmes, émoustillées à l'idée d'attirer un tel homme dans leur lit.

En digne parangon de civilisation, face à la brute venue de l'Ancien Monde, Bertrand Chanboor resplendissait dans son pourpoint rembourré violet sans manches orné de délicates broderies, de fil d'or et de torsades d'argent. Dessous, il portait une veste courte d'une facture plus simple. Avec ces vêtements, décorés de volants blancs au col, aux poignets et à la taille, il semblait plus musclé qu'il l'était en réalité – un effet volontaire, puisqu'il devrait passer la soirée à côté d'un colosse.

Avec d'impressionnants galons sur les épaules – des ornements fantaisistes, puisqu'il n'était pas militaire, mais comment Stein l'aurait-il su ? – son superbe manteau pourpre au col et aux manches ourlés d'hermine achevait de lui donner la prestance requise.

Toujours souriant, avec ses yeux brillants donnant immanquablement à son interlocuteur du moment l'impression qu'il ne voyait que lui dans la salle, Bertrand en imposait vraiment. Avec l'aura de pouvoir que lui conférait en plus son titre de ministre de la Civilisation, comment s'étonner des regards admiratifs que lui jetaient la plupart des hommes ? Et des œillades humides qu'il collectionnait du côté des femmes ?

Quand ils ne regardaient pas la table du ministre, les convives tentaient d'observer discrètement celle où avait pris place le pontife, son épouse, ses trois fils et ses deux filles. Nul n'aurait osé fixer cet homme-là avec insistance. Après tout, n'était-il pas le représentant du Créateur dans le monde des vivants ? Un chef religieux quasiment saint, et pas seulement le maître suprême du pays ? En Anderith, qu'ils fussent anderiens ou hakens, des multitudes de gens idolâtraient le pontife au point de se rouler sur le sol en gémissant – voire en confessant leurs péchés – quand son carrosse passait devant eux.

Toujours vif et perspicace malgré ses ennuis de santé, le pontife portait une jaquette bordeaux sur une tunique et des hauts-de-chausses jaune brillant. Une longue écharpe de soie multicolore richement brodée reposait sur ses épaules, sans doute pour éviter qu'il attrape froid. Bien entendu, il arborait à chaque doigt des bagues qui étincelaient comme de minuscules étoiles.

La tête du vieil homme était sans cesse inclinée entre ses épaules voûtées par l'âge. À croire que le poids du gros médaillon qui pendait sur sa poitrine – un bijou où était gravée une montagne incrustée de diamants – avait fini, au fil du temps, par déformer son dos et son cou. Et de fait, des taches de vieillesse presque aussi grosses que ses bagues constellaient ses mains...

Le pontife avait enterré quatre épouses. La cinquième, qui ne devait pas encore avoir vingt ans, tamponnait tendrement les filets de sauce qui coulaient sur son menton.

Même s'ils avaient amené leur conjoint, les fils et les filles du grand homme avaient laissé leurs rejetons à la maison. Le Créateur devait en être loué, car les petits-enfants du pontife étaient d'insupportables garnements. Les choses étant ce qu'elles étaient, tout le monde devait se résigner à sourire avec indulgence devant les méfaits de ces « petits chéris », capables de dévaster un palais en moins d'une journée.

Les plus âgés, certains étant bien plus vieux que leur dernière belle-mère, ne valaient guère mieux, même si leurs exactions étaient d'une tout autre nature.

À la droite du ministre, à partir de la position de Dalton Campbell, dame Hildemara Chanboor paradait dans une élégante robe plissée couleur argent au décolleté aussi vertigineux que celui des autres femmes. Lorsqu'elle leva un index, la harpiste placée devant les tables d'honneur, mais en contrebas, puisque celles-ci trônaient sur une estrade, cessa immédiatement de jouer.

La femme du ministre était le véritable maître de cérémonie du domaine. Ou plutôt, elle se plaisait à le croire...

Personne n'avait besoin de ses directives pour faire son travail. Mais elle tenait à passer pour la maîtresse des lieux chaque fois qu'une fête somptueuse se déroulait au palais. Incapable de se rendre vraiment utile, elle avait imaginé son petit jeu avec la malheureuse harpiste, tenue de lui obéir au doigt et à l'œil. Grâce à ce subterfuge, les invités repartaient convaincus que dame Chanboor tirait avec une admirable discrétion toutes les ficelles de la soirée.

La musicienne savait bien entendu quand il convenait d'arrêter de caresser son instrument. Le front en sueur, elle guettait pourtant du début à la fin du banquet le mouvement fatidique de l'index dominateur d'Hildemara.

Bien que tout le monde s'extasiât sur sa rayonnante beauté, dame Chanboor avait des traits d'une désagréable lourdeur et des membres bien trop épais. Depuis qu'il la connaissait, Dalton la voyait comme une statue de femme sculptée par un artiste certes enthousiaste mais doté d'un minimum de talent. Sûrement pas le genre d'œuvre d'art qu'on avait envie de contempler pendant longtemps !

Profitant de sa pause, la harpiste se pencha pour ramasser la coupe de vin posée au pied de sa harpe. Bertrand Chanboor ne rata pas cette occasion d'avoir un aperçu plongeant sur son décolleté. Histoire qu'il ne manque pas le spectacle, il flanqua un discret coup de coude dans les côtes de Campbell.

Dame Chanboor remarqua le manège de son mari, mais elle resta impassible. Comme toujours... Amoureuse du pouvoir de Bertrand, sinon de sa personne, elle avait depuis longtemps accepté d'en payer le prix.

En privé, il lui arrivait de le bombarder avec tous les objets qui lui tombaient sous la main. Mais jamais à cause de ses escapades extraconjugales. Non, ce qu'elle ne supportait pas, c'était qu'il lui inflige en public l'ombre d'un traitement indigne de son statut...

À dire vrai, elle n'était pas très bien placée pour reprocher ses incartades à Bertrand. Dotée d'un sens très élastique de la fidélité, elle s'éclipsait de temps en temps en compagnie de l'un ou l'autre de ses amants – dont Dalton tenait mentalement la liste avec une scrupuleuse précision.

Selon lui, comme les maîtresses de Bertrand, les galants d'Hildemara étaient fascinés par son pouvoir et nourrissaient l'espoir d'en tirer quelque bénéfice.

Ignorant ce qui se passait vraiment dans le domaine, la plupart des gens la tenaient pour une épouse aimante et fidèle – une image qu'elle cultivait avec un soin maniaque. Dans sa naïveté, le peuple d'Anderith l'adorait comme si elle était l'équivalent d'une reine.

Sur bien des points, elle détenait le véritable pouvoir au ministère de la Civilisation. Habile politicienne, bien informée et déterminée, elle distribuait souvent les ordres dans l'ombre pendant que Bertrand se consacrait à ses galipettes. Se fiant aux compétences de sa femme, il lui laissait la bride sur le cou sans se soucier des coups de pouce qu'elle donnait à des scélérats ni des désastres politiques qu'elle provoquait.

Quelle que fût son opinion personnelle sur l'homme qu'elle avait épousé, Hildemara se consacrait corps et âme à préserver et à renforcer son pouvoir. Car s'il tombait, elle chuterait avec lui. À l'inverse de Bertrand, dame Chanboor se soûlait rarement en public et presque personne n'était au courant de ses aventures amoureuses, qu'elle menait avec une discrétion remarquable.

Dalton n'était pas assez stupide pour la sous-estimer. Cette araignée-là aussi tissait sa toile...

Les convives crièrent de surprise quand le « marin » caché derrière le bateau en pâte d'amandes se leva d'un bond et, en tapant joyeusement sur le tambourin accroché à sa ceinture, joua sur son fifre une chanson de vieux loup de mer.

Comme tout le monde, Teresa éclata de rire et applaudit.

Sous la table, elle serra doucement la cuisse de son mari.

— Dalton, as-tu imaginé que nous vivrions un jour dans un endroit si merveilleux, avec des gens formidables ?

— Bien sûr…

Teresa rit de plus belle et appuya un instant son épaule contre celle de son mari.

Campbell ne détourna pas le regard de Claudine, placée à une des premières tables du « commun », sur la droite.

Assis à gauche de l'assistant, Stein se coupa un morceau de viande, le piqua au bout de son couteau et entreprit de le manger comme s'il était assis autour d'un feu de camp. Le regard errant sur l'assemblée, il mâcha la bouche ouverte. À l'évidence, ce n'était pas le genre de fête qu'il appréciait.

Les serviteurs entrèrent avec les plateaux de poisson et les posèrent sur les tables à dresser pour ajouter les sauces et parachever la découpe. Un peu plus loin, les domestiques privés du pontife s'affairaient à goûter puis apprêter sa nourriture. Pour toutes ces opérations, ils utilisaient les couverts qu'ils avaient apportés – en particulier une kyrielle de couteaux, dont chacun servait à une tâche bien précise. Contrairement aux autres invités, après chaque service, le pontife et sa famille avaient droit à de nouvelles assiettes, et on changeait aussi leurs couverts.

Une tranche de rôti de porc entre le pouce et l'index, le ministre la trempa dans la moutarde puis se pencha pour parler à l'oreille de son assistant.

— On murmure qu'une certaine dame aurait l'intention de répandre de méchantes calomnies. Vous devriez tenter d'en savoir plus…

Sur le plateau qu'il partageait avec Teresa, Dalton préleva délicatement une tranche de poire macérée dans du sirop parfumé aux amandes.

— C'est déjà fait, messire ministre, répondit Campbell. La dame n'a plus de mauvaises intentions.

Avec beaucoup de grâce, Dalton croqua sa tranche de poire.

— Eh bien, bravo, dans ce cas…, souffla Bertrand.

Il se pencha en avant, tendit le cou et fit un clin d'œil amical à Teresa. Rayonnante, la jeune femme inclina la tête pour lui rendre son salut.

— Très chère Teresa, lança Bertrand, vous ai-je déjà dit que vous étiez divine, ce soir ? Quelle somptueuse coiffure ! On jurerait qu'un esprit du bien me fait l'honneur de s'asseoir à ma table ! Si vous n'étiez pas mariée à mon bras droit, c'est avec vous que j'ouvrirais le bal, ce soir.

Le ministre dansait rarement avec quiconque d'autre que sa femme, sauf quand il s'agissait d'honorer l'épouse d'un ambassadeur ou d'un dignitaire de passage.

— Ministre, j'en serais très fière, répondit Teresa. (Après une brève hésitation, elle ajouta :) Et mon époux aussi, j'en suis sûre. Je ne pourrais pas être entre de meilleures mains sur la piste de danse – et n'importe où ailleurs…

Malgré son excellente éducation, qui lui permettait de rester maîtresse d'elle-même en toute circonstance, Teresa s'empourpra légèrement. Consciente que tous les regards étaient braqués sur elle, parce que le ministre daignait lui adresser la parole, elle joua distraitement avec les rubans dorés qui tenaient ses cheveux.

Quand il vit Hildemara foudroyer du regard son époux, Dalton sut qu'il n'avait aucun souci à se faire. Bertrand n'aurait pas l'occasion de presser sa mâle poitrine contre les seins à demi nus de sa femme. Dame Chanboor ne tolérerait pas qu'il se livre en public à une telle démonstration de frivolité extraconjugale.

Campbell réorienta la conversation sur le sujet qui le préoccupait.

— Un des notables de Fairfield pourrait se montrer très inquiet à propos de l'affaire dont nous venons de parler…

— Qu'a-t-il dit ? demanda Bertrand.

Il savait pertinemment à quel directeur Dalton faisait allusion. Malgré la colère qui brillait dans ses yeux, il eut la sagesse de ne pas citer de nom.

— Rien de spécial, répondit Dalton. Mais cet homme ne lâche pas facilement son os. Il pourrait lancer une enquête et exiger des explications. Ceux qui conspirent contre nous seraient trop contents d'avoir un prétexte pour nous attaquer. Nous défendre contre d'absurdes accusations serait une tragique perte de temps, à l'heure où nous devons nous concentrer sur le salut d'Anderith…

— Tout ça est ridicule, dit Bertrand, assez prudent pour continuer la conversation à mots couverts. Vous ne pensez pas vraiment, n'est-ce pas, que des personnes malintentionnées s'opposent à notre œuvre salvatrice ?

Des propos que Bertrand pouvait débiter sans y penser, tant il les avait souvent répétés. En public, il convenait d'être habile, au cas où quelque espion, doué de pouvoirs magiques, se soit mis en tête d'épier des conversations qui n'étaient pas pour toutes les oreilles.

Campbell lui-même employait une femme dotée de telles aptitudes.

— Nous nous consacrons à la défense du peuple d'Anderith, dit Dalton, mais les séditieux, le plus souvent par cupidité, aimeraient nous empêcher d'aller jusqu'au bout de notre mission.

Sur le plat qu'il partageait avec sa femme, Bertrand prit une tranche d'aile de cygne rôtie et la trempa dans une petite saucière remplie de jus de cuisson.

— Donc, vous pensez que des conspirateurs mijotent quelque chose ?

N'ayant pas perdu une miette de la conversation, dame Chanboor se pencha en avant pour s'adresser directement à Dalton.

— Les subversifs sauteront sur n'importe quelle occasion de détruire l'œuvre de Bertrand. Pour réussir, ils sont prêts à soutenir le premier trublion venu… (Elle tourna la tête vers le pontife, que sa jeune femme faisait manger avec une exquise délicatesse.) Avec les responsabilités qui nous attendent, il n'est pas question de nous laisser mettre des bâtons dans les roues…

Bertrand était en tête sur la liste des candidats à la succession. Mais la partie n'était pas gagnée. Une fois nommé, le chef suprême du pays gardait son poste jusqu'à la fin de ses jours. Mais à ce stade, le moindre dérapage pouvait ruiner les chances du ministre. Bien entendu, ses ennemis n'attendaient que ça, et ils ne reculeraient devant rien pour lui savonner la planche.

S'il s'asseyait sur le trône, Bertrand ne risquerait plus rien. Jusque-là, la plus grande prudence était de rigueur.

— Dame Chanboor, dit Dalton, vous évaluez la situation avec une grande pertinence.

— Et je parie que vous avez un plan à nous proposer, fit Bertrand avec un petit sourire.

— Exactement, confirma Dalton. (Il baissa le ton, un comportement d'une impolitesse rare, en public. Mais il y avait urgence, et tant pis pour les conventions !) Je crois qu'il est temps d'inverser radicalement le rapport de force. Ce que j'ai en tête ne reviendra pas seulement à arracher les mauvaises herbes : cela empêchera la chienlit de repousser !

En regardant du coin de l'œil la table du pontife, Dalton exposa son plan. Quand il eut terminé, dame Chanboor se redressa avec un sourire ravi. Le projet lui convenait à merveille. Impassible, Bertrand approuva du chef, le regard rivé sur Claudine, qui picorait plus qu'elle mangeait.

Sans crier gare, Stein passa la lame de son couteau sur la table, entaillant la délicate nappe brodée.

— Pourquoi ne me demandez-vous pas de trancher la gorge à tous ces chiens ? lança-t-il.

Le ministre regarda autour de lui, anxieux de découvrir si quelqu'un d'autre avait entendu cette déclaration incongrue. Hildemara s'empourpra de rage et Teresa blêmit. De tels propos, tenus par un homme qui portait une cape en scalps humains…

Stein avait pourtant été prévenu. Si elles étaient entendues et répétées, ses provocations risquaient d'attirer l'attention sur Anderith. Et si la Mère Inquisitrice venait enquêter sur les affaires du pays, elle ne renoncerait pas avant d'avoir découvert toute la vérité. Dans ce cas, elle n'hésiterait pas à utiliser son pouvoir pour « démissionner » de force Bertrand Chanboor. Et sans aucun espoir de retour…

Campbell foudroya Stein du regard.

— Une simple plaisanterie…, dit le colosse avec un sourire qui dévoila ses dents jaunâtres.

— Je me fiche de la puissance de l'armée de Jagang ! lança le ministre, assez fort pour que tous ceux qui avaient pu entendre Stein captent aussi sa réplique. Sauf si nous les invitons chez nous, ce qui n'est pas encore décidé, ces soldats ne pèseront rien face aux Dominie Dirtch. L'empereur le sait, sinon il ne nous demanderait pas de réfléchir à sa généreuse offre de paix. Je suis sûr, en revanche, qu'il s'indignerait qu'un de ses représentants insulte notre culture et foule au pied nos lois.

» Vous êtes un émissaire de Jagang venu nous transmettre son point de vue et ses propositions. Rien de plus ! Si besoin est, un autre diplomate pourrait s'acquitter de cette tâche…

Stein ricana comme si avoir provoqué tant de remous l'amusait.

— Je plaisantais, c'est tout… Chez nous, on aime bien ce genre de blague. Pour mon peuple, ça ne tire pas à conséquence. Croyez-moi, je voulais détendre un peu l'atmosphère.

— J'espère que vous serez plus inspiré lorsque le moment viendra de tenir votre discours devant mon peuple. C'est une affaire grave, et les directeurs n'apprécieraient pas du tout votre humour... provocateur.

— Désolé, lâcha Stein avec un rire gras. Messire Campbell m'a expliqué que les plaisanteries de ce type n'étaient pas de mise dans votre culture. Mais que voulez-vous, un barbare reste un barbare, et ma nature profonde a repris le dessus. Veuillez excuser cette incartade. Vraiment, je ne pensais pas à mal...

— N'en parlons plus, dans ce cas, conclut Bertrand. (Il se radossa à son siège et balaya l'assistance du regard.) Le peuple d'Anderith méprise la brutalité, et il n'est pas habitué à des propos – et encore moins à des actes – aussi belliqueux.

Stein inclina poliment la tête.

— Il me reste encore à assimiler les us et coutumes exemplaires de votre grande civilisation... J'espère avoir bientôt l'occasion de les étudier à fond, veuillez me croire...

Cette déclaration conciliante, et pourtant hautement ironique, incita Dalton à réviser son opinion sur Stein. Il ne fallait pas se fier à sa chevelure en bataille : le cerveau qui se cachait dessous était beaucoup plus ordonné.

Dame Chanboor capta peut-être le double sens de la profession de foi du colosse. Mais elle ne le montra pas, et afficha de nouveau sa coutumière expression douce-amère.

— Nous vous comprenons, émissaire, et nous admirons votre volonté de saisir en profondeur des coutumes qui doivent vous paraître étranges. (Du bout des doigts, elle poussa la coupe de vin de Stein vers ses énormes mains.) S'il vous plaît, savourez ce nectar de la vallée de Nareef que nous aimons tant...

Si la femme du ministre était passée à côté du véritable message de Stein, Teresa l'avait pleinement saisi. À l'inverse d'Hildemara, elle fréquentait depuis la fin de son adolescence l'impitoyable cercle des femmes de la bonne société, où les mots, plus que des moyens de communiquer, étaient des armes meurtrières. Et plus on s'élevait sur l'échelle sociale, plus ces lames-là devenaient affûtées. À un certain niveau, il était vital de savoir quand on vous avait blessé, et à quel point on saignait. Sinon, la moindre entaille risquait d'avoir, aux yeux des témoins, la largeur et la profondeur d'une plaie mortelle.

Hildemara n'avait pas besoin de recourir à cette violence verbale, car le pouvoir brut qu'elle détenait la mettait à l'abri des attaques. Et les généraux du pays étaient rarement enclins à se lancer dans des coups d'État.

Alors que Stein vidait son gobelet, Teresa, sans le quitter des yeux, but une délicate gorgée.

— Délicieux ! s'exclama l'émissaire. C'est même le meilleur vin que j'ai jamais goûté !

— Un tel compliment, dans la bouche d'un homme qui a tant voyagé, nous va droit au cœur, déclara le ministre.

Stein reposa bruyamment son gobelet sur la table.

— J'ai l'estomac plein, à présent. Quand pourrai-je parler ?

— Lorsque les convives auront fini de manger, répondit Bertrand, un sourcil levé.

Avec un sourire de carnassier, Stein piqua un autre morceau de viande sur la pointe de son couteau et entreprit de le dévorer. En mâchant, il soutint sans frémir le regard de toutes les femmes qui le couvaient langoureusement des yeux.

Chapitre 22

Dans la galerie, les musiciens jouèrent une chanson de marins pour saluer l'arrivée des porteurs de bannières qui entraient dans la salle à manger. Imitant les vagues d'un océan, les deux hommes firent aussitôt onduler leurs grands drapeaux bleus en rythme avec la mélodie. Sur les étendards, les bateaux de pêche peints parurent chevaucher bravement une mer démontée.

Alors que les serviteurs privés du pontife s'affairaient autour de sa table, des domestiques en livrée du ministère de la Civilisation défilèrent devant celle de Bertrand Chanboor pour lui présenter sur des plateaux d'argent une somptueuse sélection de produits de la mer.

Le ministre choisit des pattes de crabe, des filets de saumon, de la friture d'alevins, une petite portion de brème et de l'anguille à la sauce au safran. Quand ils eurent garni le plateau que Chanboor partagerait avec sa dame, les serviteurs passèrent aux autres convives.

Bertrand trempa un morceau d'anguille dans la sauce et le tendit à Hildemara. Avec un tendre sourire, elle le prit délicatement du bout des ongles, mais le posa dans son assiette sans le goûter. Comme prise d'une inspiration soudaine, elle se tourna vers Stein et l'interrogea sur les habitudes alimentaires de son lointain pays natal.

Bien qu'il fût depuis peu au domaine, Dalton savait que dame Chanboor abominait l'anguille !

Lorsqu'un serviteur leur présenta un plateau d'écrevisses, Dalton lut dans le regard de sa femme qu'elle avait très envie d'en goûter une. Sur un geste de l'assistant, le domestique fendit la carapace, retira le corail, dégagea la chair et inséra dessous un peu de beurre et une lamelle de toast.

Dalton préféra se couper une tranche de marsouin sur le plateau que lui présentait un serveur à la tête humblement inclinée. Quand il eut fini, l'homme lui fit une révérence, comme l'exigeait le protocole, et s'éloigna d'un pas gracieux de danseur.

À voir le nez plissé de Teresa, Dalton devina qu'elle n'appréciait pas l'anguille. Il en prit un peu, mais uniquement sur l'instance de Bertrand.

— Allez-y, mon ami ! l'encouragea-t-il. Ce serpent de mer est excellent pour celui que nous portons entre les jambes !

Dalton sourit comme s'il trouvait hilarant ce mot d'esprit. Concentré sur son travail – en particulier la tâche qu'il devait mener à bien au plus vite – il ne se souciait guère du « serpent » en question, pour le moment…

Alors que Teresa goûtait de la carpe au gingembre, Dalton savoura une bouchée de hareng au caramel salé. Devant ses yeux, les domestiques hakens, telle une armée d'envahisseurs, déferlaient sur les autres tables. En guise d'armes, ils brandissaient des plateaux lestés de filets frits de brochet, de bar, de flétan et de truite. Sans parler des tronçons de lamproie et de diverses préparations à base de haddock et de merlu.

Certains présentaient aux convives des perches, des saumons et des esturgeons entiers. D'autres proposaient des crabes, des crevettes et des bulots sur un lit de glace et d'œufs de cabillaud. De pleines soupières de bisque de homard circulaient entre les tables en même temps qu'un assortiment de sauces multicolores.

Cette incroyable quantité de nourriture, présentée avec tellement de recherche, ne visait pas seulement à souligner le pouvoir et la prospérité du ministre de la Civilisation. Afin de le protéger des accusations d'excessive prodigalité, cette exhibition gastronomique avait aussi une profonde signification religieuse. Cette manne, puisqu'il fallait bien l'appeler ainsi, témoignait de la splendeur du Créateur et louait Son infinie bonté – la pieuse vérité dissimulée sous une abondance à première vue arrogante !

Le banquet n'était pas organisé pour plaire à quelques invités triés sur le volet. Des convives, effectivement sélectionnés, avaient été priés d'y assister. Une différence subtile, mais fondamentale. Puisque aucun motif ne justifiait les festivités – par exemple un mariage, ou l'anniversaire d'une grande victoire militaire – elles *devaient* avoir un sens religieux, si peu apparent fût-il. La présence du pontife, ce messager du Créateur dans le monde des vivants, en attestait indubitablement.

Si les invités admiraient au passage la fortune, la puissance et la noblesse du couple Chanboor, c'était un effet secondaire hélas inévitable. Très incidemment, Dalton remarqua que cet épiphénomène n'épargnait personne…

La salle à manger bourdonnait d'éclats de rire et de bribes de conversation. Alors que les invités buvaient, goûtaient les plats ou trempaient les doigts dans les saucières pour avoir tout essayé, la harpiste avait recommencé à jouer afin de stimuler leurs ardeurs. Aux places d'honneur de la table principale, Bertrand Chanboor se gavait d'anguille en parlant avec sa femme, l'émissaire Stein et les deux bailleurs de fonds.

Dalton posa ses couverts et s'essuya les lèvres. L'atmosphère se détendait de minute en minute, lui offrant l'ouverture qu'il guettait. Après avoir bu une gorgée de vin, il se pencha vers sa femme :

— En as-tu appris davantage sur le sujet dont nous avons parlé un peu plus tôt ?

Teresa coupa en deux un morceau de brochet puis saisit la plus petite moitié entre le pouce et l'index et la trempa dans une sauce au vin rouge.

Bien entendu, elle avait compris que son mari évoquait Claudine.

— Rien de spécial… Mais je soupçonne que notre vipère n'a pas encore décidé d'avaler sa langue.

Si Teresa ignorait les détails de l'affaire, elle savait que Claudine menaçait de faire du grabuge à cause de son « rendez-vous galant » avec le ministre. Et bien qu'il ne se soit jamais étendu sur le sujet, elle avait conscience de ne pas être assise à la table d'honneur, ce soir, à cause des seuls talents de juriste de Dalton.

— Pendant que j'étais avec elle, continua Teresa en baissant la voix, elle n'a pas cessé de regarder le directeur Linscott. Mais à la dérobée, comme si elle voulait que personne ne s'en aperçoive.

Les « rapports » de la jeune femme étaient toujours concis, sans les fioritures ni les suppositions que la plupart des gens croyaient de rigueur. Dalton appréciait aussi cette qualité, chez son épouse.

— Selon toi, pourquoi a-t-elle raconté à toutes les autres femmes que le ministre avait été... indélicat... avec elle.

— Pour se protéger. Et pour qu'il devienne inutile qu'on tente de la réduire au silence, puisque l'information était déjà connue. Sans raison apparente, elle semble s'être convertie à la discrétion. Mais elle regardait le directeur Linscott avec une insistance que je trouve suspecte...

Teresa laissa à son mari le soin de tirer les conclusions qui s'imposaient.

Dalton se leva puis se pencha vers elle.

— Merci, ma chérie. Si tu veux bien m'excuser un moment, j'ai une affaire urgente à régler.

— N'oublie pas ta promesse de me présenter au pontife, souffla Teresa en le retenant brièvement par la main.

Dalton embrassa son épouse sur la joue puis chercha le regard du ministre. Les informations de Teresa venaient de lui confirmer qu'il était temps d'agir. Avec un enjeu pareil, mieux valait être prudent. Si on le lançait sur une piste, le directeur Linscott serait aussi acharné qu'un chien de chasse. En principe, le message délivré par les deux jeunes Hakens avait dû convaincre Claudine de se taire. Si ce n'était pas le cas, le prochain mouvement tactique de Dalton empêcherait définitivement la « chienlit » de pousser.

Il fit un signe de tête presque imperceptible à Bertrand.

En se déplaçant dans la salle, il s'arrêta devant plusieurs tables, salua les convives, rit des plaisanteries qu'on lui lançait, écouta avec un sérieux affecté une ou deux propositions de loi qui l'indifféraient et promit des rendez-vous à quelques fâcheux plus insistants que les autres. Ainsi, tout le monde penserait que le bras droit du ministre passait de table en table pour s'assurer que chacun était satisfait.

Quand il eut atteint sa véritable destination, Campbell afficha un sourire chaleureux.

— Claudine, j'espère que vous vous sentez mieux. Teresa m'a suggéré d'aller m'en enquérir. Elle se désole qu'Edwin ne soit pas à vos côtés, comprenez-vous...

Dame Winthrop parvint à sourire avec une candeur et une sincérité parfaitement imitées.

— Votre femme est adorable, messire Campbell. Je me porte comme un charme, merci. La bonne chère et la compagnie m'ont requinquée. Dites-lui de ne plus s'inquiéter.

— Je suis ravi d'entendre de si bonnes nouvelles... (Dalton se pencha pour parler à l'oreille de Claudine.) Je venais vous transmettre une proposition qui concerne au plus haut point votre mari. Et vous aussi, bien entendu. Mais en l'absence d'Edwin, et après votre malencontreuse chute, j'ai des scrupules à vous parler de travail. Auriez-vous l'obligeance de m'accorder un rendez-vous, lorsque vos malheurs ne seront plus que de mauvais souvenirs ?

— Merci de votre délicatesse, mais elle est sans objet. Si votre proposition est liée à Edwin, il m'en voudrait de ne pas l'avoir écoutée. Mon mari et moi travaillons ensemble, messire Campbell, et il n'y a pas de secret entre nous. Mais vous le savez très bien…

Évidemment que je le sais ! pensa Dalton. *C'est même là-dessus que je compte pour te piéger, pauvre idiote !*

Alors que Claudine reculait un peu sa chaise, il s'assit sur les talons et baissa la voix.

— Veuillez me pardonner ma présomption, chère amie… Voici le fond de l'affaire, puisque vous y tenez. Le ministre est plein de compassion pour les hommes qui doivent mendier afin de nourrir leur famille. Car même s'ils réussissent à se procurer de quoi acheter à manger, il reste le problème des vêtements, du logement et d'autres biens de première nécessité. Malgré la charité dont fait montre la population d'Anderith, trop d'enfants se couchent encore avec l'estomac vide. Des Hakens et des Anderiens subissent ce sort cruel, et le ministre les plaint tous, car il ne fait pas de discrimination.

» Il a travaillé fébrilement à l'élaboration d'une nouvelle loi qui permettra de remettre au travail une grande partie des malheureux qui ont perdu tout espoir de s'en sortir…

— Une très bonne initiative, murmura Claudine. Bertrand Chanboor est un homme de bien. Nous avons de la chance qu'il soit ministre de la Civilisation.

— Comme vous le savez sûrement, il ne manque pas une occasion de rappeler combien il admire Edwin et le travail qu'il accomplit dans l'ombre. Je lui ai suggéré qu'il était temps d'offrir à votre mari la notoriété qu'il mérite.

» Le ministre a jugé mon idée excellente. Dans cet esprit, il voudrait que la nouvelle loi soit présentée comme une proposition d'Edwin Winthrop en personne. Il aimerait même l'appeler la « Loi Winthrop pour l'Emploi Équitable », afin qu'il n'y ait pas d'équivoque possible. Un moyen d'honorer votre époux, et vous aussi, bien entendu… Tout le monde sait à quel point vous enrichissez la réflexion d'Edwin.

Claudine leva pour la première fois les yeux sur Dalton et elle posa modestement une main sur son cœur.

— Messire Campbell, le ministre et vous êtes très généreux, et je ne sais que dire. À ma place, Edwin aussi en resterait sans voix. Nous lirons le texte de loi le plus vite possible, afin d'accélérer sa promulgation.

— Hélas, il y a un petit ennui… Le ministre vient de m'informer qu'il veut annoncer la grande nouvelle dès ce soir. J'avais prévu de vous faire parvenir la première mouture du projet, pour qu'Edwin et vous puissiez l'amender à votre guise. Mais tous les directeurs étant là, le ministre, en conscience, a jugé qu'il ne devait plus tarder. Pourquoi priver de pauvres gens de travail un jour de plus ? Leurs familles ont besoin de manger.

— Eh bien, je comprends, mais... Vraiment, c'est...

— Merci de nous donner votre accord, dame Winthrop ! C'est si gentil à vous !

— Avant, je voudrais quand même jeter un coup d'œil à la loi. Il le faut ! Edwin n'agirait pas autrement.

— C'est évident, ma dame ! Je vous comprends, et soyez assurée que vous recevrez une copie dans les meilleurs délais. Dès demain matin, en fait.

— Je parlais d'avant le...

— Le ministre a décidé de faire son annonce ce soir. Il ne veut plus perdre de temps, car le sujet est trop important. Cela dit, il serait peiné de devoir changer le nom de la nouvelle loi... Mais il tient à ce que le pontife, dont les visites sont si rares, entende parler sur-le-champ de la Loi Winthrop pour l'Emploi Équitable. Une révolution juridique au bénéfice de tous ceux qui souffrent. Le pontife connaît bien Edwin. Il serait ravi que cette innovation vienne de lui...

Claudine regarda brièvement le vieux dirigeant du pays.

— Je sais, mais...

— Vous voulez que je demande au ministre de tout retarder ? Il sera déçu que le pontife n'ait pas été le premier à découvrir sa loi, et plus encore que des milliers d'enfants crient toujours famine alors qu'il aurait pu mettre un terme à ce scandale. Car vous avez bien compris, n'est-ce pas, qu'il s'agit du bien-être de ces pauvres petits ?

— Oui, mais pour...

— Claudine, dit Dalton en prenant la main de son interlocutrice entre les siennes, vous n'avez pas d'enfants. Je comprends que vous ayez du mal à vous mettre à la place de parents dans l'incapacité de nourrir les leurs parce qu'on leur refuse un emploi. Tentez d'imaginer combien ce doit être terrifiant !

Claudine ouvrit la bouche, mais aucun son n'en sortit. Dalton enchaîna pour ne pas lui laisser le temps de se ressaisir :

— Pensez à ce qu'éprouvent un père et une mère qui attendent en vain une raison d'espérer ! Un emploi, n'importe lequel, pour avoir le droit de croire de nouveau en l'avenir ! Pouvez-vous un instant vous mettre à la place d'une mère qui ignore comment elle nourrira ses enfants ?

— Bien sûr que je le peux, murmura Claudine, le teint grisâtre. Je comprends, et je désire faire mon possible pour aider ces malheureux. Edwin sera fier que son nom soit associé à cette loi, mais...

— Merci, Claudine ! coupa Dalton. (Il souleva la main de la pauvre femme et y posa un baiser.) Le ministre sera heureux d'avoir votre soutien. Et les pauvres gens qui bénéficieront de ces mesures béniront votre nom. Vous avez loyalement servi la cause des enfants. À l'instant même, je suis sûr que les esprits du bien vous sourient...

Quand Dalton eut regagné sa place près de Teresa, il constata que les serviteurs avaient recommencé leur manège, posant une grosse tourte à la tortue au milieu de chaque table.

Les convives s'étonnèrent de la présentation de ces tourtes, dont on avait entaillé la croûte sans la découper totalement.

Penchée en avant, Teresa étudiait attentivement celle qui trônait devant le ministre et son épouse.

— Dalton, murmura-t-elle, cette tourte bouge toute seule !

— Tu dois te tromper, ma chérie, répondit Campbell en réprimant un sourire. Les tourtes ne marchent pas…

— Mais je suis sûre que…

Avant que Teresa ait terminé sa phrase, la croûte se fissura puis se souleva. Une tortue passa la tête par le trou, regarda le ministre, prit appui sur la croûte avec ses pattes griffues et sortit de la tourte. Une autre la suivit presque aussitôt.

Dans toute la salle, les invités applaudirent tandis que des tortues jaillissaient de leur cachette devant leurs yeux ébahis.

Bien entendu, elles n'avaient pas cuit avec la pâte. Avant de les mettre au four, on avait fourré les tourtes de haricots blancs. Une fois la croûte bien dorée, on les avait mises à refroidir, puis on avait creusé un trou, au fond, pour retirer les haricots et les remplacer par des tortues. La croûte ayant été entaillée, les animaux s'étaient évadés de leur prison sans trop de difficultés.

Ces tourtes « magiques » furent un des grands succès de la soirée. Certaines contenaient des oiseaux, également dressés pour sortir de leur cachette sous le regard émerveillé des convives.

Quand tout le monde se fut bien amusé, des serviteurs munis de seaux firent le tour des tables pour récupérer les tortues baladeuses. Dame Chanboor appela le chambellan et lui demanda d'annuler les numéros censés faire patienter les gens jusqu'au prochain service.

Quand elle se leva, un lourd silence tomba soudain sur la salle.

— Messires et mes dames, puis-je vous demander votre attention ? (Hildemara s'assura que tout le monde la regardait. Avec sa robe qui scintillait comme une colonne d'argent, il n'aurait guère pu en être autrement.) Notre plus grand devoir est d'aider nos concitoyens lorsqu'ils en ont besoin. Ce soir, nous espérons faire un grand pas pour améliorer le sort des enfants d'Anderith. C'est une avancée audacieuse, qui exigeait du courage. Par bonheur, le chef qui préside à nos destinées n'en manque pas.

» J'ai l'honneur de vous présenter le plus grand homme qu'il m'ait été donné de connaître. Un serviteur de l'État intègre qui travaille inlassablement pour le bien de tous et n'oublie jamais les plus démunis. Un dirigeant qui place notre avenir au-dessus de tout : le ministre de la Civilisation, Bertrand Chanboor.

Hildemara sourit, applaudit puis désigna son époux.

Alors que la salle entière l'acclamait, Bertrand se leva et passa un bras autour de la taille de sa femme, qui tourna vers lui des yeux humides d'adoration. Quand il lui rendit son regard énamouré, l'assistance cria de joie, heureuse qu'un couple aussi uni et désintéressé dirige hardiment Anderith.

Dalton se leva et applaudit, les mains au-dessus de la tête. Voyant que tout le monde l'avait imité, il sourit et tourna vers le couple ministériel des yeux débordants d'affection.

Dans sa carrière, il avait travaillé pour beaucoup d'hommes. Certains étaient si balourds qu'ils n'auraient pas été crédibles en annonçant qu'ils payaient une tournée générale. D'autres se montraient assez malins pour appliquer les plans qu'il concevait, mais sans vraiment les comprendre jusqu'à ce qu'ils aient porté leurs fruits. Aucun ne jouait dans la même catégorie que Bertrand Chanboor.

Lui avait saisi en un éclair l'idée fulgurante de son assistant. À présent, il allait la reprendre à son compte et l'enrichir comme il se devait. Personne n'était plus souple et adaptable que le ministre de la Civilisation.

Bertrand leva une main pour remercier la foule et lui demander le silence.

— Bonnes gens d'Anderith, dit-il d'une voix à la sincérité vibrante, et assez forte pour atteindre le fond de la salle, ce soir, je vous demande de réfléchir à l'avenir. Le temps est venu de reléguer notre vieille tendance au favoritisme là où elle mérite de l'être : dans le passé ! Oui, nous devons penser au futur – le nôtre, et celui de nos enfants et petits-enfants !

Bertrand dut marquer une pause pour laisser crépiter les applaudissements. Dès qu'il reprit la parole, le silence revint.

— Notre avenir est condamné si nous permettons aux partisans de l'immobilisme de brider nos imaginations. Car il faut laisser s'exprimer l'inventivité audacieuse dont nous a dotés le Créateur !

Une nouvelle fois, l'orateur dut laisser son auditoire exprimer un enthousiasme débordant.

Dalton s'émerveilla de l'art avec lequel Bertrand savait improviser une sauce appétissante pour faire avaler un morceau de carne à son public.

— Dans cette salle, nous assumons tous des responsabilités pour l'entière population d'Anderith, et pas seulement une élite. Il est temps que notre civilisation, dont nous sommes si fiers, bénéficie à tous, et cesse de favoriser les riches. Nos lois doivent servir le peuple dans son ensemble, pas quelques privilégiés.

Dalton se releva pour applaudir. De nouveau, tout le monde l'imita. Toujours aussi rayonnante et pleine d'amour pour son héros, Hildemara se remit également debout et l'acclama.

— Quand j'étais jeune, reprit Bertrand lorsque le calme fut revenu, j'ai connu la torture de la faim. À cette époque, Anderith vivait des temps difficiles, et mon père n'avait pas de travail. Chaque soir, j'entendais ma petite sœur sangloter en s'endormant parce que son estomac criait famine. Et j'ai vu mon père pleurer en silence, honteux de ne pas avoir un emploi à cause de son absence de qualifications. (Il marqua une pause pour s'éclaircir la gorge.) C'était un homme fier, mais ce drame a bien failli le briser.

Dalton tenta de se rappeler si Bertrand avait bien une sœur. À sa connaissance, ce n'était pas le cas...

— Aujourd'hui, il y a dans ce pays des hommes fiers qui ne demandent qu'à travailler. En même temps, combien de grands projets publics traînent en longueur ? Plusieurs bâtiments gouvernementaux sont depuis des années en construction et d'autres attendent de sortir de terre. Nous devons développer notre réseau routier pour faciliter le commerce, ériger des ponts pour franchir les rivières et les cols des montagnes... Pour ces tâches essentielles, mes amis, Anderith a besoin de bras !

» Mais aucun des hommes dont je parlais ne peut se mettre à l'ouvrage, parce qu'il manque de qualifications. Comme mon père, jadis...

Bertrand sonda la foule, suspendue à ses lèvres, dont allait jaillir une solution miraculeuse.

— Nous pouvons fournir un emploi à ces pères de famille. Et c'est à moi, le ministre de la Civilisation, d'assurer qu'ils aient les moyens de nourrir leurs enfants, qui incarnent notre avenir ! J'ai demandé aux cerveaux les plus brillants du pays d'imaginer un remède à notre mal, et ils ont répondu « Présents ! » pour le salut du peuple d'Anderith. Pour être franc, j'aimerais m'attribuer le mérite de ces nouvelles mesures, mais c'est impossible.

» Les idées de ces érudits sont si fulgurantes que je me félicite de pouvoir, dans ma modeste mesure, contribuer à leur mise en application. Par le passé, les génies qui ont tenté d'imposer des réformes aussi radicales sont souvent morts oubliés de tous, dans des chambres misérables. Il n'en sera pas de même cette fois, car je ne tolérerai pas que des intérêts particuliers menacent l'avenir de nos enfants.

Bertrand laissa sa colère – toute virtuelle – s'afficher sur son visage. Quand il prenait cette expression, peu de gens parvenaient à ne pas blêmir et trembler de peur.

— Jadis, il y eut des égoïstes qui souhaitaient le meilleur pour leurs semblables et ne laissaient aucune chance aux autres de réaliser leur potentiel.

L'allusion était limpide. Le temps ne refermerait jamais les blessures que les grands seigneurs hakens avaient infligées aux Anderiens. Surtout si les dirigeants, parce que ça les arrangeait, faisaient tout pour qu'elles restent béantes.

Bertrand reprit son expression bienveillante habituelle – encore plus agréable après sa manifestation de colère.

— Ce nouvel espoir a un nom, messires et mes dames ! La Loi Winthrop pour l'Emploi Équitable. (Il tendit une main en direction de Claudine.) Dame Winthrop, auriez-vous l'obligeance de vous lever ?

Rouge comme une pivoine, Claudine regarda autour d'elle et vit que tout le monde lui souriait. Des applaudissements l'encouragèrent à se mettre debout. Avec l'air d'une biche prise au piège, elle hésita un peu, puis se résigna à accéder au désir de la foule.

— Bonnes gens, reprit Bertrand, c'est Edwin, le mari de dame Winthrop, qui est le père de cette nouvelle loi. Comme beaucoup d'entre vous le savent, sa femme lui est d'une aide précieuse dans son travail. Je suis sûr qu'elle a joué un rôle éminent dans l'élaboration du texte que je vais vous soumettre. Edwin est absent, pris par ses affaires, mais je tiens à saluer la contribution de son épouse à son œuvre. Et j'espère qu'elle lui transmettra notre humble admiration, dès qu'il sera de retour.

Imitant Bertrand, la foule applaudit Claudine et son mari. L'héroïne de la soirée, de plus en plus rouge, répondit d'un sourire prudent à ce feu d'artifice d'adoration.

Dalton remarqua que les directeurs, ignorant encore le contenu de la loi, l'acclamaient poliment, mais restaient sur leur quant-à-soi. Tout le monde voulant féliciter Claudine, lui serrer la main ou lui sourire, il fallut un moment avant que le calme revienne.

Quand chacun se fut rassis, Bertrand passa à l'exposé des mesures que son auditoire venait de plébisciter sans les connaître.

— La Loi Winthrop pour l'Emploi Équitable est exactement ce que son nom laisse penser, expliqua-t-il enfin. Libérer les forces du travail et non les entraver, voilà son but ultime ! Avec tous les projets publics en cours ou à l'étude, nous avons assez d'ouvrage pour rendre leur dignité à des milliers de malheureux.

Le ministre promena un regard plein de détermination sur l'assistance.

— Mais une confrérie s'accroche à des prérogatives dépassées, entravant ainsi le progrès. Ne me comprenez pas mal : ces hommes sont d'une haute moralité, et ils travaillent dur. Mais il est temps d'ouvrir les portes de cette archaïque institution trop encline à défendre les privilèges d'une minorité.

» En conséquence, dès l'entrée en vigueur de la nouvelle loi, l'emploi, dans les travaux publics, sera accessible à tous ceux qui veulent bien relever leurs manches, et plus aux seuls membres de la guilde des maçons !

L'auditoire cria de surprise, mais Bertrand enchaîna sans marquer de pause.

— Il y a pis, messires et mes dames ! À cause de cette organisation très fermée, dont il est difficile de satisfaire les exigences obscures et inutilement strictes, le coût des constructions publiques est beaucoup plus élevé que si on les confiait à de simples travailleurs désireux de bien faire. (Le ministre brandit le poing.) Nous nous faisons tous détrousser, mes amis !

Le directeur Linscott, empourpré jusqu'aux oreilles, semblait sur le point d'exploser de rage.

Bertrand déplia l'index de son poing fermé et le braqua sur l'assistance.

— Le savoir-faire des maçons nous sera toujours précieux, mais à partir de maintenant, sous leur supervision, tous ceux qui ont besoin de travailler le pourront. Ainsi, aucun enfant n'aura plus faim parce que son père est sans emploi.

Le ministre se frappa dans la paume pour souligner l'importance de ce qu'il allait ajouter.

— Je demande aux directeurs de l'Harmonie culturelle de nous montrer, à main levée, qu'ils soutiennent cet effort visant à rendre l'espoir aux miséreux. Qu'ils se rangent derrière un gouvernement enfin capable d'achever ou d'entreprendre des ouvrages publics à un coût raisonnable. Un gouvernement assez courageux pour ne plus se laisser imposer des prix par une société secrète qui prospère sur le dos de tous les citoyens ! Oui, que les directeurs montrent qu'ils sont prêts à lutter pour le bonheur des enfants ! Bref, qu'ils approuvent la Loi Winthrop pour l'Emploi Équitable !

Linscott bondit sur ses pieds.

— Je proteste contre ce vote à main levée ! Nous n'avons pas encore eu le temps de…

Il se tut quand le pontife leva un bras.

— Si les autres directeurs souhaitent manifester leur soutien à cette loi, dit-il d'une voix haute et claire, les personnes présentes dans cette salle ont le droit de le savoir, afin qu'il n'y ait pas d'ambiguïté. Une approbation à main levée n'est pas un vote, mais la simple expression d'une opinion personnelle. Cela n'interdira pas qu'on débatte de la loi avant de l'adopter, comme le prescrit notre constitution.

L'intervention du vieil homme venait d'épargner une épreuve de force au ministre. Bien qu'il eût raison sur le fond – une approbation à main levée ne suffirait pas à faire adopter la loi –, dans ce cas précis, où les intérêts des guildes et des diverses professions convergeaient, cela reviendrait quasiment au même.

Dalton ne doutait pas de la position que prendraient les autres directeurs. La nouvelle loi condamnait une guilde à mort, et le ministre avait bien fait comprendre que la hache du bourreau pourrait s'abattre sur d'autres têtes, si nécessaire.

Sans en connaître la raison, les directeurs savaient désormais qu'un de leurs pairs était tombé en disgrâce. Bien que quatre d'entre eux seulement fussent des maîtres de guilde, les autres n'étaient pas à l'abri. Qu'arriverait-il si les prêteurs sur gage subissaient une baisse brutale de leurs taux d'intérêt ? Voire si on déclarait l'usure illégale ? Et que deviendraient les marchands, si on les obligeait à baisser leurs marges ou à s'acquitter de droits de passage exorbitants sur les routes publiques ? Quant aux conseillers juridiques et aux avocats, il était enfantin de fixer par décret leurs honoraires à un niveau assez bas pour qu'un mendiant puisse s'offrir leurs services. Si elle déplaisait au ministre, aucune profession n'était hors de portée d'une loi assassine.

Bref, si les onze directeurs ne soutenaient pas Bertrand, leurs guildes ou leurs corps de métier sentiraient sur leur « cou » le tranchant de la hache du bourreau. Une approbation à main levée, plutôt qu'un scrutin secret, assurait ceux qui obtempéreraient que leur tête ne risquait rien.

Claudine se laissa tomber sur sa chaise. Elle aussi avait saisi toutes les implications de cette « révolution ». Pour travailler comme maçon, il était obligatoire d'appartenir à la guilde, qui décidait de la formation à suivre, des critères d'excellence et des prix à pratiquer. Elle arbitrait les différends, affectait les travailleurs sur les chantiers, prenait soin de ses adhérents blessés ou malades et aidait les veuves des ouvriers victimes d'accidents du travail. Quand des employés non qualifiés leur feraient concurrence, les membres de la guilde ne pourraient plus prétendre à des salaires proportionnés à leurs compétences. Et cela seul suffirait à détruire leur organisation.

Linscott pouvait d'ores et déjà faire une croix sur sa carrière. Ayant perdu la protection de la guilde alors qu'il la dirigeait, les maçons le chasseraient de son poste en moins de vingt-quatre heures. Les ouvriers non qualifiés auraient du travail, et lui se retrouverait au ban de la société.

Bien entendu, les projets publics, au bout du compte, coûteraient beaucoup plus cher. Après tout, les compétences avaient une certaine valeur. Un homme qu'on payait bien, mais qui connaissait son métier, finissait par être plus économique, et le produit fini se révélait meilleur.

Un directeur leva la main pour manifester son soutien – certes informel, mais bel et bien acquis – à la nouvelle loi. Les autres regardèrent son bras se tendre comme s'il s'agissait d'une flèche volant vers la poitrine d'un homme pour lui traverser le cœur. La cible de ce projectile se nommait Linscott, et personne ne voulait partager son sort. L'une après l'autre, des mains se levèrent, et on put bientôt en compter onze.

Linscott foudroya Claudine du regard avant de sortir en trombe de la salle.

Vaincue, dame Winthrop baissa la tête.

Dalton choisit ce moment pour applaudir le « courage » des directeurs. Son initiative détendit l'atmosphère, et toute l'assistance l'imita. Les convives proches de Claudine continuèrent à la congratuler, assurant que son mari et elle venaient de sauver les enfants d'Anderith. Des voix s'élevèrent pour stigmatiser le comportement égoïste des maçons. Bientôt, une véritable file d'admirateurs se forma devant Claudine et des centaines de mains se levèrent pour manifester leur soutien au ministre de la Civilisation, si courageux quand il s'agissait de lancer des réformes.

Un pâle sourire sur les lèvres, Claudine répondit poliment à ses laudateurs.

Le directeur Linscott n'accepterait plus jamais de l'écouter, quoi qu'elle ait à dire...

Stein gratifia Dalton d'un sourire entendu. Hildemara fit de même, avec un rien d'autosatisfaction, et Bertrand lui tapa amicalement sur l'épaule.

Quand tout le monde se fut rassis, la harpiste tendit les mains vers les cordes de son instrument, mais le pontife leva de nouveau un bras.

Tous les regards se tournèrent vers lui.

— Avant le prochain service, dit-il, je propose que nous écoutions ce que l'émissaire d'un très lointain pays veut nous dire.

À son âge, le pontife avait du mal à veiller tard. Avant de s'endormir à table, il tenait à entendre l'exposé de Stein.

Bertrand se releva et s'adressa à l'assistance :

— Bonnes gens d'Anderith, comme vous le savez, une guerre fait rage hors de nos frontières. Les deux camps ont des arguments pour nous convaincre de les rejoindre. Mais Anderith n'aspire qu'à la paix. Voulons-nous voir nos jeunes hommes et nos jeunes femmes se vider de leur sang sur un champ de bataille ? Certes non ! Notre pays est dans une situation unique au monde, parce que les Dominie Dirtch le protègent. Grâce à cela, nul ne peut nous menacer. Mais il y a d'autres enjeux, dont le moindre n'est pas la pérennité de nos échanges commerciaux avec le monde qui nous entoure.

» Nous écouterons bien entendu ce que le seigneur Rahl et la Mère Inquisitrice veulent nous dire. Ils ont décidé de se marier, comme vous l'avez sûrement appris de la bouche des diplomates de retour d'Aydindril. Ces épousailles uniront D'Hara et les Contrées du Milieu, qui deviendront une force impressionnante. Nous attendons avec respect le point de vue de cette nouvelle alliance.

» Ce soir, c'est l'Ordre Impérial qui s'adressera à nous. L'empereur Jagang nous a envoyé un émissaire venu de l'Ancien Monde, au-delà de la vallée des Âmes Perdues. Depuis des millénaires, nul n'avait pu emprunter ce passage, qui est désormais rouvert. (Bertrand tendit un bras.) J'ai l'honneur de vous présenter maître Stein, le porte-parole de l'empereur Jagang.

Les convives applaudirent poliment, mais cessèrent dès que le colosse se leva. Imposant, terrifiant et fascinant, il glissa les pouces dans son ceinturon où ne pendait aucune arme.

— Nous luttons pour notre avenir, dit-il, comme vous, mais sur une plus grande échelle.

Il prit un morceau de pain et le broya dans son énorme main.

— L'humanité, et le peuple d'Anderith ne fait pas exception, est écrasée par une force inique. On nous exclut et on nous condamne à l'étouffement. Oui, nous sommes privés de notre avenir, de notre destin et de la vie elle-même.

» Chez vous, une guilde égoïste interdit à d'honnêtes pères de famille de travailler et les empêche de subvenir aux besoins de leurs enfants. Mais partout, la magie tient les hommes et les femmes sous son emprise !

Des murmures de surprise coururent dans l'assistance, désorientée et vaguement inquiète. Si certaines personnes, en Anderith, détestaient la magie, beaucoup d'autres la respectaient.

— La magie décide de notre destin sans se soucier de nos désirs, continua Stein. Ceux qui détiennent le pouvoir nuisent à des innocents parce qu'ils les craignent, les haïssent ou les envient. Ou simplement pour garder les masses sous leur domination. Ces gens-là gouvernent notre vie, que nous le voulions ou non. Sans eux, l'esprit de l'homme pourrait se développer librement.

» L'heure est venue pour nous de décider de ce que nous sommes et de notre avenir. Sans que l'ombre de la magie plane sur tous nos actes…

Stein tira sa cape sur le côté et la souleva.

— Ce sont les scalps des sorciers que j'ai tués de mes propres mains ! Ainsi, j'ai empêché ces jeteurs de sorts d'influencer en mal la vie des gens ordinaires.

» Nous devons vivre dans la crainte du Créateur, pas des magiciens ! Et c'est le Créateur, personne d'autre, qui mérite notre vénération !

Des murmures approbateurs commencèrent à courir dans la salle.

— L'Ordre Impérial vous débarrassera de la magie, comme il a éliminé celle qui séparait depuis des millénaires l'Ancien Monde du Nouveau. L'Ordre vaincra, et l'humanité décidera librement de son destin.

» Même sans notre intervention, il naît de moins en moins de monstres doués pour la magie, parce que le Créateur, malgré son infinie patience, s'est lassé de cette engeance maudite. L'antique religion de la magie agonise. Le Créateur Lui-Même nous a fait savoir, par un signe sans équivoque, qu'il était temps de bannir les pouvoirs surnaturels de notre existence.

Cette fois, les murmures approbateurs furent plus nombreux.

— Nous ne voulons pas combattre le peuple d'Anderith, ni le contraindre à prendre les armes pour lutter à nos côtés. Mais nous avons juré d'écraser les forces conduites par le bâtard qui dirige désormais D'Hara. Tous ceux qui s'allieront à lui tomberont sous nos coups… (Stein leva de nouveau sa cape) comme les sorciers dont j'ai pris la vie.

Tenant la cape d'une main, il braqua l'index de l'autre sur l'assistance.

— Ne vous méprenez pas : tous ceux qui se dresseront contre nous périront !

» Pour en finir avec la magie, nous avons d'autres moyens que les armes. Comme celle qui nous séparait de vous, toutes les formes de pouvoir disparaîtront. L'ère de l'humanité commence, peuple d'Anderith !

Le ministre leva une main faussement nonchalante.

— Si ce ne sont pas les épées de notre glorieuse armée qui l'intéressent, que nous veut donc l'Ordre ?

— L'empereur Jagang vous donne sa parole : si vous ne vous rangez pas du côté de nos ennemis, nous ne vous attaquerons jamais. Il veut simplement établir des relations commerciales avec vous, comme vous en avez avec plusieurs pays.

— Certes, dit Bertrand, jouant le rôle du sceptique au bénéfice exclusif de l'assistance, mais des accords antérieurs nous amènent à céder la plus grosse partie de nos produits aux Contrées du Milieu.

— Nous proposons de doubler tous les prix, si élevés soient-ils !

Le pontife leva une main, réduisant au silence la foule.

— Et quel pourcentage de notre production désirez-vous acheter ?

Stein riva son regard de prédateur sur l'assistance.

— Cent pour cent ! Notre armée compte des centaines de milliers d'hommes... Vous n'aurez pas à vous battre, parce que c'est notre travail, et si vous concluez un traité avec nous, vous serez en sécurité et plus prospères que jamais !

Le pontife se leva et balaya la salle du regard.

— Merci de nous avoir rapporté les propos de l'empereur, maître Stein, dit-il. Nous n'arrêterons pas là ce dialogue, soyez-en assuré. En attendant, nous devons réfléchir... (Le vieil homme tendit un bras vers les convives.) Que la fête continue !

Chapitre 23

Fitch n'avait jamais eu aussi mal à la tête de sa vie, et la pâle lumière de l'aube lui blessait les yeux. Même en mâchant un petit morceau de gingembre, il ne parvenait pas à se débarrasser du goût amer qui lui empoisonnait la bouche. La veille, Morley et lui avaient fait un sort à tous les restes de vin et de rhum qu'ils avaient pu trouver. Les indispositions dont le jeune Haken souffrait devaient venir de là... En dépit de cet état de santé médiocre, il était d'excellente humeur et souriait en briquant ses chaudrons.

Malgré la lenteur de ses gestes, calculée pour ne pas aggraver sa migraine, maître Drummond ne l'engueulait pas à tout bout de champ. Il semblait content, le banquet désormais derrière lui, de revenir à son travail routinier. Et s'il avait accablé Fitch de corvées, il ne s'était pas permis une seule fois de l'appeler « Fichtre ».

Le jeune Haken entendit des pas dans son dos et se retourna pour découvrir le chef de cuisine.

— Fitch, essuie-toi les mains !

— Oui, maître.

Le jeune Haken sortit ses avant-bras de l'eau savonneuse et les secoua.

En s'emparant d'une serviette, il se souvint de la grande dame qui, la nuit précédente, l'implorait en lui donnant du « messire ». Ce rustre de Drummond n'en serait pas revenu...

Le chef de cuisine s'épongea le front avec son sempiternel chiffon blanc. À la façon dont il transpirait, il ne devait pas avoir lésiné sur la boisson, la veille, et sa tête n'allait sûrement pas mieux que celle de Fitch. Préparer le banquet ayant été une tâche écrasante, le jeune Haken estimait, un peu à contrecœur, que Drummond méritait de s'être fait plaisir, une fois la fête terminée.

— Monte en vitesse dans le bureau de messire Campbell !

— Pardon, maître ?

Drummond remit son chiffon blanc à sa ceinture. Les femmes qui travaillaient dans ce coin de la cuisine lorgnaient la scène. Gillie, les poings sur les hanches, guettait sûrement l'occasion de tirer l'oreille de Fitch pour le punir de sa perversité congénitale de Haken.

— Dalton Campbell a envoyé un messager me dire qu'il veut te voir. À mon avis, Fitch, ce n'est pas le genre d'homme qui aime attendre. Donc, tu ferais mieux de te dépêcher.

— Oui, maître, j'y vais sur-le-champ, dit le jeune Haken en s'inclinant.

Prudent, Fitch fit un détour pour passer le plus loin possible de Gillie, puis il détala à toute allure. Il était ravi que messire Campbell l'ait convoqué, et il n'avait pas envie que cette insupportable matrone le retarde.

Alors qu'il gravissait les marches deux par deux, sa migraine passa soudain au second plan. Et dès qu'il eut atteint le deuxième étage, il se sentit beaucoup mieux. Passant devant l'endroit où Beata l'avait giflé, il descendit le couloir jusqu'au bureau de messire Campbell, où il était venu un soir déposer un plateau de viande.

La porte de l'antichambre était ouverte. Fitch retint son souffle et entra, la tête inclinée en signe de respect. N'étant venu qu'une fois, il ne savait pas trop comment on devait se comporter dans le fief du bras droit de Bertrand Chanboor.

Il y avait deux tables dans la pièce. La première était couverte de feuilles de parchemin, de sacoches de cuir et de boules de cire rouge servant à sceller les messages. Sur la seconde, bien moins chargée, Fitch ne vit que quelques livres et une lampe éteinte. La lumière du soleil qui entrait par la grande fenêtre était amplement suffisante...

Assis sur un banc, sur la gauche, face à la fenêtre, quatre jeunes hommes bavardaient à voix basse. Tendant l'oreille, Fitch crut comprendre qu'ils discutaient de l'état des routes reliant les villes et les villages. Comme ces gaillards étaient des messagers, un poste très envié par tout le personnel du domaine, qu'ils débattent de ce sujet semblait assez logique. Mais le jeune Haken aurait cru qu'ils évoquaient plutôt entre eux les choses extraordinaires qu'ils voyaient à longueur de journée...

Tous portaient l'uniforme des employés sous les ordres de l'assistant du ministre : des bottes noires, un pantalon marron foncé, une chemise blanche au col ouvert et un pourpoint à manches matelassé orné d'un motif brodé en forme de corne d'abondance. Avec les bandes bordeaux et noir imitant des épis de blé qui décoraient les pans de leur pourpoint, tous les messagers, aux yeux de Fitch, ressemblaient à des aristocrates. Et ceux qui travaillaient pour Dalton Campbell étaient les plus impressionnants.

On comptait au palais une multitude d'estafettes qui dépendaient de personnes ou de services différents. Tous arboraient une tenue distincte. Fitch savait reconnaître ceux qui étaient au service du ministre, de dame Chanboor, des bureaux du chambellan et du grand huissier. Le capitaine de la garde en employait aussi beaucoup. Certains vivaient au domaine mais délivraient leurs missives à l'extérieur. D'autres en apportaient sans cesse au palais mais n'y résidaient pas. Même les cuisines avaient un corps de messagers ! Et parfois, le jeune Haken en croisait sans parvenir à déterminer pour qui ils couraient comme des fous, des rouleaux de parchemin sous les bras...

À quoi servaient ces légions de courriers ? Les hauts responsables du pays passaient-ils leur temps à échanger des notes ou des rapports ?

La plus grosse horde de garçons de course appartenait, et de loin, au service de Dalton Campbell.

Les quatre jeunes hommes assis sur le banc – rembourré, s'il vous plaît ! – regardaient Fitch avec des sourires plutôt amicaux. Deux le saluèrent même de la tête, une marque de sympathie que lui avaient témoignée d'autres membres de leur profession, quand il lui arrivait d'en croiser. Il s'en était toujours émerveillé, car ces hommes, même s'ils étaient des Hakens, lui avaient toujours paru... eh bien... supérieurs. Des Anderiens d'honneur, en quelque sorte...

Fitch rendit poliment leur salut aux deux messagers. Le plus jeune – peut-être un an ou deux de plus que lui – désigna d'un pouce la porte du bureau.

— Messire Campbell t'attend, Fitch. Entre donc !

— Merci, répondit le jeune Haken, surpris de s'entendre appeler par son nom.

Il approcha de l'impressionnante porte, la franchit et s'immobilisa, mal à l'aise. Il n'était jamais allé au-delà de l'antichambre et supposait que le bureau de l'assistant était à peu près configuré de la même façon. Mais il était beaucoup plus grand et luxueux, avec ses trois fenêtres voilées par de superbes tentures bleu et or. Sur un mur, une bibliothèque en chêne contenait plusieurs rangées de livres épais aux tranches multicolores. En face, des étendards de guerre anderiens, magnifiques avec leurs lignes rouges et bleues sur fond jaune, composaient une sorte de tableau encadré par de terrifiantes hallebardes.

Assis derrière un beau bureau en acajou aux pieds incurvés sculptés, Dalton Campbell leva les yeux sur son visiteur. Puis il posa le document qu'il consultait sur l'une des trois écritoires en cuir – deux petits sur les côtés et un grand au centre – placés dans des logements carrés creusés dans le bois.

— Ah, Fitch, te voilà ! Parfait. Entre et ferme la porte, s'il te plaît.

Le jeune Haken obéit, traversa la pièce et se campa devant l'assistant.

— Vous avez besoin de quelque chose, messire ?

Campbell s'adossa à sa chaise de cuir marron. Près d'un guéridon, son fourreau digne d'un prince et son épée reposaient sur un support spécial en argent martelé qui imitait un rouleau de parchemin. Des signes étaient gravés sur le luxueux objet. Fitch étant illettré, il ne put pas déterminer s'il s'agissait de mots ou de simples ornements.

L'assistant du ministre se balança sur son siège, suçota le bout de la plume qu'il tenait et dévisagea longuement le jeune Haken.

— Tu t'en es très bien tiré, avec Claudine Winthrop...

— Merci, messire. J'ai fait de mon mieux pour me rappeler ce que je devais lui dire... et lui faire.

— Et c'était très réussi ! Je connais des hommes, trop sensibles, qui auraient reculé au dernier moment. Les garçons comme toi, qui vont jusqu'au bout et se souviennent de mes ordres, ne courent pas les rues. En conséquence, j'aimerais te proposer un nouveau poste. Voudrais-tu travailler dans mon équipe de messagers ?

Fitch crut d'abord qu'il avait mal compris. Dalton Campbell avait déjà une petite armée d'estafettes...

— Moi, messire ?

— Tu as bien rempli ta mission. J'apprécierais de t'avoir à mes côtés.

— Vraiment, messire ?

— C'est moins pénible que trimer aux cuisines, et on touche un salaire en plus du gîte et du couvert. En économisant, tu te prépareras un avenir agréable. Et si tu obtiens un jour le droit de porter un nom d'honneur, tu auras les moyens de t'offrir un beau cadeau. Une épée, par exemple...

Fitch en resta pétrifié. Il n'avait jamais envisagé d'atteindre une position aussi enviable. Et avec un salaire, par-dessus le marché ! Avoir à manger, un toit sur la tête, de quoi se soûler et un sou de temps en temps lui semblait déjà si confortable...

Bien sûr, il rêvait de posséder une épée et d'apprendre à lire. Mais c'étaient des songes éveillés, des fantaisies d'adolescent... Et voilà que s'offrait à lui une chance de les réaliser !

— Alors, ta réponse, Fitch ? Tu acceptes ? Bien entendu, tu ne pourras plus porter ces frusques. Il te faudra une tenue... (L'assistant se pencha en avant pour regarder par-dessus le bureau et baissa les yeux sur les pieds nus du garçon.) Tu devras aussi mettre des bottes.

» En plus, tu déménageras, parce que les messagers ont un dortoir à part. Avec des lits, pas des paillasses ! Et de vrais draps, évidemment. Tu devras faire ton lit et tenir bien rangé ton coffre personnel, mais tes vêtements et ta literie seront lavés à la buanderie du palais.

» Qu'en penses-tu, Fitch ? Mon offre te tente ?

— Et Morley, messire ? Il a été très bon, lui aussi. Sera-t-il dans votre équipe avec moi ?

Campbell remit sa chaise sur ses quatre pieds, recommença à suçoter sa plume, pensif, puis la posa sur l'écritoire.

— J'ai besoin d'un seul messager, pour le moment. Il est temps d'apprendre à penser à toi-même, Fitch. Veux-tu rester le larbin de gens comme Drummond jusqu'à la fin de ta vie ? Si tu désires réussir, c'est maintenant qu'il faut prendre les bonnes décisions. Voilà ta chance de quitter les cuisines, et tu n'en auras peut-être pas d'autre.

» Je t'offre ce poste, mon garçon. À toi de décider. Alors, ta réponse ?

— Messire, Morley est mon ami, et je l'aime bien. Mais faire partie de vos messagers est le rêve de ma vie ! Si vous voulez de moi, j'accepte avec joie !

— Dans ce cas, bienvenue dans l'équipe, Fitch ! (Campbell eut un sourire amical.) Tu as tenu à être loyal envers ton ami, et c'est admirable. J'espère que tu seras aussi fidèle à ce service... Pour l'instant, j'ai un poste... hum... à mi-temps... pour Morley, et il y a une bonne chance, dans un avenir proche, qu'il vienne travailler avec toi.

Fitch fut soulagé par cette nouvelle. Il aurait détesté perdre son ami, mais c'était un prix acceptable pour échapper aux cuisines de maître Drummond.

— Je vous remercie pour lui, messire. Morley vous donnera satisfaction, j'en suis sûr.

— Dans ce cas, l'affaire est réglée... (Campbell poussa une feuille de parchemin pliée vers Fitch.) Cours porter ce message à Drummond. Il l'informe que tu ne dépends plus de lui, parce que tu as intégré mon équipe. J'ai pensé que tu aimerais commencer ton travail en livrant cette missive-là...

Fitch aurait voulu sauter de joie, mais il resta impassible, tel un digne messager. En revanche, il s'avisa qu'il se tenait déjà beaucoup plus droit.

— Messire, ce sera un plaisir.

— Après, Rowley, un de tes nouveaux collègues, te conduira à l'intendance afin qu'on te remette un uniforme à peu près à ta taille. Quand tu reviendras, la couturière prendra tes mesures pour que tes nouveaux habits t'aillent parfaitement.

» Tous mes messagers doivent être bien mis, parce qu'ils me représentent aux yeux du monde extérieur. Cela signifie que tes vêtements devront être propres en permanence, et toi aussi ! Cire tes bottes, brosse-toi les cheveux et comporte-toi dignement en toute circonstance. Rowley te donnera plus de détails... Tu seras à la hauteur, Fitch ?

— Oui, messire. Je vous en donne ma parole.

En pensant à sa future tenue, le jeune Haken eut soudain honte de son apparence actuelle. Une heure plus tôt, il se trouvait très bien comme ça, mais c'était du passé. Il brûlait d'envie de se débarrasser de ses haillons de garçon de cuisine.

Que penserait Beata, quand elle le verrait dans son nouvel uniforme ?

Dalton Campbell fit glisser sur le bureau une sacoche de cuir dont le rabat était fermé par un sceau de cire au milieu duquel s'affichait en creux une gerbe de blé.

— Quand tu te seras lavé et changé, tu iras porter cette sacoche au bureau de l'Harmonie culturelle, à Fairfield. Tu sais où c'est ?

— Oui, messire Campbell. J'ai grandi en ville, et je la connais comme ma poche.

— C'est bien ce que j'avais cru comprendre... Mes messagers viennent de toutes les régions d'Anderith, et nous nous efforçons de les affecter aux endroits qu'ils connaissent. Puisque la ville t'est familière, c'est là que tu accompliras la plupart de tes missions.

Dalton Campbell se pencha en avant pour glisser une main dans sa poche.

— C'est pour toi, attrape !

Fitch saisit l'objet au vol et découvrit, stupéfait, qu'il s'agissait d'un écu d'argent. La plupart des riches, pensa-t-il, ne portaient pas une telle somme sur eux.

— Messire, je n'ai pas encore commencé à travailler...

— Ce n'est pas ton salaire, Fitch... Cet argent-là, tu le toucheras à la fin de chaque mois. Il s'agit d'une prime, pour ton petit... travail... d'hier soir.

Claudine Winthrop... Dalton Campbell parlait de la femme que Morley et lui avaient convaincue de se taire.

Celle qui l'avait appelé « messire ».

Fitch posa la pièce sur le bureau, et, à contrecœur, cependant, la poussa vers son nouvel employeur.

— Messire Campbell, pour ça, vous ne me devez rien. Vous ne m'aviez pas promis de récompense, et j'ai librement choisi de vous aider et de protéger le futur pontife. Je n'accepterai pas un argent qui ne m'est pas dû.

L'assistant eut un sourire énigmatique.

— Prends cette pièce, Fitch, c'est un ordre ! Quand tu auras livré la sacoche, tu seras libre jusqu'à demain. Dépense un peu de ta fortune – ou tout, si ça t'amuse – pour ton plaisir. Amuse-toi, paie-toi des confiseries, ou va boire un bon verre. C'est ton argent, alors, fais-en ce qui te chante !

— Oui, messire, dit Fitch en dissimulant tant bien que mal sa joie. Je vous obéirai, c'est promis.

— Excellent ! Une petite chose, quand même… (L'assistant posa un coude sur le bureau et se pencha en avant.) Ne va pas voir une fille de joie, en ville… Ce printemps, une méchante épidémie frappe les putains de Fairfield. Et c'est une façon très déplaisante de mourir. Si tu choisis la mauvaise prostituée, tu ne vivras pas assez longtemps pour devenir un bon messager.

Même si les femmes l'obsédaient, Fitch savait qu'il n'aurait pas le cran d'aller en payer une pour se mettre nu devant elle. Il aimait regarder les jolies filles, comme Beata ou Claudine Winthrop, et les imaginer sans vêtements, mais comment réagiraient-elles en le voyant déshabillé, sa virilité dressée entre les jambes ? Même avec son pantalon, la dissimuler quand il était face à une femme désirable lui posait des problèmes sans fin. Il désirait connaître l'amour, mais se ridiculiser ainsi lui couperait tous ses moyens. Avec une fille qu'il connaissait, qu'il appréciait et qu'il aurait courtisée longtemps – par exemple en l'embrassant d'abord – il pourrait envisager d'aller plus loin. Mais comment les autres hommes faisaient-ils pour se dévêtir devant une inconnue qu'ils avaient payée ?

Peut-être dans le noir… Oui, s'il n'y avait pas de lumière, dans les chambres des filles de joie, et que les deux personnes ne se voyaient pas…

— Fitch, tu rêves ?

Le jeune Haken se racla la gorge.

— Messire, je jure de ne pas aller voir les prostituées de Fairfield. Parole de messager !

Chapitre 24

Quand le garçon fut sorti, Dalton bâilla à s'en décrocher la mâchoire. Levé à l'aube, il avait convoqué ses collaborateurs les plus proches pour faire le point sur le banquet de la veille, au cas où ils auraient surpris des conversations intéressantes, et mettre au point la préparation et la distribution des messages. Son équipe de copistes – triés sur le volet, et capables à l'occasion de lui rendre d'autres services – avait investi les six pièces placées en enfilade derrière son bureau, dans le couloir. Mais pour tout faire en si peu de temps, elle avait également dû s'installer dans l'antichambre de son fief.

Alors que le soleil se levait, des dizaines de messagers étaient partis pour les quatre coins d'Anderith, où ils remettraient le texte qu'il avait rédigé à des hérauts. Dans quelques heures, quand le ministre aurait quitté le lit de sa conquête de la veille, Dalton l'informerait de la teneur de la proclamation. Rien de plus normal, puisqu'elle était signée de son nom.

Les hérauts la liraient dans les salles de réunion des guildes et des organisations de marchands, sur le parvis des mairies des villes et des villages, dans les tavernes et les auberges, dans les casernes, dans les temples, devant les Hakens rassemblés pour leurs séances de repentance, dans la cour des brasseurs et des fabricants de parchemin et sur toutes les places de marché. D'un bout à l'autre d'Anderith, le message rédigé par Dalton, au mot près, se répandrait comme une traînée de poudre.

Les hérauts qui ne lisaient pas scrupuleusement le texte qu'on leur confiait perdaient vite cette intéressante source de revenus supplémentaires. Et les candidats désireux de les remplacer se pressaient au portillon…

Afin de contrôler les hérauts, Dalton faisait parvenir les proclamations à un certain nombre de citoyens heureux de gagner un peu d'argent de poche en allant s'assurer qu'elles étaient lues correctement. Bien entendu, il ne pouvait pas procéder ainsi partout en même temps, mais il avait ses réseaux, et il organisait des rotations qui lui permettaient de balayer large. Une autre façon de tendre sa toile…

Peu de gens comprenaient l'importance d'une fidélité absolue au texte de base, quand on s'adressait ainsi à toute une population. À la grande satisfaction de Dalton, qui l'avait mesuré depuis longtemps, la plupart des personnes qu'il connaissait, même très haut placées, sous-estimaient le pouvoir des mots. Lorsqu'on s'exprimait de la bonne façon, les gens croyaient ce qu'ils entendaient, quel que soit le sens réel du discours. L'art de déformer subtilement l'information était une arme redoutable, mais bien peu d'hommes politiques savaient en tirer le meilleur parti.

Une nouvelle loi venait d'être promulguée. Elle interdisait le favoritisme dans les métiers du bâtiment, et imposait l'embauche de tous les travailleurs qui demanderaient un emploi. Deux jours plus tôt, une telle agression contre la toute-puissance d'une guilde aurait été impensable. Suprêmement subtile, la proclamation de Dalton exhortait le peuple à rester fidèle aux idéaux de la culture anderienne. Même si de telles réactions étaient compréhensibles, elle proscrivait toutes représailles contre les maçons, en partie responsables du malheur de tant d'enfants. Bien au contraire, elle les adjurait de se conformer aux nouveaux critères, moralement plus élevés, de la Loi Winthrop pour l'Emploi Équitable. Pris à contre-pied, les maçons, au lieu d'attaquer les nouvelles mesures, s'efforceraient de prouver qu'ils n'avaient jamais intentionnellement affamé les gamins de leurs voisins.

Bientôt, pour ne pas être lapidés par des foules en colère, ils deviendraient les plus ardents défenseurs de la loi, comme s'ils étaient à l'origine de son adoption.

Dalton avait pour règle d'envisager toutes les possibilités, et de trouver une parade avant qu'on tente de lui porter un mauvais coup. Quand Fitch partirait avec la sacoche qui contenait le texte de loi, après que Rowley l'eut fait se laver et passer à l'intendance, il serait trop tard pour que le bureau de l'Harmonie culturelle réagisse, même si les onze directeurs avaient changé d'avis. Les hérauts auraient fait connaître la nouvelle loi dans toute la ville, et d'autres seraient sur le point de s'en charger un peu partout dans le pays. Après leur approbation à main levée du banquet, les directeurs seraient pieds et poings liés.

Fitch ferait une excellente recrue pour l'équipe de messagers. Tous ces hommes, qu'il avait sélectionnés au fil des dix dernières années, venaient de trous perdus où les aurait attendus une vie de labeur ingrat, d'humiliation et de désespoir. Pour faire court, ils étaient la lie de la civilisation anderienne. Et aujourd'hui, en délivrant des messages aux hérauts, ils contribuaient à la manipuler.

De plus, leur rôle ne se limitait pas à jouer les coursiers pour Dalton. En réalité, ils étaient son armée privée, payée par l'argent public, et il n'aurait pas atteint son poste actuel sans leur soutien. Ces hommes lui vouaient une indéfectible loyauté et la plupart étaient prêts à mourir pour lui, s'il le demandait. Et cela était parfois arrivé...

Dalton laissa ses pensées aborder des rivages plus agréables.

Teresa...

Extatique d'avoir été présentée au pontife, elle avait tenu sa promesse, lorsqu'ils s'étaient couchés après le banquet. Et bon sang, elle ne mentait pas quand elle affirmait être « bonne » ! Il en avait encore eu la preuve, lorsqu'elle s'était attelée à le récompenser.

Transfigurée par sa rencontre avec le pontife, elle avait décidé de consacrer sa matinée à la prière. Face au Créateur en personne, Dalton doutait qu'elle aurait été plus émue. Et il était ravi de lui avoir fourni l'occasion de vivre un moment si exaltant.

Au moins, elle ne s'était pas évanouie, au contraire des nombreuses femmes – et même d'un des hommes – qui avaient eu la veille l'honneur de voir le pontife en face. Cette réaction, si elle n'avait pas été tellement courante, aurait pu être embarrassante pour ces convives. Mais tout le monde avait compris et accepté ce qui était, au fond, un touchant témoignage de foi. Et de fidélité au Créateur, bien entendu, puisque le pontife le représentait en ce monde...

Dalton prenait le vieil homme pour ce qu'il était : un être humain. Très puissant, certes, mais tout de même fait de chair et de sang...

Beaucoup de gens ne partageaient pas cet avis et le tenaient pour un saint épargné par les contingences de la vie. Quand Bertrand Chanboor, déjà considéré comme le plus grand ministre de la Civilisation de l'histoire, le remplacerait, lui aussi serait l'objet d'une vénération aveugle.

Comme souvent, Dalton regardait les choses avec une lucidité peu répandue. À ses yeux, les femmes qui s'étaient évanouies, loin d'être d'admirables dévotes, auraient mille fois préféré se coucher sous le pontife que de gésir à ses pieds. Une expérience quasi mystique dont l'idée les excitait plus encore que celle de passer la nuit entre les bras d'un homme de pouvoir aussi éminent que le ministre de la Civilisation. Et les maris, il l'aurait juré, se seraient enorgueillis que leur épouse, prête à se sacrifier sur l'autel de la foi, ait connu une aussi parfaite communion avec le saint qui présidait à la destinée d'Anderith.

Entendant frapper à la porte, Dalton ouvrit la bouche pour crier : « Entrez ! », mais sa visiteuse ne jugea pas utile d'attendre une invitation et fit sans complexe irruption dans son bureau.

C'était Franca Gowenlock, bien entendu...

Campbell se leva pour l'accueillir.

— Franca, quel plaisir de vous voir ! Le banquet vous a-t-il plu ?

Pour une raison connue d'elle seule, Franca était d'une humeur plus que morose. Avec ses cheveux et ses yeux noirs, et son art très particulier de toujours paraître tapie dans l'ombre, même en plein soleil, cela lui donnait un air franchement sinistre. Quand Franca déboulait quelque part, la température semblait toujours chuter de quelques degrés, et un grand silence se faisait autour d'elle...

Elle s'empara d'une chaise au passage, la tira jusque devant le bureau, s'assit et croisa agressivement les bras sans daigner saluer Dalton. Surpris et troublé, il se laissa retomber sur sa chaise.

De petites lignes se formèrent autour des yeux de Franca quand elle les plissa.

— Je n'aime pas l'émissaire de l'Ordre. Ce Stein... Oui, il me répugne !

Dalton se radossa à sa chaise. Franca laissait ses longs cheveux noirs cascader librement sur ses épaules, qu'ils touchaient presque. Pourtant, ils restaient tirés en arrière, comme s'ils avaient été gelés par un vent glacial.

Si la touche de gris qui courait sur ses tempes ne la vieillissait pas vraiment, elle ajoutait à la gravité un rien sinistre de son visage.

Sa robe ocre, toute simple, était boutonnée jusqu'au col. Juste au-dessus, une large bande de velours noir enveloppait sa gorge. Parfois, la couleur changeait, mais

Dalton n'avait jamais vu Franca sans cet étrange accessoire vestimentaire. Évidemment, ce détail l'intriguait, et il aurait donné cher pour savoir ce qui se cachait sous le velours. Franca étant ce qu'elle était, il n'avait jamais osé lui poser la question.

Il la connaissait depuis près de quinze ans et cela faisait une bonne décennie qu'il recourait à ses services. De temps en temps, il imaginait qu'elle avait jadis été décapitée puis avait toute seule recousu sa tête sur son cou...

— Vous m'en voyez navré, Franca, répondit-il enfin. Vous a-t-il fait quelque chose ? Il ne vous aurait pas insultée, quand même ? Ou accablée de ses assiduités ? S'il a osé, je me chargerai de le lui faire regretter, vous avez ma parole !

Franca ne douta pas un instant de la sincérité de son interlocuteur. Très lentement, elle croisa ses longs doigts élégants sur ses genoux et lâcha :

— Avec le nombre de femmes qui lui couraient après, il n'a pas eu besoin de s'intéresser à moi.

— Alors de quoi s'agit-il ? demanda Dalton, totalement perdu, mais toujours sur ses gardes.

Franca s'accouda au bureau et appuya son menton sur ses mains croisées.

— Il s'en est pris à mon pouvoir... En le brouillant, ou quelque chose comme ça...

Dalton tressaillit, sa perplexité balayée par l'inquiétude.

— Vous pensez qu'il a des pouvoirs magiques ? Il vous aurait jeté un sort ?

— Je n'en sais rien, mais je suis sûre qu'il s'est passé quelque chose.

— Comment le savez-vous ?

— Pendant le banquet, j'ai voulu espionner les conversations grâce à mon don, comme d'habitude. Je n'ai rien capté, Dalton ! Le noir total.

— Dois-je comprendre que votre pouvoir ne vous a été d'aucun secours pour entendre de loin les invités ?

— Seriez-vous sourd ? C'est exactement ce que je viens de dire !

Dalton pianota nerveusement sur la table, puis il tourna la tête vers une fenêtre. Après une brève hésitation, il se leva, écarta la tenture et entrouvrit le battant vitré pour laisser entrer un peu d'air frais. Enfin, il fit signe à Franca de le rejoindre.

— Ces deux-là, dit-il en désignant des hommes qui conversaient au pied d'un arbre, sur la pelouse. Répétez-moi ce qu'ils se racontent...

Franca prit appui sur le rebord de la fenêtre et se pencha un peu en avant, les yeux rivés sur ses cobayes. À la lumière du soleil, Dalton vit à quel point le temps avait ridé et creusé un des plus jolis visages qu'il lui eût été donné de voir. Et malgré l'âge, la beauté de Franca demeurait fascinante.

Les deux hommes gesticulaient d'abondance en parlant, et Campbell n'entendait rien de ce qu'ils disaient. Avec son pouvoir, Franca aurait dû être en mesure de capter jusqu'au moindre mot.

La femme blêmit, son visage aussi figé que ceux des personnages de cire de l'exposition ambulante qui faisait étape deux fois par an à Fairfield. On aurait juré qu'elle ne respirait plus.

— Je n'entends rien, soupira-t-elle enfin. De si loin, je ne peux pas lire sur leurs lèvres, mais mon don devrait me permettre de les entendre. Oui, il le devrait...

Dalton se pencha pour jeter un coup d'œil au pied du bâtiment.

— Et ces deux hommes-là ?

Franca baissa aussi les yeux. Campbell parvenait à capter un vague écho de la conversation des domestiques, sans réussir à la comprendre, mais tout juste.

Franca se concentra, puis soupira de nouveau – rageusement, cette fois.

— Rien ! Et pourtant, ils sont si près que j'entends leurs exclamations et leurs rires avec les vulgaires oreilles que m'a données le Créateur !

Dalton referma la fenêtre. Sur le visage de Franca, que la colère désertait déjà, il lut un sentiment qu'il n'y avait jamais vu. De la peur !

— Dalton, vous devez vous débarrasser de Stein ! Il doit être un sorcier, ou je ne sais quelle variante de magicien ! Ce chien m'a privée de mon pouvoir !

— Comment savez-vous que c'est lui ?

— Eh bien... Qui d'autre pourrait être coupable ? Il crie sur tous les toits qu'il veut éliminer la magie, et mes problèmes ont commencé il y a quelques jours, au moment de son arrivée.

— Avez-vous eu des difficultés avec les autres... talents... que vous confère votre don ?

Franca se détourna et se tordit nerveusement les mains.

— Il y a deux ou trois jours, j'ai jeté un sort mineur pour une femme qui voulait avoir son flux menstruel plus tôt, afin de ne pas tomber enceinte. Ce matin, elle est venue se plaindre, parce que ça n'avait pas fonctionné.

— Ce que vous appelez un « sort mineur » ne me semble pas si simple que ça. Il y a tellement de paramètres en jeu qu'un échec est toujours possible.

— Dalton, c'est la première fois que ça rate.

— Dans ce cas, une maladie vous diminue peut-être... Vous avez des symptômes inhabituels, ces derniers temps ?

— Je me porte à merveille, et j'ai l'impression que mon pouvoir est aussi puissant que d'habitude. Pourtant, ce n'est pas le cas. J'ai lancé d'autres sorts, pour vérifier, et tous ont fait long feu.

— Franca, je ne suis pas expert en magie, mais c'est peut-être une question de confiance en vous-même. Pour que tout rentre dans l'ordre, s'il suffisait que vous y croyiez de nouveau ?

— Où avez-vous été pêcher des idées aussi idiotes sur la magie ? demanda la femme, excédée.

— C'était simplement une hypothèse... D'accord, je n'y connais pas grand-chose, mais je doute que Stein ait le don, voire même un pouvoir mineur. Ça ne colle pas avec sa personnalité... De plus, aujourd'hui, il n'est pas au domaine, mais quelque part dans la campagne, en « visite touristique ». Et il est parti depuis des heures...

Franca contourna Dalton pour aller se rasseoir. La voir aussi effrayée, sans qu'elle paraisse moins terrifiante pour autant, fit frissonner l'assistant.

— Dans ce cas, murmura-t-elle, j'ai perdu mon pouvoir, et je ne peux rien y faire...

— Franca, je suis sûr que...

— Vous détenez Serin Rajak, n'est-ce pas ? S'il s'est évadé pour rejoindre les fanatiques qui ont épousé sa cause...

— Il est toujours en prison, je vous l'assure ! Ou mort, ce qui serait encore mieux… Depuis le temps qu'il croupit dans un donjon, Rajak n'est plus une menace pour personne. Et sans lui, ses sbires sont impuissants.

Franca détourna le regard et hocha la tête, à moitié convaincue.

— Votre pouvoir reviendra, dit Dalton en lui tapotant le bras. Ne vous laissez pas abattre.

— Je suis terrifiée…, souffla la femme, des larmes aux yeux.

Campbell la prit dans ses bras pour la consoler. Après tout, cette redoutable magicienne était aussi et avant tout son amie.

Soudain, il se souvint de l'antique chanson qu'il avait entendue au banquet.

« Vinrent les trois voleurs de la sorcellerie. »

Chapitre 25

Roberta leva le menton et tendit le cou pour regarder au-delà du bord du gouffre, non loin devant elle, et apercevoir les terres fertiles de sa chère vallée de Nareef, qui s'étendait des centaines de pieds plus bas. Au milieu des champs d'un vert soutenu où paissaient des bovins qui lui semblaient à peine plus grands que des fourmis, des taches brunes signalaient les parcelles récemment labourées. Les nouvelles pousses, elles, formaient des carrés d'un vert beaucoup plus vif à la beauté saisissante. La rivière Dammar serpentait à travers ce magnifique paysage, ses eaux scintillantes bordées des deux côtés par de grands arbres qui, de loin, semblaient être des spectateurs venus admirer le courant.

Chaque fois qu'elle s'aventurait dans les bois, près de la falaise des Nids, Roberta s'arrangeait pour jeter au moins un coup d'œil à la vallée. Après s'être offert le plaisir d'admirer cette vue vertigineuse, elle baissait toujours les yeux sur le sol de la forêt, couvert d'un lit de feuilles et de mousse, pour empêcher sa tête de tourner.

Elle rajusta le sac accroché à son épaule et se remit en route. Alors qu'elle se faufilait entre les buissons de myrtilles et d'aubépines, marchant sur des pierres plates qui ressemblaient à des îlots de stabilité perdus au milieu d'un océan de trous et de crevasses, ou se baissait pour éviter les branches basses des pins et des aulnes, elle écartait du bout de son bâton de marche les fougères et les balsamines qui se dressaient sur son chemin.

Son regard ne cessait de sonder les environs, éternellement à l'affût.

Remarquant une tache jaune ronde, elle se baissa et constata avec ravissement qu'il s'agissait d'une chanterelle, et pas d'un « feu follet » vénéneux. Beaucoup de gens raffolaient des chanterelles à cause de leur délicieux goût de noisette. Elle cueillit délicatement le champignon, et, avant de le glisser dans son sac, caressa l'intérieur du chapeau, doux comme de la soie.

La montagne qu'elle sillonnait en quête de champignons était très petite, comparée à celles qui se dressaient tout autour. En réalité, c'était plutôt une colline traversée par des pistes créées par l'homme – très rarement – et par une multitude d'animaux. Le genre de terrain assez facile que ses vieux muscles, de plus en plus douloureux, appréciaient au plus haut point.

Du sommet des plus grandes montagnes, disait-on, il était parfois possible d'apercevoir l'océan, très loin au sud. Une vue magnifique... Des « pèlerins » s'imposaient de pénibles escalades, une fois tous les ans, pour admirer les splendeurs offertes au monde par le Créateur.

Certaines pistes conduisaient jusqu'à la crête des falaises, et des bergers téméraires s'y aventuraient parfois avec leurs troupeaux. Roberta n'était jamais allée jusque-là, sauf une fois, dans sa lointaine enfance, quand son père – que son âme repose en paix ! – avait amené toute la petite famille à Fairfield. Trop jeune à l'époque, la ramasseuse de champignons ne gardait aucun souvenir précis de ce voyage, et encore moins des raisons qui l'avaient motivé.

Roberta préférait rester près des terres alluviales. Les montagnes ne l'avaient jamais fascinée – d'autant plus qu'elle était facilement sujette au vertige.

Plus en altitude encore, dans ce qu'on nommait les « hautes terres », s'étendait un territoire dangereux – comme par exemple le désert où se nichaient les oiseaux-nettoyeurs.

Rien ne poussait sur ce plateau, sinon le paka qui prospérait grâce aux eaux empoisonnées du lac. À part l'étrange plante, on y trouvait uniquement de grandes étendues noires de sol rocheux ou sablonneux, dont la monotonie était brisée çà et là par des ossements blanchis au soleil. De quoi se croire dans un autre monde, selon les dires des explorateurs qui avaient osé s'y aventurer.

Un silence de mort régnait sur ces terres désolées, sauf quand le vent s'y déchaînait, créant des dunes qui changeaient sans cesse de place, comme si elles étaient à la recherche d'un mystérieux endroit qu'elles ne trouvaient jamais.

Les montagnes plus basses, comme celle où Roberta cherchait des champignons, étaient luxuriantes, agréablement arrondies et très peu rocheuses. Seule la falaise des Nids faisait exception à cette règle, et Roberta ne se risquait jamais à en approcher.

Elle aimait avoir autour d'elle une infinie variété d'arbres, d'animaux et de plantes. Les pistes qu'elle écumait ne conduisaient jamais vers les crêtes, qui lui faisaient froid dans le dos, et surtout pas en direction de la falaise des Nids – ainsi baptisée parce que les faucons aimaient y nidifier.

Roberta était à l'aise au cœur des bois, là où poussaient les champignons qu'elle cueillait pour les vendre au marché. Elle les proposait sous toutes les formes – frais, séchés, au vinaigre ou préparés selon des recettes connues d'elle seule –, et la plupart des gens, qui ignoraient son nom, se contentaient de l'appeler la « Dame aux Champignons ».

Avec le produit de ses ventes, Roberta améliorait l'ordinaire de sa famille. Au fil des ans, elle avait pu acheter toutes sortes de choses qui facilitaient la vie : des aiguilles et du fil, des vêtements, des boucles de ceinture, des boutons, une lampe, de l'huile, du sucre, de la cannelle, des noisettes...

Une kyrielle de merveilles qui ajoutaient au confort des siens, en particulier ses quatre petits-enfants encore vivants. Grâce au commerce des champignons, la famille ne devait pas exclusivement compter sur ses récoltes et son maigre cheptel.

En plus de tout, les champignons faisaient un mets de roi. Pour sa propre consommation, Roberta préférait de loin ceux qui poussaient sur les flancs des montagnes. Dans la vallée, ils étaient insipides. En altitude, sous un ciel le plus souvent couvert, et avec une humidité quasi permanente, les chanterelles, par exemple, prenaient un goût inimitable.

Partageant son avis, sa clientèle lui payait à un prix très avantageux les délices qu'elle ramenait de ses excursions vers les « endroits secrets » où elle était la seule à savoir trouver des spécimens délectables. Aujourd'hui, les grandes poches de son tablier en débordaient, et son sac était presque plein.

À cette période de l'année, elle avait surtout déniché d'impressionnantes colonies de pleurotes. Ces champignons étant délicieux frits, par exemple dans une omelette, Roberta irait les vendre – frais – dès le lendemain. Comme elle en avait également trouvé beaucoup, elle ferait de même avec la moitié des chanterelles et mettrait le reste à sécher. Quant aux polypores squameux, dont sa cueillette avait été excellente, il vaudrait mieux les laisser mariner dans du vinaigre, si elle voulait en tirer le meilleur prix.

On était bien trop tôt dans l'année pour que les polypores tomenteux abondent un peu partout, ce qui serait le cas en été, mais dans un de ses coins secrets, semé de souches de pin, elle avait découvert un petit « gisement » de la variété ocre dont on se servait pour fabriquer de la teinture. Au pied d'un bouleau pourrissant, elle avait même déniché un carré de champignons brunâtres en forme de rognons. Ils n'étaient pas comestibles, mais les cuisiniers les utilisaient pour alimenter leurs feux et ils pouvaient aussi être très utiles pour aiguiser les rasoirs.

S'appuyant à son bâton de marche, Roberta se pencha pour étudier un champignon brunâtre à l'aspect parfaitement inoffensif. Sur sa tige blanc cassé, elle remarqua un petit anneau. Sous le chapeau, les lames jaunes commençaient à prendre une teinte rouille. Cette variété aussi foisonnait dans la forêt à cette période de l'année. Avec une grimace de dégoût, Roberta s'éloigna de la galérine vénéneuse.

Sous les branches basses d'un chêne aussi large que ses deux bœufs, quand ils étaient attelés côte à côte, elle cueillit trois énormes chanterelles jaunissantes – une variété qui poussait très souvent au pied des chênes. Ces trois-là étant déjà d'une belle couleur orange, elles seraient délicieuses.

Roberta savait parfaitement où elle était, mais elle n'avait jamais exploré ce sentier auparavant, et ne connaissait pas l'arbre géant. En apercevant sa cime, de loin, elle avait supposé que les champignons devaient prospérer autour de son pied très ombragé. Et bien entendu, elle ne s'était pas trompée.

En plus des chanterelles, elle découvrit, à ras de terre, un amas de langues de bœuf. Certaines personnes les surnommaient « sanguins » parce que ces champignons, souvent rouge vif, semblaient composés d'un faisceau de veines et d'artères. Ceux-là, un phénomène normal au printemps, étaient plus roses que rouges. Roberta préférait leur nom officiel. Culinairement, elle ne les trouvait pas fabuleux, mais certaines personnes appréciaient leur goût acide. Comme ils étaient plutôt rares, elle parviendrait à en tirer un prix raisonnable.

Dans une dépression qui ne devait jamais voir la lumière du jour, au pied du chêne, Roberta découvrit un petit cercle de clochettes de sorcière, ainsi nommées à cause de la forme de leur chapeau. Ces champignons n'étaient pas vénéneux, mais avec leur goût amer et leur texture spongieuse, personne ne courait après. Selon une vieille superstition, quiconque mettait le pied dans un cercle de clochettes était aussitôt envoûté. Du coup, les promeneurs passaient leur chemin dès qu'ils en apercevaient. Roberta se fichait de cette antique croyance : elle entrait dans ces cercles depuis qu'elle était haute comme trois pommes, à l'époque où sa mère l'amenait parfois dans les bois avec elle…

Certaine qu'elle n'avait rien à craindre des champignons – ses meilleurs amis depuis toujours – elle entra dans le cercle pour ramasser les langues de bœuf.

Une branche du chêne étant assez basse pour faire un siège confortable, même quand on était plutôt enveloppé, comme Roberta, elle s'y installa et constata, ravie, que le bois était assez sec pour que son contact ne soit pas désagréable.

Elle laissa glisser son sac à terre et s'adossa à une autre branche, placée à la hauteur idéale pour doter sa « chaise » d'un « dossier » et d'un « repose-tête ». Dans cette position, elle eut le sentiment d'être nichée dans la main végétale de l'arbre.

Alors qu'elle rêvassait, bien à l'abri sous le feuillage, elle crut entendre un murmure qui ressemblait très vaguement à son nom. Une illusion, certainement…

Ou un son tendre, réconfortant et stimulant pour l'imagination qui évoquait de très loin une succession de syllabes…

Quand elle l'entendit une deuxième fois, Roberta fut certaine qu'il ne s'agissait pas d'une hallucination. Quelqu'un prononçait bien son nom – mais avec une… intimité… qui lui donnait des résonances bien plus subtiles que celles d'un simple mot.

Ce son faisait vibrer jusqu'aux cordes les plus secrètes de son cœur. On eût dit qu'elle entendait le chant même des esprits, plein de bonté, de compassion et de chaleur.

Elle en soupira d'aise, heureuse comme elle l'était parfois quand elle sentait les rayons du soleil, par une journée frisquette, réchauffer un peu sa peau.

La troisième fois, elle se redressa dans son cocon végétal pour tenter de localiser la source de cette mélodie. Sous la chaude lumière du soleil matinal, la forêt étincelait comme si elle était un écrin rempli de minuscules gemmes.

Roberta poussa un petit cri quand elle vit l'homme, non loin d'elle. Bien qu'elle ne l'ait jamais rencontré, il lui sembla qu'elle le connaissait depuis toujours. Quasiment sans qu'elle en ait conscience, cet ami l'accompagnait et la réconfortait depuis sa plus tendre enfance, présent dans son esprit comme un fidèle partenaire. Oui, c'était l'homme qui ne la quittait jamais et qui envahissait ses pensées dès qu'elle s'autorisait à les laisser vagabonder. Un visage sans traits bien précis, mais qu'elle aurait pourtant reconnu parmi des milliers d'autres.

Et aujourd'hui, voilà qu'elle le découvrait bien réel, vivante incarnation du prince charmant qu'elle embrassait dans ses rêves depuis le jour, très lointain, où elle avait compris qu'un baiser pouvait être beaucoup plus que la petite cajolerie dont la gratifiait sa mère avant de la coucher !

Ceux de cet homme, ardents et brûlants, se posaient sur sa bouche et son corps une fois qu'elle était au lit…

L'idée qu'il existât pour de bon ne l'avait jamais effleurée. Pourtant, à cet instant précis, elle aurait juré l'avoir toujours su. Alors qu'il était debout devant elle, la regardant dans les yeux, comment aurait-il pu être une fantaisie de son esprit ? Ses longs cheveux noirs mettant en valeur sa peau très blanche, il souriait avec la chaleur et la tendresse qu'elle lui avait toujours vues. Mais pourquoi ne parvenait-elle pas à distinguer ses traits, alors qu'elle avait le sentiment, en même temps, de les connaître aussi bien que son propre visage ?

Et les pensées de cet homme, s'avisa-t-elle soudain, lui étaient aussi familières que celles qui tourbillonnaient depuis toujours dans son esprit. Était-ce cela, une âme sœur ?

Avec une pareille intimité, ignorer le nom de son amoureux ne lui semblait pas gênant. Au contraire, cela prouvait qu'ils étaient liés à un tel point – spirituellement – que les mots ne servaient plus à rien.

À présent, il s'était évadé du monde de l'imaginaire parce qu'il désirait être avec elle. Une envie dévorante qu'elle éprouvait depuis toujours…

L'homme tendit vers Roberta une main aussi parfaite que le reste de son corps. Son sourire exprimait une telle tendresse ! Et il la comprenait si bien, capable de sentir et d'accepter des choses dont personne au monde ne soupçonnait simplement l'existence. Qu'on puisse ainsi l'aimer jusqu'aux tréfonds de son âme la fit pleurer de joie.

Il l'appela à lui avec ses bras ouverts et son désir plus tumultueux qu'une tempête.

Les mains tendues, elle avança, si légère que ses pieds paraissaient ne pas toucher le sol, comme s'ils étaient des feuilles mortes portées par la brise. Alors qu'elle dérivait vers lui, une image s'imposa à son esprit : un grand lys, sur un lac aux eaux limpides, flottait vers son destin…

À mesure qu'elle approchait, une douce chaleur envahit le corps de Roberta. Pas celle que procuraient les caresses du soleil, mais plutôt celle qui montait en elle quand un enfant lui passait les bras autour du cou. La même qu'elle éprouvait jadis au contact de sa mère, et, plus tard, quand elle voyait le sourire ou sentait les tendres baisers d'un amant.

En réalité, comprit Roberta, elle n'avait jamais vécu que pour ce moment. Le long chemin qu'elle avait parcouru, souvent semé d'embûches, conduisait à l'instant ultime où elle serait face à lui, avec l'irrésistible désir de se jeter dans ses bras pour lui confier à voix basse toutes les aspirations secrètes qu'il était le seul à pouvoir comprendre.

Et combien elle serait heureuse quand elle l'entendrait murmurer à son tour, contre sa joue, qu'il la comprenait !

Roberta brûlait d'envie de lui chuchoter qu'elle l'aimait, et de recevoir, comme une offrande, le doux aveu des sentiments tout aussi forts qu'il éprouvait pour elle. Plus rien ne comptait, sinon se jeter dans ses bras.

Ses vieux muscles ne la torturaient plus et ses os la laissaient enfin en paix. Libérée du fardeau de l'âge, elle se dépouillait des années qui pesaient sur ses épaules comme on se débarrasse d'une robe, face à un amant dont on brûle de sentir la peau nue contre la sienne.

Grâce à lui, et à lui seul, elle retrouvait l'éblouissante vigueur de la jeunesse, cet âge de la vie où tout est encore possible.

Il tendit de nouveau les bras, pressé de la serrer contre lui. Roberta voulut lui saisir les mains, mais il semblait plus loin d'elle qu'une seconde plus tôt – une absurdité, puisqu'ils avançaient l'un vers l'autre !

Paniquée, Roberta redouta qu'il disparaisse avant qu'elle ait pu au moins le toucher. Mais elle avait l'impression de nager dans un miel très épais où elle ne parvenait plus à avancer. Toute sa vie, elle avait rêvé de toucher cet homme, de lui crier son amour et de ne plus faire qu'un avec lui.

Et maintenant qu'elle l'avait trouvé, il s'éloignait d'elle !

Malgré ses jambes de plomb, Roberta bondit en avant, sortant de l'ombre du chêne, en quête des bras de son amoureux.

Mais il semblait de plus en plus inaccessible.

Pourtant, il lui tendait toujours les bras, et elle sentait à quel point il la désirait. Elle se consumait d'envie de le réconforter, de le protéger du mal, de lui apporter la paix…

Conscient des sentiments qui la torturaient, il cria son nom pour l'encourager à avancer encore. Entendre ces trois syllabes sortir de sa bouche manqua faire exploser son cœur d'allégresse. Elle devait lui rendre la passion qu'elle avait entendue vibrer dans sa voix, c'était un devoir sacré !

Si elle avait connu son nom, elle aurait pu au moins le crier aussi, tout l'amour du monde jaillissant de sa gorge comme un torrent tumultueux.

Roberta mobilisa toute sa volonté et sa force pour tendre vers lui son corps désormais si lourd et étrangement raide. En elle, plus rien n'existait que le désir de le rejoindre. Tout ce qui avait fait sa vie jusque-là ne comptait plus…

Alors qu'elle allait enfin pouvoir toucher le bout des doigts de son bien-aimé, Roberta poussa un cri – qui aurait dû être un nom – qui exprimait tout son amour et son désir. Voyant qu'il écartait les bras, avide de les nouer autour de son torse, elle fit un dernier effort pour avancer. Autour d'elle, les rayons du soleil brillaient comme des gemmes tandis qu'un vent venu de nulle part faisait danser ses cheveux et sa robe.

L'homme cria son nom d'une voix si belle qu'elle lui serra le cœur et fit exploser en elle une douleur terrible mais délicieuse. Les bras également écartés, pour l'enlacer enfin, elle eut le sentiment qu'elle flotterait ainsi vers lui jusqu'à la fin des temps, le visage caressé par le soleil et les cheveux ébouriffés par le vent. Mais elle ne s'inquiéta pas de ce plongeon dans l'éternité, puisqu'elle arrivait enfin là où elle avait toujours voulu être. Avec lui !

De sa vie, elle n'avait pas connu d'instant plus parfait ni éprouvé de sensations plus complètes. Aucun amour pareillement total et sincère n'existait ailleurs dans le monde. Elle était arrivée au port…

Telles les notes d'un carillon, cette plénitude nouvellement découverte faisait résonner toutes les fibres de son corps et de son âme.

Elle crut que son cœur allait exploser quand elle se serra enfin contre la poitrine de l'homme en hurlant d'amour et de désir. Une dernière chose lui manquait : connaître son nom, afin de pouvoir s'abandonner à lui.

Le sourire éclatant de son bien-aimé n'appartenait qu'à elle, et ses lèvres, vibrantes d'impatience, attendaient de se poser sur les siennes.

Roberta combla la minuscule distance qui séparait encore leurs bouches.

Enfin, elle allait embrasser l'amour de sa vie, son âme sœur, objet de l'unique passion authentique qu'elle eût éprouvée depuis le jour de sa naissance.

Soudain, leurs lèvres se touchèrent, comme elles étaient destinées à le faire depuis la première minute de la Création.

En ce merveilleux instant, alors que leurs bouches étaient sur le point de se découvrir, Roberta vit à travers son amoureux – juste derrière lui – le sol impitoyablement dur de la vallée monter vers elle à une vitesse vertigineuse.

En un dernier éclair de lucidité, elle comprit que c'était en réalité elle qui tombait.

Puis elle sut avec certitude le nom de son merveilleux amoureux.

Le néant.

Chapitre 26

— **L**à, dit Richard en tendant un bras et en se penchant un peu pour que Kahlan puis se regarder en droite ligne dans la direction qu'il indiquait. Tu vois cet amas de nuages noirs ? (Il attendit que l'Inquisitrice hoche la tête.) Eh bien, c'est juste au-dessous, et très légèrement sur la droite.

Debout dans une étendue de hautes herbes qui semblait sans fin, l'Inquisitrice se hissa sur la pointe des pieds et mit une main en visière pour sonder l'horizon sans être éblouie par le soleil.

— Je ne le vois toujours pas, soupira-t-elle, excédée. Mais je n'ai jamais eu une vue aussi perçante que la tienne…

— Et moi non plus, dit Cara.

Richard jeta un nouveau coup d'œil derrière lui, au cas ou un ennemi se glisserait dans leur dos pendant qu'ils surveillaient l'approche d'un homme seul, devant eux. Mais il ne vit aucune autre menace.

— Vous l'apercevrez bien assez tôt…, souffla-t-il.

Machinalement, il voulut vérifier que l'Épée de Vérité coulissait bien dans son fourreau, puis se souvint qu'elle n'était pas sur sa hanche, parce qu'il avait dû la laisser en Aydindril. Il saisit donc l'arc pendu à son épaule et y encocha une flèche.

Combien de fois avait-il souhaité être débarrassé de l'épée et de sa magie, qui faisaient naître en lui des sentiments répugnants ? Sous l'emprise du pouvoir de l'arme, il éprouvait une soif de tuer qui lui laissait à chaque fois dans la bouche un goût un peu plus amer. En lui donnant la lame, Zedd l'avait prévenu qu'elle était seulement un outil. Au fil du temps, il avait de mieux en mieux compris cet avertissement.

Mais utiliser cet « outil » n'en restait pas moins terrifiant.

Celui qui maniait l'épée devait la contrôler… et se contrôler lui-même. Comprendre ce point-là était essentiel pour utiliser l'artefact de la bonne manière. Et pour cela, il fallait être un authentique Sourcier de Vérité.

Richard frissonnait à la seule idée que cette magie puisse tomber entre de mauvaises mains. Les esprits du bien en soient loués, s'il n'avait pas l'arme avec lui, elle était hors d'atteinte de quiconque.

Sous les nuages noirs striés de jaune foncé et de violet – le signe que des orages se préparaient dans leurs entrailles – l'homme continuait d'approcher. Inaudibles à cette distance, des éclairs zébraient les nuées plus obscures que la nuit.

Bien qu'il eût pas mal voyagé, surtout ces derniers temps, Richard n'avait jamais vu un ciel qui parût plus immense que celui qui dominait ces plaines. Sans doute, supposait-il, parce qu'il n'y avait rien, aux quatre points cardinaux, pour briser l'écrasante monotonie de cette voûte céleste menaçante. Pas de montagnes, d'arbres ni de buissons… Des terres aussi planes qu'un océan quand aucun souffle de vent ne vient ourler d'écume ses eaux.

Un peu après l'aube, la brise avait poussé les nuages vers l'est, emportant la pluie qui avait harcelé les trois jeunes gens à la fin de leur séjour chez les Hommes d'Adobe, puis tout au long de leur premier jour de voyage – sans parler de la nuit qui avait suivi, glaciale alors qu'ils n'avaient pas le droit de faire du feu. Après plus de vingt-quatre heures à macérer dans des vêtements humides, Richard et ses deux compagnes avaient les nerfs à vif.

Comme le Sourcier, Kahlan s'inquiétait pour Zedd et Anna, et elle se demandait quel mauvais tour leur préparait le Cabrioleur. Pour ne rien arranger, penser qu'ils devraient marcher pendant des semaines pour rejoindre Aydindril – où une mission vitale attendait Richard – au lieu d'y être en un éclair en voyageant avec la sliph, avait de quoi miner l'équanimité de n'importe qui.

Richard regrettait presque de n'avoir pas pris ce risque. Mais il résistait à l'envie de rebrousser chemin, conscient que Zedd, en matière de magie, savait ce qu'il disait…

Cara était encore plus irritable que ses deux compagnons. Une vraie chatte en furie, prête à griffer tous ceux qui l'approchaient. Peu désireux de la provoquer, le Sourcier ne s'était pas aventuré à l'interroger. Si ce qui l'énervait avait été important, elle lui en aurait déjà parlé…

Comme si tout ça ne suffisait pas, Richard enrageait de ne pas avoir son arme alors que le danger rôdait. Si le Cabrioleur s'en prenait à Kahlan, serait-il capable de la protéger ? Même sans les sombres manigances des Sœurs de l'Obscurité, une Inquisitrice n'était jamais vraiment en sécurité. S'ils apprenaient qu'elle était vulnérable, beaucoup de gens voudraient faire payer à Kahlan ce qu'ils tenaient pour des « injustices ».

Avec le sortilège qui dévorait inexorablement la magie, la jeune femme perdrait tôt ou tard son pouvoir, et elle ne serait plus en mesure de se défendre. Richard devrait le faire à sa place, mais il doutait d'en être capable sans son arme.

Chaque fois qu'il voulait s'assurer de sa présence, et découvrait qu'elle n'était pas là, il éprouvait un sentiment de vide si abyssal que les mots les plus forts n'auraient pas suffi à le décrire. Comme s'il avait perdu une part de lui-même…

Pourtant, et même s'il y retrouverait son arme, il n'aimait pas vraiment l'idée de retourner en Aydindril. Comme si quelque chose clochait dans le processus censé l'y contraindre. Était-ce parce qu'il s'inquiétait pour Zedd, qu'il aurait donné cher pour avoir à ses côtés ? Peut-être, mais le vieil homme n'était pas en état de voyager, et nul n'y pouvait rien.

Jusqu'à ce que Richard ait aperçu le voyageur solitaire, la deuxième journée de voyage, ensoleillée et sèche, s'était déroulée sans anicroches.

Le Sourcier arma à demi son arc. Après leurs mésaventures avec le poulet maléfique – ou plutôt, le « Cabrioleur » – il ne laisserait personne approcher avant d'avoir la certitude qu'il s'agissait d'un ami.

— Tu sais, dit-il soudain à Kahlan, je crois que ma mère m'a jadis parlé d'un chat appelé « Cabrioleur ».

— C'est étrange… Tu en es sûr ? demanda la jeune femme sans lâcher ses cheveux, que le vent menaçait de lui envoyer voler dans les yeux.

— Pas totalement… J'étais si petit quand elle est morte… Je me fais peut-être des idées, ou je confonds avec un autre nom.

— De quoi te souviens-tu ? Ou crois-tu te souvenir ?

Richard arma l'arc à fond, pour éprouver sa souplesse, puis le détendit.

— Je m'étais écorché les genoux en tombant, ou quelque chose comme ça… Pour me consoler, elle m'a raconté une histoire. Quand elle était petite, sa mère lui avait parlé d'un chat qui faisait d'incroyables acrobaties quand il poursuivait une mouche ou un papillon. Du coup, il avait été baptisé « Cabrioleur », et je suis presque sûr que ma mère riait de bon cœur quand elle m'a demandé si je ne trouvais pas ce nom amusant.

— Drôle à mourir, grogna Cara, toujours aussi morose.

Du bout d'un index, elle releva la pointe de la flèche du Sourcier et l'orienta vers l'inconnu qui approchait toujours. Comme si elle lui reprochait muettement de l'avoir oublié…

— Pourquoi cette histoire t'est-elle revenue maintenant ? demanda Kahlan.

— En voyant cet homme marcher vers nous, j'ai pensé à tous les dangers qui menaçaient de nous bondir dessus.

— Et cette idée vous a incité à les attendre les bras ballants, seigneur Rahl ? lança Cara, sarcastique.

Ignorant la Mord-Sith, Richard inclina la tête en direction de l'homme.

— Tu le vois, à présent ? demanda-t-il à Kahlan.

— Non, toujours pas… Attends ! (Remettant une main en visière, l'Inquisitrice se hissa de nouveau sur la pointe des pieds.) Oui, je l'aperçois !

— Je suggère que nous nous cachions dans les hautes herbes pour pouvoir lui sauter dessus, lâcha Cara. Sans faire de cabrioles, si possible…

— Il nous a vus au moment où je l'ai repéré, dit Richard. Nous n'aurions aucune chance de le surprendre.

— Après tout, marmonna la Mord-Sith en bâillant, il est seul, et ne peut pas nous faire grand-chose…

Cara s'était chargée du deuxième tour de garde, et elle avait réveillé son seigneur plus tard que prévu, pour le laisser se reposer. Grâce à elle, Richard avait eu une bonne heure de sommeil supplémentaire. Et de toute façon, la deuxième garde était la plus épuisante…

— Vous ne voyez que lui, mais notre homme n'est pas tout seul. Il a une dizaine de compagnons, au minimum.

— Où ça ? demanda Kahlan. Je n'aperçois personne. Tu es sûr de ce que tu dis ?

— Certain ! Quand il m'a vu, ce type a laissé les autres derrière lui, et il a avancé vers nous. Depuis, ses compagnons n'ont pas bougé.

Cara ramassa son sac, l'air décidé.

— Filons d'ici ! Nous avons encore le temps d'être trop loin pour qu'ils nous voient. Alors, nous nous cacherons, et s'ils nous suivent, nous leur tomberons dessus par surprise.

— Tu veux bien te calmer ? lança Richard à la Mord-Sith. Cet homme approche seul pour ne pas nous inciter à tirer. S'il avait de mauvaises intentions, ses amis seraient avec lui. Nous attendrons, c'est un ordre !

Furieuse, Cara croisa les bras et pinça les lèvres. Bien qu'elle eût toujours tendance à couver les deux jeunes gens, ils ne l'avaient jamais vue aussi nerveuse. Qu'elle veuille parler ou non, ils devraient l'interroger et savoir de quoi il retournait. Bien plus diplomate que Richard, Kahlan réussirait peut-être à lui tirer les vers du nez.

Devant eux, l'homme agitait les bras pour les saluer.

Richard lâcha la corde de son arc et l'imita.

— C'est Chandalen, dit-il simplement.

— Tu as raison, fit Kahlan.

Puis elle joua également les sémaphores.

— Je me demande ce qu'il fiche ici, souffla Richard en rangeant sa flèche dans le carquois accroché à sa ceinture.

— Pendant que tu inspectais les poulets mis aux arrêts, expliqua Kahlan, il est parti rejoindre une patrouille qui avait croisé des hommes armés et s'inquiétait de leur comportement.

— Ils étaient agressifs ?

— Non. Bien trop calmes, au contraire…

Richard hocha la tête, comme s'il n'avait pas besoin qu'on lui en dise plus pour comprendre. Chandalen n'étant plus très loin, il vit qu'il ne portait pas d'arme, à part le couteau glissé à sa ceinture. En accord avec les coutumes de son peuple, il ne souriait pas. Chez les Hommes d'Adobe, même quand on rencontrait des amis, il fallait d'abord échanger le salut rituel.

L'air sinistre, Chandalen gifla presque distraitement les trois jeunes gens. Bien qu'il ait marché très vite, et même couru sur une bonne partie du chemin, il était à peine essoufflé.

— La force soit avec la Mère Inquisitrice et Richard Au Sang Chaud, dit-il.

Il salua Cara de la tête. Un signe de respect pour une guerrière qui accomplissait la même mission que lui : protéger les autres.

Le Sourcier et les deux femmes giflèrent le chasseur et lui souhaitèrent que la force l'accompagne aussi.

— Où allez-vous ? demanda l'Homme d'Adobe.

— Il y a eu des… problèmes, répondit Richard en lui tendant son outre d'eau. Nous devons retourner en Aydindril.

— Le poulet qui n'en était pas un ? devina Chandalen.

— C'est ça, oui, dit Kahlan. En réalité, c'était un monstre invoqué par les Sœurs de l'Obscurité prisonnières de Jagang.

— Le seigneur Rahl lui a réglé son compte avec sa magie, précisa Cara.

Rassuré par cette nouvelle, Chandalen s'autorisa à boire un peu.

— Dans ce cas, pourquoi devez-vous rentrer en Aydindril ?

Richard posa la pointe de son arc sur le sol et s'appuya dessus.

— Le sort lancé par les sœurs menace tous ceux qui contrôlent la magie et tous les artefacts. Zedd et Anna sont malades et ils ont dû rester au village. En Aydindril, nous neutraliserons momentanément le sort. Zedd se rétablira, puis il remettra les choses dans l'ordre.

Chandalen rendit l'outre au Sourcier.

— Alors, dit-il, vous devriez repartir au plus vite. (Il regarda derrière lui. À présent qu'il s'était fait reconnaître, ses hommes aussi approchaient.) Mais il faudra d'abord aller voir les étrangers que mes hommes ont rencontrés.

— Qui sont-ils ?

Avant de répondre à Richard, l'Homme d'Adobe jeta un regard inquiet à Kahlan.

— Chez nous, il y a un proverbe : « Si on ne veut pas finir dans la casserole avec le poulet qui a mangé les légumes verts qu'elle réservait pour le dîner, il vaut mieux ne pas énerver la cuisinière. »

Richard aurait juré que Chandalen s'efforçait de ne pas croiser le regard de Kahlan. Si bizarre qu'il fût – peut-être à cause d'une traduction imprécise – le dicton était assez explicite...

Les hommes de Chandalen approchaient, sans doute en compagnie des étrangers. Après que le Cabrioleur eut tué un de ses chasseurs, le protecteur du village n'aurait pas retardé l'Inquisitrice et le Sourcier, en route pour régler le problème, sans une très bonne raison.

— S'ils veulent absolument nous voir, marchons à leur rencontre.

— Ils n'ont parlé que de toi, Richard Au Sang Chaud. Tu préfères peut-être y aller seul ?

— Pourquoi ne voudrait-il pas de moi ? demanda Kahlan, irritée.

Dans la langue des Hommes d'Adobe, elle ajouta une remarque que le Sourcier ne comprit pas.

Chandalen leva les mains, paumes ouvertes, pour montrer qu'il ne cherchait pas le conflit. À l'évidence, il tenait à rester à l'écart de cette affaire.

— Je devrais peut-être..., commença Richard.

Il n'alla pas plus loin, car Kahlan le foudroyait déjà du regard.

— Chandalen, dit-il, feignant l'indignation, je n'ai pas de secret pour ma femme ! Sa présence ne me dérange jamais, et nous n'avons pas de temps à perdre en vaines discussions. Allons-y !

L'Homme d'Adobe haussa les épaules – une façon de dire qu'il se dégageait de toute responsabilité – puis fit volte-face pour conduire Richard et Kahlan vers leur destin, qu'il ne semblait pas juger très souriant.

Dix chasseurs suivaient les sept étrangers, et six autres, en formation par trois, marchaient le long de leurs flancs, à bonne distance. S'ils semblaient escorter paisiblement les visiteurs, les Hommes d'Adobe, en réalité, étaient prêts à les tailler en pièces au premier geste suspect. Voir des inconnus en armes sur leur territoire avait le don d'énerver les chasseurs, comme s'ils sentaient venir un orage.

Richard espéra que cette tempête-là n'éclaterait pas et céderait vite la place à un ciel sans nuages...

Les Hommes de Chandalen étaient la première ligne de défense du Peuple d'Adobe. Et leur réputation de férocité incitait la plupart des voyageurs à faire de grands détours pour ne pas croiser leur chemin.

Pourtant, les six hommes en tunique longue couleur paille qu'ils escortaient ne semblaient pas le moins du monde inquiets. Cette suprême indifférence éveilla un vague souvenir dans la mémoire du Sourcier…

… Qui faillit trébucher sur une racine quand il reconnut les étrangers.

Lorsqu'il en crut enfin ses yeux, il ne s'étonna plus que la présence de treize chasseurs ne les perturbe pas plus que ça. Mais que faisaient ces gens si loin de chez eux ?

Les six hommes étaient vêtus de la même façon et portaient des armes identiques. Richard les connaissait tous, même s'il ignorait leur nom, à part celui du guerrier qui marchait en tête. Le peuple auquel ils appartenaient luttait depuis des millénaires pour récupérer sa terre natale. À l'époque de l'Antique Guerre, des sorciers l'en avaient chassé pour créer la vallée des Âmes Perdues et séparer l'Ancien Monde du Nouveau.

Sur la hanche gauche, les six hommes portaient un fourreau d'où dépassait la garde caractéristique de leur épée à la lame recourbée. Une corde attachée au pommeau venait se nouer autour du cou du guerrier pour éviter qu'il perde son arme dans le feu de la bataille. Une hache et un bouclier rond sans ornement complétaient l'équipement de ces féroces combattants. Richard avait vu des femmes vêtues et armées de la même façon. Mais aujourd'hui, le détachement martial était exclusivement masculin.

Pour ces guerriers, s'entraîner à l'épée était une forme d'art. Jugeant que la journée ne leur laissait pas assez de temps pour se perfectionner, ils continuaient à s'exercer la nuit, à la lumière de la lune. Il y avait quelque chose de religieux dans leur passion pour l'escrime et ils ferraillaient et tuaient avec une pieuse dévotion.

Le septième « visiteur » était une visiteuse. En plus de sa tenue très différente de celle de ses gardes du corps, elle ne portait pas d'arme – au sens habituel du terme, en tout cas.

Bien qu'il ne fût pas expert en la matière, Richard estima, au terme d'un rapide calcul, qu'elle devait être enceinte de six bons mois.

Sur son joli visage encadré par une crinière de cheveux noirs, ses yeux très sombres pétillaient d'une vitalité brute qui pouvait parfois sembler menaçante. Superbe dans sa robe mi-longue en toile de lin teinte en ocre brillant, elle portait en guise de ceinture une large bande de peau de daim aux deux extrémités incrustées de pierres précieuses grossièrement taillées.

Sur ses bras et sur ses épaules pendaient des petites franges de tissu multicolores. Chacun de ces ornements passé dans un petit trou et tenu par un nœud avait été ajouté à la robe par un membre de son peuple qui désirait implorer les dieux.

C'était une robe de prière, et les bandelettes de tissu, quand le vent les agitait, devaient censément transmettre un message aux esprits du bien. Seule la femme-esprit de cet étrange peuple avait le droit d'arborer une telle tenue.

Richard se demanda de nouveau pourquoi ces gens s'étaient aventurés si loin de chez eux. Il formula plusieurs hypothèses, toutes plus déplaisantes les unes que les autres.

Il s'arrêta soudain. Kahlan se plaça sur sa gauche, Cara sur sa droite, et Chandalen prit position à côté d'elle.

Comme s'ils ne voyaient que lui, les six guerriers, après avoir posé leurs lances, s'agenouillèrent devant le Sourcier puis s'inclinèrent, le front touchant le sol.

La visiteuse resta debout et riva sur Richard ses yeux noirs où brillait la sagesse sans âge qu'il avait vue dans le regard de quelques autres femmes, dont sœur Verna, Shota, Annalina et Kahlan. La marque indélébile de la magie...

Alors qu'elle dévisageait le Sourcier, la femme-esprit s'autorisa l'ombre d'un sourire. Sans un mot, elle avança, dépassa les six guerriers et se prosterna à son tour devant Richard. Puis elle releva un peu la tête et lui baisa le bout d'une botte.

— *Caharin*, souffla-t-elle, pleine de révérence.

Richard se pencha, la saisit par l'épaule et tira sur sa robe pour qu'elle se relève.

— Du Chaillu, dit-il, je suis ravi de voir que tu vas bien, mais que fais-tu ici ?

La jeune femme se releva et eut un sourire éclatant. Puis elle se hissa sur la pointe des pieds et embrassa le mari de Kahlan sur la joue.

— Je suis venue te voir, Richard le Sourcier. Car tu es le *Caharin*... et mon époux.

Chapitre 27

— **S**on époux ? s'exclama Kahlan sur un ton qui n'augurait rien de bon.
Non sans sursauter – si violemment qu'il faillit tomber à la renverse –, Richard se souvint soudain de ce que Du Chaillu lui avait raconté sur les anciennes lois de son peuple. Et ce que cela impliquait lui glaçait les sangs.

À l'époque, il n'avait pas pris au sérieux les affirmations péremptoires de la femme-esprit. Un fatras de certitudes irrationnelles, ou une interprétation erronée de sa culture ! Aujourd'hui, ce fantôme pas si vieux que ça venait de nouveau le hanter...

— Son époux ? répéta Kahlan, de moins en moins commode.

Avec une grimace, comme si les détourner de Richard lui brisait le cœur, Du Chaillu daigna poser ses beaux yeux noirs sur la Mère Inquisitrice.

— Oui, mon époux ! Je suis Du Chaillu, la femme de Richard le Sourcier, notre *Caharin*. (Elle caressa d'une main son ventre arrondi et eut un sourire triomphant.) Et je porte son enfant !

— Je m'en charge, Mère Inquisitrice ! lança Cara d'un ton qui ne laissait pas de doute sur ses intentions. Cette fois, vous ne m'empêcherez pas de régler le problème dès le début !

La Mord-Sith s'empara du couteau glissé dans la ceinture de Chandalen et bondit sur sa proie.

Richard fut plus rapide. Interceptant Cara, il la repoussa en lui enfonçant dans la poitrine le bout des doigts tendus de sa main droite. Non content de l'arrêter, le coup expédia la Mord-Sith trois pas en arrière.

Le Sourcier avait déjà assez de problèmes comme ça pour que sa garde du corps n'en rajoute pas. Il la fit encore reculer de trois pas, puis de trois autres, jusqu'à ce qu'elle soit à une distance raisonnable de Du Chaillu.

Puis il lui arracha le couteau.

— Et maintenant, tu vas m'écouter ! cria-t-il. Tu ne sais rien de cette femme !

— Je...

— Silence ! Et ouvre grand tes oreilles. Tu es en retard d'une guerre. Du Chaillu n'a rien à voir avec Nadine ! Rien du tout !

Lâchant la bonde à sa colère, Richard hurla pour se défouler et jeta le couteau sur le sol, avec tant de force qu'il traversa le tapis d'herbe et s'enfonça dans la terre.

Kahlan approcha et lui posa une main sur l'épaule.

— Richard, calme-toi ! Que se passe-t-il ? Vas-tu enfin m'expliquer ?

Le Sourcier se passa une main dans les cheveux. Puis il regarda derrière lui, vit que les guerriers se prosternaient toujours et serra les mâchoires pour ne pas exploser de nouveau.

— Jiaan relève-toi ! Et les autres aussi !

Tous les guerriers obéirent. Du Chaillu resta où elle était, impassible. À toutes fins utiles, Chandalen et ses chasseurs reculèrent un peu. L'ayant surnommé Richard Au Sang Chaud, les Hommes d'Adobe ne s'étonnaient pas de l'éclat du Sourcier. Mais ce n'était pas une raison pour négliger de prendre quelques précautions…

Chandalen et ses hommes ne pouvaient pas comprendre que la colère du Sourcier était dirigée contre l'abomination qui avait déjà fait une victime parmi leur peuple. Non, deux, probablement, comprit soudain Richard. Et ce n'était qu'un début…

— Richard, souffla Kahlan, reprends-toi et dis-moi de quoi il retourne. Qui sont ces gens ?

Le jeune homme semblait ne pas pouvoir ralentir sa respiration, apaiser son cœur affolé ou discipliner les pensées qui tourbillonnaient dans sa tête.

Les événements échappaient à son contrôle et des angoisses qu'il croyait reléguées dans le passé revenaient le harceler, comme si elles s'étaient libérées de leurs chaînes pour lui sauter dessus. Bon sang, il aurait dû y penser plus tôt ! Il se maudissait d'avoir été si aveugle !

Mais il devait y avoir un moyen d'arrêter ça. Il devait réfléchir et cesser d'avoir peur de catastrophes qui ne s'étaient pas encore produites.

Sa mission était de les empêcher !

Soudain, il dut se rendre à l'évidence : le pire était déjà arrivé, et il lui fallait maintenant se concentrer sur la solution.

— Richard, insista Kahlan, réponds-moi ! Qui sont ces gens ?

— Les Baka Ban Mana. Ça veut dire « ceux qui n'ont pas de maître »…

— Maintenant que le *Caharin* nous a été envoyé, intervint Du Chaillu, dans le dos des deux jeunes gens, notre nom a changé. Nous sommes les Baka Tau Mana.

Ignorant l'explication de la femme-esprit, de toute façon des plus obscures, Kahlan continua d'interroger Richard. Et cette fois, sa voix fut coupante comme une lame.

— Pourquoi dit-elle que tu es son époux ?

Engagé dans une réflexion qui dépassait de loin le moment présent, Richard eut besoin de quelques secondes pour comprendre la question de sa femme.

Kahlan ne saisissait pas les implications de cette histoire de *Caharin* et de mariage. Elle se souciait de détails insignifiants alors qu'un gouffre s'ouvrait sous leurs pieds.

— Ce n'est pas ce que tu penses, marmonna-t-il, agacé.

— Une bonne nouvelle… Dans ce cas, si tu me disais de quoi il s'agit ?

Ce n'était pas vraiment une question... Plutôt le dernier rayon de soleil qu'on aperçoit avant un orage.

— Tu ne comprends donc pas ? cria Richard en désignant Du Chaillu. C'est l'ancienne loi ! Selon ses termes, elle est ma femme ! En tout cas, elle le pense.

Le Sourcier se pressa les mains sur les tempes, car sa tête menaçait d'exploser.

— Nous sommes dans la mélasse..., murmura-t-il.

— Vous, c'est certain ! lança la Mord-Sith.

— Cara, ça suffit ! siffla Kahlan. Richard, de quoi parles-tu ?

Des passages du journal de Kolo revinrent à la mémoire du Sourcier.

Il ne parvenait pas à mettre de l'ordre dans ses idées. Le monde s'écroulait, et sa compagne lui posait des questions sur un passé sans importance. Depuis qu'il avait mesuré toute l'étendue du désastre, il ne réussissait pas à comprendre comment elle pouvait être aussi aveugle.

— Tu ne vois donc pas ? s'écria-t-il.

Les solutions défilaient dans son esprit, et aucune ne semblait satisfaisante. Le temps leur coulait entre les doigts, et il était peut-être déjà trop tard.

— Moi, je vois que vous avez engrossé cette femme, lâcha Cara.

Richard foudroya la Mord-Sith du regard.

— Après tout ce que nous avons traversé ensemble, c'est ce que tu penses de moi ?

Outragée, Cara croisa les bras et ne daigna pas répondre.

— Fais le calcul, mon amie, intervint Kahlan. Quand cette femme a été fécondée, Richard était prisonnier des Mord-Sith, au Palais du Peuple. Donc, il ne la connaissait même pas !

Alors que le Sourcier portait les Agiels des deux femmes qui étaient mortes en tentant de le protéger, Kahlan avait autour du cou celui de Denna, la Mord-Sith au service de Darken Rahl qui avait quasiment torturé Richard à mort. Elle l'avait aussi pris pour... partenaire..., mais cela n'avait jamais rien eu d'un mariage. En réalité, c'était une autre façon d'humilier son cobaye...

À la fin, Richard avait pardonné Denna. Sachant qu'il allait la tuer pour pouvoir s'évader, elle lui avait offert son Agiel et demandé de se souvenir qu'elle n'avait pas été seulement une Mord-Sith, mais aussi un être humain. Puis elle avait voulu qu'il partage son dernier souffle.

Sa relation avec Denna avait aidé Richard à comprendre les Mord-Sith, et à éprouver pour elles une curieuse compassion – grâce à laquelle il avait été le premier homme à se tirer vivant de leurs griffes.

Pour l'heure le Sourcier était surpris, et très déçu, que Kahlan ait si vite « fait le calcul ». Il n'aurait pas cru qu'elle douterait de lui, et il se trompait.

— C'était un réflexe, tout simplement, dit-elle comme si elle avait lu ses pensées. Maintenant, dis-moi ce qui se passe !

— Puisque tu as dirigé les Contrées, tu sais sûrement que le mariage est une institution très différente selon les cultures. Pense aux Inquisitrices, qui choisissent un homme pour des raisons sans rapport avec l'amour, puis lui volent son âme et son esprit. Et bien entendu, le malheureux n'a pas son mot à dire...

Une Inquisitrice sélectionnait son partenaire pour ses qualités de « reproducteur », et rien de plus. Comme leur union détruirait l'esprit du malheureux, à quoi aurait-il servi qu'elle l'aime ? L'essentiel était qu'il lui donne un enfant sain et vigoureux – à condition, bien entendu, qu'il s'agisse d'une fille.

— Chez moi, continua Richard, les parents arrangent très souvent les mariages. Et parfois même dès la naissance des futurs époux. Tous les peuples ont des coutumes et des lois différentes.

Kahlan jeta un coup d'œil furtif et peu amical à Du Chaillu.

— Si tu me parlais des siennes ? demanda-t-elle d'une voix glaciale.

Richard aurait juré que sa femme caressait sans vraiment s'en apercevoir la pierre noire du joli collier que Shota lui avait offert le jour de leurs noces.

La voyante s'était invitée à la fête... et il n'oublierait jamais ses paroles :

« Voilà mon cadeau de noce. Une preuve d'amour pour vous deux, et pour tous les êtres vivants. (La voyante s'était tournée vers Kahlan.) Tant que tu porteras ce collier, vous n'aurez pas d'enfant. Vous vous aimez. Profitez l'un de l'autre, après avoir si durement combattu pour être ensemble. Savourez les moments qui sont devant vous. Depuis toujours, vous désirez être unis. Ne gâchez pas tout.

» Mais n'oubliez pas mon avertissement : si vous avez un fils, je ne le laisserai pas vivre. N'ayez aucun doute là-dessus. »

Shota n'était pas une adversaire à négliger, et Richard avait payé pour le savoir. Chez elle, dans l'Allonge d'Agaden, son trône était recouvert de la peau d'un sorcier qui avait eu le tort de chercher à lui nuire.

Richard ignorait s'il transmettrait le don à son fils, faisant de lui le fléau lâché sur le monde que prévoyait Shota. Mais pour l'instant, Kahlan et lui avaient décidé de ne pas s'attirer les foudres de la voyante. De toute façon, ils n'avaient pas vraiment le choix... Car affronter Shota pouvait être aussi dangereux que de se frotter au Gardien en personne.

Sentant les doigts de son épouse se poser sur sa joue, il se souvint qu'elle attendait une réponse.

Il fit un effort pour parler lentement et clairement.

— Du Chaillu vient de l'Ancien Monde, au-delà de la vallée des Âmes Perdues. Je l'ai aidée quand sœur Verna m'a conduit de force au Palais des Prophètes.

» Les Majendies avaient enlevé Du Chaillu pour en faire la victime d'un sacrifice rituel. Elle était entre leurs mains depuis des mois, et ses geôliers abusaient d'elle.

» Parce que j'ai le don, ils voulaient que je la tue. En échange, Verna et moi aurions pu traverser leur pays en toute sécurité. Selon leur religion, il faut qu'un sorcier tienne le couteau sacrificiel... Mais j'ai libéré la prisonnière, avec l'espoir qu'elle nous guiderait dans les marécages, puisque le territoire des Majendies nous était interdit.

— J'ai fourni à Richard et à la sorcière une escorte qui les a aidés à trouver le chemin de la grande maison des magiciens.

— La sorcière ? répéta Kahlan. Et la maison des magiciens ? De quoi parle-t-elle ?

— De Verna et du Palais des Prophètes, répondit Richard. Mais ses hommes ne nous ont pas guidés parce que j'ai libéré Du Chaillu. En fait, c'est à cause d'une ancienne prophétie...

La Baka Tau Mana avança et vint se camper près du Sourcier, comme si c'était sa place et son droit.

— Richard est venu à nous et il a dansé avec les esprits, prouvant qu'il était le *Caharin*. Selon l'ancienne loi, cela fait de lui mon mari.

Richard ne s'étonna pas de voir Kahlan se dresser sur ses ergots.

— Et qu'est-ce que ça signifie, exactement ? demanda-t-elle.

Le Sourcier tarda un peu à répondre, car il avait du mal à trouver ses mots. Du Chaillu en profita pour lui brûler la politesse :

— Je suis la femme-esprit des Baka Tau Mana et la gardienne de leurs lois. Il est dit dans les textes que le *Caharin* prouverait son identité en dansant avec les esprits et en versant le sang de trente Baka Ban Mana. Un exploit que seul l'élu peut accomplir, et uniquement avec l'aide des esprits.

» Depuis que Richard le Sourcier y est parvenu, nous ne sommes plus un peuple libre, mais ses esclaves. Nos maîtres de la lame se sont toujours entraînés à cette seule fin : avoir l'honneur de révéler le *Caharin* à lui-même, afin qu'il puisse combattre le mal. En les affrontant, Richard a montré qu'il était l'élu venu pour nous rendre notre terre, comme nos ancêtres nous l'avaient promis.

Alors que la brise faisait voleter ses cheveux, la femme-esprit continua, le regard toujours aussi froid. Mais un tremblement, dans sa voix, trahit son trouble :

— Le Sourcier a tué les trente guerriers, comme l'ancienne loi l'annonçait. Pour notre peuple, ces maîtres de la lame et leur mort glorieuse sont désormais entrés dans la légende.

— Je n'avais pas le choix, souffla Richard entre ses dents serrées. Sinon, ils m'auraient abattu. Je les ai implorés d'arrêter, et j'ai supplié Du Chaillu d'empêcher un massacre. Avais-je sauvé une Baka Ban Mana pour en étriper des dizaines ? Hélas, à la fin, j'ai dû me défendre.

Kahlan jeta un regard peu amène à Du Chaillu, puis elle riva de nouveau les yeux sur Richard.

— Tu as sauvé cette… femme-esprit, puis tu l'as rendue aux siens. Ensuite, elle a demandé à trente guerriers de te tailler en pièces. Ai-je bien compris la situation ? Si oui, voilà une étrange façon de te remercier.

— C'était plus compliqué que ça…, marmonna le Sourcier, gêné de devoir prendre la défense des Baka Ban Mana.

Le souvenir de ce bain de sang lui donnait encore la nausée.

— Mais tu lui as bien sauvé la vie ?

— Oui !

— Alors, si tu m'expliquais en quoi c'est « plus compliqué » ?

Plongé dans de pénibles réminiscences, Richard réfléchit un instant à la meilleure façon de plaider une cause… à laquelle il n'adhérait pas vraiment.

— C'était une sorte d'épreuve, avec la vie ou la mort comme enjeu. Ce test m'a forcé à utiliser la magie de l'épée d'une manière que j'aurais crue impossible. Pour survivre, j'ai dû puiser dans l'expérience de tous ceux qui ont manié l'Épée de Vérité avant moi.

— Que veux-tu dire ? Comment peut-on « puiser dans l'expérience » des morts ?

— La magie de l'arme a en quelque sorte stocké toutes les connaissances martiales de mes prédécesseurs, qu'ils aient eu le cœur pur ou perverti. J'ai trouvé un moyen de m'approprier ce savoir en laissant les fantômes qui résident dans l'épée parler dans mon esprit. Mais au milieu d'un combat, il est souvent difficile de comprendre des mots.

» Parfois, les informations me viennent sous la forme d'images – des symboles, pour être précis. C'est un point essentiel, si on veut comprendre pourquoi les prophéties me surnomment « fuer griss ost drauka » : le messager de la mort.

Richard posa une main sur l'amulette qu'il portait autour du cou. Le rubis symbolisait une goutte de sang, et les lignes qui l'entouraient représentaient allégoriquement la danse avec les morts. Pour un sorcier de guerre, ces énigmatiques entrelacs de lignes avaient un sens très particulier.

— Voilà la danse avec les morts, dit Richard en tapotant l'amulette. Mais je ne l'ai pas compris avant de devoir affronter les trente guerriers de Du Chaillu.

» Une prophétie annonçait ma venue aux Baka Ban Mana. Et leur ancienne loi leur ordonnait de m'apprendre à danser avec les morts. Ils ne comprenaient sûrement pas comment l'épreuve pouvait m'apporter ces connaissances, mais ils avaient une certitude : si je survivais, ils sauraient que j'étais l'élu.

» Pour vaincre Darken Rahl et le renvoyer chez le Gardien, j'avais besoin de savoir danser avec les morts. (Richard regarda Kahlan.) Tu te souviens que je l'avais invoqué sans le vouloir, pendant un conseil des devins, juste avant que les sœurs me capturent ?

— Bien entendu… Donc, les Baka Ban Mana t'ont contraint à lutter à un contre trente, quasiment sans une chance de t'en sortir, pour que tu fasses appel à toute la puissance de ton don. Et tu as tué tous ces guerriers…

— C'est ça… Ils obéissaient à une prophétie, comprends-tu ? (Richard chercha le regard de sa seule et unique épouse – dans son cœur, en tout cas.) Tu sais que ces prédictions peuvent être d'une atroce cruauté…

Kahlan détourna la tête, soudain plongée dans ses propres souvenirs douloureux. Les prophéties leur avaient valu à tous les deux bien des drames, et c'était un miracle qu'elles n'aient pas fini par les séparer. La dernière épreuve en date, nommée Nadine, leur avait également été imposée par une prophétie.

— Parmi les trente guerriers, dit Du Chaillu, de la fierté dans la voix, il y avait mes cinq maris. Oui, les pères de mes enfants…

— Ses cinq maris…, répéta Kahlan. Par les esprits du bien !

— Du Chaillu, grogna Richard, tu ne m'aides pas beaucoup !

— Attends ! lança Kahlan. Si je comprends bien, tuer ses cinq époux te forçait à devenir le sixième ?

— Absolument pas ! En triomphant des trente guerriers, j'ai prouvé que j'étais le *Caharin*. Et la femme-esprit, selon les anciens mots, est l'épouse de l'élu. J'aurais dû y penser plus tôt !

— Ben voyons ! railla Kahlan.

— Je sais que ça paraît absurde, tenta de se justifier Richard, mais…

— Non, non, je comprends très bien, coupa Kahlan, au bord des larmes. Par noblesse d'âme, tu l'as épousée. Quelle jeune mariée ne comprendrait pas ça ? Et comme tu es très occupé, tu as oublié de m'en parler avant de t'unir à moi. Quoi de plus normal ? Un homme ne peut pas se souvenir de toutes les épouses qu'il a prises lors de ses voyages ! (Elle croisa les bras et se détourna.) Richard, comment oses-tu…

— Tu n'as rien compris du tout ! s'écria le Sourcier. Je n'étais pas d'accord, et il n'y a jamais eu de cérémonie. Kahlan, je n'ai pas prononcé de vœux ! Il ne s'est rien passé !

» Avec tout ce que nous avons traversé, j'ai oublié de t'en parler, parce que cette histoire que je tenais pour absurde m'est sortie de l'esprit. Je n'ai rien fait pour que Du Chaillu veuille être ma femme. Mais elle pense l'être parce que j'ai tué trente des siens.

— Elle l'est, corrigea Du Chaillu.

— Donc, si je dois te croire, tu n'as jamais seulement envisagé de l'épouser ?

— Voilà un moment que j'essaie de te le dire ! C'est simplement une prophétie des Baka Ban Mana.

— Baka Tau Mana, rectifia Du Chaillu.

Richard ignora cette interruption.

— Je sais que tu es troublée, dit-il à Kahlan, mais je crois que nous devrions en reparler plus tard. J'ai peur que nous ayons un grave problème.

L'Inquisitrice fronça les sourcils. Conscient qu'il venait de faire une gaffe, Richard tenta de la rattraper.

— Un *autre* grave problème, plutôt…

Sa femme le remercia de sa « délicatesse » d'un regard mi-figue, mi-raisin.

Il se détourna, arracha une poignée de hautes herbes pour se défouler, et se demanda s'il pouvait y avoir pis, dans la vie, que s'attirer les foudres de Kahlan.

— Tu sais beaucoup de choses sur la magie, dit Richard. Après tout, tu as été élevée par des sorciers, et tu as étudié beaucoup de grimoires dans la Forteresse. Bref, tu es la Mère Inquisitrice, et…

— Peut-être, coupa Kahlan, mais je n'ai pas le don, en tout cas au sens classique du terme. Mon pouvoir est différent de celui d'un sorcier ou d'une magicienne. Cela dit, tu as raison, j'ai suivi une formation assez poussée.

— Alors, voici ma question : en magie, lorsqu'il y a une condition, peut-elle être remplie indirectement, au nom d'une règle tortueuse, sans que le rituel en principe requis ait eu lieu ?

— Oui. C'est ce qu'on nomme l'« effet réflecteur ».

— Et ça marche comment ?

Pendant qu'elle méditait sur sa réponse, Kahlan enroula distraitement une mèche de cheveux encore humides autour de son index.

— Imagine une pièce dotée d'une seule fenêtre… Du coup, la lumière du soleil n'atteint jamais les coins. Existe-t-il un moyen pour qu'elle en éclaire un ?

— Avec le nom que porte ce processus, je suppose qu'il suffit d'utiliser un miroir ?

— Exactement ! (Kahlan laissa les cheveux se dérouler, puis elle brandit son index.) Avec un miroir, on peut modifier l'ordre naturel des choses. Eh bien, la magie fonctionne parfois comme ça. Bien entendu, c'est beaucoup plus compliqué, mais je ne parviens pas à trouver une meilleure image…

» Si une condition, même oubliée depuis longtemps, est remplie selon les anciennes lois, le sortilège peut la « refléter » pour qu'elle active la magie dont elle est censée être le déclencheur. Comme l'eau qui détermine toute seule sa profondeur, un sort improvise souvent la solution qui lui convient. Dans les limites que lui impose sa nature même, évidemment.

— C'est bien ce que je craignais…, souffla Richard.

Il jeta les herbes qu'il venait d'arracher, soupira, puis leva les yeux vers les éclairs qui déchiraient le ciel.

— Le sortilège qui nous occupe tient sa « nature », comme tu dis, des magiciens qui ont rédigé les prophéties au sujet du *Caharin*. Et c'est bien ce qui m'inquiète…

Kahlan prit le bras de Richard et le força à se tourner vers elle.

— Mais Zedd a dit que…

— Il nous a menti ! Ce vieux filou a recouru à la Première Leçon du Sorcier : les gens gobent un mensonge parce qu'ils ont envie d'y croire, ou parce qu'ils redoutent que ce soit la vérité.

» J'avais envie de croire Zedd, et il m'a roulé dans la farine !

— Que voulez-vous dire ? demanda Cara.

Richard eut un soupir accablé. Ces derniers temps, il passait à côté de tout avec une belle régularité.

— Le Cabrioleur est une histoire à dormir debout inventée par Zedd !

— Pourquoi aurait-il fait ça ?

— Parce qu'il ne voulait pas nous dire que les Carillons rôdent dans le monde des vivants. Ne me demande surtout pas pourquoi. Hélas, je n'en sais rien !

Comment avait-il pu oublier Du Chaillu ? Une telle stupidité était impardonnable !

Kahlan avait raison d'être furieuse. Sur tous les points, il s'était montré d'un incurable crétinisme. De quel droit prétendait-il être le seigneur Rahl, un homme qui exigeait que tout le monde lui obéisse ?

— Richard, pas de précipitation, dit Kahlan. Réfléchissons encore un peu, et…

— Zedd a été très clair : pour nous envahir, les Carillons avaient besoin que tu sois ma troisième femme.

— « *Il y a un nombre incroyable de conditions* »…, rappela Kahlan. Souviens-toi de ce qu'il a dit !

— Du Chaillu ! (Richard leva un doigt.) Nadine… (Il en leva un deuxième.) Et toi ! Tu es bien ma troisième épouse, qu'on le veuille ou non !

» Je ne vois pas les choses comme ça, mais les sorciers qui ont jeté le sort se fichaient de ce que je penserais des millénaires plus tard. Et si les conditions sont remplies, il est logique qu'il soit activé !

— Tu oublies un détail capital, dit Kahlan. Quand j'ai invoqué les Carillons, nous n'étions pas encore mariés !

— C'est faux, et tu le sais très bien ! Lorsque j'ai dû épouser Nadine pour entrer dans le Temple des Vents, les vœux que je prononçais t'étaient adressés. Et les tiens étaient pour moi, pas pour Drefan. Aux yeux des esprits, nous sommes mariés depuis ces instants-là. Anna elle-même l'a reconnu…

» L'effet réflecteur, Kahlan ! Mes unions avec Du Chaillu et Nadine, si théoriques soient-elles, ont fait de toi ma troisième épouse. Et le miroir a envoyé la lumière vers le coin sombre où se tapissait le danger…

— Mais…, commença Kahlan.

— Je suis désolé de ne pas avoir compris ça plus tôt, coupa Richard. Maintenant, il faut regarder la vérité en face : les Carillons rôdent dans notre monde !

Chapitre 28

S i logique que fût son raisonnement, Richard vit qu'il n'avait pas suffi à convaincre Kahlan. Toujours furieuse, elle ne semblait pas disposée à mener un débat courtois sur le sujet.

— Tu as parlé à Zedd de cette… femme ? demanda-t-elle en désignant hargneusement Du Chaillu. Allons, réponds ! Tu dois lui en avoir touché un mot…

Richard comprenait parfaitement la réaction de Kahlan. Même si elle avait été innocente dans l'affaire, il aurait détesté découvrir qu'elle avait oublié de lui parler d'un précédent mari. Son lien avec Du Chaillu était des plus ténus, mais il y avait de quoi perturber sa seule véritable épouse.

Il y avait beaucoup plus grave que cela… Un danger mortel planait sur eux et menaçait le monde. Kahlan devait le comprendre ! Il fallait qu'elle mesure à quel point leur situation était périlleuse.

Et ils avaient déjà perdu trop de temps !

Richard implora les esprits du bien de l'aider à ouvrir les yeux de sa femme – et si possible, sans qu'il soit contraint de lui révéler tout ce qu'il venait de comprendre.

— Crois-moi, dit-il, je ne me souvenais même plus de cette histoire ! Alors, par quel miracle en aurais-je parlé à Zedd ? Et quand ? La mort de Juni nous a empêchés d'avoir une véritable conversation, puis il a inventé son « Cabrioleur » pour nous envoyer accomplir une mission fantaisiste !

— Alors, comment savait-il, pour ton premier mariage ? S'il l'ignorait, pourquoi aurait-il voulu nous monter un bateau ? J'insiste : comment Zedd savait-il que j'étais en réalité ta troisième épouse ? Même en vertu d'une ancienne loi que tu t'es astucieusement empressé d'oublier ?

— Quand il pleut en pleine nuit, as-tu besoin de voir les nuages pour savoir que de l'eau tombe du ciel ? Zedd a senti ses pouvoirs décliner, il en a tiré la conclusion qui s'imposait, et il s'est aussitôt lancé à la recherche d'une solution. C'est comme ça qu'il fonctionne.

— Tu n'envisages même pas qu'il ait été sincère, au sujet du Cabrioleur ? Tout simplement parce que c'est la vérité ?

— Pas un instant ! Kahlan, il faut cesser de nous voiler la face. Refuser de voir la vérité aggrave les choses, parce qu'on fonde ses espoirs sur des mensonges. Et des gens sont déjà morts !

— La triste fin de Juni ne prouve pas que les Carillons sont dans notre monde.

— Il n'y a pas eu que Juni ! Les Carillons ont aussi provoqué la mort du bébé !

— Quoi ?

Hors d'elle, Kahlan recommença à jouer nerveusement avec ses cheveux. Richard ne lui en voulait pas de s'accrocher à la fumeuse théorie du Cabrioleur. Contre le monstre imaginé par Zedd, il semblait y avoir une solution. Face aux Carillons, en revanche...

— Pour commencer, tu oublies ta première femme ! Et maintenant, tu imagines je ne sais quelle catastrophe. Richard, comment peux-tu dire que les Carillons ont tué ce pauvre bébé ?

— Parce qu'ils sont là pour détruire la magie. Et les Hommes et les Femmes d'Adobe ont des pouvoirs !

Bien qu'il menât une vie très simple et très isolée, le Peuple d'Adobe ne ressemblait à aucun autre. Car il était le seul capable de convoquer un conseil des devins pour parler aux morts. Même s'ils ne pensaient pas être des magiciens, l'Homme Oiseau et les anciens avaient l'incroyable aptitude d'appeler un esprit exilé dans le cercle extérieur de la Grâce, de lui faire traverser le voile et de le garder un instant, même très bref, dans le cercle de la vie.

Si l'Ordre Impérial gagnait la guerre, le Peuple d'Adobe, comme tant d'autres, serait massacré parce qu'il contrôlait une forme de magie. À condition que les Carillons le laissent vivre assez longtemps pour ça...

Richard remarqua que Chandalen, à quelques pas de là, les écoutait très attentivement.

— Le Peuple d'Adobe peut communiquer avec ses ancêtres. L'Homme Oiseau et les anciens sont la focale de la magie, mais je suis sûr qu'elle est présente chez chaque membre de la communauté. Tous les villageois risquent d'être victimes des Carillons.

» Zedd a dit que les faibles sont touchés les premiers. J'ai lu la même chose dans le journal de Kolo. Et qui est plus faible qu'un bébé le jour de sa naissance ?

Kahlan caressa la pierre de son collier et baissa les yeux. Elle prit une grande inspiration pour se calmer, concentrée comme si elle tentait de retrouver un peu de logique au milieu de toute cette folie.

— Je sens toujours mon pouvoir, aussi fort que d'habitude. Si tu avais raison, il faiblirait. Et crois-moi, je m'en apercevrais ! Nous n'avons aucune preuve de ce que tu avances. Richard, il ne faut pas tirer de conclusions hâtives. Il y a chaque jour des dizaines de bébés mort-nés. Ça ne prouve rien.

Le Sourcier se tourna vers Cara qui les écoutait toujours en gardant un œil sur la plaine, sur les chasseurs et plus particulièrement sur les Baka Tau Mana.

— Depuis combien de temps ton Agiel a-t-il perdu son pouvoir ? lui demanda-t-il.

La Mord-Sith sursauta comme s'il l'avait giflée. Elle ouvrit la bouche, la referma, puis releva le menton, résolue à jouer la comédie jusqu'au bout.

— Seigneur Rahl, qu'est-ce qui vous permet de dire…

— Pour attaquer Du Chaillu, tu as pris le couteau de Chandalen. Je ne t'ai jamais vue préférer une autre arme à ton Agiel. Et aucune Mord-Sith ne le ferait. Alors, depuis quand ?

— Ces deux derniers jours, seigneur, j'ai commencé à avoir du mal à vous sentir à travers le lien. Au début, j'ai cru que c'était passager, mais c'est devenu de plus en plus grave. Et c'est le lien, vous le savez, qui confère leur pouvoir à nos Agiels.

La nervosité de Cara s'expliquait enfin. Pour une Mord-Sith, sentir le lien disparaître devait être pis que tout. Car ces femmes vivaient pour leur seigneur, dont elles captaient la présence à distance, tant qu'il n'était pas vraiment très loin d'elles.

Les yeux rivés sur les nuages, Cara se racla la gorge. Richard vit des larmes perler à ses paupières.

— Seigneur, quand je touche mon Agiel, je ne sens plus rien.

Il fallait être une Mord-Sith pour pleurer la disparition d'une magie aussi cruelle. Chaque fois qu'elle touchait son arme, Cara souffrait atrocement. Hélas, le sens du devoir et l'impitoyable formation de ces femmes en avaient fait des êtres à part.

— Mais je vous reste loyale, et je ne reculerai devant rien pour vous protéger ! La perte de son pouvoir ne change rien pour une Mord-Sith !

— Et l'armée d'harane ? soupira Richard, accablé par l'étendue du désastre. Le lien est le garant de la fidélité de mes soldats. Jagang approche, et sans nos forces…

Le lien, un pouvoir qu'il avait hérité de son ascendance Rahl, avait été créé pour protéger les D'Harans de ceux qui marchent dans les rêves. Si Jagang perdait sa magie quelque temps *après* que celle de Richard eut disparu, la catastrophe serait encore pire.

Le Cabrioleur de Zedd était d'ailleurs lui aussi censé s'attaquer à la magie. Quand il voulait faire gober un mensonge à quelqu'un, le vieux sorcier inventait toujours une histoire assez proche de la réalité…

Il fallait que Kahlan comprenne. Mais elle ne semblait pas en prendre le chemin.

— Richard, même si les soldats ne sentent plus le lien, ils te resteront loyaux. Dans les Contrées du Milieu, la plupart des gens sont depuis toujours fidèles à la Mère Inquisitrice, et ils n'ont aucune connexion magique avec elle. Les D'Harans croient en toi parce que tu leur as prouvé ta valeur, et qu'ils savent que tu reconnais la leur.

— C'est exact, confirma Cara. L'armée ne vous abandonnera pas, parce que vous êtes son vrai chef. Comme moi, les soldats sont prêts à mourir pour vous.

— Ce que tu dis me touche, Cara, mais…

— Vous êtes le seigneur Rahl : la magie qui combat la magie. Nous, nous sommes l'acier qui affronte l'acier. Et il en sera toujours ainsi.

— Tout le problème est là, justement ! Je ne serai plus en mesure d'affronter la magie. Que ce soit à cause du Cabrioleur ou des Carillons, elle cessera de fonctionner !

— Dans ce cas, vous trouverez un moyen de la restaurer. Le seigneur Rahl est capable de tout.

— Richard, intervint Kahlan, selon Zedd, les Sœurs de l'Obscurité ont invoqué le Cabrioleur, et c'est lui la cause du problème. Tu n'as aucune preuve que les Carillons soient impliqués. Accomplissons la mission dont nous a chargés ton grand-père, et tout rentrera dans l'ordre. Pour ça, nous devons regagner au plus vite Aydindril.

— J'aimerais que ce soit si simple, mais hélas, il en va autrement.

Même si c'était la seule solution pour qu'elle comprenne, Richard ne pouvait toujours pas se résoudre à tout dire à son épouse.

Dont la patience commençait à s'épuiser !

— Si Zedd dit que c'est le Cabrioleur, pourquoi t'accroches-tu à ton idée au sujet des Carillons ?

— Tu veux le savoir ? Alors, réfléchis un peu à ça ! Ma grand-mère, la femme de Zedd, a un jour raconté à sa fille l'histoire d'un chat nommé « Cabrioleur ». Des années plus tard, ma mère m'a parlé de ce chaton acrobate pour me consoler d'un bobo sans gravité. Zedd ne l'a jamais su, bien entendu, parce que je ne lui racontais pas tout ce qui m'arrivait, surtout quand ça avait aussi peu d'importance.

» Quand il a voulu nous cacher la vérité, ce nom, « Cabrioleur », est sans doute le premier qui lui soit passé par la tête. Lorsque tu l'as entendu pour la première fois, tu ne l'as pas trouvé un peu saugrenu, pour un monstre ?

Kahlan croisa les bras et eut une moue qui en disait long.

— J'ai cru être la seule à trouver ça bizarre, avoua-t-elle. Mais ça ne prouve rien. Et ton histoire de chat peut être une coïncidence.

Richard était sûr qu'il s'agissait des Carillons. Exactement comme il avait su, pour le poulet qui n'en était pas un. Et il aurait donné cher pour que Kahlan le croie sur parole.

— Que sont ces « Carillons » ? demanda soudain Cara.

Richard détourna la tête et contempla sombrement l'horizon. Il ne savait pas grand-chose, mais le peu qu'il avait appris lui glaçait les sangs.

— L'Ancien Monde voulait en finir avec la magie, comme Jagang aujourd'hui, et sans doute pour la même raison : régner plus facilement par l'épée. Le Nouveau Monde, lui, entendait que la magie survive. Pour vaincre, les sorciers des deux camps ont fabriqué des armes abominables.

» Certaines, comme les mriswiths, étaient à l'origine des hommes et des femmes comme vous et moi. En utilisant la Magie Soustractive pour leur retirer des caractéristiques, et l'Additive pour leur en ajouter d'autres, les sorciers ont donné naissance à des monstres. Chez d'autres cobayes, ils ont simplement instillé des pouvoirs très particuliers.

» Je crois que ceux qui marchent dans les rêves appartiennent à la deuxième catégorie : des êtres humains normaux avec des capacités hors du commun. Jagang est le descendant direct de ces « armes vivantes » imaginées pendant l'Antique Guerre. Mais aujourd'hui, il n'est plus un simple outil…

» Contrairement à lui, qui cherche à éliminer notre magie pour mieux imposer la sienne, les habitants de l'Ancien Monde désiraient sincèrement éradiquer toutes les formes de pouvoir. Les Carillons furent conçus pour cette unique tâche. Ils viennent du royaume des morts, où règne le Gardien. Comme l'a dit Zedd, un fléau pareil, lâché sur notre monde, ne menace pas seulement la magie. La vie elle-même est en danger !

— Il a ajouté qu'Anna et lui régleraient le problème, rappela Kahlan.

— Dans ce cas, pourquoi nous a-t-il menti ? Il aurait pu nous faire confiance, non ? S'il peut résoudre le problème, dire la vérité ne lui aurait rien coûté. Non, ce n'est pas si simple, j'en suis sûr...

— Nos guerriers auront vite fait d'égorger ces vermines, et..., intervint Du Chaillu après un long, et plutôt miraculeux, moment de silence.

— Tais-toi ! coupa Richard en lui plaquant deux doigts sur la bouche. Du Chaillu, pas un mot de plus sur ce sujet ! Tu ne sais pas de quoi tu parles, ni quel désastre tu risques de provoquer !

Quand il fut sûr que la femme-esprit lui obéirait, le Sourcier se détourna de nouveau pour contempler le ciel qui s'éclaircissait vers le nord, en direction d'Aydindril. Certain d'avoir compris ce qui se passait, il n'avait plus envie de débattre, mais de réfléchir. Pour affronter les Carillons, il devait fourbir ses armes.

Alors qu'il parcourait le journal de Kolo, à la recherche d'informations bien précises, il était tombé sur des passages qui évoquaient les Carillons – au milieu d'un flot d'autres phénomènes. À l'époque, les sorciers envoyaient sans cesse des rapports à la Forteresse sur les menaces qui apparaissaient chaque jour, toutes plus inquiétantes les unes que les autres.

Quand il les trouvait particulièrement intéressantes, Kolo commentait certaines de ces nouvelles sans jamais en faire un compte rendu exhaustif. Après tout, il s'agissait de son journal intime, pas d'une œuvre destinée à être lue. Il se bornait donc à mentionner telle ou telle information – souvent très allusivement – et à ajouter des commentaires pas toujours évidents à comprendre. Du coup, Richard devait se contenter de données lacunaires et d'opinions forcément très subjectives...

Lorsque quelque chose l'effrayait, Kolo donnait davantage d'informations, car il couchait sur le papier les raisonnements qui lui semblaient devoir mener à une solution. À un moment, les Carillons l'avaient beaucoup inquiété, et il s'était montré inhabituellement prolixe à leur propos.

Richard se souvint qu'il mentionnait même le nom du sorcier chargé de régler le problème. Un certain Ander, dont le prénom lui échappait.

Ce sorcier était surnommé « la Montagne », certainement parce qu'il était très grand. À l'évidence, Kolo ne l'aimait pas, et il se référait souvent à lui en l'appelant « la Taupinière ». Entre les lignes, Richard avait cru comprendre qu'Ander n'était pas vraiment du genre modeste.

Dans un passage, Kolo s'indignait que les gens soient incapables d'appliquer la Cinquième Leçon du Sorcier : « Fiez-vous aux actes des autres, pas seulement à leurs paroles, parce que leurs actes les trahissent, chaque fois qu'ils mentent. »

Kolo déplorait qu'on ait omis de passer la personnalité d'Ander au crible de cette Cinquième Leçon. Ainsi, il aurait été facile de voir que cet homme se souciait exclusivement de lui-même et n'accordait aucune importance au bien-être de la communauté.

— Vous ne nous avez toujours pas dit ce que sont les Carillons, seigneur, insista Cara.

Richard sentit la brise faire voleter ses cheveux et gonfler sa cape, comme si elle voulait l'inciter à se remettre en chemin. Mais vers où ? Une question capitale... dont il ne connaissait pas la réponse.

Des insectes tourbillonnaient dans l'air autour des hautes herbes. Très loin à l'est, des vols d'oies – reconnaissables à leur formation en « v » – filaient vers le nord.

Richard n'avait jamais pensé sérieusement aux Carillons avant le jour du mariage. Zedd ayant affirmé que c'était un problème secondaire, il ne s'était pas appesanti dessus.

Plus tard, après avoir trouvé le poulet déchiqueté, devant la maison des esprits, il s'était posé de nouveau des questions sur ce sujet. La mort de Juni, puis les apparitions répétées du poulet maléfique l'avaient incité à puiser dans sa mémoire toutes les informations qu'il avait pu y stocker. Même s'il n'avait jamais prêté une attention particulière aux passages du journal qui traitaient des Carillons, ils devaient être en partie gravés dans son esprit – l'effet d'une concentration intense parfois très proche d'une transe.

— Les Carillons, dit-il enfin, sont de très anciennes créatures nées dans le royaume des morts. Pour les invoquer dans notre monde, il faut déchirer le voile – ou leur faire traverser le cercle extérieur de la Grâce, si vous préférez. Étant originaires du royaume des morts, les Carillons sont issus de la Magie Soustractive, et leur présence dans notre univers est un facteur immédiat de déséquilibre. La magie a un besoin vital d'équilibre. Pour exister dans notre monde, les Carillons doivent se gorger de Magie Additive, justement pour établir cet équilibre. Ce faisant, ils volent les pouvoirs de tous nos sorciers et des créatures magiques.

Très loin de se voir comme une adepte de la magie – qu'elle abominait –, Cara parut encore plus perplexe qu'avant d'avoir posé sa question. Richard n'aurait su l'en blâmer. Il n'était pas sûr de comprendre lui-même ce qu'il venait de dire, et il n'aurait pas juré que c'était exact…

— Comment s'y prennent-ils ? demanda la Mord-Sith.

— Imagine que le monde des vivants est une barrique d'eau. Les Carillons sont un trou d'où on vient de retirer le bouchon. Quand toute l'eau se sera écoulée, le bois séchera, la douelle rétrécira, et tu n'auras plus qu'une sorte de coquille vide. Bref, quelque chose qui aura l'air d'une barrique, mais qui n'en sera plus une.

» Par leur simple présence, les Carillons vident notre monde de sa magie. Mais ils ne sont pas un simple « trou ». Ce sont aussi des créatures, avec une volonté propre, et une soif de sang inextinguible.

» Leur pouvoir, conféré par le Gardien, leur offre la possibilité de prendre l'apparence de ceux qu'ils assassinent. Comme le poulet, par exemple. Sous leur nouvelle forme, ils conservent hélas toute leur magie. Quand j'ai tué le poulet avec une flèche, le Carillon qui le possédait a simplement fui ce faux corps devenu inutile. Le véritable oiseau de basse-cour gisait depuis le début derrière le muret. Le Carillon avait emprunté son apparence pour nous épier et nous défier.

— Dois-je comprendre que n'importe lequel d'entre nous pourrait être un Carillon ? demanda Cara, de plus en plus inquiète.

— D'après ce que je sais, ces créatures n'ont pas d'âme. Donc, elles ne peuvent pas se « déguiser » en être humain. À l'inverse, Jagang, qui a une âme, doit prendre possession d'un être pensant. Lui, il ne peut pas se faire passer pour un animal…

» Quand les sorciers de jadis ont transformé des personnes pour en faire des armes, le résultat de leurs manipulations conservait une âme – un moyen de le contrôler, au moins jusqu'à un certain point. Les Carillons, une fois lâchés dans notre monde, échappent à toute surveillance. C'est pour ça qu'ils sont si dangereux. Autant vouloir parlementer avec la foudre !

— Au moins, dit Cara, nous n'avons pas à nous méfier des êtres humains. (Elle leva les yeux vers le ciel.) Mais une des alouettes qui volent au-dessus de nous pourrait-elle être un Carillon ?

— J'en ai peur, répondit Richard. Tous les animaux sont susceptibles d'être possédés. Mais il y a pis... (Le Sourcier désigna le sol.) Tu vois cette flaque d'eau, à tes pieds ? Un Carillon pourrait s'y cacher, car l'un d'entre eux est très lié à l'élément liquide.

Cara étudia la flaque puis recula d'un pas.

— Vous pensez que le Carillon qui a tué Juni était caché dans l'eau ? Pour mieux le traquer ?

Richard regarda brièvement Chandalen, puis il hocha la tête.

— Les Carillons se tapissent dans les coins obscurs. Ils aiment les fissures de rocher, la surface des cours d'eau... Enfin, c'est ce que j'ai déduit des écrits de Kolo. Tout ce qui ressemble à une frontière entre deux éléments leur est propice. L'un d'eux, ou peut-être plusieurs, se cache dans le feu et peut se déplacer par le biais des étincelles.

Le Sourcier regarda Kahlan, qui devait se souvenir comme lui de la manière dont la maison des morts où reposait le corps de Juni avait pris feu.

— Quand ils sont en colère, ou dépités, il leur arrive d'incendier un endroit pour se défouler.

» On dit que certains sont si beaux qu'ils vous en coupent le souffle – définitivement ! Ils sont à peine visibles, jusqu'à ce qu'on les regarde, leur conférant ainsi de la substance. Kolo affirme que la victime, à ce moment-là, les modèle en partie en fonction de ses désirs les plus profonds, ce qui les rend irrésistibles. C'est sans doute comme ça qu'ils parviennent, par la séduction, à pousser les gens au suicide.

» C'est peut-être ce qui est arrivé à Juni. Fasciné par une apparition incroyablement belle, il a abandonné ses armes, oublié jusqu'à son bon sens et poursuivi une chimère jusque dans l'eau où il s'est noyé.

» Les Carillons veulent aussi être adorés. Venant du royaume des morts, ils partagent le désir de vénération du Gardien. On dit même qu'ils protègent parfois ceux qui leur vouent une foi aveugle. Mais cela revient à marcher sur une corde raide. Selon Kolo, cela les apaise. Hélas, dès qu'on cesse de se prosterner devant eux, ils redeviennent agressifs.

» La chasse, voilà ce qu'ils préfèrent ! Ils prennent des humains pour cibles et se montrent impitoyables. Pour tuer, le feu est leur arme favorite.

» La traduction littérale du nom qu'on leur donne en haut d'haran serait les « Carillons de l'apocalypse », ou, plus simplement, « de la mort ».

Du Chaillu fulminait en silence. Les autres Baka Tau Mana parvenaient à rester impassibles et presque décontractés, mais une ombre de tension, dans tout leur corps, indiqua à Richard que c'était de la comédie.

— Les deux expriment très bien l'idée générale, soupira Cara.

— Mère Inquisitrice, intervint Chandalen, tu ne crois pas à cette théorie, n'est-ce pas ? Pour toi, c'est Zedd qui a raison, et pas Richard Au Sang Chaud ?

Kahlan croisa le regard du Sourcier avant de répondre.

— L'explication du sorcier est très similaire à celle de Richard, dit-elle, son agressivité envolée. Elle paraît plus logique, mais le danger n'en est pas moins grand pour autant. La seule différence, c'est qu'il existe une solution, et qu'elle nous impose de retourner au plus vite en Aydindril. Je regrette de donner tort à Richard, mais je pense que Zedd a dit la vérité.

— Si tu savais comme j'aimerais être de ton avis ! s'exclama le Sourcier. Parce que dans ce cas, il suffirait de casser une bouteille pour régler le problème ! Kahlan, ce sont bien les Carillons, et Zedd a voulu nous mettre à l'abri pendant qu'il tentait de les renvoyer dans le royaume des morts.

— Le seigneur Rahl est la magie qui affronte la magie, rappela Cara. S'il dit que ce sont les Carillons, il doit avoir raison.

La Mère Inquisitrice soupira de frustration.

— Richard, tu es certain d'être dans le vrai, et Cara est tentée de te croire parce qu'elle a peur que ce que tu dis soit exact. Puisque cette éventualité te terrorise, tu lui accordes plus d'attention qu'elle n'en mérite.

Une référence évidente à la Première Leçon du Sorcier… Kahlan suggérait que Richard gobait ses propres mensonges…

Le Sourcier frissonna en voyant une inébranlable certitude briller dans les yeux verts de sa femme.

Il avait besoin de son aide. Sans elle, il ne triompherait pas de cette épreuve-là.

Bref, il n'avait plus le choix. Faisant signe aux autres d'attendre, il passa un bras autour des épaules de Kahlan et l'entraîna un peu à l'écart, hors de portée d'oreilles de leurs compagnons.

Kahlan devait le croire ! Et pour cela, il ne pouvait plus reculer.

Oui, il allait tout lui dire.

Chapitre 29

K ahlan se laissa entraîner loin des autres avec un soulagement visible. S'il lui fallait se disputer avec Richard, elle préférait ne pas le faire en public.

Pour sa part, le Sourcier n'avait aucune envie de dire certaines choses devant leurs compagnons...

Jetant un coup d'œil derrière lui, il vit que les chasseurs de Chandalen s'appuyaient à leurs lances aux pointes trempées dans du poison. Quand on ne les connaissait pas, on aurait pu croire qu'ils attendaient nonchalamment que le Sourcier et la Mère Inquisitrice finissent leur conversation et reviennent. Mais il ne fallait surtout pas se fier à cette impression. Sans en avoir l'air, les Hommes d'Adobe avaient choisi la meilleure position pour surveiller les Baka Tau Mana. Que ces étrangers connaissent Richard ne changeait rien : ils étaient sur le territoire du Peuple d'Adobe, et le moindre geste suspect leur coûterait la vie.

Les maîtres de la lame, également sur leurs gardes, faisaient mine d'ignorer les chasseurs. Certains bavardaient amicalement tandis que d'autres sondaient le ciel menaçant d'un air ennuyé. Là encore, croire qu'aucun feu ne couvait sous les braises eût été une erreur tragique.

Pour les avoir combattus, Richard savait à quel point ces guerriers pouvaient être redoutables. Habitués à vivre entourés d'ennemis acharnés à les abattre, ils étaient prêts à tuer à chaque instant.

Lors de leur rencontre avec les Baka Ban Mana, Richard avait demandé à Verna s'ils étaient vraiment dangereux. En guise de réponse, la sœur lui avait raconté une histoire édifiante.

Quand elle était jeune, elle avait vu un maître de la lame affronter la garnison de Tanimura et tuer une cinquantaine de soldats aguerris avant de succomber. Ces hommes, avait-elle ajouté, combattaient comme s'ils étaient des esprits invincibles, et bien des gens les considéraient ainsi.

Richard priait pour qu'aucun malentendu ne pousse les Hommes d'Adobe et les Baka Tau Mana à en découdre. Avec de tels guerriers, un massacre en résulterait...

Dans son coin, Cara promenait inlassablement un regard brillant de fureur sur les deux groupes d'hommes.

Comme les trois pointes d'un triangle, les chasseurs, les maîtres de la lame et la Mord-Sith étaient indéfectiblement unis. Si différentes que fussent leur culture et leurs coutumes, ils étaient tous des alliés du Sourcier et de la Mère Inquisitrice, et partageaient des valeurs essentielles : l'amour des leurs, la loyauté envers leurs amis, le goût du labeur… plus un sens très élevé du devoir, de la rectitude et de la fidélité. Sans parler d'une passion sans limite pour la liberté.

— Richard, dit Kahlan en posant une main à plat sur la poitrine de son mari, même si je suis très énervée par tes propos, je sais que tu parles avec ton cœur, et qu'il bat toujours pour la bonne cause. Mais tu t'égares sur une voie sans issue. Le Sourcier de Vérité doit savoir ne pas insister quand il se trompe. Zedd nous a dit ce qu'il fallait faire pour neutraliser le Cabrioleur. Ensuite, Anna et lui s'occuperont de mettre hors d'état de nuire les Sœurs de l'Obscurité. Pourquoi t'obstines-tu ainsi ?

— Kahlan, le poulet était un Carillon, j'en suis sûr !

Une nouvelle fois, l'Inquisitrice caressa distraitement la pierre de son collier.

— Tu sais que je t'aime et que je te fais confiance, dit-elle. Mais cette fois…

— Laisse-moi parler ! coupa Richard.

Conscient de ce qu'elle pensait, il devinait sans peine ce qu'elle allait dire. Mais à présent, il voulait qu'elle écoute. Et il attendit jusqu'à ce qu'il lise dans ses yeux qu'elle y était disposée.

— Kahlan, tu as fait venir les Carillons dans notre monde. Ce n'était pas intentionnel, et encore moins malveillant, bien entendu. J'agonisais et j'avais besoin de ton aide. Par conséquent, nous partageons les responsabilités. Si je ne m'étais pas mis dans une situation périlleuse, tu n'aurais pas eu besoin d'agir…

— Puisque tu t'engages sur cette voie, n'oublie pas tes ancêtres et les miens. S'ils ne s'étaient pas reproduits, nous ne serions pas venus au monde pour commettre des erreurs. Je suppose que tu les juges également coupables ?

Richard posa tendrement une main sur l'épaule de la jeune femme.

— Je voulais souligner que c'est ton désir de m'aider qui a provoqué ces événements. Et cela suffit à te laver de tout soupçon de malveillance. Il faut que tu te mettes ça dans la tête ! Cela dit, en prononçant leurs noms, tu as attiré les Carillons dans le monde des vivants, même si tu ne le voulais pas.

» Pour une raison que j'ignore, Zedd n'a pas voulu que nous le sachions. Je regrette qu'il ne se soit pas fié à nous, mais c'est ainsi. Le connaissant, je pense qu'il a cru avoir de bonnes raisons de nous mentir. Et pour ce que j'en sais, c'était peut-être le cas.

Kahlan se prit le front entre le pouce et le majeur, ferma les yeux et soupira.

— Je veux bien admettre que le comportement de Zedd est étrange et que des points restent à éclaircir. Mais ça ne signifie pas que nous devons tirer nos propres conclusions sans tenir compte de son avis. Le Premier Sorcier nous a confié une mission, et nous devons la remplir.

Richard caressa la joue de son épouse. S'il avait été vraiment seul avec elle, il aurait pu tenter de se faire pardonner sa négligence, au sujet de Du Chaillu. Mais c'était impossible, et il avait encore à lui dire des choses très désagréables.

— S'il te plaît, écoute-moi et décide ensuite. Si tu savais à quel point j'aimerais me tromper ! Quand j'aurai parlé, ce sera à toi de juger...

» Lorsque nous étions dans la maison des esprits, protégés par des chasseurs, les Carillons attendaient dehors. Et l'un d'eux a tué un poulet par pur sadisme. Quand Juni a entendu le bruit – celui que j'ai capté aussi – il a cherché le coupable sans rien trouver. Alors, il a insulté le « tueur » pour l'inciter à se montrer. Le Carillon a relevé le défi, et il a pris la vie du pauvre chasseur.

— J'ai défié le poulet monstrueux, dit Kahlan, fatiguée d'argumenter en vain. Pourquoi ne m'a-t-il pas tuée ? Réponds à cette question, Richard !

Le Sourcier prit une grande inspiration pour se donner du courage.

— Le Carillon te l'a dit, Kahlan...

— Quoi ? Que racontes-tu là ?

— Ce monstre n'était pas un Cabrioleur mais un Carillon ! Et il ne t'a pas appelée « Mère » en se référant à ton titre. Il a simplement dit ce qu'il pensait de toi, en un seul mot...

» Pour les Carillons, tu es l'équivalent d'une mère !

Kahlan en resta bouche bée.

— Ils te respectent, continua Richard, au moins jusqu'à un certain point, parce que tu leur as donné accès au monde des vivants. À leurs yeux, tu es celle à qui ils doivent la vie. Leur mère, en somme... Tu as pensé que le poulet allait ajouter « Inquisitrice » parce que tu as l'habitude qu'on t'appelle ainsi. Mais tu t'es trompée : le Carillon n'avait pas l'intention d'en dire plus.

Richard crut voir se lézarder la forteresse de rationalité que Kahlan avait érigée autour d'elle. Parfois, la vérité pouvait faire plus mal qu'une gifle, et on souffrait jusqu'au plus profond de ses entrailles.

Des larmes aux yeux, Kahlan se jeta dans les bras du Sourcier, ravala un sanglot puis s'essuya rageusement les joues.

— C'est ce qui t'a sauvé la vie, dans la maison des morts, dit Richard. Et j'espère ne plus jamais devoir me fier à leur clémence pour te garder en ce monde...

— Il faut les arrêter ! Au nom des esprits du bien, nous devons les vaincre !

— Je sais...

— Et tu as un plan pour les renvoyer dans le royaume des morts ?

— Pas encore... Avant de trouver une solution, il faut formuler correctement le problème. Voilà au moins une chose de faite !

Kahlan acquiesça. Bouleversée par une terrible révélation, elle avait déjà récupéré tous ses moyens.

— Pourquoi les Carillons rôdaient-ils autour de la maison des esprits ?

Alors qu'ils étaient ensemble, célébrant l'amour et la vie, la mort attendait qu'ils sortent de leur sanctuaire. Cette seule idée donnait encore la nausée à Richard.

— Je n'en sais rien... Peut-être parce qu'ils voulaient être près de toi.

Kahlan hocha la tête. Oui, elle comprenait. Les Carillons entendaient rester à côté de leur mère.

Richard se souvint du désarroi de sa bien-aimée, quand Nissel avait posé le bébé mort sur la plate-forme. Les Carillons étaient coupables de ce crime. Et bien d'autres suivraient.

— Hier, quand nous sommes allés voir Zedd et Anna, tu as parlé d'une Grâce mortelle. De quoi s'agit-il exactement ?

— Tout ce que je sais sur les Carillons vient du journal de Kolo. Quand il était effrayé, le gardien de la sliph se montrait plus prolixe que d'habitude. Le rapport qu'il citait presque intégralement se terminait ainsi : « *N'oubliez jamais mes paroles : prenez garde aux Carillons, et si l'urgence est extrême, dessinez trois fois une Grâce mortelle sur la terre nue avec du sable, du sel ou du sang.* »

— Et tu sais ce que ça veut dire ?

— Hélas, non… J'espérais que Zedd et Anna auraient une idée. Mon grand-père n'ignore rien de la Grâce. Et pourtant, il n'a su que dire…

— Tu penses qu'une Grâce mortelle pourrait arrêter les Carillons ?

— Là encore, j'ignore la réponse. Au fond, c'est peut-être une invitation au suicide, dans le cas où tout serait perdu.

— Oui, c'est possible… Quand j'étais seule avec le Carillon, dans la maison des morts, j'ai senti à quel point il était malveillant. C'était affreux, tu sais ? Ce monstre picorait les yeux de Juni. Il s'acharnait encore sur sa victime, même si elle était morte !

Richard reprit Kahlan dans ses bras.

— Oui, je comprends…

L'Inquisitrice s'écarta, sa détermination revenue.

— Hier, tu as dit à Zedd et à Anna que Kolo, après avoir été très inquiet, a appris que les Carillons étaient une arme facile à neutraliser.

— C'est vrai, mais Kolo parle uniquement du soulagement des sorciers. Il ne mentionne pas la solution. Tout ce qu'il raconte, c'est qu'un sorcier surnommé « la Montagne » a été chargé de régler le problème. Et à l'évidence, il a réussi.

— Tu crois que des armes classiques peuvent être efficaces contre les Carillons ? Juni en portait, et ça ne lui a servi à rien. Mais il les avait laissées derrière lui, alors…

— Kolo ne précise rien à ce sujet. Mes flèches n'ont pas vraiment tué le poulet monstrueux, et nous pouvons être certains que le feu serait inefficace.

» Mais Zedd voulait que j'aille récupérer l'Épée de Vérité. Son histoire de Cabrioleur était un mensonge pour nous forcer à regagner la Forteresse. Cela dit, je doute qu'il ait menti au sujet de mon arme. Elle est sûrement investie de la seule magie encore en mesure de nous protéger. Il n'aurait pas triché sur ce point-là…

— Pourquoi le Carillon déguisé en poulet ne t'a-t-il pas attaqué ? demanda Kahlan. Puisqu'ils me prennent pour leur mère, je comprends que ces monstres hésitent à me faire du mal. Mais s'ils sont si puissants que ça, pourquoi fuir devant toi ? Tu n'avais qu'un arc et des flèches, et ça ne suffisait pas pour blesser le faux poulet. Il n'avait aucune raison de filer.

— Je ne cesse de me poser cette question. Une seule réponse m'est venue à l'esprit, et je ne suis pas sûr que ce soit la bonne. Depuis des millénaires, je suis le premier à naître avec le don de la Magie Soustractive. Comme tu le sais, les Carillons en sont issus. Ils ont peut-être peur que mon pouvoir soit en mesure de leur nuire. C'est ce que j'espère, en tout cas.

— Et le feu ? Le dernier feu de joie de notre mariage, celui qui brûlait sous la pluie… C'était un Carillon, n'est-ce pas ?

Richard frémit à ce souvenir. Il avait fallu que ces monstres souillent jusqu'aux flambées qui célébraient leur union.

— Oui. Le nom du deuxième, Sentrosi, signifie « feu ». Reechani, le premier, se traduit par « eau ». Et Vasi veut dire « air ».

— Tu as éteint ce feu ! Et le Carillon n'a rien fait pour t'en empêcher. Juni est mort pour avoir insulté un de ces monstres. Le « feu » aurait dû être furieux contre toi. Mais il a fui, comme le poulet.

— Kahlan, je ne peux pas répondre à ça…

— Et s'ils t'avaient épargné pour la raison qui les a poussés à me laisser la vie ?

— Ils me prendraient pour leur mère ?

— Non, leur père ! (Une fois encore, Kahlan caressa la pierre noire de son collier.) J'ai prononcé leurs noms pour te sauver la vie, et cela leur a permis de traverser le voile. Nous étions ensemble, et tu étais autant impliqué que moi, même involontairement. Ils pensent peut-être que nous sommes leurs parents…

— C'est possible… Mais il y a plus que cela. Quand ils sont près de moi, je sens quelque chose qui me révulse.

— Quoi donc ?

— Une incroyable lubricité mêlée à un dégoût monstrueux !

Kahlan se frotta les bras, glacée par l'idée que des créatures si obscènes rôdaient autour d'eux. Puis un sourire amer s'afficha sur ses lèvres.

— Shota a toujours dit que notre descendance serait monstrueuse…

— Tu verras bientôt que c'est faux, Kahlan, murmura Richard. (Il prit doucement le menton de la jeune femme.) Je te le jure !

De nouveau au bord des larmes, Kahlan se dégagea, détourna la tête et regarda dans le vide. Puis elle s'éclaircit la gorge, comme pour se donner du courage.

— Si la magie disparaît, Jagang perdra une de ses armes. Des sorciers tombés en son pouvoir aident ses troupes. Ils ne lui obéiront plus, et c'est déjà ça de gagné.

» Il a envoyé Marlin nous tuer, et il a forcé une Sœur de la Lumière à voler dans le Temple des Vents le sort qui a provoqué la peste. Sans la magie, il ne pourra plus recourir à des manœuvres de ce genre.

— J'ai beaucoup réfléchi sur ce sujet, souffla Richard. Jagang perdra son pouvoir, ça semble évident. Mais si les Carillons me redoutent vraiment parce que je contrôle la Magie Soustractive, il se peut que…

— Par les esprits du bien ! coupa Kahlan. Tu penses aux Sœurs de l'Obscurité ? Elles ne sont pas nées avec le don de la Magie Soustractive, mais elles savent l'utiliser.

— Exactement… J'ai peur que Jagang continue à avoir leur magie à sa disposition.

— Dans ce cas, Zedd et Anna sont notre seul espoir. S'ils parviennent à bannir les Carillons, nous serons sauvés !

— Comment s'y prendront-ils ? Aucun des deux ne contrôle la Magie Soustractive. Comme tous les autres, leurs pouvoirs disparaîtront et ils seront aussi impuissants que ce pauvre bébé mort-né. À l'heure qu'il est, je suis sûr qu'ils ont quitté le village. Mais pour aller où ?

Kahlan leva vers Richard un regard qui n'était plus celui d'une simple femme, mais de la Mère Inquisitrice.

Le jeune homme en frémit malgré lui.

— Si tu t'étais souvenu à temps de ta première épouse, nous en aurions parlé à Zedd, et ç'aurait pu tout changer. Maintenant, cette chance est passée. Tu as choisi un très mauvais moment pour avoir un trou de mémoire.

Richard aurait voulu répliquer que ça n'avait aucune importance, puisque cette information n'aurait rien modifié. Mais c'était impossible, parce que Kahlan avait raison. À présent, Zedd devait être parti affronter seul les Carillons, et ils n'avaient pas de grandes chances de retrouver sa piste, même s'ils retournaient au village.

Kahlan prit la main de Richard, la tapota gentiment, puis tira doucement son bien-aimé vers l'endroit où attendaient Cara et les autres. La tête bien droite, la Mère Inquisitrice affichait le masque d'autorité glacé qui avait forcé des têtes couronnées à s'agenouiller devant elle.

— Nous ne savons pas encore que faire, annonça-t-elle quand ils eurent rejoint la Mord-Sith, les Hommes d'Adobe et les sept Baka Tau Mana. Mais je suis convaincue au-delà de tout doute possible : les Carillons rôdent dans le monde des vivants !

Chapitre 30

Pour les chasseurs de Chandalen, Kahlan répéta sa déclaration dans la langue du Peuple d'Adobe.

Une dernière fois, Richard regretta que son épouse n'ait pas eu raison. S'il s'était agi du Cabrioleur, ils auraient su comment agir.

Entendre l'Inquisitrice revenir sur sa position après l'avoir défendue si fermement inquiéta tout le monde – à juste titre, il fallait l'avouer.

Le Sourcier dévisagea leurs compagnons et ne lut plus le moindre doute dans leurs yeux. La « conversion » de Kahlan venait de bouleverser leur vision du monde.

Un lourd silence tomba sur la plaine.

Richard devait mettre au point un plan, mais il ne savait pas par où commencer. Au village, face à Zedd, il avait eu une chance d'infléchir les événements. Obsédé par le danger qui rôdait autour d'eux, il n'avait pas su la saisir.

Il était très loin de ses bois adorés, et il aurait donné cher pour y retourner. Là-bas, il ne s'était jamais perdu et n'avait pas une seule fois guidé un groupe de voyageurs tout droit vers un… gouffre.

— Du Chaillu, dit-il en se tournant vers la femme-esprit, pourquoi as-tu fait un si long chemin ?

— Le *Caharin* daigne enfin s'intéresser à moi ? lança agressivement la Baka Tau Mana.

Elle était furieuse, et Richard n'aurait su dire pourquoi. En toute franchise, il n'en avait pas grand-chose à faire.

— Alors, pourquoi es-tu venue ?

— Nous avons voyagé pendant des semaines, surmonté de terribles épreuves et laissé en chemin les tombes de plusieurs de nos compagnons. Pour arriver jusqu'à toi, Richard le Sourcier, il nous a fallu combattre et verser beaucoup de sang.

» Afin de prévenir notre *Caharin*, nous avons abandonné nos familles, puis voyagé sans relâche, souvent sans manger ni dormir. Certaines nuits, dans des abris de fortune, nous avons pleuré ensemble, terrorisés par ce qui nous attendait le lendemain, le cœur serré à cause du mal du pays…

» J'ai fait tout cela avec dans mon ventre l'enfant que tu m'as demandé de garder, alors que je serais allée voir une femme-médecine pour m'en débarrasser, et effacer de ma mémoire d'affreux souvenirs. À présent, le *Caharin* refuse d'assumer la responsabilité de la naissance à venir, et il ne m'est pas reconnaissant d'avoir agi comme il me le demandait.

» Sait-il au moins que mon ventre rond me rappelle chaque jour les mois que j'ai passés entre les mains des Majendies, enchaînée nue dans une cellule puante ? Et l'horrible façon dont cet enfant fut conçu ? Et les rires de ces porcs, quand ils se congratulaient, après avoir abusé de moi ?

» *Caharin*, imagines-tu que j'avais peur, chaque soir, que mon exécution soit pour le lendemain ? Penses-tu à ce que j'éprouvais à l'idée que mes enfants – ceux que j'ai voulus – grandiraient sans moi ?

» Pourtant, j'ai gardé la graine semée par ces porcs, parce que Richard le Sourcier me l'avait demandé !

» Aujourd'hui, quand son peuple brave la mort pour le rejoindre, daigne-t-il lui accorder plus d'attention qu'aux piqûres de puce qu'il doit parfois gratter sur ses bras ? Nous a-t-il demandé des nouvelles de notre terre natale ? Daigne-t-il s'asseoir avec nous un moment pour que nous fêtions nos retrouvailles ? Veut-il simplement savoir si nous vivons en paix ? Allons, il n'a même pas pensé que nous avions peut-être faim ou soif !

» Depuis qu'il nous a revus, il est brutal, il crie et il affirme que nous ne sommes pas son peuple ! Dans son arrogance, il foule aux pieds les lois sacrées que nous respectons depuis des siècles, parce que son ignorance, croit-il, l'autorise à les tenir pour des superstitions sans importance. Sait-il combien de Baka Ban Mana sont morts pour qu'il puisse un jour apprendre des maîtres de la lame l'art du combat qui lui a si souvent sauvé la vie ?

» En vérité, il se soucie autant de son peuple que de la poussière que soulèvent les semelles de ses bottes. Quant à son épouse légitime, selon des lois ancestrales, il est allé jusqu'à l'oublier, comme si elle était un vulgaire chiffon qu'il aurait jeté dans un coin en attendant d'en avoir de nouveau besoin !

» Les anciens mots nous annonçaient la venue d'un *Caharin*. Ont-ils jamais dit qu'il respecterait son peuple et les coutumes qui l'ont aidé à survivre loin de sa terre natale et entouré d'ennemis ? Bien entendu que non ! Mais j'avais espéré qu'un homme d'honneur aurait quelques égards pour ceux qui ont tant souffert en son nom !

» Tu as tué mes cinq maris, et j'ai sangloté en secret afin que mon chagrin ne te bouleverse pas. Mes enfants sont devenus des orphelins, et je ne les ai jamais entendus se plaindre ou te maudire ! Mais le soir, avant de s'endormir, ils pleurent parce les hommes qui venaient les embrasser et leur souhaiter de rêver à leur terre natale ne sont plus là pour les cajoler. T'es-tu jamais demandé, Richard le Sourcier, comment mes enfants et moi supportions la solitude et le désespoir ?

» Pourquoi te serais-tu donné cette peine ? Mon nouveau mari, selon les anciens mots, épouse d'autres femmes, et il délaisse la première ! Il la méprise même tellement qu'il oublie d'en parler à sa nouvelle compagne !

Du Chaillu leva fièrement le menton.

— Ainsi, tu t'intéresses enfin à moi, disposé à m'écouter raconter notre terrible voyage ? Te serais-tu avisé que j'avais peut-être des choses intéressantes à dire ?

La femme-esprit cracha aux pieds de Richard.

— Tu me fais honte !

Du Chaillu croisa les bras et tourna le dos au Sourcier.

Non loin de là, les maîtres de la lame regardaient le ciel comme s'ils n'avaient rien entendu, trop occupés à admirer les nuages…

— Du Chaillu, grogna Richard, à bout de patience, ne m'accuse pas de la mort des trente guerriers ! J'ai tout tenté pour ne pas les affronter, tu le sais très bien ! Ne t'ai-je pas suppliée d'empêcher un massacre ? Tu en avais le pouvoir, et tu ne l'as pas fait. Cette tuerie m'a dégoûté, mais je n'avais pas le choix.

La femme-esprit tourna la tête et foudroya son « mari » du regard.

— C'est faux ! Tu aurais pu décider de mourir au lieu de tuer ! Parce que tu m'avais sauvée des Majendies, je m'étais engagée, si tu ne résistais pas, à ce que ta fin soit rapide. Un mort au lieu de trente ! Si tu étais vraiment noble et soucieux de préserver la vie, tu aurais opté pour cette solution !

Richard serra les mâchoires et braqua un index vengeur sur Du Chaillu.

— Tu aurais voulu que je me laisse tailler en pièces ? Alors que tu me devais la vie ? Si j'étais mort, ce jour-là, des milliers d'innocents ne seraient plus de ce monde aujourd'hui. Tu sais que j'ai évité une série de massacres ! Et tu ne comprends rien à tout ce que j'ai fait ensuite !

— Tu te trompes, mon mari, lâcha Du Chaillu. Je comprends bien plus de choses que tu le penses… et le souhaites.

— Seigneur Rahl, intervint Cara, excédée, si vous n'apprenez pas à mieux gérer vos épouses, nous n'aurons plus un moment de tranquillité. (Elle avança vers la femme-esprit, et, au passage, souffla à Richard :) Je vais lui parler de femme à femme. En principe, je devrais pouvoir retirer ce caillou de votre chaussure…

La Mord-Sith prit Du Chaillu par le bras pour l'entraîner à l'écart. Aussitôt, six épées jaillirent hors de leur fourreau, et les maîtres de la lame avancèrent vers leur femme-esprit en faisant voler leur arme d'une main à l'autre à une vitesse presque trop élevée pour un œil humain.

Les chasseurs de Chandalen vinrent leur barrer le chemin. En une fraction de seconde, on était passé d'une paix armée au prélude d'une boucherie.

— Arrêtez ça ! cria Richard. (Il se plaça devant les deux femmes.) Cara, lâche-la ! C'est la femme-esprit des Baka Tau Mana, et tu n'as aucun droit de la toucher. Après des millénaires à subir les persécutions des Majendies, nos amis détestent qu'un étranger pose la main sur l'un d'entre eux. Et on peut les comprendre…

La Mord-Sith obéit, mais aucun des deux groupes de guerriers n'entendait être le premier à reculer. Les Hommes d'Adobe estimaient que des étrangers venaient de se montrer agressifs sur leur territoire, et les Baka Tau Mana pensaient devoir défendre leur femme-esprit. La tension étant à son maximum, il suffirait d'un rien pour que le premier coup parte. Ensuite, il ne resterait plus qu'à compter les cadavres.

— Écoutez-moi ! cria Richard, une main levée.

Il tendit l'autre et, sur le cou de Du Chaillu, chercha la lanière de cuir qui devait être cachée par le col de sa robe. À son grand soulagement, il la trouva.

Les chasseurs écarquillèrent les yeux quand il exhiba le petit objet en os qui pendait au bout de la lanière.

— L'Homme Oiseau m'avait donné ce sifflet…

Le Sourcier se tourna vers Kahlan et lui souffla de traduire ses propos.

— Vous vous souvenez du jour où il m'a fait ce cadeau, en gage d'amitié ? Du Chaillu, comme Chandalen, a pour mission de défendre son peuple. Certain que l'Homme Oiseau approuverait, parce qu'il est épris de paix, je lui ai donné le sifflet afin qu'elle puisse appeler des oiseaux et leur ordonner de dévorer les semailles de ses ennemis. Quand ils comprirent qu'ils risquaient de mourir de faim, les Majendies consentirent enfin à signer un traité. Ces deux peuples ont cessé de se massacrer, et ils le doivent à l'Homme Oiseau !

» Les Baka Tau Mana ont une dette envers le Peuple d'Adobe. Et vous, fiers chasseurs, vous devez leur être reconnaissants d'avoir utilisé le sifflet pour faire le bien, pas le mal. Car ce fut une manière d'honorer l'Homme Oiseau et tous les siens ! Grâce à vous, les enfants des Baka Tau Mana vivent en paix !

» Deux peuples peuvent-ils avoir des liens plus amicaux ?

Dans un silence de mort, les guerriers prirent le temps de réfléchir à la tirade du Sourcier.

Puis Jiaan posa son épée sur son épaule, la lâcha et la laissa pendre dans son dos au bout de la corde passée autour de son cou. Enfin, il écarta sa tunique et montra sa poitrine nue à Chandalen.

— Nous remercions le Peuple d'Adobe de nous avoir aidés avec sa puissante magie. Nous ne nous battrons pas aujourd'hui, et si vous voulez verser notre sang, nous ne ferons pas un geste pour nous défendre.

Chandalen releva sa lance puis posa l'embout sur le sol sacré de sa terre natale.

— Richard Au Sang Chaud a bien parlé ! Nous sommes heureux que vous ayez utilisé notre cadeau pour faire la paix. Soyez les bienvenus sur notre territoire.

De la voix et du geste, Chandalen ordonna à ses chasseurs de reculer.

Richard soupira de soulagement et remercia les esprits du bien d'être venus à son secours.

— Je vais avoir une petite conversation avec Du Chaillu, annonça Kahlan.

À son tour, elle prit le bras de la femme-esprit.

Les Baka Tau Mana n'apprécièrent pas ce geste, mais ils semblèrent ne pas trop savoir comment réagir.

Richard aussi avait quelques doutes sur l'initiative de sa femme, car cela risquait de rouvrir les hostilités. Mais à voir l'expression de l'Inquisitrice, il comprit qu'essayer de la faire changer d'avis serait une perte de temps.

— Mes amis, dit-il aux maîtres de la lame, Kahlan, mon épouse, est la Mère Inquisitrice que tous les peuples du Nouveau Monde respectent et écoutent. Le *Caharin* vous donne sa parole que Du Chaillu n'a rien à craindre. Et si je me trompe, j'en répondrai sur ma vie.

Les six guerriers hochèrent la tête. Richard ignorait s'il était à leurs yeux plus ou moins puissant que la femme-esprit. Mais son ton assuré paraissait les avoir convaincus. Et de toute façon, les maîtres de la lame le respectaient. Pour avoir vaincu trente de leurs frères d'armes, bien entendu. Mais surtout parce qu'il leur avait rendu leur terre natale...

Campé près de Cara, le Sourcier regarda Kahlan s'éloigner dans les hautes herbes en compagnie de Du Chaillu.

— Seigneur Rahl, souffla la Mord-Sith, vous pensez que c'est prudent ?

— J'ai confiance en Kahlan... Et avec tous ces problèmes, nous ne pouvons plus nous permettre de perdre du temps.

Cara saisit son Agiel et le contempla un long moment en silence.

— Seigneur Rahl, si la magie est défaillante, la vôtre est-elle déjà touchée ?

— Espérons que non !

Cara suivit Richard comme son ombre tandis qu'il approchait des maîtres de la lame.

— Jiaan, dit-il, Du Chaillu m'a parlé des compagnons que vous avez perdus en chemin. Combien avez-vous eu de morts ?

— Trois guerriers, répondit le Baka Tau Mana en rengainant son épée.

— Au combat ?

L'air gêné, Jiaan écarta une mèche de cheveux noirs de son front.

— Un seul... Les deux autres ont eu des accidents.

— Liés au feu ou à l'eau ?

— Pas l'eau, non... Mais alors qu'il montait la garde, un homme est tombé dans le feu de camp, et il a brûlé vif avant que nous ayons le temps de réagir. Ce soir-là, nous avons supposé qu'il avait trébuché et s'était assommé dans sa chute. À présent, je me demande s'il n'a pas été victime d'un Carillon.

Richard hocha tristement la tête et murmura le nom du Carillon lié au feu : Sentrosi.

— Et l'autre accident ?

— Sur une corniche, un guerrier a soudain cru qu'il pouvait voler.

— Voler ?

— Mais il est tombé dans le vide comme un rocher.

— Il n'aurait pas glissé, tout simplement ?

— J'ai vu son visage, juste avant son « envol ». Il souriait comme le jour où il a revu notre terre natale.

Accablé, Richard murmura le nom du troisième Carillon : Vasi... Reechani, Sentrosi, Vasi – l'eau, le feu et l'air – avaient fait de nouvelles victimes.

— Les Carillons ont également tué des Hommes d'Adobe. J'ai cru un moment qu'ils ne s'éloigneraient pas de Kahlan et de moi, mais je me trompais. À l'évidence, ils frappent partout.

Derrière les six maîtres de la lame, Richard vit que les Hommes d'Adobe, après avoir aplani un carré d'herbe, s'apprêtaient à allumer un feu de cuisson.

— Chandalen ! appela le Sourcier. Pas de flammes !

— Pourquoi ? demanda le chef des chasseurs tandis que Richard le rejoignait. Si nous devons camper ici, il est temps de faire à manger et d'inviter nos nouveaux amis.

— Les mauvais esprits qui ont tué Juni sont liés à l'eau et au feu. Désolé, mais tu devras empêcher les tiens de faire cuire leur nourriture. Sinon, ils risquent d'attirer les monstres...

— Tu en es sûr ?

Richard posa une main sur l'épaule de Jiaan.

— Les Baka Tau Mana sont aussi forts et résistants que les Hommes d'Adobe. Pendant leur voyage, un guerrier a été tué par un mauvais esprit tapi dans un feu.

— Il a brûlé avant que nous ayons compris ce qui arrivait, confirma Jiaan. Cet homme était courageux et aguerri. Pas du genre à succomber sans résister face à un ennemi. Mais il est mort sans avoir le temps de dire un mot...

Les mâchoires serrées, Chandalen sonda un instant la plaine avant de se tourner vers Richard.

— Sans feu, comment mangerons-nous ? Nous devons faire cuire le tava et la viande. Crue, la pâte à pain n'est pas consommable, et nous détestons la chair sanguinolente. Nos femmes ont besoin des fours pour cuire les poteries, et les chasseurs, pour forger leurs armes. Richard Au Sang Chaud, nous ne pourrons plus vivre !

— Je sais, et malheureusement, je ne puis te dire que faire... Mais le feu attirera de nouveau les Carillons chez vous. Je te donne le seul conseil qui, à ma connaissance, soit susceptible de protéger les tiens.

» Si vous êtes contraints de faire du feu, n'oubliez jamais que c'est dangereux. En étant très prudents, vous vous en tirerez peut-être sans trop de dégâts.

— Et si l'eau aussi est dangereuse, devrons-nous cesser de boire ?

— Chandalen, j'aimerais connaître les réponses à toutes ces questions. (L'air accablé, Richard se passa une main sur le front.) Nous savons que l'eau, le feu et tous les endroits qui dominent des gouffres sont dangereux. Les Carillons peuvent s'en servir pour nous nuire, et il est plus prudent d'en rester aussi loin que possible.

— Même si nous prenons ces précautions, les Carillons continueront à tuer, n'est-ce pas ?

— Là encore, j'ignore la réponse. Je te dis tout ce que je sais, pour que tu protèges les tiens. Mais il peut y avoir d'autres dangers dont je n'ai pas connaissance...

Chandalen plaqua les poings sur les hanches, sonda la plaine du regard et se plongea dans une intense méditation. Respectant son silence, Richard attendit qu'il reprenne la parole.

— Tu es sûr qu'un de nos enfants est mort-né à cause des Carillons ?

— Hélas, oui...

— Et comment ces mauvais esprits sont-ils arrivés dans notre monde ?

— Sans le vouloir ni le savoir, Kahlan les a invoqués quand elle a prononcé leurs noms pour me sauver la vie. Donc, on peut considérer que tout est ma faute.

Chandalen prit le temps d'assimiler cet aveu de Richard.

— La Mère Inquisitrice n'a jamais voulu nuire à personne, et toi non plus. Pourtant, c'est à cause de vous que les Carillons sont là ?

Son inquiétude évaporée, Chandalen parlait à présent avec l'autorité d'un chef. Après tout, il était un protecteur et un ancien – donc responsable de la sécurité des siens à plus d'un titre.

Les Hommes d'Adobe et les Baka Tau Mana avaient un grand nombre de valeurs en commun. Pourtant, ils étaient passés près de s'entre-tuer. Au début, Chandalen et Richard avaient eu une relation franchement conflictuelle. Mais ils avaient enfin compris que leurs désaccords comptaient moins que les idéaux qui les unissaient.

Richard regarda un moment les nuages noirs, dans le lointain. Là-bas, il avait commencé à pleuvoir dru…

— J'ai peur que ta façon de présenter la chose soit la bonne, dit-il. En plus de tout, j'ai négligé de fournir à Zedd des informations qui auraient pu lui être précieuses. Et maintenant, il s'est certainement lancé sur la piste des Carillons…

— La Mère Inquisitrice et toi faites partie de mon peuple, et vous avez combattu pour le défendre. Nous savons que vous n'avez pas agi pour nous nuire.

Chandalen se hissa sur la pointe des pieds pour se grandir – car il n'arrivait pas à l'épaule du Sourcier – et prononça le verdict de son tribunal personnel.

— Vous n'êtes pas coupables, et je ne doute pas que vous ferez tout ce qu'il faut pour remettre les choses dans l'ordre.

Richard comprenait parfaitement le code d'honneur de Chandalen, où les notions de « responsabilité », d'« obligation » et de « devoir » jouaient un rôle prépondérant. Même si le chasseur et lui venaient de cultures très différentes, le Sourcier avait été élevé pour respecter ces critères moraux.

Au fond, leurs philosophies étaient-elles si éloignées que cela ? Ils portaient des vêtements qui ne se ressemblaient pas, c'était certain, mais n'avaient-ils pas le même cœur, les mêmes désirs, des espoirs identiques… et des angoisses très similaires ?

George Cypher, le père adoptif de Richard, et Zedd lui avaient enseigné bien des choses que les Hommes d'Adobe tenaient aussi pour des vérités premières. Par exemple, quand on faisait du mal, il convenait de le réparer coûte que coûte…

S'il était normal d'avoir peur – et nul n'aurait eu l'audace de s'en moquer ! –, fuir ses responsabilités était la pire attitude possible. Si involontaire que fût un acte, on l'avait commis, et il n'était pas question de se dérober devant ses conséquences. Il fallait combattre, et résoudre le problème…

Sans Richard, les Carillons n'auraient jamais envahi le monde des vivants. En le sauvant, Kahlan avait déjà provoqué la mort de plusieurs autres personnes. Elle non plus ne reculerait devant rien pour vaincre les Carillons. Ce n'était même pas la peine de lui poser la question.

— Chandalen, honorable ancien, je jure de ne pas avoir de repos tant que les Hommes d'Adobe et tous les autres peuples ne seront pas débarrassés des Carillons. Je renverrai ces monstres dans le royaume des morts, ou je mourrai en essayant.

Le chasseur eut un sourire plein de chaleur.

— Je savais qu'il serait inutile de te rappeler que tu as promis de protéger ton peuple. Mais te l'entendre dire me met du baume au cœur.

Exalté, Chandalen flanqua une formidable gifle au Sourcier.

— Que la force soit avec Richard Au Sang Chaud ! Puisse sa colère faire mourir de peur nos ennemis !

Alors qu'il massait sa mâchoire douloureuse, Richard vit du coin de l'œil que Kahlan et Du Chaillu revenaient. Aussitôt, il tourna le dos à Chandalen pour aller les rejoindre.

— Je n'ai jamais entendu parler d'un guide forestier aussi doué pour se mettre dans le pétrin, souffla Cara, qui marchait à ses côtés. Maintenant qu'elles ont fini de converser, vous pensez avoir toujours deux mariages sur les bras, ou deux divorces ?

— Un seul mariage me suffira, répondit Richard sans se formaliser de l'arrogance de la Mord-Sith.

Elle le taquinait pour alléger l'atmosphère, il le savait très bien.

— Si elles vous laissent toutes les deux tomber, je serai toujours là…

— Merci, mais je n'ai surtout pas besoin d'une quatrième épouse…

Kahlan et Du Chaillu marchaient côte à côte dans les hautes herbes. Au moins, Richard ne vit pas de sang sur leurs visages…

— Ton autre femme m'a convaincue de te parler, annonça la Baka Tau Mana.

» Richard le Sourcier, tu as de la chance de nous avoir !

L'heureux époux préféra ne pas ouvrir la bouche, histoire de se laisser le temps de ravaler les répliques mordantes qui brûlaient d'en sortir.

Chapitre 31

D u Chaillu alla voir les maîtres de la lame pour leur dire de s'asseoir et de prendre un peu de repos pendant qu'elle parlerait avec le Caharin.

Kahlan profita de ce répit pour enfoncer un index dans les côtes de Richard et le pousser en direction de leurs affaires.

— Va chercher une couverture, pour que Du Chaillu prenne place dessus…, souffla-t-elle.

— Pourquoi une des nôtres ? Ils en ont avec eux. Et quel besoin a-t-elle de s'asseoir pour me parler ?

— Vas-y, c'est tout ! chuchota Kahlan afin que personne d'autre ne l'entende. (Elle « caressa » de nouveau les côtes du Sourcier.) Au cas où tu n'aurais pas remarqué, elle est enceinte et rester debout doit lui être pénible.

— Et alors ? Je ne…

— Richard, tais-toi ! Quand tu veux imposer ta volonté à quelqu'un, lui accorder une petite victoire d'abord lui permet de conserver sa dignité et tout devient plus facile. Si tu préfères, j'irai prendre la couverture…

— Non, non… Je m'en charge…

— Tu vois, je viens de te faire le coup, et ça a marché ! Maintenant, file chercher cette fichue couverture !

— Du Chaillu aura sa petite victoire, et moi, rien du tout ?

— Toi, tu es un grand garçon ! Elle veut une marque d'attention pour te raconter son histoire. Le prix à payer est dérisoire. Ne relance pas une guerre que nous avons déjà gagnée pour le seul plaisir d'écraser ton adversaire.

— Mais elle…

— Je sais, ses propos étaient injustes. Nous en avons tous les deux conscience, et elle aussi. Mais elle se sentait blessée, et pas tout à fait à tort. Nous faisons tous des erreurs…

» Elle n'avait pas mesuré la gravité des menaces qui pèsent sur nous. Grâce à moi, elle veut bien faire la paix, si tu lui proposes une couverture… Cette femme aimerait que tu te montres courtois. Lui concéder ce petit plaisir ne te tuera pas !

Quand ils furent à côté de leurs affaires, Richard jeta un coup d'œil par-dessus son épaule. Du Chaillu parlait toujours aux autres Baka Tau Mana.

— Tu l'as menacée ? demanda le Sourcier pendant qu'il sortait une couverture de son sac.

— Oh que oui ! Sois gentil avec elle. Et ne crie pas, surtout ! Après notre petit entretien, ses oreilles doivent bourdonner.

Richard retourna sur ses pas, aplatit ostensiblement un carré d'herbe, déplia la couverture et la lissa avec une application qui arracha un sourire à Kahlan. Puis il posa une outre d'eau au milieu et tendit une main en direction de la femme-esprit.

— Du Chaillu, dit-il, incapable de l'appeler « mon épouse » – mais à peu près certain que ça ne gâcherait pas tout –, veux-tu venir t'asseoir et parler avec moi ? Ce que tu as à me dire est important, et le temps est précieux.

La femme-esprit étudia la façon dont Richard avait aplati l'herbe, puis examina la couverture. Apparemment satisfaite, elle s'assit en tailleur à un bout, le dos bien droit, le menton levé et les mains croisées sur les genoux. L'image même de la noblesse dont Richard savait qu'elle ne manquait pas.

Il repoussa sa cape couleur or derrière son épaule et prit place à l'autre bout de la couverture. Comme elle n'était pas bien grande, leurs genoux se touchaient presque…

Le Sourcier eut un galant sourire, saisit l'outre et la tendit à son interlocutrice. Alors qu'elle l'acceptait avec une grâce étudiée, il se souvint de leur rencontre. Un collier de fer autour du cou, Du Chaillu, nue et couverte de crasse, était enchaînée à un mur. Après des mois d'incarcération, elle empestait. Pourtant, elle lui avait paru d'emblée aussi « distinguée » qu'aujourd'hui, dans sa splendide robe de prière.

Alors qu'il tentait de la libérer, elle l'avait mordu, certaine qu'il voulait la tuer. À ce souvenir, il lui sembla sentir encore ses dents lui déchirer la chair…

Cette femme avait le don, il l'aurait juré, et cette idée le troublait profondément. Incapable de déterminer l'étendue de son pouvoir, il le voyait briller dans ses yeux. Ce regard sans âge, d'une infinie sagesse, ne le trompait jamais…

Verna avait tenté de tester Du Chaillu, mais tous ses sorts, au contact de la femme-esprit, avaient disparu comme des cailloux qu'on jette dans un puits. Consciente d'être mise à l'épreuve, la Baka Ban (à l'époque) Mana avait neutralisé les « sondes » de la Sœur de la Lumière.

Richard avait depuis longtemps compris que le pouvoir de Du Chaillu était plus prophétique que « pratique ». Si elle avait été capable d'influer magiquement sur le monde extérieur, les Majendies n'auraient pas pu la garder si longtemps en captivité. Et elle n'aurait pas eu besoin de mordre pour se défendre. Cela dit, elle pouvait neutraliser les sortilèges des autres, une forme de protection très répandue parmi toutes les variétés de magiciens…

Avec l'irruption des Carillons, le pouvoir de Du Chaillu était condamné à disparaître, si ce n'était pas déjà fait.

Avant de l'interroger, Richard attendit qu'elle ait fini de boire et lui ait rendu l'outre.

— Du Chaillu, j'ai besoin de…

— Demande d'abord des nouvelles de notre peuple !

Richard consulta du regard Kahlan, qui roula de gros yeux.

— Du Chaillu, je suis content de voir que tu te portes bien, et je te remercie d'avoir gardé cet enfant, comme je te l'avais conseillé. Élever un petit est une grande responsabilité, mais je suis sûr que celui-là te comblera de joie, et que ton enseignement fera de lui un être humain de qualité. Je sais aussi que mes paroles ont beaucoup moins influencé ta décision que celles qui montaient de ton cœur.

Richard n'eut pas besoin de se forcer pour paraître sincère, car il l'était jusqu'au fond de l'âme.

— Je regrette que tu aies dû abandonner tes autres enfants pour te lancer dans un long voyage, avec le seul but de me faire bénéficier de ta sagesse. Si ce n'était pas important, j'ai conscience que tu n'aurais pas couru de tels risques pour me retrouver.

Toujours insatisfaite, la femme-esprit attendit la suite. Décidé à jouer le jeu jusqu'au bout, Richard posa la question qu'elle exigeait d'entendre :

— Du Chaillu, me diras-tu comment vont les Baka Tau Mana, maintenant qu'ils sont enfin retournés chez eux ?

— Notre peuple est heureux de vivre sur sa terre natale, *Caharin*. Et c'est grâce à toi ! Mais nous en parlerons plus tard. À présent, tu dois savoir pourquoi je suis ici.

— Je suis impatient d'entendre ton récit, fit Richard avec un effort – qu'il espéra invisible – pour ne pas exploser.

Du Chaillu ouvrit la bouche, mais elle la referma et se rembrunit soudain.

— Où est ton épée ?

— Je ne l'ai pas avec moi…

— Pourquoi ?

— J'ai dû la laisser en Aydindril. Mais c'est une longue histoire, et…

— Sans ton arme, comment peux-tu être encore le Sourcier ?

— Le Sourcier de Vérité est une personne, expliqua – plus ou moins – patiemment Richard. Son arme est un outil, comme le sifflet dont tu t'es servie pour imposer la paix aux Majendies. Sans ma lame, je reste ce que je suis, comme toi, qui ne cesserais pas d'être une femme-esprit si tu perdais mon cadeau.

— Je n'aime pas beaucoup ça… Ton épée me plaisait beaucoup. Elle a coupé le collier qui me retenait prisonnière sans me détacher la tête des épaules. Tu devrais avoir ton arme.

Jugeant qu'il avait assez joué le jeu, surtout dans une situation aussi grave, Richard se pencha en avant et foudroya la femme-esprit du regard.

— Je la retrouverai dès que je serai en Aydindril ! Et j'étais en chemin quand nous nous sommes rencontrés. Moins je perdrai de temps à rester assis sur une couverture, et plus vite je serai à destination !

» Du Chaillu, je suis navré, mais le temps presse ! Ne t'offense pas, car j'ai peur que des innocents périssent. Oui, je crains pour la vie de personnes qui me sont chères ! Et les Baka Tau Mana en font partie. Alors, dis-moi au plus vite pourquoi tu es venue ! Des gens meurent, et nous avons déjà perdu des amis. Je dois tenter de bannir les Carillons, et l'Épée de Vérité peut m'y aider. Pour la retrouver, il me faut retourner en Aydindril. Peux-tu avoir la grâce d'accélérer un peu le mouvement ?

Du Chaillu eut un petit sourire, sans doute parce qu'elle appréciait les précautions oratoires de son mari. Puis elle se rembrunit, perdit toute son assurance et ressembla soudain à une petite fille effrayée.

— Mon époux, j'ai eu une vision de toi… Les femmes-esprit en ont parfois, et…

— Tant mieux pour toi, coupa Richard, mais je ne veux rien entendre !

— Quoi ?

— Tu as bien parlé d'une « vision » ?

— Oui.

— Eh bien, ça ne m'intéresse pas.

— Mais… tu… je… Enfin, c'est important !

— Les visions sont une forme de prophétie. Depuis toujours, les prédictions me mettent des bâtons dans les roues, et certaines ont failli avoir ma peau. Alors, merci beaucoup, mais tu peux garder ta vision pour toi !

— Les prédictions nous aident…

— Absolument pas !

— Si, parce qu'elles nous montrent la vérité.

— Pas plus que les rêves !

— Eux aussi peuvent montrer la vérité.

— C'est faux ! Les rêves et les visions ne veulent rien dire.

— Mais tu étais dans ma vision…

— Je m'en fiche, et je refuse d'en entendre parler !

— Tu brûlais, mon époux !

— J'ai parfois rêvé que je volais. Ça ne m'a pas fait pousser des ailes !

Du Chaillu écarquilla les yeux.

— Que tu volais, vraiment ? Comme un oiseau ? Je n'avais jamais entendu une chose pareille…

— Une fantaisie, comme ta vision… Rien de plus !

— Non, la mienne est vraie !

— Pas plus que mon rêve ! Et ce n'est pas pour ça que je monterais au sommet d'une falaise pour me jeter dans le vide en battant des bras. Je ne peux pas voler, Du Chaillu !

— Mais tu peux brûler.

Richard posa les mains à plat sur ses genoux et prit une grande inspiration.

— N'en parlons plus… Qu'y avait-il d'autre dans ta vision ?

— Rien.

— Rien ? Tu as rêvé que je brûlais, c'est tout ?

— Pas « rêvé », *vu* !

— Et tu as fait tout ce chemin pour me raconter ça ? Eh bien, c'était très gentil à toi, mais je dois partir, maintenant. Dis à ton peuple que le *Caharin* lui souhaite bonne chance. Et sois prudente sur le chemin du retour, surtout.

Richard fit mine de se lever.

— Tu n'as rien d'autre à me dire, je suppose ?

— Voir brûler mon mari m'a effrayée, avoua Du Chaillu d'une toute petite voix.

— Brûler ne m'amuserait pas beaucoup non plus…

— Et je détesterais que les flammes dévorent le *Caharin*.

— Il partage ton opinion, n'en doute pas. Ta vision disait-elle comment éviter ça ?

La femme-esprit baissa les yeux.

— Non...

— Tu vois, ces trucs-là ne servent à rien !

— Ils nous aident en nous prévenant...

Richard se gratouilla le front. À l'évidence, Du Chaillu cherchait à lui dire quelque chose de plus important... et de plus inquiétant. La vision était un prétexte, il l'aurait juré.

— Merci d'être venue me prévenir, dit-il d'un ton beaucoup plus doux. Je garderai ta vision en mémoire, au cas où elle pourrait m'aider.

La Baka Tau Mana releva les yeux, croisa le regard du Sourcier et hocha la tête.

— Comment m'as-tu trouvé ? demanda Richard.

— Tu es le *Caharin*, répondit Du Chaillu, son assurance et sa noblesse en partie retrouvées. Et moi, je suis la femme-esprit de mon peuple, la gardienne des anciens mots... et ton épouse.

Richard comprit sans peine. Du Chaillu était liée à lui, comme les D'Harans – et Cara. À l'instar de la Mord-Sith, la femme-esprit pouvait sentir où il était.

— Hier, j'étais à une journée de marche d'ici. Tu as bien failli me manquer. Commencerais-tu à avoir du mal à me localiser ?

Du Chaillu détourna le regard et baissa les yeux.

— Au début, il me suffisait de sonder l'horizon, le jour comme la nuit, pour pouvoir tendre un bras et dire : « Le *Caharin* est par là ! » Ces derniers jours, c'est devenu de plus en plus difficile.

— Avant de venir ici, il y a peu de temps, nous étions en Aydindril. Tu as dû entreprendre ce voyage il y a des semaines...

— Oui. Quand nous sommes partis, tu étais très loin au nord-est d'ici.

— Alors, pourquoi es-tu venue par là ?

— Quand j'ai commencé à te « sentir » de moins en moins bien, j'ai su que quelque chose de grave se passait. Ma vision m'incitait à te retrouver au plus vite, avant que tu sois perdu pour moi. Si j'avais continué vers le nord-est, tu n'aurais plus été là à mon arrivée. J'ai fait appel à mon pouvoir, quand il était encore presque intact, et suivi la direction que m'indiquaient mes visions.

» Vers la fin du voyage, j'ai senti que tu étais ici. Puis j'ai définitivement perdu le contact. Que devais-je faire, sinon continuer sur le même chemin ? Les esprits du bien ont exaucé ma prière, et nos routes se sont croisées...

— Je suis content qu'ils t'aient aidée. Tu es une femme de qualité qui mérite leur soutien.

— Et pourtant, mon mari ne croit pas à mes visions !

Richard prit de nouveau une grande inspiration.

— Mon père adoptif me répétait tout le temps de ne pas manger les champignons que je trouvais dans la forêt. Il me « voyait » choisir une espèce vénéneuse, m'empoisonner et mourir. Bien entendu, il ne voyait rien du tout, mais c'était une façon d'exprimer son inquiétude. Et de m'avertir de ce qui risquait d'arriver si je ne l'écoutais pas.

— Je comprends..., souffla Du Chaillu avec un petit sourire.

— As-tu eu une authentique vision ? C'est impossible à dire, tu le sais bien.

Souvent, il s'agit de possibilités... Des choses qui risquent d'arriver, si on est imprudent...

— Tu as raison... Parfois, les visions montrent des événements qui pourraient se produire, mais qui ne sont pas inscrits dans l'avenir.

Richard prit la main de la femme-esprit entre les siennes.

— Maintenant, dis-moi la véritable raison de ta venue.

Comme pour se rappeler des prières que son peuple transmettait aux esprits à travers elle, la Baka Tau Mana caressa les petites bandes de tissu qui pendaient sur sa robe.

— Mon peuple est heureux d'avoir retrouvé sa terre natale après si longtemps. C'est un pays merveilleux, comme le promettaient les antiques paroles. Le sol est fertile, le climat agréable, et c'est un endroit merveilleux où élever nos enfants. Un sanctuaire où nous pouvons être libres ! Nos cœurs se réjouissent à cette seule idée.

» Tous les peuples devraient avoir ce que tu nous as offert, *Caharin* ! Le droit de vivre comme on l'entend est la chose la plus précieuse du monde !

Une profonde tristesse passa dans les yeux de Du Chaillu.

— Tu n'as pas ce bonheur, dit-elle. Et les peuples du Nouveau Monde ne sont pas en sécurité. Parce qu'une grande armée avance vers eux...

— Jagang ! Tu as eu une vision ?

— Non, mon époux... Nous avons vu cette armée de nos yeux ! J'avais honte de te le dire, parce que nous avons eu si peur... Tu sais qu'il nous est difficile d'admettre que quelque chose nous effraie.

» Quand j'étais enchaînée dans ce trou puant, à attendre que les Majendies viennent me tuer, j'avais moins peur, parce qu'il s'agissait seulement de moi. Mon peuple ne risquait pas de mourir, et une nouvelle femme-esprit prendrait tôt ou tard ma place. Et si les Majendies avaient attaqué, je savais que les maîtres de la lame les auraient repoussés. En ce temps-là, je serais morte en pensant que les Baka Ban Mana me survivraient...

» Tu sais que nous nous entraînons chaque jour au combat, pour que personne ne puisse venir nous massacrer. Fidèles aux anciens mots, nous sommes prêts à lutter contre n'importe quel adversaire. Et aucun homme, à part le *Caharin*, n'est assez fort pour vaincre un de nos maîtres de la lame.

» Face à une armée pareille, même nos guerriers ne pourront rien. Quand elle fondra sur nous, ce sera la fin !

— Je comprends, Du Chaillu. Dis-moi ce que tu as vu.

— Je ne connais pas de mots pour décrire cela... Il y avait tant d'hommes, de chevaux, de chariots, d'armes... D'un bout à l'autre de l'horizon, on ne voyait que ces troupes, et elles sont passées devant nous pendant des jours et des jours. Trop d'hommes pour qu'on puisse les compter, comme il y a trop de brins d'herbe dans une plaine...

— Ta description est parfaite, hélas..., soupira Richard. Ces soldats n'ont pas attaqué ton peuple, si j'ai bien compris ?

— Non. Ils n'ont pas traversé notre terre natale. Mais nous savons qu'ils le feront un jour, parce que des hommes comme ceux-là ne laissent personne en paix. Ils prennent tout, c'est dans leur nature !

» Nos guerriers mourront, nos enfants seront égorgés, et nos femmes deviendront des objets de plaisir. Contre ces adversaires-là, nous n'avons aucune chance.

» Tu es le *Caharin* et les anciens mots imposent que tu saches les choses de ce genre. Devant toi, la femme-esprit des Baka Tau Mana a honte de montrer sa peur et d'avouer que son peuple est terrorisé. J'aimerais te dire que nous affronterons bravement la mort, mais c'est faux ! Nous tremblons, Richard le Sourcier !

» Tu ne peux pas comprendre, parce que le *Caharin* ignore la peur.

— Du Chaillu, il m'arrive souvent d'avoir peur ! s'écria Richard, stupéfait.

— Toi ? Jamais ! (La femme-esprit baissa de nouveau les yeux.) Tu dis ça pour que j'aie moins honte... Tu as combattu trente maîtres de la lame sans frémir, et tu les as vaincus. Seul le *Caharin* pouvait réussir cet exploit. Et il ne connaît pas la peur.

Richard prit Du Chaillu par le menton et la força à relever les yeux.

— J'ai combattu les trente maîtres de la lame, mais pas sans frémir, tu peux me croire ! J'étais terrifié, comme aujourd'hui, quand je pense aux Carillons et à la guerre qui nous attend. Reconnaître sa peur n'est pas une faiblesse, mon amie...

Du Chaillu sourit, touchée par ce qu'elle continuait à prendre pour de la délicatesse.

— Merci, *Caharin*...

— Donc, l'Ordre Impérial n'a pas tenté de vous attaquer ?

— Pour l'instant, nous sommes en sécurité... Je suis venue t'avertir, parce que cette armée se dirige vers le Nouveau Monde. Nous sommes trop insignifiants pour intéresser Jagang, et vous êtes la cible !

Richard acquiesça. Les soldats de l'Ordre allaient vers le nord pour attaquer les Contrées du Milieu.

L'armée du général Reibisch, forte d'une centaine de milliers d'hommes, marchait vers l'est pour surveiller les frontières des Contrées. L'officier avait demandé à Richard l'autorisation de ne pas retourner en Aydindril. Il entendait bloquer les cols et les passes qui menaient aux Contrées et sécuriser les voies de retraite vers D'Hara.

Le Sourcier avait jugé ce plan judicieux. Et voilà que les forces de Reibisch se trouvaient désormais sur le chemin de celles de Jagang. Cent mille hommes ne suffiraient peut-être pas à vaincre l'Ordre Impérial, mais les D'Harans, de féroces guerriers, seraient en mesure de ralentir l'avance de l'ennemi. D'autant plus qu'on pouvait envoyer des renforts à Reibisch, maintenant qu'on savait qu'il devrait se battre.

Jagang avait dans son armée des sorciers, des Sœurs de la Lumière et des Sœurs de l'Obscurité. Reibisch, lui, pouvait compter sur un fort contingent de Sœurs de la Lumière. Verna – la Dame Abbesse Verna, désormais – avait juré à Richard que ses subordonnées restées fidèles à la Lumière combattraient l'Ordre et ses alliés dotés de pouvoirs. Bien entendu, la magie faiblissait, mais celle du camp adverse ne serait pas épargnée par le phénomène. À part celle des Sœurs de l'Obscurité et de quelques sorciers capables d'invoquer la Magie Soustractive.

Comme Richard et les autres généraux en poste en Aydindril, Reibisch comptait sur la magie des Sœurs de la Lumière pour le renseigner sur les mouvements de l'armée ennemie. Avec cet avantage, les forces d'haranes auraient pu choisir leurs positions en ayant toujours un coup d'avance sur le camp adverse. Hélas, la magie disparaissait, et cette source d'informations devait être déjà tarie.

Du Chaillu et ses Baka Tau Mana étaient tombés à pic pour empêcher l'Ordre de lancer une attaque surprise…

— Ces nouvelles sont importantes, dit Richard, et elles nous aideront beaucoup. À présent, nous savons ce que fait Jagang. Cette armée n'a pas traversé ton pays, me disais-tu ?

— La colonne aurait dû faire un détour pour nous attaquer. Mais elle était si large qu'un de ses flancs nous a frôlés. Comme un hérisson qui plante ses épines dans le ventre d'un chien, nos maîtres de la lame ont fait en sorte que se frotter à nous soit très douloureux…

» Nous avons capturé quelques officiers chargés de conduire ces bêtes sauvages à l'assaut des Contrées. Pour le moment, nous ont-ils confirmé, les petits pays n'intéressent pas l'empereur, qui se concentre sur le gros gibier. Mais la horde maudite reviendra un jour pour balayer les Baka Tau Mana de la surface du monde.

— Ces hommes vous ont révélé leurs plans ?

— Tout le monde peut être loquace, quand on sait comment poser les questions. (Du Chaillu eut un petit sourire.) Les Carillons ne sont pas les seuls à utiliser le feu. Nous…

— Pas de détails ! s'écria Richard. J'ai compris l'idée générale…

— Nous avons aussi appris, en interrogeant ces hommes, que leur armée se dirige vers un pays où elle pourra se réapprovisionner.

Richard prit le temps de réfléchir à cette nouvelle de la plus haute importance.

— C'est logique… Jagang a dû lever cette armée il y a un moment, dans l'Ancien Monde, et les réserves ne sont jamais inépuisables… Ces soldats ont besoin de se nourrir, et piller le Nouveau Monde doit leur paraître une excellente idée. (Le Sourcier regarda Kahlan, debout derrière lui.) Selon toi, vers où vont-ils ?

— Il y a beaucoup de possibilités, répondit l'Inquisitrice. Ils peuvent piller tous les royaumes qu'ils traversent, et s'enfoncer ainsi de plus en plus profondément dans les Contrées. Comme une chauve-souris qui gobe des insectes en plein vol, en quelque sorte…

» Ils ont bien sûr une autre solution, qui consisterait à attaquer un pays aux immenses réserves. Les silos de Lifany, par exemple, regorgent de grain. Avec ses énormes troupeaux de moutons, Sanderia pourrait leur fournir toute la viande dont ils ont besoin. S'ils choisissent bien leurs cibles, leur approvisionnement sera assuré pour longtemps, et ils passeront à des objectifs plus directement stratégiques. Bien entendu, ce serait très mauvais pour nous… À leur place, j'opterais pour ce plan, parce qu'il leur permettrait de prendre l'initiative, et de nous forcer à adapter nos mouvements aux leurs.

— Le général Reibisch aura un rôle important à jouer…, dit Richard, réfléchissant tout haut. S'il barrait le chemin aux troupes de l'Ordre… Ou même s'il parvenait à les ralentir… Cela nous laisserait le temps d'évacuer les populations et les réserves avant l'arrivée de Jagang.

— Déplacer de tels stocks ne serait pas facile…, souffla Kahlan, qui pensait elle aussi tout haut. Si Reibisch surprend les troupes de Jagang et les ralentit, et que nous puissions envoyer des renforts pour attaquer sur les flancs…

— Quand nous fûmes bannis de notre terre natale par les sorciers, coupa Du

Chaillu, nous avons dû vivre dans les marécages. Quand il pleuvait au nord pendant des jours, la crue du fleuve inondait notre misérable territoire. Ces flots emportaient tout avec eux, et nous ne pouvions rien faire pour les en empêcher. On croit que c'est possible, mais on change d'avis quand on les voit déferler. Alors, il ne reste plus que deux options : se réfugier dans les collines ou mourir.

» C'est exactement pareil avec cette armée. Vous n'imaginez pas combien elle est puissante…

La terreur qui faisait vibrer la voix de la femme-esprit et celle qui voilait ses yeux firent frissonner le Sourcier. La Baka Tau Mana n'était pas en mesure de donner un chiffre, mais ça n'avait aucune importance. Il voyait la horde de soldats, comme s'il avait puisé cette image directement dans la tête de Du Chaillu.

— Merci de nous avoir apporté ces informations, mon amie. Tu as sans doute contribué à sauver des milliers de vies. Au moins, nous ne serons pas pris par surprise. Et c'est un très grand avantage.

— Le général Reibisch se dirige déjà vers l'est, rappela Kahlan, et cet élément-là joue plutôt en notre faveur. Mais il faut l'avertir au plus vite des derniers événements.

— Si nous suivons un chemin détourné pour rejoindre Aydindril, nous le rencontrerons, et nous déciderons avec lui de la marche à suivre. En plus, nous pourrons lui emprunter des chevaux. Au bout du compte, cela nous fera gagner du temps. Mais il est loin de nous, et le temps presse !

Après la terrible bataille contre le corps expéditionnaire de Jagang, que les D'Harans avaient écrasé, Reibisch avait décidé de filer vers l'est, pour bloquer les chemins d'accès aux Contrées du Milieu, voire à D'Hara. Car tout laissait penser que l'invasion commencerait là…

— Si nous prévenons le général de l'arrivée de Jagang, dit Cara, il enverra des messagers en D'Hara pour demander des renforts.

— Il contactera aussi Kelton, Jara, Grennidon et d'autres royaumes qui se sont déclarés prêts à combattre avec nous, ajouta Kahlan.

— Un très bon plan, approuva Richard, maintenant que nous savons où des renforts seront utiles. Mais j'aimerais que le voyage jusqu'en Aydindril ne soit pas aussi long !

— Tu es sûr que c'est si important que ça ? demanda Kahlan. Souviens-toi : nous n'avons pas affaire au Cabrioleur, mais aux Carillons.

— La mission dont nous a chargés Zedd ne sert sans doute à rien. Hélas, nous ne pouvons pas en être certains. Il a menti sur le monstre, mais peut-être pas sur les mesures urgentes à prendre…

— Nous risquons de succomber face à Jagang avant que les Carillons nous aient tués, soupira Kahlan. Et quand on est mort, qu'importe la manière dont on est passé de vie à trépas ? J'ignore pourquoi Zedd a voulu nous embrouiller l'esprit, mais la vérité nous aurait été plus utile.

— Nous devons aller en Aydindril ! trancha Richard. Il n'y a pas d'autre solution.

Car son épée l'attendait dans la Forteresse.

Comme Cara et Du Chaillu, qui étaient liées à lui, il avait avec l'Épée de Vérité une connexion qui ne cesserait pas tant qu'il resterait le Sourcier. Loin de l'arme, il avait l'impression d'être coupé d'une partie de lui-même.

— Du Chaillu, dit-il, quand cette armée est passée devant vous, en direction du nord...

— Quand ai-je dit qu'elle allait vers le nord ?

— Mais... Où pourraient se diriger ces soldats, sinon vers les Contrées, voire D'Hara ? Quel que soit leur objectif, ils doivent avancer vers le nord.

— Non, mon époux. Ils ont longé notre terre natale par son flanc sud, en restant le long du rivage. Puis ils ont continué à le suivre en direction de l'ouest.

— L'ouest ? répéta Richard, stupéfait.

— Du Chaillu, tu es sûre de ce que tu dis ? demanda Kahlan en s'agenouillant près du Sourcier.

— Certaine. Nous les avons espionnés, parce que ma vision indiquait que ces hommes étaient dangereux pour le *Caharin*. Certains prisonniers nous ont parlé de « Richard Rahl ». C'est pour ça que je suis venue te prévenir, mon époux. Ces chiens connaissent ton nom ! Tu as contrarié leurs plans, et ils te haïssent ! Voilà ce que nous avons appris.

— Quand tu m'as vu brûler, dans ta vision, les flammes pouvaient-elles symboliser la haine de ces soldats ?

Avant de répondre, Du Chaillu prit le temps de réfléchir à cette possibilité.

— Tu sais ce qu'est une vision, mon époux... Et tu as peut-être raison, car ces images ne doivent pas toujours être prises pour ce qu'elles semblent être. Parfois, elles nous avertissent d'un danger bien réel, et d'autres fois, elles le « symbolisent », comme tu as dit.

Kahlan tendit une main et tira sur la manche de la femme-esprit.

— Où vont ces soldats, Du Chaillu ? Tu crois qu'ils cherchent un endroit où bifurquer vers le nord, pour fondre sur les Contrées ? Des milliers de vies sont en jeu ! Sais-tu à quel moment ils prendront la direction du nord ?

— Ils ne bifurqueront pas ! insista la femme-esprit, surprise par le trouble de ses interlocuteurs. Ils suivront le rivage du lac dont les berges ne sont pas visibles.

— Tu veux dire l'océan ?

— Oui, je crois que c'est ce nom-là... Ils le suivront pour aller vers l'ouest. Les prisonniers ne savaient pas comment s'appelle le pays qu'ils devaient rallier, mais on leur a dit qu'ils y trouveraient beaucoup de nourriture.

— Par les esprits du bien ! soupira Kahlan. (Elle lâcha la manche de Du Chaillu.) Richard, nous avons de gros problèmes...

— Tu peux le dire, oui ! Le général Reibisch est très loin à l'est, et il avance dans la mauvaise direction.

— C'est encore pis que ça..., souffla Kahlan.

Elle tourna la tête vers le sud-ouest, comme si elle pouvait voir la destination finale de l'armée impériale.

— Bien sûr ! s'exclama Richard. L'Ordre avance vers le pays dont nous a parlé Zedd, près de la vallée de Nareef. Un royaume isolé dont l'agriculture est florissante. C'est ça ?

— Hélas, oui..., répondit Kahlan. Jagang fonce vers le grenier à blé des Contrées du Milieu.

— Toscla, se souvint Richard.

— Je n'aurais jamais cru que Jagang ferait un détour pareil, avoua Kahlan. Je le voyais foncer droit devant lui, pour ne pas nous laisser le temps d'organiser nos défenses.

— Je pensais comme toi, et le général Reibisch aussi. Le pauvre court monter la garde devant une porte que Jagang ne franchira pas !

» Au moins, ça nous laisse un répit, et nous savons où va l'Ordre Impérial. C'est déjà ça… Toscla !

— Zedd connaît un des anciens noms de ce royaume, qui en a changé souvent. Il s'est appelé Vengren, Vindice, Turslan, et je ne sais quoi encore. « Toscla » est tombé en désuétude depuis pas mal de temps…

— Vraiment ? demanda Richard, qui écoutait à moitié, trop préoccupé à dresser mentalement la liste des données dont ils devaient tenir compte. Et comment se nomme-t-il, aujourd'hui ?

— Anderith…

Le Sourcier sursauta.

— Anderith ? Pourquoi ? D'où vient ce nom ?

— D'un des pères fondateurs du royaume… Un certain Ander.

— Joseph Ander ? demanda Richard, blanc comme un linge.

— C'est ça, oui. Mais comment le sais-tu ?

— Tu te souviens du sorcier surnommé « la Montagne » ? Celui qui fut chargé de régler le problème des Carillons, selon Kolo… (Kahlan hocha la tête.) Eh bien, son vrai nom était Joseph Ander !

Chapitre 32

R ichard avait le sentiment que sa tête allait exploser. Alors qu'il cherchait une solution contre la menace venue du royaume des morts, il voyait défiler devant lui les hordes de soldats assoiffés de sang sortis de l'Ancien Monde.

— Du calme ! lança-t-il, une main levée pour empêcher tout son petit monde de parler en même temps. Un peu de discipline ! Et essayons de réfléchir sainement.

— Les Carillons risquent d'avoir dévasté le monde avant que Jagang ait conquis les Contrées du Milieu, dit Kahlan. Donc, ce sont eux le problème prioritaire. Richard, tu viens juste de m'en convaincre ! Le monde des vivants a besoin de la magie pour survivre *et* se défendre contre Jagang. Si nous n'avions plus que nos épées pour l'affronter, l'empereur adorerait ça !

» Nous devons aller en Aydindril. Comme tu l'as dit toi-même, Zedd n'a peut-être pas menti au sujet de la mission à accomplir dans la Forteresse. Si nous ne cassons pas la fameuse bouteille, nous risquons d'aider les Carillons à détruire la magie. Et si nous ne nous dépêchons pas, nous arriverons peut-être trop tard !

— Il faut que mon Agiel retrouve son pouvoir ! s'écria Cara. Sinon, je ne pourrai plus vous protéger efficacement. Donc, je vote aussi pour gagner Aydindril le plus vite possible.

Richard dévisagea tour à tour les deux femmes.

— Je crois que j'ai compris le message… Mais si Zedd nous a raconté des bobards du début à la fin, histoire de se débarrasser de nous, casser la bouteille ne servira à rien. N'oubliez pas qu'il a pu vouloir nous mettre en sécurité, tout simplement, avant de s'occuper seul du problème.

» Vous savez ce que fait un père quand il voit des étrangers à l'air hostile approcher de sa maison ? Il dit aux enfants de rentrer et d'aller compter les bûches dans le coffre à bois !

L'Inquisitrice et la Mord-Sith grimacèrent de frustration. Cette hypothèse ne pouvait pas être écartée…

— Cela dit, nous avons appris quelque chose d'important : Joseph Ander, le sorcier chargé de combattre les Carillons, fut aussi un des fondateurs d'Anderith. Zedd ignore cette information, qui change peut-être beaucoup de choses. Ça ne veut pas dire que nous devons aller en Anderith. Moi aussi, je brûle d'envie de rentrer en Aydindril. Mais j'ai peur, en le faisant, de laisser passer une chance… (Le Sourcier se massa le front.) Bref, je ne sais pas ce qu'il faut faire…

— Alors, choisissons Aydindril ! insista Kahlan. Là-bas, nous avons au moins une tâche à accomplir.

— Tu as sans doute raison… Joseph Ander peut avoir vaincu les Carillons à l'autre bout des Contrées, puis fondé Anderith des années plus tard, sans qu'il y ait un rapport entre les deux événements.

— Bien raisonné, approuva Kahlan. Alors, en route pour Aydindril, et espérons que nous vaincrons les Carillons !

— Une minute ! fit Richard. Je suis d'accord, mais à quoi bon obéir à Zedd, si sa « mission » est une fumisterie, comme son Cabrioleur ? Dans ce cas, nous n'aurons rien fait contre les *deux* menaces ! Il ne faut pas négliger cette possibilité…

— Seigneur Rahl, dit Cara, aller en Aydindril est utile dans tous les cas. En plus de casser la bouteille de Zedd, vous récupérerez votre épée… et le journal de Kolo. Berdine vous aidera à le traduire. Depuis notre départ, elle a dû avancer dans son travail, et des réponses nous attendent peut-être déjà. Sinon, vous aurez le journal, et vous saurez quoi chercher…

— Bien vu…, approuva Richard. Et je pourrai consulter d'autres ouvrages. Selon Kolo, les Carillons se sont révélés plus faciles à neutraliser que prévu…

— Mais tous les sorciers de cette époque contrôlaient la Magie Soustractive, rappela Kahlan.

Richard aussi avait le don soustractif, mais il le maîtrisait si peu que ça ne comptait pas. À part le pouvoir de l'épée, qu'il comprenait, il était un parfait ignare en magie.

— Les grimoires de la Forteresse contiennent probablement la solution au problème des Carillons, intervint Cara. Et qui sait, elle n'est peut-être pas si compliquée que ça ? Et s'il ne fallait même pas recourir à la Magie Soustractive ? (Elle croisa les bras, visiblement écœurée de devoir évoquer un sujet qu'elle abominait.) Il vous suffira peut-être de claquer des doigts, et tout s'arrangera !

— C'est vrai, dit Du Chaillu, qui n'avait pas saisi l'ironie de la Mord-Sith, tu es un grand magicien, Richard le Sourcier. Ce sera très facile, pour toi !

— Je crains que tu me surestimes, mon amie…

— Quoi qu'il en soit, trancha Kahlan, la meilleure solution est de rentrer en Aydindril.

Toujours hésitant, Richard ne fit pas de commentaires. Il aurait donné cher pour que prendre une décision ne soit pas si difficile. Mais il hésitait entre deux possibilités, et rien ne faisait pencher la balance d'un côté ni de l'autre.

Parfois, conscient que les habits du seigneur Rahl étaient trop grands pour lui, il rêvait d'en finir avec cette imposture et de rentrer chez lui. Après tout, il n'était qu'un guide forestier. Alors, pourquoi aurait-il dû tout savoir ? Quelqu'un ne pouvait-il pas venir et donner les réponses à sa place ?

Et il fallait en plus que Zedd ait menti comme un arracheur de dents ! Des milliers de vies étaient en danger parce qu'il avait cru malin de laisser les deux « jeunots » dans le brouillard !

Mais le vieux sorcier n'était pas le seul responsable. Si Richard s'était souvenu de Du Chaillu et lui en avait parlé, tout aurait pu être différent.

— Pourquoi ne veux-tu plus aller en Aydindril ? demanda Kahlan.

— Si seulement je le savais… Mais grâce à Du Chaillu, nous connaissons le plan de Jagang. Et s'il conquiert les Contrées du Milieu, nous serons fichus, Carillons ou pas !

» Imaginez qu'ils soient une menace moins grave que nous le pensons ! À long terme, je ne doute pas qu'ils seront nuisibles, mais combien de temps leur faudra-t-il pour affaiblir gravement la magie ? Des jours ? Des mois ? Des années ? Des siècles, peut-être !

— Richard, je ne te comprends plus ! Les Carillons font déjà des victimes. As-tu oublié Juni ? Le bébé mort-né ? Les deux Baka Tau Mana ? Nous devons les arrêter coûte que coûte ! Et c'est toi qui m'as forcée à regarder la réalité en face !

— Seigneur Rahl, dit Cara, je suis d'accord avec la Mère Inquisitrice. Continuons sur le chemin d'Aydindril !

— *Caharin*, demanda Du Chaillu en se levant, puis-je parler ?

— Bien entendu…, marmonna Richard, perdu dans ses pensées.

La femme-esprit ouvrit la bouche, sursauta, la referma, réfléchit quelques instants puis demanda :

— Cet empereur, Jagang, est-il un magicien ?

— En un sens, oui… Il a le pouvoir de s'introduire dans l'esprit des gens pour les contrôler. On l'appelle « celui qui marche dans les rêves ». À ma connaissance, son don se limite à ça.

— Une armée ne peut pas guerroyer longtemps sans le soutien de la population de son pays. Tu crois qu'il contrôle tous ceux qui combattent à ses côtés ou participent à l'effort de guerre ?

— Non, il ne peut pas manipuler autant de monde. Comme un maître de la lame pendant un combat, il doit choisir les cibles les plus importantes. Il s'en prend surtout à des magiciens, afin qu'ils mettent leur pouvoir à son service…

— Pour soumettre le peuple, je suppose ? Les sorciers et les sorcières tiennent à la gorge des milliers d'innocents, qui…

— Non, coupa Kahlan. La population soutient librement Jagang.

— Veux-tu dire que ces gens ont choisi d'avoir pour chef un homme aussi vil ?

— Pour régner, les tyrans ont besoin du consentement de leurs sujets.

— Alors, ceux que tu appelles des « sujets » sont aussi maléfiques que leur maître ?

— Non, ce sont des gens ordinaires. Comme des chiens lors d'un banquet, ils se massent autour de la table de la tyrannie et espèrent récupérer les miettes qui en tombent. Tout le monde n'est pas prêt à faire le beau pour plaire à un despote, mais les candidats ne manquent pas, s'il sait les faire saliver en leur instillant de la haine – et en leur donnant un noble prétexte pour assouvir leurs plus infâmes pulsions. La plupart des gens préfèrent voler ce qu'ils convoitent plutôt que de le mériter…

— Des chacals ! s'écria Du Chaillu.

— Exactement ! approuva Kahlan.

De plus en plus perturbée par ces révélations, la femme-esprit baissa les yeux.

— C'est encore plus horrible comme ça ! dit-elle. J'aurais préféré penser que ces gens étaient victimes de Jagang. Ou même possédés par le Gardien ! Mais savoir qu'ils suivent délibérément un tel monstre…

— Tu voulais dire quelque chose, rappela Richard à la Baka Tau Mana. Et j'aimerais l'entendre…

Du Chaillu croisa les mains et fit un effort pour se ressaisir. Sur son visage, le désarroi céda la place à une extrême gravité.

— Comme je l'ai déjà dit, nous avons épié cette armée pendant des jours, et fait des prisonniers. Bien entendu, cette colonne avance lentement, et nous avons eu tout le temps de voir comment se passent les choses.

» Chaque soir, le chef fait ériger pour ses catins et lui de grandes tentes très confortables. Les autres officiers supérieurs y ont également droit. Toutes les nuits, ces hommes festoient, et l'empereur se comporte comme un puissant monarque en voyage d'agrément.

» Des chariots pleins de femmes, consentantes ou non, suivent la troupe. À chaque halte, on laisse les soldats se repaître de leurs corps. Cette horde a soif de luxure autant que de conquête ! Même en campagne, les militaires de l'Ordre n'oublient pas le plaisir.

» Ils ont tout l'équipement possible, des centaines de chevaux de rechange et des troupeaux accompagnent la colonne, histoire de lui fournir de la viande à volonté. Une grande caravane de chariots transporte de la nourriture et une multitude de fournitures, des moulins à grain jusqu'à des ateliers complets de forgeron. Ils emportent avec eux des tables, des chaises, des tapis et même de la vaisselle fine qu'ils rangent dans des caisses pleines de copeaux de bois. Chaque soir, ils déballent tout ça et font de la tente de Jagang un véritable palais ambulant.

» Avec les pavillons et le reste, on dirait qu'une ville entière se déplace.

Du Chaillu fit un geste circulaire dans l'air, la main bien à plat.

— Cette armée coule dans les plaines comme un fleuve majestueux. Elle ne va pas vite, mais rien ne peut l'arrêter, et elle approche chaque jour un peu plus de sa destination. Oui, comme une ville en mouvement, pas très rapide, et pourtant toujours plus menaçante…

» Nous avons cessé d'espionner l'Ordre Impérial, parce que je voulais avertir rapidement le *Caharin*. Quand il le faut, les Baka Tau Mana vont aussi vite, à pied, que des messagers sur des étalons.

Pour avoir voyagé avec la femme-esprit, Richard savait que c'était de la vantardise – mais à peine ! Et quand il avait forcé Du Chaillu à monter sur un cheval, elle s'était indignée comme s'il s'agissait d'un animal maléfique…

— Alors que nous traversions la plaine, continua la Baka Tau Mana, en direction du nord-ouest, nous sommes arrivés devant les hautes murailles d'une grande cité.

— Renwold, dit Kahlan. C'est la seule ville importante du Pays Sauvage, dans les environs. Et ses murs d'enceinte sont immenses.

— Renwold, sûrement…, soupira Du Chaillu. En tout cas, cette cité avait reçu la… visite… des soldats de l'Ordre. (La femme-esprit blêmit, comme si d'horribles images lui revenaient en mémoire.) Je n'aurais jamais cru que des êtres humains puissent être aussi cruels avec leurs semblables. Même les Majendies ne feraient pas des choses pareilles…

Des larmes roulèrent sur les joues de Du Chaillu.

— Une boucherie ! Les vieillards, les enfants, les bébés… Et les femmes, livrées pendant des jours à…

La Baka Tau Mana éclata en sanglots. Quand Kahlan lui passa un bras autour des épaules, elle se blottit contre elle comme une enfant terrorisée.

— Je sais…, souffla l'Inquisitrice. J'ai traversé une ville aussi grande que Renwold, après le passage des bouchers de Jagang. Tout ce que tu as vu, je l'ai vu aussi…

» À Ebinissia, les soldats de l'Ordre ont tué tout le monde, mais ils se sont d'abord « amusés » avec les vivants. C'était atroce…

La femme qui dirigeait les Baka Tau Mana avec fermeté et courage – celle-là même qui avait supporté des mois d'indigne captivité, puis provoqué par devoir la mort de ses maris, et enfin pris tous les risques pour aider Richard à détruire les Tours de la Perdition – s'abandonna entre les bras de Kahlan et pleura comme une enfant.

Pudiques, les maîtres de la lame détournèrent le regard. Tout aussi délicats, Chandalen et ses chasseurs les imitèrent.

Richard aurait pourtant parié que rien au monde n'aurait pu contraindre Du Chaillu à pleurer en public.

— Nous n'avons trouvé qu'un survivant…, dit-elle entre deux sanglots. Un homme…

— Comment s'en est-il tiré vivant ? demanda Richard, très sceptique. Il vous l'a dit ?

— Le pauvre délirait… Il implorait les esprits du bien de lui rendre sa famille, et criait sans cesse que tout ça était sa faute. Oui, il demandait pardon à tout le monde, et surtout à la tête décomposée d'un enfant, dont il refusait de se séparer. Il lui parlait, vous comprenez, comme si elle avait encore pu l'entendre…

— Cet homme avait-il de longs cheveux blancs ? demanda Kahlan d'une voix étranglée par l'émotion. Et portait-il un manteau rouge avec des galons d'or sur les épaules ?

— Tu le connais ? s'étonna Du Chaillu.

— C'est l'ambassadeur Seldon. Il n'a pas survécu à l'attaque, parce qu'il était en Aydindril quand elle a eu lieu. (L'Inquisitrice se tourna vers son mari.) Je lui ai demandé de se joindre à nous, et il a refusé, car il pensait, comme le Conseil des Sept, que son pays, Mardovia, deviendrait vulnérable s'il s'alliait à l'un des deux belligérants. Pour lui, la neutralité était un gage de sécurité.

— Et que lui as-tu dit ? demanda Richard.

— Qu'il n'y aurait pas de spectateurs dans cette guerre. Tes propres mots, en somme. J'ai ajouté que j'avais décidé d'écraser l'Ordre Impérial, et que je pensais comme toi : Mardovia serait avec nous, ou contre nous. Enfin, je l'ai prévenu que l'Ordre verrait les choses de la même façon.

» Richard, je lui ai prédit le destin de Renwold, sa capitale, mais il n'a rien voulu entendre, même quand je l'ai imploré de penser à sa famille. Pour lui, les siens ne risquaient rien à l'abri des murailles de la ville…

— Je ne souhaite à personne de recevoir une telle leçon, dit le Sourcier.

— Et moi, gémit Du Chaillu, j'espère que ce n'était pas la tête d'un de ses enfants…

Richard posa une main réconfortante sur le bras de son amie.

— Nous comprenons ta réaction, lui assura-t-il. L'Ordre sème la terreur pour démoraliser ses futurs adversaires, et les inciter à se rendre. Voilà pourquoi nous le combattons sans merci.

La femme-esprit releva les yeux.

— Alors, va aider le peuple d'Anderith ! Ou au moins, envoie quelqu'un le prévenir ! Que tous les gens fuient avant l'arrivée des bouchers, pour échapper au massacre que j'ai vu à Renwold. Ces malheureux doivent savoir, et fuir le plus loin possible !

Du Chaillu se dégagea de l'étreinte de Kahlan et s'éloigna pour aller pleurer loin de tous les regards.

— Anderith ne nous a pas encore juré allégeance, je crois ? demanda Richard à sa femme. Mais ce pays a des représentants en Aydindril, et ils connaissent notre position ?

— Oui, répondit Kahlan. Les émissaires anderiens ont été prévenus, comme ceux des autres pays. Ils savent que les Contrées du Milieu ont vécu, et qu'ils doivent abdiquer leur souveraineté en faveur de l'empire d'haran.

« L'empire d'haran »… Ces mots semblaient si terribles. Et un guide forestier convaincu d'être un imposteur le dirigeait au moment où une guerre totale se préparait…

— Il y a peu, dit Richard, je redoutais que D'Hara sème la terreur dans tout le Nouveau Monde. Et aujourd'hui, ce royaume est notre seul espoir !

— Richard, ton empire n'a rien de commun avec celui de Darken Rahl, à part le nom. Beaucoup de gens savent que tu luttes pour leur liberté, pas pour les réduire en esclavage. À présent, c'est l'Ordre Impérial qui incarne la tyrannie…

» Anderith connaît les conditions, comme tous les autres pays. En cas de ralliement volontaire, ce peuple deviendra un égal parmi des égaux, et il sera gouverné par des lois équitables. Les émissaires savent qu'il n'y aura pas d'exception, et il n'ignore rien des sanctions et des conséquences auxquelles s'expose tout pays qui nous tourne le dos.

— Les dirigeants de Renwold étaient également informés. Et ils ne nous ont pas crus…

— Tout le monde ne désire pas voir la vérité en face. Nous devons nous y résigner, et nous concentrer sur les royaumes qui partagent nos convictions et sont désireux de combattre pour la liberté. Richard, tu ne peux pas compromettre une juste cause – et sacrifier des innocents – pour sauver ceux qui désirent rester sourds et aveugles. Cela reviendrait à trahir tous ceux qui t'ont fait confiance, et dont tu es responsable.

— Tu as raison…, souffla le Sourcier. (Il pensait la même chose, mais l'entendre de la bouche de Kahlan le réconfortait.) Anderith a une armée puissante ?

— Oui, mais ce n'est pas l'élément central de sa défense. Les Dominie Dirtch protègent ce pays.

Bien que ce nom évoquât du haut d'haran, Richard ne parvint pas à le traduire, sans doute parce qu'il était trop préoccupé par d'autres problèmes.

— C'est une arme ? Qui pourrait nous servir contre l'Ordre ?

— Une arme magique, oui… Grâce à elle, Anderith est depuis toujours invincible. Ce peuple s'était allié aux Contrées pour trouver des débouchés commerciaux, pas pour des raisons militaires. De ce point de vue, il a toujours été autonome.

» Tu te doutes que les relations n'ont pas toujours été faciles… Mais j'ai réussi, comme les Mères Inquisitrices précédentes, à forcer ces gens à respecter mon autorité et celle du Conseil. Pour ça, il a fallu de temps en temps les menacer d'acheter du grain ailleurs… Cela dit, les Anderiens, très fiers par nature, continuent à se sentir différents des autres… et supérieurs.

— C'est leur avis, mais pas le mien, et encore moins celui de Jagang ! Alors, qu'en est-il de cette arme ? Pourra-t-elle arrêter l'Ordre Impérial ?

— Depuis des siècles, elle n'a jamais été utilisée à grande échelle. Mais je crois pouvoir répondre par l'affirmative. En principe, elle décourage tous les agresseurs. Au moins, en temps normal… Depuis le dernier grand conflit, elle a surtout servi à aplanir des différends mineurs.

— Comment fonctionne-t-elle ? demanda Cara.

— Les Dominie Dirtch forment une ligne défensive le long de la frontière qui sépare Anderith du Pays Sauvage. Ce sont de grosses cloches, disposées loin les unes des autres, mais à portée de vue. Elles veillent sur toute la zone frontalière…

— Des cloches ? répéta Richard, très surpris. Comment peuvent-elles protéger un pays ? Tu veux dire qu'elles sonnent pour avertir la population ? Et appeler les troupes au combat ?

Kahlan brandit un index professoral, histoire d'empêcher son mari de s'engager sur une mauvaise voie. Zedd avait le même tic, avec en plus un sourire supérieur qui donnait à son petit-fils le sentiment de retomber en enfance. L'Inquisitrice ne le reprenait pas comme un vulgaire garnement – elle l'éduquait pour de bon, parce que sa connaissance des Contrées était des plus lacunaires.

— Ce n'est pas ce genre de cloche…, dit Kahlan. Mais on les appelle ainsi à cause de leur forme. Ce sont d'énormes blocs de pierre couverts de mousse au fil des siècles. D'antiques monuments, si tu préfères… Mais terriblement dangereux.

» Quand on les voit de loin, elles évoquent l'épine dorsale de quelque monstre géant dont le squelette a blanchi au soleil.

— Elles sont si grandes que ça ?

— Elles reposent sur des socles de pierre larges de neuf ou dix pieds et hauts de six ou sept. Quelques marches conduisent à la Dominie Dirtch, qui mesure environ dix pieds. La face arrière de ces cloches est ronde comme un bouclier, ou comme le déflecteur d'une lampe murale. Quand un ennemi approche, les soldats placés derrière chaque Dominie Dirtch la frappent avec un marteau spécial au manche très long. Elles émettent alors un son très profond, un peu comme un glas. En tout cas, c'est ce que disent les hommes postés derrière. Car aucun agresseur n'a jamais survécu pour décrire ce qu'on entend de l'autre côté…

— Et que fait ce « glas » aux soldats adverses ? demanda Richard, de plus en plus étonné.

— Il les pulvérise !

— C'est une légende, d'après toi ? J'ai peine à croire que…

— J'ai vu le résultat, le jour où des primitifs venus du Pays Sauvage ont lancé une attaque pour se venger du mal qu'un militaire anderien avait fait à une de leurs femmes. (Kahlan secoua tristement la tête.) C'était affreux… Des ossements ensanglantés au milieu d'une bouillie rougeâtre où on distinguait encore des cheveux et des lambeaux de vêtements. J'ai reconnu un bout de phalange, parce qu'il portait toujours un ongle, mais c'est tout. Sans ça, j'aurais eu du mal à savoir si j'avais vraiment les restes d'un être humain devant les yeux.

— Maintenant, il n'y a plus de doute, ces armes sont magiques ! dit Richard. Quelle est leur portée ? Et leur puissance ?

— Une fois activées, les Dominie Dirtch tuent tous ceux qui se dressent devant elles, aussi loin qu'un œil humain peut voir. Et les envahisseurs n'ont pas le temps de faire plus de deux pas avant que leur peau explose. Puis leurs muscles se détachent de leurs os et leurs organes se déversent de leur cage thoracique. Il n'y a pas de défense, et aucun moyen de fuir.

— Et si l'ennemi tente une attaque de nuit ?

— Dans ces plaines, les sentinelles peuvent voir à des lieues devant elles, et, la nuit, des torches brûlent le long de toute la frontière. De plus, une tranchée, devant la ligne de défense, interdit toute intrusion furtive. Tant que des sentinelles surveillent le terrain, il est impossible de passer. En tout cas, il en est ainsi depuis des millénaires.

— Et si une énorme force attaquait ?

— Pour ce que j'en sais, les Dominie Dirtch ne se soucient pas du nombre tant qu'il y a derrière elles des soldats pour les faire « sonner ».

— Alors, si l'Ordre…, commença Richard.

— Je sais à quoi tu penses, coupa Kahlan, mais n'oublie pas que la magie se délite. Compter sur les Dominie Dirtch pour arrêter Jagang serait de la folie !

Richard tourna la tête vers Du Chaillu, qui pleurait toujours, à demi dissimulée dans les hautes herbes.

— Tu m'as dit qu'Anderith a une armée puissante…

— Richard, tu as promis à Zedd d'aller en Aydindril !

— C'est vrai, mais je n'ai pas précisé quand !

— C'était sous-entendu…

— Faire un petit détour ne reviendrait pas à avoir menti.

— Richard…

— Et si Jagang avait décidé d'envahir Anderith parce qu'il sait que la magie faiblit ?

— Ce serait une mauvaise nouvelle pour nous, mais les Contrées ont d'autres sources d'approvisionnement…

— Imagine que l'empereur n'ait pas choisi ce pays uniquement à cause de problèmes d'intendance ? Comme Zedd et Anna, ses sorciers ont sûrement remarqué la défaillance de la magie. Rien ne nous dit qu'ils n'en ont pas identifié la cause. Dans ce cas, Jagang entend peut-être saisir l'occasion de conquérir une terre réputée invincible. Ensuite, s'il parvient à bannir les Carillons…

— Comment saurait-il qu'ils sont responsables ? Et même s'il l'avait découvert, les vaincre ne sera pas plus simple pour lui que pour nous.

— Il a dans ses rangs des sorciers formés au Palais des Prophètes. Des hommes, et des femmes aussi, puisqu'il détient des Sœurs de la Lumière et de l'Obscurité, qui ont étudié les grimoires, dans les catacombes. Des centaines d'années de lecture, Kahlan ! Comment mesurer l'étendue de leurs connaissances ?

— Tu crois qu'ils pourraient venir à bout des Carillons ?

— Je n'en sais rien… Mais s'ils en sont capables, voire s'ils trouvent la solution après avoir envahi Anderith, pense aux conséquences ! L'armée de Jagang, infiltrée dans les Contrées et protégée par les Dominie Dirtch ! Nous n'aurions aucun espoir de la déloger.

» L'empereur lancerait à son gré des raids ou des attaques massives que nous ne pourrions pas anticiper, faute d'avoir la possibilité de surveiller les frontières d'Anderith. En revanche, les espions de l'Ordre auraient beau jeu d'épier les mouvements de nos troupes.

» Jagang nous harcèlerait sans relâche, certain de ne rien risquer dès que ses forces se replieraient derrière les Dominie Dirtch. Avec un peu de stratégie et beaucoup de patience, il lui suffirait de guetter l'instant propice pour lancer un assaut décisif, à l'instant où nos troupes seraient trop dispersées pour réagir. Ensuite, il s'enfoncerait dans les Contrées, et nous en serions réduits à lui coller aux basques, comme une meute de chiens.

» S'il parvient à se réfugier derrière les Dominie Dirtch, le temps jouera pour lui. Qu'importe s'il doit attendre une semaine, un mois ou un an ? Et même une décennie, s'il faut cela pour que nous ayons relâché notre vigilance…

— Par les esprits du bien !…, soupira Kahlan. Mais ce sont des hypothèses, Richard ! Et elles ne valent rien si Jagang n'est pas en mesure de bannir les Carillons.

— Je sais, mais il faut tenir compte de toutes les possibilités. Nous devons prendre une décision – et risquer de tout perdre si nous nous trompons !

— Sur ce point, tu as absolument raison…

Richard regarda de nouveau la femme-esprit, qui semblait prier, désormais.

— Il y a des livres en Anderith ? Par exemple une grande bibliothèque ?

— Oui. On l'appelle « la grande bibliothèque de la Civilisation ».

— S'il existe une réponse, pourquoi serait-elle nécessairement en Aydindril, dans le journal de Kolo ? Et si elle nous attendait dans cette bibliothèque ?

— En admettant que la solution soit mentionnée dans un livre… Richard, je sais que tout cela est troublant, mais nous avons des responsabilités à assumer. L'avenir de nations entières est en jeu. S'il faut en sacrifier une pour sauver les autres, ça ne me plaira pas, mais je le ferai sans hésiter.

» Zedd nous a ordonné d'aller en Aydindril pour résoudre le problème. Je sais qu'il a arrangé la vérité à sa sauce, mais, fondamentalement, ça ne change rien. Si lui obéir peut neutraliser les Carillons, nous devons le faire ! C'est notre devoir, parce que des milliers d'innocents dépendent de nous.

— Je sais…

Parfois, le fardeau des responsabilités devenait écrasant. En réalité, ils auraient dû pouvoir aller à deux endroits différents en même temps.

— Kahlan, il y a dans cette affaire quelque chose qui me perturbe, et je ne parviens pas à définir quoi. Et je deviens fou en pensant aux morts que nous aurons sur la conscience, si nous nous trompons.

— Je partage ton angoisse, souffla Kahlan en posant une main sur le bras du Sourcier.

Mais il se dégagea et se détourna.

— Il faudrait que je puisse consulter ce fichu livre, *Le Jumeau de la montagne* !

— Anna nous a répondu qu'il a été détruit... Verna le lui a dit dans son livre de voyage.

— Et du coup, je suis coincé... (Richard se retourna.) Tu as dit « livre de voyage » ? Tu sais que ces carnets noirs permettent aux sœurs de communiquer quand elles sont séparées de leurs collègues ?

— Bien entendu !

— Des sorciers ont fabriqué ces artefacts pour elles, à l'époque de l'Antique Guerre.

— Exact. Et alors ?

— Les livres de voyage fonctionnent par paire. On peut uniquement envoyer des messages au *jumeau* de celui qu'on possède.

— Richard, je ne vois pas...

— Imagine que les sorciers en aient eu aussi ? La Forteresse en envoyait sans cesse aux quatre coins du monde. Comment ceux qui restaient en Aydindril étaient-ils informés si vite de tout ce qui se passait ? Comment coordonnaient-ils les différentes missions ? Et s'ils avaient tout bêtement utilisé des livres de voyage ? Après tout, ces sorciers-là ont jeté le sort qui protégeait le Palais des Prophètes et créé les carnets noirs pour les sœurs !

— Je ne comprends toujours pas.

— *Le Jumeau de la montagne,* Kahlan ! Et si c'était un livre de voyage ? Et justement, le « jumeau » de celui de Joseph Ander !

Chapitre 33

K ahlan en resta sans voix.
Richard lui posa une main sur l'épaule et la serra très fort.
— Et si l'autre carnet, celui de Joseph Ander, n'avait pas été détruit ?
— On peut supposer qu'il serait pieusement conservé en Anderith…
— Et comment ! Ces gens vénèrent Ander au point d'avoir utilisé son nom pour baptiser leur pays. S'il existe encore, ils doivent tenir ce livre de voyage pour une relique !
— C'est possible, mais pas certain…
— Que veux-tu dire ?
— Parfois, une personne n'est pas appréciée à sa juste valeur de son vivant. La reconnaissance peut venir beaucoup plus tard, et uniquement pour servir les intérêts de dirigeants sans scrupules. Dans ces cas-là, tout ce qui peut donner accès à la véritable pensée du « grand homme » devient gênant, et il n'est pas rare qu'on s'en débarrasse plus ou moins discrètement.

» Même si je me trompe, et que les Anderiens vénèrent pour de bon ton sorcier, le pays a changé de nom après que Zedd eut quitté les Contrées. C'est très récent, Richard ! J'ai connu des cas où le « penseur fondamental » était un objet d'adoration parce qu'il ne restait aucun témoignage de sa philosophie. Adorer un symbole est beaucoup moins exigeant que se référer à une pensée structurée et contraignante. Crois-moi, toutes les traces du passage de Joseph Ander en ce monde doivent être effacées depuis des lustres.

Déconcerté par cette impeccable logique, Richard se frotta pensivement le menton.

— Il y a une autre inconnue, dit-il après une assez longue réflexion. Les messages qui s'inscrivent dans un livre de voyage peuvent être effacés pour faire de la place aux nouvelles communications. Même si j'ai raison, et qu'Ander ait vraiment envoyé à la Forteresse un compte rendu contenant la solution du problème des Carillons, ça risque de ne pas nous être utile, si ce passage a été supprimé pour permettre l'envoi d'un autre texte. Cela dit, c'est la seule piste que nous ayons, alors…

— Non, ce n'est pas la seule ! rappela Kahlan. Un autre chemin, beaucoup plus sûr, conduit en Aydindril, où une mission nous attend dans la Forteresse du Sorcier.

Richard se sentait pourtant irrésistiblement attiré par l'éventuel héritage de Joseph Ander. S'il avait eu une preuve qu'il s'agissait d'un mauvais tour de son imagination, il aurait volontiers renoncé. Mais là…

— Kahlan, je sais que…

Il se tut, tous les poils de la nuque hérissés et la peau douloureuse comme si on y enfonçait des centaines d'aiguilles de glace. Doucement gonflée par la brise, sa cape claqua soudain comme un fouet, sans raison apparente. Sur ses bras, il sentit monter la chair de poule.

Un frisson glacé courut le long de son échine. Celui qu'il sentait chaque fois que le mal rôdait autour de lui…

— Que se passe-t-il ? demanda Kahlan.

Sans répondre, Richard se détourna et sonda la plaine, les entrailles nouées par l'angoisse. À perte de vue, les hautes herbes ondulaient sous la caresse du vent. Dans le lointain, des éclairs zébraient toujours les profondeurs des nuages noirs. Même s'il n'entendait pas le tonnerre, le Sourcier sentait vibrer la terre sous ses pieds.

— Où est Du Chaillu ? demanda-t-il.

— Je l'ai vue partir par là il y a quelques minutes, dit Cara, qui montait la garde à quelques pas des deux jeunes gens.

Richard plissa les yeux, mais il ne vit rien.

— Pourquoi s'est-elle éloignée ?

— Elle avait tant pleuré… Je suppose qu'elle voulait s'isoler pour se ressaisir, ou pour prier…

Jusque-là, le Sourcier avait vu la femme-esprit. Depuis…

Il appela Du Chaillu, sa voix se perdant dans l'immensité de la plaine. La deuxième fois, il cria plus fort, et n'obtint pas davantage de réponse.

Alarmés, les maîtres de la lame se levèrent et improvisèrent une battue.

Richard partit dans la direction où il avait vu pour la dernière fois la Baka Tau Mana. Kahlan et Cara le suivirent à travers les hautes herbes. Affolés par le silence de leur femme-esprit, les guerriers couraient à présent en tous sens.

Comme si elles cherchaient à se moquer d'eux, les hautes herbes ondulaient pour leur donner de l'espoir, mais ce devait être le vent, ou des animaux, puisque Du Chaillu restait introuvable.

Puis Richard aperçut sur sa droite une forme sombre qui l'intrigua. Il bifurqua dans cette direction, pataugea dans un marécage puant, retrouva la terre ferme un instant, traversa une nouvelle flaque d'eau boueuse…

… Et aperçut Du Chaillu, étendue sur le ventre comme si elle dormait, sa robe de prière remontée jusqu'aux genoux.

Son visage reposait dans une flaque profonde d'à peine quelques pouces.

Richard courut, sauta par-dessus la Baka Tau Mana pour ne pas la piétiner, fit demi-tour, la saisit par les épaules et la retourna sur le dos.

Les yeux morts de la femme-esprit se rivèrent sur le ciel. Dans son regard, Richard reconnut l'étrange convoitise qu'exprimait celui de Juni, quand il avait découvert son cadavre.

— Non ! cria Richard en secouant la Baka Tau Mana. Du Chaillu, je t'ai vu vivante il y a quelques minutes ! On ne meurt pas comme ça ! Tu m'entends ! On ne meurt pas comme ça !

La femme-esprit ne répondit pas. Elle ne dirait jamais plus rien, car elle n'appartenait plus à ce monde.

Quand Kahlan lui posa sur l'épaule une main réconfortante, le Sourcier sursauta, s'écarta et hurla de rage.

— Elle était vivante il n'y a pas dix minutes, dit Cara. J'en suis sûre !

— Je sais ! rugit Richard. Par les esprits du bien, je le sais ! Si j'avais compris ce qui se passait !

Accablé, il se prit le visage à deux mains. Mais la Mord-Sith lui saisit les poignets et le força à écarter les bras.

— Seigneur Rahl, son esprit est peut-être encore dans son corps…

Autour des trois jeunes gens et du cadavre, les maîtres de la lame et les Hommes d'Adobe tombaient à genoux les uns après les autres.

— Cara, souffla Richard, il n'y a plus rien à faire. C'est fini…

— Seigneur Rahl…

— Elle ne respire plus, mon amie. Du Chaillu est morte.

— Denna ne vous a donc rien appris ? Pourtant, les Mord-Sith enseignent toujours à leurs prisonniers la façon de partager le souffle de la vie.

Richard détourna la tête pour ne plus croiser le regard de sa protectrice. Prendre la douleur d'une personne de cette manière-là était un cauchemar. Le souvenir que Cara venait d'éveiller en lui le terrorisait presque autant que la mort brutale de Du Chaillu.

Les Mord-Sith partageaient le souffle de leurs « petits chiens » quand ils étaient aux portes de la mort. Un rituel sacré qui leur permettait de jouir de l'angoisse du moribond, et de jeter un coup d'œil sans danger, mais parfaitement illicite, sur le royaume glacé qui s'étendait de l'autre côté du voile. Quand le moment d'exécuter un prisonnier venait, les Mord-Sith en profitaient pour s'offrir par procuration une excitante expérience de la mort.

Avant que Richard tue Denna, elle lui avait demandé de recueillir en lui son dernier soupir. Pour lui rendre hommage, il avait accepté…

— Cara, ça n'a aucun rapport avec…

— Rendez-le-lui !

— Pardon ? De quoi parles-tu ?

La Mord-Sith écarta sans ménagement son seigneur, s'agenouilla près de Du Chaillu et lui posa sa bouche sur les lèvres.

Richard la regarda, horrifié. N'avait-il donc pas réussi à instiller plus de respect pour la vie dans le cœur de ces femmes ?

Le spectacle lui souleva le cœur. Contraint de revivre le plus atroce moment de son existence, il crut vomir en voyant Cara, qu'il croyait avoir aidée à changer, retomber dans les ignominies de son passé. Son avidité à entrer en contact avec la mort prouvait qu'elle ne s'était pas détachée de son conditionnement – et qu'elle ne s'en libérerait probablement jamais. Ainsi, il avait échoué, même sur ce terrain-là ?

La Mord-Sith pinça le nez de Du Chaillu et lui souffla dans la bouche.

Fou furieux, Richard tendit les bras pour l'écarter du cadavre.

Mais il n'alla pas jusqu'au bout de son geste. Quelque chose dans le comportement de Cara – peut-être sa fébrilité, si peu typique chez les femmes comme elle – lui suggéra qu'il interprétait les choses de travers. Une main sous la tête de la femme-esprit, et l'autre lui pinçant toujours le nez, Cara continuait à souffler, et la poitrine de la morte se soulevait, puis retombait dès que la Mord-Sith inspirait.

Rouge de colère, un maître de la lame se leva pour intervenir, puisque le *Caharin* semblait y avoir renoncé.

Richard saisit le poignet de Jiaan, le retint et secoua lentement la tête. À contrecœur, le Baka Tau Mana recula de quelques pas.

— Richard, souffla Kahlan, que croit-elle donc faire ? C'est grotesque ! Obscène, même ! Tu crois que c'est un rituel funéraire d'haran ?

Cara continuait, inlassable.

— Je n'en sais rien… Mais en tout cas, ce n'est pas ce que je pensais.

— Et à quoi pensais-tu donc, par les esprits du bien ?

Richard ne répondit pas. Pour rien au monde, il n'aurait décrit avec des mots l'atroce moment qu'il avait vécu près de Denna, quand il lui avait traversé le torse avec son épée.

Devant eux, Cara s'acharnait toujours sur le cadavre.

Le Sourcier détourna les yeux. Quoi que la Mord-Sith fasse – ou s'imagine faire – il n'était pas décent de regarder…

Au fond, Kahlan avait peut-être raison, avec son hypothèse d'un rituel funéraire… Au moins, il l'espérait !

Le voyant tituber, Kahlan prit la main de son mari.

À cet instant, quelqu'un toussa, puis émit d'étranges gargouillis, comme quand on recrache de l'eau.

Richard leva les yeux et vit que Cara tournait Du Chaillu sur le côté. Alors que la femme-esprit s'étranglait toujours, elle lui tapa plusieurs fois entre les omoplates – comme pour faire roter un bébé, mais beaucoup plus violemment.

Du Chaillu vomit. S'agenouillant, Richard écarta sa longue crinière noire pour qu'elle ne la souille pas.

— Cara, comment as-tu fait ça ? Bon sang, elle était morte !

La Mord-Sith tapa de nouveau dans le dos de la Baka Tau Mana, qui cracha encore de l'eau.

— Seigneur, Denna ne vous a pas appris à partager le souffle de la vie ?

— Oui, mais ce n'était pas…

La femme-esprit s'accrocha au bras du Sourcier et continua à se vider les poumons. Richard lui caressa les cheveux, afin de lui indiquer qu'ils étaient tous solidaires de son combat. Une pression sur son bras lui apprit que Du Chaillu le savait.

— Cara, demanda Kahlan, comment l'as-tu ressuscitée ? C'est de la magie ?

— De la magie, moi ? ricana la Mord-Sith. Sûrement pas ! Son esprit n'avait pas encore quitté son corps. Parfois, ça laisse une chance de sauver une personne. Mais il faut agir vite, quand on veut rendre à quelqu'un le souffle de la vie.

Autour de la miraculée, les maîtres de la lame parlaient en gesticulant comme des marionnettes. Ils venaient d'assister à un événement qui donnerait sans doute naissance à une légende. Leur femme-esprit était revenue du royaume des morts !

— Tu peux… rendre… le souffle de la vie à quelqu'un ? demanda Richard, stupéfait.

Kahlan s'agenouilla près de Du Chaillu et lui murmura des paroles d'encouragement. Même si elle continuait à cracher de l'eau et à tousser, la femme-esprit, si blême fût-elle, respirait de mieux en mieux.

L'Inquisitrice prit la couverture que lui tendait un chasseur et la posa sur les épaules de Du Chaillu, qui tremblait comme une feuille.

Cara se pencha pour chuchoter à l'oreille de Richard :

— Quand Denna vous a torturé, comment vous a-t-elle gardé en vie si longtemps, d'après vous ? Pour ça, elle n'avait pas d'égale, vous savez ? Je devine ce qu'elle vous a infligé, et si elle ne vous avait pas aidé, vous seriez mort avant qu'elle ait estimé en avoir fini avec vous. Mais vous deviez cracher du sang, pas de l'eau…

Richard se souvint des flots de sang qu'il avait régurgité, comme s'il s'était noyé dans un fleuve de fluide vital. Darken Rahl appréciait Denna parce qu'elle était la meilleure. Une Mord-Sith capable de garder en vie un « sujet » bien plus longtemps que toutes ses collègues. Et il venait de découvrir comment elle s'y prenait.

— Mais je n'aurais jamais cru…

— Cru quoi, seigneur ?

— Qu'une chose pareille soit possible après la mort d'une personne.

Considérant la merveille qu'elle venait d'accomplir, Richard n'eut pas le cœur de dire à la Mord-Sith qu'il l'avait crue reprise par ses anciens démons.

— Tu as fait un miracle, mon amie, et je suis très fier de toi !

— Seigneur, arrêtez de me regarder comme si j'étais un esprit du bien en visite dans notre monde. Toutes les Mord-Sith savent faire ça. Toutes ! (Elle prit Richard par le col et le tira tout près d'elle.) Et vous aussi ! Denna vous l'a appris, j'en suis sûre ! Vous auriez réussi aussi bien que moi !

— J'en doute, Cara. Si j'ai pris le souffle de la vie, je ne l'ai jamais… donné.

Cara lâcha le col de son seigneur.

— C'est la même chose, en sens inverse…

Du Chaillu posa sa tête sur les genoux de Richard, qui recommença à lui caresser les cheveux.

La Baka Tau Mana s'accrocha à sa ceinture, à sa chemise, puis à sa taille, comme s'il était une bouée de sauvetage.

— Mon époux, dit-elle entre deux quintes de toux, tu m'as arrachée à l'étreinte de la mort.

Kahlan tenant déjà une main de la femme-esprit, il lui prit l'autre et la posa sur la jambe gainée de cuir rouge de la Mord-Sith.

— C'est à Cara que tu dois ton retour parmi nous, Du Chaillu. Elle t'a rendu le souffle de la vie.

La main de la Baka Tau Mana remonta lentement le long du cuir et vint serrer celle de la Mord-Sith.

— L'enfant du *Caharin* est sauvé… Je te dois deux vies, Cara. Merci ! Le petit de Richard vivra grâce à toi !

Le Sourcier estima que ce n'était pas le moment de polémiquer sur une affaire de paternité.

— Ce n'était rien… Le seigneur Rahl aurait pu s'en charger, mais j'étais plus près, alors…

Cara serra brièvement la main de Du Chaillu, puis elle la lâcha et s'écarta pour laisser les maîtres de la lame, éperdus de gratitude, entourer leur femme-esprit.

— Merci, Cara, répéta Du Chaillu.

La Mord-Sith parut vaguement ennuyée que tant de gens s'ébaubissent de l'avoir vue agir avec altruisme.

— Nous sommes tous contents que ton esprit n'ait pas quitté ton corps. Ainsi, tu as pu revenir parmi nous, et l'enfant du seigneur Rahl aussi…

Chapitre 34

Les maîtres de la lame et presque tous les chasseurs s'occupaient de Du Chaillu. Après son bref séjour dans le royaume des morts, ou au moins sur son seuil, la femme-esprit des Baka Tau Mana était glacée jusqu'à la moelle des os. Les couvertures ne suffisant pas à la réchauffer, Richard avait autorisé les hommes à faire un feu, s'ils restaient groupés pour réduire les risques.

Pendant que deux chasseurs creusaient un trou dans un carré de terre qu'ils avaient débroussaillé, les autres confectionnaient des gerbes d'herbe très serrées. Après les avoir essorées à mains nues, ils en enduisirent quatre d'une poix résineuse dont ils emportaient toujours quelques pots avec eux, puis les disposèrent en pyramide. Dès que le feu eut pris, ils passèrent les autres gerbes dessus pour les sécher, puis les jetèrent dans les flammes.

Plus blême qu'un cadavre, Du Chaillu était toujours très malade. Mais au moins, elle vivait, et sa respiration s'améliorait de minute en minute. Ses guerriers lui avaient fait boire une infusion de plantes médicinales et les Hommes d'Adobe, aux petits soins pour la miraculée, lui préparaient une bouillie à base de tava. Selon toute probabilité, la femme-esprit se remettrait et resterait encore longtemps dans le monde des vivants.

Richard s'émerveillait de penser qu'un être humain pût ressusciter. S'il n'avait pas été témoin de cette scène, il aurait sans doute refusé d'y croire. Cet événement extraordinaire avait bouleversé sa façon de voir le monde – sans parler de ses croyances.

À présent, il n'avait plus aucun doute sur ce que ses compagnes et lui devaient faire…

Les bras croisés, Cara regardait les hommes qui s'occupaient de Du Chaillu. Kahlan faisait de même, aussi stupéfaite que son mari et les autres témoins, à l'exception de la Mord-Sith. Pour elle, voir une morte revenir à la vie n'avait rien de stupéfiant. Décidément, ces femmes avaient une façon bien à elles de considérer l'existence.

Richard prit le bras de Kahlan et la tira doucement vers lui.

— Tout à l'heure, quand tu parlais des Dominie Dirtch, tu as dit : « En tout cas, il en est ainsi depuis des millénaires. » Faut-il comprendre que quelqu'un a pu jadis traverser la frontière malgré la ligne de défense ?

— C'est un sujet très controversé, et personne n'a de certitude. Enfin, à l'extérieur d'Anderith…

Depuis que Du Chaillu avait évoqué ce royaume, Richard aurait juré qu'il ne comptait pas parmi les préférés de la Mère Inquisitrice.

— Que veux-tu dire ?

— C'est une longue histoire…

Richard sortit trois morceaux de pain de tava et en distribua deux à ses compagnes.

— Je t'écoute.

Pour se donner le temps de structurer son exposé, Kahlan grignota distraitement son tava.

— Le pays actuellement nommé « Anderith » fut jadis envahi par les Hakens. Les Anderiens affirment aujourd'hui que leurs agresseurs utilisèrent les Dominie Dirtch pour les vaincre.

» Les sorciers de la Forteresse m'ont raconté une version très différente de ce conflit. Mais c'est normal, puisqu'il remonte à des millénaires. Et comme tu le sais, l'histoire change en fonction de celui qui la raconte. Par exemple, l'Ordre Impérial ne verrait pas le massacre de Renwold de la même façon que nous…

— J'aimerais entendre parler du passé d'Anderith, dit Richard. Vu par les sorciers, de préférence…

— Eh bien, allons-y, dans ce cas ! Il y a deux ou peut-être trois mille ans, les Hakens ont surgi du Pays Sauvage pour envahir Anderith. On suppose qu'ils venaient d'une terre très lointaine où ils ne pouvaient plus vivre pour des raisons que nul ne connaît. Parfois, il suffit qu'un fleuve change de cours à cause d'une inondation ou d'un tremblement de terre. Ou qu'une sécheresse s'installe et rende les champs improductifs…

» Quoi qu'il en soit, et selon ce qu'on m'a enseigné, les Hakens réussirent à franchir la ligne de Dominie Dirtch. Ne me demande pas comment, parce que personne ne le sait ! Ils essuyèrent de lourdes pertes, mais ils réussirent à traverser la frontière puis à conquérir le pays.

» Les Anderiens étaient des nomades dont les nombreuses tribus passaient leur temps à guerroyer les unes contre les autres. Ils ignoraient l'écriture, la métallurgie et l'architecture, et leurs structures sociales se réduisaient à un minimum. Bref, comparé aux envahisseurs, il s'agissait d'un peuple primitif. N'en déduis pas qu'ils manquaient d'intelligence ! Mais les Hakens étaient beaucoup plus développés qu'eux sur presque tous les plans.

» Leurs armes aussi se révélèrent supérieures. Par exemple, ils avaient une cavalerie, et faisaient montre d'une bien meilleure compréhension des impératifs stratégiques. Quant à leur hiérarchie, elle était clairement déterminée, alors que les Anderiens se disputaient pour savoir qui commanderait leurs forces. C'est en partie pour ça que les Hakens, quand ils eurent franchi la ligne de défense, écrasèrent sans peine leurs adversaires.

— Un peuple guerrier et conquérant, dit Richard en tendant une outre à Kahlan. Des prédateurs, en quelque sorte...

L'Inquisitrice but, puis essuya l'eau qui avait dégouliné sur son menton.

— Non, les Hakens n'agissaient pas pour s'approprier un butin et réduire les vaincus en esclavage. Ils n'étaient pas des rapaces !

» Ils ont apporté avec eux des trésors de connaissances techniques et scientifiques. Pour l'époque, ils étaient hautement cultivés, avec une compréhension très avancée des mathématiques, qu'ils utilisaient dans des domaines pratiques comme l'architecture.

» L'agriculture était leur point fort, et ils faisaient déjà tirer leurs charrues par des bœufs ou des chevaux alors que les Anderiens, des chasseurs, complétaient leur alimentation en recourant à la cueillette ou, au mieux, à ce qu'on pourrait appeler du « jardinage ». Les Hakens ont mis en place un système d'irrigation et introduit le riz dans leur nouvelle patrie. Pour tirer parti du climat et de la nature du sol, ils savaient sélectionner les meilleures sortes de céréales – par exemple le blé – et rationaliser la production. Experts en croisement et en élevage de races de chevaux, ils appliquaient ces techniques au bétail...

Kahlan rendit l'outre à Richard et mangea encore un peu de tava.

— Comme c'est souvent le cas après une conquête, les Hakens régnèrent en vainqueurs, et leur mode de vie supplanta celui des Anderiens. Sous la domination des grands seigneurs hakens, le pays connut enfin la paix. Très durs mais pas sanguinaires, les nouveaux maîtres ne massacrèrent pas la population d'origine, comme le font trop de conquérants. Au contraire, ils accordèrent une place dans leur société aux Anderiens. Tout en bas de l'échelle, pour commencer – mais ça, tu t'en serais douté tout seul.

— Si je comprends bien, tu affirmes que les Anderiens ont bénéficié des lois et des coutumes hakennes ?

— Sur beaucoup de plans, oui... Sous le règne des grands seigneurs hakens, l'agriculture et l'élevage se développèrent à pas de géant, et les deux peuples prospérèrent. Les Anderiens, qui n'avaient jamais été très nombreux – et presque toujours menacés d'extinction – purent croître et se multiplier.

Entendant Du Chaillu tousser comme une perdue, les deux jeunes gens se retournèrent. Richard se baissa, fouilla dans son sac et en sortit un des sachets que Nissel leur avait donnés. Il contenait des feuilles séchées de la variété qu'elle lui avait fait mâcher pour qu'il souffre moins d'une blessure.

Kahlan désigna un autre sachet, rempli de feuilles broyées censées lutter contre la nausée.

Richard le prit et le donna à Cara.

— Dis aux hommes d'en mettre dans sa tisane, et de laisser infuser un moment. Ça calmera ses maux d'estomac. Précise à Chandalen que c'est un médicament de Nissel. Il l'expliquera aux maîtres de la lame, et ils ne s'inquiéteront pas. (Il posa l'autre sachet dans la paume de la Mord-Sith.) Ensuite, qu'elle mâche une de ces feuilles. Si elle continue de souffrir, elle pourra en prendre une autre, mais pas avant deux ou trois heures.

Cara courut vers le cercle d'hommes qui entouraient la Baka Tau Mana. Même si elle ne l'aurait pas reconnu, y compris sous la torture, la Mord-Sith était ravie de porter secours à une personne en détresse – et qui lui devait la vie, par-dessus le marché !

— Si tu me racontais la suite ? dit Richard à Kahlan. Tout s'est bien passé entre les Hakens et les Anderiens, heureux de se convertir à la civilisation ? Un monde d'amour et de fraternité ?

Il avait de sérieux doutes, mais sa femme ne parut pas capter son ironie.

— C'est à peu près ça, oui… Avec l'arrivée des Hakens, les conflits tribaux cessèrent. Et ils faisaient plus de victimes parmi les Anderiens que n'en causa la guerre de conquête… En tout cas, c'est ce qu'affirmaient les sorciers qui m'ont raconté cette histoire.

Et qui semblaient la tenir des Hakens, ne put s'empêcher de penser Richard.

— De plus, les Hakens apportèrent aux Anderiens un système juridique cohérent, continua Kahlan. Ne t'y trompe pas, je ne prétends pas qu'il était parfait, voire authentiquement équitable, mais il valait mieux que la loi du plus fort en vigueur jusque-là dans le pays. Et quand ils eurent en somme « converti » les Anderiens à leur mode de vie, les Hakens leur apprirent à lire.

» Sans doute primitifs, mais pas idiots pour autant, les Anderiens surent tirer parti de cette situation. On peut même dire qu'ils firent montre d'une remarquable aptitude à s'adapter.

— Alors, pourquoi ce pays ne s'appelle-t-il pas Terre des Hakens, ou quelque chose dans ce genre ? Si j'ai bien suivi, la majorité de la population est hakenne.

— J'y arrive, un peu de patience… Selon les sorciers, une fois que les Hakens se furent installés en Anderith, leur système juridique s'améliora nettement.

— Des envahisseurs qui amènent avec eux la justice ? s'étonna Richard.

— Les civilisations se développent lentement, Richard. C'est un phénomène très progressif, et le mélange des ethnies y joue un rôle prépondérant. Les conquêtes ont souvent des résultats que les envahisseurs eux-mêmes n'attendaient pas. Quand on raisonne sur des siècles – voire des millénaires – il faut tenir compte d'une multitude de paramètres qui…

— N'empêche, coupa le Sourcier, prendre la terre d'un peuple et le forcer à…

— Pense à D'Hara ! l'interrompit à son tour Kahlan. Sous le joug de Darken Rahl, la torture et le meurtre étaient monnaie courante. Depuis qu'un conquérant – toi ! – a pris le pouvoir, la justice est de retour dans le pays !

Richard ne pouvait guère contredire Kahlan sur ce point. Cependant, il n'était pas à court d'arguments.

— D'accord, mais c'est un cas très particulier. Je continue de trouver injuste qu'un peuple en envahisse un autre et détruise sa civilisation. Le monde ne peut pas fonctionner systématiquement comme ça.

— Qui a parlé de « systématiquement » ? Mais toutes les civilisations ne se valent pas, hélas. Défendrais-tu le droit à l'existence de l'Ordre Impérial ?

— Là, tu marques un point ! Cela dit, il ne me semble pas que les Anderiens aient eu, à l'époque, l'intention de conquérir le monde pour le réduire en esclavage…

— Richard, nous ne parlons pas de morale ! Tu veux connaître l'histoire d'un pays, et je te la raconte telle qu'on me l'a transmise. Au cas où tu l'aurais oublié, ce n'est pas moi qui l'ai faite !

— Un point de plus…, concéda le Sourcier.

Cependant, il continuait à estimer injuste – d'instinct sans doute – l'idée qu'une civilisation dotée de sa propre histoire et de ses traditions soit ainsi balayée d'un revers de la main. Mais, comme le soulignait Kahlan, ce n'était pas vraiment leur propos, aujourd'hui…

— Pour résumer, la culture anderienne cessa d'exister, conclut-il. Que disais-tu, au sujet du système juridique haken ?

— Bien qu'ils fussent des conquérants, les Hakens accordaient une grande valeur à la notion d'« équité ». Pour eux, elle était le fondement de toute société prospère et paisible.

» Au fil des siècles, les générations successives d'« envahisseurs » concédèrent de plus en plus de droits aux Anderiens. Un jour, comme c'était souhaitable, les deux peuples devinrent de parfaits égaux. Puis la tendance s'inversa – au moins psychologiquement – parce que les Hakens, ayant développé une vision du monde très semblable à la nôtre, commencèrent à se sentir coupables de ce que leurs ancêtres avaient infligé aux Anderiens…

Kahlan marqua une courte pause.

— Un sentiment très noble, mais peut-être un peu facile, quand des siècles ont passé, et que le contexte a radicalement changé. Pour comprendre les actes de ceux qui nous ont précédés, ne faut-il pas essayer de se représenter les conditions dans lesquelles ils vivaient ?

Une question dont Richard aurait été incapable de donner la réponse…

— Quoi qu'il en soit, ce fut le début de la chute des Hakens. N'ayant jamais cessé de rêver de vengeance, les Anderiens prirent le pouvoir, et les anciens maîtres devinrent les nouveaux esclaves.

Un des chasseurs vint apporter aux jeunes gens deux morceaux de pain de tava chaud fourrés de bouillie. Richard et Kahlan les acceptèrent avec reconnaissance, et l'Inquisitrice remercia l'Homme d'Adobe dans sa langue.

— Maintenant, fit Richard quand il eut fini de manger, dis-moi comment le système juridique des Hakens, en devenant plus équitable, les a conduits à l'esclavage. Désolé, mais quelque chose m'échappe…

Enveloppée dans une couverture, Du Chaillu, vit-il du coin de l'œil, refusait obstinément de manger. Agenouillée à côté d'elle, Cara s'efforçait de lui faire boire un peu d'infusion.

— Ce n'est pas la seule cause de la dégringolade des Hakens. Il y en eut bien d'autres, mais celle-là fut probablement décisive, et c'est pour ça que je la mentionne. Pour que des rapports de force s'inversent ainsi dans une société, il faut des centaines d'années.

» L'essentiel est de savoir que les Anderiens, assoiffés de pouvoir comme presque tous les autres peuples, réussirent un jour à s'en emparer.

— Les Hakens étaient des conquérants – dominateurs par nature ! Comment ont-ils basculé soudain dans la soumission ?

— Il n'y eut pas de « soudain », Richard ! Quand les Anderiens eurent acquis un statut d'égalité, ils s'en servirent pour miner de l'intérieur le pouvoir des Hakens.

» Une fois intégrés à la société, ils y firent leur chemin. Au début, en participant activement à la vie économique, puis en créant des guildes professionnelles qui devinrent de plus en plus puissantes. Quand ils passèrent à la politique, ce fut bien entendu en commençant dans les conseils de petites communes... Une étape après l'autre, sans jamais se précipiter...

» Surtout, ne me comprends pas mal ! Les Anderiens travaillaient dur, eux aussi ! Mais sans les lois hakennes, ils n'en auraient pas tiré les mêmes fruits que leurs anciens maîtres.

» Très doués pour les affaires, ils devinrent vite une puissance financière incontournable. Les Hakens, eux, avaient tendance à vivre sur leurs acquis, comme si leur domination devait durer jusqu'à la fin des temps...

» Les Anderiens prirent aussi une place prépondérante dans l'éducation. Quasiment dès le début, les Hakens avaient jugé qu'ils pouvaient se décharger de cette tâche sur les vaincus, et se concentrer sur des affaires plus importantes. Les Anderiens s'occupèrent d'abord de la formation des enfants, puis ils passèrent à celle des futurs professeurs et en vinrent très vite à déterminer le contenu des cours.

— Une tragique erreur des Hakens, je parie ?

— Et tu ne te trompes pas ! En plus de la lecture et des mathématiques, les enfants du pays, comme ceux de tous les autres, suivaient des cours d'histoire et acquéraient une culture générale, afin de mieux comprendre leur place dans leur patrie.

» Les Hakens voulaient que tous les futurs citoyens apprennent un mode de vie d'où seraient exclues la guerre et la conquête. En insistant sur la brutalité des anciens envahisseurs, aux dépens des nobles Anderiens, ils espéraient que les professeurs formeraient des individus hautement civilisés capables de respecter les autres. Au contraire, la culpabilité instillée dans la tête des jeunes mina la cohésion de la société hakenne – et l'autorité du gouvernement, bien entendu.

» Puis survint une catastrophe naturelle qui accéléra les choses. Une sécheresse terrible, longue de plus de dix ans... Et les Anderiens saisirent cette occasion pour chasser les Hakens du pouvoir.

» Toute l'économie reposait sur la production de blé. Les fermes périclitèrent, et les paysans furent incapables de délivrer aux exportateurs les récoltes qu'ils leur avaient déjà payées. Pour survivre en ces temps difficiles, les marchands exigèrent le remboursement de ces avances. Dans le processus, beaucoup de fermiers perdirent leurs terres et leurs résidences...

» Si le gouvernement avait exercé un certain contrôle sur la vie économique, la panique aurait pu être évitée. Mais les dirigeants hakens ne voulaient surtout pas déplaire aux financiers anderiens, devenus leurs bailleurs de fonds.

» Bientôt, la situation s'envenima. Il y eut des émeutes provoquées par la famine, et la ville de Fairfield fut même entièrement brûlée. Les Anderiens et les Hakens cédant à une violence aveugle, le chaos s'installa dans le pays. À cette époque, pas mal de gens s'exilèrent, convaincus que ça ne pouvait pas être pis ailleurs.

» Les Anderiens, souvent très riches, achetèrent de la nourriture à l'étranger. Étant les seuls à en avoir les moyens, ils devinrent rapidement le seul espoir de survie de la nation.

» Ils achetèrent à bas prix les fermes et les entreprises en faillite. Leur argent

– et bien entendu les vivres qu'ils payaient avec – évita que des familles entières meurent faim.

» Alors, les Anderiens jugèrent que l'heure de leur vengeance avait sonné.

» Dans les rues, les émeutiers accusaient le gouvernement de tous les malheurs qui frappaient le pays. Comme tu t'en doutes, les Anderiens jetaient de l'huile sur le feu partout où ils le pouvaient, allant jusqu'à soutenir financièrement les insurgés. Des dirigeants hakens furent plus d'une fois mis à mort en pleine rue devant des foules que ce spectacle ravissait.

» La colère de la population se focalisa sur les élites intellectuelles et politiques hakennes. Et ce phénomène n'épargna pas les Hakens « du commun », qui étaient souvent de simples ouvriers ou des paysans. Durant les émeutes, toute la classe dirigeante hakenne fut impitoyablement éliminée.

» Et ce que les foules ne parvinrent pas à saccager, les Anderiens le sabotèrent en usant de leur puissance financière. En peu de temps, il ne resta rien de l'ancienne prospérité des Hakens.

» Les Anderiens prirent alors le pouvoir et ramenèrent l'ordre en distribuant des vivres aux émeutiers affamés, qu'ils appartiennent à l'une ou l'autre ethnie. Quand la sécheresse cessa, ils régnaient d'une main de fer sur le pays. Et avec les mercenaires qu'ils avaient pris la précaution d'engager, nul n'était plus en mesure de contester leur domination.

Depuis un moment, Richard en avait oublié de manger. Incapable d'en croire ses oreilles, il écoutait Kahlan lui raconter l'histoire la plus invraisemblable qu'il eût jamais entendue. Et pourtant, elle devait être plus ou moins vraie...

— Les Anderiens inversèrent tout. Sous leur joug, le blanc devint le noir, et réciproquement. En vertu du comportement indigne de leurs ancêtres, ils décrétèrent que les Hakens n'auraient plus le droit de juger leurs anciens esclaves. En revanche, après des siècles et des siècles de souffrance, les Anderiens, annoncèrent-ils, étaient hautement qualifiés pour décider de ce qui était juste ou injuste.

» Plus personne n'osa mettre en doute les histoires qui dénonçaient la cruauté des antiques conquérants. Afin de prouver qu'ils avaient changé – et d'éviter d'être taillés en pièces par les mercenaires – les Hakens se soumirent volontairement à l'autorité des Anderiens.

» Privés de pouvoir depuis longtemps, ceux-ci se montrèrent impitoyables.

» D'abord, on interdit aux Hakens l'accès à toute fonction importante. Puis on leur retira le droit de porter un nom de famille – ou « nom d'honneur », selon la terminologie encore en vigueur – sauf s'ils se montraient assez utiles ou valeureux pour obtenir une dérogation.

— Ces populations ne s'étaient donc pas mélangées ? demanda Richard pendant que l'Inquisitrice reprenait son souffle. Après si longtemps, elles auraient dû devenir un seul et même peuple.

— Depuis le début, les Anderiens, tous très grands et dotés de cheveux noirs, tenaient les unions avec les Hakens – reconnaissables à leur tignasse rousse – pour un crime contre le Créateur. Selon eux, dans Sa grande sagesse, il a donné la vie à des êtres différents les uns des autres... et qui doivent le rester. Si tu préfères, s'ils acceptent qu'on croise les animaux, il n'est pas question, pour eux, qu'on fasse de même avec les êtres humains. Il a bien dû y avoir quelques exceptions à cette règle, mais elles ne furent pas nombreuses…

Richard finit de manger son morceau de tava, désormais aussi froid que le précédent.

— Et aujourd'hui, demanda-t-il quand il eut avalé, comment vont les choses en Anderith ?

— Puisque seuls les opprimés – autrement dit, les Anderiens – peuvent être vertueux, ils se sont réservé le droit de régner. Ils affirment que l'oppression hakenne n'a toujours pas cessé, et un seul regard de travers, selon eux, prouve que la haine des anciens maîtres du pays est toujours aussi vivace. Et bien qu'ils soient aujourd'hui franchement malmenés, les Hakens ne peuvent pas être d'authentiques opprimés, puisqu'ils sont corrompus de naissance.

» La loi interdit qu'ils apprennent à lire, car se cultiver pourrait les aider à reprendre le pouvoir, au risque qu'ils brutalisent, voire massacrent de nouveau les Anderiens. Ce qu'ils ne manqueraient pas de faire, selon ces derniers, à cause de leur nature irrémédiablement corrompue. Pour ne pas perdre de vue qu'ils sont des monstres, les Hakens, toute leur vie, assistent à des « réunions de repentance ». En Anderith, il est désormais gravé dans le marbre que les Anderiens doivent régner sur les Hakens et les traiter durement.

» Mais ne perds pas de vue un détail, Richard ! Je te répète ce que m'ont enseigné les sorciers. La version des Anderiens est radicalement différente. D'après eux, après des siècles de tyrannie, leur noble peuple, grâce à son courage et à sa probité, est parvenu à reprendre le pouvoir à des usurpateurs. Et pour ce que j'en sais, ils ont peut-être raison…

Les poings sur les hanches, Richard n'en croyait toujours pas ses oreilles.

— Le Conseil des Contrées a permis qu'un peuple en réduise un autre en esclavage ? demanda-t-il.

— Les Hakens ne se sont pas révoltés. Sans doute parce que leurs professeurs, tous anderiens, les avaient convaincus qu'ils ne méritaient pas un meilleur sort.

— Et le Conseil s'est accommodé de ce déni de justice ?

— N'oublie pas que les Contrées étaient une alliance de pays *souverains* ! Les Inquisitrices intervenaient pour interdire les dérives trop flagrantes des gouvernements. Par exemple, nous n'avons jamais toléré les assassinats politiques ou les coups d'État. Mais si une population, comme les Hakens, ne voyait rien à redire à la façon dont fonctionnait son pays, le Conseil n'intervenait jamais. Dans l'Alliance, la brutalité était proscrite. Pas la bizarrerie, par bonheur…

— Les Hakens se sont soumis parce qu'on les avait conditionnés ! s'insurgea Richard. S'ils avaient su la vérité, ils n'auraient pas marché ! Exploiter l'ignorance des gens est une forme de brutalité !

— De ton point de vue, sans doute… Les Hakens pensent différemment. Pour eux, leur soumission garantit la paix en Anderith. Et ils ont le droit de le croire !

— On les a éduqués à grands coups de mensonges, pour qu'ils gobent des infamies ! C'est incontestablement de la brutalité !

— N'est-ce pas toi qui viens de dire que les Hakens n'avaient pas le droit de détruire la civilisation anderienne ? Et maintenant, tu prétends que le Conseil aurait dû imposer sa vision des choses à un pays souverain ?

Richard eut une grimace de frustration. Oui, rien n'était simple, et pourtant...

— Si tu m'en disais un peu plus sur la façon dont fonctionnait le Conseil, à l'époque ?

— Il y a des siècles, aucun royaume n'était assez fort pour faire respecter une loi unique dans les Contrées. Le Conseil a toujours été une assemblée d'hommes et de femmes de bonne volonté, pas une institution coercitive. Et les Inquisitrices intervenaient uniquement quand des souverains exerçaient un pouvoir proche de la tyrannie...

» Si nous avions tenté d'imposer un mode de vie, ou une constitution commune, le Conseil aurait explosé et les conflits sanglants se seraient multipliés. Je ne prétends pas que ce système était parfait. Cela dit, il a assuré la paix pendant des millénaires.

— Je ne suis pas un expert en politique, admit Richard. Et il semble bien, en effet, que l'Alliance ait longtemps été bénéfique pour les peuples.

— Sais-tu pourquoi je soutiens les positions que tu as prises – et imposées – face au Conseil ? Eh bien, en partie à cause de ce qui s'est passé dans des pays comme Anderith ! Jusqu'à ton arrivée, avec la puissance de D'Hara pour peser dans la balance, aucun membre des Contrées n'aurait pu faire appliquer une loi commune. Contre un adversaire du calibre de Jagang, l'Alliance telle qu'elle existait n'aurait eu aucune chance.

Richard avait du mal à imaginer combien Kahlan, la Mère Inquisitrice, avait dû souffrir de le voir détruire une institution qu'elle avait passé sa vie à défendre.

Darken Rahl était à l'origine de la série d'événements qui avait ébranlé le monde. Dans le chaos, Kahlan avait su faire preuve de discernement et saisir au vol les rares occasions qui s'offraient à elle...

— Merci de ton cours d'histoire, dit le Sourcier. Maintenant, j'en sais davantage sur le passé d'Anderith. Si je connaissais celui de D'Hara, je le trouverais sûrement plus sordide encore. Pourtant, si étrange que ça me paraisse, les D'Harans luttent aujourd'hui avec moi au nom de la justice et de la liberté. Mais au fond, je ne devrais pas m'en étonner. Personne n'est responsable des crimes de ses ancêtres. Et je bous de colère chaque fois qu'on tente de me mettre sur le dos les atrocités de mon père !

» De ton exposé, j'ai déduit que les Anderiens ne sont pas du genre à se soumettre à un tyran comme Jagang. Tu crois que nous pourrions les convaincre de s'allier à nous ?

Kahlan réfléchit un moment à la question. Richard en fut un peu déçu, car il avait espéré qu'elle répondrait spontanément par l'affirmative.

— Le pays est dirigé par le pontife, qui est également la plus haute autorité religieuse. Comme tu as dû le comprendre, les Anderiens sont très dévots. Le pontife est nommé à vie, essentiellement par les directeurs du bureau de l'Harmonie culturelle. Ces hommes choisissent le nouveau chef en fonction de ses qualités morales. En théorie, en tout cas... Un peu comme le Premier Sorcier, quand il nomme un Sourcier...

— Donc, c'est le pontife que nous devrons convaincre ?

— En partie, oui... Mais il ne règne pas au sens séculier de ce verbe. C'est une figure de proue, vénérée par son peuple, qui le tient pour l'émissaire du Créateur en ce monde. Une sorte de saint, si tu veux... De nos jours, les Anderiens représentent à peine vingt pour cent de la population, mais les Hakens aussi vénèrent le pontife.

» Il est assez puissant pour imposer ses choix au gouvernement. Pourtant, le plus souvent, il se contente d'approuver ceux des véritables dirigeants. En fait, le maître d'Anderith est le ministre de la Civilisation. C'est lui qui détermine la politique du pays. Aujourd'hui, un certain Bertrand Chanboor occupe ce poste...

» C'est au ministère de la Civilisation, près de Fairfield, que sera prise la décision finale. Les diplomates auxquels j'ai parlé en Aydindril transmettront nos propositions à Bertrand Chanboor.

» Quelle que soit sa véritable histoire, Anderith est aujourd'hui une puissance qui compte. Et les Anderiens n'ont plus aucun rapport avec leurs ancêtres primitifs. Ce sont de riches marchands et des gouvernants avisés qui contrôlent parfaitement leur pays...

Richard sonda la plaine pour la énième fois. Depuis qu'il avait eu la chair de poule, en sentant approcher le Carillon venu tuer Du Chaillu, il était sur ses gardes, au cas où une telle alerte se reproduirait.

Du coin de l'œil, il vit que Cara faisait manger de la bouillie à la Baka Tau Mana. Avec l'enfant qu'elle portait, la femme-esprit devait rentrer chez elle, pas battre la campagne...

— Les Anderiens sont des marchands, continua Kahlan, mais pas du genre mou, obèse et paresseux. À part dans l'armée, où il existe un semblant d'égalité, eux seuls ont le droit de porter des armes, et ils savent s'en servir ! Même si tu n'as plus une très bonne opinion d'eux, ce ne sont pas des imbéciles, et les vaincre n'aura rien d'un jeu d'enfant, y compris pour l'Ordre Impérial.

Pensif, Richard continua à sonder la plaine.

— À Ebinissia et à Renwold, dit-il, Jagang a montré ce qu'il fait à ceux qui lui résistent. Si Anderith ne s'allie pas à nous, les Anderiens connaîtront la défaite face à une nouvelle horde de conquérants. Et ceux-là n'ont aucun sens de la justice !

Chapitre 35

Alors qu'il tentait d'assimiler ce que Kahlan venait de lui dire – et ce que les Carillons, avec une atroce brutalité, lui avaient également appris –, Richard sondait la plaine, en direction d'Aydindril. Ses nouvelles lumières sur l'histoire d'Anderith confirmaient la décision qu'il avait prise d'instinct.

— Je savais que nous suivions le mauvais chemin…, dit-il.

— Tu peux m'expliquer ce que ça signifie ? demanda Kahlan, qui scrutait aussi l'horizon, au nord-est.

— Zedd me le disait toujours : « Si la route est facile, c'est sûrement parce que tu n'as pas emprunté la bonne ! »

— Richard, nous avons déjà débattu de ce sujet, soupira l'Inquisitrice, très lasse. Il faut aller en Aydindril ! Et tu devrais le comprendre, maintenant plus que jamais !

— La Mère Inquisitrice a raison, seigneur, dit Cara en approchant des deux jeunes gens. (Elle avait enfin abandonné Du Chaillu, qui se reposait, entourée de ses guerriers.) Il faut renvoyer les Carillons d'où ils viennent ! Et pour ça, le meilleur moyen est d'aider Zedd à restaurer la magie.

Richard remarqua que la Mord-Sith serrait son Agiel à s'en faire blanchir les phalanges.

— Vraiment ? lança-t-il. Cara, je suis ravi de voir que tu t'es transformée en une fanatique de la magie ! (Il se tourna vers l'endroit où ils avaient posé leurs paquetages.) Désolé, mais moi, je pars pour Anderith.

— Richard, intervint Kahlan, si tu fais ça, le sort qui pourrait vaincre les Carillons ne sera pas activé, et…

— Je suis le Sourcier, au cas où tu l'aurais oublié ! coupa le jeune homme.

Très attentif aux conseils de sa femme, il lui était reconnaissant de se donner autant de peine pour lui. Après l'avoir écoutée et analysé les différentes possibilités, il s'était décidé, et polémiquer ne conduirait plus à rien. Désormais, l'heure d'agir avait sonné.

— S'il te plaît, ajouta-t-il, laisse-moi remplir ma mission !

— Richard c'est…

— Il n'y a pas si longtemps, devant Zedd, tu as juré de te sacrifier, s'il le fallait, pour défendre le Sourcier. Tu jugeais que c'était important, n'est-ce pas ? Aujourd'hui, je ne te demande pas de mourir pour moi, simplement de comprendre que j'agis selon ma conscience.

Kahlan prit une profonde inspiration. Devant tant d'obstination, rester calme et compréhensive commençait à devenir difficile.

— Zedd nous a chargés d'une mission, rappela-t-elle en tirant sur la manche de son mari. Nous ne pouvons pas aller tous les trois en Anderith.

— Tu as raison.

— Vraiment ? C'est ce que tu penses ?

— Et nous n'irons pas tous les trois, confirma le Sourcier en se baissant pour ramasser sa couverture. Comme tu le dis, Aydindril compte aussi beaucoup...

Kahlan prit son mari par les pans de son gilet et le tira vers elle.

— Non, tu ne me feras pas ce coup-là ! s'écria-t-elle. N'y pense même pas ! Nous venons de nous marier après avoir traversé de terribles épreuves. Pas question de nous séparer maintenant ! Et surtout pas parce que je suis en colère contre toi à cause de la première épouse dont tu as oublié de parler à Zedd. Je ne veux pas de ça, tu m'entends !

— Kahlan, ça n'a rien à voir avec...

— Je refuse de te quitter ! Pour être ensemble, nous avons dû tellement lutter !

Richard jeta un regard en coin à Cara.

— Il suffira qu'un de nous trois aille en Aydindril, dit-il.

Il détacha les mains de l'Inquisitrice de son gilet et les lui serra gentiment, pour la rassurer.

— Nous irons tous les deux en Anderith...

— Mais si...

Kahlan fronça les sourcils et regarda aussi Cara.

— Vous voulez mon portrait ? lança la Mord-Sith, soudain soupçonneuse.

Richard approcha de Cara et lui passa un bras autour des épaules. Se doutant qu'il y avait anguille sous roche, elle se dégagea sans douceur.

— Mon amie, tu vas devoir aller en Aydindril.

— Comme tout le monde !

— Non. Kahlan et moi partons pour Anderith. Ce pays a une puissante armée, et les Dominie Dirtch pour le défendre. Nous nous efforcerons de le rallier à notre cause, puis de préparer la population à une attaque de l'Ordre Impérial. Dans ce royaume, je trouverai peut-être aussi un moyen de lutter efficacement contre les Carillons. Anderith n'est pas loin d'ici, et je perdrais trop de temps si je passais d'abord par Aydindril...

» Imagine que Kahlan et moi découvrions une arme pour bannir les Carillons *et* convainquions ce royaume de nous jurer allégeance ? Grâce aux Dominie Dirtch, nous pourrions arrêter ou peut-être même anéantir l'armée de l'empereur. Les enjeux sont trop élevés pour négliger une possibilité pareille. Cara, c'est important, et tu vois bien que je n'ai pas le choix !

— Si, vous l'avez ! Aller en Aydindril ! Vous êtes le seigneur Rahl. Mon devoir de Mord-Sith est de vous protéger !

— Tu préfères que j'envoie Kahlan ?

Cara serra les lèvres et ne répondit pas.

— Richard, dit l'Inquisitrice, tu es le Sourcier, comme tu me l'as rappelé. Et à ce titre, tu as besoin de ton arme. L'épée est en Aydindril, comme la bouteille que tu dois casser, le journal de Kolo et des montagnes d'autres livres qui peuvent contenir la solution de notre problème. Nous devons gagner Aydindril ! Si tu n'avais pas promis à Zedd, ce serait peut-être différent. Là, nous n'avons pas le choix.

Kahlan croisa les bras, décidée à camper sur sa position.

— Je suis le Sourcier de Vérité, et porter ce titre m'oblige à faire ce que j'estime juste. J'avoue avoir commis une erreur en oubliant Du Chaillu, et ça me désole, mais ce n'est pas une raison pour me détourner de mon devoir.

» Le Sourcier ira en Anderith ! La Mère Inquisitrice, comme c'est son droit, agira selon ce que son cœur et son sens des responsabilités lui dictent. J'aimerais que tu m'accompagnes, mais si tu dois suivre une autre route, je ne t'en voudrai pas. À toi de choisir !

Kahlan resta un long moment immobile – le calme qui précède une tempête ! Puis elle se détendit, hocha simplement la tête et jeta un bref coup d'œil à Cara.

Comme si elle jugeait que cette partie-là de l'affaire ne la concernait pas, elle se détourna, et, avant de s'éloigner, souffla à Richard :

— Je vais voir comment se porte Du Chaillu.

Dès que Kahlan fut hors de portée d'oreilles, Cara explosa.

— Ma mission est de protéger le seigneur Rahl, et je n'accepterai pas de…

Richard leva une main pour ordonner le silence à la Mord-Sith.

— Cara, je t'en prie, écoute-moi ! Kahlan, toi et moi avons traversé tant d'épreuves ! Chacun de nous a failli mourir, et il doit sa survie aux deux autres. Et plutôt dix fois qu'une, tu le sais bien ! Pour nous, tu représentes beaucoup plus qu'une simple garde du corps.

» Kahlan est ta Sœur de l'Agiel. Moi, je te considère comme une amie. À tes yeux, je n'en doute pas, je suis beaucoup plus qu'un simple seigneur Rahl. Sinon, le lien ayant disparu, tu ne serais pas restée avec moi. Plus que la magie, c'est l'amitié qui nous soude !

— C'est pour ça que je ne peux pas vous abandonner, seigneur Rahl. Je continuerai à vous protéger, que vous le vouliez ou non !

— Comment te sens-tu, sans le pouvoir de ton Agiel ? demanda soudain Richard.

La Mord-Sith ne répondit pas. Comme si ce qu'elle risquait de dire la terrorisait…

— Si je te confie que j'éprouve la même détresse, sans l'Épée de Vérité, me croiras-tu ? On dirait parfois que j'ai un trou à la place de l'estomac… Je souffre sans cesse, comme si je n'avais qu'un seul désir : serrer dans ma main la poignée de cette arme terrifiante. C'est pareil pour toi, n'est-ce pas ?

Cara hocha la tête.

— Mon amie, je déteste cette épée ! Et je suis sûr, même si tu ne l'avouerais pas, que tu maudis souvent ton Agiel. Un jour, Berdine, Raina et toi m'avez remis ces armes. Et je vous ai demandé pardon de vous implorer de les garder pour m'aider à combattre le mal. Tu t'en souviens ?

— Bien sûr…

— Je donnerais cher pour ne plus avoir besoin de l'Épée de Vérité. Si le monde était en paix, je la laisserais dans la Forteresse du Sorcier jusqu'à la fin de mes jours.

» Hélas, j'ai besoin de ma lame, comme toi de ton Agiel ! Sans ces armes, nous nous sentons vides, vulnérables, effrayés et… honteux de notre propre faiblesse. Tu veux que ton Agiel retrouve son pouvoir pour me protéger et défendre Kahlan. Moi, j'ai besoin de mon épée afin d'assurer la sécurité de ma femme. S'il lui arrivait malheur parce que je ne l'ai pas, je ne m'en remettrais pas…

» Cara, je me soucie vraiment de toi, il faut que tu le comprennes ! Tu n'es plus une simple Mord-Sith chargée de veiller sur nous. Aujourd'hui, tu dois dépasser ta formation et réfléchir par toi-même. Si tu veux m'aider, c'est indispensable !

» Pour continuer à jouer un rôle important dans le combat que nous menons, j'ai besoin que tu ailles en Aydindril à ma place.

— Désolée, mais je n'obéirai pas à cet ordre.

— Il ne s'agit pas d'un ordre, Cara ! Je te demande de l'aide.

— Vous trichez, seigneur… Ce…

— Ce n'est pas un jeu ! Je te supplie de m'aider, parce que tu es la seule sur qui je peux compter.

Le regard rivé sur l'orage qui se déchaînait dans le lointain, Cara tira rageusement sa natte blonde de derrière son épaule et la serra aussi fort qu'elle serrait son Agiel, quand la fureur la submergeait.

— Si vous le présentez comme cela, seigneur Rahl, j'irai seule en Aydindril.

Richard passa de nouveau un bras autour des épaules de la Mord-Sith. Et cette fois, elle ne se dégagea pas.

— Seigneur, que devrai-je faire là-bas ?

— En revenir le plus vite possible avec mon épée !

— Je comprends…

Voyant que Kahlan les regardait, la Mord-Sith lui fit signe d'approcher.

— Le seigneur Rahl m'a ordonné d'aller seule en Aydindril, annonça-t-elle quand l'Inquisitrice eut accouru.

— Ordonné, vraiment ?

Cara ricana, puis elle saisit entre le pouce et l'index l'Agiel pendu au cou de Kahlan.

— Pour un guide forestier, votre mari a un talent fou dès qu'il s'agit de se fourrer dans la mouise. Si je ne savais pas qu'elle le fera d'elle-même, je demanderais à ma Sœur de l'Agiel de veiller sur lui à ma place.

— Je ne le quitterai pas des yeux, rassure-toi !

— Commence par rejoindre l'armée du général Reibisch, dit Richard. Il te donnera des chevaux, et tu arriveras plus vite à destination.

» Par la même occasion, dis-lui ce que Kahlan et moi faisons, et raconte aussi toute l'histoire à Verna et aux Sœurs de la Lumière. Parle-leur des Carillons. Qui sait, elles auront peut-être une idée…

» Pour aller au sud-ouest, j'aurai besoin d'une solide escorte…

— Seigneur Rahl, j'avais déjà l'intention de dire à Reibisch de vous envoyer des hommes. Ils ne seront pas aussi efficaces qu'une Mord-Sith, mais ce sera mieux que rien.

— Il me faudra un détachement important... Quand nous entrerons en Anderith, Kahlan et moi ne devrons pas être accompagnés d'une poignée de soldats. Sinon, ces gens ne nous prendront pas au sérieux quand nous leur demanderons de se rendre. Il faut que nous les impressionnions.

— Je vois que vous n'avez pas perdu votre bon sens, seigneur, souffla Cara.

— Un millier de soldats devraient suffire, dit Kahlan. Des hommes d'épée, des lanciers, des archers – d'élite ! – et des chevaux de rechange, bien entendu. Il nous faudra aussi des messagers, pour transmettre régulièrement à nos forces des nouvelles au sujet de Jagang et des Carillons. Dans une guerre, l'information est capitale. Il se peut que nous soyons obligés d'envoyer au sud toutes nos armées cantonnées dans divers pays.

— Je choisirai en personne les soldats qu'on vous enverra, promit Cara. La crème des troupes de Reibisch !

— Très bien, dit Richard, mais ne l'affaiblis quand même pas trop. Dis au général d'envoyer des hommes surveiller les routes d'invasion, au nord, comme il en avait l'intention. Mais le gros de ses forces devra faire demi-tour et venir jusqu'ici.

— Aura-t-il carte blanche pour lancer une attaque ?

— Non. Je ne veux pas qu'il affronte la horde de Jagang dans ces plaines. Les pertes seraient trop importantes. Tant que des renforts ne l'auront pas rejoint, il n'aura aucune chance contre une telle armée. De plus, il sera beaucoup plus utile, le cas échéant, si Jagang ignore sa présence.

» Reibisch devra marcher vers l'ouest, sur les basques de Jagang, mais sans se faire repérer. Dis-lui d'utiliser aussi peu d'éclaireurs que possible – juste ce qu'il faudra pour ne pas perdre la piste de l'Ordre, et pas un de plus. L'empereur ne doit pas se douter qu'il est suivi. S'il décide quand même de bifurquer vers le nord, ces D'Harans seront le dernier obstacle qui se dressera entre l'Ordre et les Contrées. Et tant que les renforts ne seront pas arrivés, la surprise sera la seule alliée de Reibisch. Je refuse qu'il risque la vie de ses soldats si ce n'est pas absolument nécessaire. Mais si les choses tournaient mal, ils seront notre ultime rempart !

» Si Anderith se rend, ses forces soutiendront les nôtres. À condition de vaincre les Carillons, d'avoir l'armée anderienne à nos côtés, et de recevoir assez de renforts, nous aurons une chance d'acculer l'armée de Jagang à l'océan. Ou même de la pousser dans le rayon d'action des Dominie Dirtch. Ces armes se chargeront du travail, et nous perdrons un minimum d'hommes...

— Et que devrai-je faire en Aydindril ? demanda Cara.

— Tu as entendu ce que m'a dit Zedd ?

— Oui. Dans l'enclave du Premier Sorcier, sur la cinquième colonne, à droite, est exposée une bouteille qui doit être brisée avec l'Épée de Vérité. Berdine et moi vous avons accompagné dans l'enclave, et je m'en souviens très bien...

— Parfait ! Sers-toi de l'épée, et remplis cette mission à ma place. Pose la bouteille sur le sol, comme l'a dit Zedd, et casse-la !

— Je crois que c'est dans mes cordes...

Richard savait à quel point Cara détestait la magie. Et il se souvenait que Berdine et elle avaient été atrocement mal à l'aise, lors de cette fameuse visite dans l'enclave privée.

Il y avait aussi le problème des champs de force protecteurs...

— Si la magie de la Forteresse est neutralisée par les Carillons, tu pourras traverser sans risques les diverses protections, puisqu'elles seront désactivées.

— Sinon, je m'apercevrai qu'il y a du danger, seigneur. Je n'ai pas oublié ce qu'on éprouve quand ces champs de force sont dangereux.

— Dis à Berdine tout ce que nous savons sur les Carillons. Elle a peut-être déjà découvert des informations précieuses. Si ce n'est pas le cas, qu'elle continue à travailler sur le journal de Kolo.

» Mais avant tout, occupe-toi de l'épée et de la bouteille ! Il ne faudrait pas qu'elles tombent entre de mauvaises mains... Si les Carillons savent que la bouteille est dangereuse pour eux, ils tenteront de t'attaquer. Sois vigilante, reste aussi loin que possible du feu et de l'eau, et ne te fie à rien ni à personne.

» Avant que tu partes, nous parlerons à Du Chaillu, pour tenter de savoir comment les Carillons entraînent une personne à sa perte. Si elle s'en souvient, ça nous aidera tous.

Cara hocha simplement la tête. Si elle avait peur, elle le dissimulait à merveille.

— Dès que j'aurai vu le général Reibisch, je ferai galoper ventre à terre ma monture. J'irai d'abord dans la Forteresse, pour récupérer votre épée et casser la bouteille. Ensuite, je vous rejoindrai avec Berdine... et le journal de Kolo. Mais où serez-vous, seigneur ?

— À Fairfield, répondit Kahlan, cantonnés avec nos hommes pas très loin du domaine du ministère de la Civilisation. Si nous devons partir, nous te laisserons quelques hommes, ou au minimum un message. En cas d'impossibilité, nous tenterons de prévenir le général Reibisch.

— Cara... (Richard hésita quelques instants.) Pour briser la bouteille, tu devras sortir l'épée de son fourreau...

— C'est évident.

— Sois prudente ! C'est une arme magique, et Zedd pense qu'elle n'aura pas perdu son pouvoir.

— Et que m'arrivera-t-il quand je la dégainerai ? demanda la Mord-Sith, visiblement inquiète.

— Je n'en sais trop rien, avoua Richard. Elle réagit sans doute différemment selon les personnes, en fonction de l'effet qu'elles font à sa magie. Je suis toujours le Sourcier, mais elle peut avoir une influence sur toi. Laquelle, je suis bien incapable de le dire. Mais elle éveille la colère de quiconque tient sa poignée. Méfie-toi, car elle voudra t'utiliser, au moins autant que tu désireras te servir d'elle. Elle influera sur tes émotions – surtout la fureur, en principe.

— Pour ça, elle n'aura pas besoin de faire grand-chose !

Richard sourit, heureux de retrouver sa bonne vieille Cara.

— Sois prudente quand même... Après avoir cassé la bouteille, ne dégaine plus l'épée, sauf si tu es en danger de mort. Mais si tu tues quelqu'un avec cette arme...

— Que se passera-t-il ? demanda Cara, surprise que le seigneur Rahl se soit interrompu.

— Tu souffriras...

— Comme quand j'utilise mon Agiel ?

— Oui, et ce sera peut-être pire... (Alors que de pénibles souvenirs lui revenaient en mémoire, Richard baissa la voix.) Pour bloquer la douleur, il faut être fou de rage. Un juste courroux te protégera pendant un combat, mais ce sera pire après...

— Je suis une Mord-Sith, seigneur. La douleur est ma compagne depuis toujours.

Richard se tapota la poitrine.

— Ça te déchirera le cœur, mon amie. Crois-moi, tu détesterais cette souffrance-là. Celle que t'inflige ton Agiel est encore préférable...

— Il vous faut votre épée, dit Cara, et je vous l'apporterai.

— Merci, mon amie.

— Mais je ne vous pardonnerai jamais de m'avoir forcée à vous laisser sans protection.

— Il ne sera pas privé de défenseurs, dit soudain une voix derrière les trois jeunes gens.

Tous se retournèrent pour découvrir Du Chaillu. Très pâle, les cheveux emmêlés, elle ne tremblait plus et avait recouvré toute sa détermination.

— Tu dois retourner auprès de ton peuple, dit Richard.

— Non, les Baka Tau Mana accompagneront mon mari. Ils ont mission de veiller sur le *Caharin*.

Richard décida de ne pas polémiquer, pour le moment, sur les prétentions matrimoniales de la femme-esprit.

— Des soldats nous rejoindront bientôt, mon amie.

— Ce ne sont pas des maîtres de la lame ! Mes guerriers et moi prendrons la place de Cara.

La Mord-Sith s'inclina devant Du Chaillu.

— C'est une bonne nouvelle, dit-elle. Je serai plus tranquille en sachant que tes hommes et toi protégez le seigneur Rahl.

Richard foudroya sa garde du corps du regard. Puis il se concentra sur une autre tigresse, venue de très loin pour le voir.

— Du Chaillu, je refuse que tes guerriers et toi risquiez vos vies ! Tu as failli mourir, et il est temps que tu retournes dans ton pays. Un peuple entier a besoin de toi.

— C'est faux, parce que nous sommes des morts vivants, désormais !

— Que racontes-tu, bon sang ?

La femme-esprit tapa dans ses mains. Aussitôt, les six maîtres de la lame vinrent se placer derrière elle. Un peu à l'écart, les Hommes d'Adobe ne perdaient pas une miette du spectacle.

Malgré sa pâleur et sa mine défaite, Du Chaillu paraissait plus noble que jamais.

— Avant de partir, dit-elle, nous avons prévenu les nôtres que nous étions morts. Perdus pour l'univers des vivants, nous ne reviendrions pas avant d'avoir trouvé le *Caharin* pour l'avertir du danger et veiller sur lui. Notre peuple nous a pleurés, ce jour-là, parce que nous ne sommes plus vraiment de ce monde. Et pour obtenir le droit de revenir chez nous, il faudra avoir accompli notre mission...

» Il y a moins d'une heure, j'ai entendu sonner le glas de la mort, et Cara, la protectrice du *Caharin*, m'a arrachée au monde des spectres. Dans leur sagesse, les esprits m'ont permis de rebrousser chemin pour accomplir mon devoir. Quand Cara sera revenue avec ton épée, mon époux, et que tu seras en sécurité, les Baka Tau Mana rentreront chez eux. Jusque-là, ils resteront des morts vivants.

» Je ne te demande pas l'autorisation de t'accompagner, Richard le Sourcier. Simplement, je t'informe que nous le ferons. Et quand une femme-esprit a parlé, elle ne change jamais d'avis.

Furieux, Richard leva une main pour braquer sur son interlocutrice un index vengeur. Mais Kahlan lui saisit au vol le poignet.

— Du Chaillu, dit-elle, je sais de quoi tu parles... Après le massacre d'Ebinissia, j'ai juré de châtier l'Ordre Impérial. En chemin, Chandalen et moi avons croisé des jeunes soldats qui étaient également entrés dans leur ville natale après la boucherie. Eux aussi rêvaient de vengeance.

» Comme toi, je suis devenue une morte vivante, et j'ai juré de ne pas renaître tant que les hommes coupables de ces atrocités ne seraient pas couchés dans la poussière, le ventre ouvert. Mes soldats ont prêté le même serment. Cinq d'entre eux seulement survécurent aux combats que nous avons livrés. Mais quand ce fut terminé, il ne restait plus un assassin vivant dans les rangs de cette armée de l'Ordre.

» Je connais la valeur du serment que tu as prêté, Du Chaillu. Un tel engagement est sacré, et il serait indigne de ne pas en tenir compte. Tes maîtres de la lame et toi viendrez avec nous.

La femme-esprit s'inclina devant l'Inquisitrice.

— Merci de respecter les coutumes de mon peuple. Tu es une femme pleine de sagesse, et digne d'être l'épouse de mon mari.

— Kahlan..., grogna Richard.

— Les Hommes d'Adobe auront besoin de Chandalen et de ses chasseurs. Et tu viens d'envoyer Cara au loin. Tant que Reibisch ne nous aura pas expédié des renforts, nous serons vulnérables. Du Chaillu et ses guerriers ne seront pas de trop pour veiller sur nous. Avec l'importance des enjeux, ta fierté est la dernière chose qui compte, Richard ! Les Baka Tau Mana viendront avec nous !

Richard regarda Cara et comprit qu'elle soutiendrait cette motion. Du Chaillu ne céderait pas, et Kahlan non plus, à voir la détermination qui brillait dans ses yeux.

— Très bien, capitula-t-il, jusqu'à l'arrivée des soldats, vous pouvez nous accompagner.

Intriguée, Du Chaillu se tourna vers Kahlan.

— Il passe aussi son temps à te dire des choses que tu sais déjà ?

Chapitre 36

L a tête baissée, Fitch voyait seulement les jambes et les pieds de maître Spink, qui faisait les cent pas devant son auditoire. Dans la pièce, quelques personnes, pour l'essentiel des femmes âgées, ravalaient plus ou moins discrètement leurs sanglots.

Le jeune Haken ne pouvait pas les en blâmer. Au cours des réunions de repentance, il lui arrivait parfois de pleurer. S'ils voulaient combattre leur vile nature, les Hakens devaient entendre inlassablement d'atroces histoires. Mais si noble que fût le but, ça ne rendait pas plus agréables ces récits d'horreur.

Quand maître Spink parlait, Fitch préférait contempler le sol plutôt que de risquer de croiser son regard. Oser dévisager un Anderien lorsqu'il évoquait les souffrances de ses ancêtres – infligées par ceux du jeune Haken – aurait été d'une arrogance impie.

— Ce fut donc par hasard, rappela maître Spink, que les hordes hakennes déferlèrent sur ce malheureux village de fermiers. Inquiets pour leurs familles, les hommes de cette communauté s'étaient unis à d'autres Anderiens des environs pour tenter de repousser l'envahisseur. Ah, si vous les aviez entendus implorer le Créateur que leurs femmes et leurs enfants, au moins, soient épargnés !

» Désespérés, ils avaient déjà offert toutes leurs réserves de nourriture aux conquérants, avec l'espoir de les apaiser. Des messagers étaient allés proposer ces humbles offrandes aux Hakens, mais aucun n'était revenu…

» Un plan très simple avait alors germé dans l'esprit des malheureux Anderiens. Se masser au sommet d'une colline et brandir des armes improvisées en criant comme des fous. Pas pour inciter les Hakens à combattre, bien sûr, mais pour les pousser à faire un détour et éviter le village. Ces hommes étant des paysans, non des soldats, ils levaient au-dessus de leurs têtes des outils, pas de véritables armes. Car n'oubliez jamais qu'ils voulaient simplement la paix.

» Imaginez-les sur leur colline, ces braves gens qui ignoraient tout de la guerre. Shelby, Willan, Camdem, Edgar, Newton, Kenway… et tous les autres. Ces pères de famille dont je vous raconte l'histoire depuis des semaines, pour que vous compreniez leurs sentiments, leurs espoirs et leurs rêves si purs et si humbles. Oui, ils étaient là, avec au cœur le futile désir de convaincre les Hakens de passer leur chemin. Voyez-vous les faux, les faucilles, les fléaux et les houes qu'ils serraient entre leurs mains calleuses pour protéger les femmes et les enfants dont je vous ai également raconté la vie et révélé les noms ?

Ses bottes martelant le plancher, maître Spink passa devant Fitch.

— Les Hakens ne décidèrent pas de faire un détour. Hurlant de rire et assoiffés de sang, ils lancèrent leurs abominables Dominie Dirtch sur ces innocents Anderiens.

Quelques jeunes filles crièrent de terreur ou gémirent d'angoisse. Fitch lui-même sentit ses tripes se nouer, et il dut lutter pour ne pas pleurer en imaginant la mort horrible de ces hommes valeureux qu'il connaissait désormais aussi bien que s'ils avaient fait partie de sa famille.

— Pendant que les Hakens riaient, continua maître Spink, les Dominie Dirtch réduisirent en bouillie d'héroïques résistants qui cherchaient uniquement à défendre leurs proches. Oui, en bouillie, tandis que les bouchers hakens paradaient dans leurs beaux uniformes étincelants !

Bien qu'il n'eût pas levé les yeux, Fitch sentit peser sur sa nuque le regard de maître Spink. Derrière lui, il entendait des hommes et des femmes sangloter.

— Les cris des fermiers innocents montèrent dans le ciel du pays qui ne s'appelait pas encore « Anderith ». Ce furent les derniers qu'ils poussèrent, alors que leur chair éclatait, transpercée par leurs os !

Une des vieilles femmes hurla de terreur.

Maître Spink était toujours debout devant Fitch, qui se sentit soudain beaucoup moins fier de sa belle tenue de messager, qui lui avait pourtant valu des murmures admiratifs quand il était entré dans la salle.

— Je vois que tu portes maintenant un bel uniforme, Fitch, lâcha maître Spink d'un ton qui glaça le sang du jeune Haken.

Mais il devait répondre, s'il ne voulait pas que les choses tournent encore plus mal pour lui.

— Oui, maître... J'étais un humble garçon de cuisine, mais messire Campbell, dans sa grande bonté, m'a proposé un poste dans son équipe de messagers. Il veut que je porte cet uniforme pour que tous les Hakens voient qu'ils peuvent s'améliorer, s'ils acceptent l'aide des Anderiens. Il tient aussi à ce que ses courriers présentent bien, puisqu'ils sont chargés de dispenser la bonne parole du ministère de la Civilisation, qui fait tant de choses pour le peuple d'Anderith.

Maître Spink flanqua à Fitch une claque qui le fit tomber de son banc.

— N'ose plus jamais me parler ainsi ! Tes minables excuses de Haken ne m'intéressent pas !

— Je suis désolé, maître, souffla Fitch.

Sachant qu'il risquait de se faire battre comme plâtre, il n'eut pas l'arrogance de tenter de se relever.

— Les Hakens sont intarissables quand il s'agit de justifier leurs crimes ! Tu t'exhibes dans un bel uniforme, comme aimaient à le faire les grands seigneurs du passé, et tu te rengorges comme eux, même si tu essaies de le cacher, en digne vermine vicieuse que tu es ! Encore de nos jours, les Anderiens souffrent de la haine qu'ils lisent dans le regard des chiens comme toi ! Tous les Hakens nous méprisent, et ce calvaire nous sera imposé jusqu'à la fin des temps. Sans parler de ceux qui osent se montrer en uniforme, pour nous rappeler les horreurs que nous avons subies...

» Ta vile nature de Haken a repris le dessus, et tu as tenté de justifier l'indéfendable : ton arrogance, et la jubilation malsaine que tu tires de cet uniforme. Vous voudriez tous redevenir les grands seigneurs de jadis ! Et chaque jour, de pauvres Anderiens comme moi doivent avaler de telles insultes !

— Pardonnez-moi, maître Spink ! J'ai eu tort de parader dans cette tenue ! Mon indignité congénitale m'a poussé à commettre un nouveau crime contre les Anderiens !

Maître Spink eut un grognement méprisant, mais il reprit son exposé. Conscient qu'il aurait mérité un châtiment plus dur, Fitch estima s'en être tiré à bon compte.

— Les hommes ayant été massacrés, les femmes et les enfants du village restèrent sans défense.

Les bottes de l'Anderien recommencèrent à marteler le plancher. Comprenant qu'il circulait entre les bancs où étaient assis les « repentants », Fitch osa se relever et reprendre place sur son siège. Une de ses oreilles bourdonnait atrocement, comme quand Beata l'avait giflé. Mais il entendait quand même les terribles paroles de maître Spink.

— Mis en appétit par cette boucherie, les Hakens décidèrent d'aller s'« amuser un peu » dans le village.

— Non ! cria une femme, au fond de la salle.

Puis elle éclata en sanglots.

Les mains croisées dans le dos, maître Spink ignora cette interruption. Les manifestations de ce genre étaient si fréquentes...

— Les Hakens avaient envie de festoyer, et ils rêvaient de viande grillée...

Les repentants tombèrent à genoux, tremblant de peur pour les villageoises et leurs enfants, qu'ils avaient si bien appris à connaître ces dernières semaines. Peu désireux de se singulariser, Fitch imita ses compatriotes.

— Comme vous le savez, continua maître Spink, c'était un minuscule village. Quand ils eurent abattu tout le bétail, les Hakens s'avisèrent qu'il n'y aurait pas assez de viande. Bien entendu, il ne leur fallut pas longtemps pour trouver une solution.

» Ils capturèrent les enfants...

Fitch aurait donné n'importe quoi pour que la réunion de repentance s'arrête là. Il doutait de pouvoir en entendre davantage, et la plupart des femmes semblaient partager son angoisse. Prostrées sur le sol, le visage contre le plancher, elles imploraient les esprits du bien de veiller sur les âmes toujours meurtries des pauvres Anderiens innocents de jadis et d'aujourd'hui.

— Vous connaissez les noms de ces enfants, continua maître Spink, impitoyable. À présent, je vais faire le tour de la salle, et chacun d'entre vous me dira comment s'appelait une de ces malheureuses petites victimes. Et gare à vous si vous les avez oubliés, monstres de Hakens ! Oui, je veux entendre sortir de vos lèvres impures les noms de ces fillettes et de ces garçonnets qui furent grillés vifs devant leurs mères !

L'Anderien commença par la rangée du fond. Chaque repentant murmura le nom d'une des victimes et implora les esprits du bien de prendre à jamais soin d'elle. Avant d'autoriser les Hakens à sortir, maître Spink décrivit par le détail l'agonie des gamins, lentement dévorés par les flammes, parla de leurs cris de souffrance, et précisa avec une minutie toute didactique combien de temps il avait fallu pour qu'ils soient cuits à point.

Devant des évocations si sinistres, Fitch se demanda – un bref moment et pour la première fois de sa vie – si ce récit était vrai. Il semblait difficile d'imaginer que quelqu'un, y compris les Hakens de jadis, soit capable de telles atrocités.

Mais maître Spink était un Anderien, et il ne leur aurait pas menti, surtout sur un sujet tel que l'histoire de leur pays. Qu'on puisse inventer de pareilles horreurs pour influencer des gens semblait inimaginable. Et de plus, à quoi cela aurait-il servi ?

— Puisqu'il se fait tard, dit l'Anderien quand il en eut fini, nous garderons pour la prochaine réunion le récit de ce que les Hakens firent subir aux villageoises, quand ils eurent le ventre plein. Alors, vous penserez peut-être que les enfants, en fin de compte, ont eu de la chance de ne pas assister à cet ignoble spectacle.

Comme tous les autres, Fitch courut vers la porte, soulagé d'échapper jusqu'au lendemain à la suite du récit.

L'air frais de la nuit lui fit un bien fou, comme s'il brûlait de fièvre. L'estomac retourné, il ne parvenait pas à chasser de son esprit l'image des enfants embrochés comme des cochons de lait.

Alors qu'il s'appuyait à un érable, attendant que ses jambes cessent de trembler, il vit que Beata sortait à son tour de la salle de repentance. Avec la lumière qui jaillissait de la porte ouverte et des fenêtres sans rideaux, elle ne pouvait pas ne pas l'avoir vu. Il espéra que son bel uniforme de messager ne lui ferait pas le même effet qu'à maître Spink…

— Bonsoir, Beata…, dit-il.

La jeune Hakenne s'arrêta et étudia Fitch de pied en cap.

— Bonsoir, Fitch…

— Tu es en beauté, ce soir…

— Je suis exactement comme d'habitude ! (Beata plaqua les poings sur ses hanches.) Toi, en revanche, tu parades dans un uniforme extravagant. Tu te pavanes comme un coq de village, Fitch !

Le pauvre Haken en perdit aussitôt tous ses moyens. Depuis toujours, il admirait la tenue et l'allure des messagers, et il aurait juré que Beata éprouvait le même sentiment. Mais au lieu de lui sourire, elle le foudroyait du regard. Bon sang, pourquoi n'était-il pas rentré directement au domaine ?

— Messire Campbell m'a offert du travail, et…

— … Et tu attends impatiemment la prochaine réunion de repentance, pour apprendre ce que nos ancêtres, aussi joliment attifés que toi, ont fait à ces pauvres villageoises. (Beata se pencha vers Fitch.) Tu apprécieras beaucoup – presque autant que si tu avais été là pour te réjouir du spectacle !

Bouche bée, Fitch regarda la jeune fille tourner les talons et s'éloigner à grandes enjambées.

Quelques promeneurs avaient été témoins de la leçon méritée que venait de recevoir un misérable Haken. Ils en sourirent de satisfaction, certains se moquant ouvertement de lui.

Fitch fourra les mains dans ses poches et tourna le dos à ces rieurs. Tant que ces gens ne seraient pas partis, décida-t-il, il ne bougerait pas !

Pour regagner le domaine, il devrait marcher une bonne heure. Raison de plus pour ne pas partir tout de suite ! S'il leur laissait assez d'avance, il ne rattraperait pas les autres repentants hakens qui s'en retournaient au palais, et ça lui éviterait de devoir leur parler. Et si, pour passer le temps, il allait se payer un coup à boire ? Grâce à messire Campbell, il en avait largement les moyens, et se soûler lui semblait une très bonne idée.

L'air se rafraîchit soudain, et Fitch sentit un étrange frisson courir le long de sa colonne vertébrale. Puis il faillit s'évanouir quand une main se posa sur son épaule.

Se retournant, il découvrit une vieille Anderienne dont les longs cheveux grisonnants trahissaient le statut élevé. Même s'il n'y avait pas assez de lumière pour qu'il voie son visage, qui devait être sacrément ridé, Fitch estima qu'elle était très âgée.

Il s'inclina devant l'Anderienne en priant pour qu'elle n'ait pas l'intention de reprendre le sermon là où Beata s'était arrêtée. Ou pis encore, de lui ordonner d'accomplir une quelconque corvée.

— Cette fille compte pour toi ? demanda la femme.

— Je n'en sais trop rien…, répondit Fitch, troublé par cette étrange question.

— Elle a été très dure avec toi.

— Je le méritais, ma dame.

— Et pour quelle raison ?

— Si seulement je le savais…

Que voulait donc cette Anderienne ? Et pourquoi l'étudiait-elle comme une cuisinière qui choisit le meilleur poulet à faire rôtir pour le dîner ?

Elle portait une robe toute simple de couleur sombre et boutonnée jusqu'au col. Rien à voir avec la mode provocante en vigueur chez les Anderiennes. Mais si sa tenue était plutôt celle d'une femme du peuple, la longueur de ses cheveux indiquait qu'elle appartenait à l'élite du pays.

Elle semblait différente des autres Anderiennes, surtout à cause de la bande de tissu noir enroulée autour de sa gorge, juste au-dessus du col de la robe.

— Parfois, continua-t-elle, quand une fille ne veut pas admettre qu'elle aime beaucoup un garçon, elle lui dit des méchancetés pour mieux cacher ses sentiments.

— Et d'autres fois, elle l'insulte parce que c'est exactement ce qu'elle pense de lui !

— Voilà qui n'est pas mal vu…, reconnut l'Anderienne avec un petit sourire. Ton « amie » vit-elle au domaine, ou en ville ?

— En ville… Elle travaille pour Inger, le boucher.

L'Anderienne sembla trouver ce détail amusant.

— Dans ce cas, plaisanta-t-elle, elle préfère peut-être qu'il y ait plus de chair sur les os de ses galants ! Quand tu te seras étoffé, elle te trouvera sûrement à son goût.

— C'est possible…, marmonna Fitch.

Il n'en croyait pas un mot. De toute façon, il doutait de s'« s'étoffer » un jour. À son âge, on était déjà trop vieux pour espérer prendre du coffre.

L'Anderienne le dévisagea un long moment, puis elle lui posa une nouvelle question :

— Tu voudrais qu'elle t'aime ?

— Eh bien, ça ne me déplairait pas, je crois… Ou au moins qu'elle ne me déteste pas.

La femme eut un petit sourire entendu dont Fitch ne comprit pas la signification.

— Je peux arranger ça…

— Je vous demande pardon, ma dame ?

— Si tu l'apprécies, et si tu désires que ce soit réciproque, ça peut se faire…

— Comment ?

— En ajoutant quelque chose dans ce qu'elle boit ou ce qu'elle mange.

Fitch comprit soudain qu'il était face à une sorte de magicienne. Maintenant, il ne s'étonnait plus qu'elle lui semble si étrange. Tous ceux qui détenaient ne serait-ce qu'une once de pouvoir avaient l'air bizarre, disait-on.

— Vous voulez parler d'un philtre d'amour ? Ou de quelque chose dans ce genre ?

— Quelque chose dans ce genre, oui…

— Je travaille pour messire Campbell depuis ce matin, ma dame. Navré, mais je ne peux pas m'offrir vos services.

— Je vois… (La magicienne se rembrunit.) Et si tu en avais les moyens ? (Sans laisser Fitch répondre, elle enchaîna :) Mais ça pourrait venir très vite, dès que tu auras touché ta première paie ! (Elle baissa le ton, comme si elle se parlait à elle-même.) Voilà qui me laisserait le temps de voir si je peux résoudre mon problème, et être de nouveau efficace. Qu'en penses-tu, mon garçon ?

Fitch hésita avant de répondre. Il ne voulait pour rien au monde vexer une Anderienne – douée pour la magie, en plus ! –, mais tout ça ne lui disait rien qui vaille.

— Ne le prenez surtout pas mal, ma dame, mais si une fille devait m'aimer, je préférerais que ce soit pour ce que je suis, et rien de plus. Je vous remercie de cette offre. Hélas, je crois que je ne me sentirais pas très fier, si je devais recourir à un philtre d'amour pour qu'une femme s'intéresse à moi.

L'Anderienne éclata de rire – de bon cœur, pas pour se moquer de lui – et lui tapota le dos. De sa vie, Fitch n'avait jamais entendu un Anderien rire de cette façon-là alors qu'il s'adressait à lui !

— Tant mieux pour toi, mon garçon ! Il y a très longtemps, un sorcier m'a répondu exactement la même chose.

— Ce devait être effrayant ! D'être face à un sorcier, je veux dire…

— Pas vraiment, parce que celui-là était très gentil. À l'époque, j'étais toute petite. Je suis née avec mon pouvoir, comprends-tu ? Ce sorcier m'a conseillé de ne pas oublier une règle très importante : la magie ne doit jamais se substituer aux véritables sentiments des gens.

— Je ne savais pas qu'il y avait des sorciers en Anderith.

— Il n'y en a pas ! Cette histoire s'est passée en Aydindril.

— Aydindril ? Au nord-est ?

— Dis-moi, tu connais beaucoup de choses, jeune Haken ! Oui, au nord-est, dans la Forteresse du Sorcier, pour être plus précise. Je me nomme Franca. Et toi ?

Le jeune Haken prit la main que lui tendait la magicienne et s'inclina bien bas.

— Fitch, ma dame.

— Franca !

— Pardon ?

— Je t'ai dit mon nom pour que tu l'utilises, Fitch !

— Désolé, ma da… Franca.

— Fitch, te rencontrer fut un plaisir. À présent, je dois retourner au domaine. Toi, tu vas sans doute aller te soûler. Les garçons de ton âge adorent ça !

Le jeune Haken n'aurait pu nier que l'idée d'aller vider quelques verres le séduisait. Mais s'il partait avec l'Anderienne, elle lui parlerait peut-être de la Forteresse du Sorcier.

— Je ferais mieux de rentrer aussi… Si ça ne vous dérange pas, hum… Franca…, nous pourrions faire le chemin ensemble.

L'Anderienne dévisagea de nouveau Fitch, qui en frissonna de la tête aux pieds.

— J'ai un pouvoir, mon garçon. Ça signifie que je suis différente des gens normaux. Les Anderiens et les Hakens ne m'aiment pas, et ils me tiennent à l'écart. Un peu comme mon peuple méprise le tien.

— Les Anderiens ? répéta Fitch. Comment est-ce possible, puisque vous êtes des leurs ?

— Cela ne suffit pas à effacer ma tache originelle : être une magicienne. Je sais ce qu'on éprouve quand on doit supporter le mépris et la haine de gens qui ne savent rien de ce qu'on est vraiment. Tout ça pour dire, jeune Fitch, que je serai ravie que tu m'accompagnes !

Fitch eut un sourire hésitant. Ces derniers temps, sa vie était sens dessus dessous ! Voilà qu'il menait une conversation normale avec une Anderienne, ce qu'il n'aurait pas cru possible. Et pour le désorienter un peu plus, il venait d'apprendre que Franca était tenue à l'écart par les siens à cause de son pouvoir.

— Les Anderiens ne vous respectent donc pas ? demanda-t-il. Votre magie devrait les impressionner.

— Ils me craignent, et c'est très différent. D'un côté, je ne m'en plains pas, parce que les gens hésitent à maltraiter ceux qu'ils redoutent. Mais ça les incite aussi à les frapper en traître…

— Je n'avais jamais vu les choses comme ça…, avoua Fitch.

Il se rappela le plaisir qu'il avait éprouvé en entendant Claudine Winthrop l'appeler « messire ». Elle avait agi ainsi parce qu'elle mourait de peur, bien entendu, mais ça restait quand même agréable. En revanche, il ne comprenait pas vraiment ce que signifiait la dernière phrase de Franca.

— Vous êtes très sage, dit-il. C'est grâce à la magie ?

Franca rit de nouveau, comme si elle le trouvait aussi amusant et exotique qu'un poisson doté de jambes.

— S'il en allait ainsi, on parlerait de la Forteresse « du Philosophe », pas « du Sorcier ». À mon avis, certaines personnes seraient au contraire beaucoup plus sages si elles ne pouvaient pas se reposer sur la magie.

Fitch n'avait jamais rencontré quiconque qui fût allé en Aydindril, et encore moins dans la Forteresse du Sorcier. Et il n'aurait jamais imaginé qu'une magicienne consentirait à lui parler.

Cela dit, il s'inquiétait un peu. Ignorant tout de la magie, il craignait que Franca lui fasse beaucoup de mal s'il la mettait involontairement en colère.

Pourtant, il la trouvait fascinante malgré son âge.

Ils s'engagèrent sur le chemin du domaine. Sans dire un mot, ce qui ne manqua pas d'angoisser un peu plus le jeune Haken. Parfois, le silence le mettait mal à l'aise. De plus, il se demandait si sa nouvelle « amie » pouvait lire ses pensées pendant qu'il marchait.

Il la regarda à la dérobée et conclut qu'elle n'avait pas l'air de quelqu'un qui fouine dans le cerveau d'autrui.

— Je peux vous poser une question, Franca ? dit-il en désignant la bande de tissu noir. Pourquoi portez-vous ça autour du cou ? C'est lié à la magie ?

L'Anderienne eut un rire de gorge.

— Fitch, sais-tu que tu es le premier, depuis de longues années, qui ose me demander ça ? Bien sûr, c'est parce que tu n'en sais pas assez long pour avoir peur d'interroger une magicienne sur un sujet aussi intime.

— Désolé, Franca. Je ne voulais pas vous manquer de respect.

Et voilà, il avait déjà fait une gaffe ! Pour se mettre à dos une Anderienne douée pour la magie, il fallait vraiment être le dernier des idiots !

Franca ne desserra plus les lèvres pendant un long moment. Très inquiet, Fitch glissa dans ses poches ses mains moites de sueur.

— Tu ne m'as pas vexée, Fitch, dit enfin Franca. Mais ta question a réveillé en moi de très mauvais souvenirs.

— Pardonnez-moi… J'aurais dû me taire, mais parfois, je ne peux pas m'empêcher de dire des bêtises.

Bon sang, pourquoi n'était-il pas allé se soûler ?

L'Anderienne s'arrêta et se tourna vers lui.

— Fitch, ce n'était pas une bêtise… Regarde plutôt !

Franca se pencha et tira sur la bande de tissu pour qu'il voie ce qu'elle cachait. À la lumière de la lune, Fitch aperçut les chairs violacées du cou de la magicienne. Une cicatrice courait autour de sa gorge, juste sous son menton.

— Des gens ont tenté de me tuer simplement parce que je suis une magicienne. Serin Rajak et ses fanatiques !

— Des fanatiques ? Désolé, mais je ne connais pas ce mot.

— Rajak abomine la magie. (Franca lâcha la bande de tissu.) Les fous qui pensent comme lui font tout pour monter les foules contre les personnes comme moi. Fitch, il n'y a rien de plus horrible que des hommes excités qui décident de lyncher quelqu'un. Individuellement, ils n'auraient pas le courage de le faire, mais ils se stimulent les uns les autres. N'oublie jamais ça : une foule en colère devient une bête sauvage dotée d'une conscience collective perverse. On croirait voir une meute de chiens lancés aux trousses d'une biche…

» Rajak en personne m'a passé un nœud coulant autour du cou. J'avais les mains attachées dans le dos, et ils m'ont pendue à une branche d'arbre.

— Par les esprits du bien, ce devait être atrocement douloureux !

Franca sembla ne pas avoir entendu ce cri du cœur.

— Ils entassaient du petit bois sous mes pieds, pour me faire brûler. Pendant qu'ils tentaient d'allumer leur feu, j'ai réussi à m'échapper.

Fitch se massa nerveusement la gorge, mal à l'aise comme si c'était autour de son cou qu'une corde se resserrait.

— Serin Rajak est un Haken ? demanda-t-il.

— Non. On peut être un monstre sans appartenir à ta race, mon garçon.

Ils se remirent en route en silence. Supposant qu'elle était plongée dans ce terrible passé, Fitch n'osa plus déranger Franca. Mais par quel miracle ne s'était-elle pas étouffée ? Sans doute parce que le nœud coulant n'était pas assez serré. Et comment avait-elle réussi à fuir ? Sur ce sujet, il n'avait pas l'ombre d'une hypothèse, mais il estimait avoir posé assez de questions « intimes » comme ça.

Pour se distraire, il écouta les cailloux grincer sous les semelles de leurs bottes. Chaque fois qu'il regarda Franca, il constata qu'elle n'avait plus l'air joyeux, comme au début. Quand apprendrait-il à tenir sa langue ?

Mobilisant tout son courage, il décida d'interroger l'Anderienne sur un sujet qui la dériderait peut-être. De plus, c'était pour ça qu'il avait proposé de rentrer avec elle...

— Franca, à quoi ressemble la Forteresse du Sorcier ?

Voyant la magicienne sourire, Fitch se félicita d'être un si bon stratège.

— Elle est immense, et il n'existe pas de mots assez forts pour la décrire. La Forteresse se dresse à flanc de montagne, au-dessus d'Aydindril. Pour y accéder, il faut traverser un pont de pierre qui surplombe un gouffre de plusieurs milliers de pieds. Une partie du complexe est taillée à même la montagne, et les murailles sont plus hautes que des falaises. Des remparts plus larges que l'avenue qui mène au domaine relient les divers bâtiments. Partout, des tours gigantesques tutoient les cieux. C'est un spectacle magnifique.

— Avez-vous rencontré un Sourcier ? Ou vu l'Épée de Vérité ?

— Serais-tu devin, mon garçon ? J'ai vu cette arme, oui... Ma mère, une magicienne, était allée en Aydindril pour rencontrer le Premier Sorcier. Ne me demande pas pourquoi, parce que je ne l'ai jamais su ! Dans l'enclave privée, il y avait des dizaines d'objets extraordinaires, dont une épée qui scintillait comme un petit soleil.

Franca semblant ravie de répondre à ces questions-là, Fitch décida d'en poser une autre :

— Comment était l'enclave du Premier Sorcier ? Et l'Épée de Vérité ?

— Eh bien, laisse-moi rassembler mes souvenirs...

Avant de reprendre la parole, Franca se concentra un moment, le front plissé et les yeux dans le vague.

Chapitre 37

A lors que Dalton Campbell allait plonger sa plume dans un encrier, il aperçut les jambes de la femme qui entrait dans son bureau sans prendre la peine de se faire annoncer. À l'épaisseur des chevilles, il reconnut Hildemara Chanboor avant même d'avoir levé les yeux. S'il existait des jambes féminines moins séduisantes que celles de l'épouse du ministre, il n'avait jamais eu le déplaisir de les voir.

Dalton posa sa plume, se leva et sourit.

— Dame Chanboor, entrez, je vous en prie.

Dans le premier bureau, Rowley était déjà sur le pied de guerre malgré l'heure matinale, au cas où Campbell aurait besoin de convoquer d'urgence les messagers. Il n'en avait pas l'intention jusque-là, mais la visite d'Hildemara risquait de le faire changer d'avis.

Pendant qu'elle fermait la porte, Dalton alla tirer une chaise confortable qu'il installa devant son bureau. Dans sa robe en laine couleur paille, Hildemara semblait d'une pâleur un rien maladive.

Elle jeta un coup d'œil à la chaise mais ne s'assit pas.

— Je suis ravi de vous voir, dame Chanboor !

— Dalton, ne pouvez-vous pas oublier un peu le protocole ? Nous nous connaissons assez pour que vous m'appeliez « Hildemara ». (Campbell ouvrit la bouche pour remercier sa visiteuse, mais elle ajouta :) En privé, bien entendu.

— Cela va sans dire, Hildemara…

Dame Chanboor n'entrait jamais dans un bureau pour parler de sujets triviaux tels que le travail. Son arrivée annonçait toujours une tempête, et il avait bien l'intention de ne pas se laisser emporter.

Malgré l'entrée en matière engageante d'Hildemara, il jugea plus prudent de ne pas s'aventurer davantage sur la voie de l'« intimité ». Un ton courtois mais formel ferait parfaitement l'affaire.

Hildemara fronça les sourcils, comme si elle venait de remarquer quelque chose de troublant. Puis elle tendit la main pour chasser sur l'épaule de Dalton un grain de poussière très probablement imaginaire. Dans les rayons de soleil qui filtraient de la fenêtre, les bagues et le collier de rubis de dame Chanboor étincelaient à en devenir aveuglants. S'il n'était pas aussi vertigineux que ceux des invitées du banquet, le décolleté de la femme de Bertrand en montrait déjà beaucoup trop au goût de l'assistant.

Avec une légèreté toute féminine, Hildemara élimina le grain de poussière – ou fit parfaitement semblant – puis lissa le tissu du pourpoint de Dalton. Satisfaite du résultat, elle serra doucement l'épaule de l'assistant et retira sa main.

— Dalton, vos épaules sont magnifiques ! Fermes, musclées et pourtant si douces. Votre femme a beaucoup de chance…

— Merci, Hildemara, répondit Campbell, bien trop prudent pour s'aventurer sur ce terrain-là.

— Oui, beaucoup de chance, répéta dame Chanboor, rêveuse.

Sa main vola jusqu'à la joue de l'assistant, qu'elle frôla langoureusement.

— Votre mari aussi peut se féliciter, Hildemara.

L'épouse de Bertrand gloussa stupidement.

— Il collectionne les bonnes fortunes, c'est exact. Mais comme il le dit lui-même, ce qu'on tient pour de la chance est souvent le résultat d'un entraînement rigoureux…

— De profondes et sages paroles, Hildemara.

Dame Chanboor repassa à l'assaut, cette fois sous prétexte d'arranger le col de l'assistant. Dans le même mouvement, elle lui effleura la nuque puis le lobe d'une oreille.

— J'entends dire partout que votre femme vous est fidèle.

— J'ai ce bonheur, ma dame.

— Et que vous lui faites la même grâce.

— Je tiens à elle et respecte les vœux que nous avons prononcés.

— Comme c'est pittoresque !

Avec un sourire enjôleur, Hildemara pinça la joue de Dalton, qui trouva l'expérience plus douloureuse qu'érotique.

— Un de ces jours, très cher, j'espère vous convaincre d'être un peu moins rigoriste. Si vous voyez ce que je veux dire…

— Si une femme pouvait me faire changer d'avis, ce serait vous, n'en doutez pas.

— Dalton, quel homme hors du commun vous êtes ! s'écria Hildemara.

Ravie, elle tapota la joue de l'assistant.

— Venant de vous, le compliment me va droit au cœur…

Dame Chanboor se rembrunit soudain. Après son petit numéro, elle entendait passer aux choses sérieuses.

— Vous avez frisé le génie, en ce qui concerne Claudine Winthrop et le directeur Linscott. Cette façon de faire d'une pierre deux coups m'a éblouie !

— Je m'efforce toujours de satisfaire le ministre et sa charmante épouse.

— Une épouse, Dalton, qui fut plus qu'humiliée par les calomnies de cette langue de vipère.

— C'est du passé, et je doute que…

— Débarrassez-moi d'elle, Dalton !

— Pardon ?

— Vous êtes sourd ? Qu'elle disparaisse !

Campbell se redressa et croisa les mains dans son dos.

— Puis-je savoir pourquoi vous me demandez de prendre des mesures si radicales ?

— Les galipettes de mon mari le regardent. Il est ainsi fait, et rien ne le changera, sinon la castration. Mais je ne permettrai pas qu'une garce me fasse passer pour une idiote aux yeux de tout le ministère. Fermer les yeux est une chose. Être l'objet de moqueries en est une autre.

— Hildemara, Claudine n'avait pas l'intention de vous nuire, j'en suis certain. D'ailleurs, comment y serait-elle parvenue, quand on vous connaît comme je vous connais ? Elle visait Bertrand, et lui seul. Quoi qu'il en soit, soyez assurée qu'elle ne parlera plus. Et de toute façon, aucun directeur ne l'écoutera.

— Dalton, vous tentez de me rassurer, et c'est d'une rare galanterie.

— C'est la vérité, Hildemara, et vous devez comprendre que...

Dame Chanboor saisit de nouveau le col de Dalton. Sans douceur, cette fois.

— Des tas d'imbéciles vénèrent Claudine parce qu'ils ont gobé qu'elle s'était penchée sur le sort des hommes privés d'emploi et de leurs enfants affamés. Ils font la queue devant sa porte pour quémander l'une ou l'autre faveur.

» Cette popularité est dangereuse, car elle donne du pouvoir à cette garce. Souvenez-vous qu'elle a accusé Bertrand de l'avoir prise de force. Violée, pour appeler un chat un chat !

Dalton savait où Hildemara voulait en venir. Mais il tenait à la forcer à dire clairement les choses. Ainsi, le cas échéant, il aurait davantage d'armes contre elle, s'il lui prenait l'envie de nier, voire de le jeter en pâture aux loups pour atteindre plus facilement l'un ou l'autre de ses objectifs. Ou pis encore, s'il tombait en disgrâce pour avoir heurté sa susceptibilité.

— Une accusation de viol n'aurait aucun effet sur la population, dit-il, jouant l'avocat du diable. Présenter cet acte comme la prérogative d'un homme de pouvoir sans cesse sous pression serait un jeu d'enfant. Personne ne tiendrait rigueur à Bertrand d'une incartade qui, somme toute, n'a pas vraiment fait de victime. Et je n'aurais aucun mal à démontrer que le ministre est au-dessus des lois qui s'appliquent au commun des mortels.

Hildemara serra plus fort le col de Campbell.

— Et si Claudine était invitée à témoigner devant le bureau de l'Harmonie culturelle ? Les directeurs redoutent le talent et le pouvoir de Bertrand, et ils sont également jaloux de moi. S'ils sont malins, ils prendront la défense de Claudine en arguant que ce viol, s'il échappe à la loi, est une offense à la face du Créateur.

» Cela suffira pour barrer à Bertrand la route du trône. Si les directeurs s'unissent, ils peuvent nous mettre à genoux ! Nous devrons tous nous chercher de nouveaux appartements avant d'avoir compris ce qui se passe !

— Hildemara, vous...

— Dalton, je veux qu'on la tue !

Campbell pensait depuis toujours que les qualités d'âme d'une femme ordinaire pouvaient compenser ses défauts physiques. Avec Hildemara, c'était exactement l'inverse. Son despotisme et sa haine de tous ceux qui faisaient obstacle à ses ambitions occultaient ce qu'elle pouvait avoir de – plus ou moins – attirant.

— Si c'est ce que vous voulez, Hildemara, ce sera fait, n'ayez aucune crainte. (Dalton écarta doucement de son col les mains de la tigresse.) Vous avez des... hum... exigences particulières ?

— Oui, pas de faux accident, cette fois ! Je veux que cet assassinat ressemble à un assassinat ! La leçon ne servira à rien si les autres conquêtes de mon mari ne la comprennent pas. Il faut que ce soit sanglant, Dalton ! Une boucherie qui force ces gourgandines à ouvrir les yeux ! Pas de poison qui la fera mourir paisiblement dans son sommeil !

— Je vois...

— Bien entendu, nous devrons paraître plus innocents que l'agneau qui vient de naître. Pas question que les soupçons se portent sur les services du ministère ! Mais il faut que tous ceux qui voudraient calomnier Bertrand reçoivent clairement le message.

Dalton avait déjà à l'esprit un plan parfait. Personne ne songerait à un accident, l'affaire serait des plus sanglantes, et il savait déjà quels coupables désigner du doigt, si ça s'imposait.

Les arguments d'Hildemara, il devait l'admettre, ne manquaient pas de poids. Le ministre avait montré le tranchant de sa hache aux directeurs, qui pouvaient être tentés de se défendre...

Claudine n'était pas totalement neutralisée. La laisser en vie ne serait pas raisonnable. Il le regrettait, mais ça ne souffrait pas de contestation.

— Il en sera fait selon vos désirs, Hildemara.

Dame Chanboor en retrouva aussitôt le sourire.

— Vous n'êtes pas avec nous depuis longtemps, Dalton, mais je respecte déjà vos compétences et votre... souplesse. Si Bertrand a une qualité, c'est bien l'art de choisir ses collaborateurs. Sans ce talent-là, le pauvre serait obligé de se charger lui-même du travail, et cette corvée l'éloignerait tragiquement des croupes féminines qu'il convoite à longueur de journée.

» Quant à vous, je me doute que vous n'avez pas réussi une carrière aussi fulgurante sans recourir de temps en temps à des mesures extrêmes...

Hildemara savait tout de son passé, c'était évident. Sinon, elle ne se serait pas adressée à lui pour cette mission si... particulière. Et elle n'était pas à court d'hommes de main.

En même temps, elle lui donnait l'occasion d'ajouter un nouveau fil à sa toile.

— Vous m'avez demandé une faveur, Hildemara, et elle est parfaitement dans mes cordes.

Il ne s'agissait pas d'une « faveur », mais d'un ordre, et aucun des deux n'était dupe. Mais il entendait impliquer autant que possible dame Chanboor dans la... liquidation... de Claudine.

Avoir commandité un meurtre était bien plus grave qu'un viol, si méprisable fût-il. Et un jour, Dalton pouvait bien avoir besoin qu'elle lui rende un « service » d'une nature tout aussi exceptionnelle.

Hildemara sourit et prit entre ses mains le visage de l'assistant.

— Je savais que vous étiez l'homme de la situation ! Merci beaucoup, Dalton.

Campbell hocha humblement la tête.

L'expression de dame Chanboor s'assombrit comme si un banc de nuages venait de passer devant le soleil de son sourire.

Ses mains glissèrent jusqu'au menton de Campbell, qu'elle souleva d'un seul index.

— N'oubliez pas un détail, très cher : s'il n'est pas en mon pouvoir de castrer Bertrand, je peux vous faire subir ce sort dès que ça me chantera !

— Ma dame, croyez que je me garderai de vous donner une raison de sortir votre couteau, lâcha Campbell avec un sourire.

Chapitre 38

F itch se gratta le bras à travers le tissu crasseux de ses anciennes frusques de garçon de cuisine. Avant de porter son nouvel uniforme, il ne s'était jamais aperçu qu'il s'agissait de haillons. Depuis, il savourait le respect que lui valait son nouveau poste de messager. Bien entendu, il n'était pas quelqu'un d'important, mais la plupart des gens avaient de l'estime pour les courriers, parce qu'ils assumaient de véritables responsabilités. En revanche, personne au monde n'admirait les larbins chargés de récurer les chaudrons.

En remettant ses anciens habits, il avait eu l'impression de revenir à sa vie d'*avant*, et cette seule idée lui donnait envie de vomir. Il aimait travailler pour Dalton Campbell, et il ferait tout pour continuer.

Et pour ça, ce soir, il fallait qu'il soit vêtu comme un traîne-misère.

La douce mélodie d'un luth montait des fenêtres ouvertes d'une auberge, assez loin de l'endroit où il attendait. Il s'agissait de la taverne du *Bonhomme Jovial*, dans la rue Wavern. Un troubadour venait souvent y chanter…

Les trilles plus aigus d'un chalumeau se mêlaient parfois aux accords du luth. Puis ils cessaient, et le troubadour entonnait une ballade dont le jeune Haken, à cause de la distance, ne comprenait pas les paroles. Mais les airs entraînants et harmonieux faisaient battre son cœur un peu plus vite.

Fitch jeta un coup d'œil derrière lui et, à la lueur du clair de lune, vit les visages tendus des autres messagers. Eux aussi avaient revêtu les tristes haillons qu'ils portaient dans leur ancienne vie. Solidaire de ses nouveaux amis, le jeune Haken était résolu à ne pas les laisser tomber, quoi qu'il arrive.

Ainsi attifés, ils ressemblaient à une bande de vagabonds, et personne n'aurait pu les distinguer des centaines de Hakens loqueteux aux cheveux roux qu'on croisait dans les rues de Fairfield.

Ces pauvres bougres erraient en ville en quête d'une bonne âme qui voudrait bien leur proposer du travail. Souvent, la garde venait les disperser, parce qu'ils troublaient l'ordre public. Certains sortaient de la ville pour aller offrir leurs services à des paysans. D'autres se cachaient derrière des bâtiments pour se soûler, et une poignée se tapissaient dans l'ombre afin d'attaquer les passants et de les détrousser. S'ils étaient capturés, ces ruffians-là finissaient sur l'échafaud. Et on n'échappait en général pas longtemps aux patrouilles de la garde...

Les chaussures de Morley grincèrent quand il s'accroupit à côté de Fitch. Comme tous les autres membres de l'équipe, le jeune Haken avait gardé ses belles bottes, même si elles faisaient partie de son nouvel uniforme. Les éventuels témoins n'en tireraient aucune conclusion, en supposant qu'ils remarquent ce détail curieux...

Bien que Morley ne fût pas encore un messager, messire Campbell lui avait demandé de se joindre au petit groupe chargé d'une mission délicate. Déçu que l'assistant ne l'ait pas enrôlé à « temps plein » comme son ami, Morley s'était consolé en apprenant de la bouche de Fitch que l'assistant du ministre ferait appel à lui de temps en temps et l'intégrerait un jour ou l'autre dans le corps de messagers. Pour l'instant, avoir des raisons d'espérer suffisait à le combler de bonheur...

Les nouveaux collègues de Fitch étaient plutôt sympathiques, il le reconnaissait volontiers. Pourtant, il se réjouissait d'avoir à ses côtés un vieil ami avec qui il avait trimé dans la cuisine de maître Drummond. Leur passé commun comptait beaucoup. D'autant plus que se soûler ensemble pendant des années forgeait de sacrés liens ! Morley semblait partager les sentiments de Fitch, et il était heureux d'avoir une nouvelle occasion de montrer sa valeur.

Même s'il était mort de peur, Fitch, comme tous les autres, tenait à ne pas décevoir Dalton Campbell. De plus, et à l'inverse de leurs compagnons, Morley et lui avaient des raisons personnelles de vouloir mener à bien cette mission.

Pourtant, les paumes de Fitch étaient si moites qu'il devait les essuyer sans arrêt sur ses genoux.

Morley flanqua un petit coup de coude à Fitch, qui plissa les yeux pour sonder la rue mal éclairée où s'alignaient des bâtiments de pierre de deux ou trois étages. Claudine Winthrop venait d'apparaître sous le porche d'une de ces demeures. Comme messire Campbell l'avait prévu, il y avait avec elle un Anderien en riches atours qui portait sur la hanche gauche une longue épée fine. Une lame très maniable et hautement dangereuse, supposa Fitch, non sans frissonner.

Dans sa tenue de courrier, Rowley alla à la rencontre du grand Anderien, qui finissait de descendre les marches, et lui tendit un message. Pendant qu'il en brisait le sceau, le compagnon de Claudine échangea avec Rowley quelques mots que Fitch ne comprit pas à cause de la distance.

Dans le lointain, le troubadour continuait à jouer du luth et du chalumeau. Des passants des deux sexes montaient et descendaient la rue, souvent en bavardant joyeusement. Quelque part dans un couloir, des hommes riaient de plaisanteries qui ne devaient pas être d'une extraordinaire subtilité. Des carrosses décapotés passaient de temps en temps, amenant de riches passagers vers on ne savait quelles festivités. Des charrettes et des chariots cahotaient sur les pavés, ajoutant au vacarme ambiant.

L'Anderien rangea le message dans la poche de son pourpoint, se tourna vers Claudine Winthrop et lui dit quelques mots que Fitch, une fois encore, ne parvint pas à comprendre.

L'Anderienne jeta un coup d'œil vers la rue qui s'enfonçait dans la cité, puis elle hocha la tête et désigna l'avenue qui menait au domaine, où Fitch et ses compagnons se cachaient. Très souriante, Claudine semblait d'excellente humeur.

L'homme lui serra la main, sans doute pour lui dire bonsoir. Elle le regarda s'éloigner, le saluant de temps en temps d'un geste amical.

Dalton Campbell avait chargé Rowley de délivrer le message. Maintenant que c'était fait, l'homme de confiance de l'assistant s'éloigna à son tour, comme prévu.

Rowley avait très exactement décrit ce qu'ils devaient faire aux Hakens déguisés. C'était toujours lui qui donnait les ordres, et, en l'absence de messire Campbell, il savait invariablement ce qu'il convenait de faire.

Fitch l'aimait déjà beaucoup. Pour un Haken, ce jeune homme affichait une confiance en lui-même hors du commun. Messire Campbell se montrait très courtois avec lui – comme avec tout le monde –, mais il paraissait lui témoigner un peu plus de respect. S'il avait été aveugle, Fitch aurait pu le prendre pour un Anderien. À un détail près : s'il restait toujours très professionnel, Rowley ne se montrait jamais méprisant avec les autres Hakens.

Claudine Winthrop s'engagea dans l'avenue qui conduisait au domaine. Deux gardes qui passaient par là, des colosses armés de gourdins, la regardèrent un moment marcher d'un pas décidé.

Pour atteindre sa destination, il lui faudrait à peine une heure. Et ce soir, la nuit était d'une tiédeur parfaite pour faire un peu d'exercice sans transpirer à grosses gouttes. Avec la pleine lune, toutes les conditions d'une agréable promenade vespérale étaient réunies.

Claudine resserra son châle blanc sur ses épaules. De toute façon, constata Fitch, un peu déçu, la robe qu'elle portait ce soir ne révélait pas grand-chose de ses charmes.

Dame Winthrop aurait pu s'asseoir sur un banc et attendre un des carrosses qui faisaient la navette entre la ville et le domaine. Mais elle n'opta pas pour cette solution. Si elle se sentait fatiguée en chemin, il lui suffirait d'attendre qu'un de ces véhicules la rattrape.

Rowley était allé s'assurer que le prochain carrosse aurait du retard à cause d'un message de la première importance à délivrer d'urgence à l'autre bout de la ville.

Fitch et ses compagnons restèrent à l'endroit où on leur avait ordonné d'attendre leur proie. Claudine approchait vite, et les lointains échos de la musique faisaient à présent cogner le cœur de Fitch contre ses côtes.

Il regarda Claudine avancer vers lui tandis que ses doigts pianotaient sur ses genoux, marquant la cadence de l'air que le troubadour jouait au chalumeau. *La Poursuite autour du puits* racontait l'histoire d'un homme amoureux d'une belle qui l'ignorait superbement. À bout de nerfs, le galant courait derrière sa bien-aimée autour d'un puits, finissait par l'attraper, la plaquait au sol et lui demandait de l'épouser. Quand elle disait enfin « oui », il se relevait d'un bond et c'était elle qui devait le poursuivre autour du puits...

À mesure qu'elle avançait, Claudine paraissait de moins en moins sûre que se promener seule en pleine nuit fût une idée judicieuse. Inquiète, elle jeta un coup d'œil aux champs de blé, sur sa droite, et aux plantations de sorgho, sur sa gauche. Puis elle accéléra la cadence et sortit bientôt du cercle de lumière que la cité projetait quelques centaines de pas hors de ses limites.

Assis sur les talons, Fitch sentit son cœur battre la chamade, et il commença à se balancer nerveusement d'avant en arrière. Bon sang, que n'aurait-il pas donné pour être ailleurs et ne pas avoir à accomplir cette mission ! Après, il le savait, plus rien ne serait jamais pareil pour lui...

Et d'ailleurs, serait-il à la hauteur de la tâche ? Aurait-il le cran d'agir ? Après tout, les autres étaient assez nombreux pour faire le sale boulot pendant qu'il détournerait le regard...

Non, c'était impossible ! Dalton Campbell voulait qu'il participe à l'action et découvre le châtiment promis à ceux qui ne tenaient pas parole. Et c'était une façon de l'intégrer davantage encore à son équipe de messagers.

Pour en faire vraiment partie, le jeune Haken devait aller jusqu'au bout. Les autres n'avaient sûrement pas peur, et il ne devait pas trahir sa faiblesse devant eux.

Pétrifié, il regarda l'Anderienne approcher, ses chaussures grinçant sur les graviers de la route. La seule idée de ce qui allait suivre le terrorisait. Pourquoi Claudine ne faisait-elle pas demi-tour ? Elle avait encore une chance d'échapper à son destin.

Quelques heures plus tôt, quand messire Campbell lui avait donné ses ordres, tout semblait si simple. Et maintenant...

Dans le bureau de l'assistant, à la lumière du jour, l'affaire paraissait pourtant d'une grande limpidité. Il avait essayé d'aider Claudine en la prévenant, et elle n'en avait pas tenu compte. À présent, elle devait payer.

Oui, à la lumière du jour, cela avait semblé logique. Mais dans le noir, en pleine campagne, il en allait tout autrement.

Une femme seule, une bande de jeunes hommes... L'horreur absolue !

Fitch serra soudain les mâchoires. Il ne devait pas décevoir les autres ! S'il se montrait aussi dur qu'eux, ils seraient fiers de lui et le considéreraient vraiment comme l'un des leurs.

Voulait-il abandonner sa nouvelle vie et retourner travailler sous les ordres de maître Drummond ? Avait-il envie que Gillie le tire de nouveau par l'oreille et l'insulte parce qu'il était un « vil Haken » ? Désirait-il redevenir « Fichtre », comme avant que messire Campbell lui donne une chance de montrer sa valeur ?

Le jeune Haken manqua crier de terreur quand il vit Morley bondir sur Claudine Winthrop.

Puis il suivit son ami, comme si ses jambes l'avaient décidé d'elles-mêmes.

Claudine voulut crier, mais Morley lui plaqua une main sur la bouche pendant que Fitch et lui la faisaient tomber dans la poussière.

En se réceptionnant, Fitch se fit très mal au coude et il entendit leur proie gémir quand Morley s'écrasa sur elle.

Elle battit des bras et des jambes, puis tenta encore de crier. Cette fois, un son étouffé sortit de ses lèvres, mais ils étaient bien trop loin de la ville pour que quelqu'un l'entende.

Frappant des coudes et des genoux, Claudine se battait rageusement pour sa vie. Fitch parvint à lui saisir un bras et le lui retourna dans le dos. Faisant de même avec l'autre bras de leur victime, Morley la força ensuite à se relever.

Sortant la corde qu'il avait emportée, Fitch attacha les poignets de l'Anderienne pendant que son ami lui enfonçait une boule de tissu dans la bouche puis la bâillonnait.

Les deux Hakens prirent Claudine par les aisselles et la tirèrent sur la route, se fichant qu'elle enfonce ses talons dans le sol pour tenter de résister. Deux des autres messagers approchèrent, la prirent par les jambes et la soulevèrent du sol. Un troisième lui saisit les cheveux et tira très fort.

Suivis par leurs compagnons, les cinq « porteurs » s'éloignèrent de la cité tandis que leur victime, folle de terreur, tremblait de tous ses membres et tentait de hurler malgré le bâillon.

Après ce qu'elle avait fait, Claudine avait raison de mourir de peur…

Quand ils furent hors de vue de la ville, les Hakens tournèrent sur la droite et s'enfoncèrent dans un champ de blé. Pour œuvrer en paix, ils préféraient être loin de la route, où une diligence risquait à tout moment de les déranger. S'ils avaient dû lâcher leur proie et fuir, Dalton Campbell ne le leur aurait pas pardonné.

Quand ils furent au creux d'une petite dépression, au milieu du champ, ils jetèrent Claudine sur le sol. Ici, personne ne les verrait et on ne risquerait pas de les entendre.

L'Anderienne leva sur Fitch un regard terrorisé. L'agneau se retrouvait devant le couteau du boucher, et, cette fois, il n'y aurait pas de remise de peine.

Fitch haletait – moins d'épuisement que parce que la suite des événements le bouleversait. Le cœur affolé, il sentait ses genoux jouer des castagnettes.

Morley releva Claudine et la ceintura, comme la première fois.

— Je t'avais prévenue, grogna Fitch. Tu es donc stupide ? Je t'ai dit de ne plus répéter tes ignobles accusations contre le ministre de la Civilisation ! Il ne t'a pas violée, et tu as juré de ne plus rien dire à ce sujet. Mais tu n'as pas tenu parole !

Claudine secoua frénétiquement la tête. Voir qu'elle essayait encore de mentir enragea Fitch.

— Tu avais promis de ne plus salir la réputation du ministre ! cria-t-il. Et tu as recommencé dès que j'ai eu le dos tourné !

— C'est vrai, Fitch, dit un des messagers, tu l'avais avertie !

— Oui, renchérit un autre, elle savait ce qu'elle risquait.

— Et tu lui as donné une chance, ajouta un troisième Haken.

Plusieurs messagers tapèrent amicalement dans le dos de Fitch, qui se sentit soudain plus apprécié – et plus important – que jamais dans sa vie.

Claudine continua à secouer la tête, le front tellement plissé que ses sourcils se touchaient presque.

— Nos amis ont raison, grogna Morley. J'étais là, et j'ai tout entendu. Fitch t'a donné une chance, et tu aurais dû l'écouter.

Voyant que l'Anderienne voulait parler malgré le bâillon, Fitch le tira sur son menton et elle cracha la boule de tissu.

— Je n'ai pas recommencé, messire, je le jure ! Après vous avoir vu, je n'ai plus rien dit ! Par pitié, croyez-moi ! Je n'ai pas manqué à ma parole !

— C'est faux ! cria Fitch, les poings serrés. Messire Campbell nous a affirmé le contraire. Oserais-tu le traiter de menteur ?

Claudine secoua la tête.

— Non, messire ! Mais par pitié, vous devez me croire ! (L'Anderienne éclata en sanglots.) Je vous jure que j'ai obéi à vos ordres !

Fitch était furieux que cette garce s'entête à mentir. Il lui avait donné une chance – non, messire Campbell lui avait fait cette grâce ! –, et elle avait continué à trahir le ministre.

S'entendre appeler « messire » ne lui faisait même plus plaisir. Mais ça impressionnait les hommes qui se tenaient derrière lui et qui l'encourageaient à agir.

Et il en avait assez que Claudine se moque de lui.

— Je t'ai ordonné de te taire, et tu ne l'as pas fait !

— Si, gémit l'Anderienne. J'ai tenu ma parole, et…

Fitch lui expédia son poing dans la figure. Bien au milieu, et sans retenir son coup.

Des os craquèrent sous l'impact.

Le jeune Haken avait frappé si fort qu'il s'était fait mal à la main. Il s'en aperçut à peine, fasciné par le sang qui maculait le visage de l'Anderienne au nez éclaté.

— Dans le mille, mon vieux ! cria Morley, qui avait un peu vacillé sous le choc.

— Continue, Fitch ! crièrent quelques messagers.

Heureux qu'on apprécie ses initiatives, le jeune Haken lâcha la bonde à sa fureur. Cette chienne essayait de nuire à Dalton Campbell et au ministre Chanboor – le futur pontife ! Elle méritait son châtiment !

Son deuxième coup arracha des bras de Morley l'Anderienne, qui tomba comme une masse et se reçut sur un côté. Fitch vit qu'il lui avait déboîté la mâchoire. Avec le sang, son nez écrasé et son menton désormais de travers, il ne reconnaissait plus vraiment Claudine.

C'était horrible, mais d'une étrange façon, comme s'il avait été le simple spectateur de ses propres actes.

Comme une meute de chiens, les autres hommes se jetèrent sur l'Anderienne. De loin le plus costaud, et le plus féroce, Morley la releva et tous entreprirent de la tabasser. Ils visèrent d'abord la tête, puis s'acharnèrent sur son ventre. Quand elle fut pliée en deux de douleur, ils s'en prirent à ses reins. Sous ce déchaînement de violence, elle échappa de nouveau à l'étreinte de Morley et s'écrasa face contre terre.

Alors, ils l'achevèrent à coups de pied. Morley visa sa nuque, et un autre messager la lui piétina sauvagement. Leurs compagnons se concentraient sur ses flancs, frappant si fort que le corps de l'Anderienne se soulevait comme une marionnette dont on tire les ficelles.

De très loin, dans un cocon où rien de mal ne se passait, Fitch se vit décocher dans le flanc de la moribonde un coup de pied qui lui fit éclater les côtes. Cette boucherie l'écœurait et l'excitait tout à la fois.

En compagnie d'autres hommes courageux et bons, il accomplissait une mission vitale pour la sécurité de Dalton Campbell et du ministre de la Civilisation. Le prochain pontife, que tout citoyen d'Anderith avait le devoir de protéger !

Une part de lui-même restait révulsée par cette ignoble exécution. Oui, dans un coin de sa tête, il aurait voulu s'enfuir en pleurant – ou mieux, n'avoir jamais vu Claudine Winthrop s'engager sur la route qui la conduirait à sa mort.

Mais l'exaltation refoulait ces sentiments au second plan. Parce qu'il était enfin un messager, admis et même admiré par ses pairs !

Après ce qui lui parut une éternité, la meute cessa enfin de se déchaîner sur sa proie, morte depuis longtemps.

Couverts de sang, y compris les cheveux et le visage, les messagers se regardèrent avec la satisfaction du travail accompli.

L'odeur du sang dans les narines et au fond de la gorge, comme s'il en avait avalé, Fitch éprouva une sensation d'unité telle qu'il n'en avait jamais connu. Ces hommes étaient ses frères, et il n'y avait rien de plus beau au monde que la camaraderie qui les poussait à éclater de rire devant la dépouille désarticulée de Claudine Winthrop.

Quand ils entendirent le grincement caractéristique des roues d'une diligence, tous se pétrifièrent, l'oreille tendue. Les yeux écarquillés, ils attendirent, le souffle bloqué comme si le temps venait de s'arrêter.

La diligence s'immobilisa.

Sans se demander qui passait sur la route à une heure aussi tardive, les messagers détalèrent, en quête de la mare où ils plongeraient pour se débarrasser du sang qui trahissait leur culpabilité.

Chapitre 39

Quand il entendit frapper à sa porte, Campbell leva les yeux du texte qu'il lisait.

— Oui ?

Rowley ouvrit le battant et entra.

— Messire Campbell, quelqu'un demande à vous voir. Un certain Inger. Boucher de son état, dit-il…

Très occupé, Dalton n'était pas d'humeur à discuter de problèmes d'intendance. Il avait assez de questions plus ou moins graves à résoudre pour ne pas s'ennuyer avec ça.

L'assassinat de Claudine Winthrop avait mis en ébullition la cité et le domaine. Cette femme importante, connue et appréciée, n'était pas une victime comme les autres. Cela dit, quand on savait y faire, ce genre de situation ouvrait une foule de perspectives. Et l'assistant du ministre était dans son élément…

Au moment du meurtre, Stein tenait une conférence devant les directeurs de l'Harmonie culturelle. Dalton avait minuté les choses ainsi, pour que les soupçons ne se portent pas sur l'émissaire de l'Ordre Impérial. Quand on s'affichait avec une cape faite de scalps – même prélevés sur des champs de bataille – on risquait toujours d'être accusé d'une multitude d'« indélicatesses ».

Deux gardes affirmaient avoir vu Claudine sortir de Fairfield pour regagner le domaine. Même après le coucher du soleil, il n'était pas rare que des gens s'aventurent ainsi sur une route très fréquentée et jusque-là tenue pour parfaitement sûre. Selon les mêmes gardes, de jeunes Hakens, un peu avant le meurtre, s'étaient réunis pour boire en cachette. Le lien étant facile à faire, tout le monde pensait que la pauvre Claudine avait été attaquée par ces voyous – une nouvelle preuve que la haine des Hakens pour les Anderiens ne s'éteindrait jamais.

Désormais, tous les notables qui s'aventuraient la nuit hors de la cité bénéficiaient d'une escorte.

Les bonnes âmes demandaient à cor et à cri que le ministre prenne des mesures. Abattu par la mort horrible de son épouse, Edwin Winthrop avait dû s'aliter. Mais, sous ses couvertures, lui aussi demandait justice pour Claudine.

Quelques jeunes Hakens avaient fait sous les verrous un séjour brusquement écourté quand on avait découvert qu'ils travaillaient chez un fermier la nuit du meurtre. La veille, les clients d'une taverne, stimulés par le rhum, avaient lancé une grande chasse aux « assassins roux ». Plusieurs Hakens, certains à peine sortis de l'adolescence, avaient été battus à mort sous les yeux de spectateurs enthousiastes.

Dalton avait écrit des discours pour le ministre et décrété en son nom une série de mesures d'urgence qui lui seraient bien utiles par la suite. Dans ses allocutions, Bertrand avait saisi l'occasion de jeter l'opprobre sur tous ceux qui s'opposaient à sa nomination au poste de pontife. Avec leurs discours enflammés, affirmait-il, ces inconscients encourageaient le mépris de la justice et l'explosion de la violence. Il prônait en conséquence l'adoption de nouvelles lois contre les « incitations à la subversion ». Cette harangue, subtilement adressée aux directeurs de l'Harmonie culturelle, avait de bonnes chances de doucher un peu plus leurs ardeurs contestatrices.

Devant les foules massées pour l'écouter, Bertrand avait promis de nouvelles mesures – sans les décrire – pour en finir avec l'insécurité. Les initiatives de ce type étaient toujours très vagues et débouchaient rarement sur des actions concrètes. Mais pour convaincre les citoyens que le ministre prenait les choses à bras-le-corps, les mots suffisaient amplement. L'essentiel, dans cette affaire, était le « sentiment » qu'on parvenait à instiller à la population. Car donner l'impression qu'on agissait était facile, peu fatigant, et n'exposait jamais au risque d'être démenti par la réalité.

Bien entendu, pour financer cette grande campagne d'assainissement, il faudrait lever de nouveaux impôts. Une formule vraiment magique ! Toute opposition à ces ponctions supplémentaires passerait pour un plaidoyer en faveur de la violence, et ses tenants seraient automatiquement identifiés aux barbares hakens de jadis. Avec ce tour de passe-passe, le ministre et Campbell renforceraient leur contrôle sur l'économie d'Anderith. Et leur pouvoir, par la même occasion…

Bertrand jouait avec enthousiasme son rôle de « chef de guerre » qui donnait des ordres, dénonçait le mal, rencontrait inlassablement des délégations de citoyens inquiets et les rassurait sans coup férir.

Mais ce tumulte durerait peu. Dès que les gens auraient oublié le meurtre, ils passeraient à autre chose, et il ne resterait plus que les nouvelles lois, fort pratiques pour Bertrand et ses alliés.

Hildemara ronronnait, et c'était le plus important aux yeux de Dalton.

— Rowley, dit-il, envoie ce boucher aux cuisines, et conseille-lui de s'adresser à Drummond. Les commandes de viande sont de son ressort.

— Compris, messire.

Rowley referma la porte, et le silence retomba dans le bureau, à peine troublé par le bruit d'une douce pluie printanière. Si le ciel restait si coopératif, les récoltes seraient excellentes, et les paysans se plaindraient moins de devoir payer de nouveaux impôts.

Dalton s'adossa à sa chaise et reprit sa lecture.

L'auteur du rapport avait vu des guérisseurs entrer dans le palais du pontife. Il n'avait pas pu leur parler, mais il précisait qu'ils y avaient passé la nuit.

Une nouvelle intéressante qu'il convenait de relativiser. Rien n'indiquait que le pontife était malade. Après tout, son domaine était presque aussi vaste que celui du ministère de la Civilisation, et il s'agissait seulement de sa résidence privée. Pour le « travail » – si ce mot avait un sens en ce qui le concernait – il disposait de locaux à part où il donnait également ses audiences.

Au ministère, il arrivait fréquemment qu'un ou deux guérisseurs passent la nuit au chevet d'un malade. Et ça ne voulait pas dire que Bertrand se portait mal !

Les maris jaloux représentaient le plus grand danger pour sa santé, et ce n'était pas très inquiétant. Quand le galant était un homme de pouvoir, les cocus faisaient aisément profil bas. Dans ces conditions, un excès d'indignation pouvait vous attirer tellement d'ennuis…

Dès que Bertrand aurait été nommé pontife, ce risque déjà minime serait réduit à zéro. Pour une femme, partager la couche du grand homme était un honneur et pratiquement une expérience mystique. On prétendait même que ces ébats-là se déroulaient sous l'œil approbateur du Créateur en personne.

Aucun mari n'aurait hésité à pousser sa femme dans le lit du pontife, s'il en manifestait le désir. En plus d'en retirer par la bande une aura de sainteté, l'époux complaisant pouvait escompter en tirer des bénéfices des plus concrets. Et quand l'heureuse élue était assez jeune, ses parents aussi profitaient indirectement de la « bénédiction » du saint homme.

Dalton passa au rapport suivant. L'épouse du pontife, signalait-il, ne s'était plus montrée en public depuis des jours. Et elle s'était même fait excuser alors qu'elle devait visiter un orphelinat. Parce qu'elle était malade ? Ou parce qu'elle ne quittait pas le chevet de son mari ?

Attendre la mort du vieil homme était aussi excitant que jouer les funambules sur une corde raide. Le cœur battait la chamade, et on avait vite le front inondé de sueur. Pour Dalton, ce jeu était le plus excitant qu'il connût, car le décès du vieux chef était un des rares événements sur lesquels il n'avait aucune prise. Avec la horde de gardes du corps qui veillaient sur lui, prendre le risque de hâter son départ pour l'autre monde eût été inutilement dangereux. Surtout quand sa vie ne tenait plus qu'à un fil…

Dalton devait attendre… et tout gérer afin d'être prêt quand l'occasion se présenterait.

Il passa au message suivant, sans grand intérêt. Un type qui se plaignait parce qu'une femme, selon lui, jetait des sorts pour qu'il soit affligé de la goutte. Ne reculant devant rien, le personnage avait publiquement demandé l'aide d'Hildemara Chanboor, connue pour sa bonté et la pureté de son cœur. Si elle consentait à coucher avec lui, affirmait-il, son contact chasserait sans nul doute les esprits malins…

Dalton ne put s'empêcher de sourire en imaginant cette improbable union. En plus de n'avoir aucun goût en matière de femmes, cet individu était fou à lier. Il ajouta son nom à la liste des suspects que la garde devrait surveiller de près, puis soupira d'agacement. Dire qu'il devait perdre son temps avec des idioties pareilles !

Alors qu'il allait passer au prochain rapport, on frappa de nouveau à sa porte.

— Quoi, encore ?

C'était Rowley, bien entendu.

— Messire Campbell, j'ai transmis votre réponse au boucher, mais il prétend qu'il ne s'agit pas d'une affaire d'intendance. (Le messager baissa le ton.) Il est question de… hum… problèmes qui auraient pour cadre le domaine. Il veut vous en parler, mais si ça ne vous intéresse pas, il ira voir les directeurs de l'Harmonie culturelle.

Dalton ouvrit un tiroir et y rangea la pile de messages. Avant de se lever, il ferma plusieurs dossiers restés ouverts sur ses écritoires.

— Fais-le entrer !

Du genre costaud, et plus vieux que Dalton d'une bonne dizaine d'années, Inger passa la porte et inclina humblement la tête.

— Merci de me recevoir, messire Campbell.

— C'est tout à fait normal. Si vous voulez bien approcher…

Inger se frotta les paumes sur son pantalon, sans doute parce qu'elles étaient moites, et inclina de nouveau la tête. Pour un boucher, pensa Dalton, ce type était étonnamment propre sur lui. En fait, il ressemblait davantage à un marchand. Mais pour être devenu le fournisseur du domaine, il devait avoir une affaire importante, et ne plus jamais mettre la main à la pâte.

— Prenez un siège, je vous en prie, maître Inger…

Inger balaya la pièce du regard et ne put retenir un sifflement admiratif. Un marchand, certes, corrigea Dalton, mais de tout petit niveau.

— Merci, messire Campbell, dit le boucher. (Il tira la chaise plus près du bureau et s'assit.) Appelez-moi « Inger » tout court, je vous en prie. J'en ai tellement l'habitude… (Il eut un petit sourire.) Mon vieux professeur est le seul qui m'ait jamais donné du « maître Inger », toujours avant de me taper sur les doigts. En général, parce que je n'avais pas lu un texte, la veille… En calcul, j'étais bon, et il n'avait jamais besoin de me punir. J'adorais ça, et j'avais raison, parce que ça m'a rudement servi, dans mon boulot !

— Je vois ce que vous voulez dire, mon ami…

Inger jeta un coup d'œil aux étendards, puis il se lança :

— Mon affaire marche très bien, vous savez ? Et le ministère est mon plus gros client. Savoir compter est important, quand on dirige un commerce. J'ai de très bons employés, et tous maîtrisent le calcul, histoire de ne pas se faire escroquer lorsqu'ils livrent la marchandise.

— Eh bien, le domaine est satisfait de vos services, je peux vous l'assurer. Sans votre contribution, nos banquets ne seraient pas si réussis. À la qualité de vos viandes, rouges ou blanches, on voit que vous êtes un grand professionnel.

Inger sourit.

— Merci, messire Campbell. Vos compliments me touchent… C'est vrai, je fais mon travail avec amour. Mais peu de gens me font la grâce de s'en apercevoir. Vous êtes bien le gentilhomme que tout le monde décrit.

— Je fais de mon mieux pour aider les autres, c'est tout… Un humble serviteur du peuple… (Dalton eut un sourire engageant.) Que puis-je pour vous, Inger ? Y a-t-il au domaine une difficulté que je pourrais aplanir pour vous faciliter le travail ?

Le boucher approcha encore sa chaise, posa un coude sur le bureau et appuya le menton dessus. Son bras était aussi gros qu'un tonnelet de rhum…

Le front plissé, il adopta un ton moins timide et maniéré.

— Voici le problème, messire Campbell. Vous ne le savez sûrement pas, mais je suis très strict avec mes employés, et je ne tolère pas la moindre bêtise. C'est moi qui leur apprends à couper et à préparer la viande, et quand ils ne savent pas compter, je leur donne des cours. Avec moi, les gens qui prennent leur travail à la légère ne font pas long feu. Le secret du commerce, quand on veut prospérer, c'est la satisfaction du client ! Ceux qui ne voient pas les choses comme ça se font caresser les côtes, et ils ne tardent pas à prendre la porte. On prétend que je suis dur, mais c'est dans ma nature, et je ne suis plus en âge de changer.

— Une attitude qui me paraît raisonnable, Inger...

— D'un autre côté, je respecte mon personnel. Si on me fait du bien, j'en fais en retour, et ce n'est que justice. Je sais comment certains patrons traitent leurs employés, surtout les Hakens, mais je ne joue pas ce jeu-là. Quand on est honnête, je le suis aussi, et c'est normal.

» Dans ces conditions, on devient vite ami avec les gens qui vivent et travaillent près de soi. Vous voyez ce que je veux dire ? Au fil des ans, ils sont comme une seconde famille. On s'en soucie, et c'est logique, si on a un cœur dans la poitrine.

— Je comprends, mais...

— Messire, certains de mes employés sont les enfants des hommes et des femmes qui m'ont aidé à devenir un commerçant respecté. (Inger se pencha davantage en avant.) J'ai deux fils, et ce sont de bons garçons. Mais parfois, j'ai l'impression de m'occuper moins d'eux que des membres de mon équipe... Dans le lot, il y a une très jolie jeune Hakenne nommée Beata.

Une alarme retentit dans la tête de Dalton Campbell. Puis il se souvint de la petite rousse que Bertrand et Stein avaient fait monter au deuxième étage pour « s'amuser un peu ».

— Beata... Ce nom ne me dit rien, Inger.

— Et c'est normal, messire. Elle n'a de rapport qu'avec les cuisines du palais. Entre autres tâches, elle se charge des livraisons de ma boucherie. Je me fie à elle comme si elle était ma fille, et elle est très douée pour le calcul. C'est très important, parce que les Hakens ne savent pas lire, et qu'il est donc impossible de leur confier une liste. Beata a une très bonne mémoire. Avec elle je n'ai pas besoin de superviser le chargement, elle prend toujours les commandes sans se tromper, et aucun client ne réussirait à l'escroquer.

— Je ne vois toujours pas ce que...

— Et tout d'un coup, voilà qu'elle ne veut plus venir au domaine !

Dalton remarqua que le boucher serrait les poings.

— Aujourd'hui, nous avions une grosse livraison pour vous. Sûrement en vue d'un nouveau banquet. Je lui ai dit d'atteler Farfadet à la charrette et de s'en charger. Figurez-vous qu'elle a refusé !

Inger tapa du poing sur le bureau.

— Refusé, oui, comme je vous le dis !

Le boucher se radossa à son siège et redressa la bougie éteinte qu'il venait de faire tomber.

— Quand mes employés ne veulent pas travailler, ça me met hors de moi ! Mais Beata... Eh bien, c'est un peu ma fille, alors... Bref, au lieu de lui flanquer une correction, j'ai voulu savoir pourquoi elle réagissait comme ça. Je me disais que c'était peut-être à cause d'un garçon qu'elle n'avait plus envie de voir, ou un truc comme ça. Vous savez, il n'est pas toujours facile de deviner ce qui se passe dans la tête d'une femme…

» Je l'ai interrogée patiemment, et elle s'entêtait à dire qu'elle ne voulait plus aller au domaine. Bien sûr, cette réponse ne me satisfaisait pas. Mais elle était prête à travailler deux fois plus, et même à parer les volailles pendant la nuit, si j'acceptais de ne plus la faire travailler pour le domaine.

» J'ai insisté, certain qu'on lui avait fait du mal, sans parvenir à lui tirer les vers du nez. Elle refusait, un point c'est tout ! Furieux, je l'ai menacée de la forcer à livrer le palais, qu'elle en ait envie ou non. À ce moment-là, messire, elle a éclaté en sanglots.

Inger serra de nouveau le poing.

— Je connais Beata depuis qu'elle suce son pouce, et je ne l'ai jamais vue pleurer, même quand elle s'entaillait la main en découpant une pièce de viande. Et, croyez-le ou pas, elle ne versait pas une larme lorsque je recousais la plaie ! Oui, messire, je l'ai vue grimacer, mais jamais pleurnicher. À part quand sa mère est morte, mais ça, on peut le comprendre.

» Et aujourd'hui, à l'idée de venir ici, elle sanglotait comme une fillette. Du coup, j'ai décidé de m'occuper de la livraison…

» Messire Campbell, je ne sais pas ce qui est arrivé, mais ça devait être grave, pour que Beata craque de cette manière. Jusqu'à aujourd'hui, elle sautait de joie à l'idée de venir chez vous. Je l'ai toujours entendue dire du bien du ministre, qui se dévoue tellement pour Anderith. En réalité, elle était fière de livrer le palais… Mais c'est fini, et, la connaissant, je suppose que quelqu'un a pris son plaisir avec elle contre sa volonté. N'oubliez pas, messire, que je la considère comme ma fille.

— Pourtant, c'est une Hakenne, rappela froidement Dalton.

— C'est vrai, lâcha Inger sans cesser de soutenir le regard de l'assistant. Messire Campbell, je veux qu'on me livre le jeune salaud qui a violenté Beata, histoire de le pendre à un croc de boucher. Ou de *les* pendre, s'ils sont plusieurs, ce que je crois… Pour venir à bout de cette petite, il a dû falloir plus d'un seul homme !

» Messire, je sais que vous êtes très occupé, surtout depuis le meurtre de dame Winthrop, que le Créateur ait pitié de son âme ! Mais si vous consentiez à enquêter sur cette affaire, je vous en serais très reconnaissant. Parce que je n'ai pas l'intention d'en rester là !

Dalton se pencha en avant et posa les mains sur le bureau.

— Inger, sachez que je ne tolérerai pas que de telles infamies se produisent au domaine. Pour moi, c'est une affaire de la première importance. Le ministère de la Civilisation est au service du peuple d'Anderith. Si un ou des hommes ont abusé de Beata, ils le paieront cher !

— Oubliez le « si », messire. Je suis sûr que la pauvre petite a été violée.

— Et je vous crois ! Inger, je m'occuperai de cette affaire, parce que aucune personne, qu'elle soit anderienne ou hakenne, ne doit subir de mauvais traitement au domaine. Ici, tout le monde est en sécurité ! Et les coupables, quelle que soit leur race, n'échapperont pas à la justice, soyez-en assuré !

» Cela dit, vous comprendrez que l'assassinat d'une femme importante, et le danger qui menace d'autres femmes, y compris des Hakennes, soient ma priorité. La ville ne parle que de ça, et nos citoyens attendent que justice soit faite.

Inger inclina la tête.

— Je saisis votre point de vue, messire. Avoir votre parole que l'affaire sera résolue me suffit pour l'instant. L'essentiel, c'est que ces jeunes violeurs me tombent un jour sous la main... (Le boucher se leva.) Idem s'ils ne sont pas si jeunes que ça...

Campbell se leva aussi.

— Jeunes ou vieux, nous les démasquerons, je vous le promets sur mon honneur.

Inger tendit la main et l'assistant la serra.

Le boucher avait une sacrée poigne !

— Je suis heureux de m'être adressé à l'homme de la situation, messire Campbell.

— Mon ami, vous n'auriez pas pu mieux choisir !

— Oui ? lança Dalton quand on frappa à sa porte.

Devinant l'identité de son visiteur, il continua à rédiger des ordres au sujet des gardes supplémentaires qu'il voulait faire affecter au domaine. Ces hommes n'avaient pas de lien avec l'armée, et c'étaient tous des Anderiens. Pour la protection du palais, il ne se serait pas fié à des soldats réguliers.

— Messire Campbell ?

— Approche, Fitch, dit Dalton en relevant les yeux de son écritoire.

Le jeune Haken avança et se mit au garde-à-vous devant le bureau. Depuis qu'il portait un uniforme – et qu'il s'était occupé du cas Claudine Winthrop – l'ancien garçon de cuisine se tenait beaucoup plus droit. Ayant écouté le rapport détaillé de quelques autres membres de l'équipe spéciale, Dalton se réjouissait que Fitch et son ami Morley aient suivi à la lettre ses instructions.

L'assistant posa sa plume sur le bureau.

— Fitch, tu te souviens de notre première conversation ?

Cette question surprit le jeune Haken.

— Euh... Oui, messire, je crois...

— Sur un palier, au deuxième étage...

— Oui, messire ! Je vous suis reconnaissant de... Eh bien, de m'avoir traité si gentiment.

— Parce que je n'ai dit à personne que tu traînais à un endroit où tu n'avais pas à être ?

— Oui, messire. Vous avez été très indulgent...

— Ce jour-là, tu m'as dit que le ministre était un homme de bien et que tu détesterais qu'on le calomnie.

— Oui, messire, et je le pensais.

— Plus tard, tu m'as prouvé que ce n'étaient pas de vaines paroles. Te rappelles-tu ce que je t'ai dit sur ce palier ?

— Au sujet du nom d'honneur que je pourrais obtenir, messire ?

— Exactement ! Et c'est toujours vrai, si tu ne me déçois pas. (Dalton marqua une courte pause.) Dis-moi, tu te souviens de ce qui s'est passé sur ce palier avant notre rencontre ?

L'assistant était sûr que Fitch n'avait rien oublié. Un événement pareil ne s'effaçait pas facilement d'une mémoire...

Fitch chercha désespérément une façon d'exprimer les choses sans utiliser de mots trop précis.

— Eh bien, messire, il y avait…

— Fitch, tu te souviens de la fille qui t'a giflé ?

— Oui, messire…

— Tu la connais, mon garçon ?

— Elle s'appelle Beata, et elle travaille pour Inger, le boucher. Elle appartient à mon groupe de repentance.

— Tu as compris ce qu'elle faisait là-haut, n'est-ce pas ? Le ministre et Stein t'ont vu. Bien entendu, tu t'es aperçu qu'elle était avec eux ?

— Ce n'était pas la faute du ministre, messire ! Beata a eu ce qu'elle cherchait, rien de plus ! Elle n'arrêtait pas de dire que messire Chanboor était un homme fantastique, et de s'extasier sur sa beauté. Si vous l'aviez entendue soupirer, chaque fois qu'elle parlait de lui ! Je la connais, et je peux vous dire qu'elle n'est pas à plaindre !

Dalton eut un petit sourire énigmatique.

— Tu l'aimes bien, pas vrai, Fitch ?

— À vrai dire, je n'en sais trop rien… Il est difficile d'aimer quelqu'un qui vous déteste. Au bout d'un moment, ça devient lassant.

Dalton reconnut en Fitch un amoureux éconduit. Ça se lisait sur son visage, malgré tous ses efforts pour le cacher.

— Voilà toute l'affaire, mon garçon : cette fille risque d'avoir envie de nous faire des ennuis. Les femmes réagissent parfois comme ça, après avoir obtenu ce qu'elles veulent. Un jour ou l'autre, tu paieras pour l'apprendre. Ne cède pas trop facilement à leurs désirs, sinon, elles se débrouilleront pour faire croire que tu les as forcées…

— Je ne savais pas qu'elles étaient comme ça, messire, dit Fitch, éberlué. Merci du conseil.

— Comme tu l'as si bien dit, elle a eu ce qu'elle cherchait ! Et personne ne l'a brutalisée. À présent, elle semble s'être ravisée et vouloir crier au viol. Comme Claudine Winthrop… Et sans doute pour les mêmes raisons : obtenir quelque chose en échange de son silence.

— Messire Campbell, je suis sûr que Beata…

— Inger est venu me voir il y a moins d'une heure !

— Elle lui en a parlé ?

— Non. Pour le moment, elle s'est contentée de refuser d'aller livrer de la viande au domaine. Mais le boucher n'est pas idiot, et il se doute de ce qui s'est passé. Cet imbécile réclame justice ! S'il force Beata à désigner un coupable, le ministre pourrait être l'objet d'accusations mensongères. (Dalton se leva.) Tu as été l'ami de cette fille, et il sera peut-être nécessaire de s'occuper d'elle comme tu as si bien su le faire avec Claudine Winthrop. Beata te connaît, et elle ne se méfiera pas de toi…

Fitch blêmit et sentit ses genoux trembler.

— Messire Campbell, je… il… je…

— Quoi donc, Fitch ? Porter un nom d'honneur ne t'intéresse plus ? Tu veux démissionner de mon équipe de messagers ? Et rendre à l'intendance ton nouvel uniforme ?

— Bien sûr que non, messire !

— Alors, où est le problème ?

— Nulle part, messire. Beata a eu ce qu'elle méritait, et il serait injuste qu'elle accuse le ministre d'un acte dont il n'est pas coupable.

— Exactement comme Claudine ! C'est bien ce que je disais...

— Et vous aviez raison...

Dalton se rassit.

— Je suis ravi que nous nous comprenions. Si elle devient menaçante, je te ferai signe. Avec un peu de chance, ce ne sera pas nécessaire. Qui sait, elle renoncera peut-être à son méchant projet. Surtout si quelqu'un lui met un peu de plomb dans la cervelle avant qu'il soit indispensable de protéger le ministre. Le mieux serait qu'elle renonce à la boucherie pour aller travailler dans une ferme, très loin d'ici.

Dalton ramassa sa plume et en mordilla pensivement le bout tandis qu'il regardait Fitch sortir et refermer derrière lui.

Comment le garçon allait-il se sortir de cette situation ? S'il échouait, Rowley se chargerait de la fille, et on n'en parlerait plus.

Mais s'il réussissait, toutes les pièces d'un puzzle compliqué s'emboîteraient à la perfection.

Et une certaine toile d'araignée s'étendrait encore un peu plus...

Chapitre 40

Les bottes de maître Spink martelaient le plancher tandis qu'il circulait entre les rangées de bancs, les mains croisées dans le dos. Beaucoup de repentants sanglotaient encore à cause de ce que les sauvages Hakens avaient infligé aux pauvres villageoises. Fitch croyait avoir deviné ce qu'il apprendrait pendant cette séance, mais il s'était trompé. L'horreur dépassait tout ce qu'il avait imaginé.

Il sentait que ses joues étaient aussi rouges que ses cheveux. Ce soir, maître Spink avait grandement comblé ses lacunes en matière d'éducation sexuelle. Cependant, cet exposé n'avait rien eu d'agréable. Des actes dont il rêvait depuis toujours lui semblaient maintenant répugnants.

Et être assis entre deux femmes ne lui avait pas facilité les choses !

Sachant ce qu'allait être la séance, les Hakennes avaient tenté de s'asseoir d'un côté de la salle, laissant les hommes entre eux de l'autre. En principe, maître Spink ne se souciait pas de ce genre de détail.

Ce soir, il avait insisté pour que chaque banc soit mixte. Connaissant tous les repentants de son groupe, il s'était arrangé pour qu'ils soient assis auprès de gens qu'ils ne connaissaient pas.

C'était volontaire, pour augmenter le trouble des Hakens pendant qu'il décrivait par le menu le calvaire de chaque villageoise. Il n'avait épargné aucun détail, et son auditoire, trop choqué et honteux, était resté étrangement silencieux.

Fitch n'avait jamais entendu parler de telles pratiques sexuelles. Pourtant, les autres garçons de cuisine et, depuis peu, les messagers n'étaient pas avares d'histoires salaces. Mais les violeurs dont parlait maître Spink étaient des guerriers hakens, connus pour leur cruauté. Ils avaient tout fait pour humilier les Anderiennes et les blesser. Voilà à quelle engeance maudite Fitch appartenait !

— Je suppose, dit maître Spink, que vous vous faites tous la même réflexion : « C'était à l'époque des grands seigneurs hakens, en des temps désormais révolus. Aujourd'hui, nous ne sommes plus comme ça. »

L'Anderien se campa devant Fitch.

— C'est ce que tu penses, misérable ? Tout fier dans ton bel uniforme, tu te consoles en songeant que tu n'as rien à voir avec les Hakens du passé ? Bien entendu, tu es sûr que ceux d'aujourd'hui sont différents !

— Non, maître Spink. Je sais qu'ils n'ont pas changé.

L'Anderien haussa les épaules et recommença à arpenter la salle.

— L'un d'entre vous croit-il que les Hakens d'aujourd'hui sont meilleurs que leurs ancêtres ? demanda-t-il.

Fitch osa regarder autour de lui. La moitié des repentants avaient timidement levé la main.

— C'est bien ce que je craignais ! rugit maître Spink. Vous pensez que votre peuple s'est amendé, tas de chiens arrogants ?

Toutes les mains se baissèrent.

— Vous ne valez pas mieux que vos ancêtres ! Et vos exactions sont toujours aussi ignobles !

Dans un silence de mort, l'Anderien passa entre les bancs et foudroya les repentants du regard.

— Vous n'avez pas changé…, soupira-t-il enfin. Pas le moins du monde…

Fitch n'avait jamais entendu une telle lassitude dans la voix de maître Spink. On eût dit qu'il allait éclater en sanglots…

— Claudine Winthrop était une femme connue et respectée. Jusqu'à sa mort, elle a œuvré pour le peuple d'Anderith, sans faire de distinction entre les Anderiens et les Hakens. Une des dernières lois dont elle est à l'origine permettra à des malheureux, hakens pour la plupart, de retrouver du travail et leur dignité.

» Mais le dernier jour de sa vie, elle a appris que vous n'êtes pas différents des barbares qui ont jadis conquis ce pays.

» Claudine Winthrop a connu le même sort que les femmes dont je viens de parler.

Fitch tiqua intérieurement. Il savait que c'était faux : au moins, Claudine avait eu une fin rapide.

— Comme les villageoises, elle a été violée par une bande de Hakens.

Fitch sentit qu'il fronçait les sourcils, et il s'empressa de cesser. Par bonheur, maître Spink ne s'en aperçut pas, car il était occupé à foudroyer du regard de pauvres garçons parfaitement étrangers à cette affaire.

— Nous ignorons combien de temps la malheureuse a dû subir les assauts dégradants de ses agresseurs. Mais sachez que selon les autorités, qui ont étudié les empreintes dans le champ de blé, ces monstres étaient entre trente et quarante !

L'assistance cria d'horreur.

Fitch l'imita, mais de surprise. Ses compagnons et lui n'étaient même pas quinze ! Il aurait voulu se lever, dire que Claudine n'avait pas subi de sévices sexuels, et qu'elle méritait la mort pour avoir voulu nuire au ministre de la Civilisation. Le futur pontife, que tout citoyen se devait de défendre ! Et qu'il était fier d'avoir protégé !

Au lieu de cela, il baissa la tête.

— Mais ces voyous ne sont pas les seuls coupables, continua maître Spink. Car vous l'êtes tous ! Oui, tous les Hakens ont violé et assassiné Claudine Winthrop ! Parce que la haine brûle toujours dans vos cœurs, vous êtes complices de ce crime abominable !

L'Anderien tourna le dos aux repentants.

— Maintenant, sortez d'ici ! Votre seule vue me répugne ! Et penser à vos crimes me donne envie de vomir ! Dehors ! Et jusqu'à la prochaine réunion, essayez d'imaginer un moyen de vous améliorer.

Fitch bondit vers la porte. Il ne devait pas rater Beata ! Et il ne fallait pas qu'elle s'aventure seule dans la rue, ce soir.

Il la perdit de vue dans la cohue, mais parvint à ne pas se laisser dépasser par trop de gens. Une fois dehors, il jeta un coup d'œil derrière lui, pour s'assurer que Beata n'était pas dans son dos, puis il sonda la rue et ne la vit pas non plus.

Tapi dans l'ombre, il attendit qu'elle sorte.

Dès qu'il la vit, il l'appela à voix basse.

La jeune fille s'immobilisa et regarda autour d'elle. Les repentants la bousculant, elle s'écarta et, du coup, se rapprocha de Fitch.

Elle ne portait plus la robe bleue qu'il aimait tant, mais une jupe longue couleur de blé mûr et un corsage marron foncé étroitement lacé.

— Beata, il faut que je te parle !

— Fitch ? C'est toi, Fitch ?

— Oui...

Beata fit mine de partir, mais il lui saisit le poignet et la tira dans les ombres, près de lui. Les derniers Hakens, pressés de rentrer chez eux, n'accordaient pas la moindre attention à deux jeunes gens désireux de passer un peu de temps ensemble après la réunion.

Beata tenta de se dégager, mais Fitch ne lâcha pas prise et la tira vers un petit bosquet d'arbres et de buissons, sur le côté de la salle de repentance.

— Lâche-moi, ou je hurle !

— Je veux te parler, c'est tout ! Viens !

La jeune Hakenne se débattit. Fitch résista et continua à la tirer vers un coin tranquille où personne ne les entendrait, si elle consentait à ne pas crier.

— Fitch, ne pose pas tes sales pattes de Haken sur moi !

Fitch lâcha le poignet de Beata et se tourna vers elle. Aussitôt, elle voulut le gifler. Mais il s'y attendait – cette fois ! – et lui saisit le bras au vol. Acharnée, elle le frappa de l'autre main.

Fitch lui rendit sa gifle. Pas très fort, mais elle en resta pétrifiée de surprise. Pour un Haken, frapper quelqu'un était un crime !

Mais il y était allé doucement, pour la calmer et la forcer à se taire. Ce ne pouvait pas être très grave...

— Tu dois m'écouter, grogna-t-il. Beata, tu as de gros ennuis.

Au clair de lune, Fitch vit la colère qui brillait dans les yeux de la jeune fille.

— C'est toi qui en as ! Je dirai à Inger que tu m'as tirée dans les broussailles puis frappée, et...

— Tu en as assez raconté à Inger comme ça ! explosa Fitch.

Déroutée, Beata ne répondit pas tout de suite.

— Je ne vois pas de quoi tu parles..., dit-elle enfin. Maintenant, je m'en vais ! Je n'ai pas envie qu'un sale Haken, aussi monstrueux que ses ancêtres, me frappe puis me violente !

— Tu m'écouteras, même si je dois te plaquer au sol et m'asseoir sur toi pour t'empêcher de bouger !

— Essaie un peu, espèce d'avorton !

Fitch serra les dents et tenta d'avaler l'insulte sans réagir.

— Beata, écoute-moi, je t'en supplie ! J'ai des choses importantes à te dire.

— Importantes pour toi, peut-être ! Moi, ça ne m'intéresse pas ! Je sais quel genre de garçon tu es, et ce que tu...

— Tu veux que tous les employés d'Inger souffrent ? Tu aimerais que ton boucher soit ruiné ? Cette histoire n'a rien à voir avec moi. J'ignore pourquoi tu me méprises, mais ce n'est pas le sujet, ce soir. C'est de toi qu'il est question !

Beata croisa les bras, l'air pas commode du tout, et elle réfléchit quelques instants. Fitch en profita pour jeter un coup d'œil autour d'eux, histoire de s'assurer que personne ne les épiait depuis la rue.

— Bon..., soupira la jeune Hakenne. Tant que tu n'essaieras pas de me convaincre que tu es magnifique dans ton nouvel uniforme, comme les brutes hakennes de jadis, je consens à t'écouter. Mais fais vite, parce que Inger a encore du travail pour moi.

— Ton patron est venu au domaine aujourd'hui, pour effectuer la livraison que tu refusais de faire.

— Comment le sais-tu ?

— J'entends beaucoup de choses...

— Et comment...

— Vas-tu enfin m'écouter ? Tu as de gros ennuis, et ta vie est en danger. (Beata plaqua les poings sur ses hanches mais se tut enfin.) Inger pense que quelqu'un a abusé de toi, au palais, et il veut que justice soit faite. Il entend qu'on lui livre le ou les coupables.

— Comment le sais-tu ? répéta Beata.

— Je te l'ai dit, j'entends beaucoup de choses...

— Je n'ai pas parlé à Inger de cette... histoire.

— Qu'importe ! Il a dû deviner, ou je ne sais quoi d'autre ! Mais il t'aime bien, et il ne veut pas laisser ce crime impuni. Tu le connais, il n'est pas du genre à renoncer ! Et il va provoquer une catastrophe.

— Je n'aurais pas dû refuser de faire la livraison. Et tant pis pour ce qui me serait arrivé...

— Je te comprends, Beata. À ta place, j'aurais refusé aussi.

— Fitch, je veux savoir qui t'a raconté tout ça !

— Je suis un messager, maintenant, et je fréquente des gens importants qui évoquent devant moi les affaires du domaine. J'étais là au bon moment, c'est tout ! Et je sais une chose : si tu parles de ton... histoire..., ces gens importants penseront que tu veux nuire au ministre Chanboor.

— Fitch, ne dis pas n'importe quoi ! Comment une pauvre Hakenne pourrait-elle faire du tort au ministre ?

— Tu me l'as dit toi-même : on murmure qu'il sera le prochain pontife. As-tu jamais entendu quelqu'un dire du mal de notre chef suprême ? Eh bien, tu avais raison, Bertrand Chanboor est le premier sur la liste des successeurs possibles...

» Comment réagiront les gens si tu parles ? Tu imagines qu'ils te prendront pour une brave fille qui dit la vérité ? Et qu'ils soupçonneront le ministre de mentir pour se défendre ? Les Anderiens ignorent la fourberie, tout le monde le sait. Si tu accuses le ministre, c'est toi qui passeras pour une menteuse. Et pis encore, pour quelqu'un qui veut détruire la réputation d'un grand homme d'État !

Beata plissa le front comme si elle ne comprenait pas un mot du discours de Fitch.

— Eh bien… je n'ai pas l'intention de parler, mais si je changeais d'avis, le ministre ne nierait pas, parce que les Anderiens, justement, sont incapables de mentir. Les Hakens seuls naissent corrompus. Si je racontais tout, Bertrand Chanboor admettrait que c'est vrai.

Fitch en soupira d'agacement. Il savait que les Anderiens étaient meilleurs que les Hakens. Mais de là à les croire parfaits, il y avait un gouffre qu'il ne franchissait plus.

— Beata, ce qu'on nous enseigne n'est pas toujours totalement vrai. Et il y a même dans le lot d'énormes mensonges. Il ne faut pas tout croire !

— Si, tout est vrai ! déclara la jeune fille, catégorique.

— C'est ce que tu penses, mais tu te trompes.

— Vraiment ? Je crois surtout que tu ne veux pas reconnaître que les mâles hakens sont des monstres. Tu refuses de regarder en face ta propre perversion ! Et tu fais mine de ne pas voir comment vous traitez les femmes depuis l'aube des temps. Regarde ce que des Hakens ont fait à la pauvre Claudine Winthrop !

Du revers de la main, Fitch essuya la sueur qui ruisselait sur son front.

— Beata, réfléchis un peu ! Comment maître Spink peut-il savoir en détail ce qui est arrivé à chacune de ces femmes ?

— Parce qu'il l'a appris dans des livres, espèce d'idiot ! Au cas où tu l'aurais oublié, les Anderiens savent lire. Et la bibliothèque est pleine d'ouvrages qui…

— Tu crois que des barbares violeurs auraient pris le temps de rédiger leurs *Mémoires* ? Et qu'ils se seraient donné la peine de noter les noms de leurs victimes pour la postérité ?

— Bien sûr ! Ils ont adoré faire du mal à ces femmes, et ils ont consigné leurs crimes par écrit, afin de ne jamais les oublier. Tout le monde sait ça. Ces livres existent !

— Et dans lequel est-il écrit qu'une bande de jeunes Hakens ont violé Claudine Winthrop avant de la tuer ?

— Qui a besoin de le lire ? Il est évident qu'ils l'ont violée. Des Hakens l'ont tuée, et on connaît le sort qu'ils réservent aux femmes. Tu devrais savoir comment sont les mâles hakens, espèce de sale…

— Claudine Winthrop, coupa Fitch, voulait accuser à tort le ministre Chanboor. Elle n'arrêtait pas de le provoquer et de lui faire des avances. Après s'être donnée à lui, elle a changé d'avis, et prétendu qu'il l'avait violée. Comme ce qui t'est vraiment arrivé ! Pour avoir raconté trop de mensonges, elle a perdu la vie, et ce n'est pas étonnant…

Beata ne trouva rien à objecter. Fitch tenait de Dalton Campbell en personne que Claudine voulait ruiner la réputation du ministre. En revanche, Beata avait vraiment été violentée, et elle ne cherchait pas à semer le trouble…

À présent, elle le regardait fixement, sans savoir que dire. Fitch regarda de nouveau alentour pour s'assurer que personne ne les épiait. À travers les buissons, il vit que des gens passaient toujours dans la rue, mais ils ne tournaient même pas la tête dans leur direction.

Beata parla enfin – d'un ton beaucoup moins agressif :

— Inger ne sait rien de précis, et je n'ai pas l'intention de lui parler de tout ça...

— Hélas, ça ne change rien ! Il est déjà allé au domaine, où il a attiré l'attention sur toi. Des hommes importants connaissent ton histoire. Inger réclame justice, il embête tout le monde, et il finira par te forcer à lui confier le nom de tes agresseurs.

— Il n'y arrivera pas !

— C'est un Anderien, ne l'oublie pas ! Et toi, tu n'es qu'une Hakenne... S'il veut t'obliger à parler, tu devras céder. Et même s'il renonce à élucider cette affaire, effrayé d'avoir tiré un coup de pied dans un nid d'abeilles, les notables du domaine peuvent décider de te faire comparaître devant le juge suprême, qui t'ordonnera de parler.

— Je nierai tout ! (Beata eut une courte hésitation.) On ne peut pas forcer les gens à dire ce qu'ils veulent cacher, n'est-ce pas ?

— Peut-être pas, mais si tu refuses de témoigner, on te considérera comme complice des violeurs ! Tout le monde pense que des Hakens sont coupables ! Inger est un Anderien, et il affirme qu'on a abusé de toi. Si tu te tais, on te jettera en prison jusqu'à ce que tu changes d'avis. Et même si tu ne finis pas en cellule, tu perdras ton travail, et tu deviendras une traîne-misère.

» Beata, tu voulais entrer dans l'armée ! C'était ton rêve, me disais-tu ! La carrière militaire est interdite aux criminels ! Ton rêve ne se réalisera jamais, et tu devras mendier pour ne pas mourir de faim.

— Je trouverai un travail. Tu sais que je suis dure à la peine.

— Une Hakenne qui résiste à un magistrat devient une proscrite. Personne ne t'engagera, et tu devras te prostituer.

— Sûrement pas !

— Tu n'auras pas le choix ! Quand tu auras trop faim, ou que tu mourras de froid, il faudra te résigner à vendre ton corps. Et tes clients seront vieux et dégoûtants. Messire Campbell m'a dit que les filles de joie attrapent de terribles maladies. Tu agoniseras lentement, et...

— Non, Fitch ! Non, non et non ! Je ne ferai pas ça !

— Dans ce cas, comment vivras-tu ? Si on jette l'anathème sur toi parce que tu as défié un magistrat, qui te tendra la main ?

» Et si tu parles, qui te croira ? On t'accusera de mentir, et tu deviendras une criminelle pour t'être moquée d'un juge anderien. Lancer de fausses accusations est très grave, tu sais !

— Fitch, elles ne sont pas fausses, et tu pourrais en attester... Tu voudrais devenir le Sourcier de Vérité, non ? C'est ton rêve, comme l'armée pour moi. Quelqu'un qui a cette ambition doit pouvoir se lever et crier la vérité à la face du monde !

— Tu vois ? Il y a un instant, tu jurais de ne jamais parler. Et maintenant, tu me demandes de témoigner ?

— Si tu me soutiens, nous pourrons...

— Beata, je suis un Haken ! Tu crois que nous ferons le poids face au ministre de la Civilisation ? Aurais-tu perdu la tête ? Personne n'a cru Claudine Winthrop, une

Anderienne de la haute société ! Elle a voulu nuire au ministre, et tu as vu comment elle a fini ?

— Mais quand il s'agit de la vérité...

— C'est quoi, la vérité, Beata ? Ce que tu me disais du ministre, quand tu le tenais pour un grand homme ? Tu te souviens que tu le trouvais beau, et que tu soupirais dès que tu apercevais « Bertrand » derrière une fenêtre ? Quand il t'a invitée au deuxième étage, j'ai vu combien tu rayonnais. Dalton Campbell devait te tenir par un bras pour que tu ne t'envoles pas d'allégresse ! Tu pensais que le ministre voulait te charger de féliciter Inger pour la qualité de sa viande ?

» Que sais-je de tout ça, à part que le ministre et toi avez... Au fond, tu l'as peut-être aguiché ! D'après ce qu'on m'a dit, les femmes accusent parfois de viol les hommes de pouvoir, histoire d'obtenir une « compensation ». Il paraît même que c'est très fréquent...

» Je n'étais pas là, Beata ! Qui peut m'affirmer que tu n'as pas cherché à le séduire ? Au fond, tu ne m'as rien raconté. Et tu t'es contentée de me gifler, peut-être pour me punir d'avoir vu que tu prenais du bon temps avec le ministre. Qui m'assure que ce n'est pas ça, la vérité ?

Beata tenta de retenir les larmes qui perlaient à ses paupières. Vaincue par le chagrin, elle se laissa tomber à genoux, s'assit sur les talons et éclata en sanglots.

Fitch resta un moment planté là, ne sachant que faire. Puis il s'agenouilla en face de son amie. Ses larmes le déroutaient. Depuis qu'il la connaissait, il ne l'avait jamais vue ainsi, à la différence des autres filles. Et voilà qu'elle pleurnichait comme un bébé !

Il lui posa une main sur l'épaule, mais elle se dégagea sans douceur.

Puisqu'elle ne voulait pas qu'il la console, le jeune Haken n'esquissa plus un geste et garda le silence. Un moment, il envisagea de s'éclipser pour la laisser pleurer en paix, mais il jugea plus prudent de rester, au cas où elle aurait besoin de quelque chose.

— Fitch, dit-elle entre deux sanglots, que vais-je faire ? J'ai tellement honte ! En cédant à ma vile nature de Hakenne, j'ai poussé un noble Anderien à commettre un acte immoral. Ce n'était pas mon intention, mais c'est pourtant la vérité. Tout est ma faute !

» Comment prétendre que j'étais consentante, alors que c'est faux ? J'ai tenté de résister, mais ils étaient trop forts. Si tu savais combien j'ai honte ! Par les esprits du bien, que vais-je faire ?

Fitch avala la boule qui se formait dans sa gorge. Il aurait donné cher pour ne rien dire, mais il devait parler, sinon Beata finirait comme Claudine Winthrop. Et ce serait à lui qu'on demanderait de faire le sale boulot !

Il refuserait, et sa carrière de messager s'arrêterait là. Au mieux, il retournerait nettoyer des chaudrons sous les ordres de maître Drummond. Même si cette idée lui répugnait, il ne ferait pas de mal à Beata...

Il prit la main de la jeune fille et l'ouvrit doucement. Puis il sortit un petit objet et le lui posa dans la paume.

L'épingle qui servait à fermer le col de la robe bleue... Celle qu'elle avait perdue au deuxième étage.

— Beata, tu as vraiment de gros problèmes. Et je ne vois qu'un moyen de t'en tirer...

Chapitre 41

—Oui, avec plaisir…, dit Teresa, très souriante.

Dalton prit deux testicules de veau à l'aneth dans le plat que lui tendait un serviteur. Quand il eut terminé, le Haken s'agenouilla, recula d'un pas et s'éloigna de sa démarche de danseur.

Campbell posa la viande sur le plateau qu'il partageait avec sa femme, qui, pour l'instant, se délectait d'une portion de lapereau.

L'assistant trouvait ce banquet interminable. Du travail urgent l'attendait, et il était obligé de faire le joli cœur à une table. Bien entendu, s'occuper du ministre était son devoir, mais il aurait bien mieux rempli sa mission dans son bureau. Et là, il perdait son temps à manger sans faim et à rire des blagues salaces de son chef.

Bertrand brandissait une saucisse pendant qu'il racontait une histoire drôle à une demi-douzaine de marchands prospères assis à l'autre bout de la table d'honneur. Aux rires de son auditoire – et à la façon dont le ministre maniait sa saucisse – Dalton ne se fit pas trop d'illusions sur la teneur de la plaisanterie que Stein semblait apprécier tout particulièrement.

Dès que les rires se furent tus, Bertrand demanda courtoisement à sa femme de l'excuser d'avoir offensé ses chastes oreilles. Hildemara gloussa stupidement, eut un geste de la main nonchalant et s'écria que son mari était incorrigible. Bien entendu, les marchands sourirent de cette manifestation d'indulgence conjugale.

—Qu'a donc raconté le ministre? souffla Teresa à son mari. J'étais trop loin pour entendre…

—Remercie le Créateur de ne pas avoir de meilleures oreilles! C'était une blague signée « Bertrand », si tu vois ce que je veux dire!

—Tu me la répéteras quand nous serons rentrés? demanda Tess, coquine.

—Non, mais je te ferai une petite démonstration pratique…

Teresa eut un délicieux rire de gorge. Dalton prit un des testicules de veau et le trempa dans une sauce au vin et au gingembre. Il fit mordre sa femme avant de savourer le morceau d'abat.

En mâchant, il se concentra sur les trois directeurs, à l'autre bout de la salle, qui

357

semblaient mener une conversation des plus sérieuses. Ils gesticulaient, se penchaient les uns vers les autres, brandissaient le poing pour ponctuer leurs arguments…

Dalton devina de quoi ils parlaient. Ce soir, un seul sujet préoccupait les convives : l'assassinat de Claudine Winthrop.

Splendide dans son pourpoint jaune or et sa jaquette bordeaux, le ministre passa un bras autour des épaules de Campbell et l'attira vers lui. Les dentelles de ses manches tachées de vin rouge donnaient l'impression qu'il saignait des bras sous ses vêtements étroitement ajustés.

— Tout le monde est bouleversé par la triste fin de Claudine, Dalton…

— Et c'est compréhensible, répondit l'assistant. (Il prit un petit morceau de mouton et le trempa dans la sauce à la menthe.) C'est une affreuse tragédie !

— Oui, et cela nous montre à quel point nos idéaux sont fragiles. La civilisation, mon cher, ne tient qu'à un fil ! Et nous avons encore du pain sur la planche pour que les Anderiens et les Hakens vivent enfin en harmonie !

— Sous votre tutelle, dit Teresa avec un enthousiasme non feint, nous y arriverons, j'en suis sûre !

— Merci de votre soutien, ma dame, répondit Bertrand. (Il baissa le ton et se pencha davantage vers Dalton.) On raconte que le pontife est malade…

— Vraiment ? (L'assistant finit de mâcher son morceau de mouton, puis il lécha la sauce à la menthe, au bout de ses doigts.) Et ce serait grave ?

— Hélas, nous n'en savons rien, souffla le ministre avec une affliction parfaitement imitée.

— Nous prierons pour lui, dit Teresa avant de choisir avec soin une fine tranche de steak au poivre. Et pour le pauvre Edwin Winthrop !

— Teresa, s'extasia Bertrand, vous êtes décidément une femme de cœur. (Il sonda le décolleté de la jeune femme, comme s'il cherchait à voir battre cet organe si délicat.) Si je devais tomber malade, je me réjouirais qu'un ange tel que vous implore le Créateur d'avoir pitié de moi. À vous entendre, je suis sûr que son cœur fondrait…

Teresa rayonna. Hildemara lui ayant posé une question, Bertrand se détourna du couple Campbell. Stein se pencha sur le côté pour se lancer dans une mystérieuse conversation avec le ministre et sa femme. Mais ils durent s'écarter les uns des autres quand un serviteur leur présenta un plateau de tranches de bœuf croustillantes.

Alors que Stein se servait, Dalton jeta un nouveau coup d'œil aux trois directeurs, qui continuaient à débattre avec passion. Assise à la table d'en face, Franca Gowenlock se concentrait, mais il devina, à son visage fermé, qu'elle n'« entendait » rien. Quel que soit le problème avec ses pouvoirs, ça commençait à devenir gênant.

Un serviteur tendit au ministre un nouveau plateau d'où il préleva plusieurs tranches de rôti de porc. Un autre présenta à Hildemara du ragoût d'agneau aux lentilles, un plat dont elle raffolait. Un troisième fit le service du vin, puis s'éclipsa discrètement.

Bertrand passa un bras autour des épaules de sa femme et lui parla à l'oreille.

Un serviteur entra dans la salle avec un grand panier d'osier rempli de petites tranches de pain de seigle qu'il posa sur une desserte afin qu'on transfère le chargement sur des plateaux d'argent. De si loin, Dalton ne put pas déterminer s'il y avait un problème avec ce pain. Plusieurs fournées avaient été jugées trop imparfaites pour être servies au banquet. Comme les autres restes, en général très fournis, elles seraient distribuées aux pauvres.

Plus tôt dans la journée, Drummond avait eu de gros ennuis avec ses fours. Selon le chef de cuisine, ils étaient « devenus fous », et une femme avait été grièvement brûlée. Ayant en tête des soucis bien plus graves, Campbell n'avait pas eu le temps d'enquêter sur cet accident.

— Dalton, dit le ministre en se tournant vers son bras droit, avez-vous réuni des indices au sujet de la mort de notre pauvre Claudine ?

— Je suis sur plusieurs pistes prometteuses, répondit Campbell, prudent. J'espère aboutir bientôt...

Comme d'habitude, les deux hommes devaient parler à mots couverts, par peur des oreilles indiscrètes. Si d'autres espions comme Franca étaient présents, rien ne garantissait que leur pouvoir soit également défaillant. Comme Bertrand et sa femme, Dalton ne doutait pas que les directeurs aient recours à des magiciens quand ça s'imposait.

— Selon Hildemara, continua Bertrand, certaines personnes s'inquiètent parce que nous ne semblons pas prendre cette affaire suffisamment au sérieux.

Dalton voulut se justifier, mais le ministre leva une main pour l'en empêcher.

— Bien sûr, ce n'est pas vrai, et je sais que vous travaillez sans relâche pour arrêter les assassins.

— Nuit et jour ! intervint Teresa. Depuis ce drame, Dalton prend à peine le temps de dormir, et il n'aura pas de repos tant que les meurtriers de Claudine ne seront pas sous les verrous.

— J'en suis témoin ! s'écria Hildemara. (Elle se pencha et tapota ostensiblement le poignet de l'assistant.) Dalton s'occupe à merveille de cette affaire, et nous lui sommes tous reconnaissants. Nous savons qu'il a déjà fait interroger un grand nombre de témoins...

» Mais des esprits chagrins se demandent s'il parviendra à trouver les coupables. Les gens craignent pour leur sécurité, et ils voudraient que la question soit réglée au plus vite.

— C'est exact, approuva Bertrand, et, plus que quiconque, ma femme et moi désirons que nos concitoyens retrouvent la paix de l'esprit.

— Oui, renchérit Hildemara, le regard glacial. Il ne faut pas que ça traîne !

C'était un ordre, et Campbell ne s'y trompa pas. Il ignorait si Hildemara avait parlé à Bertrand de son implication dans la triste fin de Claudine, mais de toute façon, le ministre devait s'en ficher comme de sa première chemise. Il en avait fini avec dame Winthrop, et il se souciait déjà de ses futures conquêtes. Si Hildemara avait la bonté de nettoyer les saletés qu'il laissait derrière lui, il ne pouvait pas s'en plaindre...

Dalton avait prévu que le couple Chanboor s'inquiéterait de l'agitation provoquée par la mort de Claudine. Pourtant, l'un comme l'autre auraient dû savoir que les gens se lasseraient vite d'en parler. Toujours prudent, il avait prévu un plan d'urgence, et il semblait qu'il allait devoir le mettre en application.

Libre de choisir, il aurait opté pour l'attente, parce que ce tumulte n'avait pas vocation à durer. Bientôt, personne ne penserait plus à Claudine, sinon pour s'apitoyer entre la poire et le fromage, voire s'exciter perversement à bon compte.

Mais Bertrand aimait qu'on le voie comme un ministre compétent et efficace. Les « dégâts collatéraux » le laissaient de marbre, et Hildemara n'y pensait même pas.

Leur impatience, cependant, risquait de se révéler dangereuse.

— Plus que quiconque, dit Dalton, je souhaite que nous découvrions les coupables. Mais je suis un homme de loi, et le serment que j'ai prêté m'incite à la prudence. Il n'est pas question, je n'en démordrai pas, de mettre en prison des innocents parce que nous sommes trop pressés de faire justice. (Au cas où un espion écouterait, il ajouta un mensonge qui ne pouvait pas faire de mal :) Quand vous m'avez engagé, Bertrand, je me souviens vous avoir entendu insister sur ce point !

Voyant qu'Hildemara s'apprêtait à émettre des objections, l'assistant se hâta d'enchaîner :

— Désigner des faux coupables serait injuste, mais ce n'est pas tout... Imaginez que la Mère Inquisitrice veuille recueillir leur confession après le procès ? Si elle prouvait l'innocence d'un groupe de condamnés à mort, elle ne se priverait pas de nous accuser d'incompétence. Et soyez assurés que le pontife et les directeurs hurleraient avec les loups !

Il insista, histoire que ses interlocuteurs saisissent bien son raisonnement :

— Et s'il nous prenait l'envie d'exécuter ces hommes avant l'intervention de la Mère Inquisitrice, elle pourrait décider de se mêler de nos affaires avec assez d'ardeur pour renverser le gouvernement. Dans ce cas, je n'exclus pas que certains personnages très haut placés, en guise de punition, soient victimes de son pouvoir.

Les yeux ronds, Bertrand et Hildemara prirent le temps d'assimiler la tirade de Dalton.

— Bien entendu, mon ami, vous avez mille fois raison ! s'écria enfin Bertrand. J'espère ne pas vous avoir donné le sentiment qu'une éventuelle erreur judiciaire m'indifférait. Comment le ministre de la Civilisation permettrait-il qu'on accuse un innocent ? Ce serait atroce, sans parler des vrais coupables, qui demeureraient libres, et pourraient recommencer n'importe quand !

— Cela précisé, dit Hildemara d'un ton subtilement menaçant, je suppose que vous êtes sur le point d'appréhender les tueurs ? Avec tout le bien que j'entends dire de vous, Dalton, il m'étonnerait que votre enquête piétine. Si le bras droit de Bertrand échouait lamentablement, les conséquences seraient dramatiques. Le peuple attend du ministre de la Civilisation qu'il soit un modèle de compétence. Et beaucoup de choses, dans le cas qui nous occupe, dépendent de vous.

— C'est exact, approuva Bertrand. (Il foudroya sa femme du regard jusqu'à ce qu'elle consente à se radosser à son siège.) Nous exigeons que ce meurtre soit élucidé rapidement. En toute équité, bien entendu...

— Et n'oubliez pas, ajouta Hildemara, qu'il y a l'affaire de cette pauvre gamine hakenne qui aurait été violée. Des rumeurs se répandent à la vitesse du vent, et beaucoup de gens pensent que les deux enquêtes sont liées.

— J'en ai entendu parler, souffla Teresa. C'est abominable !

Dalton aurait dû se douter qu'Hildemara aurait aussi vent de cette « indélicatesse »-là, et qu'elle voudrait faire le ménage. Il s'était préparé à cette éventualité, d'ailleurs, mais il n'aurait pas été mécontent de pouvoir passer la main.

— Une Hakenne ? Et qui nous dit qu'elle ne ment pas ? Si son petit ami l'a mise enceinte, elle crie peut-être au viol pour profiter du tumulte actuel, et ne pas perdre sa réputation...

Bertrand trempa lentement une tranche de rôti de porc dans une coupe de moutarde.

— Personne ne connaît son nom, pour le moment, dit-il, mais son histoire semble crédible. À ce qu'on raconte, certaines personnes tentent de découvrir son identité pour la faire comparaître devant un juge.

Le ministre fronça les sourcils et jeta un regard entendu à Dalton. On parlait de la livreuse du boucher, et il voulait s'assurer que son bras droit avait compris !

— On pense même que cette fille a été victime des agresseurs de Claudine, ajouta-t-il. Les citoyens redoutent qu'ils aient frappé deux fois – et surtout, qu'ils soient sur le point de recommencer !

Bertrand inclina la tête pour gober avec grâce son morceau de viande. Assis près d'Hildemara, Stein dévorait son bœuf croustillant tout en écoutant la conversation avec un mépris de plus en plus évident. À la place de ses hôtes, il aurait réglé le problème très vite avec son épée. Dalton n'aurait rien eu contre cette solution, mais l'affaire n'était pas aussi simple que ça.

— C'est bien pour ça, dit Hildemara, que ce crime doit être élucidé. (Elle se pencha de nouveau en avant.) Le peuple doit savoir qui est coupable !

Ayant donné ses ordres, elle se rassit normalement.

Bertrand posa une main sur l'épaule de Campbell.

— Dalton, je vous connais bien, et je sais que vous ne voulez pas aller trop vite par souci de justice. Mais je devine que vous tenez déjà la solution, et que nous la connaîtrons bientôt ! Ainsi, nous éviterons qu'une pauvre Hakenne soit traînée devant un tribunal. Avec ce qu'elle a déjà souffert, elle ne mérite pas ça !

Personne ne le savait, mais Dalton avait déjà dit à Fitch de mettre en branle le mouvement qui les débarrasserait de Beata. Les choses s'accélérant, il allait cependant devoir donner un petit coup de pouce au jeune Haken. Pour le pousser dans une direction imprévue !

— Ce pain est carbonisé ! cria soudain Stein en jetant sa tranche sur la table.

Dalton soupira de lassitude. Leur invité adorait être le centre d'intérêt. Comme un enfant, quand on ne s'occupait pas de lui, il faisait un esclandre. Et depuis un moment, ils l'avaient exclu de la conversation.

— Il y a eu un problème aux cuisines, dit Campbell. Si vous n'aimez pas le pain trop cuit, grattez la croûte.

— Des sorcières sévissent dans le palais, rugit l'émissaire, et vous me parlez de gratter la croûte ? Vous ne trouvez pas mieux, comme solution ?

— Les fours ont mal fonctionné, lâcha Dalton.

Il jeta un coup d'œil dans la salle pour voir si des convives avaient remarqué l'éclat de Stein. Apparemment, personne ne le regardait, à part les quelques femmes, assises trop loin pour entendre, qui lui faisaient de l'œil sans relâche.

— Maître Stein, tout ça vient sûrement d'un tuyau de cheminée bouché. Dès demain, ce sera réparé !

— Des sorcières ! répéta Stein. Elles ont jeté un sort pour faire brûler le pain ! Tout le monde sait qu'elles adorent ça, dès qu'elles sont à proximité d'une cuisine !

— Dalton, souffla Teresa, cet homme connaît bien la magie. Il sait peut-être quelque chose que nous ignorons.

— Il est superstitieux, c'est tout ! (Campbell sourit à sa femme.) Ou alors, c'est encore une de ses blagues.

— Je peux vous aider à les débusquer ! cria l'émissaire. (Il se balança sur sa chaise et entreprit de se curer les ongles avec son couteau.) Je connais bien les sorcières ! Ce sont sans doute elles qui ont tué la femme et violé la jeune fille. (Comme s'il n'avait pas conscience de l'énormité qu'il venait de dire, il ajouta :) Laissez-moi enquêter, si vous en êtes incapables. Quelques scalps de plus iraient très bien sur ma cape !

Dalton posa sa serviette sur la table et pria sa femme de bien vouloir l'excuser de la quitter. Puis il se leva, contourna le ministre et son épouse et se pencha vers Stein. Ce rustre, constata-t-il, empestait plus que toute une écurie !

— J'ai des raisons de mener les choses à ma façon, murmura Campbell. Avec ma méthode, le « cheval » dont je m'occupe tirera notre charrue, tractera notre carrosse et portera notre eau. Et si je voulais simplement de la viande d'équidé, je n'aurais pas besoin de vous, parce que j'égorgerais la bête moi-même. Puisque mes avertissements n'ont pas suffi, dirait-on, laissez-moi remettre les choses au point avec des mots que vous comprendrez.

Stein eut un rictus qui dévoila ses dents jaunâtres.

— Sans vous, maître Stein, le problème de la jeune Hakenne ne se poserait pas. Avec tout ce que nous mettons à votre disposition, pourquoi avez-vous voulu prendre de force une des rares femmes qui ne se pâmaient pas devant vous ? Changer le passé est impossible, mais si vous nous gratifiez d'une nouvelle sortie incongrue, je vous trancherai la gorge de ma main, et je vous renverrai à l'empereur dans un panier à linge sale. Ensuite, je lui demanderai de nous envoyer un émissaire qui ne porte pas son cerveau entre les jambes.

Dalton pressa sur la carotide de Stein la pointe du couteau qu'il venait de tirer discrètement de sa botte.

— Vous êtes en présence d'êtres qui vous sont supérieurs ! Maintenant, annoncez aux convives de cette table que vous plaisantiez. Surtout, soyez convaincant ! Sinon, je jure que vous ne survivrez pas à cette nuit !

Stein eut un rire gras.

— Je vous aime bien, Campbell ! Au fond, nous nous ressemblons. Le ministre et vous adorerez l'Ordre Impérial, et je suis sûr que nous sommes faits pour travailler ensemble. Malgré vos ridicules manières de table, vous êtes un sauvage, comme moi.

Dalton se tourna vers le couple ministériel.

— Maître Stein a une déclaration à faire. Dès qu'il en aura terminé, je devrai m'absenter pour vérifier certaines informations. Car je crois bien avoir découvert les noms des assassins.

Chapitre 42

Fitch courait dans le couloir faiblement éclairé. Selon Rowley, c'était très important !

Les pieds nus de Morley, qui l'accompagnait, produisaient un son mat sur le parquet. À présent, Fitch trouvait ce bruit bizarre. Après avoir passé sa vie sans chaussures, il avait eu du mal à s'habituer à porter des bottes, dont le vacarme l'annonçait à des lieues à la ronde. Maintenant, c'était entendre des pieds nus marteler le sol qui le déconcertait. Pis encore, cela lui rappelait l'époque où il était un minable garçon de cuisine. Une partie de sa vie qu'il voulait tout faire pour oublier…

Être un messager lui semblait encore un rêve éveillé.

À travers les fenêtres ouvertes, le jeune Haken entendait les lointains échos de la musique du banquet. La harpiste chantait en s'accompagnant avec son instrument. Il adorait le timbre très pur de sa voix, quand elle interprétait ainsi un solo dépouillé.

— Tu as idée de ce qui se passe ? demanda Morley.

— Non, mais je doute qu'il s'agisse d'un message à livrer, surtout un soir de banquet.

— J'espère que ça ne nous prendra pas trop longtemps…

Fitch comprit ce que voulait dire son ami. Morley ayant récupéré une bouteille de rhum presque pleine, ils avaient décidé de se soûler ensemble. Cerise sur le gâteau, une des filles de la buanderie avait accepté de boire avec eux. Morley avait suggéré qu'ils la laissent s'enivrer avant eux, histoire qu'elle soit disposée à la gentillesse.

Fitch en salivait d'avance…

De plus, il avait un urgent besoin d'oublier sa conversation avec Beata, et le rhum l'y aiderait.

Le premier bureau était vide et silencieux. Dès qu'ils y entrèrent, Dalton Campbell sortit de son fief pour les accueillir.

— Vous voilà enfin ! Parfait !

— Que pouvons-nous faire pour vous, messire Campbell ? demanda Fitch.

— Venez dans mon bureau, nous serons plus tranquilles…

Les deux jeunes Hakens suivirent l'assistant dans la pièce où une douce brise pénétrait par les fenêtres ouvertes. Sous sa caresse, les étendards ondulaient doucement.

— Nous avons des ennuis, soupira messire Campbell. Au sujet de la mort de Claudine Winthrop...

— Quel genre d'ennuis ? voulut savoir Fitch. Et que devons-nous faire pour arranger ça ?

L'assistant se passa une main sur le menton.

— On vous a vus...

— Que voulez-vous dire ? s'écria Fitch, soudain glacé de terreur.

— Vous avez entendu une diligence s'arrêter, n'est-ce pas ? Après, vous avez couru vers une mare pour vous débarrasser du sang ?

— C'est ça, messire... Et alors ?

Dalton Campbell soupira de nouveau puis pianota sur son bureau pendant qu'il cherchait ses mots.

— Le cocher de la diligence qui a découvert le corps est aussitôt reparti en ville pour prévenir la garde.

— Oui, vous nous l'avez déjà dit, messire Campbell, fit Morley.

— Mais je viens d'apprendre qu'il avait laissé son assistant sur les lieux. Et ce type a suivi vos traces dans le champ de blé – jusqu'à la mare...

— Malédiction ! souffla Fitch. Il nous a vus nous nettoyer ?

— Vous deux, oui ! En tout cas, vous êtes les seuls dont il ait cité le nom. « Fitch et Morley, a-t-il dit, deux garçons de cuisine du domaine. »

Le cœur de Fitch cognait follement dans sa poitrine. Il tenta de réfléchir, mais la panique lui embrouillait les idées.

Que l'exécution de Claudine ait été justifiée ou non, Morley et lui finiraient pendus.

— Mais pourquoi cet homme n'a-t-il pas parlé plus tôt ?

— Pardon ? Eh bien, parce qu'il était sous le choc, et qu'il avait peur... Mais ne perdons pas notre temps à pleurer sur le lait renversé. De toute façon, nous n'y pouvons plus rien.

L'assistant ouvrit un tiroir de son bureau.

— Je suis accablé par cette affaire... Vous m'avez fidèlement servi, et Anderith vous doit beaucoup, mais le mal est fait. On vous a vus !

Campbell sortit une bourse pansue du tiroir et la posa sur le bureau.

— Que va-t-il nous arriver ? demanda Morley.

Il était plus pâle qu'un mort, et Fitch comprenait très bien sa réaction. À l'idée de finir sur la potence, ses genoux se dérobaient et il craignait de se faire dessus.

Il faillit crier quand il se souvint de la description de Franca. On l'avait pendue par le cou, puis on avait allumé un feu pour l'achever. Mais elle avait eu sa magie pour la sauver. Morley et lui devraient subir le supplice jusqu'à son terme.

Dalton Campbell poussa la bourse vers les deux Hakens.

— Je veux que vous preniez ça...

Fitch dut se concentrer pour comprendre le sens de ces quelques mots.

— Qu'est-ce que c'est ?

— Des pièces d'argent, et quelques-unes en or. Les gars, je me sens terriblement coupable. Vous m'avez aidé, et vous vous êtes montrés dignes de ma confiance. Mais quelqu'un vous a vus, et vous risquez une condamnation à mort.

— Mais vous pouvez dire que…, commença Fitch.

— Je ne peux rien dire du tout ! coupa l'assistant. Mon devoir est de protéger le ministre, au nom de l'avenir du pays. Le pontife est très malade, et Bertrand Chanboor sera bientôt appelé à le remplacer. Je ne peux pas laisser le chaos ravager Anderith à cause de Claudine Winthrop. Vous êtes comme des soldats, pendant une guerre. Sur le champ de bataille, on perd des hommes valeureux. De plus, en ce moment, les citoyens sont bouleversés, et personne ne m'écouterait. Une foule déchaînée s'emparerait de vous, et…

Fitch crut qu'il allait s'évanouir.

— Nous mettrait à mort, c'est ça que vous voulez dire ?

— Quoi ? s'écria Campbell, comme si cette remarque venait de le tirer d'une profonde réflexion. Non, ça n'arrivera pas ! (Il poussa de nouveau la bourse.) Il y a beaucoup d'argent là-dedans ! Prenez-le et fuyez ! Vous ne comprenez pas ? Si vous restez ici, vous serez morts avant le prochain coucher de soleil.

— Mais où irons-nous ? demanda Morley.

— Très loin d'ici… Quelque part où on ne vous retrouvera jamais.

— Mais si vous expliquiez un peu les choses, les gens sauraient que nous avons châtié une traîtresse, et…

— … Et violé Beata ? L'avenir d'Anderith ne vous forçait pas à faire ça !

— Quoi ? s'écria Fitch. Je jure que je ne l'aurais jamais touchée, messire ! Je vous en prie, croyez-moi !

— Ce n'est pas moi qu'il faut convaincre ! Les gens qui vous traquent pensent que vous êtes coupables, et ils ne me laisseront pas le temps de leur prouver le contraire. Ils ne m'écouteront pas ! Pour eux, les assassins de Claudine sont aussi les violeurs de Beata, et ils n'en démordront jamais. Que ce soit vrai ou non ne compte pas ! Et l'homme qui vous a vus est un Anderien.

— On nous poursuit dé-déjà ? bredouilla Morley. Des gens nous cherchent ?

— Oui. Et si vous ne filez pas, on vous pendra pour les deux crimes. Votre seule chance est de fuir au plus vite !

» Pour vous récompenser d'avoir été loyaux, et de vous être battus pour sauver la civilisation anderienne, j'ai tenu à vous prévenir. Et je vous offre toutes mes économies pour vous permettre de partir.

— Vos économies ? répéta Fitch. Messire, nous ne pouvons pas les prendre. Vous avez une épouse, et…

— J'insiste ! Et si c'est nécessaire, je vous l'ordonnerai ! Comment pourrais-je dormir en paix, si je n'ai pas le sentiment d'avoir fait au moins ça pour vous aider ? J'ai toujours eu à cœur de ne pas laisser tomber mes hommes ! Et je vous dois tellement… (Campbell désigna la bourse.) Prenez cet argent, partagez-le, et utilisez-le pour partir loin d'ici. Il vous aidera à recommencer une nouvelle vie.

— Une nouvelle vie ?

— Exactement ! Vous pourrez même vous acheter des épées.

— Des épées ? répéta Morley, stupéfait.

— Bien sûr ! Il y a assez pour vous en payer dix chacun. Dans un autre pays, on se fichera que vous soyez des Hakens, et vous vivrez comme des hommes libres. Changez de travail, d'habitudes, de rêves ! Avec autant d'argent, vous pourrez même courtiser des femmes comme il faut.

— Mais nous ne sommes jamais sortis de Fairfield, gémit Morley.

Campbell posa les mains à plat sur son bureau et se pencha vers les deux Hakens.

— Si vous restez, vous serez pendus. Les gardes connaissent vos noms, et ils vous cherchent déjà. J'implore le Créateur qu'ils ne fassent pas irruption dans ce bureau ! Si vous voulez vivre, prenez l'argent et filez ! Offrez-vous une nouvelle existence, les gars !

Fitch regarda nerveusement derrière lui. Il ne vit rien, et n'entendit pas de bruit, mais leurs poursuivants pouvaient arriver d'un moment à l'autre. S'il ne savait pas où aller, suivre le conseil de messire Campbell lui semblait la seule solution.

Il ramassa la bourse.

— Messire, dit-il, vous êtes l'homme le plus formidable que j'ai connu. J'aurais aimé travailler pour vous jusqu'à la fin de mes jours. Merci de nous avoir prévenus, et... Eh bien, pour vos économies !

Dalton Campbell tendit la main et Fitch la serra. C'était la première fois qu'il échangeait un tel salut avec un Anderien. Et il trouva ça agréable, comme s'il avait enfin le droit de se sentir un homme digne de ce nom.

Messire Campbell serra aussi la main de Morley.

— Bonne chance à vous deux... À votre place, je me procurerais des chevaux. Mais ne les volez pas, surtout ! Vous mettriez vos poursuivants sur votre piste. Achetez-les, et comportez-vous en toutes circonstances comme si de rien n'était. Je sais que c'est difficile, mais sinon, vous éveilleriez des soupçons.

» Ne gaspillez pas votre argent avec des putains ou pour vous soûler, parce qu'il vous filera entre les doigts. Si vous faites des bêtises, on vous capturera et vous ne vivrez pas assez longtemps pour mourir des maladies que vous auront refilées les filles de joie.

» Si vous êtes économes, cet argent vous permettra de survivre jusqu'à ce que vous ayez trouvé un endroit où vous installer.

Fitch serra de nouveau la main de son bienfaiteur.

— Merci de vos conseils, messire Campbell. Nous les suivrons à la lettre. Pour commencer, nous allons acheter des chevaux et partir au triple galop. Ne vous en faites pas pour nous, surtout ! Nous avons déjà vécu dans les rues, et nous savons échapper à des Anderiens qui veulent nous faire du mal.

Dalton Campbell eut un petit sourire.

— Pour ça, je vous fais confiance ! Que le Créateur veille sur vous !

Quand il retourna dans la salle à manger, Dalton trouva Teresa en grande conversation avec le ministre. Assise sur la chaise de Bertrand, sa femme riait et il l'accompagnait de bon cœur, ravi de s'attirer les grâces d'une si jolie femme.

Hildemara, Stein et les marchands placés à l'autre bout de la table tenaient à voix basse un conciliabule qui paraissait passionnant.

Dès qu'elle le vit, Teresa tendit un bras et prit la main de son mari.

— Te voilà enfin, mon chéri ! Tu vas rester, j'espère ? Bertrand, dites-lui qu'il travaille trop. Il doit prendre le temps de manger.

— Elle a raison, Dalton ! Je n'ai jamais vu quelqu'un mettre autant d'ardeur à la tâche ! Sans vous, votre femme est perdue ! J'ai essayé de la distraire, hélas, mes histoires n'ont pas eu l'heur de l'intéresser. Elle s'est montrée très polie, mais elle tenait surtout à me répéter que vous êtes un homme hors du commun. Comme si je ne le savais pas !

Bertrand et Teresa implorèrent Dalton d'aller se rasseoir à sa place pour se restaurer. Pendant que sa douce épouse regagnait sa chaise, il la supplia du regard d'avoir patience quelques minutes de plus. Puis il prit Hildemara par une épaule, fit de même avec Bertrand et leur parla à l'oreille.

— Les informations que je mentionnais ont confirmé mes soupçons. Comme je m'en doutais, les premiers rapports sur la mort de Claudine étaient exagérés. Elle a été victime de deux hommes, et pas un de plus ! (Dalton tendit à son chef un message cacheté.) Voici leurs noms.

Bertrand sourit comme un enfant à qui on donne des sucreries.

— Maintenant, veuillez m'écouter attentivement… J'étais sur leur piste, mais ils se sont enfuis après avoir volé une grosse somme d'argent dans la caisse des cuisines. Mais une chasse à l'homme a déjà commencé…

Dalton plissa le front pour faire comprendre à ses interlocuteurs qu'il inventait une histoire abracadabrante pour une raison bien précise. Sans se poser de questions, le ministre et sa femme hochèrent simplement la tête.

— Demain, à l'heure qui vous plaira, vous pourrez rendre publics les noms des coupables. Ces deux garçons de cuisine ont violé et tué Claudine Winthrop. Avant, ils avaient abusé d'une pauvre Hakenne qui travaille pour Inger, notre boucher. Ce soir, ils ont volé de l'argent et se sont enfuis.

— La Hakenne en question confirmera cette histoire ? demanda Bertrand, inquiet qu'elle veuille disculper ses compatriotes et pointer un index accusateur sur sa poitrine.

— Après une épreuve pareille, la malheureuse n'a plus supporté de vivre à Fairfield. Nous ignorons où elle est allée, et elle ne reviendra probablement jamais. Dans le cas contraire, j'ai communiqué son nom aux gardes, qui l'intercepteront et me l'amèneront, afin que je… l'interroge.

— Si elle ne risque pas d'innocenter les deux garçons, dit Hildemara, peu amène, pourquoi leur laisser une nuit entière d'avance ? C'est idiot ! Le peuple rêve d'une exécution publique, et nous pouvons bien lui offrir ça ! Rien ne satisfait plus les gens qu'un spectacle de ce type.

— Nos concitoyens veulent connaître les coupables, et Bertrand va leur révéler leur identité. Tout le monde croira que les services du ministre ont élucidé l'affaire. Et en fuyant avant d'être démasqués, les Hakens auront en somme signé leurs aveux. Si nous avions procédé autrement, la Mère Inquisitrice s'en serait mêlée, et c'est un… inconvénient… que nous ne pouvons pas nous permettre.

» Une exécution serait inutile et dangereuse. Le peuple sera content que nous ayons trouvé les coupables, et ravi d'apprendre qu'ils sont très loin de Fairfield. C'est suffisant. Pourquoi prendre des risques alors que Bertrand n'est plus qu'à quelques pas du trône du pontife ?

Hildemara ouvrit la bouche pour protester.

— Dalton a raison, dit son mari.

— Sans doute, souffla à contrecœur sa femme.

— J'annoncerai la grande nouvelle demain, ajouta Bertrand, avec Edwin à mes côtés, s'il est assez rétabli. Bien joué, Dalton ! Encore un coup de maître ! Vous avez mérité une récompense, pour cette manœuvre de génie !

— J'ai prévu ça aussi, Bertrand, ne vous inquiétez pas…

— Pourquoi ne suis-je pas étonné ? lança le ministre avant d'éclater de rire.

Si curieux que cela paraisse, sa femme l'imita.

Alors qu'il marchait dans les couloirs avec Morley, Fitch dut essuyer les larmes qui lui brouillaient la vue.

Les deux Hakens avançaient aussi vite qu'il était possible sans courir. Dalton Campbell leur avait conseillé d'agir normalement, et il savait de quoi il parlait. Dès qu'ils apercevaient des gardes, les fugitifs bifurquaient sans hâte excessive dans un couloir latéral. De loin, Fitch était un messager parmi tant d'autres, et Morley ressemblait à des dizaines d'employés du domaine.

Mais si des gardes tentaient de les interpeller, ils devraient courir. Par bonheur, le vacarme du banquet couvrirait celui de leurs pas sur le parquet.

Fitch eut soudain une idée qui favoriserait leur fuite. Sans daigner l'expliquer à Morley, il le tira par la manche et le guida jusqu'à un escalier qui menait au sous-sol.

Quand ils l'eurent descendu, Fitch trouva sans trop de difficultés la pièce qu'il cherchait. Ils entrèrent, s'assurèrent qu'elle était vide, allumèrent une lampe et refermèrent la porte.

— Fitch, tu deviens fou ? Pourquoi nous enfermer là-dedans ? Nous pourrions être déjà loin d'ici !

— Morley, ils cherchent qui, d'après toi ?

— Nous !

— Non, essaie de te mettre à leur place ! Ils traquent un messager et un garçon de cuisine. Je me trompe ?

— Eh bien… Tu as raison, je suppose, mais…

— C'est la salle où on garde les uniformes et beaucoup d'autres fournitures. J'y suis venu il n'y a pas longtemps, pour qu'on me donne une tenue, en attendant d'en avoir une sur mesure.

— D'accord, mais que fichons-nous ici ?

— Déshabille-toi !

— Pourquoi ?

— Tu es abruti, ou quoi ? Ils cherchent un messager et un garçon de cuisine ! Si tu portes une tenue comme la mienne, nous deviendrons *deux* messagers !

— Oh… Voilà une bonne idée !

Morley commença à se déshabiller. La lampe au poing, Fitch longea les étagères en quête d'un uniforme comme le sien. Quand il eut trouvé, il envoya un pantalon marron foncé à son ami.

— C'est ta taille ?

Morley enfila le vêtement.

— Oui, à peu près…

— Maintenant, essaie cette chemise blanche.

Morley passa la chemise, mais il ne parvint pas à la boutonner.

— Replie-la pendant que je t'en cherche une autre, dit Fitch.

— Pourquoi devrais-je m'embêter à la replier ?

— Tu veux qu'on se fasse attraper ? Personne ne doit se douter que nous sommes venus ici. Si nos poursuivants ignorent que tu as changé de tenue, ça augmentera nos chances.

— Oui, bien sûr…, souffla Morley, penaud.

Il enleva la chemise et entreprit maladroitement de la plier.

Fitch lui en tendit une autre, qui fit l'affaire, même si elle était un rien trop large. Très vite, il découvrit un pourpoint semblable au sien, mais de plusieurs tailles plus grand.

Morley l'essaya, et il lui allait presque parfaitement.

— De quoi ai-je l'air ? demanda-t-il.

Fitch leva sa lampe et émit un sifflement admiratif. Bien plus costaud que lui, son ami, ainsi vêtu, avait une allure quasiment aristocratique. Des habits suffisaient-ils donc à transformer un homme ? Une éventualité que le jeune Haken n'avait jamais vraiment envisagée…

— Mon vieux, dit-il, tu en jettes encore plus que Rowley !

— Sans blague ? lança Morley, rayonnant. (Il se rembrunit aussitôt.) Et maintenant, fichons le camp d'ici !

— Non, il te faut d'abord des bottes. Les pieds nus, tu serais ridicule. Tiens, mets des chaussettes, sinon tu récolteras des ampoules.

Morley obéit, puis il enfila les bottes que lui tendait son compagnon.

— La pointure convient ?

— On dirait, oui…

— Emporte tes anciennes frusques, pour que personne ne sache que nous sommes venus. Le temps qu'on s'aperçoive qu'un uniforme a disparu, nous serons très loin d'ici !

Des bruits de pas retentissant dans le couloir, Fitch souffla sa lampe. Pétrifiés, les deux Hakens attendirent, trop terrifiés pour oser respirer. Ils étaient coincés, et plusieurs hommes approchaient…

Des gardes, sans doute deux. Et ils faisaient sûrement leur ronde, rien de plus.

Fitch manqua pourtant s'évanouir. La seule idée de finir pendu par une foule déchaînée lui retournait les entrailles, et il suait à grosses gouttes.

La porte de la réserve s'ouvrit.

Une silhouette se découpa sur le seuil, illuminé par la faible lumière qui brûlait dans le couloir. Il s'agissait bien d'un garde, à voir le fourreau qui pendait à sa hanche.

Fitch et Morley étant au fond de la pièce, entre deux rangées d'étagères, le rectangle de lumière qui jaillissait de la porte vint seulement lécher la pointe de leurs bottes. Paralysés, ils ne bougèrent plus un cil.

Le garde ne les vit pas, peut-être parce que ses yeux n'étaient pas accoutumés à la pénombre. Son inspection terminée, il referma la porte et repartit avec son camarade. Fitch les entendit ouvrir d'autres battants, de plus en plus loin dans le couloir. Puis le silence revint.

— Fitch, souffla Morley, il faut que je pisse, ou je vais exploser ! On peut sortir d'ici ?

— Je crois, oui...

Ils sortirent et découvrirent, avec une intense satisfaction, que le couloir était désert. Quand Morley se fut soulagé, ils coururent vers l'issue la plus proche, pas très loin de la brasserie. En chemin, ils jetèrent les vieilles frusques de Morley dans une poubelle.

En passant, ils entendirent le vieux brasseur fredonner une chanson à boire. Morley proposa qu'ils fassent une courte halte pour se payer un petit coup. Fitch fut d'abord séduit par cette idée, car il avait le gosier atrocement sec. Mais il ne se laissa pas tenter.

— Non, je ne voudrais pas finir pendu à cause d'une chope de bière. Nous avons assez d'argent pour nous offrir à boire plus tard. Je ne veux pas rester ici une seconde de plus que nécessaire !

Morley acquiesça à contrecœur.

Ils sortirent sur les quais et descendirent les marches que Claudine avait gravies quand elle pensait venir retrouver le directeur Linscott. Si elle les avait écoutés, ce jour-là, bien des malheurs auraient été évités.

— On ne va pas chercher nos affaires ? demanda Morley.

Fitch se retourna et dévisagea son ami.

— Tu possèdes quelque chose d'assez précieux pour risquer ta vie ?

— Euh... non... À part un joli jeu de jonchet que mon père m'avait offert. Et quelques vêtements, mais cet uniforme est bien plus beau que mes frusques, y compris celles que je mets pour les réunions de repentance.

Les réunions de repentance... Au moins, ils n'auraient plus jamais à supporter ça !

— Je n'ai rien à aller chercher non plus. Il doit me rester quelques pièces de cuivre, mais c'est du toc comparé à notre trésor de guerre. Nous devrions aller à Fairfield et acheter des chevaux.

— Tu sais monter ? demanda Morley, dubitatif.

Fitch sonda les environs pour s'assurer qu'il n'y avait pas de gardes. Puis il flanqua à son compagnon une amicale bourrade.

— Non, mais je parie que nous apprendrons vite !

Alors qu'ils s'éloignaient, les deux Hakens se retournèrent pour jeter un dernier regard sur le domaine.

— Je suis content de m'en aller, dit Morley. Surtout après ce qui est arrivé aujourd'hui aux cuisines.

— Que veux-tu dire ?

— Tu n'en as pas entendu parler ?

— De quoi ? Tu sais, j'ai passé la journée en ville, à livrer des messages...

Morley prit le bras de son ami et le força à s'arrêter.

— Il y a eu un incendie.

— Où ?

— Dans la cuisine. Les fours et la cheminée… Un vrai délire !

— Comment ça, un délire ?

Morley émit un profond bruit de gorge, pour imiter le rugissement d'un feu, puis il écarta les bras et les agita frénétiquement.

— Il y avait des flammes partout ! Le pain a brûlé, et un chaudron a éclaté, tellement il faisait chaud.

— Sans blague ? s'écria Fitch. Et il y a eu des blessés ?

Morley eut un rictus mauvais.

— Gillie a été salement brûlée. (Il tapa du coude dans les côtes de Fitch.) Elle s'occupait de ses sauces quand le feu est devenu fou. Ses cheveux ont pris feu, et sa sale gueule d'Anderienne aussi.

Morley éclata de rire comme s'il attendait ça depuis des années.

— Elle ne survivra pas, d'après les guérisseurs. Mais avant de crever, tu peux me croire, elle dégustera sacrément !

Fitch ne partagea pas l'enthousiasme de son ami. Même s'il n'avait aucune sympathie pour Gillie, ce n'était pas une raison pour se réjouir de ses malheurs.

— Morley, tu ne devrais pas être content qu'une Anderienne souffre. Ça montre que nous restons des barbares hakens…

Morley se contenta de ricaner.

Ils continuèrent à marcher vers la ville, se dissimulant dans les champs dès qu'ils entendaient les grincements des roues d'un carrosse ou d'un chariot. À chaque fois, ils attendirent un long moment avant de sortir de leur cachette.

Bizarrement, Fitch trouvait cette expérience assez amusante. Loin du domaine, il avait moins peur d'être capturé. Pendant la nuit, en tout cas.

— Morley, je crois qu'on devrait voyager après le coucher du soleil, et se cacher durant la journée. Au début, en tout cas. Il faudrait trouver des endroits sûrs, d'où nous pourrions voir arriver nos poursuivants. Si nous chevauchons de nuit, personne ne nous verra. Ou au moins, on ne nous reconnaîtra pas.

— Et si on nous tombe dessus pendant notre sommeil ?

— Nous monterons la garde à tour de rôle, comme des soldats en campagne.

— Je n'aurais pas pensé à ça, souffla Morley, émerveillé par la vivacité d'esprit de son compagnon.

Ils ralentirent le pas dès qu'ils furent dans Fairfield, toujours avec l'idée de ne pas se faire remarquer. Ici, ils savaient où se dissimuler, en cas de danger, aussi efficacement que dans les champs, sur la route du domaine…

— Nous allons acheter des chevaux, dit Fitch, et partir dès ce soir.

— D'accord, mais comment sortirons-nous d'Anderith ? Messire Campbell nous a dit de trouver un pays où les gens se ficheront que nous soyons des Hakens. Mais à la frontière, il y a les sentinelles qui montent la garde près des Dominie Dirtch.

— Nous sommes des messagers, mon vieux, au cas où tu l'aurais oublié !

— Et alors ?

— Il suffira de prétendre que nous sommes en mission.

— Hors des frontières du pays ?

Fitch réfléchit à cette question.

— Qui pourrait nous contredire ? Si nous parlons d'une mission urgente, personne ne prendra le risque de nous retarder pour demander confirmation au domaine. Ça demanderait trop de temps…

— Et si quelqu'un veut voir le message ?

— Un courrier ne montre pas les plis secrets à n'importe qui ! Il suffira de dire qu'il s'agit d'un secret d'État, et que nous ne pouvons même pas révéler où nous allons.

— Je crois que ça marchera… Mon vieux, on va s'en tirer !

— Bien sûr ! Tu en as jamais douté ?

Morley tira sur la manche de Fitch, qui s'arrêta de marcher.

— Mais où irons-nous ? Tu as une idée ?

Le jeune Haken se contenta de sourire.

Chapitre 43

Beata plissa les yeux pour ne pas être éblouie par le soleil, puis elle posa son sac sur le sol et écarta les mèches de cheveux que le vent faisait voler sur son front. Ne sachant pas lire, elle ignorait le sens de l'inscription gravée sur la grande porte. Mais les mots étaient précédés d'un nombre, et grâce à Inger, elle savait reconnaître les chiffres.

« 23 »... Elle était arrivée à destination.

La jeune Hakenne étudia le mot gravé sur la porte, afin de le mémoriser. Ainsi, si elle le voyait ailleurs, elle pourrait le reconnaître. Mais savoir ce qu'il signifiait était au-delà de ses possibilités. Pour elle, les lettres avaient aussi peu de sens que les arabesques qu'un poulet dessinait dans la poussière. Pourtant, certaines personnes parvenaient à identifier ces marques mystérieuses et à savoir quel mot elles composaient. Un talent qui l'émerveillait depuis toujours.

Beata ramassa le sac qui contenait ses possessions. Le porter sur un si long chemin n'avait pas été facile, parce qu'il ne cessait pas de rebondir contre sa hanche, mais il n'était pas atrocement lourd, et elle l'avait changé de côté dès qu'un de ses bras fatiguait.

En fait, ses « trésors » se limitaient à peu de choses : une paire de chaussures faites sur mesure qu'elle avait héritées de sa mère (et qu'elle portait pour les grandes occasions, afin de ne pas les user), un peigne en corne, un peu de savon, quelques souvenirs que lui avaient offerts des amis, un peu d'eau, un rouleau de dentelle et un nécessaire de couture.

Inger lui avait donné des vivres pour dix personnes. Des saucisses de toutes sortes, certaines plus grosses que son bras, certaines très longues et très fines, d'autres encore enroulées comme des serpents. Et plusieurs morceaux de délicieuse viande fumée... En fait, ce viatique était ce qui alourdissait le plus son paquetage. Et même si elle en avait distribué en route à des vagabonds affamés – sans parler du fermier et de sa femme qui lui avaient fait faire un bout de chemin dans leur chariot – il lui restait assez de saucisses pour une bonne année !

Inger lui avait également remis une lettre d'introduction, qu'il lui avait lue avant son départ.

À chaque pause, le long du chemin, Beata avait déplié la feuille sur ses genoux et fait mine de la déchiffrer. Ayant mémorisé le texte, elle pensait pouvoir au moins reconnaître certains mots. Mais ces pattes de mouche ne lui disaient décidément rien !

Elle se souvint du mot que Fitch avait dessiné au fond du chariot. « Vérité »...

Évoquer le jeune Haken la déprimant, elle secoua la tête pour le chasser de ses pensées.

Inger avait essayé de la retenir. Qu'allait-il faire sans elle ? avait-il gémi. Beata lui avait répondu que les candidats à l'embauche ne manqueraient pas. Et avec un peu de chance, il trouverait même un gaillard qui serait deux fois plus costaud qu'elle.

Le boucher avait insisté, affirmant que la force n'était pas tout, et qu'il avait besoin de ses « compétences ». De plus, il l'aimait presque comme une fille. Quand ses parents étaient venus travailler pour lui, lui avait-il rappelé, elle n'était pas plus haute que trois pommes...

Les yeux rouges, il l'avait suppliée de rester. Au bord des larmes elle-même, Beata n'avait pas cédé. Elle l'aimait comme s'il était son oncle préféré, et c'était justement pour ça qu'elle devait partir ! Sinon, elle lui attirerait à coup sûr de gros ennuis...

Inger avait affirmé qu'il saurait faire face. Mais il risquait d'être blessé, voire tué, et cela la terrifiait.

Et là, le boucher n'avait trouvé aucun argument à lui opposer...

S'il l'avait fait travailler dur, l'Anderien s'était toujours montré équitable. Chez lui, elle n'avait jamais eu faim, et il ne s'était pas une seule fois permis de lever la main sur elle. Bien qu'il n'hésitât pas à corriger les garçons, quand ils se montraient insolents, il ne frappait pas les filles. Cela dit, elles ne lui manquaient jamais de respect non plus...

Une fois ou deux, Inger s'était mis en colère contre elle, mais ça n'avait jamais dépassé le stade des cris. Pour la punir, quand il la jugeait en faute, elle était condamnée à vider et à désosser des volailles pendant toute la nuit. Par bonheur, elle n'avait pas écopé souvent de cette corvée. Peut-être parce qu'elle essayait toujours de faire de son mieux et de ne pas poser de problèmes dans le cadre du travail.

Obéir sans jamais se révolter était pour elle une sorte d'obligation morale. Quand on était souillé de naissance, parce qu'on avait la malchance d'être haken, il fallait à chaque instant s'efforcer d'agir honnêtement, pour ne pas être victime de sa nature impie.

De temps en temps, Inger lui faisait un clin d'œil et la félicitait d'avoir particulièrement bien travaillé. Pour ces moments-là, Beata aurait été prête à faire n'importe quoi !

Avant son départ, il l'avait longuement serrée dans ses bras. Puis il s'était assis à son bureau pour rédiger la fameuse lettre. Alors qu'il la lisait à haute voix, Beata avait cru voir des larmes briller dans les yeux de son patron. Là encore, elle avait dû lutter pour ne pas éclater en sanglots.

Son père et sa mère lui avaient appris à ne jamais pleurer en public. Sinon, elle risquait de passer pour une personne faible ou peu intelligente. Depuis, elle prenait garde à lâcher la bonde à son chagrin la nuit, quand nul ne pouvait l'entendre.

Inger était un brave homme et il lui manquerait beaucoup, même s'il la forçait souvent à se tuer au travail. De toute façon, le labeur ne lui avait jamais fait peur.

Beata s'écarta soudain pour laisser passer un chariot qui se dirigeait vers la grande porte. La citadelle semblait énorme. En même temps, elle paraissait triste et perdue, perchée au milieu de nulle part sur une colline battue par les vents. À moins d'escalader les murs immenses, la porte géante était le seul moyen d'entrer ou de sortir de l'ouvrage fortifié.

Dès que le chariot fut passé, Beata le suivit et pénétra dans la cour intérieure du bâtiment. Elle grouillait de monde, comme si la citadelle avait abrité une petite ville derrière ses murs. D'ailleurs, il y avait des multitudes de bâtiments reliés par d'étroites ruelles...

Le garde posté à l'entrée cessa de parler au cocher du chariot et lui fit signe d'avancer. Puis il se tourna vers Beata, l'examina de la tête aux pieds, très rapidement, et la salua avec une impassibilité impressionnante.

— Bonjour, jeune dame.

Un ton courtois mais strictement professionnel. Avec les autres chariots qui attendaient dehors, l'homme n'avait pas de temps à perdre, et il tenait à le faire savoir aux visiteurs.

— Bonjour, répondit poliment Beata.

Les cheveux noirs de l'Anderien étaient humides de sueur. Dans son uniforme, le pauvre devait mourir de chaud.

— Par là, dit-il en tendant un bras. Deuxième bâtiment sur la droite. Et bonne chance !

Beata remercia le soldat de la tête et se faufila entre deux cavaliers, histoire d'arriver plus vite. Dans sa hâte, elle faillit marcher dans du crottin frais... Une expérience peu recommandable, quand on était pieds nus.

Des hommes et des femmes couraient dans toutes les directions, parvenant par miracle à ne pas se faire écraser par les chariots ou piétiner par les chevaux. Une odeur de sueur, de fumier, de cuir, de poussière et de bouse de vache montait aux narines de la jeune Hakenne, couvrant celle du blé nouveau qui poussait tout autour de la citadelle.

Beata n'était jamais sortie de Fairfield. Ce nouveau décor l'intimidait, mais il avait aussi quelque chose d'excitant.

Elle trouva sans trop de mal le bâtiment que lui avait indiqué le garde. Dans le hall d'accueil, elle approcha du bureau où une Anderienne, assise sur une simple chaise, écrivait soigneusement sur une feuille de parchemin jauni. Sur sa droite, Beata remarqua une pile de documents similaires, certains très anciens et d'autres plus récents.

Quand l'Anderienne releva les yeux, Beata fit une gracieuse révérence.

— Bonjour, mon enfant... (La femme étudia Beata de pied en cap, comme l'avait fait le garde.) Tu viens de loin ?

— De Fairfield, ma dame.

L'Anderienne posa sa plume.

— Fairfield ! C'est rudement loin ! Pas étonnant que tu sois couverte de poussière !

— J'ai marché six jours de suite, ma dame.

L'Anderienne fronça les sourcils. Elle semblait du genre à le faire à la moindre occasion.

— Pourquoi es-tu venue ici, si tu es de Fairfield ? Il y a des postes bien plus proches de cette ville.

Beata le savait, mais elle avait tenu à fuir le plus loin possible de sa cité natale, où ne l'attendaient plus que des ennuis. Et Inger lui avait conseillé de choisir le Poste 23.

— Je travaillais pour un boucher nommé Inger, ma dame. Quand je lui ai parlé de mes intentions, il m'a dit qu'il avait servi ici, et que j'y trouverais des personnes de valeur. Bref, je suis là parce qu'il m'a recommandé ce poste…

L'Anderienne eut un sourire en coin.

— Je ne me souviens pas d'un boucher appelé Inger, mais il a vraiment dû servir ici, parce que son jugement sur le personnel est exact.

Beata posa son sac et tira la lettre de sa ceinture.

— Comme je vous l'ai déjà dit, ma dame, il m'a recommandé cette garnison.

Trop timide pour approcher plus du bureau, Beata se pencha en avant et posa la lettre devant l'Anderienne.

La femme déplia et la lut – les sourcils froncés, bien entendu !

Beata tenta de se souvenir du texte. Hélas, il s'effaçait déjà de sa mémoire. Bientôt, elle se rappellerait seulement le sens général de la lettre de recommandation d'Inger.

— Eh bien, jeune dame, dit la femme en posant la feuille, maître Inger semble penser beaucoup de bien de toi ! Pourquoi as-tu quitté un emploi où tu étais si performante ?

Beata n'avait pas prévu qu'on lui poserait cette question. Après une courte réflexion, elle décida de répondre honnêtement – mais sans trop entrer dans le détail.

— J'ai toujours rêvé de m'engager, ma dame. Parfois, on doit essayer de réaliser ses rêves. Sinon, à la fin de ses jours, on est amer et déçu.

— Et pourquoi cette envie de t'engager ?

— Pour faire le bien, ma dame. Et parce que le mini… le ministre a fait en sorte que les femmes soient respectées dans l'armée. À égalité avec les hommes, je crois…

— Bertrand Chanboor est un grand homme.

Beata ravala sa fierté. Souvent, c'était plus un obstacle qu'un moyen d'aller de l'avant.

— C'est vrai, ma dame, et tout le monde le respecte. Il a permis aux Hakennes de servir avec des Anderiens des deux sexes. Et la loi précise que tout le monde doit respecter les femmes de ma race qui décident de protéger Anderith. Nous lui devons beaucoup, et pour nous, Bertrand Chanboor est un héros !

— En plus, tu avais un sale type sur le dos…, dit l'Anderienne, toujours aussi impassible. Je me trompe ? Un salopard qui te harcelait, pas vrai ? Un jour tu en as eu assez, et tu as trouvé le courage de partir.

— C'est vrai, ma dame. Mais je n'ai pas menti en parlant de mon rêve. Cet homme m'a poussée à le réaliser plus tôt que prévu, voilà tout. Et j'y suis toujours prête, si vous voulez de moi.

— Bien parlé ! Comment t'appelles-tu ?

— Beata.

— Parfait, Beata. Ici, nous essayons de suivre l'exemple du ministre Chanboor, donc de toujours nous comporter dignement.

— C'est pour ça que je suis là, ma dame.

— Je suis le lieutenant Yarrow. « Lieutenant », pour toi…

— Bien ma… lieutenant ! Alors, vous m'engagez ?

Yarrow désigna un gros sac en toile.

— Ramasse-le !

Sans poser de question, Beata obéit. Assez lourd, le sac semblait à moitié rempli de bois de chauffage. La jeune Hakenne glissa une main dessous, le souleva et, d'un seul bras, le tint plaqué contre sa hanche.

— Maintenant, hisse-le sur ton épaule !

Beata procéda comme avec un quartier de viande. Levant un bras, elle le tendit en avant, le plia à demi, banda ses muscles et fit reposer dessus la partie pleine du sac afin que la charge ne repose pas sur sa clavicule.

Puis elle attendit la suite.

— Très bien, dit Yarrow. Remets-le où il était.

Beata obéit.

— Félicitations, tu fais désormais partie de l'armée. Tu peux te réjouir, parce que ton rêve vient de se réaliser. Les Hakens n'échappent jamais complètement à leur héritage impie, mais avec nous, tu pourras agir dignement et être appréciée à ta juste valeur.

Beata éprouva un sentiment de fierté comme elle n'en avait jamais connu. C'était peut-être une réaction suspecte, pour une Hakenne, mais elle ne pouvait pas s'en empêcher.

— Merci, lieutenant.

— Quand tu sortiras d'ici, dit Yarrow, descend l'allée jusqu'aux remparts, où tu verras une décharge d'ordures. Jette ton sac dessus !

Beata en resta sans voix. Les chaussures de sa mère avaient coûté une petite fortune, et ses parents s'étaient privés pendant des années pour les acheter. Et les souvenirs offerts par ses amis avaient tant de valeur à ses yeux !

Pourtant, elle parvint à retenir ses larmes.

— Je dois aussi jeter la nourriture que m'a donnée Inger, lieutenant ?

— Oui.

Puisqu'une Anderienne le lui demandait, conclut Beata, il devait y avoir une raison, et elle ne discuterait pas.

— Lieutenant, puis-je disposer, afin d'accomplir la mission dont vous m'avez chargée ?

Yarrow dévisagea un moment la jeune recrue.

— C'est pour ton bien, Beata, dit-elle d'un ton un peu plus doux. Ces objets appartiennent à ton ancienne vie, et rien ne doit te la rappeler. Plus vite tu l'oublieras – la nourriture comprise – et mieux ce sera.

— Je comprends, lieutenant, dit bravement la jeune Hakenne. Mais puis-je au moins garder la lettre de mon ancien patron ?

Yarrow étudia la feuille, la replia et la tendit à Beata.

— C'est une lettre de recommandation, pas un souvenir de ton existence passée. Oui, tu peux la conserver. Au fond, tu l'as méritée pour avoir bien servi cet homme pendant des années.

Beata porta une main à son cou et posa un index sur l'épingle toute simple qui fermait son col. Celle que Fitch lui avait rendue une semaine plus tôt. Peu de temps avant de mourir d'une mauvaise fièvre, son père la lui avait offerte. Elle l'avait perdue quand le ministre et la brute nommée Stein l'avait retirée de son col et jetée dans le couloir, histoire de pouvoir ouvrir sa robe et découvrir si ses appas étaient aussi prometteurs qu'ils le pensaient.

— Lieutenant, je peux garder cette épingle ?

Pendant que son père la fabriquait de ses mains, il lui avait expliqué qu'un objet, même aussi simple, pouvait avoir un sens profond. La tête en spirale, par exemple, symbolisait le monde, où tout était connecté, même si on ne s'en apercevait pas, de son point de vue limité d'être humain. Mais si on avait pu suivre tous les chemins de l'univers, on se serait aperçu, au bout du compte, qu'ils menaient tous au même point.

Il avait ajouté qu'elle ne devait jamais renoncer à ses rêves. Si elle se comportait bien, ils reviendraient un jour vers elle, même s'il lui fallait attendre pour cela d'être dans l'autre monde, où les esprits du bien accéderaient enfin à ses désirs. Une histoire idiote, pour faire plaisir à une enfant ! Beata le savait, mais elle l'aimait quand même…

Sourcils froncés, Yarrow étudia l'épingle.

— Oui. À partir de maintenant, le peuple d'Anderith te fournira tout ce dont tu as besoin.

— J'ai compris, lieutenant. Pour en être digne, je le servirai de mon mieux en toutes circonstances.

L'Anderienne sourit.

— Beata, tu es plus intelligente que la plupart de nos recrues, filles et garçons confondus. Tu comprends vite, et tu ne discutes pas les ordres. Deux qualités précieuses. (Yarrow se leva.) Bien entraînée, tu feras une excellente meneuse d'hommes. Je te verrais bien sergent. La formation est plus dure que celle d'un simple soldat, mais si tu travailles bien, dans une semaine ou deux, tu seras à la tête d'une petite section.

— Moi ? En si peu de temps ?

— Servir dans l'armée n'est pas si difficile que ça… Je suis sûre qu'apprendre à devenir un bon boucher est bien plus ardu.

— Et le combat ? Ce doit être un art compliqué à maîtriser ?

— Bien sûr, mais si ça reste important, parce que c'est la base du métier de soldat, ce n'est pas l'essentiel, loin de là, dans l'armée anderienne. Jadis, elle était un refuge pour les extrémistes, et le fanatisme des militaires étouffait la société qu'ils étaient censés protéger. (Yarrow sourit de nouveau.) De nos jours, c'est l'intelligence qui compte, et sur ce point-là, les femmes sont bien plus que les égales des hommes. Avec les Dominie Dirtch, les muscles ne servent plus beaucoup ! Ces armes combattent pour nous, et elles sont invincibles !

» Les femmes ont naturellement la compassion requise pour faire de bons officiers. Pense à la façon dont je t'ai expliqué pourquoi tu devais jeter tes objets personnels. Les hommes ne s'embarrassent jamais d'explications, même quand ce serait indispensable pour stimuler leurs troupes. Un chef doit éduquer ses subordonnés. Les femmes ont transformé l'armée, qui n'est plus un instrument de destruction aveugle et sauvage. Celles qui défendent Anderith ont droit à la considération qu'elles méritent. Grâce à nous, l'armée contribue à la civilisation anderienne, au lieu de la menacer, comme autrefois.

Beata baissa les yeux sur l'épée qui pendait à la hanche de Yarrow.

— J'en porterai aussi une ? demanda-t-elle. Et tout ce qui va avec ?

— Oui, Beata. Les armes sont conçues pour blesser afin de décourager d'éventuels agresseurs, et nous t'apprendrons à le faire. Tu deviendras un membre estimé du 23ᵉ régiment. Sache que nous sommes tous fiers de servir sous les ordres de Bertrand Chanboor, un très grand ministre de la Civilisation !

Le 23ᵉ régiment… Le nom que lui avait donné Inger, et l'inscription qui figurait sur la grande porte.

Ce régiment avait pour mission de s'occuper des Dominie Dirtch. Selon Inger, c'était la meilleure affectation qu'on pouvait avoir dans l'armée, et la plus respectée. Il avait même parlé de « soldats d'élite ».

Penser au boucher fit une impression étrange à la jeune Hakenne. Comme s'il appartenait à une existence qui n'était déjà plus la sienne…

Juste avant qu'elle parte, Inger l'avait prise par le bras et forcée à se retourner. Certain qu'un homme du domaine l'avait violentée, il voulait en avoir la confirmation.

Beata avait acquiescé. Et quand il avait voulu savoir le nom de ce « salaud », elle n'avait pas eu le cœur de lui mentir.

D'une voix tremblante, le boucher lui avait dit qu'il comprenait, maintenant, pourquoi elle voulait partir. C'était probablement le seul Anderien susceptible de la croire. Et d'être touché par ce qu'on lui avait fait.

Alors qu'elle s'éloignait, il lui avait souhaité d'être heureuse.

— Encore une fois ! ordonna le capitaine Tolbert.

Étant la première de la file, Beata leva son épée, avança et frappa le mannequin en paille accroché au bout d'une corde. Cette fois, elle lui transperça la jambe.

— Parfait, Beata ! s'exclama le capitaine.

Il ne manquait jamais de la féliciter quand elle le méritait. Pour une Hakenne, c'était une expérience inédite.

En s'écartant, elle faillit ne pas réussir à retirer sa lame du guerrier ennemi factice. Elle réussit de justesse, et assez maladroitement. Parfois, ses camarades n'y parvenaient pas.

Par bonheur, elle maniait des lames depuis des années. Plus petites, sans doute, mais cela lui donnait quand même un avantage sur les autres.

Bien qu'elle fût hakenne, et n'eût donc pas l'autorisation d'utiliser des couteaux, elle avait travaillé sous les ordres d'un boucher anderien, et donc obtenu une sorte de passe-droit. Chez Inger, seules les femmes de sa race étaient affectées au découpage, en compagnie d'employés anderiens. Les mâles hakens se chargeaient essentiellement du transport et du nettoyage, des activités où ils n'avaient pas besoin de couteaux.

Trois des autres filles du groupe – Carine, Emmeline et Annette – étaient également hakennes, et elles n'avaient jamais rien tenu de plus dangereux qu'un couteau à pain émoussé. Les quatre garçons anderiens – Turner, Norris, Karl et Bryce – venaient de familles modestes où on ne portait pas d'épée. Mais au moins, enfants, ils s'étaient entraînés en se battant en duel avec des bâtons.

Consciente que les Anderiens étaient en tout point supérieurs aux Hakens, Beata s'efforçait de ne pas ridiculiser les quatre garçons. Mais ils étaient plus doués pour rire bêtement que pour se battre. Et ils passaient le plus clair de leur temps à se vanter d'exploits parfaitement imaginaires.

Les deux Anderiennes – Estelle Ruffin et Marie Fauvel – n'avaient aucune expérience de l'escrime. Pourtant, comme leurs camarades, elles aimaient ça et s'en sortaient plutôt mieux que les garçons. À vrai dire, même les trois Hakennes semblaient plus douées qu'eux pour le métier des armes.

Turner et ses copains frappaient plus fort, mais ils étaient beaucoup moins précis. Le capitaine Tolbert le leur avait fait remarquer, histoire qu'ils cessent de se croire supérieurs aux filles. Comme il le disait, la violence d'un coup ne signifiait rien, quand il passait à côté de sa cible.

Karl s'était blessé à la jambe, le premier jour, et on avait dû recoudre la plaie. Depuis il plastronnait : un fier soldat, paré d'une cicatrice récoltée pendant le service !

Emmeline avança et visa aussi la jambe du mannequin. Hélas, elle rata son coup, car le capitaine faisait bouger la corde, et la pointe de son épée se coinça dans le nœud coulant passé autour du torse de la cible. Déséquilibrée, elle s'étala de tout son long.

Les quatre Anderiens s'esclaffèrent. Pas les cinq autres filles. Et elles blêmirent quand un des garçons traita leur camarade de « grosse vache maladroite ». Toujours prêts à se singulariser, les trois autres Anderiens ajoutèrent quelques moqueries de leur cru.

Fou de colère, le capitaine saisit par le col le garçon le plus proche – Bryce.

— Je vous l'ai dit cent fois ! beugla-t-il. Dans votre ancienne vie, vous pouviez vous moquer des autres ! Ici, c'est terminé ! On ne rit pas d'un frère d'armes, même s'il est haken. Chez nous, il n'y a que des égaux ! (Il lâcha Bryce, le poussant en arrière sans ménagement.) Un tel manque de respect mérite une punition ! Je vais demander à chacun d'entre vous d'en proposer une…

Tolbert interrogea d'abord Annette, qui suggéra que les garçons s'excusent. Carine et Emmeline soutinrent cette proposition.

Estelle Ruffin rejeta en arrière ses longs cheveux noirs d'Anderienne et déclara que les quatre coupables devaient être chassés de l'armée. Marie Fauvel trouva que c'était une bonne idée, à condition de les laisser revenir dans un an.

Les garçons, eux, jugèrent que l'éclat du capitaine était déjà un juste châtiment.

— Beata, dit Tolbert, tu as l'ambition de devenir sergent. Si tu l'étais, pour quelle punition opterais-tu ?

La jeune Hakenne avait déjà préparé sa réponse.

— Si nous sommes tous égaux, nous devons être traités comme tels. Puisque Turner et les autres ont cru malin de ricaner, toute la section, au lieu d'aller dîner, devra creuser de nouvelles latrines. (Elle croisa les bras.) Et si nos estomacs crient famine pendant que nous manions la pelle et la pioche, nous saurons qui il faut remercier !

Le capitaine eut un sourire satisfait.

— Beata a trouvé la bonne solution. J'adopte sa motion. Si certains d'entre vous ne sont pas contents, qu'ils retournent dans les jupes de leur mère ! De toute façon, ils n'auront jamais le courage nécessaire pour devenir de bons soldats et être sans cesse solidaires de leurs frères d'armes.

Les deux Anderiennes foudroyèrent du regard leurs compatriotes mâles, qui baissèrent les yeux et contemplèrent les pointes de leurs bottes. Les Hakennes aussi leur en voulaient, mais ils parurent s'en soucier beaucoup moins.

— Reprenons l'exercice ! ordonna Tolbert. Je ne voudrais pas que vous soyez en retard pour aller creuser, quand sonnera la cloche du repas.

Personne ne protesta. Tous avaient déjà compris que se plaindre ne servait à rien...

La sueur dégoulinait dans le dos de Beata alors que la section marchait en colonne par deux sur une « route » défoncée juste assez large pour laisser passer un petit chariot d'approvisionnement. Alors que le capitaine ouvrait la marche, Beata avançait dans l'ornière de droite, quatre soldats derrière elle. Sur la gauche, Marie Fauvel guidait les quatre autres.

Beata était fière de marcher à la tête de sa section ! Après deux semaines de classes épuisantes, elle avait été nommée sergent, comme le prévoyait le lieutenant Yarrow. Sur ses épaules, des galons signalaient son grade. Marie Fauvel, une des Anderiennes, avait été promue caporal, et elle seconderait la jeune Hakenne. Les huit autres avaient reçu le « titre » de simples soldats.

Cette « promotion-là » signifiait simplement qu'on n'avait pas été chassé de l'armée avant la fin des classes. Et sur les dix recrues de départ, toutes étaient parvenues à s'accrocher.

Même si Beata commençait à s'y habituer, porter un uniforme sous la chaleur de l'après-midi n'était pas très agréable.

Au-dessus de leur pantalon vert, les militaires anderiens portaient une longue tunique rembourrée serrée à la taille par une fine ceinture. Dessus, le règlement les obligeait à mettre une cotte de mailles.

Pour ne pas souffrir du poids excessif de cet équipement, les femmes étaient munies d'une cotte de mailles sans manches. Mais celle des hommes, plus longue, était intégrale et un capuchon, également de mailles, leur couvrait la tête et les épaules. Lors des marches, ils le rabattaient en arrière. Au combat, ils devaient le relever et poser dessus le casque de cuir qui faisait partie des accessoires communs aux soldats des deux sexes.

Beata se félicitait que les femmes bénéficient d'une tenue réglementaire allégée. Lors des inspections, il lui était arrivé de soulever les cottes de mailles des hommes, et elle ne s'imaginait pas marcher toute une journée avec un tel poids sur les épaules. Ce qu'elle devait trimbaler lui suffisait ! Et la lourde épée dont elle était si fière au début lui semblait à présent un pénible fardeau.

Les soldats étaient également affublés d'une cape. Quand il faisait chaud, comme aujourd'hui, ils l'attachaient simplement sur leur épaule droite, la laissant pendre sur le côté. À leur ceinturon d'armes étaient accrochés une épée et un couteau. Et en plus de leur incontournable paquetage, chacun devait porter deux lances…

Beata trouvait que sa section avait de l'allure. Cependant, les piquiers restaient les plus beaux soldats du 23ᵉ. Splendides dans leurs uniformes spéciaux, ces hommes-là, elle devait l'avouer, la faisaient souvent rêver. Bien qu'elles aient des tenues similaires, les femmes de ce corps d'élite étaient beaucoup moins impressionnantes.

Devant elle, la jeune Hakenne aperçut une forme sombre qui dominait les hautes herbes. En approchant, elle vit qu'il s'agissait d'une grande structure en pierre. Derrière et un peu à côté, elle aperçut trois casemates aux toits d'ardoise en bardeaux.

La gorge nouée, Beata comprit que la « structure » était une Dominie Dirtch.

Ces armes terrifiantes restaient l'unique création hakenne que les Anderiens continuaient à utiliser. Lors des séances de repentance, la jeune fille avait appris que des multitudes d'Anderiens avaient été réduits en bouillie par ces abominations. Celle-là semblait très vieille – exactement ce qu'elle était –, et sa surface, au fil des siècles, avait été polie par les intempéries et les soins minutieux des soldats chargés de s'en occuper.

Sous le règne des Anderiens, les Dominie Dirtch ne servaient plus qu'à préserver la paix !

Le capitaine Tolbert fit signe à la section de s'arrêter à côté des casemates. De là, Beata vit que plusieurs sentinelles étaient postées sur le socle de pierre de la terrible Dominie Dirtch en forme de cloche.

Il y avait aussi des hommes dans les casemates. Cette section était en poste depuis des mois, et celle de Beata venait la relever.

— Voilà vos quartiers, déclara le capitaine Tolbert. Une casemate pour les hommes et une autre pour les femmes. Je compte sur vous pour qu'il n'y ait pas de mélange, sergent Beata. La troisième vous servira de cantine, de salle de réunion, et de tout ce que vous voudrez d'autre. Le bâtiment carré, là-bas, est un entrepôt.

Tolbert leur fit signe de se remettre en marche. Toujours en colonne par deux, ils dépassèrent la Dominie Dirtch sous le regard curieux des trois femmes et de l'homme perchés sur le socle.

Un peu devant la cloche de pierre, le capitaine s'arrêta et ordonna à la section de se déployer derrière lui.

— Voilà la frontière d'Anderith, soldats. (Tolbert désigna une plaine verdoyante qui semblait n'avoir pas de limite.) Au-delà, c'est le Pays Sauvage. On y trouve des royaumes dont les peuples ont parfois l'intention de nous voler nos terres. Et vous êtes là pour les en empêcher.

Beata rayonna de fierté. On l'avait choisie pour défendre Anderith. Enfin, elle agissait pour le bien commun !

— Pendant deux jours, la section que vous relevez et moi vous expliquerons tout ce qu'il faut savoir sur les Dominie Dirtch et la surveillance d'une frontière.

Le capitaine passa la section en revue puis s'arrêta devant Beata, la regarda dans les yeux et lui sourit, visiblement fier d'elle.

— Ensuite, vous serez sous les ordres du sergent Beata, dont vous connaissez tous les compétences. Obéissez-lui aveuglément et, si elle n'est pas disponible, remettez-vous-en au caporal Marie Fauvel. (Il désigna les casemates, derrière la section.) Le chef des hommes que je ramène à la citadelle me fera un rapport détaillé. S'il a eu à souffrir d'insubordination, je châtierai durement les coupables. Soldats, gardez cela à l'esprit ! Et n'oubliez pas non plus que le sergent Beata doit se montrer à la hauteur de sa tâche. Si elle échoue, je compte sur vous pour me le dire quand vous retournerez à l'arrière.

» Des chariots vous ravitailleront toutes les deux semaines. Prenez soin de vos provisions, et économisez-les.

» Votre mission essentielle est de prendre soin de cette Dominie Dirtch. En cela, vous êtes les fiers défenseurs de notre grand pays. Quand vous serez en poste sur le socle, vous apercevrez les deux autres Dominie Dirtch de ce secteur, sur votre droite et sur votre gauche. Il y en a tout au long de la frontière. Les sections ne sont pas toutes relevées en même temps, donc vous trouverez des soldats aguerris sur les deux autres positions de ce secteur.

» Sergent Beata, après notre départ, vous devrez vous assurer que vos soldats montent la garde à côté de la Dominie Dirtch, et vous irez rencontrer les deux autres sections, pour mettre au point avec elles une étroite collaboration.

— À vos ordres, capitaine ! cria Beata, au garde-à-vous.

— Soldats, je suis fier de vous. Vous êtes de solides militaires anderiens, et je sais que vous ne me décevrez pas.

Beata pensa à l'arme terrible qui se dressait dans son dos. Et maintenant, elle allait en avoir la responsabilité, pour le bien de son pays.

La gorge nouée, elle comprit qu'elle était enfin lavée de sa souillure originelle. Son rêve se réalisait, et il se révélait aussi merveilleux qu'elle l'avait toujours imaginé.

Chapitre 44

L e grand soldat décocha un coup de pied à la vieille mendiante. En le voyant armer sa jambe, la femme avait tenté de s'écarter, mais ses réflexes n'étaient plus assez rapides. Elle serra les dents pour ravaler son humiliation et bloquer la douleur.

Si ses pouvoirs avaient été intacts, le gaillard aurait vu de quel bois elle se chauffait ! Un instant, elle envisagea de le rosser avec sa canne, mais considérant sa mission en cours, elle jugea plus prudent de n'en rien faire. Autant qu'elle en eût envie, ce n'était pas le moment de dispenser la justice.

Annalina Aldurren, Dame Abbesse à la retraite des Sœurs de la Lumière – et, à ce titre, femme la plus puissante de l'Ancien Monde pendant sept siècles –, fit tinter les trois pièces de cuivre qu'elle avait récoltées dans sa sébile et approcha des soldats réunis autour du feu de camp suivant.

Comme tous les autres, ces soudards lui accordèrent d'abord une certaine attention, au cas où elle aurait été une fille de joie en quête de clients. Bien entendu, leur intérêt se volatilisa dès qu'elle entra dans le cercle de lumière et les gratifia d'un grand sourire édenté.

Une habile illusion, réalisée en enduisant de suie quelques-unes de ses dents encore aussi blanches que de l'ivoire. Un « déguisement » très efficace, comme les haillons qu'elle avait enfilés sur sa robe, le fichu puant qui dissimulait ses cheveux – au cas où un « galant » n'aurait pas été découragé par son sourire écœurant – et la canne de marche sur laquelle elle s'appuyait. Ce dernier accessoire était à double tranchant : s'il donnait l'impression qu'elle était bossue, il lui valait d'abominables douleurs dans les reins.

En manque de compagnie féminine, deux soldats, jusque-là, lui avaient fait des avances malgré son allure volontairement peu engageante. Bien qu'ils aient été plutôt beaux, dans le genre barbare, Anna les avait très poliment éconduits. Comme ça n'avait pas suffi, elle avait dû recourir à des mesures plus radicales. Par bonheur, dans un camp de l'Ordre Impérial, découvrir des cadavres avec la gorge ouverte n'était pas rare, et personne n'en faisait une affaire. Les règlements de compte étaient légion, et il arrivait qu'on s'étripe pour une miche de pain.

Anna ne prenait jamais une vie d'un cœur léger. Mais connaissant la mission finale de ces soldats, et ce qu'ils lui auraient fait subir, elle avait surmonté sans trop de peine sa répugnance.

Comme tous les autres hommes réunis autour des feux pour manger en se racontant des histoires guerrières ou salaces, ceux-là ne s'étonnèrent pas de voir une mendiante circuler dans le camp. Après lui avoir jeté un vague regard, ils se concentrèrent de nouveau sur le ragoût douteux et le pain dur comme du bois qui constituaient leur ordinaire, et qu'ils faisaient descendre à grand renfort de chopes de bière.

Quelques-uns émirent de vagues grognements pour inciter la vieille femme à aller tendre sa sébile ailleurs.

Une armée de cette taille était toujours accompagnée par une foule de civils. Des centaines de marchands suivaient la troupe dans leurs chariots, toujours prêts à fournir aux soldats les services que l'Ordre Impérial ne jugeait pas utile d'assurer. Anna avait même vu un peintre occupé à immortaliser un groupe d'officiers au torse fièrement bombé. Désireux d'être payé, et de ne pas se faire briser les doigts par des clients mécontents, l'homme n'avait pas hésité à flatter outrageusement ses modèles, dont la musculature, la beauté et même l'intelligence – exprimée par leur regard – avaient été multipliées par deux ou trois.

Des vendeurs ambulants proposaient toutes sortes de délices, en particulier des fruits et des légumes « du pays ». Anna elle-même avait salivé devant ces souvenirs hautement comestibles de l'Ancien Monde. Quand un soldat n'appréciait pas le rata distribué par l'Ordre Impérial, il pouvait s'offrir un véritable festin, à condition d'avoir de quoi le payer.

Le marché des amulettes et des porte-bonheur en tout genre était tout aussi florissant.

Avec son déguisement, Anna pouvait se déplacer librement dans le camp. À part quelques coups de pied dans les fesses, elle ne risquait rien. Mais explorer un cantonnement de cette taille n'était pas une petite affaire. Depuis une semaine qu'elle s'attelait à la tâche, elle n'avait pas avancé beaucoup, et ses jambes lui faisaient un mal de chien. Quant à sa patience, une qualité qui n'avait jamais été son fort, elle commençait à s'épuiser sérieusement.

Depuis le début de ses recherches, le fruit de sa mendicité lui aurait permis de subsister. À condition, bien entendu, qu'elle se contentât de viande truffée d'asticots et de légumes pourris. Mais après avoir accepté gracieusement les « dons » des soldats, elle s'empressait de s'en débarrasser discrètement. Lui donner des détritus était naturellement un moyen – fort cruel – de se moquer d'elle. Cela dit, elle connaissait certains mendiants qui auraient dévoré de bon cœur ces immondices.

Chaque soir, quand il était trop tard pour continuer à chercher, Anna retournait dans le camp des civils. Là, sur ses propres fonds, elle s'achetait de quoi ne pas mourir de faim. Considérant la modicité de ses emplettes, tout le monde supposait qu'elle dépensait la « recette » de sa journée. Hélas, la Dame Abbesse n'était pas très douée pour tendre la main, et elle ne se voyait pas un grand avenir dans cette profession – car c'en était bien une, avec ses techniques et son savoir-faire spécifiques. Touchés par sa maladresse, des « collègues » plus aguerris avaient même tenté de lui donner des conseils.

Pour ne pas se trahir, Anna les écoutait avec une concentration parfaitement imitée. Certains de ces mendiants se faisaient de jolis revenus. Et pour arracher une pièce à des soudards de cet acabit, il fallait être rudement doué !

C'était souvent un destin cruel qui poussait les gens, contre leur volonté, à aller tendre la main dans les rues. Après des siècles passés à tenter de les aider, Anna savait que la majorité de ces épaves, malgré leur infortune, s'accrochaient âprement à la vie.

Dans le camp, elle ne se fiait à personne, et surtout pas aux mendiants, souvent plus dangereux que les soldats, qui avaient l'avantage d'ignorer l'hypocrisie. Quand ils ne voulaient pas de quelqu'un, ils n'hésitaient pas à jouer de la botte, voire à dégainer leur épée. Et lorsqu'ils en avaient après la vie d'une personne, cela se voyait au premier coup d'œil.

Les mendiants, eux, mentaient de la minute où ils se réveillaient à celle où ils se couchaient – après avoir adressé au Créateur une prière truffée de contrevérités.

Les menteurs figuraient en tête de la liste des créatures que la Dame Abbesse abominait. Et elle n'avait pas une plus haute opinion des crétins qui se laissaient régulièrement abuser par ces chacals.

Il pouvait arriver qu'une légère distorsion de la réalité s'impose au nom d'une noble cause. Mais mentir pour des raisons égoïstes revenait à faire le lit où viendrait tôt ou tard s'allonger le mal absolu.

Les victimes des menteurs, quand elles se laissaient prendre à répétition, ne valaient guère mieux que leurs « bourreaux ». La bêtise en plus, évidemment !

Cela dit, les menteurs en question, comme n'importe qui, étaient les enfants du Créateur, et il convenait, pour une Dame Abbesse, de leur accorder l'indulgence dont elle était censée faire preuve en toute occasion. Hélas, c'était plus fort qu'elle ! Anna ne pouvait pas souffrir cette engeance-là, et elle accepterait, dans l'autre monde, le châtiment qu'on lui réserverait à cause de ce péché.

La mendicité se révélant une activité prenante, Anna consacrait aussi peu de temps que possible à sa pratique, afin d'avancer plus vite dans ses recherches. Le camp étant chaque soir dressé d'une manière différente, et dans le plus grand désordre, appliquer une méthode rigoureuse se révélait impossible. Par bonheur, à cause de sa taille, et en dépit de sa désorganisation, la troupe s'arrêtait grosso modo dans la même configuration – un peu comme une caravane de chariots qui s'immobilise le long d'une route pour camper.

Le matin, il fallait largement plus d'une heure après le départ de la tête de colonne pour que la queue se mette en mouvement. Le soir, le phénomène s'inversait, et les derniers hommes s'arrêtaient alors que les premiers avaient déjà avalé leur repas.

Anna s'étonnait de la direction suivie par cette armée, qui s'était formée aux alentours du port de Grafan, dans l'Ancien Monde. Après avoir filé tout droit vers le Nouveau Monde, les troupes avaient suivi la côte vers l'ouest, où la Dame Abbesse avait eu la surprise de les rencontrer.

Sans être une experte en stratégie, Anna trouvait bizarre le comportement de l'Ordre Impérial. Une attaque massive au nord eût semblé logique. Alors, pourquoi ce voyage vers l'ouest, une direction qui ne menait à aucune cible importante ? Connaissant Jagang, la Dame Abbesse savait qu'il ne faisait jamais rien sans une excellente raison. Si brutal, arrogant et cruel qu'il fût, l'empereur n'était pas un imbécile.

Et il savait faire montre de patience.

Les peuples de l'Ancien Monde n'avaient jamais formé une société homogène. Après quasiment un millénaire passé à les observer, Anna les aurait – charitablement – qualifiés de « divers », « turbulents » et « incontrôlables ». Jusqu'à ces derniers temps, elle n'avait jamais entendu parler de deux régions de l'Ancien Monde qui fussent parvenues à se mettre d'accord sur un minimum de choses.

En vingt ans, Jagang avait réussi l'impossible exploit d'unifier des peuples indisciplinés et égoïstes. Sa brutalité, sa corruption et son goût de l'injustice n'entrant pas en ligne de compte dans cette affaire-là, il fallait lui concéder ce mérite, si douteux fût-il. Et ce faisant, il avait levé une armée d'une puissance jamais vue dans l'histoire des deux mondes…

À l'inverse de leurs parents, attachés uniquement à leur minuscule bout de terre, les jeunes hommes qui composaient l'armée de l'Ordre Impérial servaient ce qu'il fallait bien appeler une « nation ». Ces soldats et ces officiers étaient pour la plupart des enfants quand Jagang avait pris le pouvoir. Élevés dans le culte de sa personnalité, ils avaient, comme tous les gamins du monde, assimilé l'enseignement de leurs aînés et adopté la morale et les valeurs qu'il véhiculait.

Les Sœurs de la Lumière, en revanche, n'avaient pas vocation à s'impliquer dans les affaires séculières. Au cours de sa vie, Anna avait vu naître et disparaître des dizaines de rois et de dirigeants de tout poil, parfois même démocratiquement élus. Protégés par un antique sort qui altérait le cours du temps, le Palais des Prophètes et ses occupants étaient un îlot de stabilité dans un monde en perpétuel changement. Et si les sœurs travaillaient sans relâche à améliorer l'humanité, elles utilisaient la magie, pas le pouvoir politique…

N'étant pas née de la dernière pluie, la Dame Abbesse avait toujours gardé un œil sur les dirigeants séculiers, de peur qu'il leur prenne l'idée de se mêler de ce qui ne les regardait pas. En décidant d'éliminer la magie, Jagang avait violé toutes les règles non écrites, et Anna n'avait pas pu se réfugier dans son habituelle neutralité.

Et maintenant, l'Ordre s'enfonçait dans le Nouveau Monde pour détruire impitoyablement le pouvoir conféré à quelques personnes par le Créateur Lui-Même.

À chaque fois qu'il avalait un royaume, Jagang s'y installait pour préparer l'annexion du suivant. De son nouveau fief, il s'adressait à sa prochaine victime, et l'incitait à affaiblir ses propres défenses. Très au point, sa propagande consistait à corrompre les bonnes personnes en leur faisant miroiter une généreuse part du gâteau à venir. Ainsi, ces « taupes », qui affichaient le masque de la vertu et prêchaient apparemment pour la paix, minaient subtilement les défenses de leur propre pays.

Vidés de leur substance, certains royaumes déroulaient carrément un tapis rouge sur le chemin des troupes de Jagang. D'autres nations, leurs fondations minées par ces terribles « termites », tentaient quand même de résister, mais étaient submergées dès que l'Ordre Impérial augmentait sa pression.

Depuis qu'elle savait que l'armée de Jagang se dirigeait vers l'ouest, Anna, très inquiète, se demandait si l'empereur n'avait pas réussi un exploit quasiment impensable : envoyer des émissaires en mission secrète en leur faisant contourner par la mer la grande barrière, et ce des années avant que Richard eût détruit les Tours de la Perdition. Ce voyage était extraordinairement dangereux. Pour l'avoir fait en son temps, la Dame Abbesse savait de quoi elle parlait.

Jagang avait-il eu entre les mains des recueils de prophéties qui prédisaient la disparition de la grande barrière ? Ou des sorciers très doués l'en avaient-ils averti des décennies à l'avance ? Après tout, Nathan avait décrit cet avenir-là à Anna très longtemps avant la naissance de Richard.

S'il en était ainsi, Jagang ne s'était pas seulement mis en marche pour explorer, conquérir et exploiter. À voir comment il avait patiemment conquis l'Ancien Monde, il semblait évident qu'il n'était pas homme à s'engager sur un chemin qu'il n'avait pas d'abord déblayé, aplani et élargi.

Anna s'arrêta dans l'obscurité, entre deux groupes de soldats, et regarda autour d'elle. Si incroyable que cela paraisse, elle n'avait pas encore réussi à voir les tentes de l'empereur et de ses officiers supérieurs. Un problème d'autant plus gênant que les Sœurs de la Lumière étaient probablement gardées à proximité du pavillon de l'empereur.

Anna ne vit rien d'autre que des feux de camp et des soldats. Exaspérée, elle serra les poings pour ne pas crier de rage. Avec l'obscurité et la totale désorganisation du cantonnement, elle pouvait n'être pas loin des tentes et passer quand même à côté sans les repérer.

Et le pire, dans tout ça, restait de ne pas être en mesure de recourir à son pouvoir ! Avec lui, elle aurait pu espionner des conversations à distance et lancer de petits sorts qui se seraient chargés des recherches à sa place. Sans sa magie, elle avait l'impression d'être sourde et aveugle…

Comment pouvait-elle être si près des Sœurs de la Lumière et ne pas les sentir ?

Et il y avait pis que cela… Pour Anna, être privée de magie équivalait à avoir perdu l'amour du Créateur. Après une – très longue – vie passée à Le servir et à sentir en elle la présence de son Han, la source de sa magie, cette double absence était une torture. Par le passé, tout n'avait pas été rose, loin de là, mais s'ouvrir à son Han l'avait toujours aidée à surmonter les épreuves, si graves fussent-elles.

Pendant plus de neuf siècles, ce compagnon invisible ne l'avait jamais quittée. Depuis qu'il ne répondait plus à ses appels, elle avait plusieurs fois failli éclater en sanglots.

Tant qu'elle ne pensait pas à l'« amputation » qu'elle venait de subir, la Dame Abbesse ne se sentait pas vraiment différente. Dès qu'elle tentait de toucher sa « lumière intérieure », sa détresse devenait intolérable.

Aussi longtemps qu'elle ne cherchait pas à l'utiliser, elle aurait pu jurer que son Han était là, comme un ami sûr et solide qu'on voit toujours du coin de l'œil dans le tumulte d'une bataille. Mais dès qu'elle tentait de s'y appuyer, elle basculait en avant et plongeait dans un gouffre obscur terrifiant, comme si le sol venait de s'ouvrir sous ses pieds.

Sans son pouvoir, privée de l'amour du Créateur et de la protection du sort qui enveloppait le Palais des Prophètes, Annalina Aldurren redevenait une personne strictement comme les autres.

Non, en réalité, elle était *moins* que les autres ! Le plus minable mendiant valait presque autant qu'elle !

Une vieille femme, que l'âge frappait comme toutes ses semblables, et qui n'avait pas plus de force qu'elles !

L'expérience, les connaissances et la sagesse qu'elle avait accumulées au fil des siècles lui conféraient cependant un petit avantage sur une mortelle normale. Hélas, elle doutait que ce fût suffisant…

Tant que Zedd n'aurait pas banni les Carillons, elle serait pratiquement impuissante. Oui, tant que Zedd ne les aurait pas bannis… S'il réussissait un jour !

Anna s'engagea entre deux chariots et se retrouva coincée, car quelqu'un arrivait dans l'autre sens. Avec l'humilité que devait manifester tout mendiant conscient de son statut, même s'il abominait les gens normaux, la vieille dame s'excusa et recula pour dégager le passage au promeneur nocturne.

Au son de sa voix, il s'agissait plutôt d'une promeneuse. Et ce qu'elle lança eut le don de pétrifier Anna.

— Dame Abbesse ? C'est vraiment vous ?

Anna leva les yeux sur le visage stupéfait de la sœur Georgia Cifaro, une femme qu'elle connaissait au bas mot depuis cinq cents ans.

Le souffle coupé, la pauvre Georgia ne trouvait plus ses mots. Anna tendit un bras et tapota la main de la sœur, qui portait un seau rempli de bouillie de flocons d'avoine fumante.

— Sœur Georgia, le Créateur soit loué, je te retrouve enfin !

Georgia tendit son bras libre et toucha du bout des doigts le visage de la Dame Abbesse, comme si elle doutait de sa réalité.

— Vous êtes morte, gémit-elle. J'étais à vos funérailles, et j'ai vu votre cadavre brûler avec celui de Nathan. Pendant que vos âmes s'envolaient vers la Lumière, j'ai prié toute la nuit en compagnie des autres sœurs et des apprentis sorciers…

— Tout le monde était là ? Et tu es restée jusqu'à l'aube, chère Georgia ? J'ai toujours su que tu étais une femme de qualité. Oui, implorer le Créateur de m'accueillir à ses côtés, et jusqu'au lever du soleil, voilà qui te ressemble bien ! Sache que je t'en suis très reconnaissante…

» Au détail près que ce n'était pas mon cadavre !

— Pourtant… Eh bien, je veux dire… Verna a été choisie pour vous remplacer, alors…

— Je sais, c'est même moi qui l'ai ordonné dans ma dernière lettre ! Et j'avais d'excellentes raisons pour ça ! Cela dit, je suis toujours vivante, comme tu le vois !

Georgia posa enfin son seau et se jeta dans les bras de la Dame Abbesse.

— Vivante ! Oui, vivante !

Sur ses mots, la sœur éclata en sanglots comme une fillette.

Anna la calma rapidement en usant de toute son autorité – et en la secouant un peu, pour faire bonne mesure. Dans le camp de l'ennemi, faire une crise de nerfs était peu judicieux, et il n'était pas question que toutes les Sœurs de la Lumière soient condamnées parce que l'une d'elles perdait son sang-froid.

— Dame Abbesse, s'écria Georgia dès qu'elle fut remise, que vous est-il arrivé ? Vous empestez la bouse de vache, et vous ressemblez à une mendiante !

— Je n'ai pas voulu courir le risque d'exposer mon arrogante beauté devant ces soudards ! Qu'aurais-je fait, à mon âge, de centaines de demandes en mariage ?

Georgia ne put s'empêcher de sourire, mais ça ne dura pas, et elle recommença vite à sangloter.

— Dame Abbesse, ce sont des bêtes sauvages ! Du premier au dernier !

— Je sais, Georgia, je sais... (Anna prit le menton de la sœur et la força à relever la tête.) Allons, tiens-toi bien droite, comme il sied à une Sœur de la Lumière ! Ce que subit le corps ne compte pas ! L'important, c'est ce qu'il advient de nos âmes éternelles. Ces bêtes, comme tu dis, ont pu souiller ta chair en ce monde, mais elles ne peuvent rien contre ton âme !

» Alors, comporte-toi dignement, comme une vraie Sœur de la Lumière.

Georgia sourit à travers ses larmes.

— Dame Abbesse, merci ! Pour me souvenir de ma vocation, il me fallait entendre des mots comme ceux-là. Parfois, il est si facile d'oublier sa mission...

Anna passa au sujet qui la préoccupait depuis une semaine.

— Où sont les autres sœurs ?

— Par là, sur votre droite.

— Vous êtes toutes ensemble ?

— Non, Dame Abbesse. Certaines d'entre nous ont prêté allégeance à Celui Qui N'A Pas De Nom. Il y avait des Sœurs de l'Obscurité parmi nous...

— Je sais...

— Vraiment ? Jagang les garde ailleurs... Toutes les Sœurs de la Lumière sont ensemble, mais j'ignore où sont les... autres. Et d'ailleurs, je m'en fiche !

— Grâce en soit rendue au Créateur, souffla Anna. C'est ce que j'espérais, et Jagang a eu l'obligeance de séparer pour moi le bon grain de l'ivraie !

Georgia regarda nerveusement autour d'elle.

— Dame Abbesse, vous devez partir ! Sinon, vous vous ferez tuer ou capturer.

La sœur tenta de pousser Anna, pour qu'elle s'en aille au plus vite.

La Dame Abbesse lui saisit le poignet et lui secoua le bras pour la forcer à l'écouter.

— Je suis venue sauver les Sœurs de la Lumière ! Grâce à un événement, eh bien... imprévu..., il va leur être possible de s'évader.

— On ne peut pas...

— Silence ! Et écoute-moi ! Les Carillons rôdent dans notre monde !

— C'est impossible !

— Tu crois ? Moi, je t'assure que c'est vrai ! Si tu doutes encore, dis-moi pour quelle raison tu as perdu ton pouvoir ?

Georgia ne répondit pas. Pas très loin de là, Anna entendit les rires gras de soudards qui devaient avoir entamé une partie de dés.

— Alors ? insista la Dame Abbesse. Pourquoi es-tu coupée de ton Han, d'après toi ?

— Nous n'avons pas le droit de le toucher, sauf quand Jagang nous l'ordonne. Il peut s'introduire dans nos esprits, Dame Abbesse. Et s'il découvre que nous lui avons désobéi, la punition nous enlève toute envie de recommencer.

» Jagang contrôle notre pouvoir. Et s'il est mécontent de ce que nous faisons, il nous torture tellement que... (Georgia éclata de nouveau en sanglots.) Dame Abbesse, c'est horrible !

Anna prit la sœur dans ses bras.

— Allons, allons, c'est fini... Calme-toi, à présent. Tout va s'arranger. Bientôt, nous partirons toutes ensemble loin de ce monstre.

Georgia se dégagea violemment.

— Partir ? C'est impossible ! Celui qui marche dans les rêves contrôle nos esprits. À l'instant même, il nous espionne peut-être. Il en a la possibilité, vous savez ?

— Tu te trompes ! As-tu oublié les Carillons ? Notre magie a disparu, et la sienne aussi. Tu es libre désormais. Et les autres également !

Georgia voulut protester, mais Anna la tira sans douceur en avant.

— Conduis-moi aux autres sœurs. Ne comprends-tu donc rien à ce que je dis ? Nous avons une chance, et il faut la saisir avant qu'il soit trop tard !

— Dame Abbesse, nous ne...

Anna prit entre le pouce et l'index l'anneau qui perçait la lèvre inférieure de la sœur.

— Tu veux rester l'esclave de cet ignoble salaud ? Continuer à lui offrir ton corps, et en faire profiter aussi ses sbires ? (Elle tira un peu sur l'anneau.) C'est ça que tu désires ?

— Non, Dame Abbesse, gémit Georgia.

— Alors, conduis-moi jusqu'à la tente où sont enfermées les Sœurs de la Lumière ! L'évasion est prévue pour ce soir.

— Dame Abbesse, je...

— En route, avant qu'on nous surprenne !

Georgia ramassa le seau de bouillie et avança. Anna la suivit et remarqua qu'elle regardait sans cesse derrière elle, comme si on les avait suivies. Marchant d'un bon pas, elles s'efforcèrent de toujours passer le plus loin possible des feux de camp.

Même ainsi, des soldats les remarquèrent et lancèrent sur leur passage des remarques salaces. Quelques-uns tentèrent d'attraper au vol la jupe de Georgia et éclatèrent de rire en la voyant se tortiller comme une anguille pour leur échapper.

Quand un des soudards parvint à saisir le poignet de la plus jeune des deux sœurs, Anna se campa devant lui et sourit de toutes ses dents. De surprise, l'homme lâcha sa proie.

— Vous allez nous faire tuer..., soupira Georgia quand elles furent assez loin de l'ignoble type.

— J'ai pensé que tu n'étais pas d'humeur à tenir compagnie à ce gaillard.

— Quand un soldat insiste, nous devons nous soumettre. Sinon, Jagang nous donne une petite... leçon.

— Je sais... Mais tout ça sera bientôt fini. Dépêche-toi, maintenant ! Si nous partons très vite, nous serons loin, demain matin, et Jagang ne saura pas où nous chercher.

Georgia voulut encore argumenter, mais Anna la poussa en avant.

— Le Créateur m'en soit témoin, ma fille, en cinq cents ans, je ne t'avais jamais vu hésiter autant que ces dix dernières minutes. Maintenant, conduis-moi aux autres sœurs ! Sinon, je m'occuperai de toi, et les punitions de Jagang te sembleront de douces caresses !

Chapitre 45

Anna surveilla les alentours pendant que Georgia écartait le rabat de la tente. Ayant constaté que personne ne les épiait, elle entra à la suite de sa compagne. Des dizaines de femmes se pressaient dans leur prison de toile. Certaines couchées, d'autres assises, les bras autour des genoux, et d'autres encore serrées épaule contre épaule comme des volailles terrorisées.

Presque aucune ne leva les yeux quand la Dame Abbesse entra. De sa vie, elle n'avait jamais vu une telle bande de poules mouillées !

Elle s'en voulut aussitôt de sa dureté. Ces femmes avaient subi d'indicibles tortures.

— Dehors ! souffla sœur Rochelle. (Assise près du rabat, elle non plus n'avait pas levé les yeux.) Pas de mendiante ici !

— Bravo pour ta charité, mon enfant ! railla Anna. Tu as bien raison de ne pas vouloir partager ton humble demeure avec des traîne-misère !

Dès qu'elles entendirent la voix de la Dame Abbesse, la moitié des femmes relevèrent la tête. À la pâle lueur des chandelles, Anna les vit écarquiller les yeux comme si elles venaient d'apercevoir un fantôme. Certaines tirèrent sur la manche de leurs compagnes encore avachies, ou leur flanquèrent un coup de coude dans les côtes.

Une partie des sœurs portaient des tenues d'une invraisemblable indécence. Leur robe les couvrait du cou aux chevilles, mais avec un tissu aussi transparent, elles auraient pu être nues sans que ça ne change rien. Les autres avaient encore leurs vêtements habituels, si déchirés qu'on les reconnaissait à peine. Quelques privilégiées arboraient autre chose que des haillons.

— Fionola, dit Anna, étant donné les circonstances, tu n'as pas l'air si mal que ça. Kerena, Aubrey et Cherna, on dirait que vos cheveux grisonnent. C'est un sort qui nous guette toutes, mais ça vous sied particulièrement bien.

Toutes les sœurs étaient pétrifiées de stupéfaction.

— C'est vraiment elle, annonça Georgia. Bien vivante, croyez-moi ! Elle n'est pas morte, comme nous le pensions. La Dame Abbesse Annalina Aldurren est toujours de ce monde !

— Ancienne Dame Abbesse, corrigea Anna. Verna m'a remplacée, mais je…

Toutes les sœurs bondirent sur leurs pieds. Anna eut l'impression de voir un troupeau de moutons quand un loup se montre dans les environs. Encore un effort, et elles détaleraient à toutes jambes.

Les Sœurs de la Lumière étaient des femmes fortes, intelligentes et capables de tout affronter sans faillir. Qu'avait-il fallu leur infliger pour les transformer en une bande de donzelles effarouchées ?

— Lucy, dit Anna, te revoir me met du baume au cœur. (Elle ébouriffa les cheveux d'une jeune sœur terrorisée.) Vous revoir toutes est un grand bonheur ! Oui, mes enfants, je remercie le Créateur de m'avoir conduite jusqu'à vous !

Les sœurs s'agenouillèrent pour saluer leur supérieure et remercier à leur tour le Créateur de l'avoir gardée en vie.

— Allons, allons, relevez-vous ! (La Dame Abbesse essuya les larmes qui ruisselaient sur les joues de Lucy.) Pleurer et prier fait toujours du bien, mais nous n'avons pas de temps à perdre. Je sais combien vous avez souffert, et nous en parlerons plus tard, pour tenter de refermer vos blessures. À présent, l'heure est à l'action !

Des sœurs vinrent embrasser l'ourlet de la robe d'Anna. L'air désespéré, d'autres les imitèrent. Devant ces brebis perdues enfin retrouvées, la Dame Abbesse crut que son cœur allait se briser.

Elle afficha son plus doux sourire, leur caressa la tête et les bénit en les appelant chacune par leur nom. Puis elle remercia le Créateur d'avoir préservé leurs corps et jalousement veillé sur leurs âmes. Dans cette misérable tente, au milieu du camp ennemi, la Dame Abbesse prit le temps – et trouva le courage – d'offrir à ses sœurs une audience des plus formelles… à quelques détails protocolaires près.

Devant leur détresse, Anna jugea inutile de rappeler qu'elle n'était plus en poste depuis qu'elle avait transmis le flambeau à Verna. À ce moment précis, alors qu'un peu de joie venait illuminer le cœur ravagé de ces femmes, des sujets aussi triviaux n'avaient aucune importance.

Après quelques minutes, Anna se força à mettre un terme à l'émouvante cérémonie.

— Maintenant, taisez-vous, et écoutez-moi ! Bientôt, nous aurons tout le temps de célébrer nos retrouvailles. À présent, laissez-moi vous dire pourquoi je suis venue.

» Un événement terrible s'est produit. Mais comme vous le savez mieux que quiconque, l'équilibre est présent en chaque chose. Car le drame dont je parle va vous permettre de fuir cet enfer, mes enfants.

— La Dame Abbesse m'a dit que les Carillons rôdent dans notre monde, annonça Georgia. (Toutes les sœurs crièrent d'horreur.) Et elle le croit dur comme fer.

Le sens de cette dernière phrase était limpide : Georgia restait inflexiblement sceptique, et toutes celles qui goberaient cette histoire seraient des idiotes !

— Écoutez-moi ! répéta Anna. (Elle plissa le front, les yeux brillants de colère. Une expression que ces femmes connaissaient assez bien pour en avoir des frissons dans le dos.) Vous vous souvenez de Richard ?

Toutes les sœurs hochèrent la tête.

— Je m'en doutais ! Eh bien, c'est une longue histoire, mais pour la résumer, sachez que Jagang a provoqué une peste qui a fait des milliers de victimes. D'innombrables malheureux ont agonisé dans d'atroces souffrances, et beaucoup d'enfants sont morts. Parmi les survivants, la plupart sont désormais orphelins...

» Sœur Amelia...

— Elle a juré fidélité au Gardien ! s'écrièrent quelques femmes, dans les derniers rangs.

— Je sais, dit Anna. C'est elle qui est allée dans le royaume des morts chercher le sort dont Jagang avait besoin pour déclencher la peste. Elle est responsable de la fin de tant d'innocents !

» Par bonheur, Richard a pu arrêter l'épidémie en recourant à sa magie.

Les sœurs échangèrent des regards surpris et murmurèrent entre elles. Consciente de leur fournir trop d'informations à la fois, Anna décida pourtant de continuer, afin qu'elles mesurent l'importance des enjeux.

— Mais il a attrapé la peste... Pour le sauver, la Mère Inquisitrice a dû lancer un sort... (La Dame Abbesse leva un index pour intimer le silence à son auditoire.) En réalité, c'est Nathan qui le lui a fourni. Car il s'est évadé, vous devez le savoir... (Une fois encore, elle coupa court à un concert d'exclamations.) Le Prophète a révélé à la Mère Inquisitrice les noms des trois Carillons. C'était le seul moyen d'arracher Richard à la mort, et je suis sûre que Nathan avait conscience du danger. Mais il a pris un risque pour sauver Richard, et nous ne devons pas l'en blâmer.

» La Mère Inquisitrice a prononcé à voix haute les noms des trois Carillons. Le Sourcier s'est rétabli, mais les monstres rôdent désormais dans notre monde. Je le sais parce que je les ai vus. Et ils ont déjà fait plusieurs victimes...

Cette fois, personne ne protesta, et sœur Georgia elle-même parut convaincue.

— Dois-je vous rappeler quel cataclysme nous guette ? En réalité, il a déjà commencé et la magie se délite. Nos pouvoirs sont tellement affaiblis qu'ils en deviennent inutiles. Mais par la grâce de l'équilibre dont je parlais tout à l'heure, il en va de même pour celui de Jagang.

» Et dans ces conditions, nous pouvons toutes partir d'ici.

— Je ne comprends pas ce que les Carillons viennent faire là-dedans ! lança une sœur.

Anna dut inspirer à fond pour ne pas perdre son calme.

— Ils provoquent une défaillance de la magie. Celle de Jagang n'échappant pas à la règle, vous n'êtes plus sous l'emprise de celui qui marche dans les rêves...

— Et que se passera-t-il quand les Carillons retourneront dans le royaume des morts ? demanda Georgia. Cela risque d'arriver n'importe quand. Dame Abbesse, vous ne pouvez même pas être sûre que l'empereur ne nous espionne pas en ce moment !

» S'ils n'ont pas réussi à s'approprier une âme, les Carillons sont sûrement déjà de retour chez Celui Qui N'A Pas De Nom, pour bénéficier de sa protection. Dans ce cas, Jagang a déjà retrouvé son pouvoir, et je parierais qu'il entend tout ce que nous disons ! Peut-être parce qu'il s'est introduit dans ma tête !

Anna prit les bras de la sœur.

— Non, je suis sûre que c'est impossible ! Comme la vôtre, ma magie s'est volatilisée. Et si elle était revenue, je le saurais ! Comme vous, d'ailleurs... Je ne peux toujours pas toucher mon Han, et Jagang est tout aussi impuissant que moi.

— Nous n'avons pas le droit d'utiliser notre pouvoir sans la permission de l'empereur, rappela une sœur. S'il nous était rendu, nous ne le saurions pas.

— Personne ne m'interdit de toucher mon Han ! Donc, vous pouvez vous fier à moi pour vous le dire…

— Mais si les Carillons retournent chez eux, dit Kerena en avançant d'un pas, Son Excellence retrouvera ses…

— Non ! Il y a un moyen d'interdire à Jagang de s'introduire dans vos esprits.

— C'est impossible ! s'écria Cherna. (Elle regarda autour d'elle, comme si l'empereur, tapi dans les ombres, les espionnait déjà.) Dame Abbesse, vous devez fuir ! Sinon, ils vous captureront. Si des soldats vous ont vue, ils doivent être en train d'en informer Jagang.

— Oui, partez d'ici ! insista Fionola. Oubliez-nous, et sauvez votre vie ! De toute façon, nous sommes condamnées. Si vous restez, ça n'apportera rien de bon.

— Écoutez-moi, à la fin ! explosa Anna. Je peux vous libérer de celui qui marche dans les rêves ! Ensuite, nous fuirons ensemble.

— Je ne vois pas de quelle façon…, commença Georgia, visiblement reprise par son scepticisme naturel.

— Pourquoi pensez-vous que Jagang n'entre pas dans mon esprit ? Vous croyez que la Dame Abbesse ne l'intéresse pas ? S'il le pouvait, hésiterait-il à me contrôler ?

Les sœurs se turent et réfléchirent un moment.

— Je suppose que non, concéda Aubrey, le front plissé. Qu'est-ce qui l'en empêche ?

— Quelqu'un me protège, voilà ce que je tente de vous dire depuis une éternité ! Richard est un sorcier de guerre, et vous savez toutes ce que ça signifie : il contrôle les deux facettes de la magie.

Les sœurs battirent des cils de surprise, puis recommencèrent à murmurer entre elles.

— Et en plus de ça, ajouta Anna, les réduisant au silence, il est un Rahl !

— Parce que ça fait une différence ? demanda Fionola.

— Ceux qui marchent dans les rêves virent le jour à l'époque de l'Antique Guerre. Un sorcier de ce temps-là, Alric Rahl, lança un sort appelé le « lien » qui mettait son peuple et ses alliés à l'abri des armes vivantes comme Jagang. Tous ses descendants doués pour la magie ont le même pouvoir.

» Les D'Harans sont naturellement liés à Richard parce qu'il est leur seigneur Rahl. Ainsi, ils échappent aux intrusions mentales de l'empereur…

— C'est bien beau, dirent en chœur plusieurs femmes, mais nous ne sommes pas d'haranes.

— N'ai-je pas parlé de « ses alliés » ? Si vous jurez allégeance à Richard, du fond du cœur, Jagang ne pourra plus vous utiliser comme de vulgaires marionnettes.

» Il y a un moment que j'ai prêté serment à Richard, l'homme qui a pris la tête du combat que nous livrons contre l'Ordre Impérial. Jagang veut détruire la magie, mais en attendant, il s'en sert pour arriver à ses fins. Grâce au lien, je suis insensible à son pouvoir.

— Si les Carillons sont bien dans notre monde, dit une sœur, le lien n'agira plus, et nous serons vulnérables.

Anna soupira d'agacement. Ne pas perdre patience se révélant difficile, elle dut se rappeler que ces malheureuses étaient depuis longtemps entre les mains de l'ennemi.

— Dans cette histoire, les effets s'annulent, ne le comprenez-vous pas ? Tant que les Carillons seront là, Jagang sera privé de son pouvoir. Dès qu'ils partiront, le lien redeviendra actif, et vous ne risquerez rien non plus. Dans les deux cas, vous serez libres !

» Vous saisissez ? Jurez allégeance à Richard, le Sourcier qui combat pour la Lumière, et vous n'aurez plus rien à craindre de l'empereur. Mes sœurs, nous pouvons fuir dès ce soir ! Plus rien ne vous retient ici !

Toutes les femmes écarquillèrent les yeux, comme si ce raisonnement ne parvenait pas à s'imprimer dans leur cerveau.

Puis Rochelle prit la parole.

— L'ennui, c'est que nous ne sommes pas toutes ici…

— Où sont les autres ? demanda Anna. Avant de partir, nous irons les chercher.

Personne n'osa répondre. Anna claqua des doigts à l'attention de Rochelle, qui sursauta comme si on venait de la tirer d'un rêve éveillé.

— Elles sont sous les tentes, Dame Abbesse.

Toutes les sœurs baissèrent la tête. À la lueur des bougies, les anneaux d'or passés à leurs lèvres supérieures brillèrent faiblement.

— Les tentes ? répéta Anna.

Rochelle s'éclaircit la gorge et lutta pour refouler les larmes qui perlaient à ses paupières.

— Quand il veut nous punir, ou nous « donner une bonne leçon », Jagang nous oblige à « servir sous les tentes ». Tous les soldats y ont le droit de s'amuser avec nous.

— Dame Abbesse, gémit Cherna en se jetant à genoux, nous sommes devenues les catins de ces brutes !

— Eh bien, c'est terminé à partir de ce soir ! lança Anna. Désormais, vous êtes libres, et je veux vous voir agir comme des Sœurs de la Lumière ! C'est compris ? Vous n'êtes plus les esclaves de ces porcs !

— Et nos compagnes ? demanda Rochelle.

— Vous ne pouvez pas aller les chercher ?

— Attendez ici, Dame Abbesse, dit Georgia, la tête bien haute. Rochelle, Aubrey, Kerena et moi allons régler ce problème. (Elle regarda les trois autres sœurs.) N'est-ce pas ? Nous savons ce qu'il nous reste à faire.

Les trois sœurs acquiescèrent. Puis Kerena posa une main sur le bras d'Anna.

— Vous voulez bien nous attendre ici ?

— C'est d'accord, mais dépêchez-vous ! Nous devons partir le plus vite possible pour ne pas éveiller les soupçons en traversant le camp alors que presque tout le monde dort. Nous ne…

— Attendez-nous, c'est tout, dit Rochelle, très calme. Nous nous chargerons de tout, et il n'y aura pas de problèmes.

Georgia se tourna vers les autres sœurs.

— Assurez-vous que la Dame Abbesse reste ici. C'est très important.

Les femmes hochèrent la tête.

— Si vous tardez trop, dit Anna, nous partirons sans vous ! C'est compris ?

— Nous serons de retour très vite, dit Rochelle. Ne vous inquiétez pas.

— Dans ce cas, que le Créateur veille sur vous…

La Dame Abbesse s'était assise parmi les sœurs, de nouveau plongées dans leurs pensées sans nul doute sinistres. La joie des retrouvailles dissipée, elles étaient redevenues tristes et apathiques.

Pour détendre l'atmosphère, Anna tenta de raconter les épisodes les plus amusants de ses récentes aventures. Espérant que quelqu'un daignerait sourire, elle insista sur les moments où elle n'avait pas vraiment été à son avantage.

Personne ne réagit. On ne lui posa même pas de questions, et aucune sœur ne chercha à croiser son regard. Comme des animaux en cage, ces malheureuses cherchaient uniquement à échapper à la terreur… au moins en esprit.

Anna se sentit de plus en plus mal à l'aise. Au milieu de ces femmes qu'elle connaissait si bien, elle eut soudain l'impression d'être prise au piège. Comme si elle ne les connaissait pas si bien que ça, justement !

Parfois, se souvint-elle, les animaux en cage étaient trop effrayés pour fuir, même quand on laissait la porte ouverte…

Quand le rabat de la tente s'écarta, toutes les femmes s'éloignèrent d'Anna, qui se leva d'un bond.

Quatre colosses en cuirasse et lestés d'assez d'armes pour équiper tout un régiment entrèrent et sondèrent la tente, les yeux plissés sous leur tignasse crasseuse emmêlée.

À leur allure, Anna devina qu'il ne s'agissait pas de simples soldats.

Georgia, Rochelle, Aubrey et Kerena entrèrent à leur tour.

— C'est elle ! lança Rochelle en désignant Anna. Voilà la Dame Abbesse des Sœurs de la Lumière !

— Rochelle, grogna Anna, qu'est-ce que ça veut dire ? Que penses-tu…

L'homme qui devait être le chef du petit groupe approcha, saisit le menton de la Dame Abbesse et, comme un maquignon, la força à tourner et retourner la tête.

— Tu es sûre ? demanda-t-il à Rochelle. On dirait une mendiante comme les autres.

— C'est la Dame Abbesse, croyez-moi ! intervint Georgia. (Le soudard la regarda, l'air méprisant.) Elle s'est simplement déguisée pour entrer dans le camp.

L'homme fit signe à ses compagnons d'approcher. Voyant qu'ils avaient apporté des chaînes munies de fers, Anna tenta de se débattre, mais un des soudards la ceintura sans mal puis lui saisit les poignets et lui tira sur les bras pour qu'un autre colosse lui mette les fers.

Pendant que deux brutes la plaquaient sur le sol, le dernier homme posa à côté d'elle une petite enclume.

Le chef des soudards plaça les fers sur l'enclume et son compagnon entreprit d'enfoncer des goujons dans les trous de fixation. Quand ce fut fait, il tordit à grands coups de marteau les pointes des goujons, pour fermer de manière permanente les fers. Comme il avait calculé trop juste, le métal rouillé blessa les poignets d'Anna, mais ses tourmenteurs n'accordèrent aucune attention à ses cris de douleur.

Assez expérimentée pour savoir que lutter ne servait à rien dans certaines circonstances, la Dame Abbesse se tint tranquille. Sans son Han, elle était impuissante contre ces quatre brutes.

Réfugiées au fond de la tente, les sœurs n'osaient pas contempler le résultat de leur trahison.

Les soudards fermèrent à coups de marteau les maillons ouverts des chaînes qu'ils venaient de fixer aux fers. Face contre terre, Anna rugit de colère quand ils recommencèrent toute l'opération sur ses chevilles, puis s'occupèrent de sa taille et de son cou.

Lorsque ce fut terminé, des mains brutales la relevèrent. Les poignets plaqués le long des flancs – puisque les fers étaient reliés à la chaîne qui lui ceignait la taille – Anna serait désormais entravée au point de ne pas pouvoir s'alimenter seule.

— Il n'y avait personne avec elle ? demanda un des hommes en grattouillant sa barbe emmêlée.

Georgia et Rochelle secouèrent la tête.

— Si elle est si idiote, comment a-t-elle réussi à devenir la Dame Abbesse ? ricana l'homme.

— Nous n'en savons rien, messire, répondit Georgia. (Elle s'inclina humblement devant le guerrier.) Mais elle l'est, je vous le garantis.

L'homme haussa les épaules, comme s'il se fichait de tout ça, au fond, puis il fit mine de partir. Mais il se ravisa, étudia un moment les femmes massées au fond de la tente et désigna une de celles qui portaient une robe transparente.

— Toi, tu viens avec nous !

Sœur Theola tressaillit, ferma les yeux et murmura une prière qui ne lui servirait à rien.

— Allez, bouge-toi ! lança l'homme.

Theola se leva et avança d'une démarche vacillante vers ses bourreaux. Ravis du choix de leur chef, les trois autres soudards la tirèrent vers eux.

— Vous aviez promis de ne pas faire ça…, protesta timidement Georgia.

— Sans blague ? Eh bien, j'ai changé d'avis !

— Alors, permettez-moi au moins de prendre sa place…

— Quelle noblesse, pour une si belle pouliche ! (Le colosse prit Georgia par un bras et l'entraîna avec lui.) Puisque ça te tente tellement, je te permets d'accompagner ta très chère amie !

Après le départ des brutes avec leurs proies du jour, un lourd silence régna dans la tente. Alors qu'aucune sœur n'osait la regarder, Anna s'assit lourdement sur le sol. Avec ces chaînes, elle trouva miraculeux de ne pas s'être étalée de tout son long…

— Pourquoi ? demanda-t-elle.

Bien qu'elle n'eût pas crié, ce simple mot retentit comme un coup de tonnerre. Quelques sœurs en tremblèrent de peur, et d'autres éclatèrent en sanglots.

— Nous savons qu'il est impossible de fuir, osa répondre Rochelle. Au début, nous avons toutes essayé. C'est la vérité, Dame Abbesse ! Certaines d'entre nous ont payé ces tentatives d'une mort lente et douloureuse.

» Son Excellence nous a montré que nos rêves d'évasion étaient vains. Et aider quelqu'un à fuir est tout aussi grave que s'échapper soi-même. Nous ne voulons plus recevoir de « leçons » de ce genre.

— Vous auriez pu être libres ! explosa Anna.

— C'est faux, dit Rochelle. Désormais, nous appartenons à Son Excellence. Nous ne serons plus jamais libres !

— Au début, je veux bien croire que vous étiez les victimes de Jagang, lâcha Anna. À présent, vous êtes ses complices ! J'ai risqué ma vie pour voler à votre secours. Et vous avez choisi de rester des esclaves !

» Mais il y a encore pis ! Vous m'avez menti, toutes autant que vous êtes ! Et pour servir le mal, qui plus est ! (Devant la colère d'Anna, les sœurs se voilèrent le visage.) Vous savez ce que je pense des menteurs, n'est-ce pas ? Et comment les juge le Créateur, dans Son infinie sagesse !

— Mais, Dame Abbesse…, gémit Cherna.

— Silence ! Vos propos ne m'intéressent plus, et vous n'avez aucun droit de me forcer à les entendre. Si je dois être un jour débarrassée de ces chaînes, ce sera avec l'aide de gens qui servent pour de bon la Lumière. Vous ne valez pas mieux que les Sœurs de l'Obscurité. Au moins, elles ont l'honnêteté de dire ouvertement qui est leur maître !

Anna cessa sa diatribe, car un homme venait d'entrer sous la tente.

De taille moyenne, mais solidement bâti, il avait en particulier une poitrine et des bras énormes. Sa veste de fourrure, grande ouverte, laissait voir les multiples chaînes d'or incrustées de diamants qui pendaient à son cou de taureau. Des bagues dignes d'un roi brillaient à tous ses doigts…

La lueur des bougies se reflétant sur son crâne rasé, il avançait lentement, ravi par la terreur qu'il provoquait chez les prisonnières.

Accrochée à l'anneau d'or qui perçait sa narine gauche, une chaînette le reliait à la boucle qu'il portait à l'oreille, du même côté du visage. Les joues glabres, Jagang arborait une moustache en demi-lune et un triangle de poils drus à l'aplomb de sa lèvre inférieure.

Mais c'étaient ses yeux, surtout, qui glaçaient les sangs.

Dépourvus de blanc, ils étaient uniformément gris. Pourtant, on aurait juré que des taches d'obscurité tourbillonnaient dans leurs profondeurs hypnotiques.

Le regard terrifiant des hommes capables de marcher dans les rêves. Quand il se posa sur elle, Anna douta que celui du Gardien en personne fût plus impressionnant.

— Nous avons de la visite, je vois ! lança-t-il d'une voix aussi puissante que le reste de sa personne.

— Un porc qui parle ? lâcha Anna. Comme c'est fascinant !

Jagang éclata de rire. Un son qui n'avait rien d'agréable.

— Eh bien, ma petite chérie, quelle arrogance ! Georgia prétend que tu es la Dame Abbesse. C'est vrai ?

Du coin de l'œil, Anna remarqua que toutes les femmes s'étaient jetées à genoux, le visage plaqué dans la poussière. Malgré sa colère, elle aurait difficilement pu les blâmer de vouloir se soustraire au regard de cet homme.

Décidée à jouer le jeu jusqu'au bout, elle se fendit d'un charmant sourire.

— Annalina Aldurren, Dame Abbesse à la retraite des Sœurs de la Lumière – pour ne pas vous servir, empereur !

Les pectoraux de Jagang se gonflèrent quand il croisa les mains et s'inclina avec une révérence feinte devant sa prisonnière.

— Empereur Jagang, à ton service, très chère !

— Et que me réservez-vous, empereur ? La torture ? Le viol ? La pendaison ? La décapitation ? Ou le bûcher, peut-être…

— Ma petite chérie, tu t'y connais pour donner des idées coquines à un homme, on dirait !

Jagang tendit une main, saisit Cherna par les cheveux et la força à se relever.

— Mon problème, c'est que j'ai une foule de sœurs « régulières », et une multitude de « traîtresses » qui ont juré allégeance au Gardien. Entre nous, c'est celles-là que je préfère, mais tu devais t'en douter un peu… D'autant plus qu'elles n'ont pas totalement perdu leur pouvoir.

Jagang lâcha les cheveux de Cherna et la saisit à la gorge.

— En revanche, je n'ai qu'une Dame Abbesse dans mon cheptel !

L'empereur souleva la malheureuse Cherna du sol. Bien qu'elle ne pût plus respirer, la sœur ne tenta pas de se débattre. Quand il lui serra davantage la gorge, elle écarquilla les yeux de terreur et ses lèvres s'ouvrirent sur un cri muet.

— Mes petites chéries, dit Jagang en se tournant vers les autres sœurs, la Dame Abbesse vous a tout dit sur les Carillons ? Vraiment tout dit ?

— Oui ! s'écrièrent plusieurs femmes, sans doute avec l'espoir que l'empereur lâche Cherna.

Pas tout, salopard ! pensa Anna.

Si Zedd devait réussir une seule chose dans sa vie, elle priait pour que ce soit son combat contre les Carillons.

— Parfait, dit Jagang.

Et il lâcha effectivement Cherna.

Elle s'écroula et se griffa la gorge, comme si elle espérait encore y faire entrer de l'air. Mais Jagang lui avait écrasé la trachée-artère, et son visage bleuissait déjà.

Elle réussit à ramper jusqu'à Anna et posa la tête sur ses genoux. Débordant d'une vaine compassion, car nul ne pouvait plus rien pour la malheureuse, la Dame Abbesse lui caressa les cheveux. Elle lui souffla qu'elle l'aimait et la pardonnait, puis implora le Créateur et les esprits du bien de veiller sur elle.

Juste avant de mourir, Cherna trouva la force d'enlacer Anna. Impuissante, celle-ci la regarda agoniser en priant le Créateur de l'absoudre aujourd'hui et jusqu'à la fin des temps.

Quand ce fut terminé, Jagang écarta le cadavre de Cherna d'un coup de pied nonchalant. Puis il saisit Anna par la chaîne qui lui enserrait le cou et la remit sur ses pieds sans effort apparent. Les ombres qui dansaient dans les yeux du maître de l'Ordre Impérial donnèrent la nausée à la Dame Abbesse.

— Tu pourrais m'être utile, tu sais ? Si je t'arrachais les bras pour les envoyer à Richard ? Une facétie qui lui donnerait des cauchemars, tu ne crois pas ? À moins que je t'échange contre quelque chose de précieux ? Bah, ne t'inquiète pas ! Tu es ma propriété, et je te trouverai bien un usage.

— Vous pouvez détruire mon corps dans ce monde, mais pas souiller mon âme. Ce don du Créateur n'appartient qu'à moi !

— Quel joli discours ! Dommage qu'il sente tellement le réchauffé ! Toutes les sœurs qui se pressent autour de nous m'ont tenu le même. Mais on dirait bien que c'était du vent, après ce qui s'est passé aujourd'hui !

» Au lieu de s'évader, ces chiennes t'ont trahie ! Pourtant, elles auraient au moins pu te sauver sans courir le moindre risque ! Mais elles ont choisi de rester des esclaves. Et tu n'en es toujours pas revenue, je parie ?

» Dame Abbesse, on dirait bien que je possède aussi leurs âmes !

— En mourant, Cherna s'est réfugié dans mes bras, pas dans les vôtres ! Même après m'avoir vendue à un porc, elle cherchait le réconfort de mon amour. Et cela venait de son âme, empereur !

— Aurions-nous une divergence d'opinion ? Rien que de très normal... Mais j'ai une idée, ma petite chérie ! Nous allons les tuer l'une après l'autre, et voir à qui s'adresse leur ultime acte de dévotion. Ensuite, nous ferons le compte, et on verra bien qui aura gagné. Pour que le jeu soit loyal, je ne dois pas être le seul à les étrangler. J'ai tué la mienne. À ton tour, maintenant !

Anna foudroya Jagang du regard. Tout ce qu'elle pouvait faire, dans sa situation peu glorieuse...

— Tu refuses de jouer ? Aurais-tu peur de perdre ? (Jagang se tourna vers les sœurs, toujours agenouillées.) C'est votre jour de chance, mes chéries ! La Dame Abbesse vient de me céder vos âmes sans combattre !

L'empereur plongea de nouveau ses yeux de cauchemar dans ceux d'Anna.

— Tu espères que les Carillons s'en retourneront chez eux, je suppose ? Eh bien, moi aussi, figure-toi ! Pour l'instant, la magie m'est très utile. Cela dit, je saurai gagner sans elle, s'il le faut.

» Pour toi, le départ des Carillons ne changerait rien. Pour ta gouverne, sache que mes autres sœurs, celles qui servent l'Obscurité, ont jeté un sort sur les fers et les chaînes qui t'entravent. Il s'agit de Magie Soustractive, évidemment. Et celle-là n'est pas affectée...

» Tu vois comme je suis délicat ? Je t'informe, histoire que tu ne sois pas déçue en nourrissant de vains espoirs.

— Très gentil à vous, vraiment...

— Mais ne te réjouis pas trop vite, parce que je trouverai un moyen imaginatif de me servir de toi.

Jagang arma son bras, faisant saillir les muscles de ses épaules sous sa veste de fourrure. Les biceps de cet homme étaient plus larges que la taille de la plupart des femmes prisonnières sous cette tente.

— Pour l'instant, je préférerais que tu ne sois pas consciente.

Anna invoqua son pouvoir, mais elle ne parvint pas à toucher son Han.

Elle vit l'énorme poing de Jagang voler vers elle... et ne put rien faire pour l'éviter...

Chapitre 46

Zedd regarda autour de lui en se grattant le menton. Il n'y avait personne dans l'étrange ruelle très étroite et fort mal éclairée. Tout au bout, sur une petite place, la sinistre résidence semblait abandonnée.

Et c'était un très bon signe.

Le vieux sorcier flatta les naseaux d'Araignée.

— Tu vas m'attendre ici. C'est compris ? Tu ne bouges pas de là, et tu m'attends !

La jument secoua la tête et hennit de satisfaction. Ravi, Zedd lui caressa l'oreille. En réponse, Araignée pressa les naseaux contre sa poitrine et les y laissa, histoire de signifier à son maître qu'elle ne voyait pas d'inconvénient à ce qu'il la cajole ainsi jusqu'à la fin de l'après-midi.

Baptisée « Araignée » à cause des taches noires en forme de pattes qui s'étendaient sur sa croupe blanc cassé, la jument, malgré son prix élevé, s'était révélée une excellente acquisition. Jeune, solide et débordante d'enthousiasme, elle adorait avancer au trot et ne répugnait pas, par moments, à se lancer dans un galop effréné. Du coup, Zedd avait rallié Toscla en un temps record.

Depuis son arrivée, il avait appris que le pays s'appelait maintenant Anderith. Pour tout dire, il avait failli être arraché de sa selle par un type qui l'accusait d'utiliser le nom obsolète pour insulter les Anderiens. Par bonheur, Araignée, insensible aux querelles sémantiques des hommes, s'était joyeusement lancée au galop avant que la situation dégénère.

Privé de son pouvoir, vulnérable et rattrapé par son âge, Zedd s'était résigné à un long voyage à pied à travers le Pays Sauvage. Mais une magie qui n'avait rien de surnaturel – la chance ! – s'était portée à son secours. Trois jours après son départ du village des Hommes d'Adobe, il avait rencontré un homme qui gagnait sa vie en jouant les intermédiaires commerciaux entre différents peuples. Faisant sans cesse la navette entre ses clients, il se déplaçait avec plusieurs chevaux de rechange. Convaincu par le prix que proposait le vieux sorcier, il avait consenti à se séparer d'Araignée.

Le long et difficile voyage de Zedd s'était transformé en une promenade de santé – tant qu'il ne pensait pas aux raisons qui le poussaient à gagner Toscla... ou plutôt, Anderith.

À la frontière, il avait dû faire la queue en compagnie d'une foule de marchands et de colporteurs aux chariots remplis de biens divers. Avec sa magnifique tunique bordeaux aux manches noires et au col ornés de broderie d'or et d'argent – sans parler de sa ceinture de satin rouge à boucle d'or – il n'avait eu aucun mal à se faire passer pour un riche négociant. Se présentant comme le propriétaire d'un grand verger, quelque part dans le nord, il avait raconté aux soldats qu'il allait à Fairfield pour négocier un accord commercial.

Au comportement nonchalant des gardes frontaliers, Zedd avait conclu qu'Anderith se fiait trop aveuglément aux Dominie Dirtch. Lors de sa précédente visite à Toscla, des décennies plus tôt, la frontière était surveillée par des soldats d'élite lourdement armés. Au fil du temps, la vigilance des Anderiens s'était relâchée, et cette confiance injustifiée risquait tôt ou tard de leur coûter cher.

Zedd remarqua qu'Araignée, soudain tendue à craquer, avait pointé les oreilles vers la maison apparemment déserte. Quand il s'agissait de sentir le danger, l'instinct de la jument semblait agir un peu comme la magie.

Le vieux sorcier trouva cette idée vexante et désagréable. Vivre sans son pouvoir commençait à lui taper sérieusement sur les nerfs.

Après avoir tapoté les naseaux de la jument pour la rassurer, il s'engagea dans la ruelle, entre deux rangées de hauts murs qui occultaient la lumière du jour. Pourtant, toute une variété de plantes poussait sur les côtés de l'étroit passage. Parmi ces végétaux, dont certains étaient extraordinairement rares, un bon nombre préféraient de loin l'obscurité à la lumière. Mais aujourd'hui, ils avaient l'air maladif, même dans leur pénombre adorée. L'effet des Carillons sur leur magie, sans nul doute...

En sorcier aguerri, Zedd prit soin de gravir l'une après l'autre les marches qui menaient à la porte de la maison. S'il ne se trompait pas sur cet endroit, les monter d'un seul coup pour aller plus vite – ou pour tenter de passer inaperçu – aurait été une grossière erreur.

Jetant un coup d'œil par les fenêtres, car les rideaux n'étaient pas totalement tirés, il vit qu'aucune lumière ne brillait à l'intérieur de la résidence. Sans le soutien de son pouvoir, il n'aurait su dire si quelqu'un l'épiait, mais son bon sens lui souffla que ce devait être le cas.

Zedd regarda une dernière fois par-dessus son épaule. À l'entrée de la ruelle, Araignée le regardait, les oreilles toujours pointées vers la maison. Voyant que son maître s'était à demi tourné vers elle, la jument tendit le cou et poussa un hennissement plaintif.

Zedd frappa résolument à la porte... qui s'ouvrit toute seule.

— Entrez, lança une voix profonde, et dites ce que vous me voulez !

Le vieux sorcier obéit et avança d'un pas dans une minuscule pièce obscure. La lumière qui filtrait des rideaux et de la porte, bizarrement, s'arrêtait d'un coup, comme si elle n'avait pas voulu s'aventurer trop loin dans ces sinistres lieux.

Le vieux sorcier n'aperçut pas l'ombre d'un meuble. Devant lui, le plancher s'étendait jusqu'aux ombres où se tapissait la maîtresse de maison.

Zedd se retourna, étudia la porte et braqua un index osseux sur le haut de l'encadrement.

— Très ingénieux ! dit-il. On voit à peine la corde qui sert à ouvrir à distance. Et l'effet est réussi !

— Qui ose venir éveiller mon courroux ?

— Ton courroux ? Très chère, tu te méprends sur mes intentions ! Je suis ici pour parler amicalement avec une magicienne.

— Étranger, prends garde à ce que tu souhaites ! Parfois, nos désirs se réalisent d'une manière des plus déplaisantes. Pour commencer, dis-moi ton nom !

Zedd s'inclina bien bas.

— Zeddicus Zu'l Zorander, annonça-t-il en inclinant la tête pour regarder du coin de l'œil la femme dissimulée dans le noir. Et pour être plus précis, le *Premier Sorcier* Zeddicus Zu'l Zorander.

La magicienne avança vers la lumière.

— Le Premier Sorcier…, répéta-t-elle, l'air effaré.

— Franca Gowenlock, je présume ? lança Zedd avec un sourire désarmant.

Soufflée, la femme parvint seulement à hocher la tête.

— Eh bien, ce que tu as grandi, petite ! s'extasia le vieux sorcier. (Il tendit une main à hauteur de sa ceinture.) La dernière fois que je t'ai vue, tu n'étais pas plus haute que ça. Et tu es devenue une splendide jeune femme !

Empourprée, Franca écarta coquettement une mèche de cheveux de son front.

— Premier Sorcier, j'ai déjà des cheveux gris…

— Les pétales d'une fleur superbement épanouie, je te l'assure !

Zedd ne mentait pas. Franca était très séduisante et la belle crinière noire qui cascadait sur ses épaules mettait en valeur son visage parfait. La touche de gris, sur ses tempes, ajoutait juste ce qu'il fallait de maturité à sa beauté.

— Et vous, Premier Sorcier…

— Oui, je sais, coupa Zedd. J'ignore quand c'est arrivé exactement, mais me voilà un authentique vieillard !

Franca sourit, avança de quelques pas, saisit gracieusement l'ourlet de sa robe et se fendit d'une révérence.

— Vous recevoir dans mon humble demeure est un honneur, Premier Sorcier.

— Oublie les salamalecs ! lança Zedd en agitant une main nonchalante. Nous sommes de vieilles connaissances, après tout ! Appelle-moi Zedd, ça ira très bien !

Franca se releva.

— Eh bien, Zedd, j'ai du mal à croire que le Créateur ait répondu si promptement à mes prières ! J'aimerais tant que ma mère soit encore de ce monde, pour qu'elle ait la joie de vous revoir.

— Elle aussi était une femme superbe, dit le vieux sorcier. Puissent les esprits du bien veiller sur son âme délicate…

Profondément touchée, Franca prit entre ses mains le visage de son visiteur.

— Malgré vos dires, vous êtes aussi beau que dans mon souvenir.

— Vraiment ? (Par réflexe, Zedd bomba le torse.) Eh bien, merci, Franca. J'essaie de prendre soin de moi. Des bains réguliers, avec des herbes et des huiles spéciales… C'est sans doute pour ça que ma peau est toujours aussi lisse.

— Zedd, je suis tellement heureuse de vous voir ! Le Créateur soit loué ! (Le visage du sorcier toujours entre les mains, Franca éclata en sanglots.) J'ai besoin d'aide, Premier Sorcier ! C'est vital !

— Eh bien, voilà qui est étrange, parce que…

— Vous avez secouru ma mère, jadis ! coupa Franca. Par pitié, ne m'abandonnez pas ! Mon pouvoir m'a quittée, et je ne sais que faire. Pourtant, j'ai tout essayé ! Mais les dizaines de grimoires que j'ai consultés ne m'ont servi à rien ! Pour que personne ne s'aperçoive que je n'étais plus moi-même, j'ai dû recourir au truc minable de la corde accrochée à la porte ! Zedd, l'inquiétude me ronge, et je ne dors plus. J'ai tenté de…

— Les Carillons rôdent dans notre monde, Franca !

La magicienne regarda le vieux sorcier, les yeux ronds comme des soucoupes.

— Qu'avez-vous dit ?

— Les Carillons rôdent dans notre monde.

— Non, ce n'est pas ça… Je crois plutôt que c'est un poison, dans mon sang… Peut-être à cause d'un sort jeté par une femme moins douée que moi, mais plus ambitieuse. Une rivale jalouse désireuse de se venger… J'ai toujours tenté de ne nuire à personne, mais il y a des circonstances où…

Zedd prit Franca par les épaules.

— Mon amie, je suis venu te demander de l'aide ! La Mère… hum, ma petite-fille adoptive… a invoqué les Carillons pour sauver la vie de mon petit-fils. Et les conséquences sont terribles. Franca, j'ai besoin de toi ! Mes pouvoirs m'ont également abandonné, et le monde des vivants est en danger. Une magicienne de ton envergure n'a pas besoin de longues explications ! Il faut bannir les Carillons de notre univers, et je n'y arriverai pas seul !

— Et votre petit-fils ? A-t-il survécu ?

— Oui. Grâce à la femme qu'il était sur le point d'épouser, il a échappé aux griffes de la mort.

Franca réfléchit un moment, le bout d'un index sur les lèvres.

— Au moins, c'est une bonne chose ! Mais en échange de leur aide, les Carillons ont pu franchir le voile, et… (La magicienne sursauta.) Votre petit-fils ? A-t-il le don ?

Même si un millier d'idées traversèrent à cet instant son esprit, Zedd répondit de la façon la plus simple qui soit :

— Oui.

Franca sourit poliment, indiquant qu'elle était ravie pour Zedd qu'il ait un descendant doué pour la magie. Puis elle passa sans crier gare à l'action.

Après avoir tiré les rideaux, elle prit Zedd par le bras et le guida vers une table, au fond de la pièce.

Lorsque Franca eut écarté la lourde tenture qui voilait la petite fenêtre arrière, Zedd vit qu'une Grâce en argent était incrustée sur le plateau du meuble en chêne sombre.

La magicienne fit signe à son visiteur de s'asseoir. Pendant qu'il prenait place sur une chaise, elle saisit la théière qu'elle gardait au chaud sur une grille, dans la cheminée, remplit deux tasses, en posa une devant son invité et s'assit en face de lui.

Après une infime hésitation, elle se jeta à l'eau :

— Zedd, je crois que vous ne m'avez pas tout dit !

— C'est exact, mais le temps presse.

— Trop pour que vous éclairiez un peu ma lanterne ?

— Eh bien, pas vraiment… Surtout si tu insistes ! (Le vieux sorcier but une gorgée de thé.) Tu te souviens de D'Hara, je suppose ?

La magicienne se pétrifia, sa tasse fumante à un pouce de ses lèvres.

— Comment pourrait-on oublier ce nom maudit ?

— Oui, oui… Mon petit-fils, Richard, est l'enfant de ma fille. Hélas, il est le fruit d'un viol.

— C'est navrant, dit Franca, sincèrement émue, mais quel rapport avec D'Hara ?

— Son géniteur se nommait Darken Rahl.

Prenant conscience qu'elle tremblait, Franca posa sa tasse pour ne pas se renverser du thé brûlant sur les genoux.

— Ai-je bien compris ? demanda-t-elle. Votre petit-fils est l'héritier de deux lignées de sorciers ? Et c'est lui, le seigneur Rahl qui exige la reddition de tous les royaumes des Contrées du Milieu ?

— Eh bien, c'est ça, oui…

— Et c'est également lui qui doit épouser la Mère Inquisitrice ?

— Exactement, à part que cela s'est fait, entre-temps… Une très jolie cérémonie. Un peu spéciale, peut-être, mais somptueuse, à sa façon…

— Par les esprits du bien, que de nouvelles stupéfiantes en si peu de temps !

— Oh, j'allais oublier : ce garçon est un sorcier de guerre. Il est né avec le don – pour les deux variantes de magie !

— Quoi ?

— Tu sais, l'Additive et la Soustractive…

— Oui, oui, je n'ai pas besoin d'un dessin !

— Bien sûr…

— Une minute ! Si j'ai bien tout suivi, c'est la Mère Inquisitrice qui a invoqué les Carillons ?

— Elle ne pouvait pas faire autrement, et…

Franca se leva d'un bond, manquant renverser sa chaise.

— C'est donc le seigneur Rahl que… Par les esprits du bien ! La Mère Inquisitrice a promis aux Carillons l'âme du seigneur Rahl, un sorcier de guerre doué pour les deux sortes de magie ?

— C'est moins moche que c'en a l'air, Franca… Kahlan ignorait les conséquences de ses actes. Cette jeune femme de qualité ne commettrait jamais délibérément un acte aussi vil.

— Délibérément ou non, si les Carillons trouvent Richard…

— Ne t'en fais pas, il est en sécurité, et sa nouvelle épouse aussi. Je les ai envoyés en lieu sûr, hors de portée des Carillons. Sur ce point-là, nous sommes tranquilles.

— C'est déjà ça… Le Créateur en soit loué !

— Mais nous sommes privés de nos pouvoirs, dit Zedd après avoir bu une nouvelle gorgée de thé, et la magie déserte le monde, qui est peut-être à deux doigts de sa destruction. Bref, quand je disais avoir besoin d'aide, ce n'était pas une figure de style. Si tu te rasseyais, chère petite ?

Prise au dépourvu, Franca se laissa retomber sur sa chaise. Onctueux et charmant, Zedd la félicita de la qualité de son thé et lui conseilla d'en boire un peu elle-même.

— Premier Sorcier, c'est l'assistance du Créateur qu'il vous faut ! Que pourrais-je faire ? Je suis une magicienne parmi des milliers d'autres, dans un pays presque oublié du monde ! Pourquoi êtes-vous venu me voir ?

Zedd plissa les yeux et désigna la bande de tissu noir, autour du cou de Franca.

— Que caches-tu derrière ce foulard ?

— Une cicatrice. Vous n'avez pas oublié le Sang de la Déchirure, je suppose ? (Zedd fit signe que non.) Dans tous les pays, des fanatiques pensent que la magie est responsable de tout ce qui ne va pas dans leur vie.

— Oui, les illuminés sont légion…

— Chez nous, leur chef se nomme Serin Rajak. Comme tous ses semblables, il est vicieux et plein de haine. Très bon orateur, dans son registre, il a l'art d'exciter les foules pour qu'elles l'aident à faire le sale boulot.

— Et en te tuant, il pensait libérer le monde du mal ?

— Comment avez-vous deviné ? railla Franca. (Elle tira sur la bande de tissu pour dévoiler la peau ravagée de sa gorge.) Il m'a pendue à un arbre, et ses sbires ont allumé un feu sous mes pieds. Ce fou pense que les flammes débarrassent définitivement le monde des magiciens. Bref, qu'elles les empêchent de le hanter après leur mort.

— Ça ne finira donc jamais…, soupira Zedd. Apparemment, tu l'as « convaincu » de te laisser en paix.

— Ce qu'il m'a fait lui a coûté un œil !

— Je ne saurais t'en blâmer…

— Mais tout ça est arrivé il y a longtemps.

Zedd estima qu'il était temps de changer de sujet.

— Tu sais que nous sommes en guerre contre l'Ancien Monde ?

— Bien sûr. Un émissaire de l'Ordre Impérial est actuellement en Anderith pour négocier avec nos dirigeants.

— Quoi ? L'empereur vous a envoyé un ambassadeur ?

— C'est exactement ce que je viens de dire ! Certains membres du gouvernement sont très attentifs à ses propositions. J'ai peur que l'Ordre ait depuis longtemps des contacts avec nos élites politiques.

Franca prit sa tasse, but une gorgée puis dévisagea le vieux sorcier. Après une courte réflexion, elle sembla se décider à jouer cartes sur table.

— Certains Anderiens ont envisagé d'envoyer un message secret à la Mère Inquisitrice, pour qu'elle vienne enquêter sur cette affaire.

— C'est bien beau, mais à cause des Carillons, elle sera impuissante, comme toi et moi. Tant que le problème ne sera pas réglé, elle ne pourra rien faire.

— Je vois ce que vous voulez dire… La priorité est donc de bannir les Carillons de notre monde.

— En attendant, quelqu'un d'autre pourrait fourrer son nez dans cette histoire.

— Qui pourrait mettre sur la sellette le ministre de la Civilisation ? demanda Franca, accablée.

— Les directeurs, par exemple.

— Oui, peut-être...

Zedd ne disant rien, Franca tenta de meubler le silence.

— En Anderith, on essaie toujours d'éviter les conflits.

— Partout, des gens tentent de passer entre les gouttes..., soupira Zedd. Mais ça ne sert à rien. Pour résister à l'Ordre Impérial, qui l'attaquera tôt ou tard, ton pays devra se rallier à Richard et à l'empire d'haran. (Il but un peu de thé.) Au fait, t'ai-je dit que Richard était aussi le Sourcier de Vérité ?

— Non, vous avez négligé ce « détail ».

— Mon petit-fils ne laissera pas les dirigeants d'Anderith fricoter avec l'Ordre Impérial. La Mère Inquisitrice et lui ne tarderont pas à mettre un terme à ces manœuvres. C'est en partie pour ça que Richard a été forcé de prendre le pouvoir. Il veut unifier tous ceux qui résistent à l'Ordre, mais il tient à ce que ses lois soient justes et équitables.

— Des lois justes et équitables..., répéta Franca, ironique comme si c'était un rêve irréalisable. Zedd, nous sommes un pays riche et les Anderiens tiennent le haut du pavé. Si les Hakens étaient séduits par l'Ordre Impérial, je pourrais le comprendre, parce qu'ils ont des raisons d'être mécontents. Mais les Anderiens ont déjà tout, et ils tendent l'oreille à la propagande d'un esclavagiste !

— Certaines personnes détestent savoir que les autres sont libres... Comme Serin Rajak, qui abomine les magiciens, les élites dirigeantes – ou ceux qui aimeraient en faire partie – ont une sainte horreur de la liberté. Leur plus grand plaisir est de voir perdurer le malheur et la misère...

Conscient que l'atmosphère s'alourdissait, Zedd décida de l'alléger un peu.

— Franca, as-tu un mari ? Ou ton cœur est-il encore libre pour tous les hommes fringants qui arpentent ce monde ?

Avant de répondre, la magicienne eut un énigmatique petit sourire.

— Désolée, mais mon cœur appartient à quelqu'un.

Zedd tendit un bras à travers la table et tapota la main de sa nouvelle amie.

— Tant mieux pour toi !

— Non, pas vraiment, parce que cet homme est marié... Je dois taire mes sentiments, Zedd ! S'il quittait sa jeune et belle épouse pour une vieille fille comme moi, je m'en voudrais jusqu'à la fin de mes jours. Alors, je fais tout pour qu'il ne se doute de rien.

— Je suis navré, Franca, dit Zedd du fond du cœur. La vie – et surtout l'amour ! – semble souvent injuste. Mais les choses changent, et...

D'un geste, Franca implora le vieux sorcier de ne pas continuer sur cette voie. Une manière de se protéger, comprit-il.

— Zedd, je suis flattée que vous soyez venu me voir. Et pour commencer, que vous vous rappeliez simplement mon nom ! Mais que puis-je pour vous ? Vos pouvoirs sont infiniment supérieurs aux miens. Enfin, ils l'étaient...

— Pour être honnête, je n'ai pas besoin de ton aide au sens où on l'entend d'habitude... Je suis ici parce que j'ai appris, lors d'une précédente visite – qui ne remonte pas à hier ! – que les Carillons étaient enterrés en Toscla... ou Anderith, si tu préfères.

— Vraiment ? Je l'ignorais ! Et où sont-ils enfouis ?

— J'espérais que tu le saurais… Comme tu étais ma seule connaissance dans ce pays, j'ai frappé à ta porte pour demander ton soutien.

— Hélas, je n'ai pas la réponse à votre question. Mais si vous êtes certain que les Carillons ne peuvent pas s'approprier l'âme de Richard, ils seront obligés de retourner dans le royaume des morts. Dans ce cas, nous n'aurons rien à faire, car le problème se réglera tout seul.

— C'est vrai, mais n'oublie pas la nature même du royaume des morts !

— Pouvez-vous préciser votre pensée ?

Le vieux sorcier désigna le cercle extérieur de la Grâce incrustée sur la table.

— Ici commence le royaume des morts, et c'est par là que nous passons, quand sonne l'heure… Au-delà, c'est l'éternité !

» Dans le royaume des morts, le temps n'existe pas. Oh, il y a bien un début, quand nous traversons ! Mais la notion de « fin » telle que nous la connaissons n'a aucun sens en ce lieu. Dans le monde des vivants, où tout a un début et un terme – autrement dit, où on dispose de points de repère – le temps peut être mesuré. Là-bas, c'est un concept inconnu…

» Les Carillons viennent de l'éternité, et c'est d'elle qu'ils tirent leur pouvoir. En conséquence, le temps ne signifie rien pour eux.

» Tu as raison : s'ils n'obtiennent pas l'âme de l'être qu'ils sont venus aider, ils devront retourner dans le royaume des morts. L'ennui, c'est qu'ils peuvent décider d'attendre un « instant », pour voir s'ils ont une chance de réussir, ou afin de s'amuser un peu en semant la destruction et la mort. Un « instant », chère Franca, qui peut être pour nous l'équivalent d'un millénaire ! Voire de dix, pour ce que j'en sais ! N'oublie pas que les Carillons n'ont pas d'âme et qu'ils ne vivent pas vraiment. Peux-tu imaginer ce que représente un « instant » pour des créatures pareilles ?

Franca buvait les paroles du vieux sorcier. À l'évidence, elle n'avait plus tenu depuis très longtemps le genre de conversation que seuls les gens comme Zedd ou elle pouvaient *réellement* comprendre.

— Je vois ce que vous voulez dire… Mais l'inverse est tout aussi vrai. S'ils trouvent désagréable de rôder dans un monde où le temps leur impose des contraintes intolérables, ils peuvent décider de rentrer chez eux demain, ou dans dix minutes. Après tout, l'âme qu'ils convoitent n'a qu'une durée limitée à passer en ce monde. Sans véritable notion de la durée, ils croiront peut-être qu'il est déjà trop tard, et renonceront à leur quête.

— Un contre-raisonnement brillant ! concéda Zedd. Mais qui peut dire combien de temps ils attendront ? Au-delà d'un certain point, il sera trop tard pour que la magie renaisse de ses cendres. Certaines créatures magiques sont déjà gravement touchées, j'en mettrais ma tête à couper ! Quand disparaîtront-elles à jamais ?

» Dans la ruelle, j'ai vu que tes plantes dépérissaient déjà. Que se passera-t-il lorsque les papillons-gambit, par exemple, perdront leur magie ? Combien d'animaux et d'humains périront si les récoltes sont empoisonnées ?

De plus en plus blême, Franca détourna la tête. Ne la connaissant pas très bien, Zedd répugna à l'accabler davantage. Mais sans la magie, il le savait, Jagang et l'Ordre Impérial seraient encore plus puissants. Sans soutien magique, ceux qui le combattaient risquaient de tomber comme des mouches, et pis encore, d'avoir versé leur sang pour rien.

— Franca, nous sommes chargés de veiller sur le voile, de protéger les créatures magiques sans défenses et d'assurer que la magie continue de servir l'humanité comme il lui fut toujours promis. À ce titre, nous devons agir au plus vite. Car nous ne savons pas à quel moment il sera trop tard pour empêcher la catastrophe !

— Vous avez raison, bien entendu… Mais pourquoi voulez-vous savoir où ont été enterrés les Carillons ? En quoi cela vous aidera-t-il ?

— Le sort qui les a jadis bannis – en annulant l'invocation qui les avait attirés dans le monde des vivants – doit nécessairement avoir ouvert une autre brèche dans le voile. Un tel contre-sort devait être équilibré par un charme secondaire permettant leur retour chez nous. Tu sais que la magie a toujours besoin d'équilibre ! Le charme dont je parle était bardé d'une infinité de protections – par exemple ce que nous appelons la « règle de trois » – mais ce n'est pas ce qui compte aujourd'hui. Son existence était requise pour servir de « contrepoids » au sort principal.

» D'après ce que je sais, la nature même des Carillons leur impose de revenir dans le monde des vivants par la brèche qui a servi à les bannir. Le charme secondaire ayant été activé, c'est sûrement ce qu'ils ont fait, et voilà pourquoi je suis ici !

— Oui, murmura Franca, c'est logique. Le « portail », où qu'il soit, sera ouvert.

— Puisque tu ignores où ont été ensevelis les Carillons, accepteras-tu de m'aider à trouver cet endroit ?

Franca tourna de nouveau la tête vers Zedd.

— Mais où chercherons-nous ? Savez-vous seulement par où commencer ?

Le vieux sorcier vida sa tasse et la posa.

— Eh bien, si tu m'aidais à entrer dans la bibliothèque, ce sera déjà un début…

— La grande bibliothèque du ministère de la Civilisation ?

— Exactement. Lors de ma dernière visite, on y conservait de très anciens textes. Puisque les Carillons ont été bannis en Anderith, j'espère trouver des informations sur le lieu où cela s'est passé. Avec un peu de chance, j'apprendrai d'autres choses utiles.

— Quels sont les titres des livres qui vous intéressent ? J'en connais peut-être certains.

— Si seulement je le savais ! Franca, ces livres n'existent peut-être pas ! Et s'ils existent, rien ne m'assure qu'ils ne sont pas gardés ailleurs qu'en Anderith. Je veux consulter les ouvrages de votre bibliothèque, et voir si j'y trouve quelque chose…

— Zedd, il y en a des milliers !

— Je sais, je les ai vus, il y a très longtemps…

— Et même si vous trouvez, que ferez-vous ensuite ?

— Une chose après l'autre, très chère, éluda le vieux sorcier.

S'il ne découvrait pas comment bannir les Carillons, il avait un plan en tête, à condition de dénicher leur « tombe ». Et même s'il entrait en possession du sort idoine, et qu'il fût des plus simples à lancer, il risquait de ne pas y parvenir, puisque ses pouvoirs déclinaient.

Dans tous les cas, Zedd semblait condamné à prendre des mesures radicales… et désespérées.

— Alors, Franca, peux-tu m'aider à entrer dans la bibliothèque ?

— Je crois, oui… Étant anderienne, et introduite au ministère de la Civilisation, on m'en permet l'accès. Ce n'est pas le cas de tout le monde, sachez-le ! Nos dirigeants ont tellement dénaturé l'histoire du pays que les livres, même les plus insignifiants, sont devenus dangereux pour eux.

Franca se tut, plongée dans des pensées qui n'appartenaient qu'à elle. Puis elle en émergea et sourit bravement.

— Quand voulez-vous y aller ?

— Le plus vite possible !

— Vous pourrez vous faire passer pour un érudit étranger en visite ?

— Très chère, si c'est indispensable, je veux bien jouer n'importe quel rôle, y compris celui d'un crétin congénital incapable de se rappeler son propre nom !

Chapitre 47

— **O**h, que c'est gentil à vous ! s'exclama Zedd, vivante incarnation de la gratitude, quand la femme posa un lourd volume devant lui. Maintenant, je n'ai plus le moindre doute ! Dame Firkin, vous êtes en réalité un esprit du bien venu en ce monde pour m'aider !

Timide comme une jeune fille en fleur, la femme rougit jusqu'à la racine des cheveux.

— C'est mon travail, maître Rybnik !

Zedd se pencha vers son interlocutrice et murmura, enjôleur :

— J'aime mieux que les jolies femmes m'appellent Ruben…

Dès qu'il avait besoin d'un pseudonyme, le vieux sorcier optait pour « Ruben Rybnik », un nom qu'il jugeait flamboyant. Quand on menait une vie simple et austère, on avait parfois besoin de la pimenter un peu. La fantaisie, pour un homme sérieux comme lui, était une nécessité : le seul moyen de préserver l'équilibre. De plus, utiliser ce patronyme le remplissait d'une joie enfantine.

La femme parut ne pas comprendre qu'il lui contait subtilement fleurette. Une réaction étonnante, puisqu'elle était assez jolie pour avoir eu une horde de prétendants à ses pieds depuis son adolescence.

Soucieux de bien marquer le coup, il précisa sa pensée :

— En conséquence, dame Firkin, j'insiste pour que vous m'appeliez Ruben.

La belle Anderienne saisit soudain toutes les implications de la dialectique raffinée de l'« érudit ». Quand elle s'autorisa un charmant rire de gorge, les savants penchés sur d'austères ouvrages, quelques tables plus loin, levèrent les yeux, surpris par cette manifestation incongrue dans un tel temple du savoir. Un des gardes postés à l'entrée, remarqua Zedd, avait également tourné la tête. Confuse, dame Firkin mit une main devant sa bouche pour cacher son sourire.

— Eh bien, dit-elle, ce sera donc Ruben ! (Elle baissa le ton.) Et moi, c'est Vedetta…

— Vedetta ? s'extasia Zedd. Quel joli nom !

En gloussant bêtement, Vedetta repartit vers son petit bureau, au fond de la grande salle, au premier niveau de l'impressionnante bibliothèque. À travers la fenêtre, face à la table où il était assis, Zedd avait un moment contemplé le coucher du soleil. Partout, des lampes diffusaient une chaude lumière pour permettre aux intellectuels plus avides de savoir que de bonne chère de continuer à lire.

Zedd ouvrit le volume que Vedetta lui avait apporté. Un simple coup d'œil lui indiqua qu'il ne lui servirait à rien. Il fit cependant mine de s'y plonger avec passion.

Le livre qu'il lisait en réalité était posé sur sa droite, un peu plus haut que l'autre. Même la tête baissée, il pouvait tourner assez les yeux pour le consulter sans que personne ne s'en aperçoive. Une précaution, au cas où quelqu'un l'aurait épié…

Il avait déjà fait sensation, dès son entrée dans la bibliothèque, en proclamant qu'il venait vérifier une hypothèse révolutionnaire en matière de droit commercial. À l'en croire, la responsabilité des sous-traitants vis-à-vis du client final était annulée par des clauses non écrites dans les contrats mais implicitement valides en vertu des lois dites d'« usage » telles qu'appliquées dès les origines du commerce, en des temps immémoriaux. Pour le prouver, il entendait découvrir des précédents dans les archives juridiques d'Anderith, dût-il pour cela remonter jusqu'à l'aube des temps.

Aucun employé de la bibliothèque n'ayant eu envie d'attraper une migraine en tentant de le contredire, on lui avait assuré qu'il pourrait se livrer à toutes les recherches possibles et imaginables. Pour être franc, avoir eu Franca à ses côtés l'avait aidé à obtenir tout ce qu'il voulait.

À cette heure tardive, les employés mouraient d'envie de rentrer chez eux, mais ils hésitaient à éveiller le courroux d'un juriste aussi pointu. Le voyant s'incruster, d'autres érudits en avaient profité pour rester plus longtemps. Histoire de travailler, ou pour espionner le curieux expert en juridiction commerciale ?

Assise à côté de Zedd, mais à bonne distance, pour laisser de la place aux livres entassés entre eux, Franca participait aux recherches. De temps en temps, elle montrait au vieil homme un passage qu'elle jugeait pertinent. Très intelligente, elle remarquait des détails qui auraient échappé à la plupart des gens. Mais pour l'instant, rien de ce qu'elle avait déniché ne présentait d'intérêt pratique. S'il ignorait toujours ce qu'il cherchait, Zedd avait au moins la certitude… de ne l'avoir pas trouvé !

Immergé dans sa concentration, il sursauta quand quelqu'un lui tapota l'épaule.

— Désolée de vous avoir effrayé, minauda Vedetta.

— Il n'y a pas de mal, très chère ! Mais pourquoi cette si charmante interruption ?

— Eh bien…

L'Anderienne fouilla dans la poche de sa blouse. Sous le regard brillant du vieux séducteur, elle s'empourpra de nouveau.

— Voilà, s'écria-t-elle, je l'ai trouvé !

Elle se pencha et baissa la voix. Du coin de l'œil, Zedd nota que Franca faisait semblant de lire, mais qu'elle ne perdait pas une miette du spectacle.

— En principe, nous ne devons le montrer à personne, car il est rare et précieux. Mais vous êtes un homme tellement hors du commun ! (Vedetta vira à l'écarlate.) Je suis allée le chercher dans les catacombes, exprès pour vous…

— Vraiment ? C'est très gentil, Vedetta ! Mais de quoi s'agit-il ?

— Je n'en sais trop rien… Ce livre appartenait à Joseph Ander en personne.

— Voilà qui est inouï !

— Oui, la Montagne !

— Plaît-il ?

— La Montagne… On le surnommait parfois ainsi. Quand je n'ai rien à faire, je lis les anciens textes, pour en apprendre plus sur notre vénéré père fondateur. En son temps, on l'appelait « la Montagne ».

Très intéressé, Zedd regarda l'Anderienne sortir enfin la main de sa poche. Voyant que l'objet qu'elle en tirait était trop petit pour qu'il s'agisse d'un grimoire, il soupira de déception. Mais son moral remonta en flèche dès que Vedetta lui tendit un petit carnet noir très caractéristique.

Un livre de voyage ! Avec sa plume spéciale glissée dans la tranche !

Vedetta ne semblait pas disposée à lâcher le carnet, et encore moins à le lui confier, même si elle tenait « Ruben » pour un des plus grands érudits de tous les temps. Postés près de la porte, les deux gardes continuaient à surveiller les visiteurs, mais Zedd ne s'en inquiéta pas.

— Je peux y jeter un coup d'œil, Vedetta ? demanda-t-il.

— Eh bien… Je suppose que ça ne risque pas de faire de mal…

L'Anderienne ouvrit délicatement le carnet. Il était en parfait état, ce qui n'avait rien d'étonnant. Celui d'Anna, tout aussi vieux, paraissait aussi avoir été fabriqué la veille. Il en allait presque toujours ainsi avec les artefacts, protégés du passage du temps par la magie.

Zedd plissa soudain le front.

La Montagne !

C'était clair comme de l'eau de roche ! *Le Jumeau de la montagne*, était le « double » de ce livre de voyage. Ce carnet-là ayant été détruit, les informations vitales qu'il contenait peut-être étaient perdues à jamais.

Mais celui de Joseph Ander en gardait sans doute les traces – sauf s'il les avait effacées plus tard.

Fasciné, Zedd regarda Vedetta tourner la page de garde. Un sorcier mort depuis quelque trois mille ans allait bientôt s'adresser à lui !

Il étudia les mots qui figuraient sur la première page… et ne parvint pas à les déchiffrer. Un sort de garde, sûrement, pour décourager les regards indiscrets.

Non, ce n'était pas ça ! Et, de toute façon, après la défaillance de la magie, un sortilège de ce type n'aurait plus fonctionné.

Zedd eut une seconde illumination : c'était du haut d'haran ! Une langue que presque personne ne parlait… Richard prétendait l'avoir apprise, et il ne doutait pas un instant de sa parole. Mais le Sourcier était en chemin pour Aydindril…

Et même si Zedd avait eu une chance de le retrouver, les employés de la bibliothèque ne le laisseraient jamais emporter le livre de voyage.

— Fascinant…, souffla le vieil homme pendant que Vedetta tournait les pages devant ses yeux.

— N'est-ce pas ? Je vais souvent dans les catacombes, pour admirer les textes écrits par Joseph Ander. Parfois, je crois voir ses doigts se poser sur les pages, et ça me donne des frissons…

— J'en ai moi-même la chair de poule…, souffla Zedd.

— Hélas, nous n'avons jamais pu traduire ces écrits-là… Personne ne sait de quelle langue il s'agit ! Certains de nos érudits pensent qu'il s'agit d'un code spécial réservé aux sorciers.

» Joseph Ander en était un… Peu de gens le savent, mais c'est la vérité. Un si grand homme !

Un instant, Zedd se demanda comment les Anderiens pouvaient évaluer la « grandeur » de leur père fondateur, s'ils ignoraient ce qu'il avait bien pu raconter. Puis il se souvint que les légendes reposaient la plupart du temps sur l'ignorance.

— Un sorcier…, répéta-t-il. En principe, il aurait dû vouloir qu'on comprenne ses pensées.

Vedetta eut un rire de gorge.

— Ruben, vous n'y connaissez rien, dirait-on ! Ces hommes adorent le mystère !

— Hélas, vous avez raison très chère, marmonna Zedd, les yeux rivés sur les mots qui défilaient devant ses yeux.

Aucun ne lui parut familier, même très vaguement.

Vedetta regarda autour d'elle puis baissa encore le ton.

— À part ces deux mots-là, dit-elle en tapotant une page, pas loin de la fin du carnet. Par le plus grand des hasards, j'ai réussi à les comprendre…

— Vraiment ? *« Fuer Owbens »*? Vedetta, vous savez ce qu'ils signifient, ou vous *pensez* le savoir ?

— J'en suis sûre… Dans un autre livre, intitulé *L'Emprise du feu*, j'ai trouvé ces deux mots et leur traduction. Cet ouvrage parlait de…

— Donc, vous êtes sûre de vous ! coupa Zedd. Que veulent dire ces mots ?

— La Fournaise.

Zedd leva la tête et regarda l'Anderienne dans les yeux.

— La Fournaise ?

— C'est ça, oui…

— Et vous savez à quoi ça fait allusion ?

Vedetta referma le livre de voyage.

— Non, je n'en ai pas la moindre idée. Ruben, il se fait tard… Les gardes veulent fermer la bibliothèque. Ils m'ont permis de vous montrer le… trésor…, mais j'ai promis de les libérer tout de suite après.

Le vieux sorcier ne fit pas l'effort de cacher sa déception.

— Je comprends… Tout le monde veut rentrer dîner puis filer au lit.

— Vous pouvez revenir demain, Ruben. Je serai ravie de vous aider encore.

Zedd entendit à peine ces dernières phrases. Occupé à récapituler les informations qu'il avait glanées, il s'aperçut vite qu'elles ne menaient à rien.

— Pardon ? demanda-t-il. Qu'avez-vous dit ?

— J'espère que vous reviendrez demain, pour que je puisse vous aider encore. (Vedetta eut un sourire timide.) Vous êtes bien plus intéressant que les autres érudits, qui n'accordent aucun intérêt aux livres très anciens. Moi, je pense que c'est une honte ! De nos jours, plus personne ne respecte le savoir des époques passées.

— Non, plus personne, répéta Zedd, parfaitement sérieux. Revenir demain sera un plaisir pour moi, Vedetta.

L'Anderienne s'empourpra pour la énième fois.

— Si ça vous tente, vous pourriez venir dîner chez moi…

— J'adorerais ça, très chère, et je vous remercie de votre gentillesse. Hélas, ce ne sera pas possible. Je dois rentrer à Fairfield avec dame Franca, pour faire le point sur nos recherches. Mon grand projet, vous savez… La loi que je veux faire promulguer.

Vedetta se rembrunit.

— Eh bien, tant pis… À demain, dans ce cas.

L'Anderienne se détourna, mais Zedd la retint par une manche.

— Demain, si elle tient toujours, je pourrais peut-être accepter votre invitation.

— Vraiment ! Ce serait encore mieux, en fait, car ça me laisserait le temps de… Eh bien, ce serait parfait ! Demain, ma fille sera sûrement partie, et nous dînerons en tête à tête. (Vedetta joua nerveusement avec le col de sa robe.) Mon mari est mort il y a six ans, vous comprenez… Un homme merveilleux…

— Je n'en doute pas un instant, à voir la femme qu'il avait choisie. (Zedd se leva et s'inclina poliment.) Alors, c'est entendu pour demain ! Et merci de m'avoir montré votre… trésor. Ce fut un grand honneur.

— Bonne nuit, Ruben, dit Vedetta en s'éloignant.

Dès qu'elle eut disparu, Zedd fit signe à Franca de se lever.

— On y va !

La magicienne referma tous les livres puis fit le tour de la table. Acceptant le bras que lui tendait galamment le vieux sorcier, elle se laissa guider jusqu'au grand escalier dont la rampe en chêne poli reflétait la lumière des lampes.

— Des résultats ? demanda-t-elle dès qu'ils eurent gravi la moitié des marches.

Zedd jeta un coup d'œil par-dessus son épaule pour s'assurer qu'aucun des érudits qui s'étaient attardés dans la bibliothèque ne les suivait. Il se méfiait tout particulièrement de trois individus, mais ils étaient encore en train de ranger leurs documents et leurs livres – trop loin pour pouvoir les entendre, sauf s'ils avaient un quelconque pouvoir.

La magie ne fonctionnant plus, ce risque était exclu. Les catastrophes avaient toujours de petits avantages…

— Non, soupira Zedd. Je n'ai rien trouvé d'utile.

— Et le petit livre noir que la femme est allée chercher ? Celui qu'elle refusait de lâcher ?

— Rien d'exploitable ! Il est en haut d'haran. Et je suppose que tu ne lis pas cette langue ?

— Hélas… Pour tout dire, j'ai dû voir une ou deux fois dans ma vie un texte ainsi rédigé.

— Vede… Dame Firkin connaît seulement le sens de deux mots qui veulent dire « la Fournaise ».

Franca s'arrêta net à quelques marches du palier.

— Vous avez dit : « la Fournaise » ?

— Tu sais ce que c'est ?

— Oui. Il s'agit d'un lieu secret, sauf pour ceux qui ont un pouvoir. Jadis, ma mère m'y emmenait.

— Et c'est quel genre d'endroit ?

— Une grotte où il fait terriblement chaud… Dedans, on sent la magie, et pourtant, il n'y a rien…

— Je ne saisis pas très bien.

— Moi non plus ! Il n'y a rien dans cette grotte, mais lorsqu'on a le don, on sent… une sorte de… Zedd, c'est difficile à décrire ! Les gens comme nous ont l'impression qu'un flot de pouvoir se déverse en eux. En revanche, les personnes normales ne remarquent rien.

Franca aussi regarda derrière elle pour s'assurer qu'on ne les épiait pas.

— Nous ne parlons jamais de cet endroit, sauf entre magiciens. Puisque nous ignorons ce qui se tapit dedans, nous gardons le secret.

— Il faut que je jette un coup d'œil dans cette grotte ! C'est possible dès ce soir ?

— Il faut grimper dans les montagnes, et il y a plusieurs jours de marche. Si vous voulez, nous partirons dès demain matin.

Zedd réfléchit quelques instants.

— Non, je préfère y aller seul.

Franca sembla blessée, mais si c'était bien ce qu'il pensait, le vieux sorcier préférait qu'elle reste aussi loin que possible de la Fournaise. De plus, il connaissait à peine cette femme. Comment savoir s'il pouvait se fier à elle ?

— Franca, ça risque d'être dangereux, et s'il t'arrivait malheur, je ne me le pardonnerais jamais. Tu m'as déjà beaucoup aidé, au mépris des risques que ça impliquait.

La magicienne parut un peu moins vexée.

— Il faut bien que quelqu'un prévienne Vedetta que vous ne dînerez pas avec elle demain soir ! La pauvre sera déçue. En tout cas, je le serais, à sa place…

Chapitre 48

Z edd faillit lâcher la selle quand il la retira du dos d'Araignée. Décidément, il devenait trop vieux pour ce genre d'idiotie, pensa-t-il avec une amertume mêlée de colère.

Il posa son fardeau sur une souche, puis débarrassa la jument de ses harnais. Enfin, il recouvrit le tout avec la couverture de selle. La bruine qui tombait depuis un moment ne tarderait pas à se transformer en averse, il en aurait mis sa tête à couper.

La souche se dressait à côté du tronc d'un très vieil épicéa. Donc, relativement à l'abri des intempéries. Pour mieux protéger son équipement, le vieux sorcier posa dessus quelques branches mortes de pin. Puis il se demanda pourquoi il prenait soin d'objets qu'il ne récupérerait probablement jamais.

Ravie d'être en liberté, Araignée alla brouter, mais sans jamais quitter son maître du regard. Le voyage de quatre jours avait été pénible. D'abord la traversée du fleuve Drun, puis une longue ascension le long de pistes de montagne…

À vrai dire, le cavalier avait plus souffert que sa monture, qui avait la chance d'être en pleine jeunesse. Voyant qu'Araignée s'occupait agréablement, Zedd passa à la suite des opérations.

Un rideau serré d'épicéas l'empêchait de voir très loin devant lui. Longeant la berge du lac, il contourna les arbres et s'engagea sur une étrange avancée rocheuse qui semblait être là pour servir de podium.

Les poings sur les hanches, le vieil homme sonda l'autre côté du lac.

L'endroit était vraiment charmant. Dans son dos, la forêt s'arrêtait à la lisière de l'eau, comme si elle avait redouté d'en approcher davantage. Ainsi, l'accès au lac était dégagé et facile. Si on oubliait les épicéas, la péninsule miniature était étonnamment dépourvue de végétation, à quelques buissons près. Mais des fleurs bleu et rose jaillissaient d'un beau tapis d'herbe rase.

Partout ailleurs, des falaises entouraient le lac de montagne dont Zedd ignorait le nom, à supposer qu'il en eût un. Pour l'atteindre sans se livrer à des acrobaties qui n'étaient plus de son âge, le seul chemin – indiqué par Franca – était celui qu'il avait suivi.

En face et sur la gauche, des montagnes déchiquetées aux flancs stériles se découpaient dans le lointain. Sur la droite, une falaise obstruait la vue, mais le vieil homme savait que d'autres pics se dressaient derrière.

Sur l'autre berge du lac, une cascade se déversait d'une haute muraille rocheuse. Aux pieds de Zedd, l'onde paisible reflétait ce paysage idyllique.

Les eaux glacées qui alimentaient le lac venaient des hautes terres – très exactement de l'autre réservoir naturel où seuls les oiseaux-nettoyeurs s'aventuraient régulièrement. La rivière Dammar, qui se jetait plus loin dans le fleuve Drun, prenait en partie sa source ici. Après avoir traversé une région désolée et empoisonnée, ces eaux serpentaient dans la vallée de Nareef, beaucoup plus bas, où elles dispensaient la vie.

La gueule de la Fournaise béait juste sous la cascade.

C'était là, derrière un rideau liquide, que les Carillons, trois mille ans plus tôt, avaient été ensevelis.

À présent, ils étaient libres. Et ils attendaient l'âme qui leur revenait de droit.

À cette idée, Zedd frissonna comme si des milliers d'araignées venimeuses rampaient sur ses bras et ses jambes.

À tout hasard, il essaya d'invoquer son pouvoir. Cette fois, tenta-t-il de se convaincre, ça marcherait, et il pourrait rebrousser chemin sans remords.

Bien entendu, rien ne se passa. Témoins muets de son échec, les montagnes semblèrent un instant l'accabler de leur mépris.

Zedd se sentit seul et plus vieux que jamais. S'il avait souvent imaginé sa fin, cette variante-là ne lui avait à aucun moment traversé l'esprit.

Un sacrifice librement consenti, loin de tous ceux qu'il aimait, et dont personne ne saurait jamais rien.

Pour aller jusqu'au bout de son chemin, il avait dû mentir à Richard. S'il avait su, pour les Carillons, le Sourcier n'aurait jamais accepté la solution qui s'imposait.

S'ébrouant pour chasser sa mélancolie, le vieil homme sonda la surface trompeusement paisible du lac. Pour réussir, il devait rester concentré. Sinon, sa mort ne servirait à rien. Et s'il devait quitter ce monde, au moins, il entendait que cela serve à quelque chose ! Le travail bien fait était toujours une source de satisfaction, même quand on doutait d'avoir le temps de savourer le sentiment du devoir accompli.

À présent qu'il les observait d'un œil « professionnel », les eaux lui révélaient une partie de leur sinistre secret. De terribles prédateurs nageaient sous leur surface, prêts à fondre sur la première victime venue.

Les Carillons de la mort attendaient.

Zedd étudia de nouveau la cascade et aperçut l'entrée obscure de la grotte. Il allait devoir traverser le lac, si mortel fût-il, et atteindre la gueule noire qui le dévorerait.

— Sentrosi ! appela-t-il en écartant les bras. Je suis venu t'offrir l'âme que tu cherches. La mienne ! Et je te la livre de mon plein gré !

Des flammes jaillirent de la Fournaise, se mêlant à la colonne d'eau. Contre toute logique, elles ne s'éteignirent pas, et leur lueur colora d'orange la surface du lac. Un moment, de la vapeur monta de la cascade. Puis une fumée plus noire que la nuit vint l'avaler pour former une colonne verticale marquant l'emplacement où les mâchoires de la mort attendaient de se refermer sur leur proie.

L'écho d'un carillon se répercuta dans les montagnes environnantes. Sentrosi venait de répondre, et il acceptait l'offrande…

— Reechani ! lança Zedd à l'onde qui s'étendait à ses pieds. (Il leva la tête et s'adressa à l'air qui l'entourait.) Vasi ! Laissez-moi passer, car c'est à vous trois que je viens faire don de mon âme.

Les eaux tourbillonnèrent comme si elles étaient vivantes… et affamées. Et ce n'était pas qu'une illusion…

L'air s'épaissit autour du vieil homme, le poussant dans le dos pour qu'il avance.

Un bras d'eau jaillit du lac et désigna l'entrée de la Fournaise. Un concert de carillons faisait à présent bourdonner les oreilles du vieux sorcier, et l'air empestait le brûlé.

Comme il pleuvait depuis quelques minutes, Zedd songea que se mouiller un peu plus ne lui ferait pas de mal. Sans hésiter, il entra dans le lac.

Au lieu de devoir nager, comme il s'y attendait, il put continuer à marcher, car la surface était assez solide pour le soutenir. Un peu comme de la glace, n'étaient d'étranges ondulations. Chacun de ses pas ridait l'eau, comme s'il pataugeait dans des flaques de boue peu profondes. Mais il ne s'enfonçait pas, et c'était déjà ça.

Reechani le soutenait, le conduisant vers sa fin – et vers la « reine » des Carillons. Vasi, dont l'air était l'élément, l'escortait aussi, drapant sur ses épaules un manteau d'air qui était en réalité un linceul.

Partout, Zedd sentait l'imminence d'un contact avec le royaume des morts. Conscient que chacun de ses pas pouvait être le dernier, il eut le sentiment d'avancer dans un lac de sang.

Il se souvint de Juni, l'Homme d'Adobe noyé dans quelques pouces d'eau. Avant de mourir, le chasseur avait-il senti s'installer en lui la paix qu'il cherchait ? Ou, plus précisément, celle qu'on lui avait fait miroiter, avant de le tuer ?

Selon ce qu'il savait des Carillons, le sorcier en doutait. Après avoir séduit leur proie, et juste avant de l'exécuter, ces créatures ne devaient pas résister au plaisir suprême de la terroriser.

Alors que Zedd approchait de la cascade, des mains invisibles écartèrent le rideau d'eau pour lui ouvrir un passage jusqu'à l'entrée de la grotte. Sentrosi, le Carillon du feu, préférait sans doute qu'il soit aussi sec que possible.

Avant d'entrer dans la Fournaise, le vieux sorcier entendit Araignée hennir comme si elle le suppliait de s'arrêter.

Zedd se retourna. La jument était au bord du lac, les oreilles aplaties et les yeux écarquillés. Sa queue battait nerveusement, lui fouettant les flancs.

— Tout va bien, Araignée ! lança le vieil homme à la pauvre bête. Je te rends ta liberté. Si je ne reviens pas, profite de la vie, mon amie ! Profite de la vie !

La jument hurla de colère. Quand Zedd la salua une dernière fois de la main, elle passa à un gémissement désespéré.

Le vieux sorcier se détourna et avança entre les deux colonnes d'eau. Dès qu'il fut passé, le rideau liquide se referma dans son dos.

Depuis le début, son plan était arrêté. Il allait livrer aux Carillons l'âme qu'ils réclamaient. Si c'était faisable sans y perdre la vie, il ne s'en priverait pas. Mais privé du soutien de sa magie, il ne se donnait pas beaucoup de chances d'accomplir sa mission et d'en sortir entier.

Le Premier Sorcier était bien placé pour avoir quelque lumière sur l'affaire en cours. S'ils voulaient rester dans le monde des vivants, les Carillons devaient s'approprier une âme. Ce « marché » était inclus dans le sortilège qui leur avait permis de traverser le voile. Et plus encore, ils devaient s'emparer de l'âme qui leur était promise lors de leur invocation.

Des créatures issues du royaume des morts devaient avoir une compréhension limitée du concept d'« âme ». En étant elles-mêmes dépourvues, elles ne pouvaient sûrement pas saisir ce qu'on éprouvait quand on en possédait une. Et si ce postulat était juste, il y avait une chance qu'elles aient un certain mal à identifier celle qu'on leur avait promise. Bien entendu, il n'aurait pas été possible de leur faire prendre des vessies pour des lanternes, parce qu'elles maîtrisaient sûrement certains principes fondamentaux. Mais si on compliquait les choses, les Carillons, propulsés dans un univers inconnu, n'étaient pas à l'abri d'une habile mystification.

Zedd fondait tous ses espoirs sur leur ignorance !

Le vieux sorcier était lié à Richard depuis toujours – y compris avant sa naissance. Aux liens du sang s'ajoutaient ceux du don, sans parler de ceux tissés par deux individus qui passent leur vie l'un à côté de l'autre. Leurs âmes, en somme, étaient *parentes* ! Et comme leurs corps – par exemple la forme de leur bouche, rigoureusement identique – elles se *ressemblaient* !

Pourtant, Zedd et Richard restaient deux individus uniques et distincts, et c'était le grain de sable qui risquait de gripper le mécanisme…

Le vieil homme espérait que les Carillons, croyant reconnaître l'âme qui leur était promise, se jetteraient dessus sans hésiter. S'ils dévoraient la mauvaise proie, ils risquaient de s'étrangler avec, en quelque sorte…

C'était la seule chance. Depuis le début, le vieil homme cherchait un autre moyen de régler le problème. En vain.

Chaque jour, la menace qui pesait sur le monde des vivants devenait plus grave. Des gens mouraient, et la magie faiblissait d'heure en heure.

Aussi fort qu'il aimât la vie, Zedd avait dû se résigner à se sacrifier pour arrêter les Carillons avant qu'il soit trop tard.

Quand elles absorberaient la proie censée leur avoir été promise, les créatures seraient vulnérables un court instant. Suffisant, espérait le vieil homme, pour que son âme détruise le sortilège qui leur permettait d'exister dans le monde des vivants.

Issu d'un cerveau lambda, ce raisonnement aurait été du pur délire. Mais quand un sorcier l'avait développé, il devenait une approche pour le moins raisonnable.

Si douteuse qu'elle fût !

Au minimum, le plan de Zedd perturberait le sortilège. Un peu comme une flèche qui au lieu de tuer un cerf le blesse gravement…

Il restait une seule inconnue dans cette équation. L'effet qu'aurait ce tir désespéré sur le « projectile ». Sur ce point, Zedd ne se faisait pas d'illusion. Si elle ne le privait pas de son âme, et par conséquent de la vie, son attaque contre les Carillons les rendrait fous de rage, et ils ne manqueraient pas de se venger.

Le vieil homme sourit. Quoi qu'il arrive, l'équilibre jouerait son rôle, comme toujours, et il aurait gagné le droit de revoir sa chère Erilyn dans le monde des esprits, où il savait qu'elle l'attendait.

Dans la grotte, la chaleur était insupportable. Comme du feu liquide, les parois ondulaient et crépitaient.

Il était dans le ventre de la bête.

Au centre de la grotte, Sentrosi, l'Âme du Feu, parfois comparé à une monstrueuse reine des abeilles tapie au fond de son nid, braqua son regard mortel sur le vieux sorcier. Des langues de flammes vinrent effleurer son corps, et il vit s'afficher sur le visage igné de la créature un sourire plus brûlant qu'un incendie de savane.

Une dernière fois, Zedd tenta d'invoquer son pouvoir.

Puis Sentrosi bondit sur lui plus vite qu'un cyclone.

La douleur vrilla tous les nerfs du vieil homme, et une souffrance cent fois pire déchira son âme.

Le monde s'embrasa.

Zedd hurla plus fort qu'il l'aurait cru possible.

Richard cria de douleur. Le glas qui retentissait dans sa tête menaçait de la faire exploser, et rien ne semblait pouvoir l'arrêter.

Perdant toute conscience de son environnement, le Sourcier glissa de sa selle et s'écrasa sur le sol. Un instant, la violence de l'impact le détourna miséricordieusement du vacarme du tocsin qui, en sonnant sous son crâne, le privait du contrôle de son corps et le forçait à crier comme un dément.

Richard se recroquevilla dans la poussière. Se tenant la tête à deux mains, il cria à s'en briser les cordes vocales.

L'univers entier n'était plus que douleur.

Autour de lui, des cavaliers sautaient de leur monture en beuglant des ordres. Le Sourcier apercevait à peine leurs silhouettes brouillées, et il ne comprenait pas un mot. À vrai dire, il ne reconnaissait personne.

Plus rien n'existait que la souffrance.

Occupé à la combattre, il parvenait d'extrême justesse à ne pas perdre conscience. Et s'il n'avait pas jadis subi avec succès l'épreuve de la douleur, une étape incontournable de la formation d'un sorcier, il n'aurait sûrement pas survécu. Oui, sans cette leçon durement payée, la vie l'aurait déjà abandonné.

Il était seul, enfermé dans son enfer personnel.

Et il ignorait combien de temps il tiendrait…

En un éclair, tout avait sombré dans la folie.

Terrorisée, Beata courait aussi vite qu'elle le pouvait. Turner ne criait plus. Ses hurlements d'agonie, plus horribles que tout ce que la jeune Hakenne avait jamais entendu, s'étaient tus au bout de quelques secondes.

— Arrêtez ! cria Beata. Vous êtes devenus fous ? Arrêtez !

Le son aigu de la Dominie Dirtch faisait encore vibrer l'air. De la poussière montait du sol en petites colonnes, évoquant des volutes de fumée. La terre avait tremblé, déracinant l'arbrisseau solitaire planté par l'équipe précédente.

L'univers entier semblait avoir été ébranlé par le glas de la Dominie Dirtch.

Des larmes roulant sur ses joues, Beata fonçait vers l'arme terrifiante pour ordonner à ses soldats d'arrêter de la faire sonner.

Turner était en patrouille dans la plaine, pour s'assurer que la zone défendue par la Dominie Dirtch était tranquille. Il était mort très vite – littéralement pulvérisé –, mais son cri continuait à retentir dans la tête de Beata. Aussi longtemps qu'elle vivrait, comprit-elle, il lui serait impossible d'oublier ce son inhumain.

— Arrêtez ! lança-t-elle encore en s'engageant sur les quelques marches qui menaient au poste de surveillance. Arrêtez !

Arrivée sur la plate-forme, elle leva les poings, prête à rouer de coups l'imbécile qui avait activé la Dominie Dirtch.

Les yeux écarquillés, Emmeline était pétrifiée de terreur. Le regard fou, Bryce aussi ressemblait à une statue.

Le marteau spécial qui servait à faire sonner l'arme était toujours sur son support. Et aucun des deux soldats n'en était assez près pour l'avoir déjà remis en place… Donc, ils ne l'avaient pas utilisé. Et pourtant…

— Qu'avez-vous fichu ? cria Beata. Comment l'avez-vous fait sonner ? Espèces de crétins !

Désespérée, elle regarda du coin de l'œil la masse d'os et de chair ensanglantée, dans la plaine. Tout ce qui restait d'un pauvre garçon nommé Turner…

— Vous l'avez tué ! Pourquoi, par les esprits du bien ?

— Je n'ai pas bougé de mon poste, dit Emmeline.

— Moi non plus, ajouta Bryce, qui tremblait de tous ses membres. Sergent, nous n'y sommes pour rien, je vous le jure ! Nous n'avons pas approché de la Dominie Dirtch !

Alors qu'elle foudroyait du regard ses subordonnés, Beata s'avisa qu'elle captait des cris, dans le lointain. Tournant la tête vers la Dominie Dirtch de droite, elle vit que des soldats couraient en tous sens, comme s'ils étaient devenus fous.

À gauche, elle découvrit le même spectacle. Plissant les yeux, elle crut reconnaître les restes sanguinolents de deux soldats, devant l'arme magique.

Le caporal Marie Fauvel et le soldat Estelle Ruffin venaient d'atteindre la dépouille de Turner. Se tirant sur les cheveux à les en arracher, Estelle hurlait comme une possédée. Marie s'était détournée et vomissait tripes et boyaux.

Beata n'avait commis aucune erreur. Elle avait suivi les consignes, telles qu'elles étaient appliquées depuis des millénaires. Chaque jour, au même moment, toutes les escouades affectées aux Dominie Dirtch envoyaient une patrouille vérifier qu'il n'y avait rien à signaler dans la plaine. Un quadrillage de terrain qui évitait les mauvaises surprises.

Bryce et Emmeline n'avaient rien à se reprocher non plus. Car toutes les Dominie Dirtch s'étaient mises à sonner au même instant.

Kahlan prit Richard par les pans de sa chemise, mais elle ne parvint pas à le forcer à la regarder. Toujours roulé en boule, il souffrait atrocement. Sans savoir exactement ce qui se passait, l'Inquisitrice devina que son bien-aimé était en danger de mort.

Elle l'avait entendu crier, puis vu tomber de son cheval.

Au début, elle avait pensé à une flèche. Un archer, posté dans les rochers ou derrière un arbre... Mais elle n'avait pas vu de sang. Ni découvert de blessure sur le corps de Richard.

Autour des deux jeunes gens, mille soldats d'harans se déployaient pour assurer leur protection. Dès qu'ils avaient entendu leur seigneur crier, ces guerriers d'élite étaient passés à l'action sans attendre les ordres de la Mère Inquisitrice. Leurs armes dégainées, ils étaient prêts à repousser une attaque.

Un cercle protecteur s'était formé en quelques secondes autour du seigneur Rahl et de son épouse. Un deuxième finissait de se refermer autour du premier. Au-delà de ce périmètre de sécurité – ces hommes-là n'ayant pas sauté de leurs chevaux, pour ériger un mur quasiment infranchissable – le gros du détachement fouillait déjà les environs pour débusquer et abattre tout agresseur potentiel.

Ayant eu pour père un grand soldat, Kahlan en savait long en matière de stratégie et de tactique. À les voir réagir, elle constata que les D'Harans étaient aussi bons qu'ils en avaient l'air. Parfois, les armées les plus fringantes se révélaient lamentables dès qu'il fallait faire face au danger. Ces hommes-là avaient exécuté la manœuvre qu'elle aurait ordonnée, s'ils lui en avaient laissé le temps. Ils étaient rapides, disciplinés et capables de prendre des initiatives. Tout ce qu'on pouvait attendre de mieux d'une escorte...

À quelques pas de Kahlan, les Baka Tau Mana, arme au poing, avaient aussi formé une ligne de défense. Quelle que fût la nature de l'attaque, Richard ne risquait plus rien. Une muraille d'hommes, de chevaux et d'armes empêcherait quiconque de l'atteindre.

Encore sous le choc, l'Inquisitrice pensa que Cara serait furieuse en apprenant cette histoire. Sa Sœur de l'Agiel avait promis de protéger le seigneur Rahl, et elle avait échoué ! Manquer à la parole donnée à une Mord-Sith n'était jamais une petite affaire. Alors, quand il s'agissait de Richard...

Du Chaillu se fraya un passage entre ses maîtres de la lame et vint s'agenouiller de l'autre côté de Richard. Kahlan vit qu'elle avait apporté une outre d'eau et de quoi bander une plaie.

— Tu as trouvé la blessure ? demanda-t-elle à l'Inquisitrice.

— Non, répondit Kahlan.

Elle posa une main sur le front de Richard et frissonna. Il avait été dans un état très semblable, lorsqu'il mourait de la peste, brûlant de fièvre et délirant. Aucune maladie ne vous faisait tomber ainsi de cheval sans prévenir, mais à ce détail près, les symptômes étaient identiques.

Du Chaillu humidifia un morceau de tissu et le passa sur le visage du Sourcier. Dans les yeux de la femme-esprit, Kahlan lut une inquiétude qui reflétait fidèlement la sienne.

Elle examina de plus près son mari, à la recherche d'un carreau d'arbalète, voire d'une fléchette.

Richard tremblait – plus précisément, il avait des convulsions. Kahlan le tourna sur le flanc pour voir si un projectile l'avait frappé dans le dos. Elle ne trouva rien, comme elle s'y attendait un peu.

Quand elle l'eut remis sur le dos, Du Chaillu commença à caresser doucement les joues du Sourcier. Puis elle se pencha sur lui et lui souffla à l'oreille une incantation dont l'Inquisitrice ne comprit pas un mot.

— Je n'ai rien trouvé, Du Chaillu !

— C'est normal…, murmura la femme-esprit.

— Pourquoi ?

La Baka Tau Mana continua à parler à Richard d'une voix vibrante d'émotion. Même sans comprendre ce qu'elle disait, Kahlan en eut le cœur serré. Une telle tendresse…

— Ce n'est pas une blessure infligée dans ce monde, dit Du Chaillu en se redressant un peu.

Kahlan regarda les soldats déployés autour de leur seigneur. D'instinct, elle posa une main protectrice sur la poitrine de Richard.

— Que veux-tu dire, Du Chaillu ?

La femme-esprit écarta doucement la main de Kahlan.

— C'est son esprit qui est touché. Son âme, même ! Laisse-moi m'en occuper !

Kahlan posa une paume sur la joue du Sourcier.

— Comment le sais-tu ? C'est absurde ! Tu ne peux pas…

— Les femmes-esprit reconnaissent ce genre de blessure.

— Mais tu…

— As-tu trouvé une plaie sur son corps ?

L'Inquisitrice ne répondit pas tout de suite. Richard était en danger, et elle devait oublier sa ridicule jalousie.

— Tu sais ce qu'il faut faire pour l'aider ?

— Oui, et c'est au-delà de tes capacités ! (Du Chaillu baissa la tête et plaqua de nouveau les mains sur la poitrine de Richard.) Si tu ne me laisses pas agir, ton mari mourra.

Kahlan s'assit sur les talons et regarda la Baka Tau Mana se plonger dans une transe, les yeux fermés et les bras tremblants.

Elle murmura des paroles qui ne s'adressaient à personne, sinon à elle-même et à l'homme qu'elle tentait de sauver. Soudain, son visage se tordit de douleur.

Du Chaillu s'écarta de Richard, brisant leur connexion. La voyant basculer en arrière, l'Inquisitrice la retint par les bras.

— Tu vas bien ?

— Mon pouvoir… Il est revenu !

Kahlan baissa les yeux sur Richard, qui semblait aller mieux.

— Qu'est-il arrivé ? demanda-t-elle. Et qu'as-tu fait ?

— Une entité essayait de lui voler son âme… Je l'ai chassée et j'ai éloigné les mains de la mort du corps de Richard.

— Ta magie serait revenue ? C'est impossible…

— Je ne comprends pas non plus. Elle s'est éveillée quand le *Caharin* a crié, avant de tomber de cheval. Je le sais, parce que j'ai de nouveau senti le lien, entre nous…

— Tu crois que les Carillons sont retournés dans le royaume des morts ?

— Non… Le phénomène n'a pas duré, et mon pouvoir me quitte déjà. Oui, il disparaît… J'ai à peine eu le temps de sauver le *Caharin*.

Du Chaillu dit à ses guerriers de se détendre, car le danger était passé.

Pas totalement convaincue, Kahlan regarda de nouveau Richard. Il respirait mieux et semblait moins agité.

Soudain, il ouvrit les yeux et battit des paupières, ébloui par la lumière.

Du Chaillu s'agenouilla pour lui tamponner le front.

— Tu es sauvé, mon époux, dit-elle.

— Du Chaillu, marmonna le Sourcier, combien de fois devrai-je te répéter que je ne suis pas ton mari ! Tu interprètes mal les antiques paroles…

— Tu vois ? lança la Baka Tau Mana à Kahlan. Il va déjà beaucoup mieux !

— Je remercie les esprits du bien que tu nous aies accompagnés, mon amie.

— Alors, dis-lui que je m'en irai s'il continue à râler comme ça !

Kahlan ne put s'empêcher de sourire. Richard n'était pas près d'en avoir fini avec la femme-esprit, et ça avait quelque chose d'amusant, à la longue.

Des larmes de soulagement perlèrent à ses paupières, mais elle parvint à les empêcher de couler. Une fois de plus, Richard avait par miracle échappé à la mort !

— Comment te sens-tu ? demanda-t-elle. Et que t'est-il arrivé ?

Le Sourcier tenta de se redresser. Avec un bel ensemble, Kahlan et Du Chaillu l'en empêchèrent.

— Tes deux femmes t'ordonnent de te reposer un peu ! déclara la Baka Tau Mana.

Face à une telle coalition, Richard capitula sans conditions. Il tourna ses magnifiques yeux gris vers Kahlan, qui lui prit la main et, en silence, remercia une nouvelle fois les esprits du bien.

— Je ne sais pas trop ce qui s'est passé…, dit Richard. On aurait cru qu'un glas sonnait dans ma tête. La douleur était… (Il blêmit à ce souvenir.) Je ne sais pas comment décrire ça… C'était… Eh bien, pire que tout ce que j'ai jamais éprouvé…

Cette fois, il s'assit, écartant les mains des deux femmes.

— Je vais bien, maintenant. C'est fini !

— Je n'en suis pas si sûre, souffla Kahlan.

— Moi, si ! (Le regard de Richard se voila.) Des griffes tentaient de m'arracher mon âme…

— Mais elles n'ont pas réussi, dit Du Chaillu. Elles ont essayé, et je les en ai empêchées.

La femme-esprit croyait dur comme fer ce qu'elle disait. Et Kahlan ne douta pas un instant de sa parole.

La jument était immobile, à part ses sabots, qui raclaient nerveusement le sol. Son instinct lui ordonnait de galoper. Elle tremblait de panique, le souffle court, mais elle résistait au désir de s'enfuir.

L'homme était entré dans le trou, derrière le mur d'eau.

Comme tous les chevaux, la jument détestait les trous.

Alors que la terre tremblait, l'homme avait crié. Très fort ! Depuis, beaucoup de temps avait passé. Dans le silence revenu, la jument n'avait pas bougé.

Elle savait que son ami vivait encore.

Un long hennissement désespéré monta de sa gorge.

Il n'était pas mort, mais il ne revenait pas.

La jument était seule. Et il n'y avait rien de plus terrible pour un cheval.

Chapitre 49

Quand Anna ouvrit les yeux dans la pénombre, elle fut surprise de découvrir un visage qu'elle n'avait plus vu depuis des mois, à l'époque où elle était encore la Dame Abbesse en exercice des Sœurs de la Lumière, au Palais des Prophètes. Ce temps désormais lointain où elle vivait à Tanimura, dans l'Ancien Monde…

La sœur d'âge moyen observait la prisonnière.

Âge moyen, corrigea mentalement Anna, *si on estime qu'avoir dépassé les cinq cents ans est le début de la maturité !*

— Sœur Alessandra…, souffla Anna.

Parler lui faisait toujours mal. Sa lèvre inférieure éclatée ne guérissait pas vite, et sa mâchoire ne désenflait pas. Était-elle cassée ? Dans ce cas, il faudrait faire avec, et attendre qu'elle se ressoude, puisque la magie ne pouvait plus intervenir.

— Dame Abbesse…, dit Alessandra d'un ton glacial.

La sœur avait longtemps porté une longue natte enroulée et épinglée sur sa nuque. Aujourd'hui, ses cheveux châtains grisonnants tombaient librement vers ses épaules, qu'ils ne touchaient pas. Une coiffure, songea Anna, qui équilibrait mieux son visage affublé d'un nez proéminent.

— Si vous avez faim, Dame Abbesse, je vous apporte de quoi manger.

— Pourquoi fais-tu ça ?

— Son Excellence veut que vous vous nourrissiez.

— Mais pourquoi toi ?

Alessandra eut un demi-sourire.

— Vous me détestez, n'est-ce pas, Dame Abbesse ?

Anna s'efforça de foudroyer du regard la traîtresse. Avec sa mâchoire de travers et ses joues tuméfiées, elle doutait que le résultat soit très impressionnant.

— En réalité, je t'aime autant que tous les autres enfants du Créateur. Mais j'abomine tes actes, depuis que tu as prêté allégeance à Celui Qui N'A Pas De Nom.

— On l'appelle le « Gardien du royaume des morts », dit Alessandra, son sourire s'élargissant. Ainsi, vous prétendez avoir encore de l'amour pour une Sœur de l'Obscurité ?

Même si le bol de ragoût la faisait saliver, Anna détourna la tête. Elle n'avait aucune intention de papoter comme si de rien n'était avec une sœur déchue.

Depuis qu'elle était enchaînée, la Dame Abbesse refusait d'accepter la pitance que lui apportaient les Sœurs de la Lumière. Car ces femmes lui avaient menti, puis elles l'avaient vendue à Jagang !

Comme elle ne pouvait pas se nourrir seule, les soldats devaient se charger de lui donner la becquée, et ils n'aimaient pas jouer les nounous. Leur répugnance à faire manger une vieille femme expliquait sans doute la venue d'Alessandra.

— Allez, prenez-en au moins un peu…, marmonna la Sœur de l'Obscurité en tentant d'introduire une cuiller entre les lèvres de la prisonnière. J'ai cuisiné ce plat moi-même.

— Pourquoi ? demanda Anna entre ses dents serrées.

— Parce que je me suis dit que ça vous ferait plaisir.

— Eh bien, tu t'es fatiguée d'arracher les pattes des fourmis, Alessandra ?

— Dame Abbesse, votre mémoire vous joue des tours. Je n'ai plus fait ça depuis mon enfance, quand je suis arrivée au Palais des Prophètes. Si je ne me trompe pas, c'est vous qui m'avez convaincue d'arrêter, après avoir compris que j'étais simplement malheureuse d'avoir quitté mon foyer. S'il vous plaît, mangez un peu !

Stupéfaite d'entendre cette femme employer une expression comme « s'il vous plaît », Anna consentit à ouvrir la bouche. Manger était douloureux, mais jeûner l'affaiblissait trop. Pour en finir avec la vie, elle aurait pu faire la grève de la faim, ou trouver un moyen de forcer ses geôliers à la tuer. Mais elle était venue là pour accomplir une mission, et cela lui donnait une raison de vivre encore un peu.

— Ce n'est pas mauvais, sœur Alessandra… Pas mauvais du tout…

La sœur eut un sourire plein de fierté.

— Vous voyez, je ne mentais pas ! Allez, nourrissez-vous !

Anna mangea lentement, car mâcher était un exercice pénible. Si elle parvint à broyer plus ou moins les légumes, elle se contenta d'avaler tout rond les petits morceaux de viande. Ce n'était pas le moment de malmener sa mâchoire, qui faisait ce qu'elle pouvait pour guérir.

— Votre lèvre risque de garder une vilaine cicatrice, dit Alessandra.

— Mes nombreux amants seront très déçus !

La Sœur de l'Obscurité éclata de rire. Pas pour se moquer de la prisonnière, mais parce que la saillie l'avait vraiment amusée.

— Vous m'avez toujours fait mourir de rire, Dame Abbesse !

— Je sais, fit Anna, amère. C'est pour ça que j'ai mis si longtemps à m'apercevoir que tu t'étais ralliée au camp des ténèbres. Comment aurais-je pu penser que ma petite Alessandra, toujours si gaie, était attirée par le mal absolu ? J'ai toujours cru que tu aimais la Lumière !

Le sourire de la sœur tourna au rictus.

— C'était le cas, Dame Abbesse.

— Non, tu n'aimais que toi-même !

La Sœur de l'Obscurité remua le ragoût et proposa une nouvelle cuillerée à Anna.

En l'avalant, la vieille dame étudia la sinistre petite tente où elle était recluse.

Elle avait tellement semé le désordre, en invectivant les Sœurs de la Lumière, que l'empereur avait fini par ordonner qu'on l'isole. Chaque soir, un soldat enfonçait dans la terre le piquet où on l'enchaînait. Puis on dressait la tente autour d'elle.

Au matin, on l'enfermait dans une sorte de grande malle close par un loquet ou une barre de fer. Anna n'aurait pu être plus précise, puisqu'elle était toujours à l'intérieur quand on verrouillait ou déverrouillait sa prison. Puis on chargeait la « malle » dans un chariot fermé sans fenêtres ni ventilation d'aucune sorte. La prisonnière le savait, car elle avait pu jeter un coup d'œil par la fente du couvercle un peu disjoint de son étrange cellule.

Le soir, on la sortait de sa boîte et une Sœur de la Lumière l'escortait jusqu'aux latrines de campagne, avant qu'on l'enchaîne à son piquet. Et si un besoin urgent la prenait dans la journée, elle n'avait que deux solutions : se retenir, ou…

Parfois, par pure paresse, les soldats ne montaient pas la tente, et ils la laissaient attachée à sa laisse comme une chienne.

Anna aimait bien sa petite cellule de toile, qui lui offrait une illusion d'intimité. À l'abri des regards, elle pouvait s'étirer pour chasser ses crampes, s'allonger et prier tout son soûl.

— Jagang t'a ordonné de ne pas te contenter de me nourrir ? demanda la Dame Abbesse quand elle jugea qu'elle avait assez mangé. Il aimerait peut-être que tu me roues de coups, pour son amusement ou le tien…

— Non, Dame Abbesse, je dois simplement vous alimenter. L'empereur n'a pas encore décidé ce qu'il fera de vous. En attendant, il veut vous garder en bonne santé, histoire que vous ne perdiez pas votre valeur marchande.

— Alessandra, il ne peut pas entrer dans ton esprit en ce moment. Tu le savais ?

— Pourquoi prétendez-vous ça ?

— Les Carillons rôdent dans notre monde.

— Oui, je l'ai entendu dire… Mais ce sont des rumeurs sans fondement.

Anna se tortilla péniblement pour trouver une position plus confortable sur le sol trop dur pour ses vieux os. Pourtant, avec son « rembourrage » naturel, elle n'aurait pas dû être gênée.

— J'aimerais que tu aies raison. Mais pourquoi crois-tu que ta magie ne fonctionne pas ?

— Mon pouvoir est toujours là.

— Je parlais de la Magie Additive.

— Celle-là ? En réalité, je n'ai plus essayé de m'en servir depuis longtemps. Si l'envie m'en prenait, je suis sûre qu'elle m'obéirait.

— Tente de lancer un sort additif. Tu verras que j'ai raison.

— Son Excellence nous l'interdit, sauf quand il l'exige expressément. Et lui désobéir n'est pas très… avisé.

Anna se pencha vers son interlocutrice.

— Alessandra, les Carillons sont dans notre monde ! La magie a disparu. Au nom du Créateur, tu crois que je serais dans cette situation, si j'avais encore mon pouvoir ? Tu me prends pour une femme qui se laisse capturer sans résister, quand elle a les moyens de se défendre ? Réfléchis un peu ! Tu n'es pas stupide, alors, ne fais pas semblant !

Si Alessandra avait une qualité, c'était bien l'intelligence. Une énigme de plus pour Anna, qui ne voyait pas comment une femme si brillante avait pu se laisser séduire par les promesses du Gardien. À croire que nul n'était à l'abri des mensonges...

— Alessandra, je t'assure que Jagang ne peut pas s'introduire dans ton esprit ! Il a perdu son pouvoir de marcher dans les rêves.

La Sœur de l'Obscurité ne sembla pas ébranlée par ces affirmations.

— Si son pouvoir est lié à celui des sœurs qui ont choisi le camp du Gardien – voire si notre magie alimente la sienne –, il peut toujours avoir la possibilité de nous contrôler.

— Tu penses comme une esclave ! Si tu t'en satisfais, laisse-moi en paix ! Le dire me fend le cœur pour une multitude de raisons, mais tu ne vaux pas mieux que les Sœurs de la Lumière !

Alessandra hésita, comme si elle n'avait pas envie de mettre un terme à ce dialogue.

— Je ne vous crois pas, Dame Abbesse. Jagang est tout-puissant ! En ce moment même, je suis sûre qu'il nous espionne, caché quelque part dans ma tête.

Anna ne put éviter d'avaler la cuillerée de ragoût que la sœur lui fourra par surprise dans la bouche. La mâchant avec précaution, elle dévisagea Alessandra comme si elle voulait sonder son âme.

— Tu peux revenir vers la Lumière, mon enfant !

— Quoi ? (La colère qui avait un instant brillé dans les yeux de la sœur fut remplacée par une lueur presque espiègle.) Dame Abbesse, vous perdez l'esprit !

— Tu en es sûre ?

— Oui. J'ai juré de servir le Gardien, et c'est irréversible. À présent, finissez votre portion !

Anna faillit s'étrangler, tant le rythme d'arrivée des cuillerées s'accéléra.

Quand Alessandra marqua une pause, elle remonta à l'assaut.

— Ma fille, le Créateur te pardonnera. Il n'est qu'amour, tu le sais bien, et il t'ouvrira les bras. Ne voudrais-tu pas vivre de nouveau dans Sa Lumière ?

Sans avertissement, Alessandra gifla la Dame Abbesse, qui bascula sur un flanc.

— Le Gardien est mon maître ! cria la Sœur de l'Obscurité. Je ne vous autorise pas à blasphémer ! Son Excellence est mon seigneur en ce monde, et le Gardien me possédera dans le suivant. Vous n'avez pas le droit de souiller le serment que je lui ai prêté. C'est compris ?

Anna comprit surtout que les efforts de guérison de son infortunée mâchoire venaient d'être réduits à néant. De douleur, elle avait les larmes aux yeux.

Alessandra la prit par le côté de sa robe crasseuse et la releva.

— Je ne veux plus vous entendre dire des choses pareilles ! cria-t-elle.

Anna garda le silence, soucieuse de ne pas énerver encore plus la Sœur de l'Obscurité. Apparemment, pour cette femme c'était un sujet sensible. Au moins autant que sa malheureuse mâchoire !

Alessandra reprit le bol de ragoût.

— Il n'en reste pas beaucoup, et vous allez tout finir ! (Elle baissa les yeux, comme si c'était indispensable pour mieux remuer la nourriture.) Désolée de vous avoir frappée...

— Je te pardonne, mon enfant.

La sœur releva la tête. Dans son regard, la Dame Abbesse ne vit plus trace de colère.

— Je suis sincère, ajouta-t-elle, émue par le terrible conflit intérieur que devait vivre son ancienne disciple.

— Il n'y a rien à pardonner, Dame Abbesse. (Alessandra baissa de nouveau les yeux.) Je suis ce que je suis, et on ne peut rien y changer ! Si vous saviez ce que j'ai dû subir et faire pour devenir une Sœur de l'Obscurité… Le pouvoir que j'ai reçu en échange dépasse votre imagination !

Anna voulut demander quels avantages elle en avait retirés. Mais elle tint sa langue et finit docilement son repas, non sans grimacer de douleur à chaque bouchée.

— C'était délicieux, mon enfant, dit-elle quand elle eut terminé. Mon meilleur repas depuis… Eh bien, ça doit faire des semaines que je suis prisonnière, non ?

Alessandra hocha la tête et se leva.

— Si je ne suis pas trop occupée, je reviendrai demain, avec un autre plat.

— Alessandra ! appela Anna. (La Sœur de l'Obscurité se retourna.) Tu ne veux pas rester un peu assise avec moi ?

— Pour quoi faire ?

— Je passe mes journées dans une malle, et mes nuits, enchaînée à un piquet. Avoir un peu de compagnie me ferait du bien. C'est tout…

— Je suis une Sœur de l'Obscurité !

— Et moi, une Sœur de la Lumière. Pourtant, tu m'as apporté à manger.

— Parce qu'on me l'avait ordonné.

— Bien sûr… Tu es plus honnête que les Sœurs de la Lumière, même si le reconnaître me brise le cœur… (Anna tira sur ses chaînes, se tortilla et parvint à tourner le dos à sa visiteuse.) Désolée de t'avoir fait perdre ton temps. Jagang doit être pressé que tu retournes t'allonger sous ses soudards.

Un long silence s'ensuivit. Dehors, les soldats buvaient, jouaient aux dés et riaient. Des odeurs de cuisine pénétraient dans la tente, mais Anna, et c'était déjà ça, n'était plus torturée par son estomac. Alessandra avait vraiment un don pour la cuisine.

Anna entendit une femme crier dans le lointain. Puis éclater d'un rire gras…

Une des catins qui suivaient la troupe, sans doute. Parfois, les cris exprimaient une authentique terreur. À ces moments-là, le front ruisselant de sueur, Anna se demandait ce qu'on pouvait bien infliger à ces malheureuses.

— Je peux rester quelques minutes, dit Alessandra en se rasseyant.

Anna se retourna vers la sœur.

— J'en suis ravie, mon enfant. Du fond du cœur…

Alessandra aida la Dame Abbesse à adopter une position un peu plus confortable. Puis, en silence, elles écoutèrent un moment le vacarme étouffé du camp.

— J'ai entendu dire que la tente de Jagang était magnifique, souffla enfin Anna.

— C'est vrai. Comme s'il se faisait construire chaque soir un palais. Cela dit, je n'aime pas beaucoup y être invitée.

— Après avoir vu l'empereur, je ne peux pas t'en blâmer. Sais-tu où nous allons ?

— Non. Mais ici ou là, quelle différence ça fait ? Nous sommes des esclaves au service de Son Excellence.

Entendant du désespoir dans la voix de sa compagne, Anna décida de lui mettre un peu de baume au cœur.

— Tu sais, il ne peut pas s'introduire dans mon esprit…

Alessandra fronça les sourcils de perplexité.

S'engouffrant dans la brèche, la Dame Abbesse lui parla de son lien avec le seigneur Rahl, qui la mettait hors d'atteinte de Jagang. Elle prit garde à présenter cela comme une confidence, afin que ça n'ait pas l'air d'une proposition directe. Du coup, Alessandra écouta sans s'énerver.

— Pour l'instant, la magie de Richard ne me protège pas, conclut Anna. Mais comme celle de Jagang n'agit pas non plus, je reste immunisée. (Elle eut un petit rire.) Sauf quand il devient celui qui marche dans ma tente, bien sûr !

Alessandra s'esclaffa de cette plaisanterie.

La Dame Abbesse se contorsionna pour réussir à croiser les jambes malgré ses chaînes. Lorsque ce fut fait, elle reprit :

— Quand les Carillons retourneront chez ton maître, dans le royaume des morts, le lien sera réactivé, et Jagang ne pourra toujours pas me contrôler. Dans toute cette affaire, c'est ma seule consolation : mon esprit est à l'abri de l'empereur.

Alessandra n'émit pas de commentaires.

— Toi aussi, tu dois être soulagée qu'il ne fasse pas irruption dans ta tête…

— On ne sait jamais s'il est là ou non. Sauf quand il veut manifester sa présence, bien entendu. De toute façon, vous racontez n'importe quoi, Dame Abbesse ! Celui qui marche dans les rêves doit être dans mon esprit, et il nous espionne.

Alessandra dévisagea Anna comme si elle attendait qu'elle la contredise.

— Réfléchis à ce que je t'ai dit, mon enfant… Oui, réfléchis-y…

La Sœur de l'Obscurité reprit le bol et se leva.

— Il faut que je parte.

— Merci de ta visite, Alessandra. Et pour ce délicieux repas. J'ai beaucoup apprécié que tu restes un moment avec moi. Comme au bon vieux temps…

La Sœur de l'Obscurité hocha la tête et sortit.

Chapitre 50

Bien que ce ne fût pas très visible à l'œil nu, la plaine qui se déroulait à l'infini devant la Dominie Dirtch de Beata était un peu plus surélevée et plate que le terrain qui s'étendait sur les deux flancs de l'arme magique. On y progressait donc plus facilement, surtout à cheval, et davantage encore quand il avait plu à verse. Car les deux parties légèrement vallonnées, à droite et à gauche, devenaient alors très glissantes.

À cause de la configuration du terrain, surtout par mauvais temps, les voyageurs franchissaient en général la frontière en passant par le point de contrôle que commandait la jeune Hakenne.

Même si le trafic n'était pas très intense, Beata enfin avait l'occasion d'assumer d'importantes responsabilités. Pour être honnête, devoir juger les gens, puis les laisser passer ou les refouler, ne lui déplaisait pas. Et dès qu'elle avait un doute, elle dirigeait les visiteurs vers un poste frontalier de la garde, où ils auraient affaire à des interlocuteurs aguerris et peu commodes.

Avoir du pouvoir était agréable. Désormais, Beata n'était plus exclusivement vouée à obéir.

Filtrer les voyageurs avait un autre avantage. C'était une occasion de parler à des gens venus de lointains pays, ou au minimum de découvrir leurs tenues, parfois des plus étranges. En principe, les groupes supérieurs à deux ou trois personnes étaient rares. Mais tous ces étrangers devaient s'en remettre à la jeune Hakenne pour passer.

Ce matin, alors que le soleil brillait dans le ciel débarrassé des nuages de la veille, les choses étaient très différentes. Une petite armée approchait, et ses intentions n'avaient peut-être rien d'amical.

— Carine, ordonna Beata, prépare-toi à utiliser le marteau.

La Hakenne regarda sa supérieure, le front plissé.

— Vous êtes sûre, chef ?

Affligée d'une mauvaise vue, Carine avait du mal à identifier tout ce qui se trouvait à plus d'une trentaine de pas d'elle. Et la troupe qui approchait se découpait encore très loin à l'horizon.

Jusque-là, Beata n'avait jamais donné un tel ordre quand des voyageurs apparaissaient dans la plaine. À l'exercice, ses soldats et elle répétaient tous les jours les gestes requis en cas d'attaque. Mais ils n'avaient jamais été confrontés à une menace potentielle.

Quand Beata s'absentait pour converser avec les autres chefs de poste, les sentinelles avaient la responsabilité d'agir en cas de danger. Lorsqu'elle était là, tout dépendait d'elle. C'était cela, être un chef.

Depuis l'atroce accident, elle avait fait ajouter une barre de fixation supplémentaire au support du marteau. Bien que la cloche ait sonné toute seule, cette précaution lui avait paru judicieuse. Ainsi, elle avait le sentiment de mieux contrôler les choses. Même si c'était une illusion, ça ne faisait pas de mal, et ses soldats l'en respectaient davantage…

En réalité, personne ne savait pourquoi les Dominie Dirtch avaient sonné.

— Oui, j'en suis sûre, répondit Beata en essuyant ses paumes moites sur ses hanches.

Avec un peu d'expérience, il devenait facile d'identifier les voyageurs inoffensifs. En général, il s'agissait de colporteurs dont les chariots regorgeaient d'exotiques merveilles. Parfois, c'étaient des nomades du Pays Sauvage venus faire du troc avec les soldats postés le long de la frontière. Et ceux-là, Beata ne les laissait jamais passer.

À part quelques riches marchands, aisément reconnaissables à leurs beaux atours, la jeune Hakenne n'avait pas vu grand monde d'autre défiler devant elle.

Oh, il y avait bien eu quelques détachements de la garde anderienne, pressés de rentrer au pays après de lointaines patrouilles. Mais là, Beata n'avait pas son mot à dire…

La garde était indépendante de l'armée régulière. Exclusivement composée d'hommes, cette unité d'élite se concentrait sur les missions dangereuses ou au minimum très délicates. Les soldats réguliers, comme Beata, n'avaient aucune autorité sur les membres de la garde – même quand ils leur étaient supérieurs en grade.

Un jour, la jeune Hakenne avait voulu ordonner à un détachement de s'arrêter. Bien que le capitaine l'eût prévenue que ces hommes-là disposaient d'un droit de passage illimité, elle avait eu simplement envie de leur parler et, en toute camaraderie, de leur demander s'ils avaient besoin de quelque chose.

La colonne n'avait même pas ralenti. Et son chef avait simplement ricané en passant devant Beata.

La petite armée qui approchait n'appartenait pas à la garde anderienne. Cette certitude exceptée, la jeune Hakenne ignorait ce qui l'attendait…

Une main en visière, elle constata que les centaines de cavaliers en uniforme noir s'étaient pour le moment arrêtés.

Même de loin, ces guerriers vous glaçaient les sangs !

Jetant un coup d'œil sur sa droite, Beata vit que Carine s'apprêtait à abattre le marteau sur la Dominie Dirtch. Annette avait aussi saisi le manche pour aider sa camarade.

— Je n'ai pas donné d'ordre ! cria Beata. Vous êtes devenues folles ? Posez-moi ça !

— Sergent, dit Annette, il y a des centaines de soldats, et ils ne sont pas des nôtres...

— Tu ne vois pas le drapeau blanc, soldat ? Serais-tu aveugle ?

— Sergent, ce ne sont pas des militaires anderiens. Ils n'ont rien à faire ici !

— Tu ne sais même pas ce qu'ils veulent !

Terrorisée à l'idée que deux idiotes aient failli provoquer un massacre, Beata lâcha la bonde à sa colère.

— Imbéciles ! Nous ne savons pas qui sont ces soldats ! Vous auriez pu tuer des centaines d'innocents !

» Mais ça vous coûtera cher ! Je double votre tour de garde de nuit pendant une semaine ! Et si vous recommencez, le capitaine en entendra parler, à notre retour !

Annette baissa la tête. Désorientée, Carine salua Beata. La punition était sévère, et elle semblait ne pas savoir comment la prendre...

Beata aurait incendié tout membre de sa section coupable d'une telle erreur. Mais en secret, elle se réjouissait d'avoir dû sanctionner deux Hakennes, et pas un des Anderiens...

Dans le lointain, un cavalier avançait en agitant son drapeau blanc.

Beata ignorait jusqu'à quelle distance les Dominie Dirtch pulvérisaient leurs cibles. Si elle n'avait pas arrêté les deux crétines, les inconnus auraient peut-être été trop loin pour en souffrir. Mais après l'atroce fin de Turner, il n'était plus question que les Dominie Dirtch frappent quiconque – à part bien entendu des envahisseurs.

Un autre cavalier accompagnait le porteur du drapeau, et deux personnes marchaient à côté des chevaux. Les étrangers respectaient strictement le protocole d'approche, et c'était bon signe. Quand un groupe important voulait franchir la frontière, quelques émissaires devaient avancer en brandissant un drapeau blanc. Les autres voyageurs attendaient à bonne distance, et se remettaient en route uniquement quand on le leur indiquait...

Laisser approcher quelques personnes n'était jamais risqué. Les Dominie Dirtch tuaient tout ce qui se trouvait devant elles, même à moins d'un pas. Dans ce sens-là, la distance ne comptait pas. Le nombre non plus, d'ailleurs, mais pourquoi risquer un massacre, en cas d'erreur ? Comme l'avait prouvé la mort de Turner, un accident n'était jamais à exclure.

À présent, Beata distinguait mieux les quatre inconnus. Il s'agissait de deux couples. Un à cheval, et l'autre à pied...

... Et la femme qui chevauchait portait une robe blanche.

Quand Beata l'identifia, son cœur fit un bond dans sa poitrine.

— Vous voyez, maintenant ? lança-t-elle à Carine et Annette. Si je ne vous avais pas arrêtées, vous imaginez les conséquences ?

Les deux Hakennes, bouche bée, semblaient ne pas en croire leurs yeux. À l'idée de ce qui avait failli arriver, Beata crut un moment que ses jambes allaient se dérober sous elle.

— Alors, cria-t-elle, vous allez me poser ce marteau ? Et n'approchez plus de la Dominie Dirtch ! C'est compris ?

Les deux Hakennes saluèrent leur chef, qui se détourna et dévala les marches si vite qu'elle faillit s'étaler.

Beata n'avait jamais envisagé qu'une chose pareille lui arrive. Elle allait rencontrer la Mère Inquisitrice !

Le reste de la section accourait déjà, pour mieux voir la femme en robe blanche qui serait bientôt à portée de voix. Un homme vêtu de noir chevauchait près d'elle, mais c'était à peine si les soldats lui accordaient un regard.

Consciente de ses responsabilités, Beata se força à observer les autres émissaires. La femme à pied était enceinte, et son compagnon, qui marchait sur le flanc gauche de la Mère Inquisitrice, portait une tunique large des plus quelconques. Une épée battait son flanc, mais il ne semblait pas avoir l'intention de la dégainer.

Le cavalier vêtu de noir était autrement impressionnant, surtout avec la cape couleur or qui voletait dans son dos. Le souffle coupé par la vision de ce guerrier, Beata se demanda si ce n'était pas l'homme qui devait, disait-on, épouser la Mère Inquisitrice. Le seigneur Rahl, si sa mémoire ne la trompait pas.

En tout cas, il avait l'allure d'un seigneur, et la jeune Hakenne n'avait jamais posé les yeux sur un homme d'une telle prestance.

— Descendez de là ! cria-t-elle aux deux Hakennes toujours perchées sur la plate-forme.

Les sentinelles dévalèrent les marches, et Beata leur ordonna de se mettre en rang avec leurs camarades. Le caporal Marie Fauvel, Estelle Ruffin et Emmeline vinrent se placer à la droite de leur sergent. Annette et Carine prirent position sur sa gauche, avec Norris, Karl et Bryce. Au garde-à-vous, la section regarda approcher les visiteurs.

Quand la Mère Inquisitrice mit pied à terre, tous les soldats, y compris Beata, tombèrent à genoux et inclinèrent la tête. Avant d'avoir les yeux rivés sur le sol, la jeune Hakenne eut le temps d'apercevoir la superbe robe blanche et la magnifique crinière de la dirigeante suprême des Contrées. De sa vie, elle n'avait jamais vu une chevelure aussi longue. Même les grandes dames qu'elle avait parfois entrevues dans la cour du ministère de la Civilisation ne la laissaient pas cascader ainsi jusqu'à leurs reins. Et pour quelqu'un qui connaissait exclusivement les cheveux noir foncé des Anderiens ou les tignasses rousses des Hakens, ceux de la Mère Inquisitrice, d'un brun beaucoup plus clair, semblaient briller au soleil comme l'aura d'un esprit du bien.

Terrifiée à la seule idée de croiser le regard de cette légende vivante, Beata se félicita d'avoir baissé la tête. Sans l'angoisse révérencielle qui l'avait submergée, elle aurait fixé la Mère Inquisitrice, les yeux ronds d'émerveillement. Une attitude qui n'aurait sûrement pas été appréciée…

Depuis qu'elle était haute comme trois pommes, la jeune Hakenne entendait de fabuleux récits sur les pouvoirs de la Mère Inquisitrice. À ce qu'on disait, d'un seul regard, elle pouvait transformer en statue de pierre quiconque lui manquait de respect ou avait le malheur de lui déplaire. Et ce n'était pas, affirmait-on, le pire sortilège qu'elle pouvait lancer…

Prise de panique, Beata eut l'impression d'étouffer. Que fichait-elle donc là, face à la femme la plus puissante des Contrées ? Une misérable Hakenne avait-elle seulement le droit de respirer le même air que la Mère Inquisitrice ?

— Relevez-vous, mes enfants, dit une voix mélodieuse pleine de bonté.

L'entendre suffit à apaiser une bonne partie des angoisses de Beata. Elle n'aurait jamais imaginé que la Mère Inquisitrice parlait ainsi, comme... eh bien, comme une femme normale. Sa voix, s'était-elle toujours dit, devait ressembler à celle d'un esprit hurlant de fureur derrière le voile qui l'emprisonnait dans le royaume des morts.

La jeune Hakenne se releva. Ses soldats l'imitèrent, mais gardèrent comme elle la tête baissée.

Beata ignorait totalement comment elle devait se comporter. Qui aurait eu l'idée saugrenue de donner à une employée de boucherie des cours de bonnes manières ? Avec les quartiers de viande, les ronds de jambe n'étaient pas de mise...

— Qui commande ce poste ? demanda la Mère Inquisitrice.

Son ton restait bienveillant, mais avec une touche d'autorité sereine qu'il était impossible de ne pas remarquer. À première vue, elle n'avait pas l'intention de foudroyer sur pied les jeunes soldats, et c'était déjà ça.

Sans relever les yeux, Beata fit un pas en avant.

— C'est moi, Mère Inquisitrice.

— Et à qui ai-je l'honneur ?

Le cœur battant la chamade, Beata ordonna à ses membres de cesser de trembler. Mais ils ne lui obéirent pas.

— Je suis le sergent Beata, Mère Inquisitrice. Et votre humble servante...

La jeune Hakenne manqua s'évanouir quand elle sentit une main lui saisir le menton et lui relever la tête.

Lorsque les yeux verts de la Mère Inquisitrice plongèrent dans les siens, Beata eut la certitude qu'elle avait en face d'elle l'incarnation d'un esprit du bien, pas une simple mortelle.

Bizarrement, cela fit remonter en flèche sa terreur.

— Ravie de te connaître, sergent Beata. (La Mère Inquisitrice désigna la femme debout sur sa gauche.) Je te présente Du Chaillu, une amie. Et Jiaan, un autre ami. (Elle posa une main sur l'épaule du géant vêtu de noir.) Et voici le seigneur Rahl, mon époux.

Beata osa enfin regarder le grand guerrier. Lui aussi souriait gentiment. C'était la première fois qu'elle voyait des personnes aussi importantes la dévisager avec autant de bienveillance. Sans nul doute, elle le devait à son entrée dans l'armée, qui effaçait un peu sa souillure originelle...

— Sergent Beata, puis-je monter sur la plate-forme et jeter un coup d'œil à la Dominie Dirtch ? demanda le seigneur Rahl.

— Euh... Bien entendu, seigneur... je... ce... Eh bien, vous la montrer sera un bonheur pour moi. Enfin, je voulais dire « un honneur ». Oui, j'en serai très honorée...

— Sergent, intervint la Mère Inquisitrice, coupant à point nommé les lamentables bafouillis de la jeune Hakenne, nos hommes peuvent-ils approcher ?

Beata s'inclina bien bas.

— Désolée, Mère Inquisitrice, je n'ai pas... Évidemment, qu'ils peuvent venir ! J'aurais dû y penser plus tôt, mais... Si vous le voulez bien, je vais m'en occuper...

Dès que la femme en blanc eut acquiescé, Beata guida le seigneur Rahl vers la plate-forme. En chemin, elle s'avisa qu'elle avait oublié de souhaiter la bienvenue en Anderith à ses nobles visiteurs. Bon sang, quelle imbécile elle était !

Quand elle eut gravi les marches, le seigneur Rahl sur les talons, elle prit la corne de brume et signala à tous les autres postes des environs qu'il n'y avait pas de danger. Puis elle se tourna vers les soldats qui attendaient très loin dans la plaine et émit une longue note pour leur indiquer qu'ils pouvaient approcher en toute sécurité.

Enfin, la jeune Hakenne se plaqua contre la rambarde et se tourna vers le seigneur Rahl. La seule présence de cet homme suffisait à lui couper le souffle. Elle n'avait jamais eu une telle réaction, y compris face au ministre de la Civilisation – avant qu'il lui ait fait du mal, bien entendu.

La taille, les larges épaules, les yeux gris perçants et la tenue noire du seigneur n'expliquaient pas tout. Il y avait en lui quelque chose d'intangible qui inspirait le respect et la crainte.

Contrairement aux dirigeants d'Anderith, comme le ministre de la Civilisation ou Dalton Campbell, cet homme ne prenait pas de grands airs, et il ne cherchait pas à impressionner les petites gens. Mais il y avait en lui une noblesse et une détermination qui les pétrifiaient d'admiration craintive. En même temps, il semblait… dangereux.

Mortellement dangereux, même.

Très beau, d'allure bienveillante, il ne cherchait pas à jouer de cette caractéristique. Mais on aurait juré que ses yeux gris, quand il était furieux, avaient le pouvoir de faire fondre sur place l'ennemi qu'ils fixaient.

À présent, Beata comprenait pourquoi cet homme était le mari de la Mère Inquisitrice. Il avait tout pour relever un tel défi, et cela se voyait au premier regard.

La femme enceinte – celle qui portait une étrange robe où pendaient des bandes de tissu multicolores – s'était engagée sur les marches. Son regard vif ne manquait aucun détail, Beata en aurait mis sa tête à couper !

Avec leurs cheveux noirs, la future mère et son compagnon auraient pu être des Anderiens. Mais il y avait en eux une noblesse naturelle – et sauvage – très différente de l'attitude toujours un peu hautaine qu'adoptaient les maîtres du pays.

— Voici une Dominie Dirtch, seigneur Rahl, dit Beata.

Elle aurait voulu appeler la femme par son nom, en signe de respect, mais il était déjà sorti de sa mémoire, comme si elle ne l'avait jamais entendu.

Le seigneur Rahl examina attentivement l'arme en forme de cloche.

— Les Dominie Dirtch ont été fabriquées il y a des millénaires par les Hakens, précisa Beata. À l'époque, ils s'en servaient pour massacrer les Anderiens. Aujourd'hui, elles sont là uniquement pour préserver la paix.

Les mains dans le dos, le seigneur Rahl continua son inspection. Sous son regard d'acier, la Dominie Dirtch parut prendre vie, comme un soldat qui tremble d'effroi lorsqu'un officier s'arrête devant lui et l'étudie jusqu'au dernier bouton de culotte. Un instant, Beata crut qu'il allait parler à l'arme de pierre – et elle se demanda même si celle-ci ne risquait pas de lui répondre !

— Votre version des faits ne vous paraît pas illogique, sergent ? demanda soudain le seigneur Rahl.

— Pardon, messire ?

— Ce sont bien les Hakens qui ont envahi Anderith ?

Sous le regard perçant du guerrier, Beata dut lutter pour parvenir à répondre. Et sa voix étranglée lui parut parfaitement ridicule.

— Oui, seigneur.

— Et vous pensez qu'ils transportaient les Dominie Dirtch sur leur dos ?

Beata sentit que ses genoux recommençaient à trembler. Elle aurait donné cher pour que le seigneur Rahl, renonçant à l'interroger, parte sur-le-champ pour Fairfield, où des gens importants et éduqués sauraient lui répondre.

— Eh bien, je ne sais pas trop, seigneur…

— Il est évident que personne n'a transporté ces armes jusqu'ici, sergent. Elles sont bien trop lourdes. Et il y en a beaucoup trop ! Avec l'aide de la magie, on les a construites ici, et elles n'ont pas bougé depuis.

— Mais les bouchers hakens, quand ils ont envahi…

— Les Dominie Dirtch sont orientées vers la plaine, sergent Beata. Pas en direction d'Anderith. Ce sont des armes défensives !

— Mais on nous a appris que…

— On vous a menti ! lança le seigneur Rahl, qui semblait très mécontent de ce qu'il venait de découvrir. Ces armes n'ont aucune vocation offensive, c'est évident ! (Il regarda à droite et à gauche, étudiant la configuration des trois postes.) Elles forment une ligne de défense, et leur action est coordonnée. Rien à voir avec la logistique dont auraient besoin des envahisseurs.

Au ton désolé du seigneur Rahl, Beata comprit qu'il ne cherchait pas à l'offenser. Il énonçait simplement à voix haute les conclusions auxquelles il était arrivé.

— Mais les Hakens…, croassa Beata.

Trop impressionnée, elle n'osa pas aller plus loin. Le seigneur Rahl, très patient, attendit qu'elle ait remis de l'ordre dans ses idées et retrouvé un peu de courage.

— Seigneur, je ne suis pas une personne cultivée, mais une Hakenne malfaisante par nature. Veuillez m'excuser de ne pas être assez éduquée pour pouvoir répondre à vos questions.

— Sergent Beata, il est inutile d'avoir fait de hautes études pour voir ce qui crève les yeux ! Fiez-vous à votre bon sens, ce sera amplement suffisant !

Beata resta muette. Cette conversation la dépassait. Devant elle se tenait un homme si puissant qu'il pouvait, avec ses pouvoirs magiques, transformer le jour en nuit. Il ne dirigeait pas un seul pays, comme le ministre de la Civilisation ou le pontife, mais le mystérieux empire d'haran. Et on racontait que les Contrées du Milieu seraient bientôt entièrement soumises à sa volonté.

Il était aussi l'époux de la Mère Inquisitrice. Et à voir comment elle le regardait, on ne pouvait douter qu'elle l'aimait et le respectait.

— Tu devrais l'écouter, sergent Beata, dit la femme enceinte. Car le seigneur Rahl est aussi le Sourcier de Vérité.

Stupéfaite, Beata s'empressa de parler avant que la peur lui coupe tous ses moyens.

— Seigneur, c'est donc l'Épée de Vérité que vous portez ?

L'arme du guerrier semblait pourtant des plus ordinaires. Glissée dans un fourreau de cuir noir, elle avait une garde banale enveloppée de cuir, comme celle de tous les escrimeurs expérimentés.

Le seigneur Rahl baissa les yeux, tira la lame de son fourreau puis la laissa retomber.

— Cette arme-là n'est pas l'Épée de Vérité. Pour le moment, je ne l'ai pas avec moi...

Beata n'eut pas le cran de demander pourquoi. Mais elle aurait tellement aimé voir l'épée magique ! Une petite revanche sur Fitch, qui en rêvait et n'en aurait sûrement pas l'occasion. Mais depuis qu'elle était dans l'armée, chargée de veiller sur les Dominie Dirtch, elle s'était bien plus élevée qu'il ne le ferait jamais avec son bel uniforme de messager.

De nouveau tourné vers la cloche de pierre, le seigneur Rahl semblait avoir oublié jusqu'à l'existence de Beata et de la femme enceinte.

Soudain, il tendit une main vers la Dominie Dirtch.

— Mon époux, dit la femme en lui prenant le poignet, ne fais pas ça ! Cette arme est...

— ... Maléfique, acheva le seigneur en se retournant vers sa compagne.

— Tu le sens aussi ?

Le seigneur Rahl se contenta de hocher la tête.

« Bien entendu que les Dominie Dirtch sont maléfiques, aurait voulu crier Beata. Comme toutes les inventions des Hakens ! »

Elle se retint d'intervenir, stupéfaite par ce qu'elle venait d'entendre. La femme enceinte venait de dire « mon époux ». Et la Mère Inquisitrice, quelques minutes plus tôt, avait présenté le Sourcier comme son mari...

Voyant que ses soldats approchaient, le seigneur se dirigea vers les marches et les descendit deux à deux. La femme jeta un dernier coup d'œil à la Dominie Dirtch, puis elle le suivit.

— Votre époux ? ne put s'empêcher de souffler Beata sur son passage.

— Oui, je suis la femme du seigneur Rahl, le *Caharin* et le Sourcier de Vérité.

— Mais la Mère Inquisitrice a dit...

— Elle ne mentait pas, elle est aussi son épouse.

— Vous... Toutes les deux ?

— C'est un homme important, dit nonchalamment la future mère en descendant les marches. Dans sa position, on peut avoir plusieurs épouses. (Elle s'arrêta et se retourna.) Il n'y a pas si longtemps, j'avais cinq maris !

Les yeux écarquillés, Beata regarda son étrange interlocutrice s'éloigner d'un pas décidé.

Le roulement de sabots de la colonne en approche devenait assourdissant. La jeune Hakenne n'avait jamais vu des soldats à l'air si féroce. Heureusement, l'armée l'avait correctement formée. Grâce à son entraînement, lui avait dit le capitaine Tolbert, elle serait à même de défendre Anderith contre toutes les menaces, mêmes venues de tels guerriers...

— Sergent Beata ! appela le seigneur Rahl.

Beata courut vers la rambarde, devant la Dominie Dirtch.

Alors qu'il se dirigeait vers son cheval, le Sourcier s'était arrêté et retourné. La Mère Inquisitrice, elle, avait déjà un pied dans l'étrier de sa selle.

— Oui, seigneur ?

— Vous avez fait sonner cette « cloche », il y a environ une semaine ?

— Non, seigneur.

— Merci, sergent.

Le grand guerrier fit mine de reprendre son chemin.

— Mais elle a sonné toute seule...

Le seigneur Rahl s'immobilisa et la femme enceinte se retourna comme si quelqu'un venait de lui flanquer une claque sur la croupe. La Mère Inquisitrice se laissa retomber sur le sol...

Beata descendit de la plate-forme pour ne pas avoir à crier à tue-tête les détails de l'abominable accident.

Tous les membres de sa section avaient reculé très loin de la Dominie Dirtch. Sans doute parce qu'ils avaient peur de côtoyer de si grands personnages. Et parce qu'ils craignaient, dans leur stupidité, que la Mère Inquisitrice les réduise en cendres d'un seul regard. Beata avait eu cette réaction, mais elle avait su se ressaisir. Enfin, jusqu'à un certain point...

Le seigneur Rahl fit signe à ses soldats d'avancer. Il leur ordonna de se dépêcher, afin qu'ils soient à l'abri s'il prenait de nouveau l'envie aux armes de frapper sans raison.

Alors que des centaines d'hommes galopaient alentour, il cria à ses deux compagnes de passer derrière la plate-forme de pierre.

Quand elles furent en sécurité, il prit Beata par les épaules et la tira gentiment hors du rayon d'action de la Dominie Dirtch.

Désorientée et effrayée, la jeune Hakenne se mit au garde-à-vous.

— Que s'est-il passé ? demanda le seigneur Rahl à voix basse, comme s'il redoutait qu'un éclat incite la cloche de pierre à sonner de nouveau.

La Mère Inquisitrice vint se placer sur sa droite, et son autre épouse sur sa gauche.

— Je n'en sais rien, seigneur... Un de mes hommes, Turner, était en reconnaissance quand c'est arrivé. Le son était horrible, et le pauvre Turner...

Beata ne put retenir ses larmes. Même si montrer des signes de faiblesse devant de si hauts personnages la répugnait, elle était incapable de se contrôler.

— C'était en fin d'après-midi ? demanda le seigneur Rahl.

— Oui. Mais comment le savez-vous ?

Cette question resta sans réponse.

— Elles ont toutes sonné ? Pas seulement celle-là, n'est-ce pas ? Mais sur l'entière ligne de défense !

— Oui, seigneur. Personne ne sait pourquoi. Des officiers sont venus enquêter, mais ils n'ont rien trouvé.

— Vous avez eu beaucoup de pertes ?

— Turner, et beaucoup d'autres, sur tous les postes, d'après ce qu'on m'a dit. Et aussi des marchands et des voyageurs... Tous les gens qui étaient devant les Dominie Dirtch à ce moment-là sont morts. C'était affreux... Une fin atroce !

— Nous comprenons, dit la Mère Inquisitrice. Et nous partageons ton chagrin, pour Turner.

— Et personne ne sait pourquoi ça s'est passé ? insista le seigneur Rahl.

— Non. En tout cas, on n'a pas jugé bon de nous le dire. J'ai parlé au chef des deux autres sections de mon secteur, et ils ne sont pas plus avancés que moi. Je doute que les enquêteurs aient découvert quelque chose, parce qu'ils nous ont interrogés pour essayer de résoudre l'énigme.

Plongé dans ses pensées, le seigneur Rahl hocha distraitement la tête. Alors que la brise faisait voler sa cape, la Mère Inquisitrice et la femme enceinte écartèrent les mèches de cheveux qui leur tombaient devant les yeux.

— Et pour garder ce poste, il n'y a que vous, sergent, et cette poignée de... hum... soldats ?

Beata leva les yeux vers la Dominie Dirtch.

— Seigneur, il suffit d'une seule personne pour activer l'arme.

Le regard du Sourcier s'attarda un instant sur les jeunes recrues commandées par Beata.

— Oui, je vois... Merci de votre aide, sergent.

La Mère Inquisitrice et le seigneur Rahl montèrent en selle. La femme enceinte et les quelques guerriers à pied les suivirent.

— Sergent Beata, lança le Sourcier en se retournant à demi, j'ai encore une question. Vous pensez que la Mère Inquisitrice et moi sommes inférieurs aux Anderiens ? Nous jugez-vous « maléfiques » ?

— Bien sûr que non, seigneur ! Seuls les Hakens sont souillés de naissance ! Nous ne serons jamais aussi bons que les Anderiens ! Nos âmes sont corrompues, alors que les leurs ignorent le mal. La rédemption est hors de portée. Avec des efforts, nous pouvons simplement contrôler notre perversité héréditaire.

Le seigneur Rahl eut un sourire mélancolique.

— Beata, aucun enfant du Créateur ne naît mauvais, car Il est incapable de donner à un être une âme déjà souillée. Les Hakens sont aussi doués pour le bien que n'importe qui. Et les Anderiens peuvent se laisser séduire par le mal.

— Seigneur, ce n'est pas ce qu'on m'a enseigné.

Le cheval du Sourcier piaffa, impatient de rejoindre les autres. D'une simple caresse sur la tête, son cavalier le calma.

— Comme je l'ai déjà dit, on vous a menti. Vous valez autant que n'importe qui, sergent Beata, y compris un Anderien. Notre but ultime, dans ce combat, est d'assurer que tous les êtres humains aient des chances égales.

» Soyez prudente avec la Dominie Dirtch, mon amie...

Beata se mit de nouveau au garde-à-vous.

— Ne vous inquiétez pas, seigneur, je garderai l'œil ouvert.

Le Sourcier chercha le regard de Beata et se tapa du point sur le cœur pour lui rendre son salut.

Puis il partit au galop.

En le regardant s'éloigner, la jeune Hakenne comprit qu'elle venait de vivre l'expérience la plus excitante de sa vie : parler avec la Mère Inquisitrice et le seigneur Rahl.

Et il en resterait sûrement ainsi jusqu'à la fin de ses jours !

Chapitre 51

Bertrand Chanboor leva les yeux quand Dalton entra dans son bureau. Hildemara était là aussi, debout devant le splendide bureau du ministre. Campbell croisa un bref instant le regard de dame Chanboor. La voir ici l'étonnait un peu, mais la crise était sûrement assez grave pour qu'elle déroge à ses habitudes.

— Alors ? demanda Bertrand.

— Mes agents confirment ce qu'on nous a raconté. Et ce sont des témoignages *de visu*.

— Nos… visiteurs… ont des soldats ? s'enquit Hildemara. Cette partie de l'histoire est également vraie ?

— Oui. Au minimum un millier d'hommes…

Très énervée, dame Chanboor pianota sur le bureau de son mari.

— Et les crétins qui gardent la frontière les ont laissés passer ?

— Ma chère, rappela Bertrand, nous avons tout fait pour que l'armée soit incompétente. Et grâce à cette stratégie, les soldats laissent aussi entrer et sortir nos prétendus « gardes d'élite » en mission spéciale.

— Les sections postées à la frontière n'ont pas commis d'erreur, renchérit Dalton. Comment refuser le passage à la Mère Inquisitrice ? Et l'homme qui l'accompagne est sans nul doute le seigneur Rahl.

Fou de rage, le ministre lança son précieux porte-plume, qui rebondit sur le sol et explosa en mille morceaux.

Pour se calmer, le futur pontife alla prendre l'air à la fenêtre.

— Pour l'amour du Créateur, Bertrand, contrôle-toi ! s'écria Hildemara.

Le ministre se retourna, empourpré jusqu'aux oreilles, et braqua un index menaçant sur sa femme.

— Cette visite de la Mère Inquisitrice peut tout gâcher ! Voilà des années que nous préparons ça ! Un temps fou passé à tisser des relations, à ensemencer des sillons, à arracher les mauvaises herbes ! Et alors que sonne l'heure de la récolte, cette femme vient nous·mettre des bâtons dans les roues ! En plus, elle amène son bâtard de D'Haran !

Hildemara croisa les bras.

— Tout le monde sait que brailler comme un cochon qu'on égorge résout tous les problèmes ! Bertrand, tu as parfois aussi peu de sens commun qu'un ivrogne invétéré !

— Ça t'étonne, avec l'épouse que j'ai ? Une mégère tout juste bonne à pousser un homme à la boisson !

Les dents serrées, Bertrand se préparait à une des longues et violentes disputes qui pimentaient la vie « conjugale » du couple Chanboor. Toutes griffes dehors, Hildemara semblait décidée à ne pas céder un pouce de terrain.

Dans ces moments-là, Dalton aurait tout aussi bien pu faire partie des meubles. Le plus souvent, il assistait au spectacle avec une discrète jubilation. Aujourd'hui, il n'était pas d'humeur à attendre que les Chanboor aient fini de s'étriper. Il avait des décisions à prendre, des ordres à donner et des pions essentiels à placer sur les bonnes cases de l'échiquier.

Il se demanda si Franca avait retrouvé son pouvoir. Ces derniers jours, il l'avait à peine vue, et elle semblait… perturbée. De plus, elle avait passé une partie de son temps à la bibliothèque, et ce n'était pas son genre d'habitude… L'avoir à ses côtés en ce moment serait précieux – si elle disposait de toutes ses compétences.

— La Mère Inquisitrice et le seigneur Rahl ne traînent pas en chemin, dit Dalton avant que le couple ministériel n'en vienne aux mains. Mes agents sont arrivés ici avec très peu d'avance sur eux. Une heure ou deux, au maximum. Nous devons être prêts !

À contrecœur, Bertrand alla se rasseoir. Puis il croisa les mains sur son écritoire.

— Vous avez raison, Dalton. Le plus urgent est d'envoyer Stein et ses hommes quelque part où la Mère Inquisitrice ne risquera pas de les rencontrer. Il serait catastrophique de…

— Cette affaire-là est réglée, coupa Dalton. Certains de nos invités sont allés visiter nos entrepôts de grain, et d'autres s'occupent de recenser les voies de communication stratégiques d'Anderith.

— Parfait, approuva Bertrand.

— Nous avons travaillé depuis trop longtemps pour tout perdre maintenant, grogna Hildemara. Cela dit, si nous parvenons à ne pas finir la tête sur le billot, je ne vois pas pourquoi notre plan devrait échouer…

Bertrand approuva du chef. Plongé dans une profonde réflexion, il s'était calmé presque instantanément. Cet homme avait l'étrange aptitude de passer de la fureur au sourire en quelques secondes. Au début, Campbell en avait été quelque peu déstabilisé.

— Dalton, demanda le ministre, à quelle distance d'Anderith est l'Ordre Impérial ?

— Encore assez loin, hélas. Les « gardes anderiens » de Stein qui sont arrivés avant-hier estiment que la colonne ne sera pas là avant un mois. Et peut-être un peu plus…

— Dans ce cas, fit Bertrand, soulagé, il nous suffira de faire lambiner la Mère Inquisitrice et son seigneur Rahl ! Je doute qu'ils restent plus de deux ou trois jours…

Hildemara posa les mains sur le bureau et se pencha vers son mari.

— Les faire « lambiner », comme tu dis, ne sera pas facile. Ils exigeront une réponse, Bertrand ! Il y a un moment qu'ils ont énoncé leurs conditions à nos émissaires, en Aydindril. Et tu sais comment ils présentent les choses : se joindre à l'empire d'haran, ou s'exposer à une conquête et perdre le pouvoir dans notre propre pays !

— Si nous n'acceptons pas, dit Dalton, pour une fois d'accord avec Hildemara, ils nous attaqueront. Un pays sans valeur stratégique ne risquerait rien, mais Anderith est un royaume trop important pour qu'ils le laissent en paix.

— Des forces d'haranes considérables ne sont pas très loin d'ici, ajouta Hildemara. Le seigneur Rahl n'est pas un homme à prendre à la légère, Bertrand. D'autres pays sont tombés entre ses mains ou lui ont juré fidélité : Jara, Galea, Herjborgue, Grennidon, Kelton... L'armée d'harane est déjà très puissante. Avec de tels alliés, elle semble presque invincible.

— Mais toutes ces troupes sont éparpillées, souligna Bertrand, étrangement serein. L'Ordre les écrasera, c'est certain. Et les Dominie Dirtch ne laisseront passer aucun envahisseur.

Dalton jugea utile de doucher le bel enthousiasme du ministre.

— D'après mes sources d'informations, le seigneur Rahl est un sorcier très puissant. De plus, il porte le titre de Sourcier de Vérité. Un homme pareil pourrait venir à bout des Dominie Dirtch.

— D'autant plus que la Mère Inquisitrice et lui, renchérit Hildemara, ont déjà franchi notre frontière avec un millier d'hommes. S'ils exigent notre reddition, nous perdrons nos postes, c'est évident. Et l'Ordre Impérial arrivera trop tard. Bertrand, nous avons travaillé trop dur pour que tout nous échappe maintenant !

Le ministre sourit à sa femme.

— C'est bien pour ça, très chère, que nous devons faire avaler des couleuvres à la Mère Inquisitrice !

En tête de la colonne, Richard et Kahlan chevauchaient vers le domaine du ministère de la Civilisation. Derrière eux, les armes des soldats d'harans reflétaient les dernières lueurs du soleil, qui aurait sombré à l'horizon dans moins d'une heure. Mais ils seraient arrivés avant...

Tout en écartant de sa peau sa chemise d'harane trempée de sueur, Richard suivait les évolutions dans le ciel d'un corbeau qui tournait au-dessus de sa tête depuis un moment en croassant d'abondance, comme aimaient le faire ces oiseaux.

La journée avait été chaude et humide. Afin que leurs tenues officielles soient impeccables quand ils en auraient besoin, la Mère Inquisitrice et le Sourcier avaient emprunté deux uniformes de rechange aux soldats.

Richard jeta un coup d'œil par-dessus son épaule et tressaillit quand Du Chaillu le foudroya du regard. Pour aller plus vite, il avait contraint la femme-esprit et ses guerriers à chevaucher. Les Baka Tau Mana détestant ce moyen de transport, Du Chaillu, en d'autres circonstances, aurait catégoriquement refusé. Mais elle n'avait pas eu le choix, consciente que le Sourcier la laisserait en arrière si elle s'obstinait.

Cara ayant eu du mal à trouver les forces du général Reibisch, Richard, Kahlan et les Baka Tau Mana avaient dû continuer à pied plus longtemps que prévu. Sur un terrain détrempé par les averses printanières, ils n'avaient pas couvert une grande distance quand leur escorte était enfin arrivée.

Pour ne rien arranger, Du Chaillu les avait beaucoup ralentis, même si ce n'était pas volontaire. Avec l'enfant qu'elle portait dans son ventre – à cause de Richard, ne manquait-elle jamais de rappeler – chevaucher lui semblait particulièrement dangereux. Et le Sourcier n'avait pas pu lui donner tort…

Cela dit, elle lui imposait sa compagnie, et ça le décomplexait un peu. Après que la colonne d'harane les eut rejoints avec des vivres et des chevaux, la femme-esprit avait refusé de rentrer chez elle, comme il était convenu depuis le début.

À son crédit, il fallait admettre qu'elle ne s'était jamais plainte des difficultés du voyage. Mais depuis qu'elle était perchée sur une selle contre sa volonté, son humeur avait viré au maussade…

D'abord très réticente au sujet de la femme-esprit, qu'elle aurait préféré savoir à des milliers de lieues de son mari, Kahlan avait changé d'avis depuis que Richard était tombé de cheval en hurlant de douleur. Selon l'Inquisitrice, Du Chaillu lui avait tout simplement sauvé la vie. Si reconnaissant qu'il fût à la Baka Tau Mana, le Sourcier doutait que son intervention soit allée jusque-là.

Sans savoir vraiment ce qui était arrivé, il avait une certitude depuis sa conversation avec le sergent Beata : sa « crise » et l'étrange comportement des Dominie Dirtch étaient nécessairement liés. D'autant plus que les deux événements s'étaient produits au même moment…

Du Chaillu n'était pas de taille à avoir une influence sur des phénomènes pareils. Tout cela la dépassait, et Richard lui-même n'y comprenait rien…

Depuis la frontière, il refusait de ralentir, même pour ménager l'enfant à naître de la femme-esprit. Après avoir vu les armes de pierre – et senti à quel point elles étaient dangereuses – la Baka Tau Mana semblait mieux comprendre pourquoi le Sourcier était si pressé.

Dès qu'il aperçut une colonne de poussière, devant eux, Richard leva le bras pour ordonner une halte.

Un cavalier approchait au galop.

— On vient nous accueillir, dit Kahlan.

— Nous sommes loin du ministère de la Civilisation ? demanda Richard.

— Non, moins d'un quart de lieue…

Les deux jeunes gens mirent pied à terre, confièrent la bride de leurs chevaux à un soldat et allèrent à la rencontre du cavalier. D'un geste discret, Richard fit comprendre aux D'Harans qu'il ne voulait pas de protection rapprochée, cette fois.

L'homme tira sur les rênes de sa monture, sauta à terre avant qu'elle se soit tout à fait arrêtée et s'agenouilla. Dès que Kahlan lui eut donné sa bénédiction, il se releva et salua Richard en inclinant sa tête rousse.

— Seigneur Rahl ?

— Lui-même, oui…

— Je m'appelle Rowley. Le ministre de la Civilisation m'envoie vous saluer. Il est fou de joie que la Mère Inquisitrice et vous honoriez de votre présence l'humble peuple d'Anderith.

— Je n'en doute pas…, marmonna Richard.

— Merci beaucoup, Rowley, dit Kahlan en flanquant un coup de coude dans les côtes de son mari, le pire diplomate qu'elle eût connu. Il nous faudra un endroit où dresser le camp de nos hommes...

— Bien entendu, Mère Inquisitrice ! Le ministre m'a chargé de vous dire qu'ils peuvent s'installer dans le domaine, si cela vous convient.

Richard détesta d'emblée cette idée. Pas question que ses soldats soient coincés ainsi ! Il voulait les avoir près de lui, mais en mesure d'établir une position défensive, le cas échéant. Malgré ce qu'en pensait Kahlan, il estimait être sur un territoire potentiellement hostile.

— Et pourquoi pas là ? proposa-t-il en désignant un grand champ de blé. Bien entendu, nous paierons au propriétaire la récolte qu'il aura perdue.

— Si c'est votre bon plaisir, seigneur Rahl..., dit Rowley. Le ministre tient à vous laisser choisir. Ce terrain est public, et ce qui y pousse ne manquera à personne.

» Dès que vos hommes seront cantonnés, le ministre Chanboor tient à vous inviter à dîner. Il est impatient de vous voir, ainsi que la Mère Inquisitrice.

— Nous ne..., commença Richard.

Ce qui lui valut un nouveau coup de coude...

— Nous acceptons cette invitation avec joie, dit Kahlan. Mais nous sommes fatigués par le voyage, le ministre s'en doute sûrement. S'il prévoyait un repas assez court, pas plus de trois services, nous lui serions très reconnaissants.

Surpris par cette requête, Rowley promit pourtant de la transmettre.

Dès que le messager fut parti, Du Chaillu rejoignit les deux jeunes gens.

— Tu as besoin de prendre un bain, dit-elle à Richard. Jiaan a vu un étang, pas très loin d'ici. Viens avec moi !

Kahlan fronça les sourcils.

— En général, ajouta Du Chaillu, il faut que j'insiste ! Il est si timide quand nous nous baignons ensemble ! Si tu le voyais rougir quand il se déshabille... Et pourtant, il m'ordonne d'enlever mes vêtements !

— Vraiment ? grogna Kahlan.

— Amusant, non ? Tu aimes aussi prendre un bain avec lui ? Je crois qu'être tout nu dans l'eau avec des femmes lui plaît beaucoup.

Furieuse d'avoir dû chevaucher, comprit Richard, Du Chaillu entendait lui rendre la monnaie de sa pièce.

— Que signifie cette histoire de femmes et d'eau, Richard ? demanda Kahlan, outragée.

Le Sourcier décida de contre-attaquer subtilement.

— Tu veux venir avec nous ? Ça pourrait être très amusant. (Il fit un clin d'œil à Kahlan et prit le bras de la femme-esprit.) Allons-y, mon *épouse* ! Nous commencerons, et Kahlan nous rejoindra peut-être plus tard.

Du Chaillu se dégagea, dépassée par sa propre – mauvaise – plaisanterie.

— Non, je ne veux pas m'approcher de l'eau !

Dans les yeux de la Baka Tau Mana, Richard lut une authentique terreur.

À l'évidence, elle n'avait aucune envie que les Carillons la noient une seconde fois.

Chapitre 52

Richard soupira d'agacement en balayant les convives du regard. Le ministre appelait ça un « dîner intime » ! Devant la surprise de son mari, Kahlan lui avait soufflé qu'une soixantaine d'invités, en Anderith, était effectivement une marque d'intimité.

Alors qu'il les observait, la plupart des hommes détournèrent le regard, à l'inverse de leurs compagnes. À les voir battre des cils à son attention, Richard se félicita que Kahlan ne soit pas d'un naturel possessif.

L'histoire du bain n'avait pas vraiment éveillé sa jalousie, parce qu'elle avait compris que Du Chaillu cherchait à le mettre dans l'embarras. Il serait pourtant judicieux, pensa-t-il, qu'il lui explique les raisons de son unique – et platonique – bain avec la Baka Tau Mana.

Trop de monde se pressant autour d'eux, ils n'avaient plus le temps de parler. Même quand ils allaient se coucher, les maîtres de la lame et les soldats d'harans veillaient sur eux comme des mères poules. Cette façon de vivre n'avait rien d'intime, et encore moins de romantique. Par moment, à force de ne jamais la voir en tête à tête, Richard oubliait que Kahlan et lui étaient mariés.

Mais l'enjeu en valait la chandelle ! Des gens mouraient à cause des Carillons, et ce combat passait avant leur vie privée.

Assis près de son épouse, Richard s'autorisa à l'admirer un peu. Aussitôt, il repensa à leur fantastique nuit de noces, des semaines plus tôt, dans la maison des esprits. Cette évocation fit danser dans sa tête des images qu'il n'oublierait jamais. Kahlan, nue dans ses bras, d'une telle beauté que…

— Le ministre t'a posé une question, Richard…, murmura soudain l'Inquisitrice.

— Pardon ?

— Bertrand Chanboor t'a posé une question !

— Désolé, mais j'avais l'esprit ailleurs, dit le Sourcier en se tournant vers son hôte. Je pensais à des problèmes stratégiques vitaux…

— C'est tout naturel, seigneur Rahl, pour un homme tel que vous. Je me demandais simplement où vous aviez grandi.

Un souvenir depuis longtemps occulté remonta à la mémoire de Richard. Enfant, il adorait lutter pour s'amuser avec son frère aîné – Michael, en réalité son demi-frère. Une époque si joyeuse, et tellement insouciante…

— Eh bien, ministre, partout où on pouvait se battre !

Bertrand Chanboor faillit en tomber à court de repartie.

— Je… il… Vous avez dû avoir un bon professeur, je suppose ?

Devenu adulte, Michael avait trahi Richard au profit de Darken Rahl. À cause de lui, beaucoup d'innocents étaient morts.

— Oui, répondit Richard alors que le visage de Michael se superposait à celui de Chanboor. Un très bon professeur ! L'hiver dernier, j'ai dû le faire décapiter.

Le ministre blêmit.

Richard se tourna vers Kahlan.

— Très bonne réplique, souffla-t-elle en se tamponnant les lèvres avec sa serviette, pour que personne n'entende.

Malgré le brouhaha des conversations et la musique de la harpiste, on n'était jamais assez prudent.

Assise sur la gauche de Kahlan, dame Chanboor n'avait pas réagi à la déclaration de Richard. Une remarquable manifestation de contrôle de soi. Placé à la droite du ministre, Dalton Campbell s'était rembruni. Sa femme, une beauté nommée Teresa, n'avait pas dû entendre la saillie du seigneur Rahl. Quand son mari la lui répéta à l'oreille, elle écarquilla les yeux – davantage d'excitation que d'horreur.

Avant le dîner, Kahlan avait donné quelques conseils au Sourcier. Face à de si hauts dirigeants, ivres de pouvoir, l'intimidation avait de meilleures chances de fonctionner que la bienveillance et la courtoisie.

Un morceau de viande de bœuf à la main, le ministre le trempa dans une sauce rouge sang. Brandissant sa nourriture comme un sceptre, il posa une question censée détendre un peu l'atmosphère :

— Vous n'aimez pas la viande, seigneur Rahl ?

Horripilé par la longueur de ce service, Richard décida de répondre avec la plus parfaite sincérité.

— Je suis un sorcier de guerre, ministre Chanboor. Comme mon père, Darken Rahl, je ne consomme pas de chair morte. (Il marqua une pause pour s'assurer que tout le monde écoutait.) Les sorciers doivent maintenir un équilibre parfait entre tous leurs actes. Ne pas manger de viande est une compensation pour les nombreux hommes que j'ai tués.

La harpiste en manqua une note, et les convives en eurent le souffle coupé.

Richard s'engouffra dans la brèche.

— Je suis certain, ministre, qu'on vous a communiqué la proposition que j'ai faite aux membres des Contrées du Milieu. Les conditions sont équitables pour tous. Si vous nous rejoignez, vous serez les bienvenus. Si vous vous opposez à nous… Eh bien, nous devrons conquérir Anderith, et les termes de votre reddition, après un conflit, seront bien plus durs.

— On me l'a dit…, souffla le ministre.

— Savez-vous que je soutiens le seigneur Rahl ? demanda Kahlan. À mes yeux, tous les royaumes devraient se rallier à lui.

— Mère Inquisitrice, on m'a informé de votre position, et apprenez que tout le monde, en Anderith, accorde une valeur inestimable à votre avis.

— Dois-je comprendre que vous allez prêter allégeance au seigneur Rahl ?

— Hélas, Mère Inquisitrice, ce n'est pas si simple.

— Très bien ! lança Richard. (Il commença à se lever.) Je vais donc aller parler au pontife.

— C'est impossible ! s'écria Dalton Campbell.

— En quel honneur ? demanda Richard en se rasseyant.

— Le pontife, expliqua Chanboor, est gravement malade. Il doit garder le lit, et on ne m'a pas autorisé à lui rendre visite. Selon sa femme et ses guérisseurs, le pauvre n'est pas en état de parler. Ni même de comprendre ce qu'on lui dit, car il est le plus souvent inconscient.

— Je suis désolée, dit Kahlan. Nous ne savions pas…

— Nous serions ravis de vous conduire à lui, Mère Inquisitrice, fit Dalton Campbell avec une sincère tristesse, mais il n'est plus en mesure de donner son avis…

La harpiste joua un air plus complexe et vibrant d'émotion, comme si elle voulait souligner l'intensité du moment.

— Alors, vous devrez décider sans lui, lâcha Richard. L'Ordre Impérial fond déjà sur le Nouveau Monde. Pour lui résister, nous avons besoin de tous les authentiques défenseurs de la liberté.

— Seigneur, dit Bertrand Chanboor, je veux qu'Anderith combatte à vos côtés. J'y suis résolu, comme notre peuple, j'en suis sûr, et…

— Parfait ! coupa Richard. Dans ce cas, tout est réglé.

— Hélas, non… Malgré ma volonté, celle de mon épouse et les conseils avisés de Dalton Campbell, la décision ne peut pas être prise ainsi.

— Les directeurs ? demanda Kahlan. Nous irons leur parler dès que possible.

— Ils sont effectivement concernés, répondit le ministre, mais il n'y a pas qu'eux. Dans un cas pareil, nous devons consulter d'autres personnes.

— Qui donc ? demanda Richard, dérouté.

Chanboor se radossa à son siège et fit le tour de la salle du regard avant de tourner la tête vers le Sourcier.

— Le peuple d'Anderith.

— Le ministre de la Civilisation parle au nom du peuple ! lança Kahlan, soudain très énervée. Ce que vous direz aura force de loi.

— Mère Inquisitrice, seigneur Rahl, vous exigez une reddition totale. Je ne peux pas prendre seul une telle responsabilité. Car il s'agit d'abdiquer notre souveraineté.

— Exactement ! grogna Richard.

— Vous voulez, seigneur, que notre peuple renonce à son identité pour ne plus faire qu'un avec le vôtre. Mesurez-vous ce que ça représente ? Il s'agit d'abandonner notre indépendance *et* notre culture !

» Ne comprenez-vous pas ? Nous cesserons d'être nous-mêmes ! Face à une civilisation plusieurs fois millénaire, vous vous dressez pour exiger qu'un peuple jette aux orties son histoire. Pensez-vous qu'il est facile d'oublier son héritage, ses coutumes et sa culture ?

Richard pianota sur la table en regardant les convives dîner avec enthousiasme. Ces gens ignoraient que leur destin se jouait devant eux, à la table d'honneur…

— Vous vous méprenez, ministre Chanboor, dit-il. Nous n'avons aucune intention de détruire votre culture… (Il se pencha vers Bertrand.) Cela dit, si ce que j'ai entendu est vrai, certaines… particularités… de votre société ne serons plus autorisées. Chez nous, tous les gens sont égaux en droits.

» Si vous vous pliez à ce précepte, nous n'interviendrons pas sur les autres aspects de votre « civilisation ».

— Oui, mais…

— Cette affaire est essentielle pour la liberté de centaines de milliers de gens, partout dans le Nouveau Monde. Le risque étant trop grand, nous vous envahirons si vous ne vous soumettez pas. Après votre défaite, vous n'aurez plus votre mot à dire sur la loi commune, et nous vous imposerons des dommages de guerre qui handicaperont votre économie pendant des décennies. (Alarmé par la flamme qui brûlait dans les yeux de Richard, le ministre recula autant qu'il le pouvait sans renverser son siège.) Mais votre sort sera pire encore si l'Ordre Impérial arrive le premier. Jagang vous écrasera, ministre Chanboor ! Il massacrera les Anderiens, et les rares survivants seront réduits en esclavage !

— L'Ordre Impérial a exigé la reddition d'Ebinissia, intervint Kahlan, la voix étrangement lointaine. J'ai vu ce qu'ont subi ces malheureux, après avoir refusé de capituler. Les bouchers de l'Ordre ont tué les hommes, les femmes et les enfants de la cité. Jusqu'au dernier ! Il n'y a pas eu un survivant.

— Pour attaquer Anderith, il faudrait…

— Plus de cinquante mille soudards de l'Ordre ont perpétré cette abomination, coupa Kahlan. J'étais à la tête des soldats qui les ont châtiés. À la fin de la campagne, plus un seul n'était de ce monde. (L'Inquisitrice se pencha vers le ministre.) Certains de ces hommes ont imploré pitié. Mais je m'étais engagée à ne pas faire montre de clémence. J'entends écraser l'Ordre et tous ceux qui se rangent dans son camp. Nous avons exécuté les bouchers, ministre Chanboor, sans exception !

Cette déclaration réduisit tous les convives au silence. L'épouse de Dalton Campbell, blanche comme une morte, semblait avoir envie de se lever et de fuir…

— Votre seule chance de salut, dit Richard, est de rallier notre camp. Ensemble, nous serons assez puissants pour repousser l'Ordre Impérial et garantir l'intégrité et la prospérité du Nouveau Monde.

Bertrand Chanboor attendit quelques secondes avant de répondre.

— Seigneur, si ça ne tenait qu'à moi, nous nous joindrions à vous. Ma femme partage cette position, et Dalton Campbell aussi. L'ennui, c'est que l'empereur Jagang a fait au peuple d'Anderith de généreuses propositions qui…

Kahlan se leva d'un bond.

— Quoi ? Vous avez négocié avec ces assassins ?

Aux autres tables, certains invités cessèrent de converser pour écouter ce que disaient le ministre et ses invités d'honneur. Quelques convives, avait remarqué Richard, n'avaient pas quitté des yeux la table principale depuis le début du repas.

Pour la première fois, Bertrand Chanboor parla avec une parfaite assurance :

— Seigneur Rahl, quand un pays est menacé par deux forces antagonistes auxquelles il n'a rien fait, le devoir de ses dirigeants est d'écouter les émissaires de chaque camp. Nous ne voulons pas la guerre, on nous l'impose ! Sommes-nous coupables parce que nous désirons connaître les options possibles ? Vous ne pouvez pas nous accuser de vouloir en savoir plus sur le choix qui s'offre à nous.

— La liberté ou l'esclavage, dit Richard en se levant à son tour.

Le ministre l'imita.

— En Anderith, écouter ce que les gens ont à dire n'est pas tenu pour un crime. Et nous ne pratiquons pas la guerre préventive ! L'Ordre Impérial nous a demandé de ne pas prêter l'oreille à vos propos. Pourtant, vous êtes là ce soir…

Richard posa la main sur la garde de son épée. Un instant, il s'étonna de ne pas sentir sous sa paume les lettres en relief du mot « Vérité ». Puis il se souvint qu'il ne portait pas son arme habituelle…

— Quels mensonges vous a racontés l'Ordre, ministre ?

— Qu'importe, puisque nous préférons votre proposition ?

Chanboor invita courtoisement ses deux invités à se rasseoir. À contrecœur, ils reprirent place sur leurs sièges.

— Ministre, il faut que les choses soient claires : quoi que vous vouliez, vous ne l'obtiendrez pas ! Alors, ne prenez pas la peine de nous soumettre une liste de conditions. Comme nous l'avons dit à vos émissaires, en Aydindril, le marché est le même pour tous les pays. Par souci d'équité, il n'y aura pas d'exception ni de « clauses particulières ».

— Nous n'en demandons pas, seigneur, répondit Bertrand Chanboor.

Sentant que Kahlan lui tapotait le dos, Richard comprit qu'elle lui conseillait de se calmer un peu. Bien entendu, elle avait raison. Il devait réfléchir, pas se contenter de réagir, sinon, ils n'arriveraient à rien.

— Ministre Chanboor, auriez-vous l'obligeance de me dire pourquoi vous ne pouvez pas prendre de décision ?

— Eh bien, si j'étais seul à…

— Quel est votre problème, ministre ? demanda Richard, à deux doigts d'exploser malgré le rappel au calme de sa femme.

Ses hommes étaient à un quart de lieue du domaine. Pour des soldats d'élite d'harans, la garde du palais ne serait pas un obstacle…

Cette solution lui déplaisait, mais il n'hésiterait pas à y recourir si nécessaire. Pas question que Chanboor, volontairement ou non, l'empêche de s'opposer à l'avancée de l'Ordre !

Tous les convives étaient pétrifiés, comme s'ils lisaient les sombres pensées de Richard dans ses yeux.

— Seigneur, dit le ministre, toute la population d'Anderith est concernée. Comme l'Ordre Impérial, vous nous demandez de renoncer à notre indépendance. Bien sûr, avec vous, nous pourrions conserver en partie notre identité, mais je ne puis, en conscience, imposer cela à mon peuple. Bref, c'est à lui de décider !

— Que voulez-vous dire ? demanda Richard.

— Le peuple choisira son destin, parce qu'il n'est pas juste qu'il en soit autrement !

Richard leva une main, mais il la laissa vite retomber sur la table.

— Et comment comptez-vous vous y prendre ?

— En organisant un scrutin, seigneur Rahl.

— Quoi ? s'écria Kahlan.

— Un scrutin, oui. Où chacun pourra exprimer son opinion.

— Non, dit Kahlan, catégorique.

— Mère Inquisitrice, à vous entendre, l'enjeu est la liberté de notre peuple. Et vous refuseriez que je lui permette de l'exercer ?

— C'est non, répéta Kahlan.

Tous les convives de la table d'honneur semblaient stupéfaits. Les yeux exorbités, dame Chanboor paraissait ne pas en croire ses oreilles. Très raide, Dalton Campbell avait la bouche légèrement entrouverte. Sa femme, les sourcils arqués, donnait l'impression de ne plus rien y comprendre. À l'évidence, personne n'avait été informé des intentions du ministre – qui ne soulevaient aucun enthousiasme, à première vue.

— Non, dit une nouvelle fois Kahlan.

— Dans ce cas, comment voulez-vous que mon peuple croie en votre sincérité quand vous parlez de liberté ? Si votre désir de nous aider est sincère, pourquoi redoutez-vous que les gens usent du droit de déterminer librement leur avenir ? Si l'Ordre Impérial est aussi malfaisant que vous le dites, le peuple s'en apercevra, et il votera massivement pour une alliance avec l'empire d'haran. Auriez-vous des réticences instinctives dès qu'il est question de démocratie, Mère Inquisitrice ?

— Kahlan, dit Richard, il n'a pas tout à fait tort.

— Non ! cria l'Inquisitrice.

Aucun invité de marque ne broncha, conscient que le sort d'une nation se jouerait dans les quelques minutes à venir.

Richard prit le bras de sa femme et se tourna vers le ministre.

— Si vous voulez bien nous excuser, nous devons parler en privé…

Le Sourcier entraîna Kahlan loin de la table d'honneur. S'arrêtant à côté d'une fenêtre, il jeta un coup d'œil dehors pour s'assurer que personne ne rôdait dans la cour.

Dans l'énorme salle à manger, les convives des autres tables continuaient à se régaler en bavardant et en riant.

— Kahlan, je ne vois pas pourquoi…

— Non, non et non ! Quelle partie de cette réponse ne comprends-tu pas ?

— Celle qui me révélerait tes motivations…

— Richard, cette idée me révulse, c'est tout ! Je la trouve terriblement dangereuse.

— Tu sais que je me fie à toi sur ces sujets, mais…

— Dans ce cas, continue à me faire confiance ! C'est non !

— D'accord, mais je voudrais en savoir plus sur ce qui motive ton refus. Le ministre tient un discours raisonnable. Si nous proposons à un peuple de se joindre au combat pour la liberté, n'est-il pas normal de le laisser décider *librement* ? Tu sais bien que la liberté ne s'impose pas à des gens qui n'en veulent pas !

— Je ne peux pas expliquer ma réaction, Richard ! C'est vrai, la position du ministre paraît juste, et je comprends le raisonnement qui la sous-tend. J'admets même qu'un scrutin serait adapté à la situation. (Kahlan saisit le poignet de son mari et le serra très fort.) Mais mon instinct me crie de refuser, et je dois l'écouter ! Et toi aussi ! Ma réaction est tellement forte ! Ne la néglige pas !

Richard tenta d'imaginer comment ils justifieraient leur fin de non-recevoir. Il eut d'autant plus de mal que l'idée d'un vote le séduisait de plus en plus, et pas seulement parce qu'il était indispensable qu'Anderith ne se range pas du côté de l'Ordre.

— Kahlan, en matière de politique, je n'ai pas le centième de ton expérience. Au fond, je ne suis qu'un guide forestier... Mais il me faut plus d'explications que ton « instinct ».

— Je n'en ai pas d'autres, Richard ! Je connais les dirigeants d'Anderith, et je sais à quel point ils sont arrogants et retors. Bertrand Chanboor se fiche de ce que pense son peuple ! Sa femme et lui se soucient exclusivement d'eux-mêmes, tu peux me croire ! Quelque chose ne colle pas dans cette histoire...

Richard caressa la joue de sa femme.

— Kahlan, je t'aime, et je te fais confiance. Mais il s'agit de l'avenir d'un peuple ! Bertrand Chanboor ne décidera pas seul, et c'est déjà ça de gagné. Si nous sommes vraiment le camp de la justice et de la liberté, pourquoi le peuple d'Anderith nous rejetterait-il ? Au contraire, ne défendra-t-il pas plus ardemment notre cause s'il l'a décidé de lui-même ?

» Trouves-tu logique de demander à ces gens de renoncer à leur culture, et de leur refuser le droit de choisir ? Au nom de quoi les élites seraient-elles les seules à prendre des décisions ? Et si Chanboor, en réalité, préférait Jagang ? Ne voudrais-tu pas que la population ait une chance de s'opposer à son chef et d'opter pour la liberté ?

Kahlan se passa une main dans les cheveux. Pour la première fois depuis que Richard la connaissait, elle semblait avoir du mal à trouver ses mots.

— Je... En t'écoutant, je suis intellectuellement convaincue que tu as raison. Mais mon instinct se révolte toujours ! Et si Chanboor trichait ? S'il intimidait les électeurs ? Comment le saurions-nous ? Qui s'assurera que le peuple exprimera vraiment sa volonté ? Et qui vérifiera le compte des voix ?

— Eh bien, nous pourrions imposer des conditions, afin de contrôler les opérations.

— Quelles conditions ?

— Nous sommes venus avec mille hommes. Pourquoi ne pas les envoyer surveiller le scrutin partout en Anderith ? Il suffirait que chaque électeur exprime son opinion sur un bulletin, en faisant par exemple un cercle pour se rallier à nous, et une croix pour refuser. Nos hommes conserveraient ces bulletins, puis ils vérifieraient le dépouillement. Ainsi, nous serions sûrs qu'il n'y a pas de tricherie.

— Mais comment tes « électeurs » mesureront-ils l'importance de l'enjeu ?

— Nous les y aiderons ! Anderith n'est pas un très grand pays. Il suffira d'aller partout, et de présenter notre façon de voir les choses. Si nous détenons vraiment la vérité, les gens s'en apercevront, j'en suis certain !

— Peut-être, oui... Mais combien de temps cela prendra-t-il ? Selon nos éclaireurs, l'Ordre sera ici dans moins de six semaines.

— Un mois suffira ! Quatre semaines d'explications, puis le peuple votera...

Nous aurons eu largement le temps de sillonner le pays. Après le scrutin, quand nous l'aurons gagné, nous ferons venir notre armée et nous utiliserons les Dominie Dirtch pour arrêter Jagang.

— Richard, je n'aime toujours pas ça...

— Très bien ! L'armée du général Reibisch est en chemin, et elle arrivera avant celle de Jagang. Nous avons dit au général de rester au nord, sans se faire remarquer, mais nous avons assez d'hommes pour nous emparer des Dominie Dirtch et renverser le gouvernement anderien. D'après ce que j'ai vu de l'armée locale, ça devrait être un jeu d'enfant.

— J'ai remarqué aussi, dit Kahlan, pensive. Et je ne comprends pas ! Je suis déjà venue ici, et l'armée était impressionnante. Les soldats que nous avons vus sortaient à peine de l'adolescence...

Richard jeta un coup d'œil dehors. Avec la lumière qui jaillissait de toutes les fenêtres ouvertes, le paysage était assez éclairé pour qu'on puisse juger de sa beauté. Anderith semblait être un pays où il faisait bon vivre...

— Des gamins mal entraînés, confirma le Sourcier. C'est absurde ! Mais comme disait le sergent Beata, il suffit d'une personne pour activer une Dominie Dirtch !

» Les Anderiens estiment peut-être inutile de supporter les frais afférents à une armée puissante alors qu'il suffit de quelques soldats pour se charger des Dominie Dirtch. Tu sais ce que coûte l'entretien d'une troupe, n'est-ce pas ? C'est en partie pour ça que Jagang se dirige vers Anderith...

» Le ministre Chanboor est peut-être soucieux de faire des économies...

— C'est possible... Mais le ministère de la Civilisation s'appuie depuis toujours sur des fonds extérieurs fournis par des financiers ou des marchands. Même pour un pays riche, entretenir une armée est ruineux. Cela dit, pour la laisser se détériorer à ce point, il faut avoir d'autres raisons...

— Alors, ta décision ? demanda Richard. Un vote, ou un coup d'État ?

— Je suis toujours contre le scrutin.

— Tu sais que l'autre solution fera des victimes. On ne renverse pas un gouvernement sans verser de sang. Qui sait si nos hommes ne devront pas tuer des soldats comme le sergent Beata ? Gamins ou pas, ils résisteront, tu t'en doutes, et ce sera un massacre. Mais les Dominie Dirtch ont une importance capitale, et nous devons les contrôler, si nous voulons être rejoints par les forces de Reibisch.

— Richard, la magie disparaît...

— Peut-être, mais ces cloches ont sonné il y a une semaine, et il y a eu des morts. Nous ne pouvons pas parier sur leur défaillance...

» Le choix est simple : attaquer ou adopter la proposition du ministre. Si ça tournait mal, nous aurions toujours la possibilité d'utiliser la force. Considérant l'importance de l'enjeu, je ne reculerai pas devant un conflit armé. Trop de vies innocentes sont en danger.

— C'est vrai, il nous resterait une solution de rechange...

— Il y a encore un point, et c'est peut-être le plus important.

— Lequel ?

— Les Carillons... C'est pour ça que nous sommes venus, au cas où tu l'aurais oublié. Le scrutin nous laissera le temps de régler ce problème !

— Comment ? demanda l'Inquisitrice, dubitative.

— Nous devons conduire des recherches à la bibliothèque. Si nous trouvons un moyen de vaincre les Carillons – comme Joseph Ander par le passé – nous agirons avant qu'il soit trop tard pour sauver la magie. Tu te souviens de ce qui risque d'arriver si les papillons-gambit disparaissent ? Pour ne citer qu'un exemple…

— Bien sûr que oui !

— Sans parler de ton pouvoir, du mien, de celui de Du Chaillu et de tout le reste ! Sans la magie, Jagang deviendra plus dangereux encore. Et nous serons aussi impuissants que des enfants… Il n'y a rien de plus périlleux qu'un monde sans magie !

» En restant ici un mois, nous aurons une chance de trouver des informations vitales sur les Carillons. Et sillonner le pays pour convaincre les électeurs sera une couverture idéale ! Selon moi, il serait risqué d'informer ces gens que la magie n'est plus active. Mieux vaut les laisser dans l'ignorance.

» Kahlan, les Carillons sont l'enjeu le plus important ! Je suis pour le scrutin, parce qu'il nous laissera le temps de chercher une solution.

— J'ai toujours des doutes, mais puisque tu veux essayer… (L'Inquisitrice se pinça la base du nez entre le pouce et l'index.) Si on m'avait dit que je donnerais un jour mon aval à une telle aberration ! Richard, je veux bien me fier à ton jugement. Après tout, tu es le seigneur Rahl.

— Mais j'ai besoin de tes conseils.

— Tu es aussi le Sourcier !

— Sans son épée, ne l'oublie pas…, rappela Richard avec un sourire que Kahlan lui rendit.

— Nous sommes ici à cause de toi. Si tu veux procéder ainsi, je te suivrai, mais je n'aime toujours pas ça. Pourtant, tu as raison : les Carillons sont la véritable urgence ! Et nous aurons plus de temps pour chercher une solution.

Heureux d'avoir arraché l'accord de sa compagne, Richard continua pourtant à s'inquiéter, parce qu'il accordait une grande valeur à l'instinct de la Mère Inquisitrice…

Il proposa son bras à Kahlan, qui l'accepta avec un sourire. Ensemble, ils retournèrent jusqu'à la table d'honneur.

Dès qu'ils les virent, le ministre, sa femme et Dalton Campbell se levèrent.

— Nous avons des conditions, annonça à brûle-pourpoint Richard.

— Lesquelles ? demanda Bertrand Chanboor.

— Nos hommes surveilleront le scrutin, pour s'assurer qu'il n'y a pas de tricherie. Tous les citoyens devront voter en même temps, afin que nul ne puisse exprimer plusieurs fois son opinion. Ils se réuniront dans les villes et les villages, et inscriront sur un bulletin un cercle ou une croix, selon qu'ils voudront lutter avec nous pour la liberté ou s'exposer à la tyrannie. Nos hommes assisteront au dépouillement et nous signaleront les éventuelles irrégularités.

— Des suggestions excellentes, seigneur Rahl, dit le ministre. Je les accepte en bloc.

Richard se pencha vers Chanboor.

— Encore une chose…

— Oui ?

— Tous les citoyens voteront, qu'ils soient anderiens ou hakens. Les Hakens sont les enfants de ce pays, comme les Anderiens, et leur destin est également en jeu. Si ce scrutin a lieu, nul n'en sera exclu !

Dame Chanboor et Dalton Campbell échangèrent un regard inquiet.

— Quelle bonne idée ! s'exclama Bertrand. Bien entendu, tout le monde s'exprimera. Marché conclu !

Chapitre 53

— **B**ertrand, s'exclama Hildemara, plus blanche qu'une morte, les hommes de Jagang t'écorcheront vif ! Et je me régalerais du spectacle, si tu ne m'avais pas condamnée à subir le même sort !

Le ministre eut un geste nonchalant.

— Tu dis n'importe quoi, très chère ! L'empereur me félicitera d'avoir coincé ici la Mère Inquisitrice et le seigneur Rahl.

Bien que cela lui déplût souverainement, Dalton fut une nouvelle fois d'accord avec l'épouse du ministre. Malgré ses nombreux défauts, cette femme était douée pour la stratégie. Et dans le cas qui les occupait, il ne faisait pas de doute que le peuple – et surtout les Hakens – choisirait de conserver une partie de sa liberté avec l'empire d'haran, plutôt que de subir la tyrannie de l'Ordre Impérial.

Cela dit, pour avoir l'air aussi satisfait, Bertrand devait garder quelques atouts dans sa manche. Quand il s'agissait de tactique, cet homme savait faire montre d'une logique imparable et il ne se laissait jamais influencer par ses émotions. Bertrand sautait uniquement quand le gouffre qu'il voulait franchir ne lui semblait pas trop large. Qu'il ait envie ou non d'être de l'autre côté n'entrait pas en ligne de compte.

De son expérience de juriste, Dalton avait tiré un enseignement précieux : faire perdre du temps à un adversaire se révélait souvent le meilleur moyen d'avoir l'occasion de l'étriper. Mais aujourd'hui, il espérait que Chanboor n'avait pas opté pour une arme qui se retournerait contre leurs propres ventres…

— Bertrand, dit-il, je ne suis pas certain que la manœuvre soit judicieuse. Retarder le seigneur Rahl est une excellente chose, mais pas si cela lui permet de monter notre peuple contre l'Ordre Impérial. Si le vote lui est favorable, nous ne pourrons pas tenir la parole donnée à l'empereur. Une guerre sera inévitable, et nous serons emportés par la tourmente.

— Jagang nous exécutera, renchérit Hildemara, pour montrer ce qui attend tous ceux qui trahiront sa confiance.

Bertrand but une gorgée de rhum. Après avoir posé sur une petite table le gobelet d'argent qu'il avait fait remplir avant de quitter la salle à manger, il savoura un long moment l'alcool puis l'avala.

— Ma douce épouse et mon fidèle assistant, ne voyez-vous pas ce que mon plan a de génial ? Nous bloquerons ici la Mère Inquisitrice et le seigneur Rahl. Quand l'Ordre arrivera, ils seront pris au piège sans espoir de s'en sortir. Vous imaginez la gratitude de Jagang, quand nous lui livrerons sur un plateau d'argent ses deux pires ennemis ?

— Et comment accomplirons-nous cet exploit ? demanda Hildemara.

— Cette affaire de vote durera un mois, soit assez de temps pour que l'avant-garde de Jagang arrive et s'empare des Dominie Dirtch. Les forces de Rahl seront alors incapables de franchir la frontière pour voler à son secours. Jagang deviendra invincible, et il aura obtenu ce qu'il voulait : un pays débordant de richesse dont la population sera contrainte de trimer pour lui. Satisfait, il nous récompensera grassement, n'en doutez pas. Nous régnerons sur Anderith sans avoir de directeurs dans les pattes – ni d'autre opposition, d'ailleurs !

Pour le peuple, pensa Dalton, la vie continuerait. Encore plus pauvres qu'avant, les paysans et les ouvriers s'échineraient pour la gloire de l'Ordre Impérial. Bien entendu, il y aurait des expropriations, des déportations et des morts. Mais la majorité des Anderiens et des Hakens aurait échappé au pire.

Dalton se demanda quel aurait été son destin, s'il n'était pas devenu le fidèle bras droit du ministre. Et Teresa, quel sort aurait-elle connu s'il n'avait pas été impliqué dans la machiavélique combinaison du couple Chanboor ?

— Tout ça semble parfait, à condition que Jagang tienne parole, marmonna Hildemara, toujours pas convaincue.

— Quand nous lui aurons offert un sanctuaire où nul ne peut l'attaquer, l'empereur sera ravi de remplir sa part du marché. Ce qu'il nous a promis en échange de l'esclavage du peuple d'Anderith nous paraît fabuleux. Pour lui, ce n'est rien, comparé à ce qu'il entend s'approprier. Si nous l'assurons qu'Anderith nourrira son armée pendant qu'elle conquiert les Contrées du Milieu, il ne nous refusera rien !

— Et que se passera-t-il si ton absurde scrutin tourne à l'avantage de Rahl ? lança Hildemara.

— Tu plaisantes, ou tu perds la tête ? répliqua Bertrand. Cette affaire-là est la plus simple de toutes !

Dame Chanboor croisa les bras comme si elle défiait son mari de la convaincre.

Dalton aussi conservait quelques doutes sur ce point précis.

— Si je comprends bien, dit-il, vous n'avez aucune intention de laisser se dérouler ce scrutin.

Bertrand regarda ses deux interlocuteurs comme s'il s'étonnait de leur stupidité.

— Êtes-vous sourds et aveugles ? Cette consultation sera un triomphe pour nous !

— Avec les Anderiens, c'est possible, concéda Hildemara. Mais as-tu pensé aux Hakens ? Tu as placé notre destin entre leurs mains, et ils sont largement majoritaires dans le pays ! Ces chiens choisiront la liberté !

— Sûrement pas ! Nous maintenons depuis toujours les Hakens dans l'ignorance, et ils n'auront pas les moyens intellectuels d'évaluer les enjeux. Ils croient tout nous devoir : leur travail, ce qu'ils mangent et même le « droit » de servir dans l'armée. La « liberté », pour eux, est un don que seuls les Anderiens peuvent leur consentir. La vraie liberté, mon amie, est synonyme de responsabilité ! Les Hakens choisiront le chemin le plus facile, c'est évident…

— Comment peux-tu en être certain ?

— Parce que nous ferons ce qu'il faut pour ça ! Des gens à nous leur tiendront des discours larmoyants sur le sort cruel qui les attend s'ils choisissent de vivre sous le joug du seigneur Rahl. Un sorcier, souligneront nos émissaires, qui ne sait rien d'eux et se soucie exclusivement d'augmenter son pouvoir ! Les Hakens auront tellement peur de ne plus ramasser les miettes de pain qui tombent de nos tables qu'ils refuseront de toucher à la miche fraîche que leur offre Rahl. Parce que nous les aurons convaincus qu'elle est empoisonnée, bien sûr…

Dalton pensait déjà à la mise en application du plan de Bertrand – remarquable et riche de promesses, il devait en convenir.

— Il faut agir prudemment, dit-il. Nous devons paraître absolument étrangers à cette opération.

— C'est comme ça que je voyais les choses, approuva Bertrand.

— Oui…, murmura Hildemara, qui commençait à comprendre. Nous devons faire mine d'attendre que le peuple nous guide… et le manipuler en douceur.

— D'autres déclameront pour nous les harangues que nous rédigerons, résuma Bertrand, ravi d'avoir été compris. Il faut à tout prix que nous semblions planer au-dessus de la mêlée, les mains liées par notre goût immodéré de la loyauté. Le peuple doit croire que nous lui confions l'avenir du pays parce que ses désirs et ses besoins sont essentiels à nos yeux.

— J'ai des hommes qui sauront prêcher notre bonne parole, annonça Dalton. Partout où ira le seigneur Rahl, ils passeront après lui et délivreront au peuple le message que nous aurons imaginé.

— Vous avez tout compris ! approuva Bertrand. Et ce message sera plus puissant, dérangeant et effrayant que celui de Rahl !

Alors qu'une stratégie se mettait déjà en place dans son esprit, Dalton agita pensivement un index.

— Le seigneur Rahl et la Mère Inquisitrice ne manqueraient pas de réagir violemment s'ils soupçonnaient que nous sabotons leur travail. Surtout au début, ils doivent ignorer que le peuple écoute d'autres voix que les leurs… Pour organiser des réunions publiques, nos émissaires devront attendre que Rahl et sa femme soient en route pour la ville ou le village suivant.

» Laissons-les parler de liberté et d'espoir ! Ensuite, dénonçons leurs mensonges et accusons-les de vouloir conquérir Anderith par la ruse. Si on sait s'y prendre, les gens gobent n'importe quoi, surtout quand ils sont perturbés et qu'on ne fait rien pour dissiper leur confusion. Si nous jouons finement la partie, le peuple nous acclamera alors que nous sommes en train de le trahir. (Dalton sourit enfin.) Et ce vote sera un plébiscite pour vous, Bertrand !

— Ravi de vous entendre de nouveau parler comme l'homme que j'ai engagé, Dalton, dit le ministre.

Pour fêter ça, il reprit son gobelet et but une belle gorgée.

— Si le scrutin lui est défavorable, dit Hildemara, Rahl n'acceptera pas sa défaite, et il aura recours à la force.

— C'est possible, admit Bertrand en reposant son gobelet. Mais d'ici là, les Dominie Dirtch seront entre les mains de l'Ordre, et il sera trop tard pour Rahl ! La Mère Inquisitrice et son mari seront coupés de leur armée…

— … Et coincés en Anderith, acheva Hildemara avec un sourire mauvais. Où Jagang n'aura plus qu'à les cueillir.

— Avant de nous couvrir de bienfaits ! s'exclama Bertrand. Dalton, où sont cantonnés les soldats d'harans ?

— Dans un champ de blé, sur le chemin du domaine.

— Parfait ! Donnons tout ce qu'ils désirent au seigneur Rahl et à la Mère Inquisitrice ! Plus nous semblerons hospitaliers, et mieux ça vaudra !

— Ils voudraient avoir accès à la bibliothèque, dit Dalton.

— Eh bien, ils l'auront ! lança Bertrand. (Il reprit son gobelet.) Qu'ils y restent aussi longtemps que ça leur chantera ! Il n'y a rien, dans ces salles, qui puissent les aider.

Surpris par le vacarme, Richard se retourna.

— Ouste ! cria Vedetta Firkin en agitant les bras. File d'ici, sale voleur !

Le corbeau perché sur la planche clouée au rebord de la fenêtre sauta sur place en battant furieusement des ailes. Alors qu'il croassait d'indignation, l'Anderienne s'empara d'un long bâton posé contre le mur – pour aider à ouvrir les hautes fenêtres. Le tenant comme une épée, elle se pencha dehors et frappa l'oiseau noir.

Son plumage ébouriffé, le corbeau fit un bond de côté pour éviter le coup.

Vedetta abattit une nouvelle fois son arme. Prudent, l'oiseau s'envola, alla se poser sur une branche voisine et croassa de nouveau, comme s'il passait un savon à l'irascible bibliothécaire.

Vedetta ferma la fenêtre, posa le bâton, se frotta triomphalement les mains puis retourna à ses occupations.

Dès leur arrivée, Richard et Kahlan avaient longuement parlé avec dame Firkin. Une tactique visant à s'assurer sa collaboration, au cas où elle aurait eu l'intention de leur cacher certains ouvrages. Flattée d'être l'objet de leur attention, l'Anderienne les avait traités d'emblée comme des invités de marque.

— Désolée, dit-elle à voix basse, comme pour s'excuser d'avoir crié un peu plus tôt. J'ai fixé cette planche à la fenêtre pour donner des graines aux oiseaux. Mais ces maudits corbeaux viennent les voler !

— Ce sont aussi des oiseaux, dit Richard.

Vedetta ne dissimula pas sa surprise.

— Euh, oui… bien sûr… Mais ils sont nuisibles ! Si je les laisse manger toutes les graines, les oiseaux chanteurs ne viendront plus, et j'adore les entendre !

— Je vois…, fit Richard.

Il sourit puis se replongea dans sa lecture.

— Seigneur Rahl, Mère Inquisitrice, dit Vedetta, veuillez m'excuser de vous avoir dérangés. Mais les corbeaux peuvent faire tellement de bruit ! Je voulais préserver votre tranquillité.

— C'est très gentil à vous, dame Firkin, souffla Kahlan.

L'Anderienne bavarde fit mine de s'éloigner. Hélas, elle se ravisa.

— Pardonnez mon audace, seigneur Rahl, dit-elle, mais je dois vous dire une chose : vous avez un magnifique sourire ! Et il me rappelle beaucoup celui d'un ami à moi…

— Vraiment ? marmonna distraitement Richard. Et de qui s'agit-il ?

— Ruben… Un authentique gentilhomme !

— Eh bien, dame Firkin, dit le Sourcier, vous devez lui donner souvent des raisons de sourire !

— Ruben…, répéta Kahlan alors que l'Anderienne repartait vers ses occupations. Ça me fait penser à Zedd. Il lui est arrivé d'utiliser ce prénom comme pseudonyme…

— Si tu savais combien il me manque…, avoua Richard. Je donnerais cher pour qu'il soit là.

— Si vous avez besoin de quelque chose, n'hésitez pas ! lança dame Firkin par-dessus son épaule. Je suis très calée sur l'histoire de la civilisation anderienne…

— Oui, merci beaucoup, répondit Richard.

Voyant que l'Anderienne leur tournait le dos, il caressa discrètement la jambe de Kahlan, sous la table.

— Seigneur Rahl, concentre-toi sur ton travail ! souffla sa femme.

Le Sourcier tapota gentiment la cuisse de son épouse. Si elle n'avait pas été là, si délicieusement tentante, se passionner pour la lecture aurait été plus facile.

Fataliste, il ferma l'ouvrage qu'il étudiait et en ouvrit un autre. Des archives municipales où il doutait de trouver grand-chose de passionnant…

Si Kahlan et lui n'avaient rien découvert d'essentiel, Richard était parvenu à se faire une meilleure idée du passé d'Anderith. La bibliothèque méritait qu'on lui consacre du temps, car elle contenait l'héritage d'une culture plusieurs fois millénaire. Arrogants et un rien bornés, les Anderiens d'aujourd'hui, dans leur vaste majorité, devaient tout ignorer de la longue, complexe et sombre histoire de leur pays. Et pourtant, il leur aurait suffi de tendre la main, car elle se dissimulait en quelque sorte sous leur nez.

Richard avait ainsi découvert que les anciens Anderiens, bien avant l'invasion hakenne, avaient bénéficié des miracles d'une « direction » très avancée par rapport à leur propre développement. Bref, quelqu'un les avait protégés.

À lire les antiques chants et prières consacrés à ce bienfaiteur, qu'on honorait de toutes les façons possibles, le Sourcier aurait parié qu'il s'agissait de Joseph Ander. Être vénéré ainsi correspondait à son caractère tel que le décrivait Kolo. Et la plupart des « miracles » en question pouvaient parfaitement être l'œuvre d'un sorcier. Après qu'il eut quitté ce monde, les Anderiens s'étaient sentis orphelins. Privés du soutien des idoles qu'ils adoraient auparavant, mais qui ne répondaient plus à leurs appels, ils avaient été désorientés… et livrés à la merci de forces qu'ils ne comprenaient pas.

Richard se radossa à son siège, s'étira et bâilla. L'odeur des vieux livres saturait l'atmosphère du sanctuaire de la civilisation anderienne. Une senteur lourde et pleine de mystère, mais guère plus agréable que celle qu'on respirait dans un tombeau. Le Sourcier avait hâte de se remplir les poumons d'air frais – au moins autant que de résoudre l'antique énigme dont il n'avait pour le moment rassemblé que des bribes…

Assise près de lui, Du Chaillu caressait l'enfant niché dans son ventre tout en étudiant un ouvrage richement enluminé. La femme-esprit ne savait pas lire, mais elle s'émerveillait devant les images d'une série de petits animaux : des furets, des fouines, des campagnols, des renards et d'autres mammifères de petite taille.

La Baka Tau Mana écarquillait les yeux comme une enfant. Richard ne lui avait jamais vu une telle expression...

Près de sa femme-esprit, Jiaan se prélassait dans un fauteuil. En tout cas, il en donnait l'impression. En réalité, il se faisait aussi discret que possible, soucieux de tout observer sans qu'on le remarque. Une demi-douzaine de soldats d'harans faisaient les cent pas dans la salle, et des Anderiens montaient la garde près des portes.

La plupart des érudits avaient quitté les lieux, sans doute pour ne pas déranger la Mère Inquisitrice et le seigneur Rahl. Selon Kahlan, ceux qui restaient étaient des espions envoyés par le ministre.

Le Sourcier était arrivé tout seul à cette conclusion. Comme sa femme, il ne se fiait pas le moins du monde à Bertrand Chanboor. Depuis qu'il s'intéressait à Anderith, le peu de considération que son épouse accordait à ce pays avait influencé son opinion. Le ministre de la Civilisation n'avait rien fait pour modifier son jugement. Kahlan l'avait mis en garde contre cet homme, et elle avait eu sacrément raison !

— Là ! s'exclama Richard en tapotant une page. On en parle de nouveau !

Kahlan se pencha, regarda le texte et soupira en voyant le mot que désignait son mari.

Westbrook...

— Ce que dit ce texte confirme ce que nous avons découvert, souffla Richard.

— Je connais cet endroit, chuchota l'Inquisitrice. C'est une petite ville, pas très loin d'ici, je crois...

Le Sourcier leva un bras pour appeler la bibliothécaire, qui accourut aussitôt.

— Oui, seigneur Rahl ? Puis-je vous aider ?

— Dame Firkin, vous êtes une experte de l'histoire anderienne, si j'ai bien compris ?

— Oui, seigneur ! C'est mon sujet favori !

— J'ai lu plusieurs passages où on mentionne une ville appelée Westbrook. Il semble que Joseph Ander y ait vécu...

— C'est exact, seigneur. Cette ville se trouve au pied des montagnes, au-dessus de la vallée de Nareef.

Une confirmation de ce que pensait Kahlan. Et la preuve, très encourageante, que l'Anderienne ne cherchait pas à les induire en erreur ou à leur dissimuler des informations.

— Reste-t-il là-bas des souvenirs du passage de Joseph Ander ?

Dame Firkin sourit, ravie que le seigneur Rahl s'intéresse au grand homme dont son pays et son peuple portaient le nom.

— Eh bien, on y trouve un petit temple à sa gloire. Les pèlerins peuvent y voir son fauteuil préféré et d'autres petits objets... La maison où il vivait a récemment brûlé. Un terrible incendie ! Mais quelques reliques ont été sauvées, parce qu'on les avait mises à l'abri pendant la rénovation de la demeure. L'eau s'infiltrait, le vent avait endommagé le toit... En plus, des branches d'arbre – pense-t-on – avaient brisé les fenêtres, et la pluie, portée par les bourrasques, détériorait tout. Des trésors ont été perdus ! Pour finir, la foudre, à ce qu'on dit, a réduit la maison en cendres.

» Heureusement, quelques objets sont intacts, comme je vous l'ai déjà précisé. Ils sont exposés dans le temple, à présent. Vous imaginez, le fauteuil d'un si grand homme ? (Dame Firkin baissa la voix.) Mais il y a mieux encore, en tout cas pour moi : certains écrits de Joseph Ander ont traversé les siècles !

Richard se redressa sur son siège.

— Des écrits ?

— Oui, et je les ai tous lus ! Rien d'essentiel, vous savez… Des observations sur les montagnes environnantes, la ville, certaines personnes qu'il fréquentait. Mais c'est très intéressant !

— Je comprends…

— Bien sûr, ça n'a rien à voir avec les textes que nous conservons ici !

— Ici ?

— Oui, dans les catacombes. Sa correspondance, des livres sur sa philosophie, des poèmes… Ce genre de chose… Vous aimeriez les voir ?

Richard s'efforça de dissimuler son intérêt. Ces gens ne devaient pas savoir ce qu'il cherchait. C'était pour ça qu'il s'était interdit de formuler des demandes spécifiques.

— Eh bien… J'ai toujours eu une passion pour l'histoire. Donc, consulter ces textes devrait me plaire.

Comme Vedetta Firkin, le Sourcier remarqua que quelqu'un descendait les marches. C'était un messager – dans ce palais, il y en avait plus que de brins d'herbe dans une plaine. Voyant que la bibliothécaire parlait au seigneur Rahl et à la Mère Inquisitrice, le jeune homme roux s'arrêta à bonne distance, croisa les mains et attendit.

Jugeant plus prudent de ne pas parler de Joseph Ander à portée d'oreilles sûrement indiscrètes, Richard désigna le messager.

— Si vous alliez voir ce qu'il veut ?

Vedetta esquissa une révérence.

— Veuillez m'excuser un instant, seigneur…

— Richard, dit Kahlan, nous devons y aller. (Elle referma un livre et le posa sur la pile de ceux qu'elle avait déjà parcourus.) Nous avons rendez-vous avec les directeurs et quelques autres notables. Ne t'inquiète pas, nous reviendrons.

— Tu as raison… Au moins, le ministre ne figure pas sur notre emploi du temps. J'en ai par-dessus la tête de ses banquets !

— Je suis sûre que notre absence ne le déprimera pas. Je ne sais pas pourquoi, mais nous avons un talent fou pour saboter les festivités des autres !

Richard sourit et fit signe à Du Chaillu de se lever.

Dame Firkin revint sur ces entrefaites.

— J'aurais été ravie d'aller vous chercher ces livres, seigneur Rahl, mais une mission urgente m'oblige à m'absenter un moment. Si vous pouvez attendre, je ne serai pas longue. Les textes de Joseph Ander sont fantastiques ! Peu de gens sont autorisés à les voir, mais pour des personnes aussi importantes que vous et la Mère Inquisitrice…

— Dame Firkin, coupa Richard, j'ai très envie de consulter ces documents.

Hélas, je dois partir aussi, car les directeurs m'attendent. Mais je pourrais revenir plus tard dans l'après-midi, voire en début de soirée.

— Ce serait parfait, seigneur ! Comme ça, j'aurais le temps d'aller chercher les textes et de les préparer. Tout sera prêt pour votre retour.

— Merci beaucoup. La Mère Inquisitrice et moi sommes impatients de voir ces merveilles. (Richard s'éloigna, mais il se retourna après quelques pas.) Dame Firkin, si vous donniez quand même quelques graines à ce corbeau ? Le pauvre semblait affamé.

— Si tel est votre bon plaisir, seigneur…

Dalton se leva quand la bibliothécaire, plus de la première jeunesse, entra dans son bureau.

— Dame Firkin, merci d'être venue si vite.

— Eh bien, messire Campbell, quel beau bureau vous avez ! (La femme fit du regard le tour du propriétaire, comme si elle songeait à acheter la superbe pièce.) Oui, magnifique, vraiment…

— Merci, dame Firkin.

D'un discret hochement de tête, Dalton indiqua au messager de sortir. L'homme obéit et ferma la porte derrière lui.

— Et tous ces livres ! s'exclama dame Firkin. Ils sont magnifiques ! J'ignorais qu'il y en avait autant ici !

— Des traités de droit, pour l'essentiel. Tout ce qui touche à la loi m'intéresse.

— Une noble vocation, messire Campbell. Vraiment… Un choix qui vous honore, et un chemin sur lequel vous persévérerez, j'espère…

— C'est tout ce que je demande, dame Firkin. À propos de loi, il est temps de passer à la raison qui m'a incité à vous convoquer.

Vedetta jeta un regard appuyé à la chaise placée devant le bureau. Mais l'assistant ne l'invita pas à s'asseoir.

— On m'a parlé de la visite à la bibliothèque d'un homme qui semblait s'intéresser beaucoup au droit. Et qui brassait pas mal de vent, paraît-il. (Dalton posa les poings sur son bureau et se pencha en avant, le regard dur.) Selon un rapport, vous seriez allée chercher un livre précieux dans les catacombes, et vous le lui auriez montré ?

La vieille dame si bavarde en perdit toute son assurance.

Dalton savait que ce n'était pas la première fois qu'un des employés de la bibliothèque montrait ainsi ce livre. Pourtant, c'était contre le règlement, et donc illégal. En Anderith, beaucoup de lois restaient purement théoriques, et les contrevenants ne risquaient pas de peines sévères. Mais il s'agissait d'une tolérance induite par l'usage, et les choses pouvaient changer à tout moment. Pour un juriste, l'existence de ce « couperet » invisible était une aubaine, car elle permettait d'avoir davantage de pouvoir sur les gens. Selon l'interprétation qu'on choisissait d'en faire, le crime de Vedetta Firkin était à peine moins grave que le vol d'un trésor culturel. Et s'il décidait de la traîner devant un tribunal, elle risquait gros.

— Messire Campbell, gémit la bibliothécaire, je n'ai pas lâché le livre un instant, je vous le jure ! Je tournais les pages, pour que ce visiteur admire la glorieuse écriture du grand Joseph Ander ! C'est tout, et…

— Et rien du tout ! J'ai reçu un rapport à ce sujet, et je dois agir !

— Bien sûr, messire…

— Apportez-moi ce livre ! (Dalton tapa du poing sur son bureau.) Immédiatement ! C'est compris ?

— Oui, messire. J'y cours.

— Posez-le sur mon bureau, pour que je le consulte. Si je ne trouve aucune information qui aurait pu servir à un espion, je passerai l'éponge, pour cette fois ! Mais n'osez plus jamais violer le règlement, dame Firkin ! Sinon, vous verrez de quel bois je suis fait !

— Oui, messire… Merci, messire… (Vedetta parvint à refouler ses larmes.) Messire Campbell, la Mère Inquisitrice et le seigneur Rahl sont venus à la bibliothèque.

— Je sais…

— Le seigneur voudrait voir les textes de Joseph Ander. Que dois-je faire ?

Dalton eut du mal à croire qu'un tel homme désire perdre son temps à étudier ces vieilleries. Il eut presque pitié de cet ignorant qui prétendait régir le monde. Presque…

— La Mère Inquisitrice et le seigneur Rahl sont des invités de marque et d'importants dirigeants. Ils peuvent voir tout ce qui les intéresse, sans aucune restriction. En conséquence, vous avez l'autorisation de leur communiquer ces documents. (Dalton tapa de nouveau du poing.) Mais le livre que vous avez montré à ce Ruben je-ne-sais-quoi, je veux le voir, et vite !

La bibliothécaire sautait d'un pied sur l'autre comme si elle avait eu un besoin pressant.

— Oui, vite, messire Campbell ! répéta-t-elle avant de sortir en trombe avec une seule idée en tête : retrouver ce fameux livre !

Dalton se contrefichait de cet ouvrage. Mais il ne voulait pas que la discipline se relâche. Pour conserver des ouvrages de valeur, il avait besoin d'employés fiables.

Même si les fils de sa toile d'araignée vibraient à cause d'événements bien plus importants que le sort d'un vieux grimoire poussiéreux de Joseph Ander, il devait régler tous les problèmes, si mineurs fussent-ils. Il jetterait sans doute un coup d'œil à l'ouvrage, mais l'important était que dame Firkin le lui apporte le plus rapidement possible.

De temps en temps, il convenait de terroriser les gens pour leur rappeler qui était le chef – et qui tenait leur vie entre ses mains. La mésaventure de la bibliothécaire ferait le tour du palais, et chaque employé en prendrait de la graine. Et si ça ne suffisait pas à calmer ce petit monde, le prochain larbin qui violerait le règlement se retrouverait à la porte !

Dalton se rassit et recommença à lire ses messages du jour. Le plus dérangeant parlait de la santé du pontife, censée s'améliorer. À ce qu'on disait, il avait même recommencé à s'alimenter. Une mauvaise nouvelle, mais ce vieillard, de toute façon, ne vivrait pas éternellement. Tôt ou tard, Bertrand Chanboor le remplacerait.

Parmi les autres messages, un bon nombre annonçait la mort de personnes moins endurantes que le pontife. Dans les campagnes, les gens crevaient de peur à cause de décès mystérieux dus au feu, à des noyades ou à des chutes. Terrifiés par les créatures qui rôdaient peut-être la nuit, beaucoup de fermiers se réfugiaient en ville. Des gens mouraient aussi à Fairfield dans des circonstances étranges. Effrayés, les citadins allaient chercher la sécurité à la campagne.

Les gens étaient décidément idiots !

Dalton haussa les épaules et fit une petite pile bien carrée avec ses messages. Alors qu'il les approchait de la flamme d'une bougie, pour les faire disparaître, une idée le frappa. Renonçant à consumer les feuilles, il repensa à ce que Franca lui avait dit un jour, et conclut que ces textes pourraient lui être utiles dans l'avenir.

Il les glissa dans un tiroir…

… Et leva les yeux quand une voix familière lança :

— Mon chéri, encore au travail ?

C'était Teresa, vêtue d'une robe rose qu'il ne se rappelait pas l'avoir vue porter auparavant.

— Tess, ma chérie, quel bon vent t'amène ?

— Je viens te surprendre dans les bras de ta maîtresse !

— Quoi ?

Teresa entra, approcha du bureau et alla se camper devant une fenêtre. La ceinture de velours vert qui ceignait la robe soulignait la finesse de sa taille et la rondeur épanouie du reste de son corps.

— Je me suis sentie bien seule, la nuit dernière…, soupira-t-elle en regardant les promeneurs qui flânaient sur la pelouse.

— Je sais. Ça m'a brisé le cœur, mais j'avais ces messages à envoyer, et…

— J'ai cru que tu étais avec une autre femme.

— Tess, je t'ai fait parvenir un mot pour t'avertir que j'avais du travail !

Teresa se tourna vers son mari.

— Quand je l'ai reçu, ça ne m'a pas étonnée, parce que tu restes tard au bureau tous les soirs. Mais lorsque je me suis réveillée, un peu avant l'aube, sans te trouver à côté de moi… Eh bien, j'aurais juré que tu étais dans le lit d'une autre !

— Tess, je ne…

— Pour me venger, j'ai pensé à me jeter au cou du seigneur Rahl, mais la Mère Inquisitrice est beaucoup plus jolie que moi, et j'ai eu peur qu'il me repousse !

» Alors, je me suis habillée et je suis venue ici pour pouvoir te traiter de menteur quand tu rentrerais en prétendant avoir passé la nuit au bureau. Mais il y avait des messagers partout, et je t'ai vu leur donner des ordres et leur distribuer des documents. J'ai espionné pendant un moment : tu travaillais pour de bon !

— Pourquoi n'es-tu pas entrée ?

Teresa approcha enfin de son mari, s'assit sur ses genoux et l'enlaça.

— Je ne voulais pas te déranger.

— Tu ne me déranges jamais, Tess ! Dans ma vie, tu es la seule chose qui ne soit pas un fardeau !

— J'avais honte de te montrer que je doutais de ta fidélité…

— Alors, pourquoi m'en parles-tu maintenant ?

Teresa embrassa Dalton, qui en eut le souffle coupé. Elle seule savait donner à un homme de tels baisers !

Quand elle s'écarta, elle sourit de le voir loucher sur son décolleté.

— Parce que je t'aime, idiot ! Et parce que tu me manques. J'ai mis ma nouvelle robe, pour te donner envie de venir faire un petit tour dans notre lit.

— Tess, tu es beaucoup plus jolie que la Mère Inquisitrice !

— Alors, ce petit tour par chez nous ?

— Va m'attendre bien au chaud, je ne serai pas long !

D'un coup d'œil discret, Anna s'assura qu'Alessandra la regardait.

Dès que la Sœur de l'Obscurité était entrée sous la tente, la Dame Abbesse lui avait demandé si elle pouvait prier avant de manger. D'abord surprise, sa geôlière avait fini par dire que ça ne la dérangeait pas.

Assise dans la poussière, et toujours attachée à son piquet, Anna se recueillait avec une totale sincérité. S'ouvrant au Créateur, un peu comme elle s'abandonnait à son Han, quand il était encore présent, elle laissa Sa Lumière l'emplir de joie et de sérénité. La paix que seul le Créateur pouvait dispenser enveloppa son cœur et son esprit, et elle Le remercia de lui accorder un sort si doux, comparé à celui de tant d'autres malheureux.

Elle pria aussi pour qu'Alessandra, touchée par un rayon de la véritable Lumière, lui ouvre de nouveau son âme.

Quand elle eut fini, elle tendit le bras aussi loin que ses chaînes le lui permettaient et envoya un baiser à son annulaire gauche, qu'elle ne pouvait pas atteindre. Ce geste rituel marquait sa fidélité au Créateur, dont elle était symboliquement l'épouse.

Alessandra ne pouvait pas regarder cela sans se souvenir de l'allégresse qu'on éprouvait en communiant avec Celui à qui on devait d'avoir une âme. Toutes les Sœurs de la Lumière, dans l'intimité, avaient un jour ou l'autre pleuré de félicité en priant…

Toujours du coin de l'œil, Anna vit la Sœur de l'Obscurité porter d'instinct sa main gauche à ses lèvres. Si elle était allée au bout de ce geste, cela serait revenu à trahir le Gardien !

Alessandra avait livré son âme, un don du Créateur, au maître démoniaque du royaume des morts. Mais qu'avait-elle reçu en retour ? Que pouvait proposer le Gardien pour convaincre une femme intelligente et sensible de renoncer à la Lumière ?

— Merci, Alessandra. Me laisser prier avant le dîner était très gentil…

— Gentil, vous voulez rire ? J'espérais seulement que vous mangeriez plus vite, après… C'est que je n'ai pas que ça à faire, vous savez !

Anna soupira d'aise, heureuse d'avoir senti dans son cœur la présence du Créateur.

Chapitre 54

— Q u'allons nous faire ? souffla Morley.
— Ferme-la ! Je réfléchis à un plan, répondit Fitch en se grattant l'oreille.

Il n'avait aucune idée de la suite des opérations, mais son ami ne devait pas le savoir. Morley s'émerveillait qu'il ait réussi à les conduire jusque-là. Au fil de leur voyage, il en était venu à se reposer entièrement sur lui.

Pourtant, Fitch n'avait rien fait d'extraordinaire. La plupart du temps, ils s'étaient contentés de galoper ventre à terre. Et pour le reste, l'argent offert par Dalton Campbell leur avait grandement facilité la tâche. Puisqu'ils pouvaient acheter de la nourriture, ils n'avaient pas eu besoin de chasser ni de voler. Et quant aux équipements dont ils avaient besoin, pourquoi se seraient-ils fatigués à les fabriquer alors qu'on les leur vendait avec le sourire ?

L'argent compensait largement les lacunes d'un individu et le tirait de bien des situations délicates. Ayant grandi dans les rues de Fairfield, Fitch savait comment éviter d'être détroussé ou escroqué. Très prudent avec leur fortune, il refusait de l'utiliser pour acquérir des vêtements ou des objets voyants qui auraient pu donner envie à des bandits de les assommer ou de les étriper.

La seule vraie surprise, depuis leur départ, c'était que personne ne se souciait qu'ils soient des Hakens. Mieux encore, nul ne semblait s'en apercevoir ! La plupart des gens les traitaient courtoisement, comme s'ils avaient été deux jeunes hommes bien élevés en tout point semblables aux autres.

Malgré l'insistance de Morley, Fitch avait refusé de se laisser entraîner dans des tavernes. Boire en public, il le savait, était le meilleur moyen d'informer les voleurs potentiels qu'on avait les poches pleines. Et une fois soûl, on oubliait trop facilement la prudence la plus élémentaire. Ils achetaient donc des bouteilles et attendaient d'avoir dressé leur camp dans un endroit isolé pour s'enivrer jusqu'à l'inconscience. Un exercice qu'ils pratiquaient avec enthousiasme, et qui aidait Fitch à oublier que tout le monde, au pays, devait croire qu'il avait violé Beata.

Alors qu'ils traversaient une ville, Morley avait voulu s'arrêter quelques heures pour « visiter » la maison close locale. D'abord très réticent, Fitch avait fini par céder. Après tout, l'argent était à moitié à lui...

Mais il avait attendu hors de la cité, avec les chevaux et leurs autres possessions. À Fairfield, il n'était pas rare que les voyageurs qui fréquentaient les prostituées se fassent détrousser ou même assassiner.

En revenant, Morley, tout sourire, avait proposé de monter la garde près de leurs biens pendant que son ami irait « se donner du bon temps ». Bien que tenté, Fitch avait décliné cette offre généreuse. De justesse, il devait l'avouer. Mais alors qu'il était presque décidé, il avait imaginé une fille de joie hilare de le voir nu devant elle. Les genoux tremblants et les mains moites, il avait prétendu que « ce genre de chose n'était pas pour lui ». Un mensonge, parce qu'il était sûr que la fille se moquerait de lui.

Morley était grand et fort. Le type d'homme dont aucune femme n'aurait eu envie de rire. Pas comme Beata, qui s'esclaffait dès qu'elle voyait Fitch. Alors, pourquoi serait-il allé se ridiculiser, frêle comme il était, devant une inconnue qui aurait pu lui faire l'affront de lui rendre son argent ?

Pour couper court aux arguments de Morley, il avait décrété que des économies s'imposaient, car leur voyage était loin d'être terminé. Et s'ils avaient les poches vides trop tôt, ils risquaient de ne jamais arriver à destination.

Morley l'avait traité de crétin. Selon lui, l'expérience valait largement son prix. La semaine suivante, il n'avait parlé que de ça. Les oreilles pleines d'histoires salaces, Fitch avait regretté de ne pas être allé au bordel – simplement pour avoir un moyen de river le clapet à son ami.

Au fil des jours, il devint évident que l'argent ne serait pas un problème. Ils n'avaient presque rien dépensé de leur fortune, et cela suffisait pourtant à accélérer considérablement leur progression. Dès que leurs chevaux se fatiguaient, ils les échangeaient contre d'autres, en ajoutant une petite rallonge. Ainsi, qui voulait voyager loin, dans leur cas, n'avait même plus besoin de ménager sa monture.

— Tout ce chemin, soupira Morley, pour être coincés si près du but !

— Tu vas te taire ? Ou tu veux qu'on nous repère ?

Morley consentit à ne plus faire de bruit, à part celui qu'il produisait en grattant sa barbe de trois jours.

Fitch se sentit ridicule en pensant aux trois malheureux poils qui poussaient sur son menton. Morley arborait sur ses joues un véritable attribut masculin. À côté de lui, Fitch avait parfois l'impression d'être un gamin face à un homme mûr...

Au loin, des gardes patrouillaient inlassablement, leur interdisant d'approcher du pont. Le seul moyen d'accès possible, avait dit Franca. Et maintenant qu'il était sur les lieux, le jeune Haken constatait qu'elle n'avait pas menti. S'ils ne traversaient pas ce pont, ils seraient venus jusque-là pour rien.

Fitch sentit une étrange brise jouer sur sa nuque. Cela ne dura pas longtemps, mais il frissonna quand même.

— Que fait ce type ? marmonna soudain Morley.

Fitch plissa les yeux pour mieux voir. Un des gardes était en train de monter sur le parapet du pont.

Quand il sauta dans le vide, les deux jeunes Hakens n'en crurent pas leurs yeux.

— Par les esprits du bien ! s'exclama Fitch. Tu as vu ça ?

— Qu'est-ce qui lui-lui a pris ? bafouilla Morley.

Malgré la distance, Fitch entendit les compagnons du soldat crier. Puis ils coururent vers le parapet et se penchèrent pour sonder le gouffre.

— Bon sang, marmonna Morley, pourquoi a-t-il sauté ?

Fitch allait répondre qu'il n'en savait rien, mais il vit un deuxième garde, de l'autre côté du pont, monter à son tour sur le parapet.

— Regarde ! Un autre va faire pareil !

Le soldat ouvrit les bras comme s'il voulait étreindre l'air, puis il sauta dans le vide.

Alors que les autres hommes couraient de ce côté-là du pont, un troisième fou se jeta dans le gouffre. C'était insensé ! Allongé sur le ventre, sur un rocher plat, Fitch se demanda un instant s'il ne rêvait pas.

Avec la distance, les cris des hommes qui voyaient leurs frères d'armes basculer dans le gouffre ressemblaient à la sonnerie d'étranges carillons.

Certains gardes dégainèrent leur arme, mais ils la jetèrent et entreprirent aussi d'escalader le parapet.

Fitch eut le sentiment qu'on le poussait dans le dos. Un effet de son imagination, sans doute, qui voulait l'inciter à saisir sa chance au moment où elle se présentait. Une curieuse démangeaison dans la nuque, il se leva d'un bond.

— Mon vieux, on y va !

Morley suivit son compagnon jusqu'à leurs chevaux, qu'ils avaient cachés dans un bosquet. Fitch sauta en selle et lança sa monture au galop sur la route. Dès qu'il fut sur la sienne, l'autre Haken le suivit comme son ombre.

À la sortie du lacet où ils s'étaient arrêtés, la piste montait abruptement. De là où il était, Fitch ne voyait plus le pont. Les gardes avaient-ils repris leur sang-froid, ou seraient-ils encore assez abasourdis pour laisser passer deux cavaliers ?

De toute façon, pensa Fitch, c'était leur seule chance. Même s'il n'avait aucune idée de ce qui arrivait, il doutait que les soldats aient l'habitude de faire un petit plongeon dans le vide chaque jour à la même heure. Pour Morley et lui, c'était maintenant ou jamais !

Les deux Hakens déboulèrent du dernier tournant à la vitesse du vent. Avec un peu de chance, les soldats survivants seraient trop hébétés pour tenter de les arrêter.

Mais le pont était vide, et il n'y avait plus l'ombre d'un militaire en vue ! Fitch tira sur les rênes de sa monture et Morley l'imita. Quelques minutes plus tôt, ce secteur grouillait d'hommes. Et maintenant, seul le vent montait la garde devant le pont !

— Fitch, tu es sûr de vouloir aller là-haut ? demanda Morley d'une voix tremblante.

Fitch suivit le regard de son ami et comprit aussitôt ce qu'il voulait dire. La forteresse noire bâtie à flanc de montagne – ou taillée dans la roche même du pic ? – avait de quoi glacer les sangs. L'endroit le plus maléfique et... pervers... qu'il lui eût été donné de voir ou d'imaginer. Derrière le mur d'enceinte crénelé, des tours et d'autres murailles où serpentaient des chemins de ronde semblaient vouloir tutoyer les cieux.

Fitch se félicita d'être assis sur une selle. S'il avait été debout, ses jambes se seraient peut-être dérobées à la vue d'un tel monstre de pierre. Vraiment, de sa vie, il n'avait jamais rien observé de plus grand – et de plus sinistre – que la Forteresse du Sorcier.

— Allons-y ! dit-il. Avant qu'un officier découvre ce qui s'est passé et envoie d'autres gardes.

— Et que s'est-il passé, selon toi ? demanda Morley, les yeux rivés sur le pont désert.

— C'est un lieu magique. N'importe quoi a pu se produire…

Fitch se cala sur sa selle et talonna son cheval. Apeuré par le pont, l'équidé fut ravi de le traverser au galop.

Les deux amis ne ralentirent pas avant d'avoir franchi la herse qui défendait l'entrée du bâtiment.

Repérant un enclos pour leurs montures, ils les y laissèrent sans les desseller, au cas où ils devraient repartir précipitamment. Comme ils n'avaient aucune intention de s'attarder, ils gravirent au pas de course les quelques marches, usées par des centaines de semelles de sorciers, qui menaient à l'intérieur de la Forteresse.

L'intérieur du complexe ressemblait à ce que Franca avait décrit à Fitch, en encore plus grand qu'il l'avait imaginé. Une centaine de pieds au-dessus de sa tête, un toit vitré laissait passer la lumière du soleil. Au centre de l'immense hall au sol en mosaïque se dressait une fontaine en forme de feuille de trèfle entourée d'un muret de marbre blanc assez large pour servir de banc.

Les colonnes de marbre rouge étaient aussi énormes que l'avait dit Franca. Sous la promenade qui faisait tout le tour du hall ovale, elles soutenaient de magnifiques arches sculptées.

Morley émit un sifflement admiratif qui se répercuta dans toute la salle.

— Avançons, dit Fitch, conscient qu'il devait s'arracher à son propre émerveillement.

Ils remontèrent le couloir que Franca lui avait décrit, gravirent plusieurs volées de marches et franchirent une porte. Après avoir traversé plusieurs passerelles, couvertes ou non, qui reliaient d'immenses bâtiments sans fenêtres, ils s'engagèrent dans un escalier en colimaçon taillé à l'extérieur d'une tour, débouchèrent dans un étroit tunnel, le suivirent jusqu'au bout, passèrent de l'autre côté du pont sur lequel il donnait et arrivèrent sur un chemin de ronde aussi large qu'une route.

Fitch jeta un coup d'œil sur la droite. Se penchant entre deux énormes créneaux, il eut le vertige, tant l'à-pic était abrupt, et aperçut, au pied de la montagne, la célèbre cité d'Aydindril. Pour un jeune homme né en Anderith, un pays assez plat, ce gouffre était une vision propre à donner le tournis. Depuis son départ de Fairfield, le jeune Haken avait été impressionné par bien des choses. Mais aucune n'égalait le spectacle qui s'offrait à lui.

Au bout du chemin de ronde, deux séries de six colonnes rouges soutenaient un imposant fronton de pierre noire et encadraient une immense porte revêtue d'or. Sur le fronton et les plaques de laiton qui ornaient l'encadrement de la porte, d'étranges symboles brillaient au milieu de grands disques de métal.

Alors que les deux jeunes Hakens avançaient, Fitch s'avisa que la porte devait mesurer entre dix et douze pieds de haut, et qu'elle en faisait au moins quatre de large.

Quand ils furent devant, il poussa le lourd battant, qui coulissa sans un grincement.

— C'est là-dedans…, murmura-t-il.

Il n'aurait su dire pourquoi il parlait à voix basse. À part peut-être parce qu'il redoutait de réveiller les spectres des sorciers qui hantaient sûrement ces lieux.

Il n'avait aucune envie que ces fantômes le forcent à sauter dans le vide, comme les pauvres soldats qui surveillaient le pont.

— Tu es sûr ? demanda Morley.

— Je vais entrer ! Tu peux m'accompagner ou m'attendre ici. C'est comme tu veux.

Morley regarda autour de lui. Visiblement, aucune des deux solutions ne l'enchantait.

— Je viens avec toi, finit-il par dire.

À l'intérieur, des deux côtés, des sphères de verre reposaient sur des piédestaux de marbre vert. Au bout de cette colonnade – et au-delà de deux grandes arches qui devaient permettre d'accéder aux autres ailes du bâtiment – s'étendait une immense salle surmontée d'un dôme dont toute la circonférence était percée de fenêtres. Grâce à la lumière qu'elles laissaient entrer, les deux intrus n'eurent pas besoin d'allumer les chandeliers en fer forgé disposés un peu partout dans la salle.

Entre deux rangées de piédestaux de marbre blanc hauts de plus de six pieds, un tapis rouge conduisait au cœur de ce que Franca avait appelé l'« enclave privée du Premier Sorcier ». Sur ces colonnes-là étaient exposés des objets auxquels Fitch accorda à peine un regard. Des coupes, des chaînes d'or, une bouteille noire avec un bouchon à filigrane d'or, un calice, des coffrets… Des trésors, sans doute, mais trop mystérieux et dangereux pour qu'il prenne le risque de se les approprier.

Tout au bout de la salle, il repéra une table où étaient empilées des dizaines d'objets qu'il ne reconnut pas du premier coup d'œil. Eux non plus ne l'intéressaient pas. En revanche, le fourreau appuyé contre un pied de cette table semblait bien être ce qu'il était venu chercher…

Fitch avança sur le tapis rouge. En passant il jeta un coup d'œil sous les arches. Sur la gauche, il aperçut une bibliothèque en désordre où les livres étaient empilés presque jusqu'au plafond. Sur la droite, il ne vit rien, car l'obscurité y était plus profonde que la nuit.

Au bout du tapis, une dizaine de marches conduisait au centre de l'enclave, légèrement en contrebas. Fitch les dévala deux par deux, traversa à grandes enjambées le sol de marbre couleur crème et s'arrêta près de la table placée devant une gigantesque fenêtre.

De si près, le jeune Haken put identifier les objets posés sur la table : des coupes, des candélabres, des rouleaux de parchemin, des livres, des jarres, des cubes et des triangles de métal… et même des crânes humains. Sur le sol, tout un bric-à-brac évoquait irrésistiblement l'arrière-salle d'un bazar…

Morley voulut s'emparer d'un crâne, mais son ami l'en empêcha.

— Ne touche rien, surtout ! C'était sans doute la tête d'un sorcier ! Pose les mains dessus, et il risque de revenir à la vie ! Tu sais, avec ces types-là, on peut s'attendre à tout.

Effrayé, Morley n'insista pas.

Fitch tendit un bras tremblant et ramassa le magnifique fourreau orné d'or et d'argent. Au palais du ministère de la Civilisation, il avait vu une multitude d'objets ainsi ouvragés. Mais aucun n'égalait, ni même n'approchait, la splendeur de celui-là.

— C'est elle ? demanda Morley.

Fitch passa un index sur la garde de l'épée. Sous son doigt, il reconnut le seul mot qu'il savait déchiffrer.

— Oui, c'est l'Épée de Vérité…

Une arme plus belle que toutes celles qu'il avait jamais contemplées, les soirs de banquet. Même le baudrier de cuir, aussi doux au toucher que de la soie, était d'une extraordinaire qualité.

— Si tu la prends, que me conseilles-tu d'emporter ? murmura Morley.

— Rien du tout ! lança une voix derrière les deux Hakens.

Ils sursautèrent, ne purent s'empêcher de crier, et se retournèrent dans un bel ensemble.

Un instant, ils n'en crurent pas leurs yeux.

Devant eux se tenait une superbe blonde aux yeux bleus sanglée dans un uniforme de cuir rouge qui lui faisait comme une seconde peau. Cette tenue révélait ses formes plus que le pauvre Fitch l'aurait cru possible. Les robes du soir des Anderiennes dévoilaient outrageusement leurs seins, mais cet uniforme, bien qu'il ne montrât pas un pouce carré de peau, était dix fois plus provocant. Alors que la femme avançait vers eux, Fitch vit les muscles de ses membres jouer sous leur gaine de cuir rouge.

— Rien de tout ça ne vous appartient, dit la jolie blonde. Allons, les garçons, filez d'ici avant de vous faire mal !

Morley ne supportait pas qu'on le traite de « garçon ». Et surtout pas quand ce qu'il tenait pour une insulte sortait de la bouche d'une femme. Fitch le vit serrer les poings.

La blonde plaqua les siens sur ses hanches. Pour une femme seule face à deux grands gaillards, elle ne manquait pas de tripes, et sa façon de les foudroyer du regard n'avait rien de « délicatement féminin ». Pourtant, Fitch ne s'en inquiéta pas. Il était un homme, à présent, et nul ne pouvait lui demander des comptes.

Il se souvint de Claudine Winthrop. Il avait été si facile de lui faire ravaler sa morgue ! Et cette femme-là n'avait rien de plus que l'Anderienne. Quelques coups, et elle implorerait grâce…

— Que fichez-vous ici ? demanda-t-elle.

— On pourrait vous poser la même question ! riposta Morley.

La blonde lui jeta un regard noir, puis elle tendit un bras vers Fitch.

— Cette épée ne t'appartient pas ! Rends-la-moi avant que je m'énerve. Te faire du mal me désolerait…

Sans se consulter, Morley et Fitch détalèrent chacun de leur côté. La blonde poursuivit le plus maigre des deux Hakens, qui lança l'épée à son compagnon.

Hilare, Morley la brandit comme un trophée pour exciter la femme en rouge.

Fitch en profita pour la contourner et foncer vers la sortie. Quand elle plongea sur Morley, celui-ci lança à son tour l'épée à son compagnon.

La femme sur les talons, les deux Hakens coururent vers la porte. Leur ennemie plongea, saisit au vol la cheville de Fitch, qui s'étala mais eut le temps de lancer l'arme magique à son ami.

La femme se releva et recommença à courir alors qu'il finissait à peine de se remettre debout.

Au passage, Morley renversa un piédestal de marbre blanc. La coupe qu'il exposait s'écrasa sur le sol, où elle se brisa en mille morceaux avec un étrange petit bruit presque musical.

— Arrêtez ça ! cria la blonde. Vous n'avez aucune idée de ce que vous faites ! Ce n'est pas un jeu, et il vous est interdit de toucher quoi que ce soit ici ! Bon sang, vous risquez de déclencher une catastrophe ! Des milliers de vies sont concernées !

Elle poursuivit Morley autour d'une colonne. Quand elle sembla devoir le rattraper, il renversa le piédestal d'un coup d'épaule.

La blonde évita la colonne, mais elle hurla quand un lourd vase en or s'écrasa sur sa clavicule.

Fitch n'aurait su dire si elle avait crié de douleur ou de rage. Et il n'avait aucune intention de prendre le temps de s'en enquérir.

Slalomant entre les colonnes, les deux Hakens approchaient de la porte, la femme en rouge collée à leurs basques. Soucieux de la désorienter, ils continuaient à se repasser l'épée.

Inspiré par la tactique de Morley, Fitch tenta de renverser un piédestal pour ralentir leur poursuivante. Mais le bloc de pierre ne bougea pas. À voir son ami jouer aux quilles avec ces colonnes, le jeune Haken s'était dit qu'il s'agissait d'un jeu d'enfant. Constatant qu'il s'était trompé, il n'essaya plus de recourir à cette ruse-là.

La femme leur criait d'arrêter de détruire de précieux artefacts. Mais quand Morley fit tomber le piédestal où trônait la bouteille noire, elle hurla comme une démente.

Au risque de se faire écraser, elle plongea pour rattraper au vol la bouteille. Sa longue tresse volant derrière elle, elle atterrit sur le ventre, amortit la chute de son « trésor », mais ne parvint pas à refermer les mains dessus.

La bouteille lui échappa, rebondit sur le tapis et ne se brisa pas.

À voir le soulagement qui s'afficha sur le visage de la femme, Fitch se demanda si elle n'était pas un peu folle. On aurait cru que sa vie dépendait du sort d'une vulgaire bouteille !

La blonde se releva au moment où les deux Hakens franchissaient la porte. Toujours aussi hilare, Morley lança l'épée à Fitch tandis qu'ils couraient sur le chemin de ronde.

— Arrêtez ! cria la femme en rouge. C'est terriblement important ! J'ai besoin de cette épée. Rendez-la-moi, et je vous laisserai partir en paix.

Dans les yeux de Morley, Fitch vit briller une lueur qu'il connaissait bien. Son ami voulait faire du mal à la femme. Beaucoup de mal ! Devant Claudine Winthrop, il avait eu le même regard…

Fitch se serait contenté d'avoir l'épée, mais s'ils ne faisaient rien, cette folle ne les lâcherait pas tant qu'elle n'aurait pas obtenu satisfaction. Et il refusait de lui rendre l'arme, après tout ce qu'il avait dû faire pour venir ici.

— Fitch, lança Morley, il serait temps que tu te déniaises, mon vieux ! Tu aimerais que je tienne cette garce pendant que tu t'en occupes ?

La blonde était très jolie, et après tout, ils n'avaient rien fait pour s'attirer son courroux. S'il lui arrivait des bricoles, elle l'aurait bien cherché ! Bon sang, pourquoi voulait-elle fourrer son nez dans leurs affaires ?

Puisqu'il agissait pour de nobles motifs, Fitch était sûr de mériter le titre de Sourcier de Vérité. Et cette furie n'avait aucun droit de lui mettre des bâtons dans les roues.

Au soleil, son cuir semblait encore plus rouge. Mais peut-être moins vif que son visage, tant elle s'était empourprée. On eût dit que quelqu'un l'avait soulevée par sa tresse pour la plonger dans un bain de sang.

— J'ai essayé la manière douce, marmonna-t-elle, pour faire plaisir au seigneur Rahl. Et ça m'a rapporté quoi ? Une absurde cavalcade ! Eh bien, j'ai assez joué !

Cette fois, Fitch fut certain qu'ils avaient affaire à une démente. Que fichait-elle là, les poings sur les hanches, à parler aux nuages ?

La femme grogna de rage puis tira de sa ceinture une paire de gants de cuir qu'elle enfila avec une détermination que Fitch, soudain, ne trouva plus du tout ridicule.

— C'est mon dernier avertissement ! lança-t-elle d'une voix qui fit se hérisser tous les poils sur la nuque du jeune Haken. Donnez-moi cette arme, et vite !

Voyant que la femme regardait son compagnon, Morley décida de passer à l'attaque. Tandis que son poing volait vers la tête de la folle, Fitch, connaissant la force de son ami, paria qu'il la tuerait dès le premier coup.

Sans se retourner, la blonde saisit au vol le poignet du Haken et, sans effort apparent, lui rabattit le bras dans le dos. Dans le même mouvement, elle le tira vers le haut. Stupéfait, Fitch entendit un craquement sinistre. L'épaule déboîtée, Morley cria de douleur et tomba à genoux.

Cette femme ne ressemblait pas à celles que le jeune Haken avait rencontrées jusque-là. Très calmement, elle avançait à présent vers lui, un rictus sur les lèvres.

Fitch se pétrifia, ignorant que faire. Il refusait d'abandonner son ami, mais ses jambes mouraient d'envie de courir. Et comme il n'était pas question non plus qu'il rende l'épée…

Il s'adossa aux remparts et fit quelques pas de côté.

Morley s'était relevé, et il chargeait la femme, qui approchait toujours de Fitch, les yeux rivés sur l'épée.

L'épée ! C'était la solution ! S'il la dégainait, il pourrait blesser la blonde à la jambe, ou quelque chose comme ça.

Mais il n'aurait sans doute pas besoin d'en arriver là. Morley fondait sur sa proie comme un taureau fou de rage. Et il n'y aurait pas moyen de l'arrêter, cette fois.

Sans se retourner, la femme en rouge s'écarta, leva un bras et propulsa son coude dans la figure de Morley.

Sa tête se renversa sous l'impact et du sang jaillit.

Mortellement calme, la blonde se retourna, saisit le poignet gauche de Morley, encore intact, et le fit plier à contresens jusqu'à ce que le Haken, des larmes aux yeux, tombe de nouveau à genoux.

Toujours sans effort, la femme le fit pivoter et le poussa en direction du mur.

Pleurnichant comme un enfant, Morley la supplia de le lâcher. Le bras droit désarticulé, le nez cassé, le colosse était couvert de sang. La femme devait en avoir aussi sur elle, mais avec le cuir rouge, c'était impossible à dire…

Sans un mot, elle continua à pousser le Haken vers le mur. Puis elle le saisit à la gorge de sa main libre, le souleva du sol, et, comme si elle jetait un vulgaire sac d'ordures, le fit basculer dans le vide entre deux créneaux.

Fitch en resta sans voix. Il n'aurait jamais cru qu'elle ferait ça. Cette histoire idiote n'aurait pas dû aller si loin !

Morley hurla tandis qu'il tombait le long du flanc de la montagne. Une mort pareille, pour un garçon né dans une région où il n'y avait même pas de hautes collines…

Le cri cessa abruptement. C'était fini.

Sans dire un mot, la blonde avançait maintenant vers Fitch. Si elle l'attrapait, comprit-il, elle le tuerait aussi.

Ce n'était pas Claudine Winthrop. Non, cette femme-là ne l'appellerait jamais « messire ».

Le jeune Haken se décida enfin à courir. La seule chose que Morley, avec tous ses muscles, faisait moins bien que lui…

À la course, il n'avait pas son égal !

Jetant un regard par-dessus son épaule, il eut le choc de sa vie : la femme gagnait rapidement du terrain. Très grande, elle avait de longues jambes et des muscles puissants.

Et si elle le rattrapait, elle lui écraserait le nez, comme celui de Morley. Avant de le jeter dans le vide, ou de se servir de l'épée pour lui arracher le cœur.

Fitch sentit des larmes ruisseler le long de ses joues. Il n'avait jamais couru aussi vite. Et la tueuse en rouge était plus rapide que lui !

Il dévala un escalier, à la limite de tomber, se rattrapa de justesse sur un palier et attaqua la volée de marches suivantes. Devant ses yeux, tout défilait à une vitesse folle : les murs, les fenêtres, les rampes… Un simple tourbillon de couleurs et de formes.

L'Épée de Vérité serrée contre sa poitrine, il passa une porte, et, du bout du pied, la referma au vol derrière lui. Alors que le battant se refermait, il avisa un gros piédestal de pierre, contre le mur, et le renversa pour bloquer le passage à sa poursuivante. Il était encore plus lourd que les colonnes blanches, mais la peur décuplait les forces du jeune Haken.

Au moment où le gros bloc de pierre s'écrasait sur le sol, la blonde percuta la porte, qui s'entrouvrit un peu. Dans un silence de mort, de la poussière tourbillonna un moment dans l'air. Puis Fitch entendit la femme grogner, et il comprit qu'elle s'était fait mal.

Saisissant l'occasion, il courut dans les couloirs, ferma les portes qu'il franchit et les bloqua, chaque fois que c'était possible, avec tout ce qui lui tombait sous la main. Sans savoir s'il allait dans la bonne direction, il continua à fuir, les poumons en feu et le cœur serré chaque fois qu'il revoyait la fin atroce de son ami. Comment croire que Morley, si fort et si solide, était mort pour de bon ? À chaque instant, il s'attendait à le voir débouler, tout souriant d'avoir fait à son copain une si bonne blague !

Morley avait perdu la vie à cause de l'Épée de Vérité. Et ça ne semblait pas juste…

Pour voir devant lui, Fitch dut essuyer la sueur qui coulait devant ses yeux. Il venait de déboucher dans un grand hall vide.

Mais dans son dos, il entendait s'ouvrir des portes. La tueuse serait bientôt là.

Elle ne le lâcherait jamais ! Ce n'était pas une femme, mais un spectre acharné à l'étriper pour le punir d'avoir volé l'Épée de Vérité.

Fitch accéléra encore, passa une immense porte et se retrouva dans une cour à ciel ouvert. D'abord ébloui par la lumière, il battit des paupières puis regarda autour de lui. Les chevaux étaient toujours dans l'enclos. Mais il y en avait trois, à présent. Le sien, celui de Morley et la monture de la femme, qui avait posé ses sacoches de selle sur la clôture.

Pour se libérer les mains, Fitch enfila le baudrier et plaça la bandoulière de cuir en diagonale sur sa poitrine pour que l'épée batte sur sa hanche gauche, comme il le fallait. Prenant les brides des trois chevaux, il sauta sur le dos du plus proche.

Le jeune Haken talonna l'animal et cria pour l'inciter à se lancer au galop. Par hasard, il avait choisi la monture de la femme, et les étriers étaient réglés bien trop longs pour ses jambes assez courtes. Les serrant contre le ventre du cheval, il s'accrocha aux rênes comme un naufragé à un morceau de bois flotté et fonça vers le salut, les deux autres bêtes sur les talons de la sienne.

Alors qu'il arrivait sur la piste, Fitch regarda derrière lui et vit la tueuse en rouge sortir en titubant de la Forteresse. Le visage couvert de sang, elle serrait dans sa main gauche la bouteille noire qu'elle avait sauvée de justesse, un peu plus tôt.

Le jeune Haken se coucha sur l'encolure de sa monture, qui dévalait la piste au galop. Jetant un nouveau coup d'œil derrière lui, il vit que la blonde le poursuivait toujours. Mais elle était à pied, et il lui faudrait pas mal de temps pour trouver un nouveau cheval.

Fitch tenta de chasser l'image de Morley de son esprit. Maintenant qu'il avait l'Épée de Vérité, il pouvait rentrer chez lui et utiliser l'arme pour prouver qu'il n'avait pas violé Beata. Quant à Claudine Winthrop, tout le monde saurait qu'il l'avait tabassée à mort pour protéger le ministre de ses ignobles mensonges.

Il regarda de nouveau derrière lui. La femme était de plus en plus loin, mais elle ne renonçait toujours pas. S'il s'arrêtait, elle le rattraperait. Cette tueuse le poursuivait, et rien ni personne ne la forcerait à s'arrêter.

Elle n'abandonnerait jamais ! Sans prendre de repos, elle le traquerait et lui arracherait le cœur dès qu'elle lui aurait mis la main dessus.

Fitch talonna sa monture, qui accéléra encore.

Chapitre 55

Kahlan se pencha vers Richard et lui caressa le dos. Assis à une petite table, le Sourcier étudiait depuis un moment un antique document.

— Tu as trouvé quelque chose ? demanda l'Inquisitrice.

— Je ne sais pas encore... Mais ce texte-là est intéressant. Il contient plus d'informations que les écrits d'Ander conservés dans la bibliothèque du ministère...

— C'est une bonne chose... Je vais me dégourdir un peu les jambes et voir ce que font les autres.

Richard répondit d'un grognement distrait.

Les deux jeunes gens avaient passé deux jours à la bibliothèque à consulter tout ce qui se rapportait à Joseph Ander. Les textes du grand homme parlaient surtout de lui et de tout ce qu'il affirmait avoir découvert au sujet de l'« âme humaine ». À l'en croire, ses observations étaient des dizaines de fois plus pertinentes que celles de ses prédécesseurs. Et pour convaincre son lecteur, il n'hésitait pas à consacrer des pages entières à ce passionnant sujet.

Il y avait de quoi en rester pantois. On aurait cru entendre les discours pompeux d'un adolescent qui pense tout savoir alors qu'il est un parfait ignorant. Devant tant de fatuité, le malheureux lecteur soupirait d'accablement et renonçait vite à corriger les déclarations péremptoires et prétentieuses qu'un homme adulte aurait dû avoir depuis longtemps appris à éviter.

Joseph Ander était convaincu d'avoir trouvé l'endroit où il pourrait être le « berger dont les brebis mèneraient une vie parfaite ». Dans ce sanctuaire, aucune force extérieure ne serait en mesure de perturber sa « communauté idéale », ainsi qu'il l'appelait. À force de réflexion, expliquait-il avec le plus grand sérieux, il s'était avisé qu'il n'avait plus besoin de l'avis des « autres » – les sorciers de la Forteresse, bien entendu. L'influence de ces « charlatans », ajoutait-il, était mortellement dangereuse parce qu'elle instillait la souillure suprême – l'individualisme – dans l'âme simple et pure de ses brebis.

Aucun autre nom que le sien ne figurait dans les écrits de Joseph Ander. Pour parler des gens, il disait toujours « cet homme » ou « cette femme ». Et quand il décrivait des actions collectives, c'était immanquablement le « peuple » qui en était l'auteur anonyme.

En réalité, Joseph Ander avait trouvé la terre promise… pour lui-même ! Un pays où nul n'était aussi puissant que lui et où tout le monde l'adorait. Selon Richard, ce qu'il prenait pour de la vénération était en réalité de la peur. Mais quoi qu'il en fût, cette situation lui permettait de se poser en chef incontestable d'une société où nul autre que lui n'était autorisé à faire montre d'individualisme ou d'un talent supérieur à la normale.

Joseph Ander pensait avoir fondé un pays bienheureux où la souffrance, la jalousie et la cupidité n'existaient plus. Bref, où l'altruisme avait remplacé l'égoïsme. La « purification culturelle » – un très joli synonyme d'« exécution capitale » – assurait l'équilibre de cette souriante communauté. Joseph Ander appelait cela : « Éliminer la chienlit. »

Bref, Ander était vite devenu un tyran. On croyait en lui et en sa philosophie, ou on mourait !

Richard avait quand même pris le temps de serrer tendrement la main de Kahlan avant qu'elle s'en aille. Le petit temple étant trop exigu, leurs compagnons n'avaient pas pu y entrer.

Au grand dam du vieil homme chargé d'entretenir la précieuse relique, le Sourcier avait pris place dans le fauteuil du fondateur d'Anderith. Bien qu'il eût protesté d'abondance, le gardien n'avait pas eu le cran d'opposer un refus au seigneur Rahl.

Richard n'avait pas cédé à un caprice. Il voulait s'asseoir dans le siège du « grand homme » pour mieux sentir sa personnalité.

Kahlan, elle, n'avait pas eu envie de s'appesantir sur les « vibrations » d'un despote mort trois mille ans plus tôt.

En bas du chemin menant au temple, des habitants de Westbrook s'étaient rassemblés pour observer les visiteurs. Lorsque Kahlan les salua de la main, ils écarquillèrent les yeux, et certains tombèrent à genoux, reconnaissants qu'elle ait daigné tourner la tête vers eux.

Ici comme ailleurs, des soldats d'harans étaient venus annoncer le scrutin et présenter la position du seigneur Rahl. La Mère Inquisitrice et le maître de D'Hara étant chez eux, les citadins espéraient qu'ils leur en diraient plus sur l'intérêt, pour leur pays, de s'unir à l'empire d'haran. Beaucoup de membres des Contrées du Milieu avaient déjà pris cette décision, mais pour ces gens, l'Alliance – dont ils faisaient pourtant partie – n'était qu'une très vague et très étrange organisation. Dans leur petite ville, on n'entendait rarement parler du monde extérieur, et les nouvelles, la plupart du temps, tenaient plus de la rumeur que d'autre chose.

Aidés par les maîtres de la lame de Du Chaillu, des soldats d'harans tenaient courtoisement mais fermement les curieux à l'écart pendant que leur seigneur étudiait les reliques du père fondateur de la nation anderienne. Richard avait dit et répété à tous ces hommes de se montrer amicaux et d'éviter à tout prix l'agressivité.

Kahlan aperçut la femme-esprit des Baka Tau Mana, assise sur un banc, un peu à l'écart du chemin. À l'ombre d'un cèdre séculaire, Du Chaillu méditait paisiblement.

L'Inquisitrice respectait de plus en plus sa « rivale ». Avec une admirable détermination, elle avait insisté pour rester avec Richard, et cela dans le seul but de l'aider. Bien qu'elle continuât à affirmer que le *Caharin* était son époux, Kahlan ne s'agaçait plus de sa présence. Le jour où le Sourcier était tombé de cheval en hurlant, les choses auraient pu très mal tourner si elle n'avait pas été là...

Bien sûr, elle n'avait pas manqué de répéter à Richard qu'elle était « disponible » s'il la désirait, comme une épouse digne de ce nom. Mais cela n'avait rien à voir avec les avances incendiaires de Nadine. En fait, il s'agissait plutôt d'une étrange forme de politesse. Même si elle n'aurait pas été malheureuse que le *Caharin* jouisse de toutes ses prérogatives d'époux, elle ne semblait pas y tenir plus que ça. Simplement, elle était disposée à tout pour ne pas contrevenir aux lois de son peuple...

Du Chaillu vénérait ce qu'incarnait Richard, pas l'homme en lui-même. Et si cela ne consolait pas son mari, Kahlan en était profondément soulagée.

Tant qu'il en serait ainsi, les deux femmes pourraient vivre dans une sorte d'entente cordiale. Pas sans arrière-pensées, cependant, parce que Kahlan, instruite par l'expérience, se méfiait de la Baka Tau Mana dès qu'il était question de Richard.

Du Chaillu voyait l'Inquisitrice comme une dirigeante importante, une magicienne et... une épouse de Richard. Bref, exactement ce qu'elle était aussi ! À sa grande honte, l'Inquisitrice devait bien reconnaître qu'être traitée en égale par la femme-esprit l'agaçait encore plus que tout le reste.

— Je peux m'asseoir près de toi ? demanda-t-elle.

Du Chaillu s'adossa au tronc du cèdre et tapota la place libre, à côté d'elle.

Kahlan lissa sa robe blanche et s'assit avec grâce.

Sur leur banc, elles étaient quasiment invisibles pour quiconque descendait ou remontait le sentier. Cet endroit intime et romantique semblait un refuge plus approprié pour des amoureux que pour les deux épouses d'un seul et même homme.

— Tu vas bien, Du Chaillu ? Tu as l'air un peu... fatiguée.

D'abord étonnée par la sollicitude de l'Inquisitrice, la femme-esprit en comprit la raison et sourit amicalement. Puis elle prit la main de Kahlan, la posa sur son ventre rond et appuya doucement dessus.

L'Inquisitrice sentit un mouvement – celui de la vie qui grandissait dans le ventre de la Baka Tau Mana.

Du Chaillu sourit fièrement.

Kahlan retira sa main et la posa sur ses genoux. Levant les yeux vers les nuages qui s'accumulaient dans le ciel, elle songea que les choses n'auraient pas dû être ainsi. Depuis toujours, elle pensait que ce moment-là devait être joyeux et enthousiasmant...

— Tu n'as pas aimé le sentir bouger ? demanda Du Chaillu.

— Pardon ? Non, ce n'est pas ça, voyons ! J'ai trouvé ce contact merveilleux...

Du Chaillu saisit le menton de l'Inquisitrice et la força à baisser les yeux sur elle.

— Kahlan, tu pleures ?

— Mais non... Ce n'est rien...

— Tu es malheureuse parce que j'ai un enfant ?

— Que vas-tu chercher là ?

— Parce que j'ai un enfant et pas toi ?

Craignant d'en dire trop, l'Inquisitrice ne répondit pas.

— Tu ne devrais pas t'en faire, mon amie. Tu auras bientôt un petit. Oui, ça arrivera...

— Du Chaillu, je suis enceinte !

— Vraiment ? Voilà qui m'étonne ! Jiaan ne m'a pas dit que notre mari et toi aviez été ensemble de cette façon-là.

Kahlan fut choquée d'apprendre que la femme-esprit recevait des rapports de ce genre. En un sens, elle fut soulagée que Du Chaillu n'ait rien eu de croustillant à se mettre sous la dent. Mais elle le regretta aussi, parce que ça l'aurait sans doute un peu vexée.

— Notre époux doit être content. Il a l'air d'aimer les enfants, et il fera un bon...

— Richard n'est pas au courant, coupa Kahlan. Et tu vas me promettre de ne rien lui dire.

— Pourquoi devrais-je te jurer ça ?

— Parce que sans moi, Richard ne t'aurait pas laissée venir. Souviens-toi que tu avais promis de partir dès que les soldats nous auraient rejoints. Et qui a insisté pour que tu restes ?

— Bon, si ça te fait plaisir, je garderai le secret... Comme ça, tu pourras lui faire la surprise quand tu voudras. (Du Chaillu sourit.) Les épouses du *Caharin* doivent être solidaires.

— Merci...

— Mais quand avez-vous... ?

— Le soir de notre mariage, dans le village du Peuple d'Adobe, peu avant ton arrivée.

— Ah... C'est pour ça que je n'en ai rien su.

Kahlan préféra faire comme si elle n'avait rien entendu.

— Mais pourquoi ne veux-tu rien dire à Richard ? Il serait si heureux !

— Non, tu te trompes... C'est une catastrophe, au contraire... (Kahlan prit entre le pouce et l'index le collier que lui avait offert Shota.) C'est le cadeau d'une voyante, pour nous empêcher de concevoir un enfant. T'expliquer pourquoi serait trop long, mais il vaut mieux que nous n'en ayons pas, jusqu'à nouvel ordre. Sinon, nous aurons de gros ennuis.

— Alors, comment peux-tu être enceinte ?

— C'est à cause des Carillons. La magie n'agit plus, mais nous ne le savions pas, ce soir-là. Le collier n'a pas joué son rôle, et ce n'était pas prévu au programme...

Kahlan se mordilla l'intérieur des joues pour ne pas pleurer de nouveau.

— Richard sera quand même content, dit Du Chaillu pour la consoler.

— Non, non... Tu ne mesures pas la gravité du problème. Si on découvre que je suis enceinte, la vie de Richard sera menacée. La voyante a juré d'étrangler l'enfant, mais elle ne s'arrêtera pas là. Je la connais : pour éliminer définitivement le risque, elle décidera de tuer le Sourcier. Ou de m'abattre...

Du Chaillu réfléchit quelques instants.

— Cet absurde vote aura lieu très bientôt, dit-elle. Quand les gens auront dit à Richard ce qu'il devrait déjà savoir – qu'il est le *Caharin* ! – tout s'arrangera. Et tu pourras aller te cacher quelque part pour avoir ton enfant. (La femme-esprit posa une main sur l'épaule de Kahlan.) Tu viendras avec moi, et les Baka Tau Mana te protégeront...

Kahlan inspira à fond pour étouffer un sanglot.

— Merci, Du Chaillu, tu es vraiment gentille… Mais ça ne suffirait pas. Je dois me débarrasser de cet enfant. Un herboriste ou une sage-femme pourra m'aider. Mais il faut que j'agisse vite !

Du Chaillu reprit la main de Kahlan et la reposa sur son ventre. Quand elle sentit le bébé bouger, l'Inquisitrice ferma les yeux.

— Tu ne dois pas nuire à la vie qui est en toi, Kahlan ! C'est l'amour qui te l'a donnée ! Ne le fais pas, car tu aurais de plus gros ennuis encore !

À cet instant, Richard sortit du petit bâtiment, un rouleau de parchemin à la main.

— Kahlan ? appela-t-il.

L'Inquisitrice l'apercevait à travers le feuillage, mais il ne la voyait pas.

— Du Chaillu, dit-elle, tu as promis de garder le secret…

La femme-esprit sourit et caressa la joue de son amie avec une tendresse toute maternelle.

Kahlan comprit que ce n'était pas seulement un geste consolant de la femme qui se croyait la première épouse de Richard. La chef spirituelle des Baka Tau Mana venait de l'assurer de son soutien… et de sa compréhension.

En se levant, Kahlan afficha ce qu'elle appelait son « masque d'Inquisitrice ».

Richard la vit, accourut, fut surpris de la découvrir en compagnie de Du Chaillu, jugea judicieux de ne pas poser de questions et lui montra le document qu'il avait découvert.

— J'étais sûr que ça avait un rapport avec le verbe « dresser » ! lança-t-il.

— De quoi parles-tu ? demanda Kahlan.

— Des Dominie Dirtch… Regarde ce passage ! Il dit qu'Ander ne redoutait pas l'intervention de ses collègues jaloux, parce qu'il était « protégé par les démons ».

— Et alors ? fit Kahlan, qui n'avait pas compris un mot de ce discours enflammé.

— Pardon ? (Richard leva les yeux du texte.) Oui, oui… Quand tu m'as parlé des Dominie Dirtch, je me suis dit que c'était du haut d'haran, mais je n'arrivais pas à trouver une traduction. Encore une de ces expressions à multiple sens qui me posent tant de problèmes !

» Bref, le mot « Dominie » signifie « dressage », avec une nuance plus didactique que lorsqu'on parle du « dressage » d'un animal. Il y a aussi une idée de « contrôle », mais plus par la formation que par la force. Maintenant que les pièces du puzzle s'emboîtent, je peux formuler une traduction acceptable. « Dominie Dirtch » signifie « dressage des démons ».

— Fascinant, admit Kahlan. Cela posé, ça nous avance à quoi ?

— Je l'ignore. Mais tout ça est lié, j'en suis sûr !

— Si tu le dis…

Richard plissa le front et étudia son épouse.

— Quelque chose ne va pas ? Je te trouve… je ne sais pas… ton visage a l'air bizarre…

— Merci du compliment !

Richard s'empourpra de confusion.

— Je ne voulais pas dire qu'il ne me plaisait pas !

— Il n'y a rien de grave, n'aie pas d'inquiétude ! Je suis fatiguée, après tous nos voyages pour prêcher la bonne parole.

— Tu connais un endroit appelé « la Fournaise » ? demanda à brûle-pourpoint le Sourcier.

— Oui... Attends que je me souvienne... Ce n'est pas très loin, en fait... Un peu au-dessus de la vallée de Nareef.

— Combien de temps faudrait-il pour y aller ?

— Deux heures environ... Si c'est important, nous pourrions y être au milieu de l'après-midi.

— Ander en parle dans ce texte. Il relie indirectement ce lieu aux démons – les Dominie Dirtch. C'est ce passage qui m'a permis de faire le lien.

Richard tourna la tête vers les habitants de Westbrook qui attendaient impatiemment, en bas du chemin.

— Quand nous aurons parlé à ces braves gens, j'aimerais aller jeter un coup d'œil à la Fournaise.

— Eh bien, je n'y vois pas d'inconvénient, parce que c'est un endroit charmant. (Kahlan prit le bras de son mari.) Maintenant, allons convaincre ces braves gens, comme tu dis, de tracer un cercle sur leur bulletin de vote.

L'assistance était surtout composée de Hakens qui travaillaient dans les fermes environnantes. Comme tous les citoyens d'Anderith qui étaient venus les écouter, partout dans le pays, ceux-là semblaient très inquiets. Informés qu'il y avait du changement dans l'air, ils redoutaient que leur vie en soit bouleversée.

Au lieu de se lancer dans un discours formel, Richard circula entre eux, leur demanda leur nom, sourit aux enfants et caressa la joue des plus petits. Parce qu'il agissait selon sa nature, et pas pour impressionner son auditoire, il ne fallut pas cinq minutes pour qu'un cercle de gamins se forme autour de lui. Le voyant ébouriffer les têtes rousses aussi bien que les brunes, plusieurs mères sourirent, et les pères eurent soudain le front un peu moins ridé d'angoisse.

— Braves gens d'Anderith, dit le Sourcier, la Mère Inquisitrice et moi sommes venus vous parler amicalement. Devant vous, ne voyez pas des chefs politiques, mais vos humbles champions. Nous n'entendons pas vous imposer notre volonté, seulement vous aider à mieux comprendre l'enjeu de ce scrutin. Car c'est votre avenir qui se décidera bientôt...

Voyant qu'il lui faisait signe d'approcher, Kahlan se fraya un chemin parmi les enfants et vint se camper près de son mari.

Elle avait cru que les gamins auraient peur de ce colosse vêtu de noir, si imposant avec sa cape couleur or. Mais ils se pressaient autour de lui comme s'il était leur oncle préféré...

En revanche, ils furent impressionnés par sa robe blanche, symbole partout dans les Contrées d'un pouvoir que peu de gens comprenaient vraiment.

Kahlan regretta que les gamins s'écartent d'elle tout en essayant de ne pas trop s'éloigner de Richard. Elle aurait tant voulu qu'ils se pressent aussi autour d'elle ! Mais elle comprenait leur réaction. C'était son fardeau, et elle le portait depuis assez longtemps pour ne plus s'en étonner.

— La Mère Inquisitrice et moi nous sommes mariés par amour. Nous aimons aussi les peuples des Contrées et celui de D'Hara. Nous voudrions qu'ils s'unissent, comme nous, et le peuple d'Anderith serait le bienvenu dans cette alliance. Dont l'objectif, nous ne le dirons jamais assez, est de lutter pour la liberté !

» Venue de l'Ancien Monde, la tyrannie marche sur le Nouveau ! L'Ordre Impérial vous réduira en esclavage. Avec lui, vous devrez choisir entre la soumission et la mort. À nos côtés, vous aurez une chance de vivre en paix.

» Unis, les Contrées et D'Hara seront assez puissants pour repousser la menace. En tout cas, nous l'espérons. Car si nous plions l'échine sous le joug d'un despote, il nous rognera les ailes, et nous ne connaîtrons plus jamais la joie d'être libres. Nul ne pourra plus élever en paix sa famille, ni rêver d'un avenir meilleur pour les générations futures.

» Si nous ne nous dressons pas face à l'Ordre Impérial, la botte de l'oppression écrasera nos visages jusqu'à la fin des temps ! Voilà pourquoi nous vous demandons de voter « oui » ! Ensemble, nous construirons un monde plus juste et pacifique.

» Quand le moment sera venu, dessinez un cercle sur votre bulletin de vote, et nous saurons que vous êtes avec nous.

Depuis des semaines, Kahlan écoutait Richard parler avec son cœur de la cause qui comptait plus pour lui que n'importe quoi au monde. Au début, les gens étaient toujours méfiants. Mais la sincérité du Sourcier inversait vite la tendance. Il savait amuser son public, puis le conduire au bord des larmes en insistant sur l'exigence de liberté que tout homme portait dans son cœur. Devant les Hakens, il insistait sur ce que deviendrait leur vie quand ils auraient, et leurs enfants avec eux, le droit d'apprendre à lire et de se cultiver.

— L'Ordre Impérial ne vous permettra pas de lire, car la connaissance est la pire ennemie des oppresseurs. Vos nouveaux maîtres vous enfermeront dans l'ignorance, parce qu'un peuple informé s'oppose toujours à l'iniquité qui favorise les élites !

» Avec nous, chacun aura le droit et le devoir d'apprendre, afin de pouvoir décider en toute connaissance de cause. C'est une différence essentielle. J'ai confiance en votre jugement, alors que l'Ordre Impérial vous imposera sa loi.

» Ensemble, nous formerons une nation où la loi commune assurera la sécurité et la liberté de chacun. Et nul homme, qu'il soit juge, ministre ou empereur, ne sera au-dessus de cette loi. C'est le seul moyen, comprenez-le, pour que chaque individu soit authentiquement libre !

» Je ne viens pas à vous pour régner, mais pour creuser les fondations de la liberté. Mon père, Darken Rahl, était un dictateur qui ne reculait ni devant la torture ni devant le meurtre. Mais lui non plus n'était pas au-dessus de la loi qui, je l'espère, nous unira bientôt. Pour qu'il cesse de tromper son peuple, je l'ai renversé. Mes amis, je ne règne pas sur des sujets ! Ma seule ambition est de guider des hommes libres !

» Je ne vous dirai pas comment vivre, parce que ce n'est pas mon rôle. Mon rêve est de vous voir mener en paix et en sécurité les existences que vous aurez choisies. Pour moi, je n'ai qu'une aspiration : élever paisiblement les enfants que me donnera la Mère Inquisitrice et cesser de sentir peser sur mes épaules le fardeau du pouvoir.

» Pour votre salut, et celui des générations futures, je vous implore de tracer un cercle sur votre bulletin de vote !

Appuyé contre un mur, Dalton Campbell écoutait avec une extrême concentration. Debout sur un balcon, le directeur Prevot, du bureau de l'Harmonie culturelle, s'adressait à la foule massée sur une des plus grandes places de Fairfield. Il parlait depuis un moment, et son auditoire ne réagissait pas trop mal…

Il y avait surtout des Hakens, alarmés par les rumeurs qui circulaient en ville. Terrorisés, ils n'étaient pas venus pour apprendre comment éviter une catastrophe, mais pour découvrir s'ils devaient vraiment redouter que leurs conditions de vie s'aggravent.

Et c'était ça qui inquiétait Campbell.

— Devez-vous souffrir pendant que quelques privilégiés s'enrichissent ? demanda Prevot.

— Non ! répondirent des centaines de gorges.

— Devez-vous crever à la tâche pendant que des D'Harans se gobergeront ?

— Non ! cria de nouveau la foule.

— Après tous les efforts consentis par les Anderiens pour la réhabilitation des Hakens, laisserons-nous un seul homme réduire à néant des siècles d'harmonie culturelle ? Le seigneur Rahl parle d'« éducation », mais ne savons-nous pas que c'est le chemin du mal, pour certains d'entre nous ?

L'assistance acclama le directeur, et quelques hommes agitèrent leur chapeau, selon les instructions de Dalton. Une cinquantaine de ses messagers hakens, vêtus de leurs anciennes frusques pour l'occasion, faisaient de leur mieux pour exacerber les émotions de la foule.

Ça marchait pour un petit nombre d'hommes et de femmes. Mais les autres se taisaient, insensibles aux envolées lyriques du directeur. Leur seul souci, comprit Dalton, était de savoir en quoi leurs misérables existences changeraient. Ils voyaient les choses à leur échelle, ridiculement microscopique, et avaient une tendance naturelle à préférer l'immobilisme au changement. Ces points jouaient en faveur du plan de Bertrand, mais ils risquaient de ne pas suffire…

Dalton était de plus en plus mécontent. Même s'ils approuvaient Prevot, ces gens ne se sentaient pas assez menacés par les propositions du camp adverse.

Le problème était là : le message passait, mais il tombait dans des oreilles indifférentes…

— Il parle très bien, souffla Teresa, debout à côté de son mari.

— Oui…, marmonna Dalton. Pour ça, c'est un beau parleur…

— Et il a raison ! Les Hakens souffriront si nous cessons de nous occuper d'eux. Ils ne sont pas aptes à affronter seuls la cruauté de la vie.

Dalton laissa son regard errer sur les Hakens apathiques qui regardaient le directeur pérorer.

— Oui, ma chérie, tu as raison ! Nous devons faire plus pour aider le peuple !

Dalton venait de comprendre ce qui clochait. Et maintenant, il savait ce qu'il lui restait à faire.

Chapitre 56

— **N**on, non et non ! dit Richard à Du Chaillu. Furieuse, la femme-esprit croisa les bras sur son ventre de plus en plus rond. Malgré son regard assassin, elle avait l'air presque comique, en adoptant cette posture.

— Comprends-moi, continua Richard, un ton plus bas. N'ai-je pas le droit d'être un peu seul avec ma fem… Kahlan ? S'il te plaît, accorde-nous un petit moment de tranquillité !

La Baka Tau Mana se radoucit quelque peu.

— Je vois, je vois… Tu veux avoir un peu d'intimité avec ton autre épouse. Une très bonne idée ! Surtout après si longtemps…

— Ce n'est pas…, commença Richard. (Puis il comprit vraiment ce qu'avait dit Du Chaillu.) Et qu'en sais-tu, de toute façon ?

La femme-esprit éluda la question.

— Très bien, je suis d'accord, dit-elle avec un petit sourire. À condition que tu ne sois pas trop long…

Richard eut envie de répondre que ça prendrait le temps qu'il faudrait, mais il s'en abstint, conscient de l'ambiguïté de cette phrase.

— Nous reviendrons vite, c'est juré !

Le capitaine Meiffert, le grand D'Haran blond qui commandait le détachement de mille hommes, détestait autant que Du Chaillu l'idée que le seigneur Rahl et la Mère Inquisitrice partent en vadrouille sans escorte. En bon militaire, il exprimait cependant ses objections avec plus de diplomatie. À l'évidence, le général Reibisch lui avait dit que ce seigneur-là était prêt à écouter ses officiers, et qu'il ne les punissait pas quand leurs propos lui déplaisaient.

— Seigneur Rahl, si vous avez besoin d'aide, nous serons trop loin pour intervenir. (Pris d'une inspiration, Meiffert ajouta un argument qu'il espérait décisif.) Et si la Mère Inquisitrice était en danger…

— Merci de votre sollicitude, capitaine. Un seul chemin mène là où nous allons. Puisque nous venons de prendre la décision de faire cette excursion, personne ne peut nous attendre là-haut. Ce n'est pas très loin, et nous serons de retour très vite. En patrouillant ici, vos hommes et vous assurerez notre sécurité.

— Bien, seigneur, capitula l'officier.

Il partit donner des ordres à ses hommes. Avec le dispositif de quadrillage qu'il mettrait en place, le Sourcier et sa compagne n'auraient vraiment rien à craindre.

Richard se tourna vers les deux messagers envoyés par le général Reibisch.

— Dites au général que je suis content qu'il avance si vite. S'il arrive avant Jagang, nous serons dans une situation idéale. Ajoutez que mes ordres n'ont pas changé : pour le moment, qu'il évite de se faire repérer.

Chaque jour, ou presque, des estafettes traversaient la frontière – jamais par le même poste, une précaution élémentaire – pour donner au seigneur Rahl la position des forces de Reibisch.

Richard voulait que ces renforts restent au nord, hors de vue des éclaireurs, des sentinelles et des espions de Jagang. En cas de combat, la surprise serait le meilleur atout de l'armée d'harane. Le général était d'accord sur le principe, mais il n'aimait pas beaucoup savoir son seigneur seul avec un petit détachement au milieu d'un territoire potentiellement hostile.

Dans ses messages, le Sourcier avait expliqué à Reibisch que cette stratégie était la seule possible. Il avait également décrit en détail ce qui attendait les soldats d'harans, s'ils tentaient de franchir sans autorisation la ligne de Dominie Dirtch. Tant que le peuple d'Anderith n'aurait pas voté, l'armée ne devait pas approcher de la frontière.

Richard se méfiait du ministre Chanboor. Le langage fleuri de cet homme lui déplaisait. Pour dire la vérité, il n'y avait pas besoin de circonlocutions raffinées. Pour mentir, en revanche…

Les Dominie Dirtch étaient une toile d'araignée où tous les imprudents risquaient de s'engluer. Avec son allure inoffensive, la frontière anderienne pouvait se transformer en un piège mortel. Richard refusait que des milliers de soldats soient réduits en bouillie dans la plaine. D'autant plus que ce sacrifice serait inutile. D'innombrables morts, et les Dominie Dirtch toujours aussi infranchissables…

Reibisch avait répondu à son seigneur. Dès qu'il serait en position au nord, comme convenu, un seul mot de Richard suffirait pour qu'il galope à bride abattue vers le sud. Mais tant que cet ordre ne viendrait pas, il promettait de ne pas bouger.

— Seigneur Rahl, dit le plus grand des deux messagers, je répéterai vos paroles au général.

Les deux D'Harans sautèrent en selle et repartirent sans avoir pris le temps de se reposer.

Avant d'enfourcher son cheval, Richard s'assura que son arc et son carquois étaient bien en place sur sa selle.

Alors qu'ils s'engageaient sur la piste, Kahlan fit à son mari le sourire qu'elle lui réservait exclusivement. Elle aussi était soulagée qu'ils soient enfin seuls, même si ça ne durerait pas très longtemps.

Avoir sans cesse du monde autour de soi était épuisant. Dès qu'ils se tenaient la main en public, tous les regards se braquaient sur eux. À l'expression des gens, Richard aurait pu prédire que cette « nouvelle » se répandrait comme une traînée de poudre les jours suivants. Et qu'on en parlerait encore des années plus tard ! Au moins, c'était un sujet de commérage des plus inoffensifs. Tant qu'on potinait sur la vie privée du seigneur Rahl et de la Mère Inquisitrice, on ne pensait pas à inventer des horreurs au sujet de leurs ambitions politiques.

Richard admira Kahlan, bien droite sur sa selle. Les courbes de son corps étaient vraiment époustouflantes ! Chaque jour, il s'émerveillait qu'une femme pareille soit tombée amoureuse d'un simple guide forestier venu du fin fond de Terre d'Ouest.

Richard avait le mal du pays, et le décor environnant l'exacerbait. Chez lui, certains endroits ressemblaient à s'y méprendre à la contrée qu'il traversait...

Il aurait tant aimé faire découvrir sa région natale à Kahlan ! Depuis son départ de Hartland, l'automne précédent, il avait vu bien des choses remarquables. Mais rien n'égalait jamais le lieu où on avait grandi...

Alors que le chemin de terre longeait un précipice, il tourna la tête vers le nord-ouest, et sonda l'horizon entre les pointes de deux pics. Voilà des mois qu'il n'avait pas été aussi « près » de chez lui. Au début de leurs aventures, Kahlan et lui avaient voyagé dans ces mêmes montagnes pour gagner les Contrées du Milieu. À l'époque, ils avaient dû traverser la frontière magique qui s'était écroulée depuis. Pour cela, ils avaient emprunté le Passage du Roi. Et cet endroit n'était pas très loin d'Anderith non plus...

Mais si près de Terre d'Ouest qu'il fût, ce havre de paix lui resterait inaccessible tant qu'il sentirait peser sur ses épaules le fardeau des responsabilités.

En plus de ce qu'impliquait le simple fait d'être le seigneur Rahl, il y avait Jagang, prêt à réduire le Nouveau Monde en esclavage après avoir refermé son poing d'acier sur l'Ancien. Pour résister à cet adversaire, les Contrées et D'Hara avaient besoin de lui. Grâce au lien, il neutralisait le pouvoir de l'empereur – au moins pour les D'Harans et tous ceux qui lui juraient allégeance –, et sa persuasion était indispensable afin de forger l'alliance capable de venir à bout de l'Ordre Impérial.

Parfois, Richard avait l'impression de vivre par erreur l'existence d'un autre. Un jour, pensait-il, les gens éventeraient la supercherie et diraient : « Ce seigneur Rahl qui prétend tout savoir n'est qu'un vulgaire guide forestier ! Et c'est ce type-là que nous écoutons ? Que nous avons choisi comme chef de guerre ? »

En plus de tout, il y avait les Carillons. Kahlan et lui étaient directement responsables de leur intrusion dans le monde des vivants. Même si ce n'était pas intentionnel, ils étaient coupables de la catastrophe qui frappait la magie et aurait des conséquences sur toutes les créatures vivantes.

En sillonnant Anderith, ils avaient entendu des dizaines de récits sur des morts étranges. Les Carillons profitaient de leur séjour dans le monde des vivants ! Et tuer des innocents les amusait beaucoup.

Face au danger, bien des gens revenaient à leurs antiques superstitions. Dans certaines régions, ils se réunissaient pour implorer la pitié des démons lâchés sur leur univers. Dans les clairières et les champs en jachère, des paysans apeurés déposaient des offrandes, se privant ainsi du peu de nourriture dont ils disposaient. Convaincus que l'heure d'expier sa corruption avait sonné pour l'humanité, des illuminés prétendaient que le Créateur avait chargé des esprits vengeurs de châtier les pécheurs.

Certains paysans laissaient en guise de présent des piles de pierres au milieu des routes et des carrefours – où ils édifiaient de véritables petits cairns. Personne n'avait pu expliquer à Richard les raisons de ce rituel. Et ses questions avaient visiblement déplu à ses interlocuteurs, indignés qu'il ose s'interroger sur d'antiques coutumes.

À minuit, beaucoup de fermiers, et même quelques citadins, jetaient des bouquets de fleurs séchées devant leur porte. Et comme toujours dans ces cas-là, le marché des gris-gris et des amulettes prospérait.

Les Carillons tuaient quand même !

Sans Kahlan, Richard aurait sans doute déjà baissé les bras. Grâce à elle, il trouvait la force de continuer à lutter. Pour cette femme, il aurait supporté n'importe quoi !

— C'est juste là-haut ! annonça-t-elle, un bras tendu.

Les deux jeunes gens mirent pied à terre. Comme souvent aux abords d'un lac, il y avait surtout des épicéas et des pins aux alentours. Quand il eut repéré un jeune bouleau à feuilles argentées, le Sourcier attacha leurs chevaux à une branche basse. Si on ne voulait pas que les brides soient poisseuses, il valait mieux éviter les pins, les épicéas et surtout les basalmiers.

Quand il entendit un hennissement, Richard tourna brusquement la tête. À quelques pas de là, un cheval – une jument, semblait-il – les regardait. De l'herbe pendait de chaque côté de sa bouche, mais la bête avait arrêté de mâcher.

— Bonjour, gentille fille ! lança le Sourcier.

Méfiante, la jument recula. Richard tenta de l'approcher, mais elle maintint la distance qui les séparait. Sur sa croupe blanc cassé, une tache noire rappelait étrangement des pattes d'araignée.

Voyant que Richard continuait d'avancer, elle fit demi-tour et détala.

— Je me demande ce qu'elle fichait là, dit le Sourcier à Kahlan.

L'Inquisitrice tendit la main, et Richard la prit dans la sienne.

— Je n'en sais rien… Elle a peut-être échappé à son maître. En tout cas, notre compagnie ne semblait pas l'intéresser.

— On dirait bien, oui…

— C'est le seul chemin, annonça Kahlan en guidant son mari le long de la berge du lac.

Alors qu'ils contournaient un bosquet d'épicéas, Richard leva les yeux et constata que le soleil parvenait enfin à percer la chape de nuages.

Les eaux scintillaient quand ils s'engagèrent sur une avancée rocheuse qui formait une presqu'île miniature. En face d'eux, sur l'autre berge du lac, une cascade dévalait le flanc d'une imposante muraille rocheuse.

Richard eut le cœur serré devant la beauté de ce paysage qui lui rappelait tant sa chère forêt.

— C'est là, dit Kahlan. Là-haut s'étendent les terres désolées où pousse le paka et où vivent les papillons-gambit. L'onde si pure que nous admirons vient de cette zone empoisonnée.

— C'est merveilleux, et je pourrais rester ici jusqu'à la fin des temps. Kahlan, si nous avions le temps, je te montrerais comment trouver des pistes là où il semble ne pas y en avoir…

Main dans la main, les deux jeunes gens contemplèrent un moment le spectacle majestueux de la nature.

— Richard, murmura Kahlan, il faut que je te dise quelque chose... Ces deux dernières semaines, en t'écoutant parler aux gens, j'ai été tellement fière de toi ! Tu sais si bien instiller l'espoir dans leur cœur ! Quoi qu'il arrive, n'oublie jamais que tu as donné le meilleur de toi-même !

— On dirait que tu doutes de notre victoire...

— Le résultat ne compte pas ! Nous verrons bien, mais garde à l'esprit que les gens ne prennent pas toujours les bonnes décisions. Parfois, ils ne savent pas reconnaître le mal. Et il arrive aussi qu'ils le *choisissent* parce qu'ils sont effrayés, ou parce qu'ils croient pouvoir en tirer des avantages.

» L'essentiel, c'est de savoir que nous avons fait de notre mieux. Tu as dit la vérité aux Anderiens, et si nous gagnons, ce sera pour de bonnes raisons. En somme, tu leur as donné l'occasion de prouver ce qu'ils valent vraiment.

— Nous gagnerons, assura Richard. La vérité triomphe toujours...

— Je l'espère...

Richard passa un bras autour du cou de Kahlan et lui posa un baiser sur le front.

— Tu sais, dit-il, à l'ouest de la ville où j'ai grandi, il y a des endroits, au cœur des montagnes, que je dois être le seul à avoir vus. Des chutes d'eau bien plus vertigineuses que celle-là, où brillent des arcs-en-ciel, l'après-midi. Et si on nage bien, on peut contourner les rochers et voir le monde à travers un rideau liquide. J'ai souvent rêvé de te montrer ça...

— Un jour, Richard, souffla Kahlan en passant un bras autour de la taille de son mari, ton rêve se réalisera...

Bien qu'il n'en eût aucune envie, le Sourcier brisa le charme de ce moment de tendresse hors du temps et de l'espace.

— D'où vient ce nom, « la Fournaise ».

— Derrière la cascade, il y a une grotte où il fait chaud. Très chaud même, à ce qu'on dit.

— Je me demande pourquoi Ander s'y intéressait...

— Peut-être parce qu'il appréciait les beaux paysages. Les tyrans aussi ont des jardins secrets...

— C'est possible..., murmura Richard.

Mais il en doutait. Le sorcier devait avoir eu une autre raison de trouver ce lieu fascinant. En lisant ses textes, on pouvait difficilement le prendre pour un esthète sensible aux beautés de la nature. Car s'il les évoquait souvent, c'était toujours en rapport avec la fondation de sa « société idéale ».

Le Sourcier nota que la roche, sur toutes les montagnes environnantes, était d'une couleur gris-vert très inhabituelle. Sauf sur la muraille que dévalaient les eaux, où elle était plus sombre. Sans doute parce que le granit, à cet endroit, était tacheté de noir. Mais à cette distance, on ne pouvait pas en être sûr.

Il tendit le bras vers la muraille.

— Étudie la roche, et dis-moi ce que tu en penses.

Avec sa robe blanche qui brillait au soleil, Kahlan ressemblait plus à un esprit du bien incarné qu'à une femme de chair et d'os. Et pourtant, il savait à quel point elle vibrait de vie et de désir...

— Que veux-tu dire ? C'est de la roche, rien de plus.

— Je sais, mais regarde-la bien ! Rien ne te frappe ?

— Eh bien, c'est une *montagne* de roche !

— S'il te plaît, sois sérieuse !

Kahlan soupira et observa attentivement la falaise. Puis elle tourna la tête vers la montagne la plus proche.

— On dirait qu'elle est plus sombre que celle des pics...

— Très bien observé ! Il n'y a rien d'autre ?

— Ce n'est pas une couleur courante. Pourtant, il me semble l'avoir déjà vue. (L'Inquisitrice sursauta.) Les Dominie Dirtch !

— Oui, j'en suis arrivé à la même conclusion. Les Dominie Dirtch sont identiques à la roche de cette falaise, qui ne ressemble à aucune autre montagne des environs.

— Tu penses qu'elles ont été taillées dans cette roche ? Puis transportées jusqu'à la frontière ? C'est difficile à imaginer !

— Je sais... Mais ça doit être possible, je suppose. Bien sûr, je ne suis pas un expert en matière de transport de pierres... En tout cas, la Dominie Dirtch que nous avons vue semblait taillée dans la masse, pas composée de plusieurs blocs...

— Et tu en tires quelles conclusions ?

— Joseph Ander était un sorcier. À son époque, les hommes comme lui pouvaient réaliser des exploits que Zedd lui-même trouverait stupéfiants. Ander a peut-être utilisé cette falaise comme point de départ...

— Que veux-tu dire ? Comment s'y serait-il pris ?

— Désolé, mais j'ignore la réponse. En magie, tu es beaucoup plus calée que moi. Cela dit, il a pu prélever de petits fragments de roche – un pour chaque Dominie Dirtch – et les faire grandir plus tard.

— Grandir ?

— Quelque chose comme ça, oui... Avec son pouvoir... Par exemple en reproduisant à l'infini les grains de ses fragments. Ça paraît faisable, avec la Magie Additive.

— Je m'attendais à une hypothèse farfelue, mais ta théorie se tient, d'après mes connaissances limitées...

Richard fut soulagé de ne pas s'être ridiculisé.

— Je vais nager jusqu'à la grotte, et jeter un coup d'œil à ce qu'elle contient.

— Rien, selon ce que j'ai entendu ! Il y fait chaud, c'est tout. Et elle n'est pas très profonde. Peut-être vingt pieds...

— Je ne suis pas un grand amateur de cavernes, mais je crois qu'une exploration s'impose.

Le Sourcier enleva sa chemise et se tourna vers l'eau.

— Tu ne retires pas ton pantalon ? lui demanda Kahlan.

— J'espérais le débarrasser de l'odeur de crottin.

— Dommage..., soupira l'Inquisitrice, comme si elle était vraiment déçue.

Richard sourit et se prépara à plonger. Une seconde avant qu'il bascule dans l'eau, un corbeau piqua sur lui, et il dut baisser la tête pour éviter d'être blessé.

Les bras tendus dans son dos, le Sourcier fit reculer Kahlan jusqu'à ce qu'ils soient revenus sur la berge.

Alors que les échos de ses croassements hystériques se répercutaient dans les montagnes, le corbeau piqua de nouveau sur la tête du Sourcier, qu'il rata de peu. Puis il reprit de l'altitude et tourna en rond au-dessus des jeunes gens. On aurait juré qu'il avait tout fait pour les éloigner de l'eau.

— Tu crois que cet oiseau est fou ? demanda Kahlan. Ou qu'il veut protéger son nid ? À moins que tous les corbeaux se comportent comme ça ?

— Ce sont des oiseaux intelligents, répondit Richard en tirant sa femme à l'abri des arbres. Ils défendent leur nid, tu as raison, mais ils peuvent aussi faire des choses étranges. Cela dit, j'ai peur que celui-là soit beaucoup plus qu'un simple corbeau.

— Comment ça, beaucoup plus ?

L'oiseau s'était posé sur une branche où il ébouriffait ses plumes noires, l'air très content de lui.

Kahlan tendit sa chemise à Richard, qui la prit mais ne fit pas mine de l'enfiler.

— Pour moi, c'est un Carillon !

Malgré la distance, l'oiseau sembla l'avoir entendu et il battit des ailes comme si cette affirmation l'indignait.

— Tu te souviens, à la bibliothèque ? continua Richard. L'oiseau que dame Firkin combattait ?

— Par les esprits du bien ! Tu penses que c'est le même, et qu'il nous a suivis ?

— Si c'est un Carillon, pourquoi pas ?

— Que faut-il faire ? souffla Kahlan, plus effrayée que Richard ne l'avait jamais vue.

Dès qu'ils atteignirent leurs chevaux, le Sourcier décrocha l'arc de sa selle. Puis il tira de son carquois une flèche à tête en fer.

— Je vais le tuer, si c'est possible…

Dès qu'il aperçut l'arc que tenait Richard, le corbeau s'envola en croassant de surprise, comme s'il n'avait pas prévu que l'humain songe à recourir à une arme.

Avant que le Sourcier ait pu tirer, sa cible disparut dans le ciel.

— Voilà qui est étrange…

— En tout cas, dit Kahlan, ça prouve qu'il s'agit bien d'un Carillon. Le faux poulet que tu as blessé, chez les Hommes d'Adobe, a dû avertir les autres.

— Oui, tu dois avoir raison…

— Richard, je ne veux pas que tu nages dans ce lac ! Un autre Carillon peut s'y tapir !

— C'est vrai, mais ils semblent avoir peur de moi.

— Et s'ils jouaient la comédie pour endormir ta méfiance et t'attirer dans ces eaux ? Zedd nous a dit de rester loin de l'élément liquide ! (Kahlan se massa les bras, comme si elle était gelée.) Partons d'ici, je t'en prie ! Cet endroit me fait frissonner…

Richard enfila sa chemise et entreprit de la boutonner.

— Tu as encore raison… Ne poussons pas notre chance après avoir échappé à un corbeau qui n'en est pas un ! Si nous nous faisons tuer, Du Chaillu sera si furieuse qu'elle accouchera avant terme !

Une étrange lueur dans le regard, Kahlan saisit à deux mains les pans de la chemise du Sourcier.

— Richard, tu ne crois pas que nous pourrions…

La jeune femme ne finit pas sa phrase.

— Que nous pourrions quoi ? demanda son mari.

Kahlan lâcha sa chemise et lui tapota la poitrine.

— Partir d'ici ?

— Selon moi, nous le *devons* !

Richard aida l'Inquisitrice à monter en selle, puis il l'imita prestement.

— Cette excursion n'aura pas été inutile, dit-il. Nous avons trouvé la roche dont sont faites les Dominie Dirtch, et ça m'incite à modifier nos plans.

— De quelle façon ?

— Nous allons retourner à Fairfield, et revoir tous ces vieux livres à la lumière de ce que nous avons appris.

— Et le scrutin ? Il nous reste des gens à convaincre !

— Les soldats s'en chargeront, puis ils surveilleront le vote et le compte des voix. Ensuite, ils viendront nous communiquer le résultat. Les hommes qui nous accompagnaient nous ont assez souvent entendus pour s'en sortir à merveille.

» Nous les diviserons et les enverrons en mission dès que nous les aurons rejoints. Puis nous reprendrons le chemin du domaine de Chanboor. Ainsi, nous agirons sur les deux tableaux.

— Les Carillons sont la priorité, tu as raison. S'ils tuent tout le monde, le résultat du scrutin n'aura plus aucune importance !

Soudain, quelque chose attira l'attention de Richard. Après avoir confié les rênes de sa monture à Kahlan, il sauta à terre et se dirigea vers le bosquet d'épicéas.

— Que t'arrive-t-il ? lança l'Inquisitrice.

— J'ai trouvé une selle, dissimulée sous des branches, afin qu'elle reste au sec.

— C'est probablement celle de la jument…

— Elle doit appartenir à un trappeur, avança Richard. Mais elle semble être là depuis un moment…

— Sauf si tu as envie de détrousser un pauvre bougre, je suggère que nous fichions le camp d'ici !

Entendant un croassement de corbeau, dans le lointain, Richard jugea plus prudent de retourner vers son cheval.

— C'est quand même étrange…, marmonna-t-il en l'enfourchant.

Quand ils furent sur la piste, il jeta un coup d'œil derrière lui. Plusieurs corbeaux tournaient en rond très haut dans le ciel. Bien entendu, il ne put pas reconnaître celui qui n'avait rien d'un véritable oiseau.

Et d'ailleurs, ils étaient peut-être tous possédés…

Prudent, Richard ne refixa pas l'arc à sa selle mais le passa à son épaule.

Chapitre 57

Campé devant une fenêtre de son bureau, Dalton Campbell écoutait le rapport de Stein sur les soldats de l'Ordre Impérial qui s'étaient infiltrés en Anderith en se faisant passer pour des « gardes spéciaux anderiens ». Considérant le nombre de ces « taupes » et leurs positions, les Dominie Dirtch étaient virtuellement entre les mains de Jagang. Si le seigneur Rahl appelait son armée à la rescousse – à supposer qu'il en eût une – il serait très vite un chef de guerre à la tête d'un amas d'os et de chair sanguinolente.

— L'empereur m'a envoyé un message que j'ai ordre de vous transmettre. Sachez qu'il est très content de l'aide que vous lui avez apportée. J'ajoute que le ministre, selon les rapports de mes hommes, a admirablement bien réussi à vider l'armée anderienne de sa substance. La résistance sera encore moins forte que nous le pensions.

Dalton jeta un coup d'œil par-dessus son épaule… et ne vit aucun rictus ironique sur les lèvres de l'émissaire. Les pieds sur le bureau, Stein se balançait sur sa chaise tout en se curant les ongles avec une dague. Et il avait l'air sincèrement ravi.

Dalton se retourna et prit le petit livre noir que dame Firkin lui avait apporté. Bien qu'il n'eût aucune utilité, ce carnet avait appartenu à Joseph Ander, et il avait donc une valeur inestimable. L'assistant le posa à l'autre bout du bureau, le plus loin possible des semelles de Stein.

S'il en croyait les comptes rendus de Teresa, l'émissaire de Jagang avait toutes les raisons d'être ravi. Au palais, une multitude de femmes passaient leur temps à raconter leurs ébats avec le barbare venu de l'Ancien Monde. Apparemment, plus il les traitait sauvagement, et plus elles avaient envie de s'en vanter.

Avec autant de beautés disposées à partager sa couche, on pouvait se demander pourquoi Stein s'acharnait à prendre de force les rares femmes qui ne voulaient pas de lui. Selon Dalton, c'était tout simplement parce que la séduction l'excitait beaucoup moins que la conquête – au sens militaire du terme.

— Les soldats anderiens ont fière allure, derrière les Dominie Dirtch, continua Stein. Mais ils se dégonfleront comme des baudruches quand ils découvriront le vrai visage de la guerre.

— Bref, vous reconnaissez que nous avons rempli notre part du marché.

— Campbell, je mesure tout ce que nous vous devons, ainsi qu'au ministre. L'agriculture est sans doute une occupation moins glorieuse que l'escrime, mais sans nourriture, une armée doit tôt ou tard cesser d'avancer. Aucun de nous n'a envie de labourer la terre, pourtant, nous entendons bien continuer à manger. Pour que les récoltes restent bonnes, nous avons besoin de gestionnaires de votre compétence. Vous servez la cause aussi bien qu'un soldat, et peut-être mieux encore !

» Dès son arrivée, l'empereur ne manquera pas de vous récompenser. Croyez-moi, il en brûle d'envie !

— Quand sera-t-il là ? demanda Dalton.

— Bientôt, éluda Stein. Mais il s'inquiète de cette affaire, avec le seigneur Rahl. À ses yeux, se fier à la sagesse populaire est une pure folie !

— J'avoue que je partage son opinion, soupira Dalton.

Il regrettait toujours que Bertrand ait opté pour une solution si risquée. Mais le ministre, avait-il découvert, adorait jouer avec le feu. Un peu comme Stein, qui préférait les femmes qui lui résistaient…

— L'avantage de cette tactique, dois-je vous le rappeler, est de piéger Rahl et la Mère Inquisitrice. Sans eux, les Contrées seront une proie facile pour l'empereur.

— C'est bien pour ça qu'il vous laisse jouer la partie à votre manière…

— Cela dit, il y a des risques.

— Des risques ? Puis-je intervenir pour les éliminer ?

Dalton se rassit derrière son bureau.

— Je pense que nous devons en faire plus pour discréditer la cause du seigneur Rahl. Mais ce n'est pas sans danger. Les Mères Inquisitrices règnent sur les Contrées depuis des millénaires. Croyez-moi, elles ne se sont pas imposées grâce à leur joli sourire ! Ces femmes ont des dents, et elles savent mordre.

» Rahl est paraît-il un puissant sorcier. Si nous nous montrons imprudents, il risque d'oublier la démocratie et de passer à l'action brutale. Dans ce cas, il pourrait saboter le plan à la mise en œuvre duquel nous avons tant travaillé.

— Campbell, nos hommes sont en position, je viens de vous le dire ! Même si Rahl a une armée dans les environs, elle ne traversera pas la frontière. (Stein ricana.) Pourtant, j'adorerais qu'elle essaie !

— Et moi donc ! Mais Rahl et sa femme sont chez nous, et c'est déjà un problème.

— Cessez de vous inquiéter à cause de la magie ! L'empereur lui a rogné les griffes, je vous l'ai répété cent fois !

Dalton croisa les mains sur son bureau.

— Je ne suis pas sourd, Stein, mais ce ne sont que des mots ! À ce jeu-là, je suis très bon aussi. Pourtant, quand je vous promets quelque chose, vous exigez de voir des résultats *concrets* !

— L'empereur veut écraser la magie pour guider le monde vers une nouvelle ère où l'homme sera le centre de tout. Vous aurez votre place dans ce paradis, Campbell. L'époque de la magie est révolue, et elle agonise.

— Le pontife aussi, mais il n'est pas encore mort !

Stein se concentra un moment sur le nettoyage de ses ongles – une opération qui n'était pas du luxe. Les doutes de Dalton ne semblant pas l'atteindre, il continua sa démonstration.

— Vous serez ravi d'apprendre que la magie, comme votre pontife adoré, n'est plus qu'un vieil ours édenté aux griffes brisées. Ce n'est plus une arme redoutable, Campbell ! (Stein souleva le coin de sa cape en cheveux humains.) Ma collection s'enrichira bientôt ! Savez-vous que je scalpe ces chiens vivants ? J'adore les entendre crier quand je découpe leur cuir chevelu.

Dalton ne se laissa pas impressionner par les vantardises du barbare. Cela dit, il aurait donné cher pour que Stein lui en dise un peu plus long sur l'« agonie de la magie ». Connaissant les malheurs de Franca, il savait que quelque chose était en cours. Mais quelle était l'étendue du phénomène ? Stein lui disait-il la vérité, ou répétait-il bêtement la propagande de l'Ordre Impérial, peut-être fondée sur d'absurdes superstitions en vogue dans l'Ancien Monde ?

Quoi qu'il en fût, l'heure d'agir avait sonné. Les choses ne pouvaient plus continuer comme ça, et Dalton avait un problème très… concret… à résoudre. Jusqu'où les dirigeants d'Anderith pouvaient-ils aller pour se dresser contre le projet d'alliance du seigneur Rahl ? Il fallait manipuler le peuple pour qu'il vote « non ». Cela posé, une action trop timide serait aussi inefficace que de rester les bras ballants. En revanche, si l'ours n'était pas si édenté que ça, passer les mains à travers les barreaux pour lui tordre le cou risquait d'être trop dangereux.

Dalton tenta le tout pour le tout. En jouant cartes sur table, il forcerait peut-être Stein à lui montrer sa main.

— Si ce que vous dites est vrai, nous avons un gros problème.

L'émissaire de Jagang leva les yeux.

— Lequel ?

— Si la magie n'est plus une arme redoutable, les Dominie Dirtch, notre atout principal, ne fonctionneront plus. Voilà ce que j'appelle un « gros problème » !

Stein retira ses pieds du bureau et rengaina sa dague.

— N'ayez aucune inquiétude. L'empereur contrôle toujours les Sœurs de l'Obscurité, et leur pouvoir n'est pas affecté. Mais selon ces femmes, il s'est bien passé quelque chose. Si j'ai bien compris, une partie de la magie est défaillante, et il s'agit de celle qu'utilisent Rahl et ses alliés.

» Le seigneur n'a plus de soutien magique, et son propre pouvoir l'abandonne. Bientôt, il sera sans défense face à nos épées.

Dalton ouvrit grand les oreilles. Si c'était vrai, cela changeait tout. S'il ne devait plus craindre les représailles de Rahl et de l'Inquisitrice, il pourrait prendre immédiatement les mesures nécessaires pour manipuler le scrutin.

Mieux encore, un vote positif serait l'ultime espoir du seigneur et de sa femme. Et s'il avait les mains libres, le « non » l'emporterait haut la main.

À condition que la magie soit pour de bon à l'agonie !

Et Dalton connaissait un moyen de s'en assurer.

D'abord, il devait rendre une visite au pauvre pontife, toujours alité. L'heure n'était plus à l'hésitation ! Il agirait ce soir, juste avant le banquet organisé par Bertrand.

Si affamée qu'elle fût, Anna n'était pas pressée qu'on vienne la nourrir.

Étant attachée à son piquet depuis un moment, elle savait que l'heure approchait. Bientôt, une brute de l'Ordre Impérial entrerait sous la tente pour lui faire avaler un peu de pain arrosé d'eau. Alessandra ne s'était plus montrée depuis une semaine, et elle craignait qu'il lui soit arrivé malheur.

Les soldats détestaient devoir donner la becquée à une vieille femme, et leurs camarades devaient se moquer de ceux qui écopaient de la corvée.

Ces brutes entreraient, la tireraient par les cheveux et la gaveraient comme une oie ! Voyant qu'elle s'étranglait, ils la forceraient à boire pour pousser le pain dans son gosier.

Une expérience atroce sur laquelle elle n'avait aucune emprise. Même si elle adorait manger, elle commençait à redouter de ne pas survivre à une de ces séances.

Un soir, un soldat avait simplement jeté le pain dans la poussière et posé un bol d'eau à côté – comme si elle était une chienne ! Et il avait semblé ravi de lui témoigner ainsi son mépris, tout en s'épargnant une tâche désagréable.

Le soudard ne s'était pas douté qu'Anna préférait cent fois cette méthode. Après qu'il fut sorti en ricanant, elle s'était couchée sur le flanc pour manger le pain à son rythme. Et qu'il soit souillé de poussière ne l'avait pas tant gênée que ça.

La Dame Abbesse sursauta quand le rabat de la tente s'écarta. Alors qu'une silhouette sombre entrait, elle se demanda ce qui l'attendait ce soir. Un repas à même le sol, ou l'humiliation de sentir des doigts crasseux lui ouvrir la bouche ?

À sa grande surprise, elle reconnut sœur Alessandra. Un bol de soupe fumante dans une main, elle tenait une bougie dans l'autre.

Après l'avoir posée par terre, elle se pencha sur Anna.

Sans dire un mot ni sourire. Et en évitant de croiser le regard de la prisonnière.

À la lueur de la bougie, Anna vit que la Sœur de l'Obscurité avait le visage tuméfié. Une coupure courait sous son œil gauche, mais elle semblait en voie de guérison. Les autres plaies, moins graves, paraissaient dater de plusieurs jours, et être presque refermées. Sauf quelques-unes, visiblement très récentes.

La Dame Abbesse n'eut pas besoin d'interroger la malheureuse pour savoir ce qu'il lui était arrivé. Ses joues et son menton étaient à vif, écorchés par le contact de dizaines de visages d'hommes mal rasés.

— Alessandra, je suis soulagée de te revoir vivante. Je me suis rongé les sangs en pensant à toi.

La Sœur de l'Obscurité haussa les épaules comme si les réactions de la prisonnière l'indifféraient. Puis elle commença à la nourrir.

Morte de faim, Anna avala la première cuillerée sans même sentir le goût de la soupe à la saucisse. Mais la chaleur qui envahit sa gorge puis son estomac lui parut en soi délectable.

— J'ai craint aussi pour ma vie, dit-elle. Ces brutes me nourrissaient si vite que j'aurais pu m'étrangler.

— Je sais comment ils agissent…, murmura Alessandra.

— Mon enfant, tu… vas bien ?

— C'est la pleine forme ! répondit la Sœur de l'Obscurité, de nouveau fermée comme une huître.

— Donc, tes blessures ne sont pas graves ?

— Je m'en suis mieux tirée que la plupart de mes compagnes... Quand on nous casse un bras, par exemple, Jagang nous autorise à utiliser la magie pour nous guérir les unes les autres.

— Mais pour ça, il faut recourir à la Magie Additive ?

— Voilà pourquoi j'affirme avoir eu de la chance ! Je n'avais pas de fracture, contrairement aux autres. Quand nous avons tenté de les guérir, ça n'a pas marché, et elles souffrent beaucoup. (Alessandra croisa enfin le regard d'Anna.) Il n'y a rien de plus dangereux qu'un monde sans magie.

Anna voulut rappeler à la sœur qu'elle l'avait prévenue, quelques jours plus tôt. Une cuillerée de soupe l'en empêcha.

— Mais vous aviez essayé de m'avertir, Dame Abbesse. Et je ne vous ai pas crue.

— Quand on m'a dit que les Carillons rôdaient dans notre monde, j'ai eu la même réaction que toi. Cela nous fait au moins un point commun ! En restant une telle tête de mule, ma chère enfant, tu as une excellente chance d'être un jour nommée Dame Abbesse !

Contre son gré, Alessandra sourit de cette plaisanterie.

Anna baissa les yeux sur la cuiller, posée dans le bol – avec un morceau de saucisse dedans !

— Dame Abbesse, avez-vous vraiment pensé que les Sœurs de la Lumière vous croiraient, au sujet de la défaillance de la magie ? Et qu'elles prendraient le risque de s'évader avec vous ?

Anna plongea son regard dans celui d'Alessandra.

— Pas vraiment, je l'avoue... Bien sûr, j'espérais qu'elles se fieraient à ma parole, puisqu'elles savent que je suis incapable de mentir. Mais j'ai toujours envisagé qu'elles puissent avoir trop peur pour agir, même si elles me faisaient confiance.

» Les esclaves, même s'ils détestent leur sort, s'accrochent souvent à leur aliénation par crainte de l'inconnu. Pense à un alcoolique, par exemple, qui trouve cruel qu'on tente de l'arracher à son addiction...

— Et qu'aviez-vous prévu de faire, au cas où les Sœurs de la Lumière refuseraient de renoncer à leur esclavage ?

— Jagang les utilise, comme tes semblables et toi. Quand les Carillons auront été bannis, la magie sera restaurée, et ces femmes retrouveront leur pouvoir – pour le mettre au service de l'empereur. Beaucoup d'innocents risquent de mourir, victimes des Sœurs de la Lumière. Qu'elles soient manipulées ou non ne compte pas. Puisqu'elles ont choisi l'esclavage, il ne reste qu'une solution : les éliminer.

Alessandra leva un sourcil interloqué.

— Eh bien, Dame Abbesse, nous ne sommes pas si différentes que ça, finalement ! Ce serait au mot près le raisonnement d'une Sœur de l'Obscurité.

— Il s'agit de bon sens, rien de plus. Les laisser en vie mettrait en péril la vie de trop de pauvres gens.

Affamée, Anna lorgnait désespérément la cuiller, qu'Alessandra ne semblait pas disposée à reprendre.

— Dans ce cas, pourquoi vous êtes-vous laissée capturer ?

— Parce que je n'ai pas cru qu'elles me mentiraient sur un sujet si important.

Bien que ce ne soit pas une raison suffisante pour les exécuter, ça me facilitera la tâche, le moment venu…

Alessandra reprit enfin la cuiller. Cette fois, Anna mâcha lentement pour savourer le délicieux goût de la soupe.

— Tu peux t'enfuir avec moi, Alessandra, dit-elle quand elle eut avalé.

La Sœur retira du bol quelque chose qu'elle jeta dans la poussière. Puis elle remua la soupe.

— Je vous ai déjà dit que c'est impossible !

— Pourquoi ? Parce que Jagang prétend qu'il continue à te contrôler ?

— Entre autres, oui…

— Mon enfant, il avait promis de ne pas t'envoyer sous les tentes si tu acceptais de me nourrir. C'est toi-même qui me l'as dit !

Des larmes aux yeux, Alessandra cessa de remuer la soupe.

— Nous appartenons à Son Excellence. (De sa main libre, elle toucha l'anneau d'or passé à sa lèvre inférieure – le symbole de l'esclavage, pour l'Ordre Impérial.) Il peut faire de nous tout ce qu'il veut…

— Il t'a menti ! Tu aurais dû échapper aux tentes, et il t'y a envoyée ! Comment peux-tu te fier à lui ? Abandonner ton avenir entre ses mains ? Avec les Sœurs de la Lumière, j'ai commis cette erreur, mais je ne permettrai jamais plus à un menteur de me nuire. Si Jagang t'a trompée au sujet des tentes, jusqu'à quel point t'abuse-t-il sur le reste ?

— Que voulez-vous dire ?

— Ce chien affirme que tu ne peux pas t'enfuir parce qu'il contrôle ton esprit. C'est faux, mon enfant ! En ce moment, il ne peut pas plus s'introduire dans ta tête que dans la mienne ! Quand les Carillons seront partis, il retrouvera son pouvoir. Pas avant !

» Si tu jures fidélité à Richard, tu seras protégée, même après le retour de la magie. Tu peux fuir, mon enfant ! Nous en finirons avec les sœurs qui ont menti et préféré garder leurs chaînes – si atroce que ce soit, il s'agit de notre devoir ! – puis nous nous évaderons ensemble.

— Dame Abbesse, dit Alessandra, le visage fermé, vous oubliez que je suis une Sœur de l'Obscurité qui a prêté serment au Gardien.

— En échange de quoi, mon enfant ? Que t'a-t-il promis ? Existe-t-il une plus belle récompense que de baigner pour l'éternité dans la Lumière ?

— Oui, l'immortalité !

Anna soutint longuement le regard glacial de la sœur. Dehors, les soudards riaient grassement et s'apprêtaient à passer une nuit de débauche. Ces derniers jours, certains avaient abusé d'une Sœur de l'Obscurité vieille de cinq cents ans et réduite à l'état d'impuissance d'un nourrisson. Mêlés à de délicieuses odeurs de cuisson, des relents de sueur âcre et de crottin de cheval montaient aux narines de la Dame Abbesse.

Qui refusa obstinément de baisser les yeux.

— Alessandra, le Gardien aussi est un menteur !

Une lueur de colère passa dans le regard de la sœur.

Elle se leva, sortit à moitié de la tente et vida le bol de soupe, encore quasiment plein, dans la poussière.

— Je me fiche que vous creviez de faim, vieille folle ! Mieux vaut retourner sous les tentes qu'écouter vos blasphèmes !

Quand elle fut de nouveau seule, l'âme et le corps douloureux, Anna implora le Créateur de donner une chance à Alessandra de revenir vers la Lumière. Elle pria aussi pour le salut des Sœurs de la Lumière, désormais aussi perdues pour elle que celles de l'Obscurité.

Enchaînée seule sous une tente obscure, la Dame Abbesse eut le sentiment que le monde était devenu fou.

— Créateur bien-aimé, Ton œuvre aussi n'est-elle qu'un mensonge ? demanda-t-elle entre ses sanglots.

Chapitre 58

Dalton approcha à grandes enjambées de la table d'honneur et sourit à Teresa, qui paraissait solitaire et mélancolique. Elle sembla soulagée de le voir, bien qu'il fût très en retard. Il ne lui consacrait pas assez de temps, depuis quelques jours, mais ça n'était pas volontaire, et elle comprenait.

Avant de s'asseoir, il l'embrassa sur la joue.

Le ministre salua son assistant d'un bref hochement de tête. Une femme assise non loin de l'estrade, sur la droite, lui faisait du charme, et il était fasciné par son art de jouer suggestivement avec une tranche de bœuf roulée.

Loin d'être effarouchées par la sexualité débridée de Bertrand, la plupart des femmes le trouvaient attirant *à cause* de ses appétits excessifs – y compris celles qui n'avaient pas l'intention de passer à l'acte. À la grande surprise de Dalton, qui ne parvenait pas à saisir tous les paradoxes de l'âme féminine, la virilité à l'état sauvage – si inconvenante qu'elle fût – attirait irrésistiblement les dames les plus raffinées. L'appel du danger, sans doute, mêlé à la séduction de l'interdit. Plus un homme se comportait comme un soudard, et plus elles en étaient pantelantes. De quoi n'y rien comprendre !

— J'espère que tu ne t'es pas trop ennuyée, ma chérie, murmura Dalton.

Dans le regard de sa femme, il vit le reflet d'un amour profond, authentique… et fidèle.

N'était le sourire qu'il s'était autorisé à adresser à Tess, Dalton s'efforçait de ne pas trahir son excitation. Il allait bientôt cueillir les fruits de son travail, et cette perspective le grisait. Il but une longue gorgée de vin, sans le savourer, par impatience de sentir l'effet apaisant de l'alcool.

— Tu m'as manqué, c'est tout, dit Teresa. Bertrand a raconté des blagues… (La jeune femme s'empourpra.) Mais je ne peux pas te les répéter en public. (Elle eut un sourire malicieux.) Peut-être plus tard, dans notre chambre…

Dalton se força à sourire, mais il repensait déjà à des choses beaucoup plus importantes.

— Si je reviens avant que tu sois endormie… Ce soir, je dois faire expédier une nouvelle fournée de messages. (Campbell se força à cesser de pianoter sur la table.) Un événement capital vient de se produire.

— Lequel ? demanda Teresa.

— Tes cheveux ont bien poussé, ma chérie, dit Dalton. (À vrai dire, ils étaient aussi longs que l'autorisait le statut actuel de Tess.) Mais je crois qu'ils devront faire encore un effort. Un gros effort, même.

Si enfantin que ce fût, Dalton adorait jouer les mystérieux, de temps en temps.

— Dalton ! s'impatienta Teresa.

Elle était assez fine pour avoir saisi l'allusion, mais il devait lui sembler impossible que son mari, dans la situation présente, soit déjà en mesure de réaliser son ambition ultime.

— Dalton, est-ce lié au… projet… dont tu me parles depuis si longtemps ?

— Excuse-moi, ma chérie, je n'aurais pas dû te taquiner comme ça. Et je m'avance peut-être trop, d'ailleurs… Sois patiente, tu sauras tout dans quelques minutes. Il vaut mieux que le ministre soit le premier à connaître cette nouvelle.

Dame Chanboor avait remarqué le manège de la femme qui « allumait » son mari. Après l'avoir foudroyée du regard, sans grands résultats, elle se tourna vers Bertrand, riva sur lui des yeux mauvais, puis se pencha vers Campbell :

— Vous avez du nouveau ?

Dalton se tamponna les lèvres avec sa serviette et la reposa sur ses genoux. Avant d'entrer dans le vif du sujet, il estima judicieux d'en finir avec les informations secondaires. De plus, cela soulignerait l'importance capitale de ce qu'il allait falloir faire… d'urgence.

— Le seigneur Rahl et la Mère Inquisitrice travaillent du matin au soir. Ils sont déjà passés dans une multitude d'endroits, où des foules avides de les entendre assistent à leurs réunions de campagne.

» Beaucoup de gens viennent pour voir la Mère Inquisitrice en chair et en os. J'ai peur qu'elle soit bien plus populaire que nous le pensions. Son récent mariage joue – hélas ! – en sa faveur. Le jeune couple est acclamé partout où il va. Les paysans font des lieues et des lieues à pied pour gagner les villes où Rahl et sa femme viennent discourir.

Les bras croisés, Hildemara marmonna un juron d'une rare obscénité, même pour elle. Si les jeunes mariés avaient les oreilles qui sifflaient, cela n'aurait rien d'étonnant…

Dalton se demanda vaguement de quels épithètes dame Chanboor l'accablait quand il lui avait déplu sans s'en apercevoir. Connaissant les insultes qu'elle lançait à son mari, ce devait être gratiné…

Bien que ses collaborateurs soient informés de son goût pour un langage « franc et direct », le peuple la pensait trop pure pour que de telles horreurs franchissent ses lèvres. Fine mouche, Hildemara ne sous-estimait pas la valeur du soutien populaire. Quand l'épouse aimante du ministre – et protectrice bien connue de la veuve et de l'orphelin – sillonnait le pays pour vanter l'excellent travail de son mari (et soigner ses relations avec de prospères bailleurs de fonds), on lui manifestait une adoration très semblable à celle dont bénéficiait la Mère Inquisitrice.

À présent, et plus que jamais, elle devrait jouer brillamment son rôle pour assurer le succès de leur plan.

Avant de continuer son rapport, Dalton prit une nouvelle gorgée de vin.

— La Mère Inquisitrice et le seigneur Rahl ont rencontré plusieurs fois les directeurs, qui semblent satisfaits par les conditions « équitables » de leur offre. En outre, la détermination et l'intelligence de Rahl paraissent les séduire…

Bertrand serra les poings.

— En tout cas, ajouta Dalton, c'est ce qu'ils affirment devant le seigneur et son épouse. Dès qu'ils ont tourné le dos, une réflexion plus poussée les conduit à changer d'avis.

Avant de continuer, Campbell s'assura que le couple Chanboor était suspendu à ses lèvres.

— C'est une chance pour nous, avec ce qui vient de se passer.

Avant de se tourner de nouveau vers la jeune femme qui continuait à le « stimuler », Bertrand dévisagea longuement son assistant.

— Et qu'est-il arrivé ? demanda-t-il.

Sous la table, Dalton prit la main de Teresa.

— Ministre Chanboor, très chère dame Chanboor, j'ai la douleur de vous annoncer que le pontife n'est plus de ce monde.

Teresa sursauta, poussa un petit cri et se cacha le visage derrière sa serviette pour que personne ne voie ses larmes. Elle détestait qu'on la regarde pleurer…

— J'avais cru comprendre qu'il allait mieux, dit Bertrand, le regard de nouveau braqué sur Dalton.

Une façon subtile d'exprimer ses soupçons… La mort du pontife n'avait rien pour le désespérer, mais il n'était pas bien sûr que Dalton ait eu les tripes nécessaires pour avoir accéléré son trépas. Et si c'était le cas, il se demandait pourquoi son assistant avait pris un tel risque.

Si bienvenu que fût le décès du pontife – qui libérait le trône que Bertrand lorgnait – toute suspicion d'assassinat, même si rien n'était jamais prouvé, risquait de compromettre leur plan au moment où la victoire se profilait enfin.

Sans se laisser démonter par les sous-entendus de son chef, Dalton se pencha vers lui et baissa la voix :

— Nous avons des ennuis. Trop de gens ont envie de tracer un cercle sur leur bulletin de vote. Pour les en dissuader, il faudra les convaincre que l'enjeu du scrutin est en fait un choix de personne : notre bien-aimé pontife, ou un homme dont les bonnes paroles cachent sans doute de mauvaises intentions ?

» Vous savez que nous devons tenir les engagements pris vis-à-vis de notre… commanditaire. Perdre cette consultation est hors de question ! Nous devons nous dresser directement face à Rahl, même si c'est dangereux ! (Dalton baissa encore la voix.) Vous serez notre porte-parole, et ajouterez à votre prestige, déjà immense, celui du nouveau pontife !

Bertrand eut un sourire rayonnant.

— Très cher Dalton, vous êtes l'assistant le plus loyal et le plus compétent qu'il m'ait été donné d'avoir. Réjouissez-vous, parce que vous venez de passer en tête de liste pour l'attribution du poste de ministre de la Civilisation. Car vous devinez qu'il me faudra bientôt un remplaçant…

Enfin, tout est en place ! jubila Campbell.

Hildemara semblait stupéfaite, mais pas du tout mécontente. Pour avoir tenté de passer à travers, elle savait combien étaient serrées les mailles du filet protecteur qui entourait le pontife.

À la façon dont brillaient ses yeux, elle imaginait sans doute déjà ce que deviendrait sa vie, une fois qu'elle serait l'épouse du représentant du Créateur en ce monde. Comparée à son statut actuel, pourtant loin d'être négligeable, cette position lui permettrait d'être mille fois plus puissante.

Elle se pencha pour saisir délicatement le poignet de Campbell.

— Dalton, vous êtes encore meilleur que je le croyais. Pourtant, j'avais déjà une haute opinion de vous. Mais je n'aurais pas cru cet exploit possible…

Elle ne précisa pas de quoi elle parlait, mais c'était évident.

— J'ai fait mon devoir, ma dame, sans me laisser arrêter par les difficultés. Car je sais que seuls comptent les résultats !

Hildemara serra doucement le poignet de Dalton avant de le lâcher. Il ne l'avait jamais vue manifester une telle admiration devant un de ses « exploits ». La mort de Claudine, pourtant orchestrée de main de maître, lui avait à peine valu un hochement de tête approbateur.

Il se tourna vers Teresa, trop immergée dans son chagrin pour avoir entendu son discret dialogue avec le couple ministériel.

— Tess, ça va ?

— Dalton, le pauvre homme ! Notre cher pontife ! Puisse le Créateur veiller sur son âme, quand il l'accueillera à sa droite, la place qui lui revient !

Bertrand se pencha pour tapoter gentiment le bras de Teresa.

— De très bonnes paroles, mon enfant ! Et qui expriment à la perfection nos sentiments à tous.

L'air sinistre, le ministre se leva pour prendre la parole. Au lieu de tendre le bras pour demander le silence, comme il en avait l'habitude, il resta immobile, la tête inclinée et les mains croisées.

Sur un geste d'Hildemara, la harpiste cessa de jouer. Les conversations et les rires moururent à mesure que les convives s'avisaient qu'il se passait quelque chose de grave.

— Bonnes gens d'Anderith, je viens de recevoir une terrible nouvelle. Ce soir, nous sommes devenus un peuple orphelin et perdu. Car le pontife nous a quittés !

Au lieu des murmures que Campbell pensait entendre, un silence de mort tomba sur l'assistance.

À cet instant, Dalton mesura vraiment la portée de son… intervention. Depuis sa naissance, il vivait sous le règne du vieux pontife, apparemment indestructible. Une époque était révolue, et plus rien ne serait comme avant. À l'évidence, beaucoup de convives avaient les mêmes pensées que lui…

Bertrand battit des cils comme s'il luttait pour refouler ses larmes. Puis il parla d'une voix vibrante d'émotion contenue :

— Baissons les yeux, mes amis, et implorons le Créateur de veiller sur l'âme de notre vénéré pontife, quand il lui ouvrira les bras. À présent, je dois vous quitter, car il me faut convoquer les directeurs, afin qu'ils accomplissent leur devoir sacré.

» En un moment si grave, alors que le seigneur Rahl et l'empereur Jagang exigent tous les deux notre allégeance – et que les nuages noirs de la guerre s'accumulent sur nos têtes – je demanderai, pour le bien du peuple, que les directeurs nomment un nouveau pontife dès cette nuit. Demain, notre guide sera intronisé afin de rétablir le lien qui nous unit au Créateur. Ainsi, nous bénéficierons de l'assistance spirituelle que notre ancien pontife, rongé par l'âge et la maladie, n'était plus en mesure de nous fournir.

— Dalton, souffla Teresa, les yeux rivés sur Bertrand, tu te rends compte que nous écoutons peut-être le futur pontife ?

Conscient que son épouse parlait en toute ingénuité, Dalton lui tapota tendrement le dos.

— Espérons-le, ma chérie… Espérons-le !

— Maintenant, nous devrions prier aussi…, murmura la jeune femme.

— Bonnes gens d'Anderith, dit Bertrand en écartant les bras, avant mon départ, recueillons-nous ensemble !

Dalton prit le bras de Franca dès qu'elle entra. Après l'avoir tirée à l'intérieur, il referma la porte de son bureau.

— Ma chère Franca, je suis ravi de vous voir ! Voilà un moment que nous n'avons plus parlé. Mille fois merci d'être venue !

— C'était important, disait votre message…

— Et il ne mentait pas ! Mais je vous en prie, asseyez-vous.

Franca s'assit et lissa les plis de sa robe. Dalton s'appuya à son bureau, à côté d'elle. Une façon de marquer qu'il s'agissait d'une rencontre amicale.

Sentant un objet contre sa hanche, il baissa les yeux, vit qu'il s'agissait du carnet de Joseph Ander et le poussa pour qu'il ne le gêne plus.

— Dalton, vous pouvez aérer un peu ? demanda Franca en s'éventant d'une main. On étouffe, dans ce bureau.

Bien que le soleil se levât à peine, c'était la stricte vérité : il faisait très chaud, et la journée promettait d'être accablante. Avec un sourire courtois, Dalton alla ouvrir la fenêtre placée derrière son bureau. Voyant que Franca trouvait cette intervention insuffisante, il ouvrit également les autres.

— Merci, Dalton. C'est très gentil à vous. À présent, si vous me disiez ce qui est si « important » ?

Campbell revint s'asseoir sur le coin de son bureau.

— Hier soir, avez-vous pu « entendre » quelque chose, pendant le banquet ? Avec l'annonce de la mort du pontife, cette soirée était hors du commun, n'est-ce pas ? Si vous avez capté certaines conversations, ça pourrait m'être très utile.

L'air désolé, Franca tira de sous la ceinture de sa robe une petite bourse dont elle sortit quatre pièces d'or.

— Voilà l'argent que vous m'avez donné depuis que j'ai des… difficultés… avec mon pouvoir. Reprenez-le, Dalton, je ne l'ai pas mérité. Et sachez que je suis navrée que vous ayez dû me convoquer parce que je ne suis pas venue vous rembourser assez vite.

Dalton savait à quel point Franca avait besoin de ces pièces. Son pouvoir étant défaillant, elle se retrouvait au chômage, et il ne lui faudrait pas longtemps pour être ruinée. Sans homme pour l'aider, elle devait gagner sa vie… ou mourir de faim. Lui rendre cette petite fortune n'était pas un geste sans importance.

— Franca, je ne veux pas de votre argent !

— Ce n'est pas le mien, justement ! Je ne l'ai pas gagné, alors pourquoi le garderais-je ?

Dalton prit les mains de son amie entre les siennes et les serra tendrement.

— Franca, nous nous connaissons depuis longtemps et nous sommes très proches. Si vous pensez vraiment ne pas avoir mérité ces pièces, je vais vous donner l'occasion de le faire !

— Mais je ne…

— Il ne s'agit pas de votre pouvoir, mais d'une autre chose que vous êtes en mesure de m'offrir.

Franca sursauta, indignée.

— Dalton, vous êtes marié ! Et à une femme superbe, en plus !

— Non, non…, bafouilla Campbell, stupéfait. Ce n'est pas… Si je vous ai laissée penser que… Excusez-moi de ne pas avoir été clair.

Dalton trouvait Franca attirante, bien qu'elle fût un peu trop vieille et franchement étrange. Même s'il n'avait jamais songé à lui faire des avances, il fut un peu déçu de voir qu'elle aurait jugé cette initiative des plus malvenues.

— Alors, que voulez-vous ?

— La vérité.

— Eh bien, il y en a plusieurs sortes, mon ami. Et certaines font plus de dégâts que les autres.

— De profondes et sages paroles…

— Quelle vérité voulez-vous connaître ?

— Franca, qu'est-ce qui cloche avec votre pouvoir ?

— Il ne fonctionne plus.

— Je le sais. Mais pourquoi ?

— Vous songez à vous reconvertir dans la sorcellerie ?

— Franca, c'est capital ! Il me faut la réponse !

— Pourquoi ?

— Je dois savoir si vous êtes la seule concernée, ou si tous les magiciens sont frappés. La magie est importante pour beaucoup de gens, en Anderith. Si elle disparaît, je dois savoir pourquoi, afin de pouvoir faire face.

— Je comprends…

— Alors, quel est le problème ? Et qui frappe-t-il ?

— Désolée, mais je n'en sais rien.

— Franca, je vous en prie, c'est essentiel pour moi !

— Dalton, n'insistez pas !

— Je dois savoir, Franca !

La magicienne baissa la tête et contempla un long moment le parquet. Puis elle prit la main de Dalton, posa les pièces sur sa paume et le força à refermer les doigts dessus.

Enfin, elle se leva et regarda l'assistant dans les yeux.

— Je vais répondre, mais je n'accepterai pas d'argent. On ne se fait pas payer pour ce genre de chose. Vous saurez uniquement parce que je... enfin, parce que vous êtes un ami.

Dalton trouva un air sinistre à Franca, comme si elle venait de prononcer sa propre sentence de mort. Il lui fit signe de s'asseoir et elle obéit avec un soulagement évident. À croire que ses jambes avaient du mal à la porter.

— Je vous suis reconnaissant, mon amie. Du fond du cœur !

— La magie en général est menacée. Puisque vous n'êtes pas un expert en la matière, je vous épargnerai les détails. Sachez seulement que la magie agonise. Pas seulement la mienne, mais toute celle qui existait en ce monde. Elle est morte et enterrée !

— Pourquoi ? Et n'y a-t-il vraiment rien à faire ?

Franca réfléchit un moment.

— Hélas, non... Je n'en suis pas certaine, bien sûr, mais je peux vous révéler que le Premier Sorcier en personne a péri en tentant de résoudre le problème.

Dalton en resta bouche bée. Bien qu'il fût un profane en magie, il savait qu'elle était souvent bénéfique. Comme le pouvoir de guérison de Franca, qui soulageait les corps, mais aussi les âmes en proie à d'indicibles tourments.

Cet événement était plus important que la mort du pontife. Parce qu'il marquait la fin d'une époque des centaines de fois plus longue que le règne du vieil homme.

— La magie peut-elle revenir ? Un miracle est-il encore possible ? Je veux dire... eh bien, un renversement de situation...

— Je l'ignore. Un homme qui en savait beaucoup plus long que moi a échoué, et ça m'incite à penser que le phénomène est irréversible. Il reste peut-être une chance, mais j'ai bien peur qu'il soit déjà trop tard pour la saisir.

— Et quelles seront les conséquences de ce drame ?

— Je n'en sais rien..., répondit Franca, soudain plus pâle qu'une statue de cire.

— Avez-vous étudié la question ? À fond, et sous tous les angles envisageables ?

— Je ne sors plus de chez moi, et je tente l'impossible pour comprendre. Le banquet d'hier était ma première apparition publique depuis des semaines. (Franca fronça les sourcils.) Quand il a annoncé la mort du pontife, le ministre a fait allusion à un « seigneur Rahl ». De qui s'agit-il ?

Recluse volontaire, Franca n'avait entendu parler ni de Rahl ni du scrutin, supposa Dalton. Mais après ce qu'il venait d'apprendre, il n'avait pas le temps de se lancer dans d'interminables explications.

— Comme d'habitude, des concurrents surenchérissent pour avoir accès à la production d'Anderith... (Dalton tendit la main à Franca et l'aida à se relever.) Merci d'être venue et de m'avoir parlé si franchement. Votre aide m'est plus précieuse que vous l'imaginez.

Franca parut vexée d'être ainsi congédiée, mais Campbell ne pouvait rien faire pour la consoler. Il devait se mettre au travail d'urgence !

La magicienne le regarda, ses yeux semblant sonder jusqu'au plus profond de son âme. Un regard hypnotique, pouvoir ou pas...

— Dalton, promettez-moi que je ne regretterai jamais de vous avoir dit la vérité !

— Franca, je vous assure que…

Dalton se retourna, car il venait d'entendre un bruit étrange derrière lui. Surpris, il poussa Franca en arrière.

Un gros oiseau noir s'était perché sur le rebord d'une fenêtre. Un corbeau, estima l'assistant, bien qu'il n'en eût jamais vu un de si près.

L'oiseau vola jusqu'au bureau, se posa sur un écritoire et dérapa, car il ne s'attendait sûrement pas à trouver un « perchoir » aussi lisse et mou. Il se stabilisa maladroitement, et regarda autour de lui.

Dalton contourna le bureau et dégaina son épée, posée sur le support en argent.

Franca tenta de lui saisir le poignet.

— Ne faites pas ça ! Tuer un corbeau porte malheur !

Cette fâcheuse intervention et un bond latéral de l'oiseau firent manquer sa cible à l'assistant.

Le corbeau croassa d'indignation et sautilla jusqu'à l'autre extrémité du bureau. Dalton écarta fermement Franca et leva de nouveau son épée.

L'oiseau se baissa, prit dans son bec le carnet noir de Joseph Ander et s'envola. Sans lâcher son butin, il voleta frénétiquement dans la pièce.

Dalton ferma la fenêtre placée derrière son bureau. Furieux, le corbeau l'attaqua, et ses serres entaillèrent le cuir chevelu de l'assistant pendant qu'il fermait les deux autres fenêtres.

Dalton frappa et sentit que sa lame avait frôlé le maudit oiseau. Avec des croassements assez forts pour percer les tympans des deux humains, le corbeau vola vers la fenêtre du milieu.

Campbell et la magicienne se protégèrent le visage une fraction de seconde avant que la vitre explose.

Des éclats de verre volèrent un peu partout…

Quand il baissa les mains, Dalton vit le corbeau se poser de justesse sur la branche d'un arbre dont la cime tutoyait le deuxième étage. Il faillit tomber, se rétablit de justesse et tituba sur ses pattes. À l'évidence, il était blessé.

Dalton jeta son épée sur le bureau et s'empara d'une des hallebardes qui flanquaient les étendards de guerre. Avec un grognement, il lança l'arme sur l'oiseau voleur.

Le corbeau s'envola, le livre toujours dans le bec. L'arme le rata de peu et il disparut dans le ciel.

— Je suis contente que vous l'ayez raté, dit Franca. Le tuer ne vous aurait pas porté chance.

— Il a volé le livre ! rugit Dalton, rouge de colère.

— Les corbeaux sont bizarres… Ils dérobent souvent des objets pour les offrir à leur compagne. Vous saviez qu'ils s'unissaient pour la vie ?

— Sans blague ? grogna Dalton en tirant sur ses vêtements en désordre.

— Mais la femelle trompe son compagnon. Parfois, pendant qu'il est parti chercher des brindilles pour construire leur nid, elle se donne à un autre mâle.

— Vraiment ? Et que voulez-vous que ça me fasse ?

— Eh bien, je pensais que ça vous intéresserait, par simple curiosité… (Franca approcha de la fenêtre dévastée.) Ce livre était précieux ?

— Non. (Dalton fit prudemment tomber des éclats de verre de son épaule.) Un vieux texte écrit dans une langue que plus personne ne comprend.

— Alors, le mal n'est pas si grand… Soyez heureux qu'il ne vous ait pas volé un trésor…

— Mais regardez-moi ce fouillis ! s'écria Dalton. (Il se baissa, ramassa quelques plumes noires et les jeta par la fenêtre. Puis il remarqua une tache rouge, sur son bureau.) Au moins, il aura dû verser son sang pour s'approprier son butin !

Chapitre 59

L e nouveau pontife d'Anderith, nommé et intronisé en moins de vingt-quatre heures, écarta théâtralement les bras. Campé sur un balcon, il dominait la foule qui se pressait sur la place et dans toutes les rues environnantes.

— L'heure a sonné, déclara-t-il, de mettre un terme à la haine !

Sachant que les acclamations dureraient un bon moment, Dalton profita de l'occasion pour regarder Teresa. Sans cesser de se tamponner les yeux, elle sourit courageusement à son mari. La pauvre avait passé la nuit à prier pour le repos de l'âme du défunt pontife, et à implorer le Créateur de veiller sur le nouveau.

Dalton n'avait pas dormi non plus, occupé par une réunion où Bertrand, Hildemara et lui avaient préparé le discours inaugural de l'ancien ministre de la Civilisation.

Bertrand rayonnait, Hildemara connaissait enfin son jour de gloire… et Campbell tenait fermement les rênes du pouvoir.

Aujourd'hui, l'offensive commençait.

— Devenu votre pontife, je ne saurais tolérer qu'une atroce injustice vous frappe, braves gens d'Anderith ! Le seigneur Rahl vient de D'Hara ! Que sait-il de vos désirs et de vos besoins ? Comment peut-il penser, dès sa première visite, que nous remettrons nos vies entre ses mains ?

La foule hurla sa rage. Bertrand la laissa faire un moment avant de demander le silence.

— Nous avons lutté contre la haine, et combattu des hommes sans foi ni loi qui se fichaient de voir mourir de faim des enfants. Sans relâche, nous avons lutté pour améliorer la vie du peuple d'Anderith ! Et qu'a fait pour vous le seigneur Rahl ? Rien du tout ! Où était-il quand nos enfants criaient famine ? Qu'a-t-il proposé quand d'honnêtes pères de famille ne trouvaient pas de travail ?

» Voulons-nous voir nos efforts balayés par un homme sans cœur et son épouse, une privilégiée née dans du coton ? La Mère Inquisitrice ne sait rien de la souffrance du peuple ! Elle n'a jamais vu un enfant pleurer parce qu'il a le ventre vide !

» Au moment où d'audacieuses réformes portent leurs fruits, faudrait-il renoncer à tout ?

Bertrand tapa du poing sur la rambarde pour ponctuer rageusement son discours.

— Le seigneur Rahl ne s'intéresse qu'à sa magie, voilà la vérité ! Il est venu ici pour nous exploiter ! Car cet homme, ne vous y trompez pas, porte le masque de la bonté sur le visage hideux de la haine !

» Avec ses sortilèges, il empoisonnera nos eaux, et nous ne pourrons plus pêcher ! Oui, pour créer d'atroces armes, il souillera nos lacs, nos fleuves et même l'océan !

L'auditoire, d'abord choqué, rugit de rage en entendant ces affirmations.

Dalton notait soigneusement les réactions que provoquait chaque mot de Bertrand. Ainsi, il pourrait peaufiner le texte pour les prochains discours du pontife, et confier à ses messagers une version parfaitement au point.

— Rahl a invoqué des démons pour l'aider à livrer sa guerre inique. Vous avez sans doute entendu parler d'une série de morts étranges. Pensez-vous qu'il s'agisse d'une coïncidence ? Non, mes enfants, c'est la magie de Rahl qui tue les nôtres ! Après avoir invoqué – ou peut-être même créé – des monstres, il les a lâchés sur nous pour voir s'ils savaient bien tuer. Ces démons brûlent des innocents ou les forcent à se noyer. Parfois, ils les obligent à se jeter dans le vide du haut d'un toit ou d'une falaise !

Terrifiés, des hommes et des femmes crièrent.

— Oui, Rahl se sert de nous pour tester ses abominables armes ! Bientôt, sa magie fera naître un brouillard maléfique qui s'infiltrera jusque dans nos maisons ! Voulez-vous que vos enfants respirent cette brume empoisonnée ? Accepterez-vous de les voir mourir étouffés à cause des incantations de Richard Rahl, un apprenti sorcier qui ne se soucie pas de prendre des précautions ? Désirez-vous les voir devenir difformes parce qu'ils auront nagé dans une mare souillée par la magie du D'Haran ?

» Voilà ce qui nous attend, si nous n'empêchons pas ce couple de prédateurs d'annexer notre pays ! Rahl nous tuera tous, afin que ses puissants amis viennent s'approprier nos biens. C'est pour nous détrousser qu'il est là, n'en doutez pas !

Désormais, de l'angoisse se lisait sur tous les visages.

Dalton se pencha vers Bertrand et murmura :

— L'eau et l'air, c'est ça qui les terrorise ! Insistez !

Le pontife hocha imperceptiblement la tête.

— Voilà ce qui arrivera, mes enfants, si nous laissons ce dictateur agir comme il l'entend. Sa magie empoisonnera l'air que nous respirons et l'eau que nous buvons. Pendant que ses sbires et lui s'enrichiront, de pauvres travailleurs, anderiens comme hakens, souffriront et mourront. Rahl utilisera notre air et notre eau pour créer des monstres et imposer une guerre dont personne ne veut.

Bertrand leva une main.

— L'Ordre Impérial propose d'acheter notre production deux fois plus cher que nous la vendons actuellement.

Des cris de joie montèrent de la foule.

— Rahl nous volera tout ! Voilà le choix qui s'offre à vous, braves gens d'Anderith ! Croire les mensonges d'un sorcier venu de D'Hara qui vous dépouillera de vos droits les plus élémentaires, puis se servira de votre pays pour développer son pouvoir et imposer coûte que coûte une guerre inutile ! Un monstre qui affamera nos enfants ou les utilisera comme cobayes, pour mesurer les effets de ses sortilèges et de ses ignobles créatures !

» L'autre possibilité est de commercer avec l'Ordre Impérial et d'enrichir vos familles au-delà de l'imaginable !

À présent, la foule était vraiment conquise. Venus écouter leur nouveau pontife avec de l'amour plein le cœur, ces gens entendaient pour la première fois un discours qui leur fournissait de bonnes raisons de rejeter le seigneur Rahl. Et de le redouter, par-dessus le marché.

Mais surtout, de le haïr sans se sentir coupables !

Sur la liste qu'il tenait discrètement, Dalton avait rayé les arguments inefficaces et entouré d'un cercle ceux qui mettaient en plein dans le mille. Comme Bertrand et lui l'avaient prévu, le mot « enfant », associé à une énumération d'horreurs, suffisait à pousser une foule au bord de l'émeute. Dès qu'ils l'entendaient, à condition qu'il soit utilisé à bon escient, la plupart des gens perdaient tout leur bon sens.

L'homélie sur la paix était également une poule aux œufs d'or. Les auditeurs de Bertrand avaient été terrifiés d'apprendre que le seigneur Rahl était le fauteur de guerre, et que ce conflit ne servirait à rien. Les gens voulaient la paix à n'importe quel prix. Et quand ils devaient régler la facture, ils s'y résignaient, parce qu'il était trop tard pour faire autrement.

— Mes amis, nous devons dire « non » au seigneur Rahl, oublier cet épisode pénible de notre histoire et nous tourner résolument vers l'avenir. Croyez-moi, ce n'est pas le moment de renoncer à tout pour devenir les esclaves d'un sorcier assoiffé de pouvoir et de sang. La paix peut être sauvée, si on lui donne une chance. Avec lui, elle n'en aura aucune.

» Je sais que ce tyran jettera aux orties nos traditions et nos croyances. Sous son règne, vous n'aurez plus de pontife pour vous guider. Mais je m'inquiète à votre sujet, mes enfants, pas pour moi-même. Il me reste encore tant de choses à faire, et tellement d'amour à vous donner. J'ai été béni, mes amis, et je tiens tellement à me dévouer pour le bien commun !

» Je t'en conjure, peuple d'Anderith si fier et si droit, montre ton mépris à l'usurpateur venu de D'Hara ! Fais-lui savoir que tu n'es pas dupe de ses ruses !

» Par ma bouche, mes enfants, le Créateur vous implore de tracer une croix sur votre bulletin, le jour du scrutin. Chassons d'Anderith le vil manipulateur ! Foulons aux pieds ses mensonges ! Refusons sa tyrannie ! Expulsons-le de chez nous, et la Mère Inquisitrice avec lui !

Alors que la foule rugissait à en faire trembler les bâtiments environnants, Bertrand leva les bras et les croisa pour former un « X » géant visible depuis les derniers rangs.

Le couvant d'un regard enamouré, Hildemara applaudit à tout rompre.

Quand il eut obtenu le silence en tendant un bras paternel, Bertrand prit la main de sa femme et la leva au-dessus de leurs têtes, comme s'il était encore besoin de présenter dame Chanboor au peuple.

Les acclamations furent à peine moins longues que celles qui avaient salué le nouveau pontife.

Heureuse de jouer enfin le rôle qu'elle répétait en secret depuis des années, Hildemara leva les mains pour demander le silence.

Et elle l'obtint en un clin d'œil.

— Bonnes gens d'Anderith, si vous saviez à quel point je suis fière d'être l'épouse d'un tel homme !

Les clameurs couvrirent sa voix. Extatique, elle les savoura un moment, puis réclama de nouveau le silence.

— Depuis des années, je le vois travailler sans relâche pour faire le bonheur d'Anderith et de son peuple. Sans chercher la célébrité, heureux de son anonymat, il n'a jamais cessé de s'échiner, prenant à peine le temps de manger et de dormir. Et lorsque je lui demandais de se ménager, savez-vous ce qu'il répondait ? « Hildemara, tant qu'un seul enfant aura encore faim, me reposer serait un crime ! »

Entendant l'auditoire applaudir à tout rompre, Dalton se tourna discrètement pour boire une gorgée de vin.

Teresa se serra contre lui et lui prit le bras.

— Dalton, souffla-t-elle, en nous donnant Bertrand, le Créateur a répondu à toutes nos prières.

L'assistant faillit éclater de rire, mais il vit que sa femme ne plaisantait pas. Dépité, il soupira d'agacement. Le Créateur n'était pour rien dans cette affaire. Si Bertrand était aujourd'hui au sommet, c'était à un certain Dalton Campbell qu'il le devait. Et à personne d'autre !

— Tess, sèche tes larmes. Le meilleur est encore à venir.

— Pour le salut de nos enfants, continua Hildemara quand le calme fut revenu, je vous demande de rejeter la haine et la division que le seigneur Rahl dissimule derrière ses sourires et sa bonté !

» Pareillement, opposez une fin de non-recevoir à la Mère Inquisitrice. Que sait-elle des humbles et des miséreux ? Née dans un palais, une cuiller en argent dans la bouche, que connaît-elle des souffrances d'un travailleur ? Montrez-lui que son « droit héréditaire à gouverner » n'est plus de mise. Faites-lui savoir que nous ne nous laisserons pas tromper par ses beaux discours qui visent à nous exploiter et à nous voler nos biens ! Apprenez-lui que sa douillette existence de privilégiée nous inspire le plus profond mépris ! Dites « non » à cette femme qui ose tenter d'imposer sa volonté à un peuple qu'elle ne connaît pas !

» Le seigneur Rahl et la Mère Inquisitrice sont assez riches comme ça. S'ils veulent s'engraisser davantage, qu'ils ne le fassent pas chez nous ! Anderith ne sera pas l'auge de ces porcs !

Tandis que la foule hurlait à pleins poumons les noms du nouveau pontife et de son épouse, Dalton bâilla et se frotta les yeux. Quand donc avait-il dormi pour la dernière fois ?

Pour que l'élection du pontife soit unanime, il avait dû forcer la main d'un des directeurs. Même si elle n'était pas requise, l'unanimité supposait qu'une intervention divine avait facilité le choix du nouveau chef, et elle renforçait sa position durant son règne.

Lorsque Bertrand recommença à haranguer la foule, Dalton l'écouta d'une oreille distraite... jusqu'à ce qu'il l'entende mentionner son nom.

— C'est pourquoi, parmi d'autres raisons qu'il serait trop long d'énumérer, je me suis impliqué dans le processus qui a conduit à la nomination de mon successeur. Permettez-moi de vous présenter un homme qui vous protégera et vous servira aussi bien que tous ceux qui l'ont précédé à ce poste. Bonnes gens, voici Dalton Campbell, votre nouveau ministre de la Civilisation !

Teresa tomba à genoux devant Bertrand, la tête humblement inclinée.

— Votre Grâce, dit-elle, merci d'avoir reconnu la valeur de mon mari. Et soyez béni d'avoir tant fait pour lui !

Au lieu de la fierté qu'il s'attendait à éprouver, Dalton se sentit surnuméraire, comme une vieille fille qui fait tapisserie dans une salle de bal. Teresa savait combien il avait travaillé dur pour en arriver là. Et voilà qu'elle attribuait à Bertrand Chanboor tout le mérite de sa fulgurante ascension.

Telle était la force de la parole du pontife ! Alors qu'il réfléchissait au discours qu'il allait prononcer pour soutenir la position de Bertrand et d'Hildemara, Dalton songea que c'était plutôt une bonne chose. Car le peuple, comme Teresa, serait subjugué et voterait dans le sens que lui indiquait son guide spirituel.

Mais le plus impressionnant restait encore à venir. Car Dalton allait tirer de sa manche un atout majeur...

La puanteur agressa les narines de Campbell dès que le gardien eut ouvert la porte de la cellule. À l'intérieur, il faisait trop noir pour qu'on y voie quoi que ce fût.

Dalton claqua des doigts. Aussitôt, les deux geôliers, des Anderiens, décrochèrent des torches de leurs supports muraux et accoururent.

— Tu es sûr qu'il est toujours vivant ? demanda-t-il à l'un des hommes. As-tu vérifié ?

— Il n'est pas mort, messire ministre, je vous le garantis.

Un instant, Dalton fut déconcerté de s'entendre appeler par son titre. Quand on s'adressait à lui ainsi, il lui fallait toujours une fraction de seconde pour se mettre dans la peau du personnage. Dalton Campbell, ministre de la Civilisation... Une douce musique à ses oreilles...

— Par là, messire ministre, dit le gardien en brandissant sa torche.

Dalton enjamba des hommes si crasseux qu'on les voyait à peine sur le sol brunâtre. Une eau fétide coulait dans une dépression, au centre de la cellule. En amont, c'était une source d'eau « potable ». En aval, l'évacuation des latrines. Le sol, les murs et les prisonniers grouillaient de vermine.

Au fond de la cellule, une fenêtre défendue par d'épais barreaux – et de toute façon trop petite pour qu'un adulte puisse passer – donnait sur une étroite ruelle. Si la famille ou les amis des détenus se souciaient encore d'eux, ils pouvaient venir leur parler et les faire manger.

Avec les fers qu'ils portaient aux poignets et aux chevilles, les prisonniers ne pouvaient pas s'entre-tuer pour la nourriture. En fait, ils étaient condamnés à rester allongés sur le sol, car leurs chaînes les empêchaient de marcher. Pour survivre, il leur restait la solution de sautiller, puis de coller la bouche à la fenêtre pour se faire nourrir. Et si personne ne venait les alimenter, ils crevaient d'inanition.

Tous les prisonniers étaient nus, et il y avait même dans le lot une vieille femme rachitique et édentée. Dalton n'aurait pas juré que certains de ces misérables n'étaient pas déjà morts. En tout cas, ils ne réagissaient plus quand on les piétinait.

— Gardien, je suis surpris qu'il ait survécu…

— Ses fidèles viennent le nourrir tous les jours, et il leur parle quand il a fini de manger. Ils s'assoient en rond et l'écoutent comme s'il était un prophète.

Dalton ignorait que le fanatique avait gardé des disciples actifs. Un très bon point ! Avec des excités prêts à agir, le processus serait lancé encore plus rapidement.

— Le voilà, ministre Campbell, dit le plus grand des deux gardiens.

Il flanqua un coup de pied dans les côtes d'un homme couché sur le flanc.

Le prisonnier tourna la tête avec une lenteur délibérée.

Un œil étonnamment brillant et vif se braqua sur Dalton.

— Serin Rajak ?

— Lui-même…, grogna l'homme. Que voulez-vous ?

Dalton s'accroupit et faillit vomir sur le détenu. La puanteur était insupportable.

— Je suis le nouveau ministre de la Civilisation, maître Rajak. Et mon premier acte sera de réparer l'injustice qui vous a frappé.

Dalton vit que Rajak était borgne. Une cicatrice boursouflée et purulente remplaçait son œil gauche.

— Une injustice ? Il n'y a que ça dans le monde ! La magie fond sur les pauvres gens comme un prédateur affamé. C'est à cause d'elle que je suis là. Mais je n'ai jamais plié l'échine sous son joug ! Non, messire, jamais ! Ce monstre ne me dévorera pas !

» Pour la cause, j'ai été heureux de sacrifier un de mes yeux. Le sale boulot d'une sorcière, messire ! Si vous voulez que je renonce à ma guerre sainte contre la magie, vous pouvez me laisser crever ici ! Vous m'entendez ? Je ne rendrai jamais les armes !

Dalton recula tandis que Rajak se débattait sur le sol, acharné à briser des chaînes que même un fou aurait dû savoir trop solides pour lui.

Il insista jusqu'à ce que du sang coule de ses poignets.

— Je n'abandonnerai jamais le combat, vous m'entendez ? Je ne me vendrai pas à ceux qui utilisent la magie pour torturer les véritables adorateurs du Créateur !

Dalton posa une main sur l'épaule graisseuse du fanatique.

— Maître Rajak, vous vous méprenez sur mes intentions. La magie cause de grands torts à notre pays. Des gens meurent brûlés ou noyés et d'autres se jettent dans le vide sans raison…

— De la sorcellerie !

— C'est ce que nous redoutons…

— Les sorciers envoûtent de pauvres innocents. J'ai voulu vous avertir, mais personne ne m'a écouté ! J'ai tenté d'aider mon pays, et regardez ce qu'on m'a fait !

— C'est pour ça que je suis venu, Serin… Je vous crois, et j'ai besoin de vous. J'entends vous libérer, et vous prier de m'aider.

L'œil unique de Rajak brilla comme un phare dans une nuit d'encre.

— Le Créateur soit loué ! murmura-t-il. Enfin, je vais pouvoir accomplir Son œuvre !

Chapitre 60

Richard était abasourdi par le spectacle. L'avenue principale de Fairfield grouillait de gens dont presque tous portaient une bougie. Une marée humaine déferlait dans la ville avec une majestueuse lenteur.

Le crépuscule approchait. À l'ouest, le soleil sombrait derrière les montagnes, les colorant de pourpre et d'or. Tout l'après-midi, des nuages noirs s'étaient accumulés au-dessus de la cité, et des roulements de tonnerre retentissaient au loin. Dans l'air humide, les sabots des chevaux soulevaient des colonnes de poussière grise. À intervalles irréguliers, quelques grosses gouttes d'eau s'écrasaient sur le sol, annonçant qu'un orage couvait.

Autour du Sourcier, de la Mère Inquisitrice et de Du Chaillu, les soldats d'harans à cheval formaient un cercle d'acier et de cuir. Avec une grande habileté, ils refusaient de céder un pouce de terrain tout en parvenant à ne pas donner aux manifestants le sentiment qu'ils les forçaient à s'écarter. Inlassablement, la foule continuait à se déverser sans leur accorder la moindre attention. Mais avec la pénombre, elle croyait peut-être avoir affaire à des gardes anderiens.

Les maîtres de la lame n'étaient nulle part en vue. De temps en temps, ils se volatilisaient, histoire de se poster au meilleur endroit possible, en cas d'ennuis.

Du Chaillu bâilla et s'étira. Au terme d'une longue journée de voyage, le seigneur Rahl et sa suite venaient enfin d'atteindre Fairfield.

N'aimant pas du tout ce qu'il voyait, le Sourcier guida ses compagnes et son escorte jusqu'à une ruelle déserte, près de la plus grande place de la ville. Puis il sauta à terre, désireux d'aller jeter un coup d'œil à la procession. Sans ses hommes, évidemment… Si valeureux que fussent les soldats d'harans, les manifestants étaient trop nombreux pour eux. Et dans la nature, des fourmis minuscules, en s'unissant, pouvaient venir à bout d'un insecte considérablement plus gros qu'elles…

Avec quelques guerriers, Richard et Kahlan partirent épier le défilé d'Anderiens et de Hakens. Jugeant inutile de demander une autorisation, Du Chaillu leur emboîta le pas. Après avoir sondé les environs, et conclu qu'il n'y avait pas de danger, Jiaan se joignit à eux.

Ils se postèrent entre deux bâtiments pas très hauts et observèrent.

Un podium en pierre dominait la place. Avant leur départ, Richard y était monté pour s'adresser à une foule qui l'avait écouté avec une grande ouverture d'esprit. Le Sourcier et sa femme avaient décidé de faire un détour en ville pour un dernier discours public. Ensuite, ils s'attaqueraient à une tâche monumentale : passer au peigne fin tous les écrits signés de la main de Joseph Ander – ou le concernant – pour découvrir un moyen de bannir les Carillons.

Ces derniers jours, la situation s'était aggravée. Les créatures semblaient être partout à la fois. De justesse, Richard et Kahlan avaient pu empêcher certains de leurs soldats, gagnés par l'ivresse de la mort, de se laisser tomber dans des flammes ou de se jeter à l'eau. Pour d'autres, ils n'avaient rien pu faire. Avec ces drames, aucun membre de la petite colonne n'avait beaucoup dormi.

Les manifestants entonnèrent un slogan :

— Jamais plus la guerre ! Jamais plus la guerre !

On eût dit l'écho d'un tonnerre très lointain.

Richard n'avait aucune objection contre cette profession de foi, qu'il partageait de tout cœur. Mais les yeux brillants de rage des manifestants ne lui disaient rien de bon. Et pas davantage la colère qui faisait vibrer leurs voix.

Près du podium, un homme hissa une petite fille sur ses épaules afin que tout le monde la voie.

— Elle veut dire quelque chose ! Je vous en prie, écoutez-la ! Oui, laissez parler mon enfant !

Sous les encouragements des manifestants, la fillette de dix ou onze ans sauta des épaules de son père, se reçut sur les marches de la plate-forme, les gravit et vint s'appuyer à la rambarde.

— Par pitié, cher Créateur, s'exclama-t-elle, écoute nos prières ! Faites que le seigneur Rahl ne nous impose pas la guerre ! (La gamine jeta un coup d'œil à son père et continua dès qu'il l'eut encouragée d'un hochement de tête :) Nous ne voulons pas de ce conflit ! Créateur, imposez au seigneur d'haran de laisser une chance à la paix !

Richard eut le sentiment qu'une lance de glace venait de lui transpercer le cœur. Il aurait voulu répondre à cette enfant, lui révéler des dizaines de choses qu'elle ne pouvait pas savoir. Mais il devina qu'elle ne l'aurait pas écouté.

Pour tenter de le réconforter, Kahlan tapota le dos de son mari.

Une autre fillette, un peu plus jeune, rejoignit la première sur le podium.

— Cher Créateur, implora-t-elle, faites que le seigneur Rahl laisse une chance à la paix !

Une procession de parents, leurs enfants dans les bras, se forma devant la plate-forme. Tous les gamins gravirent les marches et délivrèrent le même message – certains sans le comprendre – puis retournèrent fièrement près de leur famille.

Ces gosses récitaient une leçon, Richard n'en douta pas un instant. Spontanément, les enfants ne parlaient pas ainsi.

Mais ils semblaient croire ce qu'ils disaient, et cela serra le cœur du Sourcier.

Certains paraissaient hésitants, et d'autres très nerveux, mais la plupart rayonnaient de joie et de fierté à l'idée de participer à ce grand événement. À la passion qu'il entendait dans les voix des plus grands, Richard comprit qu'ils pensaient prononcer des paroles susceptibles de modifier l'histoire du monde. Une prière qui empêcherait des massacres inutiles.

— Cher Créateur, lança un petit garçon, pourquoi le seigneur Rahl veut-il faire du mal aux enfants ? Faites qu'il laisse une chance à la paix !

La foule acclama l'orateur en herbe. Voyant cette réaction, il répéta ses deux phrases, et les applaudissements crépitèrent de plus belle. Dans la foule, beaucoup d'adultes pleuraient.

Kahlan et Richard échangèrent un regard désolé. À leurs yeux, il semblait évident que tout cela n'avait rien de spontané. Ils avaient entendu parler de ces défilés pour la paix, mais y assister leur glaçait les sangs.

Un homme que le Sourcier reconnut – le directeur Prevot – remplaça les enfants sur le podium.

— Seigneur Rahl, Mère Inquisitrice, si vous m'entendez, oserez-vous me répondre ? Pourquoi voulez-vous déchaîner sur le pauvre peuple d'Anderith votre magie maléfique ? Au nom de quoi prétendez-vous nous entraîner dans une guerre dont nous ne voulons pas ?

» Écoutez nos enfants, car la vérité sort de leur bouche !

» Il n'y a aucune raison de préférer le conflit au dialogue. Si vous vous souciez de la vie d'enfants innocents, asseyez-vous à une table de négociation avec l'Ordre Impérial et réglez pacifiquement vos différends. L'Ordre en a la volonté, alors pourquoi lui tourner le dos ? Désirez-vous faire la guerre pour conquérir des nations qui ne vous ont jamais nui et réduire en esclavage leur population ?

» Entendez le message d'amour de ces enfants et, par pitié, pour le bien de tous, laissez une chance à la paix !

La foule reprit en chœur cette prière :

— Une chance à la paix ! Une chance à la paix !

L'homme laissa le peuple chanter un moment avant de demander le silence.

— Notre nouveau pontife a tant de bienfaits à nous apporter ! Et nous avons désespérément besoin de ses lumières ! Pourquoi le seigneur Rahl tente-t-il de l'empêcher de nous faire du bien ? Pourquoi veut-il mettre en péril la vie de nos enfants ?

» Pour assouvir sa cupidité ! Voilà la réponse, mes amis !

Kahlan posa une main sur l'épaule de Richard, mais ce geste ne le consola pas beaucoup. Devant ses yeux, les flammes du mensonge consumaient l'œuvre à laquelle il s'était dévoué corps et âme.

— Cher Créateur, continua Prevot, ses mains croisées levées vers le ciel, merci de nous avoir donné un tel pontife ! Cet homme aux talents incomparables et à la pureté sans faille sera le chef spirituel le plus équitable et le plus digne qui ait jamais régné sur Anderith ! Cher Créateur, fasse le ciel qu'il ait la force de s'opposer à la perversité du seigneur Rahl !

Le directeur écarta les bras.

— Bonnes gens d'Anderith, penchons-nous ensemble sur la véritable personnalité du prédateur venu de D'Hara. Un homme assez audacieux pour épouser la Mère Inquisitrice, qui veillait jusqu'à présent sur le destin des Contrées du Milieu !

La foule grogna de mécontentement. Après tout, il s'agissait de *sa* Mère Inquisitrice !

— Mes amis, ce sinistre personnage, qui multiplie les discours sur le bien et la pureté, avait déjà une épouse ! Et il l'amène partout avec lui, alors qu'elle est enceinte de ses œuvres ! Oui, sachant que cette femme allait lui donner un enfant, il a quand même épousé la Mère Inquisitrice, pour en faire sa deuxième catin ! Combien de femmes rejoindront ces deux-là afin de porter la semence de ce monstre immoral ? Et combien de bâtards a-t-il déjà semé en Anderith ? Qui peut dire combien de nos filles il a pris par la force, depuis qu'il séjourne parmi nous ?

La foule parut sincèrement choquée. En plus d'être indigne d'un homme civilisé, ce comportement était une insulte pour la Mère Inquisitrice.

— L'autre femme clame partout qu'elle est l'épouse de Rahl et qu'elle porte son enfant ! Quelle sorte de porc est ce D'Haran ?

» Dame Chanboor est tellement bouleversée par cette indignité qu'elle a dû s'aliter pour pleurer dans l'intimité de sa chambre. Le pontife est révolté qu'un tel débauché ait osé franchir la frontière de notre beau pays. Ensemble, notre chef et sa compagne vous implorent de dire « non » à cet immonde pourceau !

— Ce sont des mensonges, fit Du Chaillu en tirant sur la manche de Richard. Je vais aller dire la vérité, pour que ces gens sachent qu'il n'y a pas de mal dans la vie du *Caharin* ! Oui, ils comprendront !

— Tu n'iras nulle part, grogna Richard. (Il retint la Baka Tau Mana par le bras.) Ces excités ne t'écouteraient pas.

— Notre femme-esprit ne fait rien d'immoral ! cria Jiaan, hors de lui. Elle doit se justifier devant ses accusateurs.

— Mon ami, intervint Kahlan, Richard et moi savons la vérité. Tu la connais aussi, comme Du Chaillu elle-même et tous vos compagnons. Rien d'autre n'importe. Ces gens, sur la place, n'ont plus d'oreilles pour entendre la vérité. C'est ainsi, par le mensonge, que les tyrans brisent la volonté des peuples.

Jugeant qu'il en avait entendu assez, Richard allait tourner les talons quand il vit une colonne de flammes orange monter de la foule. Le cri perçant qui retentit indiqua qu'une bougie avait dû embraser la robe de la jeune fille qui hurlait.

Et elle avait déjà les cheveux en feu.

À la vitesse où se propageaient les flammes, Richard comprit que ce n'était pas un accident.

Les Carillons venaient de frapper !

Pas très loin de la jeune fille, un homme brûla à son tour. La foule hystérique hurla que le seigneur Rahl se vengeait en déchaînant sa magie. Alors que les deux victimes se consumaient comme si elles avaient été couvertes de poix, les manifestants se dispersèrent dans une épouvantable bousculade. Les parents de la gamine tentèrent d'étouffer les flammes avec une veste, mais elle prit également feu, ajoutant à la puissance de l'incendie. Carbonisé sur pieds, l'homme s'écroula sur le sol.

Comme si les esprits du bien eux-mêmes ne pouvaient plus supporter ce spectacle, une averse tomba du ciel. Très vite, son rugissement couvrit celui des flammes et les cris de terreur de la foule. Telle une chape de plomb, l'obscurité occulta la scène à mesure que les bougies s'éteignaient.

Les deux victimes brûlaient toujours, dévorées vivantes par les Carillons. Pour elles, il n'y avait plus rien à faire.

Et si le Sourcier n'agissait pas, le monde entier partagerait tôt ou tard leur sort.

Kahlan tira Richard en arrière. Le petit groupe courut jusqu'aux chevaux et cria des ordres aux hommes qui attendaient de battre en retraite.

Tenant son cheval par la bride, Richard guida ses compagnons hors de Fairfield.

— Les rapports ne mentaient pas, dit-il à Kahlan. Quelqu'un a monté les citadins contre nous.

— Heureusement, le vote aura lieu dans quelques jours, rappela l'Inquisitrice. Nous perdrons des voix ici, mais il reste les autres régions d'Anderith…

Sous la pluie battante, Richard passa son bras libre autour des épaules de sa femme.

— La vérité triomphera ! lança-t-il.

— Le plus important, intervint Du Chaillu, ce sont les Carillons. (La femme-esprit semblait effrayée et déprimée.) Quoi qu'il arrive, nous devons les bannir ! Je refuse qu'ils me tuent une deuxième fois ou qu'ils s'en prennent à notre enfant.

» Anderith est un pays parmi tant d'autres. Les Carillons, eux, sont partout. Je ne veux pas donner la vie à mon bébé dans un monde où ils rôdent. S'ils restent, nous ne serons plus en sécurité nulle part ! Ta vraie mission est là, *Caharin* !

— Je sais, je sais…, souffla Richard. Je trouverai peut-être ce qu'il me faut dans la bibliothèque du domaine !

— Le ministre et le pontife semblent avoir opté pour l'autre camp, dit Kahlan. Ils nous interdiront peut-être d'y retourner.

— Nous y entrerons – par la force s'il le faut !

Le Sourcier s'était engagé dans une rue parallèle à l'avenue principale. De là, ils gagneraient la route du domaine, puis le camp où attendaient leurs soldats.

Richard remarqua que Kahlan semblait fascinée par quelque chose. Suivant son regard, il vit qu'il s'agissait de l'enseigne d'une herboriste qui faisait aussi office de sage-femme.

Du Chaillu approchait du terme. Qu'elle veuille ou non le voir naître dans cet univers, elle serait bientôt obligée de mettre au monde son bébé.

Chapitre 61

L a journée, déjà très longue, se termina par une heure de progression pénible sous la pluie. Incapable de chevaucher tant elle se sentait mal, Du Chaillu tenta de marcher, eut de plus en plus de difficultés et fut obligée, malgré son honneur chatouilleux, d'admettre qu'elle ne pouvait plus avancer seule.

Richard et Jiaan se relayèrent pour la porter jusqu'au camp, où il restait moins de la moitié des hommes. Les autres, dispersés en Anderith, participaient à d'ultimes réunions et s'apprêtaient à superviser le dépouillement du scrutin.

Très agacé par la pluie, Richard dut reconnaître qu'elle avait néanmoins un avantage : leur enthousiasme littéralement douché, les manifestants étaient tous rentrés chez eux.

En temps ordinaire, le Sourcier aurait insisté pour que la femme-esprit aille sans tarder sous sa propre tente. La voyant accablée de mélancolie, après ce qu'elle avait entendu à Fairfield, il comprit qu'elle avait davantage besoin de compagnie que de repos.

Kahlan s'en aperçut aussi. Au lieu d'expulser la Baka Tau Mana, comme elle l'avait fait presque chaque soir, elle lui donna un morceau de pain de tava pour calmer ses nausées, et l'invita à s'asseoir sur un sac de couchage. Pendant que Jiaan allait chercher des vêtements secs pour la femme-esprit, l'Inquisitrice se chargea de lui essuyer le visage et les cheveux.

Richard s'assit à sa table de travail de campagne. Après ce qu'il avait vu à Fairfield, il aurait donné cher pour pouvoir envoyer au général Reibisch l'ordre de marcher sur Anderith.

Alors que le Sourcier broyait du noir, le capitaine Meiffert demanda la permission d'entrer. Dès que son seigneur lui eut donné l'autorisation, l'officier se glissa sous la tente après s'être secoué de son mieux pour ne pas trop dégouliner.

— Capitaine, dit Richard, je tiens à vous féliciter. Vos rapports étaient d'une parfaite précision. J'aurais préféré vous passer un savon parce que vos éclaireurs avaient exagéré. Hélas, il n'en est rien, et Fairfield se soulève pour de bon contre nous.

Meiffert ne parut pas ravi d'avoir eu raison. De fait, la situation n'avait rien de réjouissant. Du bout d'un index, l'officier écarta les mèches blondes collées sur son front.

— Seigneur Rahl, je crois que nous devons dire au général Reibisch de nous rejoindre en Anderith. Les choses se détériorent chaque jour. Et on me signale la présence dans ce pays de « gardes spéciaux » qui semblent d'une autre trempe que les soldats réguliers.

— Je suis d'accord avec le capitaine, dit Kahlan, toujours agenouillée près de Du Chaillu. Nous devons aller à la bibliothèque pour trouver une arme contre les Carillons. Tenter de contredire les gens qui nous calomnient serait une perte de temps !

— Nous gagnerons malgré eux ! répondit Richard.

— Tu en es si sûr que ça ? Et si tu te trompais ? De toute façon, nous ne pouvons pas nous consacrer à ce combat, parce qu'il y a un problème beaucoup plus urgent !

— La Mère Inquisitrice a raison, dit Meiffert.

— Je dois croire que la vérité l'emportera ! insista Richard. Sinon, quelle option nous reste-t-il ? Mentir aux gens pour qu'ils se joignent à nous ?

— Cette méthode réussit très bien à nos adversaires, rappela Kahlan.

— J'aimerais appeler Reibisch à la rescousse ! s'écria Richard. C'est la stricte vérité. Mais nous ne pouvons pas le faire !

— Seigneur, insista Meiffert, qui paraissait avoir prévu les réticences du Sourcier, nous avons assez d'hommes ici. Pendant que le général approchera, ils s'empareront des Dominie Dirtch, et il n'y aura plus de danger.

— J'ai pensé des centaines de fois à cette solution, soupira Richard. Mais une petite voix me dit que ce serait de la folie !

— Pourquoi ? demanda Kahlan.

— Parce que nous ignorons comment fonctionnent les Dominie Dirtch !

— Nous demanderons aux soldats qui s'en occupent…

— Ils n'ont jamais utilisé ces armes. Tout ce qu'ils savent, c'est qu'ils doivent les faire sonner en cas d'attaque, pour pulvériser les agresseurs. Sur ce plan, nous sommes aussi avancés qu'eux…

— Seigneur, dit Meiffert, après le scrutin, tous les hommes reviendront ici. Avec mille soldats, nous pourrons nous emparer des Dominie Dirtch sur une vaste zone, et les troupes de Reibisch traverseront la frontière en toute sécurité. Ensuite, elles prendront le contrôle du reste de la ligne de défense. L'Ordre Impérial sera coincé, et s'il tente de passer, nous aurons une chance de l'écraser définitivement.

— À un détail près, grogna Richard. Nous ignorons comment fonctionnent les Dominie Dirtch !

— Nous savons l'essentiel ! objecta Kahlan, de plus en plus nerveuse.

— Et ça ne suffit pas ! Pour commencer, nous ne pouvons pas les prendre toutes, comme l'a souligné le capitaine. Mille hommes ne parviendraient pas à couvrir entièrement la frontière. Et c'est tout le problème ! Vous vous souvenez de notre arrivée ? Une semaine plus tôt, les « cloches » avaient fait des ravages…

— C'est vrai, mais personne ne sait pourquoi elles ont sonné. Alors, ça change quoi ?

— Imaginez que nous contrôlions une partie des Dominie Dirtch, puis disions au général de venir. Que se passera-t-il si les soldats anderiens des postes que nous n'avons pas conquis font sonner leurs armes ?

— Rien du tout ! répondit Kahlan. Parce que nos hommes seront trop loin de ces secteurs-là.

— Tu en es certaine ? Et si ça faisait sonner *toutes* les Dominie Dirtch ? Qui t'assure qu'elles ne sont pas liées ? Tu te souviens des propos du sergent Beata ? Toutes les armes ont frappé, et il y a eu des morts partout.

— On ignore pourquoi ! répéta Kahlan. Les soldats ne les ont pas activées !

— Qu'en sais-tu ? Qui te dit qu'un soldat, le long de la ligne, n'a pas frappé une Dominie Dirtch avec son marteau ? Et fait sonner les autres ? C'est peut-être un accident, et la section responsable ne se dénonce pas par crainte d'une punition. Ou un de ces jeunes gens, mort d'ennui, aura voulu essayer pour voir le résultat...

» Qu'arrivera-t-il si ça se reproduit alors que nos troupes approchent d'Anderith ? Le général Reibisch commande au minimum cent mille hommes. Tu veux qu'ils se fassent massacrer ?

Richard soutint le regard de Kahlan, puis celui du capitaine.

— Vous voyez la catastrophe ? Toute notre armée du Sud, perdue en quelques secondes ?

— Je doute fort…, commença Kahlan.

— Tu veux risquer la vie de ces hommes sur un « je doute fort » ? Je ne suis pas certain d'avoir raison, mais tu peux en dire autant, si tu es honnête ! Je refuse de jouer aux dés avec la vie de mes soldats ! Et vous, capitaine ? Seriez-vous un flambeur invétéré ? Prêt à miser jusqu'à l'existence de ses camarades ?

Meiffert secoua la tête.

— Si ma seule vie était en jeu, seigneur, je prendrais le risque sans hésiter. Mais là…

Dehors, la pluie semblait s'être calmée un peu. Par le rabat entrouvert, Richard vit que les hommes avaient repris leurs activités. Les feux étant interdits, sauf en de rares endroits, ils devaient nourrir les chevaux et s'occuper de leurs armes dans une obscurité presque totale.

— Je ne peux rien opposer à ça, soupira Kahlan. Mais Jagang approche, et si le vote nous est défavorable, il s'emparera d'Anderith et sera invincible derrière la ligne de Dominie Dirtch. De là, il nous harcèlera, et nous ne tiendrons pas éternellement.

Richard écouta la pluie qui tambourinait sur la toile de tente. Après l'averse, ce crachin régulier durerait sûrement jusqu'à l'aube.

— Nous avons une seule solution, dit-il. Retourner au domaine et reprendre nos recherches à la bibliothèque.

— Où nous n'avons encore rien trouvé d'utile, rappela Kahlan.

— Et les dirigeants d'Anderith, dit Meiffert, qui ont choisi le camp adverse, risquent de ne pas vous laisser entrer…

Regrettant plus que jamais de ne pas avoir avec lui l'Épée de Vérité, Richard tapa du poing sur la table.

— Dans ce cas, capitaine, vos hommes et vous devrez faire votre métier de soldats ! S'il le faut, nous abattrons tous les Anderiens qui se dresseront devant nous, puis nous nous emparerons des livres dont nous avons besoin !

L'officier sembla soulagé. Comme tous les D'Harans, il redoutait parfois que le seigneur Rahl soit trop scrupuleux pour prendre des décisions radicales. Entendre le contraire le rassurait.

— Je comprends, seigneur. Les hommes seront prêts à l'aube, et nous partirons dès que vous en donnerez l'ordre.

Kahlan avait rappelé que leurs recherches, jusque-là, restaient infructueuses. Ce point était exact… et très inquiétant.

Richard pensa aux livres qu'il avait consultés. Si les détails ne s'étaient pas gravés dans sa mémoire, il se souvenait assez bien de la diversité des sujets qu'ils traitaient. Trouver la réponse serait une affaire de longue haleine. Mais ils n'avaient pas d'autres solutions en vue.

Le capitaine tira de sa poche une note pliée.

— Avant de vous laisser, dit-il, je dois vous informer, seigneur, qu'un grand nombre de gens vous réclament une audience, dès que vous serez disponible. Il s'agit en majorité de marchands en quête d'informations.

— Merci, capitaine, mais je n'ai pas le temps de les recevoir.

— Je m'en doutais, seigneur, et j'ai pris la liberté de le leur dire. (Meiffert déplia la note.) Mais il y a une femme… (Il plissa les yeux pour lire le nom.) Franca Gowenlock… C'est très urgent, affirme-t-elle, et elle ne veut parler qu'à vous. Elle a attendu toute la journée, puis elle est rentrée chez elle. Mais elle reviendra demain.

— Si c'est vraiment important, je la verrai…

Richard jeta un coup d'œil à Du Chaillu, pour voir si elle allait mieux. Les soins de Kahlan semblaient l'avoir réconfortée…

Il se retourna en entendant un bruit de pas précipités.

Le capitaine venait de reculer avec un petit cri de surprise. La flamme de la bougie oscillait sous l'effet du vent, mais elle ne s'était pas éteinte.

Puis il y eut un son mat et le petit bougeoir manqua se renverser.

Un gros corbeau venait de se poser maladroitement sur la table.

Richard dégaina son arme et maudit une nouvelle fois le sort qui le privait de l'Épée de Vérité et de sa magie.

Kahlan et Du Chaillu se relevèrent d'un bond.

L'oiseau tenait un objet noir dans son bec. Avec toute cette confusion – le vent, le bougeoir presque renversé, la flamme qui dansait, la table qui tremblait et la toile de tente qui ondulait – Richard ne vit pas immédiatement de quoi il s'agissait.

Le corbeau posa son fardeau sur la table.

Les plumes gorgées d'eau, l'oiseau semblait épuisé. À le voir à demi écroulé, les ailes déployées, Richard pensa qu'il était malade ou blessé.

Un animal possédé par un Carillon pouvait-il être physiquement diminué ? Le poulet qui n'en était pas un avait saigné, lorsqu'il lui avait planté une flèche dans le corps. Et une tache rouge s'étalait sur la table…

Chaque fois que l'oiseau de basse-cour s'était approché de lui, même quand il ne le voyait pas, Richard avait senti se hérisser tous les poils de sa nuque. Devant ce corbeau qui n'en était pas un, il n'avait pas la même réaction.

L'oiseau croisa le regard du Sourcier. Puis il tapota du bout du bec l'objet qu'il venait de lâcher.

Soudain, Meiffert bondit, l'épée au poing.

— Non ! cria Richard en s'interposant.

L'oiseau sauta de la table, passa entre les jambes de l'officier, sortit de la tente et s'envola.

— Désolé, seigneur, souffla Meiffert. J'ai cru qu'il vous attaquait. Oui, j'ai pensé qu'une créature magique voulait vous blesser…

Richard fit signe qu'il comprenait. Le capitaine avait tenté de le protéger, rien de plus…

— Ce n'était pas un démon, dit Du Chaillu en approchant, Kahlan à ses côtés.

— Tu as raison, soupira Richard avant de se laisser retomber sur sa chaise.

— Que t'a-t-il apporté, *Caharin* ? demanda la femme-esprit. Un message des esprits ?

— J'en doute…

Le Sourcier ramassa le petit objet… et l'identifia enfin.

Un carnet ! Parfaitement semblable à celui dont Verna ne se séparait jamais !

— C'est un livre de voyage, souffla Richard.

Il souleva la couverture.

— C'est du haut d'haran, dit Kahlan, qui regardait par-dessus l'épaule de son mari.

— Par les esprits du bien ! s'exclama Richard.

Il venait de lire le titre…

— Qu'y a-t-il ? demanda Kahlan.

— *Fuer Berglendursch…* Tu as raison, c'est du haut d'haran.

— Et tu sais ce que ça veut dire ?

— « La Montagne ». (Richard se tourna vers son épouse.) C'était le surnom de Joseph Ander. Et nous avons sous les yeux son livre de voyage. Son « double », qui a été détruit, était intitulé *Le Jumeau de la montagne* !

Chapitre 62

Assis à une table octogonale en noyer noir – un bois très rare – Dalton eut un sourire rayonnant.

Le reliquaire du bureau de l'Harmonie culturelle était consacré à la mémoire des directeurs du passé. On y exposait des vêtements d'apparat, de petits outils, des plumes, des sous-mains et des textes signés par les plus prestigieux membres de cette institution millénaire.

Le nouveau ministre de la Civilisation consultait des textes bien plus récents : les rapports qu'il avait demandés aux directeurs.

S'ils conservaient des réticences, ces dignes notables les gardaient pour eux. Officiellement, tous soutenaient la politique du nouveau pontife. Pour stimuler leur enthousiasme, on leur avait fait comprendre que leur vie dépendrait du zèle qu'ils mettraient à servir le chef spirituel d'Anderith.

Alors qu'il lisait les discours que ces nobles sires devaient bientôt prononcer, Dalton fut dérangé par les cris qui montaient de la place principale de Fairfield. Une foule rugissait de colère, sans doute pour ponctuer la harangue contre le seigneur Rahl et la Mère Inquisitrice que lui adressait un orateur plein de fougue.

Sous l'influence de ses dirigeants, dont les directeurs, le peuple entier reprenait les arguments calibrés mis au point par Dalton.

Bien qu'il l'eût prévu, ce phénomène émerveillait le nouveau ministre. Depuis toujours, il lui suffisait de répéter inlassablement ses idées à quelques personnes soigneusement sélectionnées pour qu'elles deviennent des vérités universelles. Au point, d'ailleurs, qu'on oubliait leur origine, chacun pensant les avoir trouvées le premier. Comme si une idée originale pouvait jaillir des cerveaux embrumés de la populace !

Dalton eut un rictus méprisant. Ces gens, des imbéciles, méritaient le sort qui les attendait. Désormais, ils appartenaient à l'Ordre Impérial. Et bientôt, leurs nouveaux maîtres seraient là…

Le ministre jeta un coup d'œil par la fenêtre et vit que la foule envahissait peu à peu la place. Un crachin ayant succédé à l'averse de la nuit, les citadins revenaient.

Sur les pavés, les trombes d'eau de la veille n'étaient pas parvenues à laver les marques noires laissées par les deux manifestants brûlés vifs.

Cerise sur le gâteau, tout le monde accusait le seigneur Rahl de ces tragédies ! Les hommes de Dalton s'étaient chargés de répandre ce poison dans l'esprit des gens. Quand un crime était assez grave, un bon réquisitoire permettait de passer outre l'absence de preuves… et de piétiner joyeusement la vérité.

Dalton n'avait aucune idée de ce qui s'était réellement passé. Ce n'étaient pas les premiers « accidents » de ce genre, loin de là, mais ceux-là tombaient à pic. On n'aurait difficilement pu imaginer un meilleur feu d'artifice pour ponctuer le discours de Prevot.

Dalton se demanda si ces combustions spontanées avaient un lien avec la défaillance de la magie dont lui avait parlé Franca. Il ne voyait pas trop lequel, mais il aurait juré que sa vieille amie ne lui avait pas tout dit. Ces derniers temps, elle se comportait bizarrement…

Quelqu'un frappa puis entra.

— Que se passe-t-il ? demanda Dalton.

Rowley s'inclina bien bas.

— Messire ministre, c'est… la femme… que l'empereur a envoyée.

— Où est-elle ?

— Au rez-de-chaussée. Elle boit un thé.

Dalton tapota le fourreau accroché à sa hanche gauche. Prendre cette femme à la légère aurait été une grave erreur. À ce qu'on disait, elle avait plus de pouvoir que la plupart de ses semblables, et sans doute que Franca. Et selon Jagang, contrairement à l'amie du ministre, elle ne l'avait pas perdu.

— Conduis-la au domaine et donne-lui une de nos meilleures chambres. Si elle… (Dalton se souvint soudain du don de Franca pour entendre les conversations les plus lointaines.) Si elle a des exigences, fais de ton mieux pour les satisfaire. Cette dame est une invitée d'honneur, et il ne faut rien lui refuser.

— Compris, messire ministre…

Dalton vit le sourire en coin de Rowley. Lui aussi savait pourquoi cette visiteuse était là. Et il brûlait d'impatience de participer à la suite des événements.

Campbell avait simplement hâte d'en avoir terminé avec cette affaire. Mais il faudrait être prudent, et attendre le moment idéal pour agir. S'il se précipitait, le plan risquait d'échouer lamentablement. Jouée adroitement, cette partie les conduirait à un triomphe dont Jagang leur serait éternellement reconnaissant.

— J'apprécie votre générosité, ministre ! lança soudain une voix féminine.

L'invitée venait d'entrer et Rowley s'écarta pour la laisser approcher de Dalton.

Vêtue d'une robe bleu foncé, l'émissaire de Jagang, plutôt du genre enveloppé, arborait une longue chevelure brune déjà grisonnante malgré son âge apparemment moyen.

Avec un sourire mauvais, elle posa sur le ministre ses yeux sombres brillant de perversité. De sa vie, Dalton n'avait jamais vu quelqu'un afficher une telle arrogance, et surtout pas une esclave.

Car un anneau d'or perçait sa lèvre inférieure.

— À qui ai-je l'honneur ? demanda-t-il.

— Sœur Penthea. Je suis ici pour mettre mes talents au service de Son Excellence, l'empereur Jagang.

Chaque mot qui sortait des lèvres de la sœur semblait faire baisser d'un degré la température de la pièce.

— Dalton Campbell, ministre de la Civilisation, se présenta Dalton. Merci d'être venue, sœur Penthea. Nous vous sommes reconnaissants de voler à notre secours.

En réalité, la femme était là pour servir Dalton, et nul autre que lui, mais il estimait inutile d'insister sur ce point. L'anneau d'or suffisait à rappeler qu'il y avait un maître et une esclave. Tant qu'il en serait ainsi, les choses pouvaient rester sous-entendues.

Captant de nouveaux cris, Dalton jeta un coup d'œil par la fenêtre. Les parents des deux victimes devaient être revenus sur les lieux du drame, et ils hurlaient de chagrin et de colère. Depuis l'aube, des gens passaient déposer des fleurs et d'autres offrandes à l'endroit où deux innocents avaient péri. Du coup, le coin ressemblait à un jardin un rien grotesque.

Sœur Penthea entra dans le vif du sujet :

— Je voudrais voir les hommes chargés d'accomplir cette mission.

Dalton désigna Rowley.

— En voilà déjà un...

Sans crier gare, la femme saisit à pleines mains la chevelure rousse du messager. Alors qu'elle tirait comme si elle avait voulu le scalper, Rowley écarquilla les yeux et se mit à trembler de tous ses membres.

La sœur lui souffla à l'oreille des mots que Dalton ne comprit pas, mais qui semblèrent se graver dans son cerveau.

Quand elle en eut fini, Penthea lâcha Rowley et le poussa loin d'elle avec un dégoût évident. Le pauvre Haken s'écroula comme si tous les os de son corps s'étaient liquéfiés.

Puis il s'assit, secoua la tête pour s'éclaircir les idées et sourit à son chef afin de le rassurer sur son état.

Enfin, il se releva et épousseta son pantalon. N'était une expression plus cruelle que jamais, il ressemblait au bon vieux Rowley que le ministre connaissait depuis pas mal de temps.

— Les autres ? demanda Penthea.

— Rowley vous conduira à eux...

— Dans ce cas, au revoir, messire ministre. (La femme s'inclina.) Je vais m'occuper d'eux de ce pas. L'empereur m'a chargée de vous dire qu'il est ravi de pouvoir vous aider. Par la magie ou la force brute, le destin de la Mère Inquisitrice est désormais scellé.

Penthea fit demi-tour et sortit en trombe, Rowley sur les talons.

Dalton n'aurait pu prétendre que son départ lui brisait le cœur.

Alors qu'il allait retourner à la lecture des rapports, de nouveaux cris retentirent sur la place. Des acclamations, cette fois...

Intrigué, il regarda une fois de plus par la fenêtre.

On traînait quelqu'un à travers la foule, qui s'écartait pour laisser le passage à un petit groupe d'hommes et de femmes surexcités. Certains d'entre eux, remarqua le ministre, portaient des branches mortes, des gerbes de paille ou de petites planches.

Dalton approcha de la fenêtre et s'accouda au rebord. À la tête de quelques centaines de ses sbires, tous vêtus d'une tunique blanche, il reconnut Serin Rajak.

Quand il identifia leur victime, le ministre ne put s'empêcher de crier d'horreur.

Le cœur battant la chamade, il se demanda ce qu'il pouvait faire. En guise d'escorte, il avait avec lui des gardes anderiens, bien plus redoutables que les pantins de l'armée régulière. Mais ils n'étaient qu'une vingtaine… Si bien armés qu'ils fussent, ils n'auraient pas une chance contre la foule qui se massait sur la place. Intervenir quand la populace exigeait du sang était le moyen le plus sûr de se faire tailler en pièces. Expert en manipulations, Dalton était bien placé pour le savoir.

Malgré ses sentiments, il devait s'interdire d'intervenir !

Au milieu des fanatiques de Rajak, il aperçut une silhouette en uniforme noir. Stein !

Les sangs glacés, il comprit pourquoi l'émissaire de Jagang était là. Ce qu'il voulait semblait évident…

Dalton recula de quelques pas. La violence lui était familière, mais ces hommes se préparaient à commettre une atrocité.

Il sortit du reliquaire, remonta le couloir, dévala l'escalier et traversa au pas de course le hall d'entrée. Il ignorait que faire, mais s'il y avait un moyen…

Il s'immobilisa sous l'arche d'entrée, dissimulé dans ses ombres, et tenta d'évaluer la situation.

Au pied de l'escalier, des gardes marchaient de long en large pour dissuader la populace de s'aventurer dans les locaux du bureau de l'Harmonie culturelle. Une initiative louable, mais parfaitement symbolique. Si la foule chargeait, ces hommes seraient submergés en quelques minutes. Une raison de plus, pensa Dalton, pour ne pas s'attirer la colère des fanatiques et des citadins avides de sang.

Tenant un petit garçon par la main, une femme vint se camper devant la populace.

— Je m'appelle Nora, dit-elle, et mon fils se nomme Bruce. Il est tout ce qu'il reste de ma famille, massacrée par des sorciers ! Julian, mon mari, s'est noyé à cause d'un sortilège. Et Bethany, ma si jolie petite fille, a été consumée par les flammes de la sorcellerie !

Entre ses sanglots, Bruce confirma les propos de sa mère.

Serin Rajak prit le poignet de Nora et lui leva le bras.

— Regardez cette victime de la sorcellerie du Gardien ! (Il désigna une femme en pleurs, au premier rang de la foule.) Et en voilà une autre ! Parmi vous, beaucoup ont été frappés par des sortilèges ! Maudits soient les sorciers et les sorcières qui utilisent le pouvoir maléfique du Gardien !

Avec l'état de surexcitation des gens, Dalton devina que cette affaire finirait mal. Mais que pouvait-il faire ?

De plus, n'avait-il pas libéré Rajak pour qu'il monte la population contre la magie ? Il avait besoin que le peuple haïsse les sorciers, et qui mieux que le fanatique aurait pu se charger de cette mission ?

— Et voilà une vile magicienne ! cria Rajak en désignant Franca Gowenlock, que Stein tenait par les cheveux. Contemplez l'ignoble alliée du Gardien ! Un monstre qui jette des sorts pour vous nuire !

La foule hurla de haine.

— Quel sort devons-nous lui réserver ? demanda Rajak.

— Le bûcher ! Le bûcher !

Le fanatique leva les bras au ciel.

— Créateur bien-aimé, nous te confions le destin de cette femme ! Si elle est innocente, que les flammes n'entament pas sa chair ! Mais si elle est coupable, qu'elles consument jusqu'à ses os !

Pendant que des hommes plantaient un poteau dans la terre, Stein plaqua la prisonnière au sol, le visage dans la poussière. Puis il lui souleva la tête, tira sur ses cheveux et dégaina son couteau.

Les yeux écarquillés, le souffle court, Dalton regarda Stein scalper Franca, puis brandir triomphalement son ignoble trophée.

La magicienne n'avait pas hurlé son innocence ni imploré qu'on l'épargne. Mais à présent, elle criait de douleur.

Quand on l'eut attachée au poteau, ses bourreaux jetèrent la paille et les branches à ses pieds.

La foule se pressait autour d'elle, avide de ne pas manquer un détail. Certains téméraires osèrent lui toucher la tête pour recueillir au bout de leurs doigts un peu du sang de la sorcière qui irait bientôt rejoindre le Gardien.

Horrifié, Dalton avança et descendit quelques marches.

Fou de rage, Serin Rajak vint se camper devant Franca pour l'agonir d'injures et l'accuser de crimes atroces.

Immobile sur une marche, Dalton n'en crut pas ses oreilles. Une série de mensonges, il le savait ! Franca n'était coupable de rien. Et pourtant, elle allait mourir…

Dans le dos de Rajak, des hommes approchaient, chacun portant une torche.

À cet instant, un événement incroyable se produisit.

Tombant en piqué du ciel couvert, un corbeau plongea sur Rajak et lui planta ses serres dans le crâne.

Serin hurla que le familier de la sorcière venait à son secours. Pendant qu'il se débattait, ses sbires lancèrent toutes sortes de projectiles sur l'oiseau, qui croassa d'indignation mais ne lâcha pas sa proie.

Devant tant de détermination, Dalton se demanda si Rajak n'avait pas raison. Pourtant, Franca ne lui avait jamais parlé d'un éventuel familier…

Le corbeau s'attaquait maintenant à l'œil unique du fanatique.

Rajak cria de douleur. Voyant que son combat l'avait éloigné du bûcher improvisé, les hommes jetèrent leurs torches dans la paille et le bois.

Un cri inhumain jaillit de la gorge de Franca. Malgré la distance, Dalton sentit une atroce odeur de chair brûlée.

Folle de souffrance et de terreur, Franca tourna la tête… et vit le ministre, pétrifié sur les marches.

Elle cria son nom. Dalton ne l'entendit pas, à cause du vacarme de la foule, mais il le lut sur ses lèvres.

Franca hurla une deuxième fois son nom… et ajouta qu'elle l'aimait.

Lorsqu'il lut ces mots-là sur les lèvres de la suppliciée, Campbell crut que son cœur allait exploser dans sa poitrine.

Puis les flammes dévorèrent le corps de Franca, et ses cris, de plus en plus aigus, évoquèrent ceux d'une âme exilée dans le royaume des morts.

Dalton s'aperçut qu'il criait aussi, la tête entre les mains, comme s'il avait voulu se l'arracher.

La foule approchait, curieuse de voir comment brûlait une séide du Gardien. Poussés par ceux qui n'avaient pas la chance d'être au premier rang, certains de ces voyeurs se roussirent les sourcils. Mais le spectacle semblait en valoir la peine, car ils ne reculèrent pas.

Rajak s'était écroulé, et le corbeau continuait à s'acharner sur son œil valide. Alors que la foule ne lui accordait plus la moindre attention, le fanatique tentait en vain d'échapper à des coups de bec de plus en plus violents.

Quelques fidèles en robe blanche recommencèrent à bombarder le corbeau de projectiles. Visiblement à bout de force, l'oiseau vengeur avait de plus en plus de mal à esquiver les chaussures, les pierres et les morceaux de bois enflammés qui volaient vers lui.

Des larmes aux yeux, Dalton, sans comprendre pourquoi, se surprit à encourager le corbeau qui livrait un combat perdu d'avance. Car lui aussi allait mourir, c'était inévitable.

Alors que sa fin paraissait proche, un cheval sans cavalier déboula sur la place. Multipliant les ruades, il se fraya un chemin parmi les citadins assoiffés de sang. Les bras, les jambes et les têtes se brisèrent sous ses coups, et un certain vide se fit très vite autour de lui.

Profitant de la bousculade, le cheval à la robe blanc cassé, les oreilles aplaties, fonçait vers le centre de la place.

Dans sa rage, il piétinait impitoyablement tous ceux qui osaient se dresser sur son chemin.

Dalton n'avait jamais vu un équidé galoper ainsi vers des flammes.

Lorsque son sauveur passa à portée, le corbeau trouva assez de force pour s'envoler et se poser sur sa croupe. Un instant, Dalton crut qu'un autre oiseau était déjà perché sur le dos du cheval. Puis il s'aperçut qu'il s'agissait d'une tache noire qui évoquait étrangement les pattes d'une araignée.

Dès que le corbeau eut atteint son encolure, le cheval rua une dernière fois pour se dégager le passage, puis il partit au galop.

Ceux qui ne purent pas s'écarter périrent sous ses sabots.

Seul sur les marches, Dalton salua au passage l'héroïque corbeau et sa fière monture.

Par bonheur, Franca avait cessé de crier.

Chapitre 63

À la lueur de l'aube, Beata sondait la plaine. Le soleil pointait à l'horizon, et tout laissait supposer que la journée serait claire et chaude. Une excellente nouvelle, après la pluie de ces derniers jours.

Dans le ciel dégagé, les rares nuages colorés de rose qui s'étiraient paresseusement à l'est évoquaient vaguement des lignes d'écriture tracées sur une ardoise par la craie hésitante d'un enfant. Postée sur le socle de la Dominie Dirtch, la jeune Hakenne avait le sentiment de pouvoir observer jusqu'aux plus lointaines contrées du Pays Sauvage.

Beata constata qu'Estelle Ruffin avait eu raison de lui demander de venir. Dans le lointain, un cavalier approchait. Bien entendu, il avait choisi le terrain le plus facile, juste en face de son poste. Il avait encore du chemin à faire, mais à le voir galoper ventre à terre, on pouvait douter qu'il eût l'intention de s'arrêter.

Beata attendit qu'il soit à portée de voix.

— Halte ! cria-t-elle. Halte, qui que vous soyez !

Le cavalier ne ralentit pas. Beata supposa qu'elle s'était trompée, et qu'il ne l'avait pas entendue. Sur cette immense plaine, la perspective pouvait être trompeuse. Souvent, les voyageurs mettaient beaucoup plus longtemps à arriver que prévu...

— Que faisons-nous ? demanda Estelle.

Jusque-là, elle n'avait jamais vu un cavalier avancer aussi vite – et avec aussi peu d'intention, apparemment, de marquer une pause devant le poste de contrôle.

Avec le temps, Beata ne s'étonnait plus que des Anderiens des deux sexes s'en réfèrent sans cesse à elle. Habituée à exercer l'autorité, elle en tirait de plus en plus de satisfaction.

Une situation paradoxale... Bertrand Chanboor avait promulgué les lois qui lui permettaient de servir dans l'armée et de commander des Anderiens. Puis il l'avait poussée, très involontairement, à franchir le pas et à s'engager. Bref, l'homme qu'elle haïssait le plus était en même temps son bienfaiteur ! Et maintenant qu'il occupait le trône du pontife, elle s'efforçait de ne plus éprouver pour lui qu'un amour filial.

La nuit précédente, le capitaine Tolbert était venu avec une escorte de soldats d'harans. Chargé de chevaucher le long de la frontière pour collecter les votes des soldats, il en avait profité pour leur annoncer la nomination du nouveau pontife.

Bien que Beata n'eût pas vu les bulletins des membres de sa section, elle aurait parié que tous avaient tracé une croix. Ils en avaient parlé ensemble, et le choix leur avait paru évident.

Après l'avoir rencontré, Beata avait pensé que le seigneur Rahl était sans doute un homme de bien. Depuis, son opinion n'avait pas varié, et la Mère Inquisitrice, elle devait l'avouer, lui avait également paru une personne de qualité. En tout cas, elle était plus gentille qu'elle ne l'aurait cru.

Cela dit, Beata et ses soldats étaient fiers d'appartenir à l'armée anderienne. La meilleure du monde, comme le leur avait dit le capitaine Tolbert, puisqu'elle n'avait jamais connu la défaite et continuait à être invincible.

Désormais, Beata assumait des responsabilités. Elle était un sous-officier qu'on devait respecter, comme le stipulaient les lois de Bertrand Chanboor. Et cela ne devait surtout pas changer !

Même si elle abondait ainsi dans le sens de l'ancien ministre de la Civilisation, l'homme qui l'avait violentée, Beata avait fièrement voté contre le seigneur Rahl.

Emmeline avait déjà saisi le marteau, et Karl se tenait à ses côtés, prêt à l'aider si le sergent donnait l'ordre d'activer l'arme.

Mais Beata leur fit signe de s'écarter.

— Il n'y a qu'un cavalier, dit-elle d'une voix pleine d'autorité, afin d'apaiser les angoisses de ses subordonnés.

— Mais, sergent, il…, commença Estelle, visiblement frustrée.

— Nous sommes des militaires entraînés, coupa Beata, et un seul homme ne peut pas nous menacer. Nous savons nous battre, ne l'oubliez pas !

Karl s'assura que sa lame coulissait bien dans son fourreau. À l'évidence, il bouillait d'impatience de croiser le fer avec un adversaire.

Beata le regarda puis désigna les marches.

— Karl, va chercher Norris et Annette, puis postez-vous sur la ligne de défense. Emmeline, tu resteras ici avec Estelle, mais je vous interdis d'approcher du marteau. Pas question de faire sonner notre arme pour un seul cavalier ! Je me charge de tout ! Contentez-vous de rester ici et de monter la garde.

Les deux femmes saluèrent leur supérieure, la tranche d'une main plaquée au-dessus des sourcils. Karl esquissa le même geste puis dévala les marches, excité à la perspective qu'il y ait enfin un peu d'action.

Beata descendit derrière lui d'un pas beaucoup plus lent et digne, comme il convenait à un chef.

Elle alla se placer à côté de la Dominie Dirtch, sur ce que ses hommes et elle appelaient la « ligne de défense ». En clair, l'endroit le plus proche de l'arme où elle ne risquait pas de les tuer.

Les mains croisées dans le dos, la jeune Hakenne regarda Karl accourir avec Norris et Annette, qui n'avait pas encore fini d'enfiler sa cotte de mailles.

Tendant l'oreille, Beata entendit le cavalier crier. Quand il fut un peu plus près, elle comprit qu'il les implorait de ne pas faire sonner la Dominie Dirtch.

La jeune Hakenne songea que cette voix ne lui était pas inconnue…

— Sergent ? demanda Karl, la main sur la garde de son épée.

Voyant que Beata hochait la tête, les trois soldats dégainèrent leurs armes. C'était la première fois qu'ils le faisaient ailleurs qu'à l'exercice. Une raison suffisante pour vibrer d'excitation, estima leur chef.

— Halte ! cria Beata, les mains en porte-voix.

Cette fois, le cavalier l'entendit. Tirant sur les rênes de son cheval, il le força à s'arrêter à quelques dizaines de pas de la Dominie Dirtch.

— Fitch ? s'écria Beata, les yeux ronds.

— Beata ! lança joyeusement le jeune Haken. C'est vraiment toi ?

Il sauta à terre, prit son cheval par la bride et avança vers les soldats. Le pauvre équidé semblait épuisé, et son maître n'était guère mieux loti. Pourtant, il trouvait encore la force de bomber stupidement le torse.

— Fitch, grogna Beata, dépêche-toi d'approcher !

Déçus que leur sergent connaisse le voyageur – car cela excluait une bagarre – Karl, Norris et Annette rengainèrent leurs armes. Mais ils n'en quittèrent pas pour autant des yeux l'épée qui pendait sur la hanche gauche de Fitch.

Le baudrier était déjà en lui-même une œuvre d'art. Beata n'avait jamais vu un cuir travaillé si finement. Quant au fourreau décoré d'or et d'argent, il brillait comme un soleil...

La garde de l'épée aussi était remarquable. On eût dit qu'elle était enveloppée de fils d'argent et d'or, mais à cette distance, ce pouvait être une illusion d'optique.

Le torse toujours bombé, Fitch sourit à son amie.

— Je suis content de te voir, Beata. Et ravi de constater que l'armée a voulu de toi. On dirait bien que nous avons tous les deux réalisé nos rêves.

Beata était sûre d'avoir mérité que ses souhaits soient exaucés. Connaissant Fitch depuis longtemps, elle n'en aurait pas dit autant à son sujet.

— Que fais-tu là, demanda-t-elle, et pourquoi as-tu une arme pareille ?

— Elle est à moi ! Un jour, je t'ai dit que je deviendrais le Sourcier. C'est fait, et je porte donc l'Épée de Vérité.

Fitch tourna la garde de son arme pour que Beata puisse lire le mot écrit en fil d'or. C'était celui qu'il avait dessiné dans le fond de la charrette, ce fameux jour, dans la cour du domaine.

Beata ne l'avait jamais oublié : VÉRITÉ !

— Les sorciers t'ont donné cette arme ? Et ils t'ont nommé Sourcier de Vérité ?

— Eh bien, c'est une longue histoire, Beata...

Fitch jeta un regard furtif derrière lui.

— Sergent Beata, corrigea la jeune Hakenne.

Pas question qu'un bon à rien comme l'ancien garçon de cuisine lui manque de respect !

— Sergent ? Quelle réussite fulgurante, mon amie ! (Fitch regarda de nouveau derrière lui.) Dis-moi, puis-je te parler ? En privé, de préférence...

— Fitch, je ne...

— Je t'en prie, Beata !

La jeune Hakenne n'avait jamais vu Fitch dans un tel état d'inquiétude. Sous son arrogance de façade, il était affolé.

Elle le prit par le col de sa veste et l'entraîna loin des autres. Bien entendu, ses soldats les suivirent des yeux. Comment les en blâmer ? Depuis le passage du seigneur Rahl et de la Mère Inquisitrice, rien d'intéressant n'était arrivé.

— Que fiches-tu avec cette épée ? Elle ne t'appartient pas !

Fitch prit l'air implorant que Beata connaissait si bien.

— Je devais l'avoir ! Comprends-moi, je ne pouvais pas faire autrement !

— Tu l'as volée ?

— Il le fallait ! Tu ne…

— Fitch, tu es un criminel ! Je devrais t'arrêter et…

— Tu sais, je ne demande que ça ! Pour prouver que les accusations sont fausses.

— Quelles accusations ?

— On prétend que je t'ai violée.

Beata en fut si choquée qu'aucun son ne parvint à sortir de ses lèvres.

— On m'accuse de ce que le ministre et Stein ont fait ! J'avais besoin de l'épée pour démontrer mon innocence. C'est le ministre qui…

— Le pontife, depuis peu, parvint à corriger Beata.

Fitch parut sonné.

— Dans ce cas, même l'épée ne me servira à rien ! Le pontife ! Bon sang, quelle sale affaire !

— Sur ce point, tu as raison…

Cette remarque sembla rendre un peu d'énergie à Fitch, qui prit son amie par les épaules.

— Beata, tu dois m'aider ! Une folle me poursuit ! Utilise la Dominie Dirtch pour l'arrêter. Je t'en prie, ne la laisse pas traverser la frontière !

— Pourquoi te traque-t-elle ? L'épée lui appartient ?

— Beata, tu ne comprends pas…

— Tu as volé l'épée, et c'est moi qui ne comprends pas ? Fitch, tu n'es qu'un sale menteur !

— Beata, la folle a assassiné Morley…

La jeune Hakenne écarquilla les yeux. Morley, le colosse qui travaillait aux cuisines ?

— C'est une magicienne ?

— Exactement, oui ! Elle a un pouvoir, mais elle est folle, et elle a tué Morley…

— Écoute-toi ! Une femme abat un voleur, et tu la traites de folle ? Tu ne vaux pas mieux que nos ancêtres, Fitch ! Une vermine de mâle haken qui dérobe une épée et qui s'étonne qu'on le poursuive !

— Beata, elle me tuera aussi ! S'il te plaît, ne la laisse pas traverser.

— Des cavaliers approchent ! cria soudain Estelle.

Fitch blêmit comme s'il allait s'évanouir. Beata se tourna vers Estelle et vit qu'elle ne désignait pas le Pays Sauvage mais Anderith. Donc, il n'y avait pas à s'inquiéter.

— De qui s'agit-il ? demanda-t-elle.

— Ils sont encore trop loin pour le dire, sergent…

Beata se retourna vers Fitch.

— Fitch, tu dois rendre cette épée. Quand la femme arrivera…

— Une cavalière en vue ! lança Emmeline.

Cette fois, elle désignait la plaine.

— À quoi ressemble-t-elle ? cria Fitch, affolé comme un chat dont la queue est en feu.

Emmeline sonda la plaine quelques instants.

— Je n'en sais rien… Elle est trop loin.

— Elle est habillée en rouge ?

— On dirait oui… Et… Oui, elle est blonde !

— Laissez-la passer ! ordonna Beata.

— Compris, sergent !

— Beata, tu deviens folle aussi ? gémit Fitch. Tu veux ma mort ? Cette femme est cinglée ! C'est un monstre qui…

— Nous lui parlerons. N'aie pas peur, nous l'empêcherons de te brutaliser. Mais nous saurons ce qu'elle veut, et nous essaierons de le lui donner. Arrête de trembler, pauvre petit garçon !

Fitch sembla vexé… et ce ne fut pas pour déplaire à Beata. Après avoir volé un artefact puissant, il avait bien mérité une leçon. D'autant plus qu'il avait entraîné Morley dans cette folie… et vers sa mort.

Dire qu'elle avait jadis cru possible de tomber amoureuse de ce minable !

— Beata, je suis désolé… Je voulais que tu sois fière de moi…

— Le vol n'est pas un exploit dont on peut être fier, Fitch !

— Tu ne comprends pas…, murmura le jeune Haken, au bord des larmes. Tu ne comprends pas…

Beata entendit soudain du bruit, dans la direction de la Dominie Dirtch de droite. Des cris, mais pas la corne de brume censée donner l'alarme…

Se retournant, elle vit les trois gardes spéciaux anderiens qui approchaient du poste. C'était leur présence qu'Estelle lui avait signalée. Elle se demanda ce qu'ils voulaient.

Regardant de nouveau la cavalière, elle enfonça un index dans la poitrine de Fitch.

— Maintenant, tu te tais et tu me laisses faire !

Sans répondre, le jeune Haken baissa les yeux.

La cavalière venait de dépasser la Dominie Dirtch. Elle était effectivement vêtue de rouge de la tête aux pieds. Une tenue étrange…

Quand elle vit le visage de la voyageuse, Beata se prépara à avoir de gros ennuis. La détermination de cette femme avait quelque chose de terrifiant.

Sans prendre la peine d'attendre que son cheval se soit arrêté, elle sauta à terre devant Fitch, que Beata poussa sur le côté.

La femme en rouge fit un roulé-boulé et se releva souplement.

— Plus un geste ! cria Beata. Il a promis de rendre l'épée quand j'aurai parlé avec vous !

Stupéfaite, elle vit que la femme serrait dans son poing une bouteille noire. Pour sauter d'un cheval avec un tel objet dans la main, il fallait… Eh bien, Fitch n'avait peut-être pas tout à fait tort au sujet de la santé mentale de sa poursuivante.

Pourtant, la femme n'avait pas l'air d'une démente. Mais elle semblait décidée à poursuivre le Haken jusque dans le royaume des morts, s'il le fallait.

Ses yeux bleus rivés sur Fitch, elle ignora superbement Beata.

— Rends-moi l'épée, et je ne te tuerai pas. Après être passé entre mes mains, tu regretteras simplement d'être né…

Au lieu d'obéir, Fitch dégaina la lame.

Une unique note métallique retentit. Habituée à manier des couteaux, et maintenant une épée, Beata n'avait pourtant jamais entendu un son pareil.

Fitch écarquilla les yeux, et ses traits se tordirent comme s'il allait vraiment s'évanouir. Dans son regard, Beata vit une étrange lueur vacillante, à croire qu'il contemplait une atroce vision intérieure.

La bouteille levée comme s'il s'agissait d'une arme, la femme tendit son bras libre et replia les doigts pour défier le Haken de l'attaquer.

Beata avança pour s'interposer. En un éclair, elle se retrouva assise sur le sol, la joue en feu.

— Ne te mêle pas de ça ! lâcha la femme d'une voix glaciale. Tu n'as aucune raison de te faire amocher. Pense à toi, et reste là où tu es ! (Elle regarda de nouveau Fitch.) Allez, mon garçon ! Donne-moi cette épée, ou agis !

Fitch opta pour la deuxième solution. Il abattit l'épée, dont la lame fendit l'air en sifflant.

La femme recula d'un pas et para le coup avec la bouteille, qui explosa sous l'impact.

— Oui ! cria la blonde vêtue de rouge. (Elle eut un rictus mauvais.) Maintenant, je vais récupérer l'épée !

D'un coup de poignet, elle fit voler dans sa paume une courte lanière de cuir rouge accrochée à une chaînette en or. D'abord rayonnante de joie, elle se décomposa et baissa les yeux sur ce qu'elle semblait prendre pour une arme.

— Ça devrait marcher, murmura-t-elle. Ça devrait marcher !

Puis elle releva les yeux et sursauta, comme si elle venait de voir quelque chose qui la ramenait d'un coup à la réalité.

Beata tourna la tête mais ne remarqua rien d'anormal.

La blonde saisit la jeune Hakenne par l'épaule et la força à se relever.

— File d'ici et amène tes hommes ! Vite !

— Pardon ? Fitch a raison, vous êtes folle !

— Regarde, espèce d'idiote !

Les gardes spéciaux approchaient toujours en bavardant entre eux.

— Ce sont des hommes à nous. Il n'y a rien à craindre.

— Fiche le camp d'ici avec tes copains, ou vous crèverez tous !

Beata détesta être traitée comme une enfant par une démente. Avisant le caporal Marie Fauvel, qui venait voir ce qui se passait, elle l'appela d'une voix impérieuse.

— Oui, sergent ? répondit l'Anderienne.

— Allez dire à ces hommes d'attendre jusqu'à ce que j'en aie fini avec cette histoire. (Les poings sur les hanches, Beata se tourna vers la folle.) Satisfaite ?

La blonde prit de nouveau la jeune Hakenne par l'épaule.

— Petite crétine, éloigne les autres gamins de là, ou vous finirez tous les tripes à l'air !

— Je suis un sous-officier de l'armée anderienne, dit Beata, très énervée, et ces hommes…

Furieuse, elle tourna la tête sans terminer sa phrase.

Marie Fauvel se campa devant les cavaliers, leva la main et leur annonça qu'ils devraient attendre.

Un des trois cavaliers dégaina nonchalamment son épée, arma le bras puis frappa presque sans y penser. Avec une puissance terrifiante, sa lame fendit l'air, mordit la taille de Marie et la coupa net en deux.

Beata en resta bouche bée, incapable d'en croire ses yeux.

Chez Inger, elle avait vu abattre tant d'animaux qu'elle n'y prêtait plus attention, à la fin. Et après avoir vidé des centaines de carcasses, les entrailles dégoulinantes de sang ne l'impressionnaient plus.

En un sens, voir le torse de Marie se détacher de ses jambes ne la traumatisa pas. Les intestins qui se déversaient sous elle ressemblaient tellement à ceux d'un bœuf…

Séparée de ses jambes et de ses hanches, Marie émit un cri de surprise. Les yeux écarquillés, elle semblait faire un gros effort pour tenter de comprendre ce qui venait d'arriver à son corps.

Enfin consciente qu'il ne s'agissait pas d'un bœuf, Beata se pétrifia d'horreur.

Ses mains griffant l'herbe et le sol, Marie tenta de ramper loin de son meurtrier. La tête tournée vers Beata, elle voulut parler, mais n'émit qu'une succession de gargouillis et de gémissements.

Puis ses mains s'ouvrirent, et elle cessa de lutter, vidée de son sang comme un vulgaire cochon.

Sur la plate-forme, Estelle et Emmeline crièrent à s'en briser les cordes vocales.

Beata dégaina son épée et la leva au-dessus de sa tête.

— Section, à l'attaque !

Les trois cavaliers avançaient toujours, souriant comme si de rien n'était.

Alors, le monde bascula dans la folie.

Chapitre 64

Selon les consignes apprises à l'entraînement, Norris passa à l'attaque, visant la jambe d'un des hommes. Un formidable coup de botte l'envoya valser en arrière, le nez éclaté.

Son adversaire sauta à terre, ramassa l'épée qu'il avait lâchée et la lui enfonça dans le ventre. Cloué au sol, le malheureux Anderien tenta d'arracher la lame à mains nues et se taillada les doigts. En se débattant, il accélérerait sa fin – une bénédiction, en un sens…

Karl et Bryce attaquèrent, lame au poing. Carine sortit d'une casemate, une lance brandie. Annette la suivait, lestée de la même arme.

Beata retrouva toute sa détermination. Les trois hommes allaient être encerclés, et elle commandait des soldats très bien entraînés. Sans nul doute, ils viendraient à bout de si peu d'ennemis.

— Sergent, cria la blonde en rouge, reculez !

Malgré sa terreur, Beata fut agacée par l'intervention de la folle, qui ne connaissait visiblement rien au métier des armes. La lâcheté de cette voyageuse l'écœurait. Ses soldats et elle allaient faire face et défendre la poltronne en rouge qui redoutait trois malheureux adversaires.

Fitch lui-même, nota la jeune Hakenne – non sans fierté – avançait vers le danger, son épée magique prête à frapper.

Les deux compagnons du meurtrier de Marie n'avaient pas encore dégainé leur épée, comme s'ils ne mesuraient pas la gravité de leur situation. Beata s'indigna qu'ils fassent si peu de cas de sa vaillante section.

Plus habituée que ses hommes à enfoncer une lame dans de la viande, la jeune Hakenne attaqua un des intrus. Sans effort apparent, il évita son coup, pourtant porté avec force et précision.

Se battre, comprit Beata, n'avait aucun rapport avec l'entraînement face à un mannequin de paille. Et les soldats adverses, contrairement aux carcasses de bœuf, ne pendaient pas à un croc de boucher.

Alors que la lame de la jeune Hakenne sifflait à côté de sa cible, Annette tenta d'attaquer l'homme dans le dos. Il s'écarta, attendit qu'elle passe à côté de lui, emportée par son élan, et saisit au vol sa chevelure rousse. Très lentement, il dégaina son couteau, eut un rictus à l'intention de Beata, puis trancha la gorge d'Annette comme s'il saignait un cochon.

Un autre « garde anderien » arracha sa lance à Carine, la cassa en deux d'une seule main et lui enfonça la pointe barbelée dans le ventre.

Karl tenta de frapper l'homme que son sergent avait raté. Visant les jambes, il rata son coup mais reçut au visage un formidable coup de botte qui l'envoya bouler sur le dos.

Le faux garde voulut achever le vaincu. Beata se rua en avant et dévia le coup.

La violence de l'impact lui arracha sa lame des mains. Le bras engourdi, incapable de plier les doigts, la jeune Hakenne tomba à genoux.

L'homme abattit son épée sur Karl, qui leva les mains pour se protéger. La lame les lui coupa net à mi-paume, puis lui fendit en deux le visage.

Le tueur se tourna vers Beata. Sa lame rouge de sang se leva, dirigée vers la gorge de la jeune Hakenne.

Paralysée, elle hurla de terreur.

Une main se ferma sur ses cheveux et la tira violemment en arrière. La pointe de l'épée passa à un pouce de son nez et se ficha dans la poussière.

La « poltronne » en rouge venait de sauver Beata.

L'homme tourna la tête, son attention attirée par des roulements de sabots. Beata leva les yeux et vit que des cavaliers approchaient. Une bonne centaine… Des « gardes spéciaux », comme ces trois-là.

La blonde en rouge tira Bryce en arrière, lui évitant la mort au dernier moment. Dès qu'elle l'eut lâché, et malgré l'ordre qu'elle lui avait hurlé, le jeune Anderien repartit à l'attaque.

Une lame le cueillit en pleine course, lui transperça le torse et ressortit dans son dos.

Le colosse qui venait de tuer Karl se tourna vers Beata, qui tenta de reculer sur les fesses. Trop paniquée pour songer à se relever, elle comprit que sa dernière heure avait sonné.

Submergée par un étrange fatalisme, elle regarda la lame s'abattre sur elle en murmurant une prière qu'elle n'aurait aucune chance d'achever.

Fitch se campa devant elle et dévia le coup. Éblouie par les étincelles qui jaillirent lorsque les deux lames se percutèrent, Beata battit des cils.

Contre toute attente, elle était toujours de ce monde !

Fitch passa à l'attaque, mais son adversaire esquiva souplement.

Déséquilibré, le jeune Haken bascula en avant. Avec une nonchalance délibérée, le faux garde anderien tira de son ceinturon une masse d'armes hérissée de piques. Puis il frappa d'un coup de poignet presque distrait.

Le coup fit exploser toute la partie supérieure du crâne de Fitch. Alors qu'il s'écroulait, des morceaux de cerveau s'écrasèrent sur la tunique de Beata.

La jeune fille hurla, incapable de s'arrêter, comme une enfant terrorisée.

Dans un coin de sa tête, elle eut le sentiment d'être le simple témoin de cette scène de cauchemar.

Au lieu d'achever Beata, l'homme baissa les yeux sur le cadavre de Fitch – ou plutôt sur l'arme qu'il serrait encore.

Il s'empara de l'épée puis récupéra le baudrier.

Au moment où il glissait l'Épée de Vérité dans le fourreau ouvragé, des cavaliers arrivèrent à sa hauteur.

Le soldat sourit et fit un clin d'œil lubrique à Beata.

— Le commandant Stein sera ravi que je lui rapporte cette arme. Qu'en penses-tu, petite ?

— Pardon ? réussit à couiner bêtement la jeune Hakenne, toujours assise sur le sol.

— Maintenant que vous avez tous voté, lâcha l'homme avec un rictus mauvais, l'empereur Jagang va mettre dans l'urne le bulletin qui changera votre vie.

— Qu'as-tu pêché là ? demanda un soldat en sautant de sa monture.

— Quelques très jolies filles, mon vieux !

— Dans ce cas, ne les étripe pas toutes, s'il te plaît. Je les préfère bien chaudes, quand elles bougent encore.

Tous les soudards éclatèrent de rire.

Beata donna des coups de talons pour s'éloigner de ces monstres.

— Cette épée me dit quelque chose, précisa le meurtrier de Fitch. Je la remettrai au commandant Stein, qui se fera un plaisir de l'offrir à l'empereur.

Du coin de l'œil, Beata vit qu'un soldat avait sauté sur la plate-forme de la Dominie Dirtch. En un clin d'œil, il désarma Estelle et Emmeline.

Celle-ci sauta à terre pour s'échapper. Se réceptionnant mal, elle hurla de douleur, une jambe repliée sous elle. Cassée, sans aucun doute…

Un soldat la prit par les cheveux et la tira vers les casemates comme un poulet qu'on vient de choisir pour le repas du soir.

L'homme qui l'avait désarmée en était déjà à embrasser Estelle, qui se débattait comme une tigresse. Les faux gardes éclatèrent de rire, amusés par sa futile résistance.

Partout, des hommes en uniforme noir bardés d'armes mettaient pied à terre. Avec un sourire satisfait, d'autres faisaient à cheval le tour de la Dominie Dirtch.

Alors que personne ne s'intéressait à elle – pour le moment – Beata sentit une main la saisir par le dos de sa tunique et la tirer en arrière.

— Bon sang, souffla une voix féminine, lève-toi et fuis tant que tu le peux encore !

La peur lui donnant des ailes, la jeune Hakenne obéit et courut sur les talons de la femme en rouge. Avec un bel ensemble, elles plongèrent dans un petit ravin dissimulé par un rideau de broussailles.

— Arrête de pleurer ! ordonna la blonde. Tu vas nous faire repérer !

Beata parvint à ne plus sangloter trop fort, mais pas à empêcher ses larmes de couler. Tous les membres de sa section étaient morts, à part Estelle et Emmeline, prisonnières de l'ennemi.

Et Fitch, cet idiot de Fitch, s'était sacrifié pour la sauver !

— Si tu ne la fermes pas, grogna la blonde, je te coupe la gorge, et on n'en parle plus !

Beata se mordit la lèvre supérieure. Elle avait toujours été assez forte pour ravaler ses sanglots. Mais là, c'était si dur…

— Désolée…, souffla-t-elle.

— Je t'ai tirée du feu de justesse ! En échange, tu pourrais éviter de nous faire prendre !

La blonde regarda l'homme qui avait récupéré l'Épée de Vérité sauter en selle et repartir au galop vers Fairfield. Écœurée, elle marmonna un juron bien senti.

— Pourquoi m'avez-vous simplement tirée hors de danger ? demanda Beata. Vous auriez pu essayer d'en tuer quelques-uns !

— Qui a défendu tes arrières, d'après toi ? Un de tes soldats en culotte courte ? Regarde plutôt par là !

Beata tourna la tête et vit plusieurs cadavres de faux gardes éparpillés sur le sol.

— Espèce de petite idiote…, grogna la blonde.

— On dirait que vous me détestez, comme si tout ça était ma faute.

— Je t'en veux parce que tu es une imbécile ! Trois hommes ont suffi pour massacrer ta section, et ils ne sont même pas essoufflés !

— Mais… ils nous ont pris par surprise !

— Tu crois que c'est un jeu ? Bon sang, tu n'es pas assez futée pour comprendre qu'on s'est fichu de toi ? Tes chefs t'ont gonflée à bloc histoire de t'envoyer au casse-pipe ! Serais-tu aveugle ? Cent gamins de ton genre ne viendraient pas à bout d'un de ces types ! Ce sont des soldats de l'Ordre Impérial !

— Oui, mais si…

— Tu penses que l'ennemi doit t'envoyer un faire-part avant d'attaquer ? Dans la vraie vie, les morveux comme toi se font étriper, un point c'est tout. Et tes deux amies regretteront de n'avoir pas fini comme les autres, tu peux me croire !

Beata en resta muette d'horreur.

— Bon, ce n'est pas entièrement ta faute, continua la femme, un peu adoucie. Tu es encore trop jeune pour comprendre certaines choses ou distinguer la vérité du mensonge. Tu t'en penses capable, mais c'est une grossière erreur.

— Pourquoi tenez-vous tant à cette épée ?

— Parce qu'elle appartient au seigneur Rahl, qui m'a chargée de la lui rapporter.

— Dans ce cas, pour quelle raison m'avez-vous sauvée ?

La blonde dévisagea Beata. Dans ses yeux bleus, il n'y avait pas trace de peur.

— Parce qu'il y a très longtemps, la petite idiote que j'étais a été capturée par de sales types…

— Et que vous ont-ils fait ?

La femme en rouge eut un sourire amer.

— Ils m'ont transformée en ce que je suis : une Mord-Sith. Mais tu n'aurais pas eu cette chance. Les hommes de l'Ordre Impérial avaient pour toi des projets bien plus… ludiques.

De sa vie, Beata n'avait jamais entendu parler d'une « Mord-Sith ». Elle allait poser une question, mais les cris d'Estelle, toujours aux prises avec son violeur, l'en empêchèrent.

— Je vais poursuivre le type qui est parti avec l'épée, annonça la Mord-Sith. Tu devrais filer d'ici.

— Amenez-moi avec vous !

— Pas question ! Tu me ralentirais, c'est tout.

Beata ne protesta pas, car c'était la stricte vérité.

— Que vais-je faire ?

— Dégager d'ici avant que ces soudards te mettent la main dessus !

— Par pitié, aidez-moi à sauver Estelle et Emmeline !

La femme réfléchit un instant.

— Celle-là, dit-elle en tendant un bras vers la Dominie Dirtch. Avant de partir, je la libérerai. Ensuite, vous ficherez le camp ensemble !

Le soldat pelotait les seins d'Estelle, qui tentait en vain de lui échapper. Beata frémit, car elle savait ce qu'on éprouvait à des moments pareils.

— Et Emmeline ? demanda Beata en désignant les casemates.

— Elle a une jambe cassée. Si vous l'emmenez, elle vous fera prendre.

— Mais c'est…

— Oublie-la ! Tu veux être obligée de la porter ? Cesse de penser comme une enfant ! Que préfères-tu ? Sauver une de tes amies, ou mourir avec les deux ? Décide-toi vite, parce que je n'ai pas de temps à perdre !

Beata aurait donné cher pour ne plus entendre les cris qui montaient de la casemate. Elle refusait de finir enfermée dedans avec ces hommes. Au palais, l'un d'eux lui avait montré de quoi ils étaient capables.

— Sauvons Estelle, dit-elle enfin.

— Bien raisonné, petite !

La Mord-Sith appelait Beata ainsi pour la remettre à sa place, et lui donner une chance de s'en tirer vivante.

— Écoute-moi bien, à présent. Je ne suis pas sûre que tu sois à la hauteur, mais c'est notre seule chance.

Beata tendit l'oreille.

— Je vais monter sur la plate-forme et neutraliser le soudard. Puis je m'assurerai que vous ayez au moins deux chevaux. Quand ton amie descendra de la plate-forme, sautez en selle et filez ventre à terre !

La Mord-Sith tendit le bras vers la plaine.

— Éloignez-vous d'Anderith et cherchez refuge dans un des royaumes des Contrées du Milieu.

— Comment empêcherez-vous ces hommes de nous poursuivre ?

— Qui t'a dit que j'essaierai ? Vous aurez des chevaux, et une chance de sauver votre peau. C'est tout ce que je peux faire pour vous. (La Mord-Sith brandit un index devant le nez de Beata.) Si ton amie ne descend pas de la plate-forme, ou si elle ne saute pas sur son cheval, abandonne-la ! C'est compris ?

Morte de peur, Beata hocha de nouveau la tête. Son seul désir était de fuir, et plus rien d'autre ne comptait. Elle voulait vivre !

— Je m'appelle Beata, dit-elle en tirant sur la manche de la femme en rouge.

— Ravie de l'apprendre. À présent, allons-y !

Pliée en deux, la Mord-Sith jaillit de leur cachette. Adoptant la même position, la jeune Hakenne la suivit.

La Mord-Sith faucha les jambes d'un soldat qui leur barrait le passage mais leur tournait le dos. Dès qu'il se fut écroulé, et sans lui laisser le temps de crier, elle lui broya la trachée-artère d'un coup de coude, puis l'acheva d'une manchette à la nuque.

— Comment avez-vous fait ça ? demanda Beata, stupéfaite.

— Le résultat d'années d'entraînement... Tuer est mon métier... (La Mord-Sith étudia de nouveau la Dominie Dirtch.) Attends ici, compte jusqu'à dix et suis-moi. Surtout, ne compte pas trop vite !

Sans attendre de réponse, la blonde partit au pas de course. Quelques soldats la regardèrent sans comprendre. À l'évidence, elle ne cherchait pas à fuir, puisqu'elle fonçait vers eux, slalomant entre les cavaliers qui entouraient toujours la Dominie Dirtch.

Sur la plate-forme, la femme en rouge venait d'arracher le marteau de son support. La traction qu'elle avait dû produire pour faire sauter les barres de fixation ajoutant à la puissance de son coup, l'impact fit exploser la tête de l'homme qui s'acharnait toujours sur Estelle.

Au moment où Beata finissait de compter jusqu'à dix, le cadavre du violeur bascula par-dessus la rambarde et vint s'écraser au milieu d'une forêt de jambes de chevaux.

Trop terrifiée pour réfléchir, Beata jaillit de sa cachette et se mit à courir.

Sur la plate-forme, la Mord-Sith leva de nouveau le marteau et frappa la Dominie Dirtch.

Un son à la fois bourdonnant et aigu retentit, faisant vibrer le crâne de Beata comme si c'était sur elle que la femme en rouge avait abattu le marteau.

Les soudards placés devant l'arme hurlèrent de terreur en même temps que leurs montures. Les cris ne durèrent pas, car les hommes et les bêtes implosèrent, réduits en bouillie en une fraction de seconde.

Ceux qui continuaient à faire triomphalement le tour de la cloche de pierre ne purent pas s'arrêter et subirent le même sort.

Malgré ses articulations douloureuses à cause du glas mortel de la Dominie Dirtch, Beata courut plus vite que jamais.

Maniant le marteau comme un fléau d'armes, la femme en rouge fit tomber plusieurs soldats de leurs montures. Puis elle prit Estelle par un bras et la poussa sans douceur vers les marches. Pendant ce temps, Beata était parvenue à saisir au vol la bride de deux chevaux.

Les soldats de l'Ordre Impérial se débandaient. Ignorant si l'arme allait de nouveau sonner et les pulvériser, ils couraient en tous sens dans la plus totale confusion.

Beata prit la main d'Estelle et la tira vers elle.

La femme en rouge grimpa sur la rambarde puis sauta sur un homme encore à cheval. Après lui avoir planté dans les yeux le goulot cassé de la bouteille, qu'elle n'avait pas lâché, elle le fit basculer de sa selle.

Les pieds bien calés dans les étriers, elle lança sa nouvelle monture au galop. En passant près de la bête épuisée qui l'avait conduite jusque-là, elle récupéra au vol ses sacoches puis fila à bride abattue en direction de Fairfield.

— En selle ! cria Beata à Estelle.

Bien qu'en état de choc, l'Anderienne saisit que c'était sa seule chance de s'en tirer vivante. Imitant la Hakenne, elle bondit sur un cheval et le lança au galop.

Les soldats encore montés se lancèrent à la poursuite de la femme en rouge. Même si elle n'était pas une cavalière de grande qualité, Beata comprit ce qu'il lui restait à faire : talonner son cheval et fuir sans se retourner.

Estelle adopta la même stratégie. Unies par le désir de survivre, la Hakenne et l'Anderienne galopèrent côte à côte.

— Où allons-nous, sergent ? cria Estelle.

Beata se fichait de la direction qu'elles prenaient, tant qu'elles s'éloignaient de cet enfer. Mais elle brûlait d'envie de se débarrasser de ce maudit uniforme – une cruelle plaisanterie de plus à mettre sur le compte de Bertrand Chanboor.

— Je ne suis pas plus sergent que toi général ! cria-t-elle à sa compagne. Comme toi, je suis une pauvre fille dont on s'est moquée !

En galopant, la jeune Hakenne regretta de ne pas avoir eu le temps de remercier la Mord-Sith. Après tout, Estelle et elle lui devaient la vie.

Chapitre 65

D alton leva les yeux quand il entendit quelqu'un entrer dans son nouveau bureau. C'était Hildemara, vêtue d'une robe de satin jaune qui ne dissimulait pas grand-chose de ses charmes – au cas bien improbable où ils auraient intéressé quelqu'un.

Le nouveau ministre de la Civilisation se mit debout pour accueillir l'illustre dame. Lui, dans cette pièce, assis ailleurs que sur le siège du visiteur... Même s'il en rêvait depuis longtemps, il ne parvenait pas encore à y croire vraiment.

— Hildemara ! Quelle bonne idée d'être passée me voir !

Dame Chanboor gratifia Campbell d'un regard de prédateur affamé. Elle contourna le bureau pour être plus près de lui, et s'assit au bord afin de le regarder droit dans les yeux.

— Dalton, votre nouvelle tenue vous va à merveille ! Vous l'aviez fait tailler à tout hasard, je suppose ? (Hildemara passa un index lascif sur la manche ornée de broderie du pourpoint effectivement flambant neuf.) Et ce bureau, on jurerait qu'il a été conçu pour vous ! Mon mari avait toujours l'air d'y être entré par hasard. Vous, on croirait que vous y êtes né ! Quelle classe, très cher...

— Merci, Hildemara. Puis-je dire que vous resplendissez aussi ?

Dame Chanboor sourit. Pour se moquer de lui, ou parce que le compliment la touchait ? Dalton n'aurait su le dire. Mais une chose était sûre : depuis le décès inattendu du pontife, Hildemara ne faisait pas mystère de l'admiration éperdue que Campbell lui inspirait. Cela dit, ce n'était pas une raison pour baisser sa garde et encore moins pour offrir son dos au couteau qu'elle prévoyait peut-être de lui enfoncer entre les omoplates.

— En ville, annonça l'épouse de Bertrand, le dépouillement des suffrages est terminé. Et les premiers résultats du reste d'Anderith commencent à arriver...

Dalton paria que l'issue du scrutin n'était pas étrangère à l'humeur rayonnante d'Hildemara. Mais il préféra s'en assurer.

— Et comment le peuple a-t-il répondu à la proposition du seigneur Rahl ?

— Ce D'Haran ne vous arrive pas à la cheville, Dalton... Vous lui avez flanqué une bonne correction !

— Vraiment ? Assez convaincante pour qu'il ne soit pas tenté d'insister par des moyens moins… démocratiques ?

— Les citadins n'ont pas cru bon de gober sa propagande. Soixante-dix pour cent ont voté non.

— Et les autres ? demanda Campbell sans dissimuler son soulagement.

— On ne sait pas encore tout… Peu de soldats sont revenus avec des résultats.

— Mais où en sommes-nous à cette heure ?

— Pour être franche, il y a de quoi s'étonner !

— En bien ou en mal ?

Hildemara sourit de plus belle.

— Le pire résultat donne trois quarts des votes en notre faveur. À certains endroits, les croix représentent entre quatre-vingts et quatre-vingt-dix pour cent des bulletins !

— Je l'espérais, souffla Dalton, mais avec la démocratie, on ne peut jamais être sûr de rien.

— C'est stupéfiant, messire ministre ! Vous êtes un génie ! Et tout ça sans même avoir pu tricher !

Dalton serra les poings de joie.

— Merci d'être venue m'annoncer ces nouvelles, Hildemara ! Si vous voulez bien m'excuser, je vais aller les transmettre à Teresa. Avec tout ce travail, je l'ai à peine vue, ces dernières semaines. Elle sera ravie d'apprendre que mon labeur a porté ses fruits !

Dalton fit mine de s'éloigner, mais Hildemara le retint d'un index plaqué sur son plexus solaire.

— Teresa est déjà au courant, j'en suis sûre, dit-elle avec un étrange sourire.

— Comment aurait-elle su avant moi ?

— Bertrand, bien entendu !

— Bertrand ? Et pourquoi parlerait-il de sujets pareils avec mon épouse ?

— Très cher, il est bavard comme une pie quand il batifole entre les jambes d'une femme qui lui plaît !

Dalton se pétrifia et un signal d'alarme retentit dans sa tête. Depuis la nomination de Bertrand, il avait beaucoup délaissé Teresa. Et sa femme avait pour le pontife – la fonction, pas l'homme – une vénération sans limite. Après avoir rencontré l'ancien chef spirituel d'Anderith, se souvint-il, elle avait passé la nuit et la matinée à prier. Et quand Bertrand avait accédé au trône, elle l'avait regardé… eh bien, avec d'autres yeux !

Il se força à brider son imagination. Les soupçons de ce genre risquaient de miner de l'intérieur l'âme d'un homme. Sachant qu'il avait été très occupé, Hildemara voulait lui faire peur, ou semer la zizanie dans son ménage. Un comportement tout à fait dans son style.

— Ce n'est pas drôle, dame Chanboor !

S'appuyant d'une main sur le bureau, Hildemara se pencha pour caresser la joue du nouveau ministre.

— Ce n'était pas censé l'être, très cher…

Dalton s'assit et se força au calme. Avant de savoir de quoi il retournait, toute réaction impulsive risquait de lui coûter cher. Si Hildemara mentait pour le monter contre Tess, et l'inciter à se venger en couchant avec elle, il lui faudrait manœuvrer avec la plus grande subtilité. Cela dit, il pouvait s'agir de rumeurs qu'elle avait mal interprétées. C'était peu probable, car elle disposait d'excellentes sources d'informations, mais il ne devait pas négliger cette hypothèse.

— Hildemara, vous ne devriez pas répéter des ragots aussi injurieux.

— Des ragots ? Très cher, j'ai vu la douce Teresa sortir de sa chambre !

— Vous la connaissez, elle est très dévote…

— Et j'ai entendu Bertrand se vanter devant Stein de sa bonne fortune.

— Quoi ?

Le sourire de dame Chanboor devint enfin un rictus.

— Selon mon époux, une fois qu'elle est au lit, Teresa adore jouer les vilaines petites filles. Ce pauvre Stein en avait les yeux qui lui sortaient de la tête.

Le sang lui montant aux joues, Dalton envisagea de tuer Hildemara sans attendre. Quand sa main se posa sur la garde de son épée, il songea que c'était une excellente idée. Mais il parvint à se contrôler, même si ses genoux tremblaient.

— J'ai pensé que vous deviez être informé, Dalton. Savoir que Bertrand besognait Tess à votre insu me désolait. Votre ignorance aurait pu devenir embarrassante, à la longue.

Dalton dut reprendre son souffle avant de parler.

— Pourquoi tant de satisfaction, Hildemara ? parvint-il à demander.

— Parce que j'en avais assez de vos déclarations hautaines sur la fidélité ! Cette façon de regarder les autres de haut parce que votre épouse et vous étiez des parangons de vertu !

Dalton parvint par miracle à ne pas dégainer son épée. Dans les moments de crise, il réussissait toujours à se discipliner. Un esprit analytique comme le sien était conçu pour trouver la meilleure solution possible aux problèmes les plus inattendus.

En se faisant violence, il accomplit une nouvelle fois cet exploit.

— Merci, Hildemara. J'aurais effectivement pu me ridiculiser…

— Dalton, n'en faites pas toute une affaire, je vous le demande comme une faveur ! Vous devriez être ravi, au contraire. Nous parlons du pontife, ne l'oubliez pas ! Tout citoyen d'Anderith devrait être flatté qu'il ait choisi sa compagne. Quand cela se saura, on vous aimera et on vous respectera plus encore. Un homme dont la femme a l'écrasante mission d'offrir un peu de joie au guide suprême de la nation !

» D'ailleurs, vous auriez dû vous y attendre. C'est vous qui avez fait de Bertrand le représentant du Créateur en ce monde. Et Teresa, en l'occurrence, se comporte comme un fidèle et loyal sujet. (Hildemara ricana.) Si ce que j'ai entendu est vrai, sa « loyauté » est même admirable. Pour lui en remontrer sur ce plan, il faudrait se lever tôt !

Hildemara se pencha et posa un baiser sur l'oreille de Dalton.

— Je suis prête à relever le défi, très cher ! (Sans quitter sa proie des yeux, dame Chanboor se redressa.) Depuis toujours, vous me fascinez. Alors que je me croyais experte en la matière, je n'avais jamais rencontré un homme aussi retors et dangereux que vous. (Elle se tourna vers la porte.) Après une saine réflexion, vous verrez que c'est sans importance, mon ami. Je vous l'assure… Au fait, on dirait que votre vœu de fidélité n'a plus lieu d'être ! N'avez-vous pas dit que vous viendriez à moi, si cela arrivait ? Surtout, n'oubliez pas cette promesse !

Quand Hildemara fut sortie, Dalton resta assis dans son fauteuil, l'esprit en ébullition. Quelle serait la meilleure solution à ce problème ?

Kahlan posa ses mains sur les épaules de Richard, se pencha et glissa sa joue contre la sienne. Puis elle lui posa un baiser sur la tempe.

Le jeune homme sembla ravi de cette douce diversion.

— Tu avances bien ?

Richard s'étira et bâilla. Par où allait-il commencer ?

— Ce type était un sacré tordu ! finit-il par dire.

— Ce qui signifie ?

— Je n'ai pas encore tout traduit, mais je commence à avoir une bonne vision des choses... (Richard se frotta les yeux.) Ander a été envoyé ici pour bannir les Carillons. Il a compris le problème en un clin d'œil, et trouvé une solution très simple. Les sorciers de la Forteresse ont jugé qu'il était un génie, et ils le lui ont dit.

— Un compliment qui lui a fait une belle jambe, je parie !

— Exactement ! Il n'en parle pas dans ce livre-là, mais d'après ses autres textes, il n'était pas homme à se rengorger d'avoir réussi ce genre d'exploit. En revanche, quand il s'agissait de mépriser ceux qui avaient échoué, il ne se gênait pas !

— Donc, l'affaire était réglée ! Que s'est-il passé ensuite ?

— Les sorciers lui ont ordonné d'agir au plus vite. Les Carillons faisaient des dégâts très similaires à ceux d'aujourd'hui, et la menace devait être levée sans délai. Ander répondit à sa façon : puisqu'ils avaient eu le bon sens de l'envoyer, ses supérieurs pouvaient-ils avoir l'obligeance de ne plus lui dicter ses actes ?

— Les sorciers n'ont pas dû être ravis.

— Ils l'ont imploré de passer à l'action, parce que des innocents mouraient. Avec une guerre sur les bras, ils connaissaient trop Ander pour prendre le risque de le brusquer. Ils lui ont dit de se fier à son propre jugement, mais d'aller aussi vite que possible pour éviter qu'il y ait trop de victimes.

» Ce message lui a mis du baume au cœur. Mais il a saisi l'occasion pour entamer une polémique avec ses supérieurs.

— À quel propos ?

Richard en soupira de frustration. Avec Joseph Ander, il était difficile d'avoir des certitudes... et plus ardu encore de les formuler.

— Il me reste des pages et des pages à traduire. C'est un travail lent et difficile. Mais je doute que ce livre nous apprenne comment bannir les Carillons. Ander n'était pas du genre à coucher sur le papier ces choses-là...

Kahlan se redressa et s'adossa à la table, pour être face à Richard.

— Seigneur Rahl, n'essaie pas de me faire marcher ! Je sais que tu es bien meilleur que ça ! Que me caches-tu ?

Le Sourcier se leva, tourna le dos à la jeune femme et se massa les tempes.

— Tu ne me fais pas confiance ? demanda Kahlan.

Richard se retourna.

— Non, ce n'est pas ça ! Mais dans tout ce qu'il dit, j'ignore où la vérité s'arrête pour céder la place à sa folie. Ça va tellement plus loin que tout ce que je sais ou crois savoir sur la magie !

Kahlan se rembrunit. Le Sourcier eut un peu honte de l'angoisser, alors qu'il se trompait peut-être. Mais pour l'instant, elle était loin d'avoir aussi peur que lui…

— Joseph Ander, dit-il, se pensait largement supérieur aux autres sorciers.

— Nous avions cru le comprendre, non ?

— L'ennui, c'est qu'il avait peut-être raison…

— Quoi ?

— Parfois, la folie fait le lit du génie ! Moi, j'ignore où tracer la ligne de démarcation. D'un côté, mes lacunes en magie sont un handicap. De l'autre, elles m'épargnent d'avoir des idées préconçues, comme les supérieurs d'Ander. Du coup, je vois peut-être des choses qu'ils n'ont pas remarquées…

» Ander ne considérait pas la magie comme un ensemble de rituels. Tu vois ce que je veux dire ? Une pincée de poudre d'œil de dragon, un mot à répéter trois fois en faisant la toupie sur le pied gauche… Tous ces trucs-là, quoi !

» Pour lui, c'était une forme d'art. Un moyen d'expression…

— Je ne te suis pas, avoua Kahlan. Si on ne lance pas correctement un sort, il fait long feu, et voilà ! J'ai… j'avais… une façon très précise d'invoquer mon pouvoir. Et nous avons attiré les Carillons dans ce monde en respectant à la lettre – sans le savoir – les exigences d'un sortilège.

Richard avait prévu que Kahlan, avec toute sa « culture magique » aurait les mêmes difficultés à comprendre que les sorciers de l'époque. Il en éprouva une frustration qui devait ressembler, en mode mineur, à celle qu'avait connue Joseph Ander. Cette réaction lui permit de mieux cerner la personnalité de la Montagne. Quand on savait que la vérité était ailleurs, entendre des gens vous assener des faits prétendument incontournables avait effectivement de quoi rendre fou. Surtout quand il était impossible de leur faire ouvrir les yeux pour voir ce qui se trouvait en somme sous leur nez – des concepts trop abstraits pour qu'ils parviennent à les intégrer à leur étroite vision du « tout ».

Comme Ander, des millénaires plus tôt, Richard essaya une approche différente.

— Je sais tout ça, et je ne dis pas que tu te trompes, mais il pensait qu'il y avait plus que cela. Selon lui, la magie pouvait être abordée à un niveau plus élevé. Bien au-delà de ce que faisait l'immense majorité de ses collègues.

— Du délire…, souffla Kahlan, de plus en plus inquiète.

— Non, j'en doute… (Richard prit le livre de voyage.) Je vais te lire la réponse que fit Ander à une question des sorciers. Ce n'est pas lié à notre problème, mais écoute bien, pour comprendre sa façon de penser… *« Un sorcier qui ne peut pas vraiment détruire est incapable de créer pour de bon. »* Ander parlait d'un sorcier uniquement doué pour la Magie Additive, comme Zedd. Pour lui, contrôler une seule facette de la magie revenait à dire qu'on n'avait pas le don. Un tel sorcier, à ses yeux, était une aberration, et un être gravement handicapé.

Le Sourcier continua sa lecture.

— *« Un sorcier doit se connaître lui-même. Sinon, il risque de lancer des sorts pervertis qui nuiront à son propre libre arbitre. »* Là, il parle des aspects créateurs de la magie, quelle que soit son obédience. *« La magie concentre et intensifie les passions.*

Elle décuple la joie, mais aussi des sentiments plus destructeurs, les transformant en obsession. La tension interne devient alors insupportable, sauf si on s'en libère en passant à l'acte. »

— On dirait qu'il cherche à justifier ses méfaits, et rien de plus !

— Non, je ne crois pas… Il avait l'intuition de quelque chose de très important. Une conception supérieure de l'équilibre…

Kahlan secoua la tête. À l'évidence, elle n'entrait pas dans le raisonnement du Sourcier. Ne voyant pas comment l'y aider, il reprit sa lecture.

— Écoute bien, c'est important ! *« L'imagination, voilà ce qui fait la grandeur d'un sorcier ! Grâce à elle, il peut dépasser les limites que lui imposent les traditions. En allant au-delà du "monde tel qu'il est", il accède à un royaume supérieur où se tisse la trame même de la magie.* »

— C'est ce que tu voulais dire au début, avec ta « forme d'art » ? Ou ton « moyen d'expression » ? Comme si le sorcier, devenu l'égal du Créateur, tirait du néant une sorte de tapisserie de magie ?

— Exactement ! Mais écoute plutôt la suite. À mon sens, c'est la phrase la plus importante que Joseph Ander ait jamais écrite. Quand les Carillons eurent cessé de sévir, les autres sorciers lui demandèrent comment il s'y était pris. On sentait de l'angoisse dans la manière dont ils formulaient leur question. Et voilà la réponse lapidaire qu'il leur fit : *« Une Grâce peut naître des exigences d'un sortilège inventif.* »

— Par les esprits du bien, qu'est-ce que ça signifie ?

— Je crois qu'il a imaginé ou rêvé une nouvelle forme de magie, sans rapport avec les données de l'invocation originelle qui a attiré les Carillons dans notre monde. Une solution adaptée à la situation… et à ses besoins.

» En d'autres termes, il est devenu un… créateur.

Kahlan écarquilla les yeux. Richard devina qu'elle sondait mentalement le gouffre de démence dans lequel ils risquaient de basculer. C'était donc à un fou qu'ils devaient d'être aujourd'hui confrontés aux Carillons ?

— L'univers est au bord de la destruction, souffla l'Inquisitrice, et tu me dis que Joseph Ander était un artiste de la magie ?

— Je te répète seulement ce qu'il affirmait ! (Richard passa à la dernière page du carnet.) J'ai voulu connaître l'ultime message qu'il a adressé aux sorciers.

Il relut le texte, pour s'assurer qu'il l'avait bien compris, puis le traduisit à haute voix :

— *« Au terme de ma réflexion, j'ai conclu qu'il convenait de rejeter le Créateur et le Gardien. En imaginant ma propre solution, qui est à la fois ma renaissance et ma mort, je protégerai mon peuple jusqu'à la fin des temps. Aujourd'hui, je vous dis adieu, car mon âme doit s'aventurer dans des eaux troubles, et en même temps veiller à jamais sur mon œuvre, désormais inviolable et hors de portée de toute menace.* »

Richard releva les yeux.

— Tu as compris, à présent ? (Il vit que ce n'était pas le cas.) Kahlan, je pense qu'il n'a pas banni les Carillons ! Tout au contraire, il s'est servi d'eux pour protéger ce qu'il appelle « son œuvre ».

— Que racontes-tu ? À quoi pourraient servir les Carillons ?

— À créer les Dominie Dirtch !

— Quoi ? Richard, tu… Admettons un instant que tu aies raison. Dans ce cas, comment aurions-nous pu les « réveiller » sans le vouloir en satisfaisant aux exigences d'un sortilège strictement défini ? Si j'ai bien compris, Ander était allé bien au-delà des structures magiques de ce type.

Exactement l'argument que Richard attendait…

— C'est une affaire d'équilibre, tout simplement ! Tu ne saisis pas ? La magie doit être équilibrée. Pour agir comme un créateur, il a dû compenser en imaginant une formule très stricte où l'imagination n'avait pas sa place. La rigueur des exigences requises pour libérer les Carillons est l'image inversée du sort inventif qu'il a lancé !

Richard connaissait assez Kahlan pour savoir qu'elle n'était pas convaincue. Mais il ne se sentait pas d'humeur à polémiquer.

— Et maintenant, que devons-nous faire pour bannir les Carillons ?

— Hélas, je n'en sais rien, et je crains qu'il n'y ait pas de réponse à cette question. Les sorciers de l'époque se sont également heurtés à l'hermétisme volontaire d'Ander. Pour finir, ils ont considéré que cette partie du monde était perdue pour eux. J'ai peur qu'Ander ait tissé une toile de magie indestructible pour protéger une énigme dépourvue de solution.

Kahlan prit le livre, le referma et le posa sur la table.

— Richard, je me demande si tu ne perds pas un peu la tête, à force de lire les élucubrations d'un illuminé. La magie ne fonctionne pas comme ça.

Les sorciers de la Forteresse avaient répondu la même chose à Ander : il ne pouvait pas prétendre contrôler et transformer des éléments par définition indomptables.

Richard ne révéla pas ce détail à Kahlan. Elle n'était tout simplement pas préparée à penser à la magie de cette façon. Comme les sorciers de jadis, et sans doute ceux d'aujourd'hui…

Révolté qu'on rejette aussi sommairement ses idées, Joseph Ander s'était à jamais coupé de ses collègues…

— Je suis désolée de t'avoir bousculé, dit Kahlan un peu plus tard. (Elle passa un bras autour du cou de Richard.) Je sais que tu fais de ton mieux, mais je suis un peu nerveuse à cause du vote.

— Ma chérie, les gens sauront voir la vérité. Il le faut !

La jeune femme détourna les yeux.

— Richard, souffla-t-elle, tu veux bien me faire l'amour ?

— Ici ? Tout de suite ?

— Nous pouvons fermer le rabat de la tente. De toute façon, personne n'entre sans demander la permission. (Kahlan sourit.) Je jure de ne pas trop crier, pour ne pas t'embarrasser. (Du bout d'un index, elle releva le menton de son mari.) Et je promets de ne pas m'en vanter devant ton autre épouse.

Richard eut un sourire qui s'effaça très vite.

— Kahlan, nous ne pouvons pas…

— Pourquoi pas ? Tu paries que je te fais changer d'avis ?

Le Sourcier tapota la pierre noire du collier offert par Shota à l'Inquisitrice.

— La magie n'agit plus… Ce bijou ne nous empêchera pas de…

— Je sais, et c'est pour ça que je veux faire l'amour ! Richard, je me fiche de ce qui arrivera ! Nous aurons sans doute un enfant. Et alors ?

— Tu sais très bien ce qui arrivera…

— Tu crois que ce serait mal ? (Des larmes roulèrent sur les joues de Kahlan.) Avoir un enfant n'est pas un crime !

— Bien sûr que non ! Et j'en rêve aussi, tu ne l'ignores pas ! Mais pour le moment, c'est impossible ! Tu voudrais avoir peur à chaque instant que Shota jaillisse des ombres ? Cette angoisse nous détournerait de notre devoir…

— Le devoir ! Encore ! Et nos désirs, que deviennent-ils ?

Richard détourna la tête.

— Tu aimerais vraiment donner le jour à un enfant dans un monde aussi fou ? Avec la menace des Carillons et la perspective d'une guerre totale ?

— Et que ferais-tu si je répondais « oui » ?

Richard fit de nouveau face à sa bien-aimée et lui sourit. Avec ses nobles déclarations, il la bouleversait pour rien. Voir Du Chaillu enceinte lui donnait envie d'avoir un enfant, et il n'y avait rien de plus normal.

— Dans ce cas, je serais d'accord, et nous ferions un petit, que ça plaise ou non à Shota – dont je promets de me charger. Mais ne pouvons-nous pas attendre d'être sûrs que le monde ne disparaîtra pas demain ? Et que nous n'élèverons pas un enfant sous le règne de l'Ordre Impérial ?

Kahlan eut un pâle sourire.

— Tu as raison, bien entendu… Je me suis… eh bien… laissée emporter par mon enthousiasme. Il faut bannir les Carillons, puis vaincre Jagang…

Richard prit la jeune femme dans ses bras pour la consoler.

À cet instant, le capitaine Meiffert demanda s'il pouvait entrer.

— Tu vois ? souffla le Sourcier à sa compagne – qui eut un sourire mélancolique.

— Venez donc, capitaine, vous ne nous dérangez jamais !

L'officier resta campé sur le seuil, les yeux baissés.

— Que se passe-t-il ?

— Seigneur, Mère Inquisitrice, nous connaissons les résultats de Fairfield. Et de quelques autres régions d'Anderith. Mais pas toutes, rassurez-vous ! Certains de nos soldats ne seront pas là avant des jours…

— Alors, ces résultats, capitaine ?

Meiffert tendit une feuille de parchemin à son seigneur.

Richard lut les chiffres… et eut besoin d'un moment pour en croire ses yeux.

— Soixante-dix pour cent de « non » à Fairfield…

Kahlan prit doucement la feuille et la consulta. Puis, sans un mot, elle la posa sur la table.

— D'accord…, soupira Richard. Nous avons vu ce qui se passait en ville. Avec tous ces mensonges, le résultat n'est pas étonnant. Mais dans les autres régions du pays…

— Richard, dit Kahlan, la propagande a été la même partout !

— Peut-être, mais nous avons parlé à ces gens ! Nous avons passé du temps avec eux… Capitaine, quels autres résultats avez-vous ?

— Eh bien…

— Par exemple cette ville… Quel était son nom ? Westbrook ! Là où se dresse le temple dédié à Joseph Ander. Avons-nous le compte des voix ?

Inquiet, Meiffert recula d'un pas.

— Oui, seigneur Rahl.

— Alors, parlez, bon sang !

— Richard, intervint Kahlan, le capitaine est dans notre camp…

Le Sourcier prit une grande inspiration.

— Capitaine, auriez-vous l'obligeance de me communiquer le résultat de Westbrook ?

Blanc comme un linge, l'officier se racla la gorge.

— Quatre-vingt-dix pour cent de croix, seigneur.

Richard vacilla comme si on l'avait giflé. Il avait parlé aux habitants et se souvenait de certains de leurs noms. Sans parler de leurs superbes enfants…

Comme si le sol s'était ouvert sous ses pieds, le Sourcier eut le sentiment de tomber dans un gouffre de folie. Il avait travaillé jour et nuit pour aider les Anderiens et les Hakens à choisir le chemin de la liberté. Et ils venaient de le rejeter !

— Tu n'y es pour rien, murmura Kahlan. Nos adversaires ont menti au peuple. Ils l'ont effrayé…

— J'ai parlé à ces gens… Je leur ai dit que nous luttions pour leur avenir et celui de leurs enfants…

— Je sais…

Très mal à l'aise, le capitaine sautillait d'un pied sur l'autre. D'un geste discret, l'Inquisitrice lui signala qu'il pouvait se retirer.

Après un rapide salut, il obéit avec un soulagement visible.

— Je vais prendre l'air…, dit Richard. Et j'ai besoin d'être seul. Surtout, ne m'attends pas pour te coucher.

Sans un mot de plus, il sortit de la tente.

Chapitre 66

Très courtoisement, Campbell fit signe à la femme de ménage de se retirer. Dès qu'elle eut refermé la porte derrière elle, le nouveau ministre de la Civilisation entra dans la chambre.

Teresa se retourna dès qu'elle l'entendit.

— Mon chéri, s'écria-t-elle, te voilà enfin !

— Bonjour, Tess...

Après des heures et des heures de réflexion, Dalton en était enfin arrivé au stade où il pourrait faire face à sa femme sans perdre son sang-froid.

Mais ce ne serait pas facile...

Pour en être là, il avait dû mobiliser tout son art de l'analyse et de la stratégie. Prendre de la distance était le seul moyen de garder son contrôle face à une situation qui le touchait si profondément. Mais il gérerait cette crise, comme tant d'autres auparavant...

— Je ne t'attendais pas si tôt, mon chéri !

— Tess, j'ai entendu des... rumeurs.

Assise à sa coiffeuse, la jeune femme brossait sa longue chevelure.

— Vraiment ? Des choses intéressantes ?

— Tout dépend du point de vue... On raconte que tu partages la couche du pontife. C'est exact ?

Une question de pure forme. Après avoir fait vibrer tous les fils de sa toile, Dalton connaissait déjà la réponse.

Teresa cessa de se brosser et le regarda dans le miroir. Si son visage exprimait toute une palette d'émotions, le défi dominait nettement.

— Dalton, ce n'est pas un homme comme les autres, dit Tess. (Elle se leva et se retourna, se demandant visiblement comment son mari allait réagir.) Il représente le Créateur en ce monde !

— Puis-je savoir comment c'est arrivé ?

— Bertrand m'a dit que le Créateur s'était adressé à lui. (Teresa détourna le regard.) Parce que je t'ai toujours été fidèle, et que tu m'as également fait cette grâce, Il m'a choisie pour être celle qui aiderait le pontife à supporter le poids de sa charge.

» En un sens, c'est une récompense pour toi, Dalton. (Elle leva de nouveau les yeux sur son mari.) Ta loyauté a été remarquée par le Créateur en personne !

— Oui, on peut voir les choses comme ça, parvint à répondre Campbell.

— Selon Bertrand, j'accomplis un devoir sacré.

— Un devoir sacré ? Rien que ça ?

— Quand je suis avec lui, c'est… Eh bien, je ne sais, très… spécial. Aider le pontife à porter le fardeau de ses responsabilités est un honneur en plus d'une sainte mission. Quand je pense que je contribue à lui rendre la tâche moins pénible ! Dalton, être le pontife est tellement difficile !

— Sur ce point, tu as absolument raison.

Voyant qu'il ne s'énerverait pas et ne la brutaliserait pas, Tess approcha de son mari.

— Tu sais, je t'aime toujours autant.

— Je suis heureux de l'entendre, ma chérie. Je craignais d'avoir perdu ton amour.

Teresa prit Dalton par les épaules.

— Idiot ! Tu devrais savoir que ça n'arrivera jamais ! Je t'aime, mais le pontife m'a appelée à ses côtés. Tu dois le comprendre. Il a besoin de moi.

Le nouveau ministre avala la boule qui se formait dans sa gorge.

— Bien entendu, ma chérie… Mais… hum… pourrons-nous encore être ensemble ? Au lit, je veux dire ?

— Évidemment ! C'est ça qui t'inquiétait ? Tu redoutais que je n'aie plus de temps à te consacrer ? Dalton, je t'aime, et je te désirerai toujours !

— Alors, tout va bien… Oui, tout va bien…

— Viens au lit, mon chéri, et je te prouverai que je ne te mens pas. Tu me trouveras peut-être même plus excitante que jamais !

» N'oublie pas qu'être avec le pontife est un honneur ! Tout le monde t'en respectera davantage !

— Ça, je n'en doute pas…

— Alors, tu viens au lit ? (Teresa posa un baiser sur la joue de son mari.) Laisse-moi te montrer combien je peux te rendre heureux !

— Eh bien… (Dalton se gratta pensivement le front.) J'adorerais ça, mais j'ai tant de travail ! Le scrutin n'est pas encore tout à fait dépouillé, et…

— Je sais. Bertrand m'a parlé des résultats.

— Bertrand ?

— Le pontife, idiot ! Il m'a dit que c'était un triomphe. Je suis si fière de toi ! Je sais quel rôle tu as joué dans cette affaire. Ce n'est pas seulement un succès pour Bertrand. Il dit lui-même qu'une partie du mérite te revient.

— Une partie ? Il est très généreux de reconnaître ma modeste contribution…

— Il dit beaucoup de bien de toi, tu sais !

— Encore une nouvelle qui me met du baume au cœur… Tess, désolé, mais je dois retourner au… travail. J'ai des urgences !

— Dois-je t'attendre pour me coucher ?

— Non, ma chérie. Il faut que j'aille à Fairfield, pour une affaire qui ne peut pas attendre.

— Ce soir ?

— Oui, ce soir...

— Tu ne devrais pas travailler autant ! Promets-moi de te reposer un peu. Je m'inquiète pour toi !

— Tu as tort. Je ne me suis jamais senti aussi bien.

— Dans ce cas, jure de te ménager un peu de temps pour me faire l'amour !

— Ne t'inquiète surtout pas pour ça ! Très bientôt, nous... nous serons dans les bras l'un de l'autre. À présent, je dois partir. Bonne nuit, ma chérie.

— Je vous connais ? demanda l'herboriste en tendant la fiole à Kahlan.

— Non, répondit l'Inquisitrice. (Elle tourna la tête pour que la femme ne voie pas clairement son visage.) Je viens de loin, et je ne resterai pas à Fairfield après avoir réglé cette... affaire.

Kahlan portait ses vêtements de voyage – un pantalon, une chemise et une veste. Une fois sortie du camp, elle avait enveloppé sa longue chevelure dans un foulard. Comme de juste, les sentinelles avaient insisté pour l'accompagner pendant sa « promenade », mais elle avait usé de toute son autorité pour les renvoyer à leur poste.

Ce truc-là n'aurait jamais marché avec Cara. Mais les soldats étaient moins portés sur l'insubordination que la Mord-Sith. Et beaucoup plus crédules qu'elle, fallait-il ajouter.

— Eh bien, soupira l'herboriste, je vous comprends, ma chère. Beaucoup de femmes font un long chemin pour résoudre les problèmes de ce genre.

Elle tendait la fiole mais ne la lâcherait pas avant d'avoir été payée. Kahlan lui donna une pièce d'or.

— Gardez tout. En échange, j'espère pouvoir compter sur votre silence.

La vieille femme inclina la tête.

— Cela va sans dire... Merci, ma chère, vous êtes très généreuse.

Kahlan prit la fiole, la laissa reposer sur sa paume et regarda le liquide clair qu'elle contenait. S'avisant soudain que son autre main reposait sur son ventre, elle la laissa retomber le long de sa jambe.

— Puisque je viens de la préparer, cette dose sera efficace jusqu'à demain matin. Prenez-la n'importe quand dans la nuit, mais pas au-delà, sinon, elle n'agira pas. Le mieux est de l'avaler avant de vous coucher.

— Ce sera douloureux ?

L'herboriste fronça les sourcils, compatissante.

— Probablement pas plus que vos règles normales. Quand on intervient si tôt, il n'y a pas de problème. Mais vous saignerez beaucoup, c'est une certitude.

Kahlan avait voulu demander si ce serait douloureux pour l'enfant. Elle n'eut pas le cœur de préciser sa pensée.

— Buvez tout, c'est important ! Le goût n'est pas désagréable, mais si vous voulez prendre un peu de thé avec, ce n'est pas contre-indiqué.

— Merci pour tout...

Kahlan se tourna vers la porte.

— Une minute ! lança l'herboriste. (Elle approcha et prit la main de l'Inquisitrice.) Je suis désolée, mon enfant. Mais vous êtes jeune, et vous en aurez un autre.

Une horrible idée traversa soudain l'esprit de Kahlan.

— Ça ne risque pas de m'empêcher…

— Pas du tout, mon enfant ! Il n'y aura pas de suites désagréables.

— Merci, répéta l'Inquisitrice, pressée de sortir de la petite maison pour se retrouver seule.

Au cas où elle éclate en sanglots, il valait mieux que ce soit dans l'obscurité, et sans témoin.

La vieille femme la prit par le bras et la força à faire demi-tour.

— En principe, dit-elle, je ne tiens pas de sermon aux filles qui viennent me voir, parce qu'il est beaucoup trop tard pour leur mettre un peu de plomb dans la cervelle. Mais vous paraissez différente. Mariez-vous le plus vite possible ! J'interviens quand on me le demande, mais je préfère de loin aider à mettre les enfants au monde que… Enfin, vous m'avez comprise…

— Je partage votre opinion. Encore merci…

Kahlan remonta les rues obscures de Fairfield. Même à cette heure tardive, des gens vaquaient encore à leurs occupations. Très bientôt, quand arriverait l'Ordre, leurs petites vies seraient bouleversées au-delà de ce qu'ils pouvaient imaginer.

Mais pour l'instant, c'était elle qui se sentait bouleversée !

Soudain, elle décida d'agir avant d'être rentrée au camp. Si Richard trouvait la fiole, elle devrait lui mentir, et ça ne lui plaisait pas. Mais si elle lui disait la vérité, il ne la laisserait pas faire…

Avec sa petite comédie, un peu plus tôt, sous la tente, elle avait pu apprendre ce qu'il pensait et désirait vraiment.

Et il avait raison ! Trop de gens comptaient sur eux pour qu'ils se laissent distraire par des problèmes personnels. Sur un sujet pareil, Shota tiendrait parole, et l'empêcher d'agir les détournerait de leur mission. La fiole contenait l'unique bonne solution à son… état.

Alors qu'elle sortait de la ville, l'Inquisitrice vit Dalton Campbell remonter à cheval la rue où elle allait s'engager. Peu soucieuse de le croiser, elle s'engouffra dans une ruelle latérale.

Cet homme lui avait toujours semblé du genre posé et réfléchi. En le regardant passer du coin de l'œil, elle eut le sentiment qu'il était dans un état second. Que faisait-il à une heure pareille dans un quartier surtout connu pour ses tavernes louches et ses maisons closes ?

Quand il se fut éloigné, Kahlan revint dans la plus grande des deux rues.

Elle atteignit très vite la route qui menait au domaine du ministère de la Civilisation. Les soldats d'harans étaient cantonnés à quelque distance du palais, dans un champ de blé.

Au loin, l'Inquisitrice vit les rayons de lune se refléter sur les ornements de cuivre d'une calèche. Même si le véhicule ne la croiserait pas avant longtemps, elle décida de couper par les champs. Rencontrer quelqu'un en chemin serait trop dangereux, surtout s'il s'agissait d'une personne susceptible de la reconnaître.

Alors qu'elle marchait entre les épis de blé, la boule qui s'était formée dans la gorge de Kahlan lui parut assez grosse pour l'étouffer. Sentant des larmes perler à ses paupières, elle fit encore quelques pas puis se laissa tomber à genoux et éclata en sanglots.

Les yeux baissés sur la fiole qu'elle tenait toujours, elle tenta en vain de se souvenir d'un moment plus misérable de sa vie. Pourtant, l'acte qu'elle s'apprêtait à commettre contribuerait à sauver des centaines de milliers de vies. La seule certitude qui lui permettrait d'aller jusqu'au bout…

Elle retira le bouchon de la fiole et le laissa glisser de ses doigts étrangement gourds. Puis elle pressa sa main libre sur son ventre, où grandissait déjà son enfant et celui de Richard.

Jugeant qu'elle respirait trop vite, elle attendit un moment. Pas question d'être incapable d'avaler, une fois qu'elle aurait le liquide dans la bouche !

Elle porta la fiole à ses lèvres, hésita, contempla la potion à la lumière du clair de lune… puis inclina la main et la vida dans la poussière.

Aussitôt, une vague de soulagement la submergea. On eût dit qu'elle venait d'épargner sa propre vie, autorisant l'espoir à revenir en ce monde.

Quand elle se releva, ses larmes n'étaient déjà plus qu'un mauvais souvenir. Et pour la première fois depuis des jours, elle sourit du fond du cœur. L'enfant que lui avait donné Richard était sain et sauf !

L'Inquisitrice jeta au loin la fiole vide. Ce faisant, elle s'aperçut qu'un homme la regardait, campé entre les épis de blé.

Alors qu'elle se pétrifiait, il avança vers elle d'un pas tranquille mais décidé. Regardant autour d'elle, Kahlan vit que d'autres silhouettes approchaient. Elle était encerclée !

De jeunes hommes, distingua-t-elle. Tous plus roux les uns que les autres…

Sans attendre que sa situation s'aggrave, Kahlan se laissa guider par son instinct et commença à courir à toutes jambes vers le camp.

Au lieu de tenter de slalomer entre ses agresseurs, elle fonça sur le plus proche. Bien campé sur ses pieds, il écarta les bras pour l'intercepter.

Kahlan bondit, lui saisit le poignet et reconnut en un éclair Rowley, le messager venu les accueillir, le premier jour…

Sans effort de volonté conscient, elle déchaîna son pouvoir, les muscles tendus pour encaisser le choc en retour, quand la magie s'emparerait de l'esprit du Haken.

Bien entendu, rien ne se passa. Comme tous les autres magiciens, elle était privée de son pouvoir, même s'il lui semblait être encore tapi au plus profond de son corps.

Et cela allait lui coûter la vie !

Alors que cette pensée lui traversait l'esprit, Kahlan sentit le contact d'une magie étrangère et perverse. Un picotement, sur chaque pouce carré de sa peau, lui apprit qu'un pouvoir agressif fondait sur elle. Ou plus exactement, à la manière d'une vipère, avait jailli de son trou pour la mordre.

Elle lâcha Rowley et tenta de fuir, mais il était trop tard. Autour d'elle, ses agresseurs refermaient le cercle. Elle n'avait plus que deux solutions : se battre ou se laisser tuer comme un agneau paralysé de peur devant le couteau du boucher.

Elle choisit la première option.

D'un coup de pied, elle défonça le sternum du Haken qui approchait sur sa droite. Le souffle coupé, il s'écroula presque sans un bruit.

D'un coup de genou dans l'entrejambe, elle mit Rowley provisoirement hors d'état de nuire. Puis, les doigts en fourche, elle propulsa sa main dans les yeux du tueur de gauche.

S'étant créé une ouverture, elle s'y engouffra, crut un instant qu'elle s'en sortirait, et cria de douleur quand une main se glissa sous son foulard puis se referma sur ses cheveux.

Stoppée net, l'Inquisitrice ne tomba pas et réussit à enfoncer son coude dans le flanc du type.

Ce fut sa dernière attaque, car les autres lui bondirent dessus comme une meute de chiens. Dès qu'ils lui eurent immobilisé les bras et les jambes, un formidable coup de poing la plia en deux.

Kahlan sentit que l'impact venait de provoquer des dommages irréversibles dans ses entrailles.

Un autre coup suivit, cette fois au visage. Puis un autre encore…

Incapable de respirer et totalement désorientée, l'Inquisitrice voulut se protéger la tête, mais des mains puissantes l'empêchèrent de lever le bras.

Plusieurs poings s'enfoncèrent les uns après les autres dans son abdomen déjà en feu. Puis des gifles plurent, si fortes qu'elle crut que son cou n'y résisterait pas.

Pour ne pas s'étouffer avec, Kahlan tenta d'avaler le sang qu'elle avait dans la bouche.

Comme s'ils venaient de très loin, elle entendit les grognements de ses bourreaux, qui donnaient de la voix pour s'encourager, tel un bûcheron qui attaque un tronc énorme avec sa hache.

Alors, Kahlan se résigna. Elle allait mourir ici, rouée de coups de pied et de poing par des hommes qu'elle ne connaissait pas.

Pour mieux l'achever, ils la jetèrent au sol.

Très vite, l'obscurité enveloppa l'Inquisitrice comme un linceul. Puis elle cessa de sentir la douleur et d'entendre les cris rageurs de ses bourreaux.

Quand son cœur eut cessé de battre, elle vit enfin danser devant elle la douce Lumière du Créateur.

Hébété, Richard errait dans le champ de blé caressé par les rayons de lune. Tout avait tourné à la catastrophe. Pour la première fois de sa vie, le fardeau qu'il portait sur les épaules l'écrasait tellement qu'il avait du mal à respirer.

Le Sourcier était à court de solutions. Les Carillons et l'Ordre Impérial… Sur les deux fronts, la déroute semblait inévitable.

Pourtant, le sort de centaines de milliers de gens – qu'ils en aient conscience ou non – continuait à dépendre de lui. Les Contrées du Milieu ne repousseraient pas seules l'Ordre Impérial, et les D'Harans seraient vaincus s'ils n'avaient pas un seigneur Rahl pour les guider. Sans parler des Carillons, qui devenaient chaque jour de plus en plus puissants et menaçaient le monde entier…

Histoire de l'accabler un peu plus, il s'était échiné pendant des semaines à sauver le peuple d'Anderith – au risque d'en sacrifier d'autres – pour se faire tout simplement cracher à la figure.

Mais ce n'était pas le pire. À cause de tous ces combats, Kahlan et lui devaient se priver de la joie d'avoir un enfant. Avec l'accord de sa femme, Richard aurait été prêt à affronter Shota. Le fruit de leur union serait sans cesse en danger, et eux aussi, mais il était prêt à se battre pour affirmer ses droits, et surtout ceux de Kahlan, à se construire un avenir. Hélas, s'occuper de cette question essentielle était impossible tant que les Carillons et l'Ordre n'auraient pas été vaincus. Face à une telle opposition, ajouter Shota à la liste de leurs adversaires aurait été de la folie.

Kahlan le savait, mais il lui était de plus en plus difficile de faire passer le devoir avant tout le reste. Il en allait ainsi depuis sa naissance, et le fardeau devenait insupportable.

S'ils n'accomplissaient pas leur mission, le monde plierait l'échine sous le joug de Jagang – à condition que les Carillons ne l'aient pas détruit avant. Car leur priorité n'avait pas changé, et Richard était directement responsable de la présence de ces monstres dans l'univers des vivants. Il lui revenait donc de les en chasser.

S'il réussissait à comprendre ce qu'avait fait Joseph Ander, il devrait vaincre Jagang avant de fonder une famille. Kahlan comprenait, même si elle en souffrait…

Richard remercia les esprits du bien de lui avoir accordé au moins une bénédiction : son épouse !

À force de marcher, s'avisa-t-il soudain, il ne devait plus être très loin de Fairfield. S'il ne rebroussait pas chemin, Kahlan finirait par s'inquiéter de sa trop longue absence. Avec tout ce qui l'angoissait déjà, il n'était pas nécessaire d'en rajouter…

Mais elle était forte, il le savait, et ne pas avoir un enfant tout de suite ne la briserait pas.

Quand il eut fait demi-tour, le Sourcier crut entendre du bruit. Tendant l'oreille, il constata qu'il ne se trompait pas. Perdu dans ses pensées, il n'avait guère prêté attention à ce qui se passait autour de lui. Les étranges sons continuaient. Pour ce qu'il en savait, ils avaient pu commencer depuis un bon moment. Mais ils évoquaient un…

D'instinct, Richard courut vers l'origine du raffut bizarrement étouffé. En approchant, il reconnut certains sons. Des grognements d'hommes en plein effort qui…

… Rouaient de coup une victime recroquevillée sur le sol !

Dès qu'il découvrit ce sinistre spectacle, le Sourcier bondit sur la bande de voyous, tira le plus proche en arrière par les cheveux et… comprit qu'il arrivait trop tard.

La malheureuse victime était morte.

L'homme que Richard avait écarté de la meute se dégagea et lui sauta à la gorge. Alors qu'il encaissait le choc, le Sourcier reconnut un des messagers de Dalton Campbell. Rowley, s'il se souvenait bien… Un Haken aux cheveux roux dont les yeux, ce soir, brillaient de rage et de folie meurtrière.

— Tous avec moi ! cria-t-il.

Sans s'affoler, Richard passa un bras autour du cou du Haken, lui prit le menton de l'autre main, et, d'une simple traction, lui brisa net la nuque.

Lâchant le cadavre, il tendit simplement une main pour défoncer le nez du colosse qui chargeait avec la violence d'un taureau… et aussi peu d'intelligence.

Avant même que l'imbécile se fût écroulé, Richard saisit un autre bandit par les cheveux, le força à se plier en deux et lui broya la trachée-artère d'un coup de genou.

Un bon début, pensa le Sourcier, mais considérant le nombre d'hommes qui lui faisaient face, il risquait de subir le même sort que le pauvre type étendu sur le sol. Son seul petit avantage – ces salopards étaient déjà épuisés par leur premier crime – ne pesait pas lourd quand on luttait à un contre trente. Surtout face à de véritables enragés…

Au moment où ils allaient bondir sur Richard, les voyous aperçurent quelque chose qui les dissuada d'aller plus loin. Les voyant détaler avec un bel ensemble, le Sourcier se retourna et découvrit les six maîtres de la lame de Du Chaillu, arme au poing.

Les Baka Tau Mana avaient dû le suivre discrètement pendant sa promenade « solitaire ». Et malgré ses talents de guide forestier, il ne s'était pas douté un instant de leur présence. Pendant que ces extraordinaires guerriers poursuivaient les tueurs, Richard se pencha sur la victime.

Il ne s'était pas trompé. C'était fini…

Se relevant avec un soupir, le Sourcier regarda le pantin désarticulé qui avait été un être vivant quelques minutes auparavant. Sa fin, à voir le résultat, avait dû être atroce.

En arrivant un peu plus tôt, Richard aurait pu empêcher cette ignoble mise à mort. Soudain révulsé par la vision de ce cadavre, et des trois autres qui l'entouraient, il s'éloigna comme s'il avait le Gardien à ses trousses.

Quelques pas plus loin, il s'arrêta, frappé par une étrange idée. Puis il regarda derrière lui, eut un haut-le-cœur, mais dépassa cette réaction viscérale. Si le supplicié avait compté parmi ses proches, n'aurait-il pas voulu que les témoins fassent tout leur possible pour lui ? Ce soir, il était le seul en mesure d'intervenir – à supposer qu'il y ait encore quelque chose à faire. Essayer valait la peine ! La victime étant morte, il n'y avait de toute façon rien à perdre.

Il rebroussa chemin et s'agenouilla près du cadavre, dans un tel état qu'il n'aurait su dire s'il s'agissait d'un homme ou d'une femme. Reconnaissant des lambeaux de pantalon, il supposa que la première hypothèse était la bonne.

Richard glissa une main sous la tête du mort. Il essuya une partie du sang qui souillait les lèvres éclatées du malheureux, puis posa les siennes dessus.

Il se souvint de ce que Denna lui avait fait, quand il était aux portes de la mort. Il revit l'intervention de Cara sur Du Chaillu, après sa noyade…

Il donna le souffle de la vie à un corps qu'elle avait abandonné. Puis il écarta sa bouche et écouta l'air ressortir en sifflant des lèvres du cadavre.

Il recommença, perdant toute notion du temps. Durant une éternité – en réalité quelques minutes – il souffla dans la bouche du mort en implorant les esprits de l'aider à accomplir un miracle.

Tout changerait si une seule chose positive ressortait de sa captivité entre les mains de Denna. Et il savait que la Mord-Sith, là où elle était, serait apaisée de savoir qu'elle lui avait aussi appris à redonner la vie. Avec la résurrection de Du Chaillu, Cara avait déjà prouvé que les femmes en rouge n'étaient pas que des tueuses.

Richard s'adressa de nouveau aux esprits du bien, les suppliant de ne pas prendre aujourd'hui l'âme du pauvre homme battu à mort par des monstres.

Et ils l'écoutèrent. Sous ses paumes, le Sourcier de Vérité sentit se soulever la poitrine de l'inconnu.

Entendant des bruits de pas dans son dos, il se retourna et vit que deux maîtres de la lame revenaient d'une démarche tranquille. Leur demander s'ils avaient coincé leurs proies eût été insultant. Les jeunes tueurs ne feraient plus jamais de victimes…

Un autre homme approchait. D'un âge certain, ce gentilhomme – si on en jugeait par ses vêtements – courait pourtant comme s'il avait eu vingt ans.

— Créateur bien-aimé, dit-il quand il arriva près de Richard, pas encore !

— De quoi parlez-vous ?

Comme s'il n'avait pas entendu, le vieil homme s'agenouilla, prit la main du blessé et la pressa contre sa joue.

— Grâce en soit rendue au Créateur, il vit encore ! (Il se tourna vers Richard.) J'ai une calèche, sur la route, pas très loin d'ici. Aidez-moi à porter ce malheureux jusque-là, et je le conduirai chez moi.

— Où habitez-vous ? demanda Richard.

— À Fairfield, répondit l'homme en regardant les deux maîtres de la lame soulever délicatement le miraculé.

— Eh bien, dit Richard, je suppose que c'est plus près que le camp de mes soldats.

Il essuya le sang collé à ses lèvres, se leva et tendit la main à l'inconnu, qui négligea son offre et se remit debout tout seul.

— Seriez-vous le seigneur Rahl ?

Richard répondit d'un hochement de tête.

— Seigneur, je suis très honoré, même si j'aurais préféré vous rencontrer dans d'autres circonstances. Je me nomme Edwin Winthrop.

Le Sourcier serra la main que l'Anderien lui tendit.

— Merci de votre aide, messire Winthrop.

— « Edwin », je vous en prie ! Seigneur Rahl, c'est affreux ! Ma pauvre femme, Claudine…

Winthrop éclata en sanglots. Craignant qu'il ait un malaise, Richard le prit doucement par les épaules.

— … Claudine a été assassinée dans les mêmes circonstances. Battue à mort, sur cette route…

— Je suis navré, mon ami, souffla Richard.

À présent, il comprenait la réaction du vieil homme.

— Je veux aider ce malheureux ! S'il y avait eu quelqu'un comme vous, quand Claudine… Mais personne n'est venu à sa rescousse. Seigneur, permettez-moi de secourir ce blessé !

— Appelez-moi « Richard », Edwin… Je suis ravi que vous vouliez faire quelque chose pour cet infortuné promeneur…

Richard et Edwin suivirent Jiaan et un maître de la lame jusqu'à la calèche, où les deux Baka Tau Mana déposèrent le blessé avec d'infinies précautions.

— Jiaan, puisque je vois que tous tes guerriers sont revenus, je veux que tu accompagnes mon ami Edwin avec deux de tes hommes. S'ils apprennent que leur victime est vivante, les tueurs voudront peut-être finir le travail…

— Aucun survivant ne pourra aller rapporter son échec à un éventuel commanditaire, dit Jiaan.

— Je m'en doutais, mais s'il existe, cet homme finira par savoir que le coup a raté… Edwin, ne parlez de cette histoire à personne, pour votre propre bien et celui du blessé…

Winthrop hocha la tête et monta dans la calèche.

— J'ai pour ami un guérisseur qui saura tenir sa langue…

Richard et les maîtres de la lame restants retournèrent au camp en silence. Quelque temps plus tôt, ces hommes lui avaient dit ne pas douter un instant que le *Caharin* bannirait les Carillons responsables de la « mort » de leur femme-esprit. Ce soir, le Sourcier n'avait pas le cœur de leur avouer qu'il n'était pas plus avancé qu'à l'époque.

Quand ils arrivèrent, tout le monde dormait dans le camp, à part les sentinelles et les officiers de garde. N'étant toujours pas d'humeur à parler, Richard alla directement sous sa tente.

Kahlan n'y était pas, sans doute parce qu'elle avait rendu une petite visite à Du Chaillu. En approchant du terme, la Baka Tau Mana appréciait de plus en plus la présence de l'Inquisitrice. Sans doute parce que avoir une autre femme à ses côtés la rassurait…

Richard prit le livre de voyage d'Ander, s'empara d'une lampe et sortit. Désireux de travailler sur sa traduction, il n'avait aucune envie d'empêcher Kahlan de dormir quand elle reviendrait. Et si elle le trouvait encore debout, elle voudrait à tout prix veiller avec lui.

Il entra sous la tente où les officiers tenaient leur réunion quotidienne. Un « bureau » parfait pour un homme résolu à travailler jusqu'à l'aube.

Chapitre 67

Richard peinait sur un passage particulièrement difficile à traduire – toujours à cause de problèmes de polysémie, sa hantise ! – quand Jiaan se glissa sous la tente sans prendre la peine de s'annoncer. Contrairement aux soldats, qui demandaient toujours la permission d'entrer, les maîtres de la lame s'estimaient autorisés à aller partout où ça leur chantait. Jugeant le formalisme des militaires pesant, à la longue, le Sourcier trouvait cette spontanéité rafraîchissante.

— *Caharin*, tu dois venir avec moi. C'est Du Chaillu qui m'envoie.

Richard se leva d'un bond.

— Le bébé ? Elle va accoucher ? Je file prévenir Kahlan, et nous y allons !

— Non, ton enfant ne naîtra pas aujourd'hui, dit le Baka Tau Mana. (Il posa une main sur l'épaule du Sourcier.) Du Chaillu veux que tu viennes, c'est tout. Seul…

— Sans aller chercher Kahlan ?

— Oui, *Caharin*. Je t'en prie, fais ce que demande notre femme-esprit, ton épouse.

Richard n'avait jamais vu une telle inquiétude voiler le regard de Jiaan, un véritable roc armé d'une épée. Il fit donc signe au guerrier de lui montrer le chemin.

À sa grande surprise, l'aube était déjà levée. Sans s'en apercevoir, il avait travaillé toute la nuit. Si Kahlan ne dormait plus et le voyait, elle lui passerait un sacré savon !

Jiaan le guida jusqu'à deux chevaux sellés.

Le Sourcier en resta bouche bée. Le Baka Tau Mana ne serait pas monté sur un cheval pour tout l'or du monde, sauf si la femme-esprit le lui avait ordonné. Une éventualité quasiment impensable…

— Que se passe-t-il ? (Richard désigna la tente de Du Chaillu.) Elle n'est pas là ?

— Elle t'attend en ville, *Caharin*, répondit Jiaan en sautant en selle.

— Que fiche-t-elle à Fairfield ? Après le résultat du scrutin, ce n'est pas un endroit très sûr pour mes alliés.

— *Caharin*, suis-moi, je t'en prie ! Il n'y a pas de temps à perdre !

Richard enfourcha sa monture.

— Oui, je comprends... Désolé, Jiaan. Allons-y !

Du Chaillu devait s'être fourrée dans de sales draps. En ville, tout le monde savait qu'elle était dans le camp du seigneur Rahl, et on la prenait même pour son épouse.

Mort d'angoisse, Richard lança son cheval au galop.

La porte de la belle demeure nichée entre des arbres s'ouvrit et Edwin passa la tête dehors.

Richard se détendit un peu. Son « protégé » n'allait sans doute pas s'en remettre, et Winthrop voulait qu'il le voie avant que la mort l'emporte, puisqu'il avait tant lutté pour essayer de le sauver.

Ce que Du Chaillu venait faire dans cette histoire restait très mystérieux. Étant elle-même revenue de l'autre monde, s'était-elle senti un lien spécial avec le miraculé ?

L'air sombre et très inquiet, Edwin guida ses deux visiteurs le long des couloirs et des pièces très bien entretenus de la grande maison. Ce lieu évoquait irrésistiblement un sanctuaire. Après la mort violente de dame Winthrop, ce n'était pas très étonnant.

Au bout d'un corridor faiblement éclairé, ils s'arrêtèrent devant une porte fermée. Jiaan frappa doucement, puis il voulut repartir en compagnie d'Edwin.

Mais le vieil homme tira le Sourcier par la manche.

— Si vous avez besoin de quoi que ce soit, n'hésitez pas, mon ami !

Quand Richard eut hoché la tête, Edwin se laissa entraîner par le Baka Tau Mana. Quelques secondes plus tard, la porte s'ouvrit et Du Chaillu jeta un coup d'œil dans le couloir. Dès qu'elle aperçut Richard, elle sortit, lui plaqua une main sur la poitrine pour le forcer à reculer et tira le battant derrière elle.

— Richard, tu dois m'écouter attentivement et ne pas te mettre en colère.

— En colère ? À quel sujet ?

— Richard, je t'en prie, c'est très important ! Tu dois écouter et faire exactement ce que je dis. Jure-le !

Soudain très pâle, le Sourcier capitula.

— Je le jure, mon amie.

Du Chaillu posa son autre main sur la poitrine du jeune homme – à côté de la première, qu'elle n'avait pas retirée.

— La personne que tu as secourue... c'est Kahlan !

— Impossible ! Je l'aurais reconnue !

— Richard, je t'en supplie ! s'écria la femme-esprit, des larmes aux yeux. Je ne sais pas si elle s'en sortira. Tu l'as ramenée dans notre monde, mais elle n'y restera peut-être pas longtemps. Je voulais que tu viennes, pour...

— Mais... si... si c'était elle, je l'aurais su. Tu dois te tromper ! Je m'en serais aperçu, c'est certain !

— Jiaan ne l'avait pas identifiée avant qu'on l'ait un peu nettoyée... Ensuite, il a envoyé un homme me chercher.

Richard voulut avancer vers la porte, mais la Baka Tau Mana le repoussa.

— Tu as juré d'écouter !

Le Sourcier l'entendit à peine. Il ne pouvait plus réfléchir, l'image du corps désarticulé gravée sur les rétines. Comment croire que c'était Kahlan ?

Comme si ce vieux tic pouvait le réconforter, il se passa une main dans les cheveux.

— Du Chaillu, je t'en supplie, laisse-moi passer ! Laisse-moi passer !

— Richard, tu dois être fort, sinon, elle ne s'en tirera pas ! S'il te plaît, ne défoule pas ta colère sur moi !

— Que dois-je faire ? Parle et je t'obéirai sans discuter ! Que dois-je faire ?

— M'écouter ! Tu peux essayer ?

Richard hocha la tête, même s'il n'était pas très sûr d'avoir bien compris. L'esprit en ébullition, il se souvint qu'il avait un pouvoir de guérison. Il allait…

Hélas, c'était un don additif. Et les Carillons avaient neutralisé cette magie-là.

— Richard !

— Désolé… Désolé… Bien, je t'écoute…

Du Chaillu baissa les yeux.

— Elle a perdu son bébé.

— Je savais que tu te trompais ! Ce n'est pas Kahlan !

— Elle était enceinte, Richard. Elle me l'a dit dans cette ville où tu as consulté les vieux textes de Joseph Ander.

— Westbrook ?

— C'est ça, oui… Elle m'en a parlé avant que vous partiez seuls dans les montagnes. Mais j'ai dû promettre de ne rien te dire. Elle ne m'a pas expliqué pourquoi. Aujourd'hui, je crois avoir le droit de ne pas tenir ma promesse…

» Elle a perdu l'enfant.

Richard se laissa glisser sur le sol. La femme-esprit s'agenouilla, l'enlaça et le laissa pleurer un moment.

— Je comprends ton chagrin, finit-elle par souffler, mais ça ne l'aidera pas.

Le Sourcier réussit à se contrôler. Appuyé contre le mur, immobile comme une statue, il attendit que Du Chaillu lui dise que faire.

— Tu dois bannir les Carillons.

— Quoi ?

De surprise, Richard se releva d'un bond.

— Si tu retrouves ta magie, tu pourras la guérir.

Toutes les pièces du puzzle se mirent en place. Vaincre les Carillons était la clé. Ensuite, il sauverait sa femme.

— Richard, quand nous étions à Westbrook, l'endroit où elle m'a confié qu'elle était enceinte…

Ce mot fit l'effet d'un coup de poing à Richard. Kahlan portait un enfant en elle, il ne l'avait pas su, et cette vie n'existait déjà plus.

— Écoute-moi ! cria Du Chaillu. Dans cette ville, les gens ont dit que le vent, la pluie et le feu avaient détruit presque tous les souvenirs de Joseph Ander.

— Oui, comme toi, j'ai pensé qu'il s'agissait de l'œuvre des Carillons.

— Ils le haïssent ! Pour les bannir, tu dois les détester aussi fort. Alors, ton pouvoir reviendra, et Kahlan sera sauvée.

Richard réussit enfin à reprendre le contrôle de son cerveau. Les Carillons détestaient Joseph Ander. D'accord, mais pourquoi ? Pas parce qu'il les avait bannis, puisqu'il ne l'avait pas fait. Au contraire, il les avait réduits en esclavage. Et tout cela était lié aux Dominie Dirtch.

Dès que Kahlan et lui les avaient libérés, les Carillons s'étaient vengés sur les reliques du sorcier. Mais pourquoi n'avoir frappé qu'à Westbrook ? Les souvenirs conservés à la bibliothèque du ministère étaient intacts…

Un passage du livre de voyage revint à l'esprit de Richard :

« Au terme de ma réflexion, j'ai conclu qu'il convenait de rejeter le Créateur et le Gardien. En imaginant ma propre solution, qui est à la fois ma renaissance et ma mort, je protégerai mon peuple jusqu'à la fin des temps. Aujourd'hui, je vous dis adieu, car mon âme doit s'aventurer dans des eaux troubles, et en même temps veiller à jamais sur mon œuvre, désormais inviolable et hors de portée de toute menace. »

Dans des eaux troubles ! Cette curieuse façon de s'exprimer était la clé de tout ! Maintenant, Richard comprenait ce qu'Ander avait fait !

— Du Chaillu, je dois partir ! Veille sur Kahlan et garde-la en vie jusqu'à mon retour ! Il le faut !

— Richard, nous ferons de notre mieux. Ton épouse te le jure !

— Edwin ! appela Richard.

Le vieil homme accourut. À l'évidence, il n'avait pas attendu très loin de là…

— Oui, Richard ! Que voulez-vous ?

— Pouvez-vous cacher ma fem… Kahlan ici ? Avec Du Chaillu et ses hommes ?

— C'est une très grande maison, avec beaucoup de chambres. Personne ne saura qu'ils sont là. J'ai peu d'amis, et je leur confierais ma vie sans hésiter.

Richard serra la main du vieil homme.

— Merci, Edwin. En échange, je vous demande de quitter votre maison dès que je serai de retour.

— Pour quelle raison ?

— L'Ordre Impérial arrive.

— Ne tenterez-vous pas de l'arrêter ?

— Comment ? Et surtout, pourquoi ? Ces gens n'ont pas voulu saisir leur chance, mon ami. Ils ont assassiné votre femme et tenté de tuer la mienne. Vous voulez que je risque la vie de mes hommes pour défendre un tel pays ?

— Non, bien sûr…, souffla Edwin, accablé. Certains d'entre nous étaient de votre côté, Richard. Ils ont essayé de convaincre les autres…

— Je sais, et c'est pour ça que je vous préviens. Dites à vos amis de partir tant que c'est encore possible. Mes soldats quitteront Anderith aujourd'hui. Dans deux semaines, l'armée de Jagang franchira vos frontières.

— Dans combien de temps reviendrez-vous ?

— Huit jours, au plus tard. Je dois aller dans les terres désolées, au-dessus de la vallée de Nareef.

— Un endroit détestable.

— Vous ne savez pas à quel point !

— En attendant, nous nous occuperons de la Mère Inquisitrice aussi bien que possible.

— Edwin, vous avez des tonneaux ?

— Oui, dans la cave.

— Remplissez-les d'eau et faites des réserves de nourriture. Dans quelques jours, tout ce qui se boit et se mange risque de ne plus être très bon pour la santé.

— Pourquoi ?

— Jagang vient ici pour nourrir son armée. Je vais lui flanquer une sacrée crise de foie, au minimum…

— Richard, intervint Du Chaillu d'une toute petite voix, je ne sais pas, mais… Tu veux la voir avant de partir ?

Le Sourcier se prépara au pire moment de sa vie.

— Oui. J'aimerais la voir…

Richard poussa sa monture au-delà du raisonnable. Comme il pourrait changer de cheval, au camp, il ne se soucia pas de ménager la pauvre bête.

En arrivant, il eut le sentiment que la troupe était sur le pied de guerre. Meiffert avait fait étendre le périmètre de sécurité et doubler la garde. Sans nul doute, les Baka Tau Mana l'avaient averti que la situation s'envenimait.

Richard espéra que le capitaine ne lui demanderait pas des nouvelles de Kahlan. S'il devait parler d'elle, ravivant les images qui le hantaient déjà, il n'était pas sûr de tenir le coup.

Même en sachant que c'était elle, il avait eu du mal à la reconnaître.

Une vision au-delà de l'horreur qui lui avait brisé le cœur. De sa vie, il ne s'était jamais senti si seul ni plus angoissé. À côté de ce drame, tout le reste n'était rien. En tout cas, il n'avait jamais eu le sentiment qu'on lui arrachait les entrailles et qu'un gouffre vraiment sans fond s'ouvrait sous ses pieds. L'avenir sans Kahlan… Une idée qui semblait si absurde, et pourtant…

S'il la laissait s'imposer à lui, et le vider de ses forces, il serait incapable de se concentrer sur sa mission, et ce qu'il redoutait plus que tout au monde se produirait. Pour la sauver, il devait la chasser de son esprit. Même si c'était impossible, il pouvait essayer de se concentrer sur Joseph Ander et sur ce qu'il lui restait à faire.

Mais s'il revenait pour apprendre que… Non, il n'avait pas le droit de se laisser glisser dans ces abysses-là. S'il récupérait sa magie, il soulagerait ses souffrances, puis, après lui avoir offert le souffle de la vie, ce soir-là, il lui restituerait sa santé, sa beauté et sa joie de vivre.

Par bonheur, elle n'avait pas repris conscience, et il espérait qu'il en serait ainsi jusqu'à son retour.

Richard pensait avoir compris ce qu'avait fait Joseph Ander. Mais comment inverser les choses ? Hélas, il n'en avait pas la moindre idée. Mais il aurait plusieurs jours de voyage pour y penser.

La composante soustractive de son don était encore active. Il y avait recouru à quelques occasions, sans vraiment saisir ce qu'il faisait. Le prophète Nathan – un de ses ancêtres, préservé par le sort qui ralentissait le temps dans le fief des Sœurs de la Lumière – lui avait dit un jour que son pouvoir était très différent de ceux des autres magiciens. Parce qu'il était un sorcier de guerre, sa magie avait le « besoin » pour moteur… et la colère pour catalyseur.

Le Sourcier avait un « besoin » vitalement urgent. Et assez de rage pour dix sorciers comme lui !

Une idée le frappa soudain. Joseph Ander, dans son livre de voyage, décrivait ses actes d'une manière très semblable. Lui aussi avait « créé » pour répondre à un besoin. Cette révélation serait-elle d'une quelconque utilité à Richard ? Il l'espérait sans en être certain…

Dès qu'il sauta de cheval, le capitaine Meiffert accourut et se tapa du poing sur le cœur pour le saluer.

— Capitaine, il me faut une monture reposée. En réalité, trois seraient beaucoup mieux. Je ne resterai pas longtemps, parce que le temps presse… (Richard s'appuya sur les tempes pour s'éclaircir les idées.) Vous allez ordonner à vos hommes de démonter le camp. Dès que les soldats chargés de surveiller le scrutin seront revenus, partez d'ici sans attendre !

— Seigneur Rahl, où irons-nous, si je peux me permettre de poser la question ?

— Vous rejoindrez les forces du général Reibisch. Et je ne viendrai pas avec vous…

Richard partit récupérer ses affaires et celles de Kahlan. Tout en lui emboîtant le pas, Meiffert ordonna à quelques soldats de préparer trois chevaux pour le seigneur Rahl, et de prévoir aussi des vivres et de l'eau. Richard précisa qu'il voulait d'excellentes montures pour un long et difficile voyage.

Meiffert attendit dehors pendant que le seigneur rassemblait ses possessions et celles de Kahlan. Quand il prit la robe blanche de l'Inquisitrice pour la plier, le jeune homme sentit ses mains trembler et il tomba à genoux, terrassé par le chagrin.

Seul sous la tente, il implora les esprits du bien de l'aider et leur promit tout ce qu'ils voudraient en échange.

Se souvenant que sa seule chance d'aider Kahlan était de bannir les Carillons, il se releva et finit très rapidement de faire ses bagages.

Dehors, l'aube se levait, et les trois chevaux l'attendaient déjà.

— Capitaine, dit le Sourcier en sortant de la tente, vos hommes et vous devrez rejoindre Reibisch le plus vite possible.

— Et les Dominie Dirtch, seigneur ? D'après les rapports que j'ai reçus, elles sont entre les mains des gardes spéciaux anderiens. Pourrons-nous traverser sans risque ?

— J'en doute… À mon avis, ces « gardes spéciaux » sont des soldats de l'Ordre Impérial. Je pense qu'ils se sont emparés des Dominie Dirtch pour barrer le passage aux forces de Reibisch. Dès cette minute, considérez que vous êtes sur un territoire ennemi. Et vous avez ordre d'en partir ! Si quelqu'un tente de vous arrêter, battez-vous, éliminez la menace et continuez votre chemin.

» Si les hommes de Jagang se sont emparés des Dominie Dirtch, il faudra tirer parti de leur unique désavantage : leur dispersion le long d'une ligne de défense très étendue. Tenez pour acquis que les Dominie Dirtch sont entre des mains hostiles. La tactique consistera à charger pour traverser. Se fiant aux armes magiques, l'adversaire ne se donnera pas la peine de résister, puisqu'il croira pouvoir vous massacrer lorsque vous serez dans les plaines.

— Seigneur, vous pensez avoir neutralisé les Dominie Dirtch, d'ici là ?

Meiffert ne semblait pas très rassuré, et c'était compréhensible.

— Je l'espère, mais ce n'est pas sûr. Au cas où j'aurais échoué, que vos hommes se bouchent les oreilles avec de la cire, du coton ou des morceaux de tissu. Faites de même avec les chevaux. Et ne lésinez pas, surtout ! Je veux que vous soyez tous sourds comme des pots !

— Vous pensez que ça nous protégera ?

— Oui.

En chemin, Richard avait compris comment fonctionnaient les Dominie Dirch. Et c'était très logique, puisqu'elles étaient liées aux Carillons. En se souvenant du « glas » qui retentissait dans sa tête, le jour où il était tombé de cheval, il avait fait le lien. Et ce qu'avait dit Du Chaillu après sa noyade confirmait son intuition.

« Il y a moins d'une heure, j'ai entendu sonner le glas de la mort… »

Pour domestiquer le pouvoir des Carillons, Ander avait dû tenir compte de leurs particularités. Donc, il n'avait pas choisi des « cloches » par hasard.

— Les Dominie Dirch sonnent, capitaine, et ce n'est pas sans raison. Si on ne les entend pas, on ne risque rien !

Le capitaine hésita, mal à l'aise, puis se jeta à l'eau :

— Seigneur, loin de moi l'idée de douter de vos compétences en magie. Mais vous croyez vraiment que des armes si destructives peuvent être neutralisées… en se bouchant les oreilles ?

— Ce ne sera pas la première fois, à mon avis… Les Hakens, il y a des millénaires, ont dû utiliser cette méthode pour traverser la frontière.

— Mais, seigneur…

— Capitaine, la magie est de mon ressort ! Faites-moi confiance. Quand il s'agit de se battre, je me fie totalement à *vos* compétences !

— Bien compris, seigneur…

— Une fois sorti du pays, rejoignez au plus vite le général Reibisch. Et dites-lui de se replier. C'est un ordre très important, capitaine !

— Seigneur, vous avez trouvé un moyen de franchir la ligne de Dominie Dirch et vous ne voulez pas l'utiliser ?

— Les Dominie Dirch seront détruites, parce que je refuse qu'elles servent de rempart à Jagang. Mais il n'est pas question que nos forces attaquent ! L'empereur vient ici pour se ravitailler, et j'espère lui flanquer une indigestion dont il se souviendra !

» Dites au général de surveiller les routes qui conduisent aux Contrées du Milieu. En terrain découvert, comme dans ces plaines, il n'aurait aucune chance contre la horde de Jagang. En revanche, une tactique de harcèlement pourrait empêcher l'ennemi de s'enfoncer plus profondément dans les Contrées. Nous devons nous battre selon nos conditions, pas celles de l'ennemi.

— Je comprends, seigneur. Une excellente stratégie.

— Rien d'étonnant, puisque je la tiens de Reibisch ! J'espère aussi… eh bien… éclaircir les rangs ennemis. Dites au général que je me fie à son jugement pour les détails pratiques.

— Et où serez-vous, seigneur ?

— Reibisch devra se soucier de ses hommes, pas de moi ! Je… ne sais pas vraiment où je serai. Mais le général se débrouillera très bien sans moi. On ne l'a pas nommé à ce poste pour rien ! En matière de stratégie, il en sait beaucoup plus long que moi.

— Vous avez raison, seigneur. C'est un grand officier.

— Capitaine, insista Richard, c'est capital ! Vous devez suivre mes ordres, et le général aussi.

» Le peuple d'Anderith a choisi. Pas un seul de nos hommes ne doit dégainer son arme pour l'aider. C'est compris ? Pas un !

Le capitaine blêmit et recula d'un pas.

— Pas une goutte de sang d'haran ne doit couler !

— Seigneur, je répéterai vos paroles au général.

— Pas mes « paroles », Meiffert, mes ordres ! (Richard sauta en selle.) Et je suis très sérieux ! Vous êtes tous de très bons soldats. Je veux que vous rentriez un jour auprès des vôtres. Pas que vous creviez pour rien !

— C'est notre souhait aussi, seigneur ! répondit Meiffert en se tapant du poing sur le cœur.

Richard rendit son salut à l'officier et partit au galop.

Il sortit du camp pour la dernière fois, en route vers son ultime mission.

Chapitre 68

— C hérie, je suis là ! lança Dalton en approchant de la chambre.
Il avait fait apporter une bouteille de vin et une généreuse portion pour deux du plat préféré de Teresa : du lapereau à la sauce au vin rouge. Soucieux de garder son emploi, Drummond avait été ravi de satisfaire cette requête des plus inhabituelles.

Des bougies brûlaient dans tous les chandeliers, les tentures étaient tirées et aucun domestique ne se montrerait.

Le maître et la maîtresse désiraient être seuls…

Teresa apparut sur le seuil de la chambre, un verre de vin à la main.

— Mon amour, s'écria-t-elle, je suis si contente que tu aies réussi à renter tôt, ce soir ! Toute la journée, je ne me tenais pas d'impatience.

— Moi aussi, j'attendais ce moment depuis longtemps…

Tess eut un regard lascif.

— J'étais si pressée de te montrer combien je t'aime ! Et de te remercier d'être tellement compréhensif au sujet de la mission que j'accomplis auprès du pontife.

Dalton fit glisser le déshabillé de soie sur les épaules de sa femme et lui embrassa le cou. Avec de petits gémissements, Tess tenta de contenir un peu la fougue du nouveau ministre de la Civilisation.

— Tu veux un verre de vin… avant ?

— C'est toi que je veux ! Il y a trop longtemps que nous n'avons pas été ensemble.

— Je sais, Dalton. Et tu m'as affreusement manqué.

— Dans ce cas, prouve-le !

Tess parut un rien déroutée par l'ardeur de son époux.

— Qu'est-ce qui te prend, Dalton ? Je ne t'ai jamais vu comme ça ! Mais ne t'inquiète pas, ça me plaît…

— Tess, je ne travaillerai pas demain. Je veux te faire l'amour toute la nuit et toute la journée qui suivra.

Très excitée, Teresa se laissa guider jusqu'au grand lit dont les montants en fer forgé semblaient aussi imposants que les colonnes qui gardaient l'entrée du bureau de l'Harmonie culturelle. Ce meuble magnifique, comme tout ce qui se trouvait dans les superbes quartiers, appartenait au ministre de la Civilisation.

Quelques jours plus tôt, Dalton se serait rengorgé de cette splendeur, symbole de sa fulgurante ascension, de sa compétence et de ce qu'il croyait encore être un avenir brillant.

— Mon chéri, ne sois pas déçu, je t'en prie, mais Bertrand veut me voir demain après-midi.

Campbell renversa son épouse sur le lit.

— Eh bien, nous aurons cette nuit et toute la matinée. Tu es d'accord ?

— Bien sûr, Dalton ! Je suis si heureuse que tu mesures à quel point le pontife a besoin de moi !

— J'en ai conscience, ma chérie ! Tu trouveras peut-être ça bizarre, mais en un sens, c'est très… stimulant… pour moi.

— Vraiment ? C'est formidable ! Que tu sois stimulé, je veux dire…

Dalton ouvrit le déshabillé, caressa la superbe poitrine de Tess et la couvrit de baiser.

Puis il releva la tête et eut un étrange sourire.

— Pour un Anderien, savoir que le pontife a choisi sa femme pour l'assister est un grand honneur. Surtout quand c'est le Créateur qui a soufflé cette idée à l'oreille du grand homme.

— Dalton, tu as tellement changé ! Mais j'aime ça, tu sais, j'aime ça ! Viens en moi, que je te montre à quel point !

Avant de s'abandonner à la passion, Tess murmura :

— Bertrand est impressionné par ta réaction. Il t'admire, et il m'a avoué que ça l'excitait aussi.

— Nous avons besoin du pontife pour nous guider vers un avenir radieux et nous transmettre la sainte parole du Créateur. Si tu peux l'aider à porter son fardeau, de quoi devrais-je me plaindre ?

— Je l'aide, mon chéri, tu peux me croire ! Se consacrer à une si haute mission est si merveilleux !

— Pourquoi ne m'en parlerais-tu pas pendant que nous faisons l'amour, ma chérie ? Je voudrais tout savoir !

— Dalton, je suis si heureuse !

Dalton s'accorda deux jours de repos après son marathon amoureux avec Teresa. Une expérience qui lui aurait paru le plus beau moment de sa vie, quelque temps auparavant. Et qui aurait été une extraordinaire source de joie…

Physiquement épuisé, il avait dû reconstituer ses forces pour être à la hauteur de la prochaine mission qu'il s'était assignée.

Autour des appartements d'Hildemara, où elle avait aussi son bureau, les couloirs étaient déserts. Dans l'aile opposée, Bertrand prenait son repos du guerrier avec Teresa, dont la dévotion se révélait décidément sans limite.

Imaginer le saint accouplement aida Dalton à se concentrer sur la tâche qui l'attendait.

Bertrand et Hildemara prenaient soin de ne pas se rencontrer plus que le strict nécessaire. Vivre aux deux extrémités d'un palais leur facilitait grandement les choses.

De temps en temps, dame Chanboor s'aventurait quand même sur le territoire de son mari. Parmi le personnel, leurs scènes de ménage étaient devenues légendaires. Un jour, Bertrand en était sorti avec une vilaine coupure juste au-dessus d'un œil. En général, il parvenait à éviter les objets que sa « tendre épouse » lui envoyait au visage. Cette fois-là, il n'avait pas été assez rapide.

En partie à cause de la popularité de sa femme – mais surtout parce qu'il redoutait son réseau de relations – Bertrand n'osait pas l'affronter véritablement. Et bien que l'envie ne lui en manquât pas, il n'était pas en mesure de s'en débarrasser. Si elle mourait subitement, l'avait-elle prévenu, et tant pis pour lui si c'était d'une cause naturelle, son mari adoré ne tarderait pas à la suivre dans la tombe.

Chanboor n'avait pas pris la menace à la légère. En homme avisé, il évitait la tigresse aussi souvent que possible. Mais quand son goût du risque naturel le poussait à émettre un commentaire acide, ou à embarrasser sa compagne en public, il pouvait être sûr qu'une expédition punitive s'ensuivrait. Où qu'il fût, y compris dans son lit, aux toilettes ou en réunion avec des bailleurs de fonds, il avait droit à un déluge d'injures et d'objets pas nécessairement conçus pour voler.

Prudent, il tentait de limiter au minimum ces tempêtes conjugales. Mais il lui arrivait, surtout quand il avait bu, de provoquer volontairement son dragon d'épouse.

Cette étrange relation durait depuis des années, et elle avait même eu pour fruit une fille dont les deux parents se contrefichaient. Dalton l'avait aperçue très récemment, quand son père et sa mère l'avaient fait revenir au palais pour l'exhiber lors d'un discours de propagande contre le seigneur Rahl et la Mère Inquisitrice.

Aujourd'hui, cette affaire était réglée. Rahl avait subi une défaite électorale écrasante, et la Mère Inquisitrice…

Dalton n'avait aucune certitude, mais il supposait qu'elle était morte. Cet assassinat-là lui avait coûté un grand nombre de ses fidèles messagers. Dans une guerre, on déplorait toujours des pertes. Et il n'aurait pas à se casser la tête pour les remplacer…

Serin Rajak était mort aussi – d'une infection, suite aux blessures infligées par le corbeau. Son agonie, selon ses fidèles éplorés, avait été longue et douloureuse. Pour être franc, Dalton n'en avait pas eu le cœur brisé.

Quand il eut frappé à la porte, Hildemara vint lui ouvrir en personne. Un très bon signe, jugea-t-il. Elle portait une robe plus provocante que d'habitude. Un autre indice encourageant, puisqu'il l'avait prévenue qu'il viendrait la voir.

— Dalton, votre visite me comble de joie ! Je me demandais ce que vous deveniez, et j'attendais avec impatience que nous reprenions une certaine conversation qui remonte à des semaines… Alors, comment allez-vous, depuis que votre épouse se consacre au bien-être de notre vénéré pontife ?

— J'ai trouvé un moyen de m'en accommoder…

Hildemara eut l'expression cruelle d'un chat qui vient de repérer une souris.

— Et les superbes fleurs que vous m'avez fait livrer ?

— Un gage de ma gratitude. Mais… puis-je entrer ?

Hildemara ouvrit la porte en grand. Une fois à l'intérieur, Dalton, qui en avait pourtant vu d'autres, fut frappé par l'opulence des appartements privés de dame Chanboor. Il n'y était jamais venu, pas plus que dans ceux de Bertrand. Mais Teresa l'avait gratifié d'une description exhaustive. Rien de plus normal, pour une habituée...

— Votre gratitude, Dalton ? En quel honneur ?

— Pour m'avoir ouvert les yeux, Hildemara. Et votre porte, oserais-je ajouter.

— Il m'arrive de laisser entrer chez moi de beaux jeunes hommes. En général, je ne le regrette pas...

Campbell avança de deux pas, prit la main d'Hildemara et la baisa délicatement, le regard rivé dans celui de sa « conquête ». Une comédie parfaitement ridicule, mais qu'elle parut apprécier, comme si elle la croyait sincère.

Dalton avait enquêté sur les habitudes intimes de la dame. Pour cela, il avait dû en appeler à tous ceux qui lui devaient une faveur, menacer quelques personnes réticentes et corrompre les autres. Désormais, il savait tout ce qu'aimait Hildemara et tout ce qui lui déplaisait. Contrairement à bien des femmes, les soudards ne la séduisaient pas. Ses amants étaient tous plus jeunes qu'elle et d'une extrême prévenance. Car en amour aussi, elle adorait qu'on la vénère.

Voire qu'on se prosterne devant elle !

Dalton avait conçu ce rendez-vous à la manière d'un banquet : plusieurs services allant crescendo jusqu'à l'apothéose. Avec ce plan en tête, avancer jusqu'au terme prévisible de la rencontre serait plus facile.

— Ma dame, dit-il, pardonnez-moi d'être aussi direct avec une personne de votre stature, mais je me dois d'être honnête.

Hildemara approcha d'une table basse incrustée d'or et d'argent. Elle prit une carafe en cristal, remplit deux coupes d'un rhum à la riche couleur ambrée et en tendit une à son visiteur.

— Dalton, détendez-vous ! Nous sommes de vieux amis, après tout. Je brûle de vous entendre dire tout ce que vous avez sur le cœur. Au sujet de Teresa, n'ai-je pas été franche et directe ?

— D'une franchise saisissante, douce dame...

Hildemara but une gorgée puis posa une main sur l'épaule de Campbell.

— Êtes-vous encore bouleversé, ou avez-vous réussi à regarder en face les tristes réalités de la vie ?

— Eh bien, je dois avouer que je me sens seul, depuis que mon épouse est tellement... occupée. Je n'avais pas prévu de vivre un jour avec une compagne si souvent indisponible.

— Mon pauvre ami... Je sais de quoi vous parlez. Mon mari aussi est très souvent « occupé », comme vous dites.

Dalton se détourna, comme s'il était un peu gêné.

— Depuis que ma femme n'est plus liée par nos vœux de mariage, je me suis découvert des désirs qu'elle n'est plus en mesure de satisfaire. J'ai honte de l'avouer, mais je manque d'expérience en la matière. Beaucoup d'hommes, à ma place, sauraient comment remédier à leur solitude. Hélas, j'en suis incapable...

Hildemara vint se serrer contre le dos de Campbell.

— Continuez, Dalton, je peux tout entendre... Et pas de fausse pudeur avec une vieille amie !

Dalton se retourna pour permettre à dame Chanboor de lui faire admirer son décolleté. Un spectacle dont elle pensait sans doute que les hommes étaient fous.

— Puisque ma femme, désormais au service du pontife, n'est plus tenue de m'être fidèle, pourquoi me sentirais-je obligé de rester vertueux ?

— Ce serait absurde, assurément !

— Un jour, vous m'avez dit de venir vous voir, si ma vision du mariage changeait. Hildemara, si vous voulez toujours de moi, sachez que je suis… ouvert à tout.

En guise de réponse, Hildemara embrassa Dalton. À sa grande surprise, il trouva l'expérience moins répugnante qu'il le redoutait. En fermant les yeux, il fut même en mesure de l'apprécier – toutes choses égales par ailleurs.

Il fut encore plus étonné quand Hildemara manifesta son intention de passer sans plus tarder au « plat de résistance ». Mais qu'importait la manière de procéder ? Seul le résultat comptait, et il serait inévitable.

Si dame Chanboor voulait brûler les étapes, pourquoi l'aurait-il contrariée ?

Chapitre 69

L'endroit se révélait aussi sinistre qu'on le disait. Les hautes terres, au-dessus de la vallée de Nareef, n'étaient qu'un désert grisâtre battu par un vent de fin du monde.

Richard ne trouva pas étonnant que Joseph Ander ait choisi un tel lieu.

Autour du lac aux eaux glauques, les montagnes de roche nue aux pics enneigés ressemblaient à des cadavres de pierre. Les milliers de ruisselets qui les dévalaient brillaient au soleil comme des crocs.

Au bord du lac, dans ce chaudron naturel angoissant, le paka verdoyait comme si de rien n'était.

Le Sourcier avait laissé ses chevaux en bas de la piste qui conduisait aux hautes terres. N'étant pas sûr de revenir, il avait dessellé les trois montures, attachées à un arbre, mais avec des brides volontairement mal nouées. Ainsi, les bêtes pourraient s'échapper, au lieu de crever de faim sur place.

L'unique motivation de Richard, désormais, était son amour pour Kahlan. Il voulait bannir les Carillons pour pouvoir la sauver. Plus rien d'autre ne comptait.

Debout au bord des eaux empoisonnées, il savait très exactement ce qu'il devait faire.

Se montrer plus imaginatif et créatif que Joseph Ander.

L'énigme posée par les Carillons n'avait aucune solution. Il n'existait pas de réponse ni de méthode à découvrir. Dans sa tapisserie de magie, Ander n'avait laissé aucune couture qu'on eût pu défaire.

La seule chance était d'agir d'une manière que l'antique sorcier n'avait pas prévue. Grâce à ses lectures, Richard connaissait la façon de penser de cet homme. Enclin à se croire supérieur à tous les autres sorciers – non sans raison – il avait anticipé tout ce qu'ils pourraient tenter contre lui. S'il recourait à une de ces méthodes, le Sourcier échouerait à coup sûr. En son temps, Ander avait écrasé de son mépris des collègues qu'il jugeait trop aveugles pour voir ce qui était devant leur nez. Richard, lui, ne tomberait pas dans ce piège.

Une seule question restait ouverte : aurait-il la force d'aller jusqu'au bout de sa mission ?

Il avait chevauché des journées entières en changeant de monture pour ne pas les épuiser, au cas où il pourrait revenir vers Kahlan. Et la nuit, il avait marché en tenant ses chevaux par la bride, histoire qu'ils se reposent un peu.

Longue et difficile, l'ascension avait fini de le vider de ses forces. Pourtant, il devait tenir le coup, s'il ne voulait pas condamner la personne qui comptait à ses yeux plus que tout au monde.

Il prit une poignée de sable blanc de sorcier dans la bourse en fil d'or accrochée à sa ceinture et entreprit de dessiner une Grâce avec. Délibérément, il commença par les lignes qui représentaient le don. Le contraire de ce que Zedd tenait pour la procédure requise !

Se plaçant au centre de la figure, il dessina l'étoile qui symbolisait le Créateur, puis le cercle qui figurait la vie. Il termina par le carré représentant le voile et le cercle extérieur où commençait le royaume des morts.

Selon les propres mots de Joseph Ander, l'imagination faisait la grandeur d'un sorcier et lui permettait de dépasser les limites imposées par la tradition.

« Une Grâce peut naître des exigences d'un sortilège inventif. »

Richard n'avait pas l'intention de s'arrêter là. Ses exigences donneraient naissance à bien plus qu'une Grâce !

Il leva les poings au ciel.

— Reechani ! Sentrosi ! Vasi ! Je vous appelle !

Il savait maintenant ce que désiraient les Carillons. Sans le vouloir, Joseph Ander le lui avait appris.

Le vent se déchaîna et l'eau se rida. Puis des flammes jaillirent du lac.

Ils arrivaient !

Fou de rage et le cœur débordant d'un « besoin » impérieux, le Sourcier baissa les bras et braqua ses poings en direction de la berge du lac d'où ses eaux débordaient pour dévaler la falaise qui les conduisait jusqu'à la vallée de Nareef.

Concentré sur cet unique point de l'univers, il invoqua la composante soustractive de son don. Cette partie de la magie issue des ténèbres, du royaume des morts et des abysses les plus sombres du néant…

Des éclairs noirs nés de sa colère et de son besoin désespéré de sauver Kahlan jaillirent de ses poings.

La berge du lac en trembla, puis, à l'endroit précis qu'il visait, se désintégra dans une explosion de roche et de vapeur. Rayée de la carte du monde par la Magie Soustractive, la bonde naturelle qui retenait les eaux se volatilisa.

Avec un rugissement de fin du monde, le lac commença à se vider.

Les eaux bouillonnantes emportèrent avec elles les buissons de paka, arrachés à la terre comme de vulgaires brins d'herbe. Un formidable torrent allait se déverser dans la vallée.

Le feu qui survolait le lac, le vent qui le fouettait et l'eau elle-même ralentirent en approchant du Sourcier.

Richard sut qu'il avait devant lui l'essence même des trois Carillons. Les éléments qui agissaient en leur nom, les multipliaient à l'infini et leur conféraient leur capacité de nuire.

— Venez ! ordonna Richard. Je vous offre mon âme !

Tandis que les Carillons approchaient, Richard glissa la main dans l'autre bourse accrochée à sa ceinture.

Dans la partie déjà vide du lac, au-dessus d'un immonde tapis de limon, l'air scintilla, puis une silhouette se dessina, apparaissant lentement dans le monde des vivants.

Le spectre s'éleva au-dessus des eaux et prit peu à peu de la substance. Vêtu d'une longue tunique toute simple, un vieillard riva sur le Sourcier un visage tordu par la douleur.

Richard leva de nouveau les poings.

— Reechani ! Sentrosi ! Vasi ! Venez à moi !

Les Carillons obéirent. Encerclé par les messagers les plus fidèles de la mort – peut-être même les créatures sans lesquelles elle n'aurait pas existé – Richard crut qu'il ne résisterait pas. Et s'il se laissait emporter par ce maelström, il n'y aurait plus jamais de chemin de retour…

Les Carillons tentèrent de le séduire en lui faisant entendre une mélodie venue d'un autre monde. Il les laissa faire, et sourit en réponse à leurs appels.

Sans frémir, il permit aux voleurs d'âmes de se presser tout autour de lui.

Puis il tendit un bras vers le spectre.

— Votre maître !

Les Carillons hurlèrent de rage quand ils reconnurent le sorcier dont l'ombre scintillante s'élevait devant eux.

— Regardez-le, esclaves ! Regardez votre maître !

— Qui m'appelle ? cria une voix au-dessus de l'eau.

— Richard Rahl, un descendant d'Alric. Je suis celui qui est né pour te vaincre, Joseph Ander !

— Tu m'as trouvé dans mon sanctuaire ! Tu es le premier, et je te félicite !

— Moi, je te condamne à partir pour l'autre monde, où chacun doit aller quand est écoulé le temps qu'il doit passer dans l'univers des vivants !

Le rire du spectre se répercuta dans les montagnes environnantes.

— Me trouver est une chose, me déranger en est une autre. Quant à me dicter ta volonté, c'est impossible ! Tu n'as pas une once du pouvoir qu'il faudrait pour cela. Peux-tu simplement commencer à imaginer ce que j'ai créé ?

— Je suis capable de bien plus que ça, vieil homme ! (Richard appela de nouveau les Carillons.) Esprit de l'eau, écoute-moi ! Essence de l'air, vois ce que je te montre ! Âme du feu, contemple la vérité !

Les trois Carillons tourbillonnèrent autour du Sourcier, qui sentit leur méfiance instinctive.

— Voici votre maître, l'homme qui vous a réduits en esclavage pour que vous accomplissiez sa volonté, et non la vôtre ! Voyez son âme, mise à nue pour que vous la dévoriez !

— Que fais-tu ? demanda Ander d'une voix soudain moins assurée. Que crois-tu pouvoir accomplir ?

— J'apporte la vérité, Joseph Ander ! Et je te dépouille du mensonge qui te permet d'exister encore !

Richard tendit un bras et ouvrit le poing qui serrait quelques grains de sable noir de sorcier. La clé de l'équilibre !

Il laissa tomber cette obscure poussière entre lui et le spectre de Joseph Ander.

— Ton maître est là, Reechani ! Écoute-le ! Et toi, Vasi, regarde-le ! Quant à toi, Sentrosi, sens son contact à travers mon corps !

Joseph Ander tenta d'invoquer sa propre magie noire. S'étant exilé dans un autre monde qu'il avait fait naître du néant pour échapper à la mort, il ne pouvait pas agir dans celui des vivants. En invoquant le vieux sorcier, Richard avait ouvert une brèche entre ces deux univers, mais Ander ne pouvait pas la traverser. Car il ne s'agissait pas de sa création !

— Carillons, continua Richard, à vous de choisir ! Mon âme ou celle de Joseph Ander ! L'homme qui a refusé de partir pour le royaume des morts quand son heure a sonné. Le sorcier qui s'est joué du Gardien, votre véritable maître, et vous a emprisonnés dans ce monde pendant si longtemps. Le traître qui vous a utilisés pour tricher avec la mort !

» Préférez-vous mon âme ? Dans ce cas, venez la chercher au milieu de cette Grâce, où je vous réduirai à mon tour en esclavage, afin que vous soyez mes domestiques en ce monde comme vous étiez ceux de ce vieillard.

» Décidez-vous, Carillons de la mort ! La vengeance, ou une nouvelle éternité de servitude ?

— Il ment ! cria le spectre d'Ander.

La tempête de mort et de haine qui tourbillonnait autour du Sourcier comprit qu'il disait la vérité. S'engouffrant dans la brèche que Richard avait ouverte, les Carillons fondirent sur leur tourmenteur.

La terre trembla comme si elle allait s'ouvrir en deux.

De l'autre côté de la brèche, avec des cris de rage tels qu'on en entendait seulement dans le royaume des morts, Reechani, Vasi et Sentrosi s'emparèrent de l'âme d'Ander et l'emportèrent vers le domaine du Gardien, d'où ils étaient venus des millénaires plus tôt.

Ils rentraient chez eux. Avec un trophée.

À cet instant qui sembla durer une éternité, le voile qui séparait le monde des vivants de celui des morts s'ouvrit. Contre toutes les lois de l'univers, l'existence et le néant se touchèrent.

Dans le silence qui suivit, Richard tendit les mains et les regarda. Par un miracle qu'il ne s'expliquait pas, il était toujours entier !

Puis il comprit ce qu'il venait de faire. Il avait créé de la magie et purifié ce que Joseph Ander avait corrompu.

À présent, il devait retourner auprès de Kahlan. Si elle était encore en vie.

Il se força à occulter cette idée. Elle ne pouvait pas être morte !

Zedd poussa un petit cri et ouvrit les yeux. Autour de lui, il faisait noir comme au fond d'un puits. Tendant les bras, il sentit sous ses doigts une muraille de roche.

En titubant, il se retourna, vit de la lumière et avança vers elle.

Si surprenant que ce fût, il était de retour dans son corps. Mais comment avait-il quitté celui du corbeau ? En principe, cela aurait dû être impossible…

Il regarda ses mains et ne vit pas l'ombre d'une plume.

Bref, il avait récupéré son âme.

Il tomba à genoux et soupira de soulagement. Perdre son âme était une mésaventure bien pire que tout ce qu'il avait imaginé. Et pourtant, il n'avait pas péché par optimisme.

Privé d'âme, il avait pu posséder le corbeau.

De quoi être fier, malgré tout. Une expérience inédite pour lui, et qu'aucun sorcier, à sa connaissance, n'avait jamais faite. Afin de réussir cet exploit, il lui avait suffi de renoncer à son âme !

« Suffi » était vite dit... Si ça ne tenait qu'à lui, il ne recommencerait pas avant longtemps...

Une fois hors de la grotte, et quand il entendit rugir la cascade, il se rappela où il était.

Il traversa le lac – à la nage, cette fois – se hissa sur la berge et, machinalement, lança un sort mineur pour sécher sa tunique.

Aussitôt, il constata que son pouvoir était revenu. Il était entier pour de bon !

Entendant un hennissement, il tourna la tête et vit qu'Araignée lui tendait les naseaux. Ému, il caressa sa fidèle amie.

— Gentille fille, je suis content de te voir. Fichtre et foutre, tu ne sais pas à quel point !

Araignée hennit de bonheur.

Quand il eut retrouvé la selle à l'endroit où il l'avait laissée, le vieux sorcier, pour le plaisir, la fit léviter puis se poser sur le dos de la jument.

Araignée sembla fascinée par le phénomène. Cette jument était décidément une sacrée chic fille, pensa Zedd, et un équidé hors du commun.

Alerté par un grondement, le vieil homme tourna la tête. Un incroyable torrent dévalait le flanc de la montagne. Pour une raison inconnue, le lac des hautes terres se vidait.

Zedd sauta en selle.

— Il vaut mieux filer d'ici, ma fille !

Araignée obéit avec une évidente satisfaction.

Dalton venait d'entrer dans son bureau quand il entendit que quelqu'un le suivait. Se retournant, il vit que c'était Stein. Pendant qu'il fermait la porte, le ministre vit le nouveau scalp que le barbare avait ajouté à sa cape.

Fébrile et nauséeux, Campbell alla se servir un verre d'eau. Ces symptômes n'avaient rien d'étonnant, il le savait.

— Que voulez-vous, Stein ?

— C'est une visite de politesse, rien de plus...

— Bien..., marmonna Dalton avant de boire une gorgée.

— Votre nouveau bureau est superbe !

C'était la stricte vérité. De l'ancien, Dalton avait seulement emporté le support d'argent où il posait son épée.

— Franchement, continua Stein, vous l'avez mérité, personne ne dira le contraire ! Un beau succès pour vous et pour votre épouse.

Dalton désigna l'épée que l'émissaire de Jagang portait au côté.

— Une nouvelle arme, Stein ? Si je puis me permettre, elle me paraît un peu trop clinquante pour un homme comme vous.

Stein parut ravi que le ministre ait remarqué l'épée.

— Imaginez, mon vieux, que c'est l'Épée de Vérité ! (Il tapota la garde de son nouveau trésor.) Celle du Sourcier, rien que ça !

Dalton trouva dérangeant qu'un tel homme détienne une relique si précieuse.

— Et comment l'avez-vous eue ?

— Un de mes hommes me l'a apportée. Une sacrée histoire !

— Vraiment ? demanda Dalton, comme si ça l'intéressait.

— En me la ramenant, mes gars ont capturé une Mord-Sith. Quel tableau de chasse ! L'Épée de Vérité et une authentique Mord-Sith !

— Deux grands exploits ! L'empereur sera content.

— Oui, il jubilera quand je lui offrirai cette arme. Il se réjouit aussi des nouvelles que vous lui avez envoyées. La déroute du seigneur Rahl lui met du baume au cœur ! Très bientôt, nos troupes seront là, et nous capturerons ce chien. Au fait, vous avez retrouvé la Mère Inquisitrice ?

— Non. (Dalton but une autre gorgée d'eau.) Mais avec le sort que lui a jeté sœur Penthea, elle n'a pas une chance de s'en tirer. À voir les phalanges de mes hommes, quand j'ai examiné leurs cadavres, ils n'y sont pas allés de main morte.

» Croyez-moi, si la Mère Inquisitrice vit encore, ça ne durera plus très longtemps. Si elle est morte, il est possible que nous ne retrouvions jamais son corps. Mais qu'importe, n'est-ce pas ? (Les genoux flageolants, Dalton s'appuya à son bureau.) Quand Jagang arrivera-t-il ?

— Très bientôt... Une semaine, peut-être... L'avant-garde sera sans doute là plus tôt. L'empereur attend avec impatience de s'installer dans votre somptueuse cité.

Dalton se gratta nerveusement le front. Il lui restait des choses à faire, même si plus rien ne comptait vraiment.

— Eh bien, si vous avez besoin de moi, je reste dans le coin, dit Stein en se dirigeant vers la porte.

Arrivé sur le seuil, il se retourna.

— Au fait, Bertrand m'a dit que vous avez été très compréhensif au sujet de sa relation avec votre femme.

— Pourquoi m'en serais-je offusqué ? Une de perdue, dix de retrouvées ! Pour ça, il me suffit de claquer des doigts. Et je ne suis pas du genre possessif.

Stein parut sincèrement ravi.

— Vous êtes une excellente recrue pour l'Ordre, mon vieux, et vous vous y plairez. À nos yeux, les femmes sont des objets de plaisir, et toutes ces histoires d'amour nous tapent sur les nerfs !

Agacé parce qu'il réfléchissait déjà à l'endroit où la Mère Inquisitrice pouvait se cacher, Campbell daigna quand même répondre.

— Je suis fait pour appartenir à l'Ordre, dans ce cas, parce que je ne supporte pas non plus ces mièvreries.

— Dalton, je me réjouis de savoir que nous nous ressemblons comme des frères. Puisqu'il en est ainsi, permettez-moi de vous féliciter ! Votre femme est une putain de première !

Dalton se raidit.

— Excusez-moi, mais je ne suis pas sûr d'avoir bien entendu…

— Bertrand me la prête de temps en temps ! Il la trouve formidable au lit, et il voulait m'en faire profiter. Un ordre du Créateur, lui a-t-il dit ! Mon ami, cette garce est rudement chaude !

Stein se retourna vers la porte.

— Encore une petite chose ! l'appela Campbell.

— Quoi donc ? demanda Stein en faisant volte-face.

Dalton dégaina son épée et ouvrit le ventre du soudard de l'Ordre. Une plaie nette, juste assez profonde pour que le salaud voie ses intestins s'en déverser et lui tomber sur les pieds.

Éberlué, Stein poussa un petit cri et baissa les yeux sur son abdomen. Après avoir regardé Dalton comme s'il ne parvenait pas à croire que c'était vrai, il tomba à genoux, le souffle de plus en plus court.

— Navré, *mon vieux*, mais je vous ai menti ! En réalité, je suis très possessif. Remerciez les esprits du bien, parce que votre fin sera rapide… Vous avez plus de chance que certains !

Stein s'écroula sur un flanc. Dalton l'enjamba et s'agenouilla.

— Mais je ne voudrais pas que vous vous mépreniez en pensant que je vous hais moins que d'autres salopards. Ce serait tellement dommage : partir sur un malentendu !

Dalton saisit Stein par ses cheveux crasseux. Une botte entre les omoplates du moribond, il lui fit une incision parfaitement ronde autour de la tête, tira d'un coup sec et lui arracha son ignoble tignasse.

Il enjamba de nouveau Stein et brandit son trophée.

— C'est pour Franca. Juste pour que vous ne mouriez pas idiot…

Abandonnant le sbire de Jagang, qui se vidait de ses entrailles tandis que sa tête pissait le sang, Dalton alla tranquillement ouvrir la porte.

Malgré les cris et le bruit, le remplaçant de Rowley n'était pas entré sans permission. Un bon point pour lui.

— Phil, tu peux venir avec Gregory ?

— Nous arrivons, messire ministre !

— Phil, Gregory, Stein salit mon tapis. Auriez-vous l'obligeance de m'en débarrasser ?

— Avec plaisir, messire ministre.

— Surtout, ne mettez pas du sang partout ! (Dalton alla prendre quelques documents sur son bureau. En passant, il baissa un regard écœuré sur l'agonisant.) Jetez-le par la fenêtre, ce sera plus propre !

Chapitre 70

L e Sourcier passa en trombe la porte de la maison d'Edwin. Il vit des gens dans le hall d'entrée mais ne leur accorda aucune attention.

Alors qu'il s'engageait dans le long corridor mal éclairé, Jiaan le prit par le bras.

— Richard, attends !

— Que s'est-il passé ? Comment va-t-elle ?

— Elle vit toujours. Mon ami, elle a passé une phase critique…

Richard faillit s'en évanouir de soulagement. Il sentit des larmes rouler sur ses joues, mais il parvint à se ressaisir. Trop épuisé, il avait du mal à faire les choses les plus simples. Tourner un bouton de porte, par exemple, lui paraissait un effort surhumain.

— Mon pouvoir est revenu, je peux la guérir !

— Je sais, dit Jiaan. Du Chaillu aussi a retrouvé sa magie. Et tu dois la voir d'abord.

— Ça peut attendre. Soigner Kahlan est plus urgent.

— Non ! cria Jiaan.

Cet éclat surprit le Sourcier.

— Pourquoi ? Où est le problème ?

— Maintenant, la femme-esprit sait pourquoi elle est venue te voir. Elle a dit que tu ne devais pas toucher Kahlan avant d'avoir parlé avec elle. J'ai juré de dégainer mon épée pour t'empêcher de passer, si c'était nécessaire. *Caharin*, je t'en prie, ne me force pas à le faire !

Richard prit une grande inspiration pour tenter de se calmer.

— D'accord… Où est Du Chaillu ?

Jiaan guida Richard dans le corridor. En passant devant la chambre de Kahlan, le jeune homme regarda longuement la porte. Mais le Baka Tau Mana continua jusqu'à la suivante.

Ils entrèrent dans une pièce où Du Chaillu attendait, assise dans un fauteuil… un bébé blotti contre sa poitrine.

La femme-esprit sourit dès qu'elle aperçut Richard.

Très ému, il s'agenouilla devant le nourrisson endormi.

— Du Chaillu, il est magnifique !

— Elle, mon époux ! Je t'ai donné une fille !

Avec tout ce qui l'angoissait, le Sourcier n'eut aucune envie de polémiquer avec la femme-esprit au sujet de sa « paternité ».

— Je l'ai baptisée Cara pour rendre hommage à la femme qui a sauvé nos deux vies.

— Ce geste sera apprécié, j'en suis sûr…

— Richard, comment vas-tu ? demanda Du Chaillu. On jurerait que tu reviens du royaume des morts !

— En un sens, ce n'est pas faux… Jiaan m'a dit que tu as retrouvé ton pouvoir ?

— Oui, et tu dois t'y fier ! Tu sais que je peux sentir les sortilèges et les neutraliser…

— Du Chaillu, je suis content de te parler, mais je dois aller soigner Kahlan.

— Non ! Il n'en est pas question !

Richard se passa une main dans les cheveux.

— Je sais que tu veux m'aider, mais là, c'est du délire !

La Baka Tau Mana saisit le Sourcier par les pans de sa chemise.

— Richard, écoute-moi ! Je suis venue vers toi pour une raison bien précise, et maintenant, je la connais ! Ma mission est de t'épargner le chagrin de perdre Kahlan !

» On lui a jeté un sort qui est un piège mortel. Si tu tentes de la guérir, ton pouvoir déclenchera le sortilège, et elle mourra. C'était un moyen pour ses assassins de s'assurer qu'elle ne survivrait pas.

Richard s'efforça de ne pas exploser.

— Tu peux neutraliser les sorts, comme tu viens de le dire. Verna l'a senti dès qu'elle t'a vue. Du Chaillu, désamorce le piège, pour que je puisse soigner Kahlan !

— Mon pouvoir est impuissant contre cette sorte de magie, *Caharin*. Je ne peux pas le forcer à disparaître. Ce sort est accroché à Kahlan comme un hameçon à la gueule d'un poisson. Ta magie l'activera, et tu la tueras ! Tu m'entends, Richard le Sourcier ? Touche-la avec ton pouvoir, et ce sera la fin !

— Si tu as raison, que pouvons-nous faire ?

— Elle a survécu jusqu'à présent, et ça signifie qu'elle a une chance de se remettre. Il faut que tu t'occupes d'elle ! Elle doit guérir sans l'aide de la magie. Quand elle ira mieux, le sort se dissipera, comme finit par le faire l'hameçon dans le corps du poisson. Un jour, le piège ne sera plus dangereux. Mais à ce moment-là, elle n'aura plus besoin de ta magie…

— Je comprends… Merci du fond du cœur, Du Chaillu. Oui, merci pour tout !

La Baka Tau Mana enlaça Richard, le bébé serré entre eux.

— Nous devons partir d'ici, mon amie ! L'Ordre arrivera bientôt. Anderith n'est plus un endroit sûr pour nous.

— Edwin est un brave homme, mon époux. Il a préparé sa calèche pour que tu puisses partir avec Kahlan.

— Comment va-t-elle ? Est-elle consciente ?

— De temps en temps, elle se réveille un peu… Je l'ai fait boire et manger, et je lui ai donné des potions qui l'aideront. Elle est dans un état grave, mais elle a survécu. Kahlan se rétablira, j'en suis sûre !

Du Chaillu se leva, le bébé dans les bras, et conduisit Richard jusqu'à la chambre de l'Inquisitrice.

Épuisé, le Sourcier se laissa guider comme un enfant. Le cœur battant la chamade, il entra dans la pièce aux tentures tirées.

À la lueur d'une bougie, il vit que Kahlan reposait sur le dos, couverte jusqu'au menton.

Il la regarda… et ne la reconnut pas vraiment. Cette terrible vision lui coupant le souffle, il dut lutter pour tenir sur ses jambes et refouler ses larmes.

Kahlan n'était pas consciente. Il lui prit la main mais n'obtint aucune réaction.

Du Chaillu vint se placer de l'autre côté du lit.

Richard lui fit un geste qu'elle n'eut pas besoin d'explications pour comprendre. Avec une grande douceur, elle déposa le bébé dans les bras de Kahlan. Sans se réveiller, le nourrisson se blottit contre l'Inquisitrice.

Kahlan le serra contre elle et un sourire flotta sur ses lèvres.

À cet instant, Richard la reconnut pour de bon.

Une fois que Kahlan fut installée dans la calèche qu'Edwin avait fait spécialement aménager, tous sortirent de l'écurie.

Un ancien directeur nommé Linscott, resté fidèle à Winthrop, avait aidé à modifier la banquette et les roues du véhicule pour qu'il ne secoue pas trop sa passagère.

Comme Edwin, Linscott faisait partie d'un groupe qui avait tenté de s'opposer au gouvernement corrompu d'Anderith. Sans succès, à l'évidence. À présent, et sur l'insistance de Richard, ces hommes et ces femmes – pas si nombreux que ça – s'apprêtaient à quitter le pays.

Devant la maison, à l'ombre d'un cerisier, Dalton Campbell les attendait.

Aussitôt, Richard se prépara au combat. Mais l'Anderien ne semblait pas d'humeur agressive.

— Seigneur Rahl, dit-il, je suis venu vous voir partir avec la Mère Inquisitrice.

Le jeune homme jeta un coup d'œil à ses compagnons, qui semblaient ne plus rien comprendre.

— Et comment avez-vous su que nous étions ici ?

— C'est mon travail, seigneur. Tout voir et tout entendre… Enfin, ça l'était…

Linscott semblait prêt à sauter à la gorge de Campbell. Et Edwin aussi paraissait disposé à faire couler le sang.

Apparemment, Dalton s'en fichait.

Sur un signe de tête de Richard, Du Chaillu et Jiaan firent reculer tout le monde. Avec les maîtres de la lame à leurs côtés, la femme-esprit et son second ne tenaient pas un seul homme pour une véritable menace, mais ils se fiaient au jugement du *Caharin*.

— Seigneur Rahl, dit Dalton, en d'autres temps et d'autres circonstances, nous aurions pu être d'excellents amis.

— Désolé, grogna Richard, mais j'en doute.

Campbell haussa les épaules.

— Et vous avez peut-être raison... (Il tira de sous son bras une couverture pliée.) Un petit cadeau, pour vous aider à tenir chaud à votre épouse.

Désorienté par le comportement d'un homme qu'il tenait pour un ennemi, Richard le regarda poser la couverture sur le plancher de la calèche. S'il l'avait voulu, Dalton Campbell aurait pu leur faire de gros ennuis. À première vue, il n'était pas là pour ça...

— Je suis venu vous souhaiter bonne chance. J'espère que la Mère Inquisitrice sera vite rétablie, parce que les Contrées du Milieu ont besoin d'elle. C'est une femme de qualité, et je regrette d'avoir attenté à ses jours.

— Qu'avez-vous dit ? rugit Richard.

Le front ruisselant de sueur, Campbell semblait avoir du mal à tenir debout. Pourtant, il soutint bravement le regard du Sourcier.

— C'est moi qui lui ai envoyé des tueurs. Si votre pouvoir est revenu, seigneur, ne tentez surtout pas de la guérir. Une Sœur de l'Obscurité a jeté un sort qui tuera votre femme si vous la touchez avec votre magie. Elle devra se remettre seule...

Richard se demanda pourquoi il n'avait pas déjà étripé cet homme. Pour une raison qui le dépassait, il écoutait les aveux d'un criminel sans réagir.

— Si m'égorger vous tente, ne vous en privez pas, l'encouragea Campbell. Croyez-le ou non, mais je m'en fiche !

— Que racontez-vous là ? lança Richard.

— Votre femme vous aime. Choyez-la et remerciez chaque jour la vie de vous avoir fait ce cadeau.

— Ne vous a-t-elle pas offert le même ? Votre épouse...

— La pauvre chérie, coupa Campbell, n'en a hélas plus pour longtemps.

— Que voulez-vous dire ?

— Une terrible maladie frappe les prostituées de Fairfield. Par un curieux hasard, ma femme, le pontife, son épouse et moi l'avons contractée. Comme vous le voyez, les symptômes sont déjà apparents. D'après ce qu'on m'a dit, l'agonie est lente et douloureuse.

» Le pontife est désespéré. Sachant que cette façon de mourir le terrorisait depuis toujours, on aurait pu penser qu'il choisirait ses partenaires avec plus de discernement...

» Au fait, on m'a rapporté que les Dominie Dirtch étaient tombées en poussière. Selon moi, quand il arrivera, l'empereur Jagang sera très mécontent.

— Je l'espère bien..., souffla Richard.

Dalton eut un étrange sourire.

— Si me passer une épée à travers le corps ne vous dit rien, je vais vous quitter, à présent. Car voyez-vous, il me reste une ou deux choses à faire...

Richard répondit au sourire désabusé de Campbell.

— Une femme très sage, dit-il, m'a appris un jour que les tyrans ne seraient rien sans la complicité des gens ordinaires. Ce sont eux qui créent les monstres comme vous, Campbell ! S'ils refusaient de croire à vos mensonges, le monde serait différent...

» Vous pouvez partir sans crainte. Je vais opter pour la solution que mon grand-père choisirait, s'il était à ma place : vous laisser subir les conséquences de vos actes... Et cela vaut pour le peuple qui vous a soutenu !

Torturée par les courbatures, Anna se demandait si elle parviendrait un jour à remarcher. Enfermée dans sa malle, elle rebondissait contre les parois au gré des cahots de la route. Des coups de massue lui auraient fait à peine moins mal…

Si ça continuait, elle redoutait de devenir folle.

Comme pour lui épargner ce sort cruel, le chariot ralentit puis s'arrêta. Au bord des larmes, la Dame Abbesse en soupira de soulagement.

Quand quelqu'un ouvrit le couvercle de sa prison, elle inspira à pleins poumons l'air frais qui caressa ses narines comme le plus délicieux des parfums.

Sœur Alessandra aida la vieille dame à sortir de la malle.

Le chariot était garé dans une ruelle obscure déserte. À part la Sœur de l'Obscurité, il n'y avait personne alentour.

Cela changea très vite, mais la vieille femme qui trottinait sur les pavés jeta à peine un regard au chariot en le dépassant.

— Alessandra, tu peux me dire à quoi ça rime ?

— Dame Abbesse, je voudrais retourner vers la Lumière…

— Pardon ? Pour commencer, où sommes-nous ?

— Dans la cité où l'empereur entendait aller. Fairfield, si j'ai bien compris. J'ai convaincu le cocher de me laisser les rênes de votre chariot.

— Avec quels arguments ?

— Un solide coup de massue, Dame Abbesse.

— Je vois…

— Avec mon fichu sens de l'orientation, nous avons vite été séparées du reste de la colonne. Pour être franche, je crains que nous soyons perdues.

— Quelle poisse !

— Selon moi, ça me laisse deux solutions : chercher une patrouille de l'Ordre pour être ramenée au bercail, ou revenir vers la Lumière.

— Alessandra, si c'est une plaisanterie, elle ne m'amuse pas !

Sa façade se lézardant, la Sœur de l'Obscurité sembla sur le point d'éclater en sanglots.

— Dame Abbesse, par pitié, aidez-moi !

— Mon enfant, tu n'as pas besoin de mon secours. Le chemin de la Lumière passe par ton cœur.

Alessandra s'agenouilla devant Anna, toujours couverte de chaînes.

— Créateur bien-aimé, murmura-t-elle, je t'implore de me pardonner…

La Dame Abbesse écouta la prière de la Sœur de l'Obscurité. Puis elle la regarda embrasser son annulaire gauche. À sa grande surprise, aucun éclair ne vint foudroyer sa compagne après qu'elle eut ouvertement trahi et renié le Gardien.

Soulagée, Alessandra eut un sourire de petite fille.

— Dame Abbesse, je sens en moi la Lu…

Les yeux exorbités, la Sœur de l'Obscurité repentie se saisit la gorge à deux mains comme si elle ne pouvait plus respirer.

Anna parvint à sautiller jusqu'à elle.

— Mon enfant, c'est Jagang ? Il s'est introduit dans ton esprit ?

Alessandra réussit à hocher la tête.

— Jure fidélité à Richard ! Du fond du cœur ! C'est le seul moyen de chasser l'empereur de ta tête !

Alessandra s'écroula, eut de terribles convulsions et marmonna des mots que la Dame Abbesse ne comprit pas.

Puis elle cessa de trembler, respira beaucoup mieux, s'assit sur le plancher du chariot et regarda autour d'elle.

— Je suis libre, Dame Abbesse ! Jagang n'est plus dans mon esprit ! Le Créateur soit loué ! Oui, qu'Il soit loué !

— Ma fille, tu peux prier pendant des heures, si ça te chante. Mais avant, tu ne voudrais pas me débarrasser de mes chaînes ?

Alessandra s'empressa de libérer la Dame Abbesse. Puis elle la guérit de ses diverses meurtrissures, y compris à la mâchoire.

Rayonnante, Anna constata qu'elle pouvait de nouveau toucher son Han.

Les deux femmes désattelèrent les chevaux et leur improvisèrent des rênes avec les harnais du chariot.

Anna ne s'était pas sentie aussi heureuse depuis des siècles. Ensemble, elles allaient fuir très loin de l'Ordre Impérial !

Alors qu'elles chevauchaient vers le nord, pour sortir de la ville, elles débouchèrent sur une place bondée de monde. Des milliers d'hommes, de femmes et d'enfants, tous brandissant une chandelle…

Anna demanda ce qui se passait à une jeune femme qui rejoignait la procession.

— Nous manifestons pour la paix, répondit la fille aux cheveux noirs. Quand les soldats arriveront, nous leur montrerons qu'il y a d'autres solutions que la violence.

— À ta place, mon enfant, j'irais me cacher dans un trou de souris ! Ces hommes-là ne connaissent que le fer et le sang !

La jeune femme eut un sourire béat.

— Quand ils nous verront tous ensemble, le cœur plein d'amour et de paix, ils sauront que nous sommes trop puissants pour être vaincus par la haine et la colère !

Alors que la pauvre fille repartait vers son destin, Anna tira sur la manche d'Alessandra.

— Filons d'ici ! Il va y avoir un massacre !

— Dame Abbesse, ces malheureux sont en danger. Vous savez comment se comportent les soldats de l'Ordre. Tous les hommes seront éventrés, et les femmes…

— C'est bien ce que je disais : un massacre ! Hélas, nous n'y pouvons rien. Ils veulent la paix, et ils l'auront. Celle du repos éternel, pour certains, et celle de l'esclavage pour d'autres…

Elles finirent de traverser la place juste à temps.

Une minute plus tard, les soldats l'investirent… et ce fut pire que tout ce qu'Anna avait imaginé.

Les cris de terreur et de souffrance des hommes furent brefs. En revanche, ceux des femmes et des filles en âge d'être désirables retentirent longtemps aux oreilles des deux fuyardes.

Quand elles furent trop loin pour les entendre, en rase campagne, Anna retrouva la force de parler.

— Je t'avais dit qu'il fallait éliminer les Sœurs de la Lumière qui ont refusé de s'évader. Avant de fuir, as-tu accompli cette mission ?

— Non, Dame Abbesse, répondit Alessandra, le regard rivé sur la piste.

— Pourtant, tu savais que c'était nécessaire…

— Je veux retourner sous la Lumière du Créateur. M'aurait-il accueillie si j'avais pris des vies qui n'appartiennent qu'à lui ?

— En les épargnant, tu as condamné des milliers d'innocents. Une Sœur de l'Obscurité aurait agi ainsi. Comment être sûre que tu ne me mens pas ?

— Parce que je n'ai pas tué, justement ! Une Sœur de l'Obscurité aurait pris plaisir à abattre ces femmes. Dame Abbesse, je dis la vérité !

Si elle était vraiment revenue vers la Lumière – un événement inédit depuis la naissance du monde – Alessandra serait une précieuse source d'informations. Et un motif d'espoir pour le monde entier.

— Ou tu joues un jeu subtil, parce que tu es toujours dévouée au Gardien !

— Dame Abbesse, je vous ai aidée à fuir. Pourquoi ne me faites-vous pas confiance ?

Alors qu'elles s'engageaient dans les plaines, en direction du Pays Sauvage – et de l'inconnu –, Anna tourna la tête vers sa compagne.

— Après tous les mensonges que tu as proférés, ma fille, je doute de me fier entièrement à toi, même dans mille ans ! C'est la malédiction des menteurs. Quand on s'est coiffé de la couronne de la fourberie, on peut la retirer, mais on garde éternellement une marque sur le front.

Richard se retourna quand il entendit un roulement de sabots derrière lui. Kahlan reposait dans la calèche, et il marchait à côté, tenant les chevaux par la bride.

Depuis peu, le visage de la jeune femme ressemblait davantage à celui qu'il lui avait toujours connu.

Richard plissa les yeux, aperçut un uniforme rouge et se détendit.

Quand elle fut arrivée à la hauteur du véhicule, Cara sauta à terre, prit sa monture par les rênes et marcha à côté de son seigneur.

— Seigneur Rahl, j'ai dû voyager longtemps pour vous rattraper. Où allez-vous ?

— Chez moi.

— Chez vous ?

— Exactement !

— Et c'est où, si je puis me permettre ?

— En Terre d'Ouest, peut-être dans les montagnes, pas loin de Hartland. Je connais des endroits magnifiques, et voilà longtemps que je veux les montrer à Kahlan.

— Seigneur, que faites-vous de D'Hara et des Contrées du Milieu ? Tous ces innocents…

— Que veux-tu dire ?

— Eh bien, que deviendront-ils sans vous ?

— Ils se porteront très bien, crois-moi ! Je démissionne…

— Seigneur, comment pouvez-vous dire une chose pareille ?

— Cara, j'ai violé toutes les leçons du sorcier que je connais. Et je…

Richard renonça à se justifier. Tout ça ne l'intéressait plus.

— Où est Du Chaillu ? demanda la Mord-Sith.

— Je l'ai renvoyée chez les siens. Sa mission auprès de nous était accomplie… Au fait, elle a accouché. Une magnifique petite fille baptisée Cara en ton honneur.

La Mord-Sith ne put cacher sa satisfaction.

— Dans ce cas, je me réjouis qu'elle soit magnifique. Vous savez, certains bébés sont affreux !

— Eh bien, pas celui-là…

— La petite vous ressemble, seigneur ?

Richard foudroya sa garde du corps du regard.

— Pas le moins du monde !

Cara jeta enfin un coup d'œil dans la calèche.

— Qu'est-il arrivé à la Mère Inquisitrice ? demanda-t-elle, soudain très pâle.

— J'ai failli la faire tuer…

La Mord-Sith n'émit aucun commentaire.

— Et pour toi, demanda Richard, tout s'est bien passé ?

— Des mésaventures sans intérêt… Des crétins m'ont capturée, un peu après la frontière d'Anderith, mais ils m'ont laissé mon Agiel. Quand mon pouvoir est revenu, je leur ai fait regretter d'être nés !

Richard sourit. Ça, c'était la bonne vieille Cara qu'il connaissait !

— Après, je les ai tués, ajouta-t-elle, soucieuse de précision.

Elle sortit de sa poche le goulot cassé d'une bouteille noire encore muni de son bouchon à filigrane d'or.

— Seigneur, j'ai échoué, car je n'ai pas pu ramener votre épée. Mais j'ai quand même réussi à casser la bouteille avec, dans la Forteresse du Sorcier. (La Mord-Sith s'immobilisa, ses yeux bleus pleins de larmes.) Seigneur, je suis désolée. J'ai fait de mon mieux, mais je n'ai pas été à la hauteur !

Richard s'arrêta aussi et passa un bras autour des épaules de Cara.

— Tu te trompes, mon amie. Nous avons pu restaurer la magie parce que tu as cassé cette bouteille.

— Vraiment ?

— Vraiment ! Tu as fait ce qu'il fallait, et je suis fier de toi.

Ils recommencèrent à marcher.

— Alors, seigneur, dans combien de temps serez-vous chez vous ?

Avant de répondre, Richard réfléchit un long moment.

— Kahlan est ma famille, donc mon foyer est l'endroit où nous sommes ensemble. Tant que je resterai avec elle, toutes les terres du monde seront ma patrie.

» Cara, c'est terminé. Rentre chez toi. Je te libère de ton serment.

La Mord-Sith s'arrêta.

Pas Richard.

— Seigneur, je n'ai pas de famille. Tous les miens sont morts…

Richard se retourna. Il ne vit plus une Mord-Sith, mais une femme seule et perdue au cœur brisé.

Il lâcha la bride des chevaux, alla la chercher, lui passa une main autour des épaules et l'amena avec lui.

— Nous les remplacerons, Kahlan et moi… Nous t'aimons, tu le sais bien. Que dirais-tu de venir avec nous ?

Cara fut visiblement soulagée. Mais il n'était pas question qu'elle soit indigne de sa réputation.

— Chez vous, il faudra tuer des gens ?

— J'espère bien que non, répondit Richard avec un petit sourire.

— Alors, qu'est-ce que j'irais y faire ? (Voyant que son seigneur continuait à sourire, la Mord-Sith insista :) Je pensais que vous vouliez conquérir le monde. Et j'attendais avec impatience de vous voir jouer les tyrans ! Vraiment, vous êtes fait pour ça, seigneur ! La Mère Inquisitrice serait d'accord avec moi. À deux contre un, nous gagnons !

— Le monde ne veut pas de moi, Cara. Les gens ont voté et ils m'ont renvoyé dans ma forêt natale.

— Un vote ! Quelle idée stupide !

— Crois-moi, je ne suis pas pressé de recommencer…

Cara se tut un long moment, comme si elle savourait le bonheur de marcher à côté de son… ami.

— Vous n'aurez pas la paix, vous savez. Les D'Harans sont liés à vous et ils vous trouveront. Les autres aussi, tôt ou tard. Vous êtes le seigneur Rahl !

— Nous verrons bien, Cara…

— Richard ? appela soudain une voix tremblante.

Kahlan s'était réveillée.

Richard arrêta les chevaux, se pencha vers la banquette où reposait sa compagne et lui prit la main.

— Qui est avec nous ? demanda l'Inquisitrice.

— C'est moi ! répondit Cara en se penchant aussi. Il était temps que je revienne ! Vous voyez ce qui vous arrive quand je ne suis pas là pour veiller au grain ?

Kahlan trouva la force de sourire. Puis elle lâcha la main de Richard et prit celle de la Mord-Sith.

— Contente de te revoir…, murmura-t-elle.

— Le seigneur Rahl dit que j'ai sauvé la magie ! Vous imaginez ? Quelle imbécile je suis ! J'avais une chance d'en finir avec cette horreur, et je n'en ai pas profité !

Kahlan sourit de nouveau.

— Comment vas-tu ? lui demanda Richard.

— Atrocement mal…

— Allons, ça n'a pas l'air terrible, dit Cara. J'ai vu bien pire !

— Tu te remettras vite, souffla Richard. Je te le jure, et les sorciers tiennent toujours leurs promesses.

— J'ai froid…, murmura Kahlan.

Voyant qu'elle claquait des dents, Richard ramassa la couverture offerte par Dalton Campbell.

L'Épée de Vérité en tomba.

Le Sourcier la regarda fixement.

— Votre arme aussi est revenue, dirait-on, souffla Cara.

— Il semble bien, oui…

Janvier 2007

TERRY GOODKIND

L'Épée de Vérité - livre six

Imprimé en Espagne par Liberdúplex
(Barcelone)
Dépôt légal : juillet 2006
4962-3